Kranemann/Raschzok (Hg.)

Gottesdienst als Feld theologischer Wissenschaft im 20. Jahrhundert

BENEDIKT KRANEMANN / KLAUS RASCHZOK (HG.)

GOTTESDIENST ALS FELD THEOLOGISCHER WISSENSCHAFT IM 20. JAHRHUNDERT

DEUTSCHSPRACHIGE LITURGIEWISSENSCHAFT IN EINZELPORTRÄTS

BAND I

Aschendorff Verlag

LITURGIEWISSENSCHAFTLICHE QUELLEN UND FORSCHUNGEN

Begründet von
Dr. Kunibert Mohlberg, Benediktiner der Abtei Maria Laach

In Verbindung mit
Prof. Dr. Jürgen Bärsch, Eichstätt
Prof. Dr. Martin Klöckener, Freiburg/Schweiz
P. Dr. Albert Sieger OSB, Maria Laach
herausgegeben von
Prof. Dr. Benedikt Kranemann, Erfurt

Veröffentlichung des Abt-Herwegen-Instituts der Abtei Maria Laach

Band 98

Herausgeber und Verlag haben sich darum bemüht, alle Bildrechte zu klären. Sollte dies im Einzelfall nicht gelungen sein, wird um Nachricht an den Verlag gebeten.

© 2011 Aschendorff Verlag GmbH & Co. KG, Münster

Druck: Aschendorff Druckzentrum GmbH & Co. KG, Druckhaus, Münster 2011
Gedruckt auf säurefreiem, alterungsbeständigem Papier ∞
ISSN 0076-0048
ISBN 978-3-402-11261-8

Inhalt

Inhalt 7

Vorwort

Die Idee, die Geschichte der Liturgiewissenschaft des 20. Jahrhunderts anhand von Einzelporträts zu schreiben, entstand 2002 im Gespräch zwischen den Herausgebern. Anlass war ein gemeinsames Seminar zur Gottesdienstgeschichte des 20. Jahrhunderts, das Studierende der Evangelisch-Theologischen Fakultät der Friedrich-Schiller Universität Jena und der Katholisch-Theologischen Fakultät der Universität Erfurt zusammenführte. Viele Wissenschaftlerinnen und Wissenschaftler aus evangelischer und katholischer Theologie haben sich rasch zur Mitarbeit bereit erklärt. Doch die Bearbeitung der Manuskripte, die redaktionelle Durchsicht und nicht zuletzt verschiedene Aufgaben in der Hochschulselbstverwaltung, die die Herausgeber in der Zwischenzeit wahrnehmen mussten, haben das Erscheinen der Bände immer wieder verzögert.

Heute gilt unser Dank den Kolleginnen und Kollegen, die mit großer Geduld auf die Publikation ihrer Beiträge gewartet haben. Zu danken ist ferner Annika Bender, die zunächst als Studentin, dann als Wissenschaftliche Mitarbeiterin in Erfurt an der inhaltlichen Bearbeitung der Manuskripte beteiligt gewesen ist, Petra Anna Götz, die am Lehrstuhl für Praktische Theologie an der Augustana-Hochschule in Neuendettelsau die umfangreiche Korrespondenz mit den Autorinnen und Autoren betreut, die Bildbeschaffung übernommen und die technische Vorbereitung der Daten für den Druck koordiniert hat, ebenso wie Andrea Siebert vom benachbarten exegetischen Lehrstuhlsekretariat für fachkundigen Rat und manche Hilfestellung und Brigitte Kanngießer, Erfurt, die die Schlusskorrektur durchgeführt und das Namensregister erarbeitet hat.

Die Universität Erfurt hat das Buchprojekt durch die Bezuschussung einer Mitarbeiterstelle gefördert. Ihr gilt ebenso Dank wie den Geldgebern, die durch großzügige Zuschüsse den Druck des Buches unterstützt haben: dem Deutschen Liturgischen Institut Trier und der Evangelisch-Lutherischen Kirche in Bayern.

Unser Dank gilt ferner der Abtei Maria Laach, die das Buchprojekt in die Reihe „Liturgiewissenschaftliche Quellen und Forschungen" aufgenommen hat. Nicht zuletzt möchten wir Dr. Dirk Paßmann und dem Aschendorff-Verlag danken, die die beiden Bände verlegerisch hervorragend betreut haben.

Für die Abbildungen sind von Bibliotheken, Archiven und Privatpersonen sehr unkompliziert Abdruckgenehmigungen erteilt worden, wofür ebenfalls herzlich Dank gesagt werden soll.

Möge das Sammelwerk die weitere Erforschung der Liturgie wie der Liturgiewissenschaft in den christlichen Kirchen, aber auch das ökumenische Gespräch zwischen Theologien und Kirchen anregen.

Erfurt – Neuendettelsau, am 31. Dezember 2010

Benedikt Kranemann   Klaus Raschzok

Abkürzungsverzeichnis

Die Abkürzungen folgen in der Regel Siegfried M. Schwertner, *IATG²*. *Internationales Abkürzungsverzeichnis für Theologie und Grenzgebiete. Zeitschriften, Serien, Lexika, Quellenwerke mit bibliographischen Angaben = International glossary of abbreviations for theology and related subjects.* Berlin – New York ²1992.

Darüber hinaus bzw. davon abweichend werden folgende Abkürzungen verwendet:

AEM   *Allgemeine Einführung in das Römische Meßbuch (AEM)*, in: *Die Meßfeier – Dokumentensammlung. Auswahl für die Praxis.* Hg. v. Sekretariat der Deutschen Bischofskonferenz. Bonn ¹¹2009 (ADBK 77) 7–89.

ALw   *Archiv für Liturgiewissenschaft.* Regensburg 1. 1950ff (ab 1996 Freiburg/Schw.).

GAGF   *Gemeinsame Arbeitsstelle für Gottesdienstliche Fragen.* Hannover 1987–1990.

GdK   *Gottesdienst der Kirche. Handbuch der Liturgiewissenschaft.* Regensburg 1983ff.

PPSt   *Pius-Parsch-Studien. Quellen und Forschungen zur Liturgischen Bewegung.* Würzburg 2004ff.

SC   *(Sacrosanctum Concilium) Konstitution über die heilige Liturgie*, in: Karl Rahner – Herbert Vorgrimler, *Kleines Konzilskompendium. Sämtliche Texte des Zweiten Vatikanums. Allgemeine Einleitung – 16 spezielle Einführungen – ausführliches Sachregister. Mit einem Nachtrag vom Oktober 1968: Die nachkonziliare Arbeit der römischen Kirchenleitung.* Freiburg/Br. ¹⁷1984 u.ö., 51–90.

Deutschsprachige Liturgiewissenschaft des 20. Jahrhunderts in Einzelporträts

Einleitung

Benedikt Kranemann – Klaus Raschzok

1. Liturgiewissenschaftliche Prosopographie: Einsichten und Entdeckungen

Prosopographie bezeichnet in der Geschichtswissenschaft die systematische Erforschung eines bestimmten Personenkreises. Eine solche legen wir mit den Beiträgen dieses Bandes für den Kreis derjenigen vor, die im Bereich der beiden großen deutschsprachigen christlichen Theologien und Kirchen im 20. Jahrhundert den Gottesdienst als Feld theologischer Wissenschaft bearbeitet haben. Die Einzelporträts von evangelischen und katholischen Fachvertretern leisten zugleich einen Beitrag zu einer ökumenisch orientierten Geschichte der Liturgiewissenschaft[1].

Aufgenommen wurden ausschließlich bereits verstorbene Gelehrte. Bewusst alphabetisch und weder konfessionell noch epochenbezogen angeordnet wechseln sich katholische und evangelische Fachvertreter sowie einige wenige Fachvertreterinnen ab. Auf diese Weise treten zum Teil ungeahnte und bisher nur wenig bewusste Zusammenhänge, Verbindungslinien wie vergleichbare oder unterschiedliche lebensweltliche Kontexte akademischer Forschung hervor und betten den Gottesdienst als Feld theologischer Wissenschaft in seinen jeweiligen zeit- und kulturgeschichtlichen Kontext ein. Für die Auswahl der aufgenommenen Gelehrten spielten nicht nur die Leistung eines innovativen Forschungsbeitrages, sondern auch das forschungs- oder fachorganisatorische Wirken und die vermittelnde Tätigkeit zwischen Wissenschaft und kirchlicher Praxis eine Rolle. Rücksicht genommen wurde dabei auch auf die unterschiedlichen Forschungsstandards der einzelnen Epochen und konfessionell geprägten Fächerkulturen.

Positionen aus der Fachliteratur werden auf diese Weise mit Namen und jeweils unverwechselbaren Lebenswegen verbunden, die Querverbindungen und Netzwerke ebenso wie prägende Orte und akademische Lehrer sichtbar machen. Prägungen, Einflüsse, Interessen, Zufälligkeiten und Fügungen, Förderungen und Herausforderungen treten hinter den Namen in unseren Blick. Prosopographie als wissenschaftliche Horizonterweiterung macht deutlich, wie

---

[1] Auch wenn v.a. im Bereich der akademischen Evangelischen Theologie immer noch „Liturgik" als synonyme Fachbezeichnung für „Liturgiewissenschaft" bevorzugt Verwendung findet (vgl. Hans-Christoph SCHMIDT-LAUBER, *Begriff, Geschichte und Stand der Forschung*, in: *Handbuch der Liturgik. Liturgiewissenschaft in Theologie und Praxis der Kirche.* Hg. v. DERS. – Michael MEYER-BLANCK – Karl-Heinrich BIERITZ. Göttingen ³2003, 17–41, hier 19), haben sich die Herausgeber entschieden, in diesem Band durchgängig für beide konfessionelle Theologien den Begriff „Liturgiewissenschaft" zu gebrauchen.

stark die Dimension des Biographischen wissenschaftliches Handeln und Tun bestimmt und mit ihm eine unverwechselbare Einheit eingeht. Die in den Beiträgen sichtbar gemachten kulturellen Prägungen, persönlichen Frömmigkeitsstile, politischen Haltungen, kirchlichen wie akademischen Aufgaben und Herausforderungen, fördernden Lebenskontexte, Motive und Weichenstellungen der liturgiewissenschaftlichen Forschung eines gesamten Jahrhunderts stellen eine Bereicherung der Fachgeschichte dar.

2. Liturgiewissenschaft im 20. Jahrhundert: Ein Forschungsüberblick

Für das Fach Liturgiewissenschaft im 20. Jahrhundert lässt sich in beiden konfessionellen Theologien ein eher zurückhaltendes forschungsgeschichtliches Bewusstsein konstatieren. Die Transformation von bisher immer noch aktuellen Forschungspositionen in fachgeschichtliche Zusammenhänge steht weitgehend noch aus, da die Akteure des Faches selbst noch nicht Geschichte geworden sind und im Forschungsdiskurs immer noch eine Rolle spielen.

Auf evangelischer Seite setzt dieses forschungsgeschichtliche Bewusstsein für die Liturgiewissenschaft des 20. Jahrhunderts im Grunde erst im Jahr 2000 mit Helmut Schwiers präziser Studie zur Entstehungsgeschichte des Evangelischen Gottesdienstbuches[2] ein, während vergleichbare historische Untersuchungen zu den großen Agendenwerken der Vereinigten Evangelisch-Lutherischen Kirche Deutschlands (VELKD) und der Evangelischen Kirche der Union (EKU) aus den 1950er Jahren und ihren liturgiewissenschaftlichen Voraussetzungen trotz der stärker zeitkirchengeschichtlich orientierten Vorarbeiten von Thomas Rheindorf zur Geschichte der Liturgischen Arbeitsgemeinschaft zwischen 1941 und 1944 noch ausstehen.[3] Relativ gut aufgearbeitet dagegen ist die Geschichte der Liturgischen Bewegungen in den evangelischen Kirchen.[4] Die forschungsgeschichtliche Wertschätzung des mit der sogenannten Älteren Liturgischen Bewegung verbundenen liturgiewissenschaftlichen Lebenswerkes von Julius Smend und Friedrich Spitta war jedoch erst durch das um 1980 neu erwachte Interesse evangelischer Theologie für den Kulturprotestantismus als spezifisch modernem Phänomen möglich geworden, da die Konzepte von Spitta und Smend zwischen 1940 und 1970 von den maßgeblichen, an einer historisch-kritischen liturgiewissenschaftlichen Forschung orientierten Fachvertretern systematisch diskreditiert worden waren.[5] Ab 1990 nehmen dann monographische Einzelstudien zu wichtigen Fachvertretern der evangelischen Li-

---

[2]   Vgl. Helmut SCHWIER, Die Erneuerung der Agende. Zur Entstehung und Konzeption des „Evangelischen Gottesdienstbuches". Hannover 2000 (Leit. NF 3).

[3]   Vgl. Thomas RHEINDORF, Liturgie und Kirchenpolitik. Die Liturgische Arbeitsgemeinschaft von 1941 bis 1944. Leipzig 2007 (APrTh 34).

[4]   Vgl. z.B. Walter BIRNBAUM, Das Kultusproblem und die liturgischen Bewegungen des 20. Jahrhunderts. Bd. II: Die deutsche evangelische liturgische Bewegung. Tübingen 1970, oder Karl-Heinrich BIERITZ, Liturgische Bewegungen im deutschen Protestantismus, in: Liturgiereformen. Historische Studien zu einem bleibenden Grundzug des christlichen Gottesdienstes. Bd. 2: Liturgiereformen seit der Mitte des 19. Jahrhunderts bis zur Gegenwart. Hg. v. Martin KLÖCKENER – Benedikt KRANEMANN. Münster 2002 (LQF 88), 711–748.

[5]   Vgl. dazu v.a. Konrad KLEK, Erlebnis Gottesdienst. Die liturgischen Reformbestrebungen um die Jahrhundertwende unter Führung von Friedrich Spitta und Julius Smend. Göttingen 1996

turgiewissenschaft wie Leonhard Fendt,[6] Wilhelm Stählin,[7] Peter Brunner,[8] Paul Graff,[9] Rudolf Otto,[10] Richard Gölz[11] oder Karl Bernhard Ritter[12] zu. Ebenso entstehen weitere Studien zu Einzelphänomenen wie etwa der Gottesdienstarbeit der Deutschen Christen in Thüringen[13] oder zur Geschichte der evangelischen Kirchenmusik im 20. Jahrhundert.[14] Kaum eine Rolle spielen jedoch bisher Studien zur wechselseitigen Beeinflussung evangelischer und katholischer Liturgiewissenschaft im 20. Jahrhundert. Auch die umfangreich zur Verfügung stehenden Forschungsberichte und Forschungsüberblicke aus evangelischer liturgiewissenschaftlicher Perspektive in den einschlägigen Publikationen bedürfen noch intensiver fachgeschichtlicher Auswertung.[15]

In der katholischen Liturgiewissenschaft findet die Auseinandersetzung mit der Geschichte der eigenen Disziplin bzw. der Erforschung von Liturgie bereits in den Handbüchern des frühen 20. Jahrhunderts statt[16] und setzt sich

(Veröffentlichungen zur Liturgik, Hymnologie und theologischen Kirchenmusikforschung 32).

[6] Vgl. Karl-Friedrich WIGGERMANN, *Leonhard Fendt. Leben und Werk*, Diss. theol. Erlangen 1981 sowie DERS., *Evangelische Katholizität. Leonhard Fendt als Liturg und Liturgiker*, in: JLH 27. 1983, 16–38, und DERS., *Leonhard Fendt als Lehrer der Praktischen Theologie in Berlin*, in: *Zwischen Volk und Bekenntnis. Praktische Theologie im Dritten Reich*. Hg. v. Klaus RASCHZOK. Leipzig 2000, 151–166.

[7] Vgl. Michael MEYER-BLANCK, *Leben, Leib und Liturgie. Die Praktische Theologie Wilhelm Stählins*. Berlin – New York 1994 (APrTh 6).

[8] Vgl. Tobias EISSLER, *Pro ecclesiae. Die dogmatische Theologie Peter Brunners*. Neukirchen-Vluyn 2001 (NTDH 30).

[9] Vgl. Jochen CORNELIUS-BUNDSCHUH, *Liturgik zwischen Tradition und Erneuerung. Probleme protestantischer Liturgiewissenschaft in der ersten Hälfte des 20. Jahrhunderts dargestellt am Werk von Paul Graff.* Göttingen 1991 (VEGL 23).

[10] Vgl. Katharina WIEFEL-JENNER, *Rudolf Ottos Liturgik.* Göttingen 1997 (Veröffentlichungen zur Liturgik, Hymnologie und theologischen Kirchenmusikforschung 31).

[11] Vgl. Joachim CONRAD, *Richard Gölz (1887–1975). Der Gottesdienst im Spiegel seines Lebens.* Göttingen 1995 (Veröffentlichungen zur Liturgik, Hymnologie und theologischen Kirchenmusikforschung 29).

[12] Vgl. Wolfgang FENSKE, *Innerung und Ahmung. Meditation und Liturgie in der hermetischen Theologie Karl Bernhard Ritters.* Frankfurt/M. 2009.

[13] Vgl. Susanne BÖHM, *Deutsche Christen in der Thüringer Evangelischen Kirche (1927–1945).* Leipzig 2008.

[14] Vgl. z.B. Gustav A. KRIEG, *Die gottesdienstliche Musik als theologisches Problem. Dargestellt an der kirchenmusikalischen Erneuerung nach dem ersten Weltkrieg.* Göttingen 1990 (VEGL 22); *Kirchenmusik im Nationalsozialismus.* Hg. v. Dietrich SCHUBERTH. Kassel 1995; Wolfgang KÖRNER, *Kirchenmusik im Plural. Musik im Raum der Kirche in Deutschland 1945–2001.* Nürnberg 2003.

[15] Vgl. z.B. Frieder SCHULZ, *Das liturgische Schrifttum der evangelischen Kirche. Übersicht und exemplarische Bibliographie*, in: ALw 29. 1987, 50–81; DERS., *Agendenreform in der evangelischen Kirche. Bibliographie zu Konzeption, Gestalt und Bedeutung der „Erneuerten Agende" (Vorentwurf 1990)*, in: ALw 33. 1991, 302–305; DERS., *Agendenreform in der evangelischen Kirche. Fortsetzung der Bibliographie zur „Erneuerten Agende" (Vorentwurf 1990)*, in: ALw 38/39. 1996/97, 42–47.

[16] Vgl. z.B. Ludwig EISENHOFER, *Handbuch der katholischen Liturgik.* Erster Band: *Allgemeine Liturgik.* Freiburg/Br. 1941, 53–148 („Die Liturgik als Wissenschaft"), oder Richard STAPPER, *Katholische Liturgik. Zum Gebrauch bei akademischen Vorlesungen sowie zum Selbst-*

dann in der Handbuchliteratur insgesamt bis heute fort.[17] Auch in den theologischen Lexika ist die Fachgeschichte als Teil der Liturgiegeschichte präsent.[18] Die Überblicksdarstellungen skizzieren Forschungsrichtungen, zentrale Forschungsthemen und die Geschichte der Disziplin und entwerfen zum Teil zukünftige Forschungsprofile. Allerdings ist das Interesse am Werden des eigenen Faches nach dem Zweiten Vatikanischen Konzil deutlich gestiegen. Zum Ende des vergangenen Jahrhunderts wurde erstmals systematisch die Wissenschaftsgeschichte der Liturgiewissenschaft untersucht.[19] Das Lebenswerk einiger Persönlichkeiten der Liturgiewissenschaft des 20. Jahrhunderts ist mittlerweile in Monographien oder Aufsätzen beleuchtet worden. Dazu gehören neben den wegweisenden Gestalten der Liturgischen Bewegung wie Odo Casel,[20] Romano Guardini,[21] Ildefons Herwegen,[22] Pius Parsch[23] sowie den Leipziger Oratoria-

---

unterricht. Münster 1931, 3–8 („Überblick über die Geschichte der Liturgik"). Schon die Handbücher des 19. Jahrhunderts tragen solche Informationen zusammen.

[17] Vgl. Hermann REIFENBERG, *Fundamentalliturgie. Grundelemente des christlichen Gottesdienstes. Wesen, Gestalt, Vollzug. Bd. 1.* Klosterneuburg 1978 (SPPI 3); Adolf ADAM, *Grundriß Liturgie.* Freiburg/Br. [u.a.] 1994, 53–59; Michael KUNZLER, *Die Liturgie der Kirche.* Paderborn 1995 (AMATECA 10), 145–160; Alexander SABERSCHINSKY, *Der gefeierte Glaube. Einführung in die Liturgiewissenschaft.* Freiburg/Br. [u.a.] 2006, 13–27; Albert GERHARDS – Benedikt KRANEMANN, *Einführung in die Liturgiewissenschaft.* Darmstadt ²2008, 24–42; Reinhard MESSNER, *Einführung in die Liturgiewissenschaft.* Paderborn ²2009 (UTB 2173), 19–24. Für *Gottesdienst der Kirche. Handbuch der Liturgiewissenschaft 1* bereitet Benedikt Kranemann eine Abhandlung über Geschichte, Stand und Aufgaben der Liturgiewissenschaft vor (vgl. Anm. 116).

[18] Vgl. z.B. Josef Andreas JUNGMANN, *Liturgiewissenschaft,* in: HTTL 4. 1972, 356–360; Emil Joseph LENGELING, *Liturgie/Liturgiewissenschaft,* in: NHThG 3. 1985, 43–53; nachgedruckt 3. 1991, 279–305; Benedikt KRANEMANN – Klemens RICHTER, *Liturgiewissenschaft, Liturgik,* in: LThK 6. 1997, 989–992.

[19] Vgl. *Liturgiewissenschaft – Studien zur Wissenschaftsgeschichte.* Hg. v. Franz KOHLSCHEIN – Peter WÜNSCHE. Münster 1996 (LQF 78).

[20] Vgl. u.a. André GOZIER, *Odo Casel, Künder des Christusmysteriums.* Hg. v. Abt-Herwegen-Institut der Abtei Maria Laach. Regensburg 1986; Arno SCHILSON, *Theologie als Sakramententheologie. Die Mysterientheologie Odo Casels.* Mainz ²1987 (TTS 18).

[21] Vgl. Martin MARSCHALL, *In Wahrheit beten. Romano Guardini – Denker liturgischer Erneuerung.* St. Ottilien 1986 (PiLi 4); Arno SCHILSON, *Perspektiven theologischer Erneuerung. Studien zum Werk Romano Guardinis.* Düsseldorf 1986; Klemens RICHTER – Arno SCHILSON, *Den Glauben feiern. Wege liturgischer Erneuerung.* Mainz 1989.

[22] Vgl. Martin KLÖCKENER, *Ildefons Herwegen. Profil des Glaubens – Zeugnis für heute,* in: *Weg Wahrheit Leben. Drei große Gottesgelehrte. Romano Guardini, Karl Rahner, Ildefons Herwegen.* Maria Laach 1999 (Laacher Hefte 5), 39–77.

[23] Eine intensive Forschung widmet sich seit einigen Jahren Leben und Werk von Pius Parsch; vgl. dazu u.a. *Pius Parsch. Pionier liturgischer Erneuerung* = HlD 58. 2004, H. 2; *Pius Parsch in der liturgiewissenschaftlichen Rezeption. Klosterneuburger Symposion 2004.* Hg. v. Winfried BACHLER – Rudolf PACIK – Andreas REDTENBACHER. Würzburg 2005 (PPSt 3).

nern[24] Wissenschaftler wie Anton Baumstark,[25] Josef Andreas Jungmann,[26] Emil Joseph Lengeling[27] und Heinrich Rennings[28] oder theologische Schriftsteller wie Athanasius Wintersig[29] und Johannes Pinsk[30]. Von Forschern wie Peter Browe[31] oder John Hennig[32], die man heute als „Quereinsteiger" in die Liturgiewissenschaft bezeichnen würde, liegen gesammelte Schriften vor. Viele Aspekte, die die Liturgiewissenschaft in der Liturgischen Bewegung betreffen, sind noch zu untersuchen. Neue Erkenntnisse über die Bedeutung der Liturgiewissenschaft während des Konzils und in der Nachkonzilszeit darf man sich aus einem Forschungsprojekt über die ortskirchliche Umsetzung der Liturgiereform versprechen.[33]

Umfangreiche Diskussionen sind über die Identität des Faches seit den 1960er Jahren geführt worden.[34] Sie hängen einmal mit der Aufwertung der Liturgiewissenschaft zum theologischen Hauptfach durch die Liturgiekonstitution zusammen,[35] dann aber auch mit Reformen des Theologiestudiums, die

[24] Vgl. vor allem Andreas POSCHMANN, *Das Leipziger Oratorium. Liturgie als Mitte einer lebendigen Gemeinde.* Leipzig 2001 (EThSt 81).

[25] Vgl. u.a. *Acts of the International Congress „Comparative Liturgy Fifty Years after Anton Baumstark (1872–1948)"* Rome, 25–29 September 1998. Ed. by Robert F. TAFT – Gabriele WINKLER. Roma 2001 (OCA 265).

[26] Vgl. u.a. *J. A. Jungmann. Ein Leben für Liturgie und Kerygma.* Hg. v. Balthasar FISCHER – Hans Bernhard MEYER. Innsbruck 1975; Rudolf PACIK, *„Last des Tages" oder „geistliche Nahrung"? Das Stundengebet im Werk Josef Andreas Jungmanns und in den offiziellen Reformen von Pius XII. bis zum II. Vaticanum.* Regensburg 1997 (StPaLi 12).

[27] Vgl. Klemens RICHTER, *Emil Joseph Lengeling (1916–1986). „Forscher, Lehrer und Förderer des liturgischen Lebens der Kirche"*, in: ALw 34. 1992, 154–167; Benedikt KRANEMANN, *Bibliographie Emil Joseph Lengeling*, ebd. 168–198.

[28] Vgl. Martin KLÖCKENER, *Ein Leben im Dienst der Liturgie. Zum Gedenken an Heinrich Rennings († 3.10.1994) mit der Bibliographie seiner Schriften ab dem Jahre 1986*, in: LJ 45. 1995, 59–85; Heinrich RENNINGS, *Gottesdienst im Geist des Konzils. Pastoralliturgische Beiträge zur Liturgiereform.* Hg. v. Martin KLÖCKENER. Freiburg/Br. [u.a.] 1995 (Pastoralliturgische Reihe in Verbindung mit der Zeitschrift „Gottesdienst").

[29] Vgl. Birgit JEGGLE-MERZ, *Erneuerung der Kirche aus dem Geist der Liturgie. Der Pastoralliturgiker Athanasius Wintersig – Ludwig A. Winterswyl.* Münster 1998 (LQF 84).

[30] Vgl. Eberhard AMON, *Lebensaustausch zwischen Gott und Mensch. Zum Liturgieverständnis Johannes Pinsks.* Regensburg 1988 (StPaLi 6).

[31] Vgl. Peter BROWE, *Die Eucharistie im Mittelalter. Liturgiehistorische Forschungen in kulturwissenschaftlicher Absicht.* Hg. v. Hubert LUTTERBACH – Thomas FLAMMER. Berlin ³2008 (Vergessene Theologen 1).

[32] Vgl. John HENNIG, *Liturgie gestern und heute.* 2 Bde. Maria Laach 1989.

[33] Vgl. Jürgen BÄRSCH, *Liturgiereform und Ortskirche. Nachkonziliare Praxisgeschichte als Forschungsaufgabe am Beispiel des Bistums Essen*, in: LJ 55. 2005, 199–234; *Liturgiereform vor Ort. Zur Rezeption des Zweiten Vatikanischen Konzils in Bistum und Pfarrei.* Hg. v. Jürgen BÄRSCH – Winfried HAUNERLAND. Regensburg 2010 (StPaLi 25).

[34] Wir greifen die Beiträge von Angelus A. Häußling heraus, die nachgedruckt vorliegen in: Angelus A. HÄUSSLING, *Christliche Identität aus der Liturgie. Theologische und historische Studien zum Gottesdienst der Kirche.* Hg. v. Martin KLÖCKENER – Benedikt KRANEMANN – Michael B. MERZ. Münster 1997 (LQF 79): *Die kritische Funktion der Liturgiewissenschaft* (284–301) (zuerst 1970 veröffentlicht); *Liturgiewissenschaft zwei Jahrzehnte nach Konzilsbeginn. Eine Umschau im deutschen Sprachgebiet* (302–320) (zuerst 1982 veröffentlicht); *Liturgiewissenschaftliche Aufgabenfelder vor uns* (321–333) (zuerst 1988 veröffentlicht).

[35] Zu SC 16 und der Rezeptionsgeschichte vgl. unten 45, 46f.

eine Auseinandersetzung über Studieninhalte und ihre Vermittlung notwendig machten. Über das Selbstverständnis zwischen historisch-systematischen und pastoral-praktischen Ansätzen ist mit unterschiedlichen Akzenten diskutiert worden, ebenso über Methodenfragen.[36] 1991 wurde eine Standortbestimmung, gleichsam ein wissenschaftliches Programm der deutschsprachigen Liturgiewissenschaft, vorgelegt.[37]

Eine Reihe kleinerer Beiträge zur Institutionengeschichte liegt mittlerweile vor, so zu den Liturgischen Instituten des deutschen Sprachgebiets in Deutschland,[38] der Schweiz[39] und Österreich[40] wie auch zu einzelnen Lehrstühlen und zur Facharbeitsgemeinschaft der deutschen Liturgiewissenschaft „Arbeitsgemeinschaft katholischer Liturgiewissenschaftlerinnen und Liturgiewissenschaftler e.V. (AKL eV)".[41] Die Geschichte verschiedener liturgiewissenschaftlicher Zeitschriften, in denen sich die Entwicklung der Liturgiewissenschaft und ihrer Forschungsfelder besonders eindrücklich nachzeichnen lässt, stößt auf ein wachsendes Interesse.[42]

---

[36] Man vgl. nur Gabriele WINKLER – Reinhard MESSNER, *Überlegungen zu den methodischen und wissenschaftstheoretischen Grundlagen der Liturgiewissenschaft*, in: ThQ 178. 1998, 229–243; Reinhard MESSNER, *Was ist systematische Liturgiewissenschaft? Ein Entwurf in sieben Thesen*, in: ALw 40. 1998, 257–274; Albert GERHARDS – Andreas ODENTHAL, *Auf dem Weg zu einer Liturgiewissenschaft im Dialog. Thesen zur wissenschaftstheoretischen Standortbestimmung*, in: LJ 50. 2000, 41–53; Martin STUFLESSER – Stephan WINTER, *Liturgiewissenschaft – Liturgie und Wissenschaft? Versuch einer Standortbestimmung im Kontext des Gesprächs zwischen Liturgiewissenschaft und Systematischer Theologie*, in: LJ 51. 2001, 90–118.

[37] Vgl. Albert GERHARDS – Birgit OSTERHOLT-KOOTZ, *Kommentar zur „Standortbestimmung der Liturgiewissenschaft"*, in: LJ 42. 1992, 122–138.

[38] Vgl. u.a. Johannes WAGNER, *Liturgisches Referat – Liturgische Kommission – Liturgisches Institut*, in: LJ 1. 1951, 8–14; Lucas BRINKHOFF, *Liturgisches Institut*, in: LitWo 1615; Theodor MAAS-EWERD, *Förderung des Gottesdienstes im Sinne der Enzyklika ‚Mediator Dei'. Das vor 50 Jahren im Kloster ‚Maria Stern' zu Augsburg gegründete Deutsche Liturgische Institut Trier*, in: KlBl 77. 1997, 255–259; Balthasar FISCHER, *Heute vor fünfzig Jahren. Erinnerungen eines Zeitzeugen*, in: *Heute Gott feiern. Liturgiefähigkeit des Menschen und Menschenfähigkeit der Liturgie*. Hg. v. Benedikt KRANEMANN – Eduard NAGEL – Elmar NÜBOLD. Freiburg/Br. [u.a.] 1999 (Pastoralliturgische Reihe in Verbindung mit der Zeitschrift Gottesdienst) 236–242; Andreas HEINZ, *Das Liturgische Institut in Trier und seine Bedeutung für die Rezeption der Liturgiekonstitution in Deutschland*, in: HlD 57. 2003, 234–243.

[39] Vgl. *Der Zeit voraus – Devancer son époque*. Hg. v. M. KLÖCKENER. Fribourg 2011 [im Druck].

[40] Vgl. Joseph C. FLIESSER, *Das Institutum Liturgicum der Erzabtei St. Peter*, in: HlD 1. 1947, 3f; Albert Thaddäus ESTERBAUER, *Im Dienst der Liturgie. Zum 50 Jahr-Jubiläum des Österreichischen Liturgischen Institutes, der Liturgischen Kommission für Österreich und der Zeitschrift ‚Heiliger Dienst'*, in: HlD 51. 1997, 252–262.

[41] Vgl. Wolfgang STECK, *Die Arbeitsgemeinschaft Katholischer Liturgikdozentinnen und -dozenten im Deutschen Sprachgebiet (AKL). Eine Dokumentation*, in: EcclOr 18. 2001, 55–72; Klemens RICHTER, *Liturgiewissenschaft, Liturgik III. Arbeitsgemeinschaft katholischer Liturgikdozentinnen u. -dozenten im deutschen Sprachgebiet*, in: LThK 6. 1997, 992.

[42] Vgl. schon Ursula Irene RÜPKE, *Liturgische Zeitschriften und Reihen. Unter Berücksichtigung der liturgischen Bewegung und Reform im katholischen Raum*. Paderborn 1974 (VAKThB 2); Jürgen BÄRSCH, *Das Studium der Geschichte des Gottesdienstes im Spiegel liturgiewissenschaftlicher Periodika. Ein Durchblick durch das* Jahrbuch/Archiv für Liturgiewissenschaft *und das* Liturgische Jahrbuch, in: ALw 50. 2008, 72–102; Annika BENDER, *Programm und Rezeption der Liturgischen Bewegung im Spiegel der „Liturgischen Zeitschrift",*

Quellen für die Geschichte der katholischen Liturgiewissenschaft stehen vor allem in der wissenschaftlichen Bibliothek und dem Archiv des Deutschen Liturgischen Instituts in Trier zur Verfügung, Fachbibliographien,[43] das Bio-Bibliographische Repertorium der Liturgiewissenschaft,[44] der Orbis Liturgicus[45] u.a. bieten die notwendigen Arbeitsmittel.

3. Gottesdienst als Feld theologischer Wissenschaft: Programme, Organisationsformen und Entwicklungen im 20. Jahrhundert

3.1 Aus evangelischer Perspektive (Klaus Raschzok)

3.1.1 Zum Status evangelischer Liturgiewissenschaft

Die Beiträge dieses Bandes machen deutlich, dass die evangelische Liturgiewissenschaft keinesfalls – wie häufig angenommen – ein marginales Fach darstellt. Allerdings erweist es sich in der hier dargestellten Fülle als ineinander so individuell und vielfältig angelegt, dass die wechselseitige Wahrnehmung der im Bereich des Gottesdienstes als Feld theologischer Wissenschaft Tätigen und ihrer ausdifferenzierten Konzepte über bestimmte Phasen der Fachgeschichte hinweg immer wieder neu erschwert war und die einzelnen, zum Teil mit einem gewissen Absolutheitsanspruch agierenden Ansätze selbst oft nur mühsam aufeinander zu beziehen gewesen sind.

Evangelische Liturgiewissenschaft stellt im Gegensatz zu ihrer katholischen Schwesterdisziplin kein in sich geschlossenes Fach mit einer entwickelten eigenständigen Fachkultur dar. Am Thema Gottesdienst partizipieren Vertreter der unterschiedlichen Fächer der Evangelischen Theologie. Daher befinden sich zum Beispiel mit Paul Althaus und Peter Brunner auch Systematische Theologen, mit Hans Lietzmann ein Altkirchenhistoriker und mit Friedrich

---

in: ALw 51. 2009, 311–333; Stefan K. LANGENBAHN, *Fürs Archiv des „Archivs".* Die Vorgeschichte des Jahrbuch für Liturgiewissenschaft *(1918–1921) – zugleich eine Namensgeschichte des* Archiv für Liturgiewissenschaft, in: ALw 50. 2008, 31–61; Andreas REDTENBACHER, *60 Jahre Liturgieentwicklung im Spiegel der Zeitschrift „Heiliger Dienst". Teil I: Von der Gründung bis zum Vorabend des Konzils (1947–1961): Volksliturgische Bewegung und offizielle Reformpolitik,* in: HlD 60. 2006, 226–240; *Teil II: Vom Zweiten Vatikanum bis zur Gegenwart (1962–2006),* in: HlD 62. 2008, 125–162.

[43] Fachbibliographien einzelner Liturgiewissenschaftler werden vor allem im „Archiv für Liturgiewissenschaft" immer wieder publiziert.

[44] Vgl. Niels K. RASMUSSEN, *Some bibliographies of liturgists,* in: ALw 11. 1969, 214–218; DERS., *Bibliographies of liturgists. A second supplement,* in: ALw 19. 1978, 134–139; DERS., *Bibliographies of liturgists. A third supplement,* in: ALw 25. 1983, 34–44; Martin KLÖCKENER, *Bio-bibliographisches Repertorium der Liturgiewissenschaft. Folge 1 für die Jahre 1983–1992 mit Nachträgen aus früheren Jahren,* in: ALw 35/36. 1993/1994, 285–357; DERS., *Bio-bibliographisches Repertorium der Liturgiewissenschaft. Folge 2 für die Jahre 1993–1997. Mit Nachträgen aus früheren Jahren,* in: ALw 41. 1999, 63–120.

[45] Anthony WARD – Cuthbert JOHNSON, *Orbis liturgicus. Repertorium peritorum nostrae aetatis in re liturgica. Who's Who in Contemporary Liturgical Studies. Répertoire des chercheurs contemporains en études liturgiques.* Roma 1995 (BEL.S 82. Instrumenta Liturgica Quarreriensia 5).

Heiler, Rudolf Otto und Gustav Mensching Religionswissenschaftler unter den hier Vorgestellten.

Schwerpunktmäßig bleibt die evangelische Liturgiewissenschaft das ganze Jahrhundert hindurch wie schon im 19. Jahrhundert der Praktischen Theologie zugeordnet. Diese Zuordnung wird jedoch nach 1945 für eine kurze Zeit in Frage gestellt. So tritt etwa Joachim Beckmann nachdrücklich, aber erfolglos für eine Zuordnung der evangelischen Liturgiewissenschaft zur Systematischen Theologie ein und möchte ihr unter deren Dach den Status eines theologischen Hauptfaches analog zur Ethik zuweisen.[46]

Mit ihrer Zuordnung zur Praktischen Theologie partizipiert die evangelische Liturgiewissenschaft zugleich an den Schwächen dieses Faches, das lange Zeit im 20. Jahrhundert nicht als vollwertiges Hauptfach der Evangelischen Theologie anerkannt war und für das theologische Studium eine nur marginale Bedeutung besaß.[47] Aber auch innerhalb der Praktischen Theologie erhält die Liturgiewissenschaft bis Anfang der 1990er Jahre im Gegensatz zur durchgängig favorisierten Homiletik weitgehend nur eine Randstellung. Ihre Pflege bleibt abhängig von der persönlichen Schwerpunktsetzung der einzelnen Lehrstuhlinhaber. Demgegenüber liegt, wie auch die Beiträge dieses Bandes eindrucksvoll belegen, eine respektable Fülle an Fachwissen in der evangelischen Liturgiewissenschaft des 20. Jahrhunderts vor, das allerdings nur bedingt aufbereitet und im Bewusstsein ist. Dabei zeigt sich innerhalb der evangelischen Theologie bei den Repräsentanten der Liturgiewissenschaft eine auffällige Dominanz des lutherischen wie des unierten konfessionellen Milieus und spielt die reformierte Konfession erst seit Ende des 20. Jahrhunderts wieder eine stärker eigenständige Rolle im Fach.[48]

War evangelische Liturgiewissenschaft Anfang des 20. Jahrhunderts noch vom Gemeindepfarramt aus zu betreiben, so stellt sie heute eine im Aufbruch befindliche, weitgehend nur noch im akademischen Raum verantwortlich zu

---

[46] Vgl. Joachim BECKMANN, *Die Aufgabe einer Theologie des Gottesdienstes*, in: DERS., *Im Kampf für die Kirche des Evangeliums. Eine Auswahl von Reden und Aufsätzen aus drei Jahrzehnten.* Gütersloh 1961, 364–371, hier 367ff.

[47] Vgl. Gerhard KRAUSE, *Vorwort*, in: *Praktische Theologie. Texte zum Werden und Selbstverständnis der Praktischen Disziplin der Evangelischen Theologie.* Hg. v. Gerhard KRAUSE. Darmstadt 1972 (Wege der Forschung 264), XI–XXV, hier XIVf. u. XX: Herabsetzende Urteile über die Praktische Theologie „beeinflußten viele Studenten, das Fach gar nicht zu studieren, und Kirchenleitungen, seine Studien- und Prüfungsanforderungen zu verringern, – ein in der Evangelischen Theologie wohl beispielloser und etwas beschämender Vorgang, der sich noch heute auswirkt".

[48] Unter den Lehrbüchern und Gesamtdarstellungen des 20. Jahrhunderts gehört lediglich Theophil MÜLLER, *Evangelischer Gottesdienst. Liturgische Vielfalt im religiösen und gesellschaftlichen Umfeld.* Stuttgart [u.a.] 1993 dem reformierten konfessionellen Milieu an. Zu nennen sind der stärker ökumenisch-liturgiepraktisch agierende Bruno Bürki und der Spezialist für die Aufklärungsliturgie des 17. und 18. Jahrhunderts, Alfred Ehrensperger. Erst Ralph KUNZ, *Gottesdienst evangelisch reformiert. Liturgik und Liturgie in der Kirche Zwinglis.* Zürich 2001 (THEOPHIL 10) legt mit seiner Bonner Habilitationsschrift einen geschlossenen gottesdiensttheoretischen Entwurf aus dezidiert reformierter Perspektive vor.

betreibende komplexe Fachwissenschaft dar.[49] Uneingelöst blieb die Forderung einer integrativen Gottesdienstlehre, welche die Teildisziplinen Predigt- und Gottesdienstlehre enger als bisher aufeinander bezieht.[50]

Bereits 1986 hatte Friedemann Merkel darauf hingewiesen, dass die Einschätzung der evangelischen Liturgiewissenschaft als marginales Fach auf zwei Fehlannahmen beruht: zum einen auf dem im Vergleich zum katholisch-theologischen Studium dezidiert geringen Stellenwert der Liturgiewissenschaft im Rahmen universitärer evangelischer Theologenausbildung, und zum anderen auf der Tatsache, dass nicht nur in der Praktischen Theologie, sondern in allen anderen evangelisch-theologischen Disziplinen und darüber hinaus im gleichen Umfang außerhalb der eigentlichen Universitätstheologie in den liturgischen Bewegungen, Ausschüssen und kirchlichen Aus- und Fortbildungseinrichtungen liturgiewissenschaftliche Forschung betrieben werde.[51] Damit besteht das gesamte 20. Jahrhundert hindurch im Bereich evangelischer Liturgiewissenschaft ein Missverhältnis zwischen fachwissenschaftlicher Produktion und Rezeption.[52] Dies hat eine erhebliche Diskrepanz zwischen der Gestalt des Studiums auf der einen und der theologischen Bedeutung des Gottesdienstes für die kirchliche Praxis auf der anderen Seite zur Folge. Diesem Tatbestand steht das relativ breit entfaltete Fach evangelische Liturgiewissenschaft gegenüber, das aufgrund der geschilderten Umstände das gesamte 20. Jahrhundert hindurch nicht genötigt war, seinen eigenen Wissensbestand regelmäßig aufzuarbeiten und präsent zu halten. Steuerung und Abruf des Fachwissens evangelischer Liturgiewissenschaft erfolgten weitgehend im Zusammenhang aktueller gottesdienstlicher Praxisfragen.

---

[49] Vgl. Christian GRETHLEIN, *Evangelische Liturgik – im Aufbruch. Literaturbericht 1997–2001*, in: ThR 68. 2003, 341–373 u. DERS., *Evangelische Liturgik – Konzentration und Ausweitung. Literaturbericht 2002–2006*, in: ThR 73. 2008, 60–103.

[50] Vgl. Michael MEYER-BLANCK, *Evangelische Gottesdienstlehre heute. Ein Überblick*, in: ThLZ 133. 2008, 3–20.

[51] Vgl. Friedemann MERKEL, *Liturgie – ein vergessenes Thema evangelischer Theologie?*, in: DERS., *Sagen – Hören – Loben. Studien zu Gottesdienst und Predigt.* Göttingen 1992, 85–94.

[52] Die vom Rat der EKD 1998 verabschiedeten „Gegenstände des Theologiestudiums" nennen lediglich „(Theorie von) Gottesdienst und Verkündigung" als verpflichtenden Studiengegenstand. Dabei überwiegt in der Praxis die Tendenz, dass dieses schwerpunktmäßig „Verkündigung" bedeutet. Verpflichtend sind im gesamten pfarramtsbezogenen Studium der Evangelischen Theologie bisher lediglich ein Proseminar und ein Hauptseminar zum Gesamtbereich Gottesdienst und Verkündigung. Faktisch muss damit der Stoff der Liturgiewissenschaft im Studium der Evangelischen Theologie nicht einmal vorkommen. Studierende der Evangelischen Theologie müssen sich nicht mit dem Gottesdienst beschäftigen, wenn sie den Bereich „Gottesdienst und Verkündigung" über homiletische Lehrveranstaltungen abdecken. Es ist bis heute, auch trotz Modularisierung des Pfarramtsstudienganges, möglich, das Studium der Evangelischen Theologie zu absolvieren, ohne jemals eine liturgiewissenschaftliche Vorlesung gehört zu haben. Sie muss im Übrigen an den Fakultäten auch gar nicht zwingend angeboten werden. Nicht an allen evangelischen Theologischen Fakultäten wurden im 20. Jahrhundert überhaupt regelmäßig Lehrveranstaltungen aus dem Bereich der Liturgiewissenschaft angeboten.

24   Einleitung

3.1.2   Phasen und Programme evangelischer wissenschaftlicher Beschäftigung
        mit dem Gottesdienst im 20. Jahrhundert

Im Verlauf des 20. Jahrhunderts lassen sich vier grundlegende Phasen evangelischer wissenschaftlicher Beschäftigung mit dem Gottesdienst unterscheiden,
die nicht streng voneinander getrennt verlaufen, sondern sich in der Gestalt
einzelner Fachvertreter auch überschneiden.

Die erste Phase zwischen 1900 und 1940 steht deutlich im Gefolge der sogenannten Älteren Liturgischen Bewegung um die beiden Straßburger Praktischen Theologen Julius Smend und Friedrich Spitta. Zentrales Anliegen liturgiewissenschaftlichen Arbeitens dieser Phase ist die Verbindung von historischer Untersuchung, grundsätzlicher Erwägung und praktischer Orientierung
und damit eine konsequente, von der Suche nach wissenschaftlich-theologisch
fundierten Grundsätzen bestimmte gottesdienstliche Praxisorientierung. In
dieser Phase spielt die Erlebnisgestalt des evangelischen Gottesdienstes eine
wichtige Rolle und kommt es bereits zu einer ersten zurückhaltenden Subjekt-
orientierung des Faches, welches das Gespräch mit den aufblühenden Nachbardisziplinen der Religionspsychologie und der (religiösen) Volkskunde sucht
und deren Einsichten in seine Theoriebildung mit einbezieht. Historische
Fundierung, erlebnismäßige Orientierung und dogmatischer Gehalt der gottesdienstlichen Feier werden dabei zueinander harmonisch in Einklang gesetzt.

Auf den Ersten Weltkrieg folgt eine erneute Blüte dieser ersten Phase evangelischer wissenschaftlicher Beschäftigung mit dem Gottesdienst. So geht Karl
Anton 1919 in seiner „Angewandten Liturgik" davon aus, dass die evangelische
Liturgiewissenschaft nach den außergewöhnlichen gottesdienstlichen Erfahrungen des Krieges auf den Schlachtfeldern, in den Schützengräben und in
der Heimat endgültig ihre bisherige Position eines abständigen, nur historisch
orientierten, für die kirchliche Praxis belanglosen Examensfaches verlässt, da
erst der Krieg die Kirchen wieder von neuem gelehrt habe, Kultus und Leben
miteinander zu verknüpfen.[53] Während Fachvertreter wie Karl Anton stärker
die Nähe zum völkischen Gedankengut suchen und den Weg für die von natio-
nalsozialistischer Ideologie beeinflussten gottesdienstlichen Experimente der
Glaubensbewegung Deutsche Christen ebnen, entdecken andere wie Theodor
Knolle und Otto Dietz im Gefolge der sogenannten Lutherrenaissance das reformatorische Erbe des evangelischen Gottesdienstes oder wie Wilhelm Stählin
dessen leibliche Dimension. Die Verbindungen zur Alten Kirche, zur Ökumene sowie zur Jugend- und Singbewegung spielen in der wissenschaftlichen Beschäftigung mit dem evangelischen Gottesdienst ebenfalls eine wichtige Rolle.[54]
Die sogenannten Neueren Liturgischen Bewegungen mit Karl-Bernhard Ritter,

[53]   Vgl. Karl ANTON, *Angewandte Liturgik.* Göttingen 1919 (PThHB 23), 61; Klaus RASCH-
       ZOK, *Trendsetter des Aufbruchs: Die „Frontkämpfers des Gottesdienstes",* in: *Aufbrüche. Gottes-
       dienst im Wandel.* Hg. v. Hanns KERNER. Leipzig 2010, 63–84.
[54]   Der Forschungsstand evangelischer Liturgiewissenschaft Ende der 1920er Jahre wird
       z.B. dokumentiert in: *Grundfragen des evangelischen Kultus.* Hg. v. Curt HORN. Berlin
       1927 mit den Vorträgen des dritten Kursus für Kultus und Kunst in Berlin vom 10.–
       13. Mai 1927: Hans LIETZMANN, *Der altchristliche Gottesdienst* (7–19). Leonhard FENDT,
       Der reformatorische Gottesdienstgedanke (20–47). Renatus HUPFELD, *Das kultische Gebet*
       (48–79).

Herbert Goltzen, Wilhelm Stählin und Richard Gölz als liturgiewissenschaftlichen Fachvertretern prägen mit ihrer wiederentdeckten Freude an der Lutherischen Messe und am gregorianischen Singen ein gottesdienstliches Klima, das die Agendenwerke der 1950er Jahre vorbereitet und ihre in der Anfangszeit zunächst breite Rezeption überhaupt erst ermöglicht.

Nicht zu unterschätzen ist der gottesdienstliche Aufbruch innerhalb der Bekennenden Kirche mit Hans Asmussen als entscheidendem Repräsentanten, dessen dreibändige, von einer konsequenten lutherischen Dogmatik her entfaltete Gottesdienstlehre[55] von 1936/37 jedoch in den Augen der Gruppe um Peter Brunner, Christhard Mahrenholz, Paul Graff und Joachim Beckmann nicht mehr dem inzwischen dort propagierten historisch-kritischen Standard liturgiewissenschaftlicher Forschung standzuhalten vermag. Nicht zum Tragen kommen in der folgenden zweiten Phase evangelischer liturgiewissenschaftlicher Arbeit aber auch die Impulse des Erlanger Arbeitskreises um Georg Kempff, Paul Althaus und Hans Kreßel, der zwischen 1936 und 1939 im Gefolge der Älteren Liturgischen Bewegung an einer Agende für eine zukünftige lutherische Reichskirche arbeitet, welche bisherige landeskirchliche Gottesdienstordnungen ersetzen sollte.

In diese erste Phase evangelischer Liturgiewissenschaft gehören neben die an den praktisch-theologischen Lehrstühlen gepflegte klassische akademische evangelische Liturgik um Leonhard Fendt oder Renatus Hupfeld sowohl die alternative Aufbruchbewegung mit ihrem Anliegen einer Verlebendigung der liturgischen Nebengottesdienste um die aus dem Gemeindepfarramt heraus Liturgiewissenschaft betreibenden Pfarrer Karl Anton, Oskar Johannes Mehl, Wilhelm Jannasch oder Hans Kreßel wie die religionswissenschaftlich orientierte Liturgiewissenschaft um Friedrich Heiler, Rudolf Otto und Gustav Mensching.

Die zweite Phase evangelischen liturgiewissenschaftlichen Arbeitens zwischen 1940 und 1965 wird von einer strengen historisch-kritischen Orientierung in enger Anlehnung an die zeitgenössische vorkonziliare katholische Liturgiewissenschaft bestimmt. Entscheidender literarischer Gesprächspartner und Impulsgeber scheint dazu Josef Andreas Jungmann mit seinem liturgiegenetischen Verstehensansatz gewesen zu sein. Der Rekurs auf die liturgiegenetische Methodik ermöglicht dem in der Liturgischen Arbeitsgemeinschaft zusammengeschlossenen Kreis um Peter Brunner, Christhard Mahrenholz, Joachim Beckmann und Paul Graff, im Schatten des Zweiten Weltkrieges an den liturgiewissenschaftlichen Voraussetzungen der Agendenwerke der 1950er Jahre zu arbeiten[56] und sich nach 1945 die dazu erforderliche kirchenamtliche Anerkennung zu erwerben. Die erste umfassende evangelische Liturgiereform des deutschen Sprachraums wird trotz ihres gemeinsamen fachwissenschaftlichen Fundamentes aufgrund der damaligen konfessionellen Ausgangssituation noch in einer lutherischen wie in einer unierten Fassung bei hoher inhaltlicher Übereinstimmung als VELKD- und EKU-Agendenwerk vorgelegt und von den

---

[55] Vgl. Hans ASMUSSEN, *Gottesdienstlehre*. Bd. 1: *Die Lehre vom Gottesdienst*. München 1937. Bd. 2: *Das Kirchenjahr*. München ²1937. Bd. 3: *Ordnung des Gottesdienstes*. München 1936.
[56] Vgl. RHEINDORF, *Liturgie und Kirchenpolitik* (wie Anm. 3).

zuständigen Synoden nach einem innerkirchlichen Stellungnahmeverfahren als verbindliche Gottesdienstordnung beschlossen. Die stringente historisch orientierte Arbeit an den Fragen des evangelischen Gottesdienstes[57], die sich auch detailliert in den ersten vier Bänden des zwischen 1954 und 1961 publizierten fachwissenschaftlichen Sammelwerkes „Leiturgia. Handbuch des evangelischen Gottesdienstes" niederschlägt, führt trotz aller methodischen Aktualität aufgrund der Bedrängungserfahrung des Nationalsozialismus wie nach 1945 durch die atheistische Bedrohung angesichts der Aufteilung Europas zwischen den großen Machtblöcken der USA und der Sowjetunion zu einem Rückzug des evangelischen Gottesdienstes in einen binnenkirchlichen Sonderraum. Wesentlich zur Stabilisierung und innerkirchlichen Anerkennung dieser mit den Agendenwerken der 1950er Jahre verbundenen historisch-kritisch orientierten evangelischen Liturgiewissenschaft beigetragen haben die zeitgleich erarbeiteten großen gottesdiensttheologischen Entwürfe von Peter Brunner[58] und Vilmos Vajta.[59] Daneben gehören in diese zweite Phase evangelischer Liturgiewissenschaft aber auch praktisch-theologische Lehrstuhlinhaber wie Wilhelm Jannasch, Renatus Hupfeld, Leonhard Fendt, William Nagel und Erich Hertzsch, welche vor einer Überbetonung des Historischen im Bereich gottesdienstlicher Theorie- und Praxisarbeit warnen und den VELKD- und EKU-Agendenwerken gegenüber eher kritisch eingestellt sind.[60]

Die dritte Phase evangelischer wissenschaftlicher Beschäftigung mit dem Gottesdienst zwischen 1965 und 1995 ist eng mit dem in der Bundesrepublik Deutschland einsetzenden gesamtgesellschaftlichen Wandel verbunden, der sich auch auf die beiden großen Kirchen auswirkt. Die zunehmende Individualisierung, Demokratisierung und Institutionenskepsis sowie das veränderte Bindungsverhalten der Kirchenmitglieder führen zu einer nachlassenden Akzeptanz des an einer fiktiv rekonstruierten gottesdienstlichen Tradition des Reformationszeitalters orientierten agendarischen Gottesdienstes der Agendenwerke.[61] Neue Strömungen innerhalb der akademischen evangelischen

---

[57]   Vgl. Herbert GOLTZEN, *Eucharistie – Entfaltung, Fehlentwicklung, Wiedergewinnung des Eucharistischen Gebets im Mahl des Herrn*, in: *Die Eucharistie im Verständnis der Konfessionen*. Hg. v. Thomas SARTORY. Recklinghausen 1961, 21–143, der deutlich die „Überlegenheit" des neuen historisch-kritischen Ansatzes gegenüber der älteren evangelischen Liturgiewissenschaft markiert.

[58]   Vgl. Peter BRUNNER, *Zur Lehre vom Gottesdienst der im Namen Jesu versammelten Gemeinde*, in: Leit. 1. 1954, 83–361.

[59]   Vgl. Vilmos VAJTA, *Die Theologie des Gottesdienstes bei Luther*. Göttingen 1952.

[60]   Vgl. z.B. William NAGEL, *Geschichte des christlichen Gottesdienstes*. Berlin 1962: Ein Gang durch die Geschichte des christlichen Gottesdienstes kann nicht zu dem Ziel führen, „bestimmte liturgische Strukturen als für alle Zeiten unveränderliches Entwicklungsergebnis anzusehen" (204). Doppelte Aufgabe der Liturgiewissenschaft ist, die geistliche Tiefe der Gottesdienste durch Miterleben zu erfahren und Offenheit für „neue Möglichkeiten, das Überkommene zu sachgemäßeren Formen weiterzubilden" (204), zu gewinnen. Die Ehrfurcht vor der ererbten Form der Liturgie darf die „für jede Zeit nötige Weiterarbeit an der Liturgie" nicht lähmen, sondern hat ihr „erst den nötigen Tiefgang" (6) zu vermitteln.

[61]   Vgl. den am Agendenwerk maßgeblich beteiligten Karl Ferdinand MÜLLER, *Etüde 73. Aspekte und Perspektiven zum Thema „Gottesdienst heute". Problemskizze für eine praxisbezogene Theorie vom Gottesdienst*, in: *Traditionen und Reformen in der Kirchenmusik*. Festschrift

Theologie signalisieren zugleich die Grenzen der bisher scheinbar ungebrochenen historisch-kritischen Orientierung und fordern den Dialog der Theologie mit aktuellen gesellschaftlichen Fragestellungen ein. Die gottesdienstlichen Experimente der Deutschen Evangelischen Kirchentage und die daraus resultierenden Gottesdienste in neuer Gestalt mit den ab 1965 sich etablierenden zielgruppenorientierten Familien-, Jugend- und Kommentargottesdiensten führen zusammen mit der zeitgleich einsetzenden empirisch-humanwissenschaftlichen Orientierung der Praktischen Theologie zu einem neuen eigenständigen Zweig evangelischer Liturgiewissenschaft. In enger Anlehnung an die eigene gottesdienstliche Praxis entwickeln Ernst Lange, Georg Kugler, Herbert Lindner oder Dieter Trautwein erste Ansätze einer Theorie der Gottesdienste in anderer Gestalt.[62] Zugleich suchen breit angelegte empirische Studien im kirchlichen Auftrag wie „Gottesdienst in einer rationalen Welt" von 1972/73[63] nach Auswirkungen der gesamtgesellschaftlichen Veränderungen auf den Gottesdienst und erfahren umgekehrt die traditionellen gottesdienstlichen Formen aus sozial- wie pastoralpsychologischer und ritualtheoretischer Perspektive eine ungeahnte Wertschätzung.

Hinzu tritt die mit dem Zweiten Vatikanischen Konzil und seiner Liturgiereform verbundene ökumenische Weitung der liturgiewissenschaftlichen Perspektive, die eine intensive Rezeption der sich ausdifferenzierenden katholischen Liturgiewissenschaft auf Seiten der evangelischen Fachvertreter zur Folge hat.

Das zunehmende Unbehagen an den Agendenwerken der 1950er Jahre wird konstruktiv von den in der Lutherischen Liturgischen Konferenz Deutschlands aktiven evangelischen Liturgiewissenschaftlern aufgenommen. Unter Federführung von Joachim Stalmann, Hans-Christoph Schmidt-Lauber und Frieder Schulz wird ein Konvergenzmodell entwickelt, das die Gottesdienste in neuer Gestalt aufgrund ihrer strukturellen Gleichheit in eine angemessene Be-

für Konrad Ameln zum 75. Geburtstag am 6. Juli 1974. Hg. v. Gerhard SCHUHMACHER. Kassel [u.a.] 1974, 134–166, dessen posthum veröffentlichter Aufsatz einen entscheidenden Umbruch in der evangelischen Liturgiewissenschaft des 20. Jahrhunderts markiert: „Die Selbstverständlichkeit, mit der in der Vergangenheit Gottesdienst verständlich gemacht und artikuliert werden konnte, ist vorbei. Die liturgische Frage ist heute nicht nur eine Frage der Sprachverständigung, indem Unverständliches durch Verständliches ersetzt werden kann, sondern eine Frage, wie überhaupt Glaube und Verstehen ermöglicht wird" (138). Der Gottesdienst wird von Müller verstanden als ein Prozess, in dem Gott und Mensch sich begegnen (139). Der sonntägliche Gemeindegottesdienst muss verkümmern, wenn er seine gesellschaftsbezogene, individual-psychologische, soziale und politische Funktion nicht mehr zu erkennen gibt und verwirklicht (142). Der herkömmliche Gottesdienst stellt dazu nur abgeschlossene Formen zur Verfügung (151). Der Gottesdienst nach Band I des Agendenwerkes der VELKD bzw. der EKU passe in seiner ursprünglichen Konzeption nicht mehr unter die Menschen von heute.

[62] Vgl. Birgit WEYEL, *Der Sturm auf die Ordnung. Motive, Folgen und Folgerungen. Eine Skizze der Gottesdienstlandschaft seit den 60er-Jahren des 20. Jahrhunderts*, in: *Zwischen heiligem Drama und Event. Auf dem Weg zu einer zukunftsfähigen Agende*. Hg. v. Hanns KERNER. Leipzig 2008, 41–55.

[63] Vgl. Gerhard SCHMIDTCHEN, *Gottesdienst in einer rationalen Welt. Religionssoziologische Untersuchungen im Bereich der VELKD*. Stuttgart [u.a.] 1973.

ziehung zum traditionellen agendarischen Gottesdienst zu setzen versucht. Die Diskussion um den Strukturbegriff mündet in die sich über fast drei Jahrzehnte erstreckende Arbeit an der „Erneuerten Agende" bzw. am „Evangelischen Gottesdienstbuch" von 1999. Wesentlicher liturgiewissenschaftlicher Ertrag dieser Arbeitsphase ist, dass sieben das „Evangelische Gottesdienstbuch" leitende Kriterien vorangestellt und damit offengelegt werden. Auch entsteht mit dem „Evangelischen Gottesdienstbuch" ein neuer Typus von Agende, welcher zum gottesdienstlichen Gebrauch liturgiewissenschaftliche Kompetenz wie Kenntnisse der Lebenswelt der gottesdienstlich Feiernden voraussetzt.

Parallel zur Arbeit am „Evangelischen Gottesdienstbuch", an der nur ein kleiner Teil der evangelischen Liturgiewissenschaftler beteiligt ist, entfaltet sich eine Theoriediskussion zum evangelischen Gottesdienst, an der Fachvertreter wie Ernst Lange, Karl-Ferdinand Müller, Peter Cornehl und Karl-Heinrich Bieritz maßgeblich beteiligt sind. Diese ermöglicht auf der Theorieebene ein Überschreiten kirchlicher Binnenstrukturen und betont insbesondere den Öffentlichkeitscharakter des Gottesdienstes. Evangelische Liturgiewissenschaft setzt sich nun mit dem Gottesdienst als Krisenphänomen bei gleichzeitiger hoher Stabilität in der Summe der ausdifferenzierten Gottesdienstlandschaft auseinander und nimmt zunehmend zur Kenntnis, dass der Idealtypus des sonntäglichen Gottesdienstbesuchs und des Gottesdienstes als Zentrum kirchengemeindlichen Lebens sich seit Anfang der 1960er Jahre aufzulösen beginnt. Dessen ungeachtet steigen die absoluten gottesdienstlichen Teilnehmerzahlen bei gleichzeitiger unerwarteter Ausdifferenzierung der gottesdienstlichen Formen und Typen, die in den 1990er Jahren von ihrem Selbstverständnis her als „ganz andere" Gottesdienste bezeichnet werden.

Auch das unvollständig gebliebene „Handbuch der Praktischen Theologie" (West)[64] markiert eine Öffnung der evangelischen Liturgiewissenschaft hin zu einer umfassend verstandenen gottesdienstlichen Praxis über die traditionellen Gottesdienstformen hinaus, indem es auch die alternative Gottesdienstszene und ihre Theoriebildung mit berücksichtigt. Ebenfalls eine forschungsgeschichtliche Zäsur evangelischer Liturgiewissenschaft markiert das „Handbuch der Praktischen Theologie" (Ost) 1974 mit dem Beitrag William Nagels zum Gottesdienst, welcher ein klares Aufgabenprofil evangelischer Liturgiewissenschaft benennt. Deren Aufgabe ist die kontinuierliche Arbeit an einer theologischen Theorie des christlichen Gottesdienstes.[65]

Die vierte Phase evangelischer wissenschaftlicher Beschäftigung mit dem Gottesdienst setzt um 1995 ein. Sie kann als die ästhetisch-kulturwissenschaftliche Phase bezeichnet werden. Ein früher, seiner Zeit weit vorausdenkender Vertreter dieser Phase ist Rainer Volp. Als entscheidende Repräsentanten zu nennen sind Manfred Josuttis, Karl-Heinrich Bieritz, Gerhard Marcel Martin,

---

[64] Vgl. z.B. *Handbuch der Praktischen Theologie*. Hg. v. Peter C. BLOTH [u.a.]. Bd. 2: *Praxisfeld: Der einzelne/Die Gruppe*. Gütersloh 1981, oder Bd. 3: *Praxisfeld: Gemeinden*. Gütersloh 1983 mit Beiträgen zum Thema Gottesdienst von Peter Cornehl, Georg Kugler, Jürgen Henkys und Karl-Heinrich Bieritz.

[65] Vgl. William NAGEL – Eberhard SCHMIDT, *Der Gottesdienst*, in: *Handbuch der Praktischen Theologie*, Bd. II: *Der Gottesdienst. Die kirchlichen Handlungen. Die Predigt*. Berlin (Ost)1974, ²1979, 7–137, hier 12f.

Albrecht Grözinger, Wilhelm Gräb, Michael Meyer-Blanck, Helmut Schwier, Klaus Raschzok, Corinna Dahlgrün und Thomas Klie. Die vierte Phase mit ihrer kulturtheoretischen Orientierung partizipiert an der Umformung der klassischen Geisteswissenschaften zu Kulturwissenschaften. Eine wichtige Rolle spielt dabei das Gespräch zwischen Liturgiewissenschaft und Theaterwissenschaft, ebenso wie der strikte Einbezug der Genderperspektive.[66] In diesem Zusammenhang kommt es über zeichen- und ritualtheoretische Zusammenhänge zu einer deutlicheren Wahrnehmung der gottesdienstlichen Wirklichkeit mittels empirischer Studien und gottesdienstlicher Aufführungsanalysen. Ähnlich wie sich die gesamte evangelische Praktische Theologie von einer Bedeutungs- zu einer Ereigniswissenschaft wandelt, so wird auch im Bereich Liturgiewissenschaft eine am ästhetisch-performativitätstheoretischen Diskurs orientierte und zur kulturwissenschaftlichen Theoriebildung hin dialogfähige modellhafte Beschreibung des Gottesdienstes entwickelt.

Neue Schwerpunkte der Forschung sind aber auch die Arbeit an einer theologischen Begründung des Gottesdienstes, die Untersuchung des Partizipationsverhaltens, die nun stärker erfahrungswissenschaftlich-ritualtheoretisch reflektierten Kasualien und das Thema der gerechten Sprache im Gottesdienst. Insgesamt macht der generelle theologiegeschichtliche Paradigmenwechsel von einer normativ-deduktiven zu einer phänomenologisch-deskriptiv orientierten Theologie als akademischer Wissenschaft auch vor der evangelischen Liturgiewissenschaft nicht halt und spiegelt sich in deren aktuellen Diskursen.

Evangelische Liturgiewissenschaft bietet damit ein vielschichtiges und keinesfalls homogenes Erscheinungsbild im 20. Jahrhundert. Im Ganzen ergibt sich auf evangelischer Seite ein kontinuierlicher Strom liturgiewissenschaftlichen Arbeitens, welcher aufgrund der Dominanz der Predigt in der öffentlich-akademischen Wahrnehmung des Gottesdienstes weder in der akademischen Theologie selbst noch in den Kirchen umfassend zur Kenntnis genommen wird. Das evangelische liturgiewissenschaftliche Fachwissen des 20. Jahrhunderts ist bisher noch kaum systematisch gesammelt und zusammenhängend dargestellt worden. Es verteilt sich auf unterschiedliche fachwissenschaftliche Literaturgattungen der evangelischen Theologie. Eine wichtige Rolle spielen dabei neben den liturgiewissenschaftlichen Lehrbüchern und Gesamtdarstellungen auch die einschlägigen Artikel in den Theologischen Lexika und ihren verschiedenen Auflagen wie der „Religion in Geschichte und Gegenwart" und der „Theologischen Realenzyklopädie", aber auch die liturgiedidaktischen Hinweise im Evangelischen Gottesdienstbuch und die Forschungsberichte zur evangelischen Liturgiewissenschaft in „Verkündigung und Forschung", im

---

[66] Vgl. die beiden Habilitationsschriften David PLÜSS, *Gottesdienst als Textinszenierung. Perspektiven einer performativen Ästhetik des Gottesdienstes.* Zürich 2007 (Christentum und Kultur 7), und Ursula ROTH, *Die Theatralität des Gottesdienstes.* Gütersloh 2006 (Praktische Theologie und Kultur 18), sowie zusammenfassend Klaus RASCHZOK, *Gottesdienst und Dramaturgie. Eine Einführung,* in: *Gottesdienst und Dramaturgie. Liturgiewissenschaft und Theaterwissenschaft im Gespräch.* Hg. v. Irene MILDENBERGER – Klaus RASCHZOK – Wolfgang RATZMANN. Leipzig 2010 (Beiträge zu Liturgie und Spiritualität 23), 15–45. Zur Genderperspektive vgl. die Berner Habilitationsschrift von Brigitte ENZNER-PROBST, *Frauenliturgien als Performance. Die Bedeutung von Corporealität in der liturgischen Praxis von Frauen.* Neukirchen-Vluyn 2008.

„Jahrbuch für Liturgik und Hymnologie", im „Archiv für Liturgiewissenschaft" und in der „Theologischen Literaturzeitung". Nicht zu übersehen sind die liturgiewissenschaftlichen Beiträge in den Festschriften wie die Tatsache, dass die großen Lehrbücher des Faches Praktische Theologie das gesamte Jahrhundert hindurch umfassende Passagen zur Gottesdienstlehre enthalten. Dringend erforderlich wäre eine Zusammenstellung sämtlicher liturgiewissenschaftlicher akademischer Qualifikationsschriften des 20. Jahrhunderts als Teil einer Gesamtbibliographie zur evangelischen Liturgiewissenschaft des 20. Jahrhunderts.

3.1.3 Arbeitsfelder und Schwerpunktsetzungen liturgiewissenschaftlicher Forschung

Für die evangelische Liturgiewissenschaft stellt während des gesamten 20. Jahrhunderts der sonntägliche Gottesdienst in seinen traditionskontinuierlichen Formen der lutherischen Messe und des Predigtgottesdienstes das grundlegende Paradigma ihrer Theoriebildung wie das bevorzugte Arbeitsfeld der Forschung dar. Der sonntägliche Gottesdienst wird sowohl in seiner historischen Entwicklung seit dem 16. Jahrhundert, in seinen verschiedenen regionalen bzw. landeskirchlichen Ausdifferenzierungen und im Blick auf die verschiedenen Reformansätze seiner Um- und Neugestaltung untersucht. Umstritten bleibt die Frage, ob die sonntägliche Abendmahlsfeier für ein evangelisches Gottesdienstverständnis konstitutiv ist oder ob bereits der Gottesdienst mit Predigt eine vollwertige gottesdienstliche Feier darstellt. Eine erbittert geführte Debatte entfachten auch Überlegungen, das evangelische Verständnis der gottesdienstlichen Abendmahlsfeier stärker eucharistisch zu bestimmen.[67] Ebenso offen diskutiert wird in der evangelischen Liturgiewissenschaft die Notwendigkeit einer Rückbindung der gottesdienstlichen Feier an die traditionelle gottesdienstliche Gestalt und ihre einzelnen liturgischen Elemente. An ihre Stelle können auch aus der Erforschung der historischen Gottesdienstpraxis der reformatorischen Kirchen abgeleitete Prinzipien oder Grundsätze treten.[68] Die Beschäftigung mit dem sonntäglichen Gottesdienst steht in engem Zusammenhang mit den beiden großen Agendenreformen des deutschsprachigen Protestantismus, den Agendenwerken der 1950er Jahre und dem Arbeitsprozess an der „Erneuerten Agende" bzw. am „Evangelischen Gottesdienstbuch" zwischen 1974 und 1999. Auch für die ritualtheoretische, pastoralpsychologische, verhaltenswissenschaftliche wie zeichentheoretische Annäherung an den evangelischen Gottesdienst bleibt dessen sonntägliche Form entscheidend, ebenso wie für die an kulturwissenschaftlichen Theatralitätskonzepten entwickelten ereignis- und aufführungsorientierten Zugänge im Ausgang des 20. Jahrhunderts.

---

[67]   Vgl. Klaus RASCHZOK, *Der Streit um das Eucharistiegebet in den Kirchen der Reformation*, in: *Mehr als Brot und Wein. Theologische Kontexte der Eucharistie*. Hg. v. Winfried HAUNERLAND. Würzburg 2005, 145–172; Martin WALLRAFF, *Eucharistie oder Herrenmahl? Liturgiewissenschaft und Kirchengeschichte im Gespräch*, in: VuF 51. 2006, 55–63.

[68]   Vgl. Peter CORNEHL, *Die Zukunft der Agende – aus der Perspektive des Rückblicks auf 60 Jahre Agendenreform*, in: *Gottesdienst feiern. Zur Zukunft der Agendenarbeit in den evangelischen Kirchen*. Hg. v. Michael MEYER-BLANCK – Klaus RASCHZOK – Helmut SCHWIER. Gütersloh 2009, 80–98.

Eng verbunden mit dem Paradigma des sonntäglichen Gottesdienstes ist das Arbeitsfeld der Liturgiedidaktik.[69] Hier sind die Einführungen von Frieder Schulz im „Evangelischen Gottesdienstbuch" und von Alfred Rauhaus im „Reformierten Gottesdienst"[70] von 1999 zu erwähnen, ebenso wie Versuche, die einzelnen liturgischen Stücke und Elemente des sonntäglichen Gottesdienstes im Sinne einer „Liturgiekatechese" Gegenstand der Predigt werden zu lassen.[71] Gearbeitet wird auch daran, im Bereich der akademischen Ausbildung zukünftiger Religionslehrkräfte das Thema Gottesdienst stärker zu berücksichtigen.[72]

Die Auseinandersetzung mit der Partizipation der gottesdienstlichen Landschaft des ausgehenden 20. Jahrhunderts an der Ausdifferenzierung der neuzeitlichen Religionspraxis und die veränderte Stellung des sonntäglichen Gottesdienstes in einem veränderten gesellschaftlichen Umfeld mit der Individualisierung religiöser Lebensformen, der Ausbildung eines spezifischen Freizeitverhaltens, mit veränderten Zeitrhythmen und einer sich zunehmend autonom verstehenden religiösen Gegenwartskultur, die auch innerkirchlich gegenüber der gottesdienstlichen Tradition Distanz nimmt, stellt ein weiteres wichtiges Aufgabenfeld dar. Der sonntägliche Gottesdienstbesuch gilt nicht mehr als die selbstverständliche Normalform kirchlichen Beteiligungsverhaltens. Seine Rolle ist daher neu zu beschreiben.[73] Dabei ist zu berücksichtigen, dass der Gottesdienstbesuch am Sonntagmorgen zwar abnimmt, die absoluten Zahlen des Gottesdienstbesuches aufgrund der ausdifferenzierten gottesdienstlichen Landschaft und des hohen Stellenwertes der Kasualien aber eher steigen. Eng mit dem sonntäglichen Gottesdienst verbunden sind zudem die Mehrzahl der historischen Studien zu Geschichte und Selbstverständnis des evangelischen Gottesdienstes zwischen dem 16. und 19. Jahrhundert.[74] Mit Ausnahme der vierbändigen Edition zum Agendenbildungsprozess des 19. Jahrhunderts in Bayern liegen jedoch keine umfassenderen Quelleneditionen dazu vor.[75] Ein wichtiges Feld markieren auch die Studien zur Geschichte der evangelischen liturgischen Theoriebildung in der Phase zwischen Orthodoxie und Aufklä-

---

[69] Vgl. die grundlegende, nicht mit einer herkömmlichen „Liturgiekatechese" zu verwechselnde Studie von Olaf RICHTER, *Anamnesis – Mimesis – Epiklesis. Der Gottesdienst als Ort religiöser Bildung.* Leipzig 2005 (APrTh 28).

[70] Vgl. Alfred RAUHAUS, Einführung, in: *Reformierte Liturgie. Gebete und Ordnungen für die unter dem Wort versammelte Gemeinde.* Wuppertal 1999, 23–52.

[71] Vgl. *Der Gottesdienst. Grundlagen und Predigthilfen zu den liturgischen Stücken.* Hg. v. Hans-Christoph SCHMIDT-LAUBER – Manfred SEITZ. Stuttgart 1992.

[72] Vgl. die beiden insbesondere auf die Zielgruppe Lehramtsstudierende ausgerichteten Studienbücher: Christian GRETHLEIN, *Grundfragen der Liturgik. Ein Studienbuch zur zeitgemäßen Gottesdienstgestaltung.* Gütersloh 2001; *Liturgisches Kompendium.* Hg. v. Christian GRETHLEIN – Günter RUDDAT. Göttingen 2003.

[73] Vgl. *Normalfall Sonntagsgottesdienst? Gottesdienst und Sonntagskultur im Umbruch.* Hg. v. Kristian FECHTNER – Lutz FRIEDRICHS. Stuttgart 2008 (PThH 87).

[74] Vgl. z.B. Leonhard FENDT, *Der lutherische Gottesdienst des 16. Jahrhunderts. Sein Werden und Wachsen.* München 1927 (Aus der Welt christlicher Frömmigkeit 5), oder VAJTA, *Die Theologie des Gottesdienstes* (wie Anm. 59).

[75] Vgl. *Die Reform des Gottesdienstes in Bayern im 19. Jahrhundert.* Quellenediton, 4 Bde. Hg. v. Hanns KERNER – Manfred SEITZ u.a. Stuttgart 1995–1998.

rung.[76] Ebenfalls in den Zusammenhang des sonntäglichen Gottesdienstes gehört die differenzierte Erforschung der Geschichte der Lese- und Predigtord-
nungen sowie des Kirchenjahres[77] einschließlich der Praxis der Heiligentage in
reformatorischer Perspektive[78], die nicht zuletzt als Grundlage des 1958 eingeführten und von Modifikationen 1978 und 1995 abgesehen bis zur Gegenwart
maßgeblichen, auf den sogenannten altkirchlichen Episteln und Evangelien
wie auf einem Sechs-Jahres-Turnus der Predigttexte beruhenden Perikopensys-
tems der deutschsprachigen evangelischen Kirchen dienen.[79]

Bis 1945 widmet die evangelische Liturgiewissenschaft im Gefolge der sog.
Älteren Liturgischen Bewegung den (liturgischen) Nebengottesdiensten als alternativen gottesdienstlichen Gestaltungsorten hohe Aufmerksamkeit.[80] Beginnend 1919 mit Karl Anton werden neue Gottesdienstformen das gesamte 20.
Jahrhundert hindurch Gegenstand liturgiewissenschaftlicher Theoriebildung,
wobei sich der Kreis der damit befassten Fachwissenschaftler weitgehend nicht
aus dem Bereich der klassischen evangelischen Liturgiewissenschaft historischer Orientierung, sondern eher aus der kirchlichen Praxis und den praktisch-theologischen Nachbardisziplinen mit dezidiert empirisch-sozialwissen-
schaftlichen Interessen rekrutiert. Die Bewegung der „Gottesdienste in anderer
Gestalt", die vom Evangelischen Kirchentag ihren Ausgang nimmt, und die
Formen des Jugend-, Familien- und Kommentargottesdienstes sowie des Feier-
abendmahls umfasst, versteht sich im Gegensatz zu den großen Agendenwerken als unmittelbare Realisierung kritischer aktueller theologischer Forschung,
vor allem im Bereich Systematischer Theologie. Georg Kugler, Herbert Lindner

[76]   Vgl. Alfred EHRENSPERGER, *Die Theorie des Gottesdienstes in der späten deutschen Aufklärung
       (1770–1815)*. Zürich 1971 (SDGSTh 30); DERS., *Anpassung an den Zeitgeschmack als Mo-
       tiv für Gottesdienstreformen protestantischer Aufklärungsliturgiker*, in: *Liturgiereformen. Histo-
       rische Studien zu einem bleibenden Grundzug des christlichen Gottesdienstes*. Bd. 1: *Biblische
       Modelle und Liturgiereformen von der Frühzeit bis zur Aufklärung*. Hg. v. Martin KLÖCKENER
       – Benedikt KRANEMANN. Münster 2002 (LQF 88), 534–560, oder Detlef REICHERT,
       Der Weg protestantischer Liturgik zwischen Orthodoxie und Aufklärung, Diss. theol. Münster
       1975, bzw. Ottfried JORDAHN, *Georg Friedrich Seilers Beitrag zur Praktischen Theologie der
       kirchlichen Aufklärung*. Nürnberg 1970 (EKGB 49), oder Friedrich KALB, *Die Lehre vom
       Kultus der lutherischen Kirche zur Zeit der Orthodoxie*. Berlin 1959.
[77]   Vgl. Gerhard KUNZE, *Die gottesdienstliche Schriftlesung*. Teil I: *Stand und Aufgaben der Pe-
       rikopenforschung*. Göttingen 1947 (VEGL 1); DERS., *Die Lesungen*, in: Leit. 2. 1955, 87–
       179.
[78]   Vgl. Robert LANSEMANN, *Die Heiligentage, besonders die Marien-, Apostel- und Engeltage in
       der Reformationszeit, betrachtet im Zusammenhang der reformatorischen Anschauungen von
       den Zeremonien, von den Festen von den Heiligen und von den Engeln*. Göttingen 1939
       (MGKK. Beihefte 1), oder Frieder SCHULZ, *Die Ordnung der liturgischen Zeit in den Kir-
       chen der Reformation*, in: LJ 32. 1982, 1–24, bzw. DERS., *Gottes Werktage. Die Heiligung der
       Zeit in den Kirchen der Reformation bis zur Mitte des 20. Jahrhunderts*, in: KuD 28. 1982,
       90–112.
[79]   Vgl. Herwarth von SCHADE, *Perikopen. Gestalt und Wandel des gottesdienstlichen Bibelge-
       brauchs*. Hamburg 1978 (reihe gottesdienst 11); Karl-Heinrich BIERITZ, *Das Kirchen-
       jahr. Feste, Gedenk- und Feiertage in Geschichte und Gegenwart*. München ⁶2001.
[80]   Vgl. Wilhelm JANNASCH, *Liturgische Feierstunden. Eine Sammlung von 37 ausgeführten
       Ordnungen liturgischer und musikalischer Gottesdienste mit den zugehörigen Ansprachen und
       musikalischen Nachweisungen*. Lübeck 1927, oder Hans KRESSEL, *Die großen Taten Gottes!
       Liturgische Ansprachen und Formulare für alle Feste des Kirchenjahres*. Ansbach 1934.

und Dieter Trautwein legen eine eigenständige Theoriebildung des Gottesdienstes vor. Die ab Mitte der 1990er Jahre einsetzende umfassende Bewegung
des „ganz anderen Gottesdienstes" mit einer bis dahin ungeahnten Ausdifferenzierung der Gottesdienstformen erfährt ebenfalls liturgiewissenschaftliche
Wahrnehmung.[81]

Ein eigenständiges Arbeitsfeld evangelischer Liturgiewissenschaft stellten
die Kasualien Taufe, Trauung und Bestattung dar, ebenso die Konfirmation.
Auch wenn die Kasualien innerhalb der evangelischen Praktischen Theologie
schwerpunktmäßig stärker unter dem Aspekt der Seelsorge, der Verkündigung
und der Kirchentheorie bearbeitet werden, ist dennoch ein zurückhaltendes
Interesse an ihrer gottesdienstlichen Gestaltung zu konstatieren.[82] Ein weiteres umfangreiches Arbeitsgebiet evangelischer Liturgiewissenschaft bildet der
Bereich Kirchenmusik und Hymnologie. Die evangelische Kirchenmusikforschung pflegt vor allem die Schwerpunkte der theologischen Bach-Forschung
und wird stark von der Wiederentdeckung der altlutherischen kirchenmusikalischen Tradition fern von Historismus und Restauration bestimmt. Allerdings
erfährt die evangelische Kirchenmusik des 19. Jahrhunderts bis in die 1970er
Jahre hin eine lediglich kritische fachliche Würdigung und wird in ihrer Eigenständigkeit zu wenig erkannt.[83] Mit der kirchenmusikalischen Forschung eng
verbunden sind Hymnologie und Gesangbuchforschung.[84] Im „Jahrbuch für
Liturgik und Hymnologie" nehmen hymnologische Fragen im Laufe der Jahre einen breiten und fast der Liturgie ebenbürtigen Platz ein. Breiter Raum
kommt ebenso der Erforschung des (vorwiegend evangelischen) Kirchenbaus
und der Paramentik einschließlich der Vasa sacra zu.

Auf dem Feld der Liturgietheologie kommt es zu einer nicht immer unpro-
blematischen Arbeitsteilung zwischen Praktischer und Systematischer Theologie. Die großen theologischen Entwürfe zum Gottesdienst aus evangelischer
Sicht von Paul Althaus, Peter Brunner, Karl Barth und Wilhelm Stählin konzentrieren sich weitgehend auf die Mitte des 20. Jahrhunderts.

---

[81] Vgl. Lutz FRIEDRICHS, *Intensiv und unverbindlich. Praktisch-theologische Betrachtungen und
      Überlegungen zu neuen Gottesdienstformen*, in: ThLZ 133. 2008, 1019–1034.
[82] Vgl. z.B. Adolf FUGEL, *Tauflehre und Taufliturgie bei Huldrych Zwingli*. Bern 1989 (EHS.T
      380); Bruno JORDAHN, *Der Taufgottesdienst im Mittelalter bis zur Gegenwart*, in: Leit. 5.
      1970, 349–640; Georg KRETSCHMAR, *Die Geschichte des Taufgottesdienstes in der alten Kir-
      che*, in: Leit. 5. 1970, 1–348.
[83] Vgl. z.B. Georg KEMPFF, *Der Kirchengesang im Lutherischen Gottesdienst und seine Erneue-
      rung*. Leipzig 1937 (SVRG 54), oder Stephan A. REINKE, *Musik im Kasualgottesdienst.
      Funktion und Bedeutung am Beispiel von Trauung und Bestattung*, Göttingen 2010, bzw.
      Christoph KRUMMACHER, *Musik als praxis pietatis. Zum Selbstverständnis evangelischer Kir-
      chenmusik*. Göttingen 1994 (Veröffentlichungen zur Liturgik, Hymnologie und theo-
      logischen Kirchenmusikforschung 27).
[84] Vgl. Stefan MICHEL, *Gesangbuchfrömmigkeit und regionale Identität. Ihr Zusammenhang und
      Wandel in den reußischen Herrschaften vom 17. bis zum 20. Jahrhundert*. Leipzig 2007, oder
      Cornelia KÜCK, *Kirchenlied im Nationalsozialismus. Die Gesangbuchreform unter dem Ein-
      fluss von Christhard Mahrenholz und Oskar Söhngen*. Göttingen – Leipzig 2003 (AKThG
      10).

Nicht unwesentlich ist auch die sich in den exegetischen Disziplinen vollziehende Arbeit an einer biblischen Fundierung des Gottesdienstes[85] und die
Bestimmung des Verhältnisses des christlichen Gottesdienstes zum Judentum
am Beispiel des sog. „Israelsonntags" des evangelischen Kirchenjahres oder
des sog. „Israelkriteriums" des Evangelischen Gottesdienstbuches.[86] Sehr früh
schon beschäftigt sich die evangelische Liturgiewissenschaft mit Fragen des
Hörfunk- und Fernsehgottesdienstes[87] und ihrer gottesdienstlichen Dramaturgie.[88] Ein eigenständiges Arbeitsfeld stellen Frauengottesdienste und Frauenliturgien dar.[89] Allerdings wird insgesamt nur sehr bedingt und lediglich zu ausgewählten Epochen Grundlagenforschung betrieben, da die Forschungsinteressen evangelischer Liturgiewissenschaft doch überwiegend mit Praxisanliegen
gottesdienstlicher Gestaltung und Reform verbunden sind. Kaum eine Rolle
spielen auch (bis auf die Forschungen von Hans Lietzmann) der Gottesdienst
der Spätantike bzw. Alten Kirche sowie der des Mittelalters und des Spätmittelalters. Das Forschungsinteresse der evangelischen Liturgiewissenschaft setzt
erst mit den reformatorischen Gottesdienstreformen des 16. Jahrhunderts ein.
Der orthodoxe Gottesdienst dagegen wird im Bereich der evangelischen Theologie als Gegenstand des Faches Ostkirchenkunde ausgelagert und innerhalb
der evangelischen Liturgiewissenschaft nicht näher verfolgt. Kein Thema evangelischer Liturgiewissenschaft ist die Philologie der Liturgiesprache. Lediglich
auf der Vollzugsebene bzw. in der Agendenarbeit kommt es zur Entdeckung
der Leistung der Sprache der Luther-Bibel ab den 1920er Jahren für den evangelischen Gottesdienst.

3.1.4 Institutionalisierung des Faches
Bis heute existieren an den deutschsprachigen evangelischen Theologischen
Fakultäten und kirchlichen Hochschulen keine ausgewiesenen Lehrstühle oder
Professuren für Liturgiewissenschaft. Initiativen zur Einrichtung solcher Lehr-
stühle in den 1950er Jahren[90] blieben erfolglos, ebenso wie die Anregung, das

---

[85] Vgl. Peter WICK, *Die urchristlichen Gottesdienste. Entstehung und Entwicklung im Rahmen
      der frühjüdischen Tempel-, Synagogen- und Hausfrömmigkeit.* Stuttgart 2002 (BWANT 150).
[86] Vgl. Johannes WACHOWSKI, *Die Leviten lesen. Untersuchungen zur liturgischen Präsenz
      des Buches Leviticus im Judentum und im Christentum.* Leipzig 2008 (APrTh 36); Klaus
      RASCHZOK, *Die Gegenwart Israels im evangelischen Gottesdienst. Zum „Israelkriterium" des
      Evangelischen Gottesdienstbuches,* in: KuI 16. 2001, 48–61; Irene MILDENBERGER, *Der Isra-
      elsonntag – Gedenktag der Zerstörung Jerusalems. Untersuchungen zu seiner homiletischen und
      liturgischen Gestaltung in der evangelischen Tradition.* Berlin ²2007 (SKI 22).
[87] Vgl. Rolf SCHIEDER, *Religion im Radio. Protestantische Rundfunkarbeit in der Weimarer Repu-
      blik und im Dritten Reich.* Stuttgart 1995, oder Hans Erich THOMÉ, *Gottesdienst frei Haus?
      Fernsehübertragung von Gottesdiensten.* Göttingen 1991.
[88] Vgl. Charlotte MAGIN – Helmut SCHWIER, *Kanzel Kreuz und Kamera. Impulse für Gottes-
      dienst und Predigt.* Leipzig 2005 (Beiträge zu Liturgie und Spiritualität 12); *Kanzel,
      Kreuz und Kamera konkret. Ein Gottesdienstprogramm aus Heidelberg.* Hg. v. Charlotte MA-
      GIN – Helmut SCHWIER. Leipzig 2008 (Beiträge zu Liturgie und Spiritualität 20).
[89] Vgl. Brigitte ENZNER-PROBST, *Spiritualität und Liturgie von Frauen,* in: *Handbuch der Litur-
      gik* ³2003 (wie Anm. 1) 622–633; DIES., *Frauenliturgien als Performance* (wie Anm. 66).
[90] Vgl. Joachim BECKMANN, *Das Wort Gottes bleibt in Ewigkeit. Erlebte Kirchengeschichte.* Neu-
      kirchen-Vluyn 1986, 701: „Mein Bemühen, in den Theologischen Fakultäten einen
      Lehrstuhl für Liturgik zu schaffen, ist leider bis heute gescheitert. Meine Überzeu-

seit 1994 von der Vereinigten Evangelisch-Lutherischen Kirche Deutschlands (VELKD) an der Theologischen Fakultät der Universität Leipzig eingerichtete Liturgiewissenschaftliche Institut mit einer entsprechenden Stiftungsprofessur für Liturgiewissenschaft auszustatten.[91]

Dennoch arbeiteten das gesamte 20. Jahrhundert hindurch immer wieder vor allem Lehrstuhlinhaber des Faches Praktische Theologie wie Georg Rietschel (Leipzig), Julius Smend (Straßburg und Münster), Friedrich Spitta (Straßburg), Leonhard Fendt (Berlin), Wilhelm Stählin (Münster), Wilhelm Jannasch (Mainz), Renatus Hupfeld (Heidelberg), Erich Hertzsch (Jena), William Nagel (Greifswald), Alfred Niebergall (Marburg), Friedemann Merkel (Münster), Rainer Volp (Mainz), Hans-Christoph Schmidt-Lauber (Wien), Peter Cornehl (Hamburg), Karl-Heinrich Bieritz (Rostock), Christian Grethlein (Münster), Michael Meyer-Blanck (Bonn), Helmut Schwier (Heidelberg), Ralph Kunz (Zürich) und Klaus Raschzok (Neuendettelsau) schwerpunktmäßig im Bereich der Liturgiewissenschaft. Weitere Lehrstuhlinhaber des Faches Praktische Theologie wie Ernst Lange (Berlin), Werner Jetter (Tübingen), Manfred Josuttis (Göttingen) oder Manfred Seitz (Erlangen) lieferten profilierte Einzelbeiträge zu Fragen des evangelischen Gottesdienstes oder vergaben wie zum Beispiel die Praktischen Theologen Walter Bernet (Zürich) und Bernhard Klaus (Erlangen) und die Systematischen Theologen Peter Brunner (Heidelberg) und Paul Althaus (Erlangen) liturgiewissenschaftlich orientierte Dissertationen. Dessen ungeachtet war das Fach Liturgiewissenschaft an einer Reihe von Fakultäten über Jahrzehnte hinweg lediglich durch Lehrbeauftragte aus dem Kreis der liturgisch gebildeten Pfarrerschaft – wie zum Beispiel durch Bruno Jordahn in Hamburg – im Lehrangebot vertreten.

Erst im ausgehenden 20. Jahrhundert kommt es durch die Gründung von Instituten und Arbeitsstellen zu einer stärkeren Institutionalisierung der evangelischen Liturgiewissenschaft.

Das bereits erwähnte, 1994 errichtete Liturgiewissenschaftliche Institut der VELKD an der Theologischen Fakultät der Universität Leipzig stellt das einzige Spezialinstitut im Bereich evangelischer theologischer Wissenschaft dar. Die Initiativen Rainer Volps in den 1970er Jahren zur Errichtung eines EKD-Zentralinstituts für gottesdienstliche Forschung waren zuvor ohne Resonanz geblieben. Die Leitung des Leipziger Instituts erfolgt allerdings nur nebenamtlich durch einen der beiden praktisch-theologischen Lehrstuhlinhaber der Leipziger Theologischen Fakultät. Darüber hinaus stehen nur noch eine wis-

gung ist, daß wir auf dem Gebiet der Liturgik in der Unterrichtung der Studenten und Kandidaten der Theologie ein schweres Versäumnis begehen. Wir sollten als evangelische Theologen in dieser wichtigen Sache auch im ökumenischen Zeitalter viel mehr die gottesdienstlichen Ordnungen christlicher Kirchen in der Welt studieren, vielleicht aber auch die Geschichte des Gottesdienstes in annähernd 2000 Jahren kennenlernen, weil es sich für eine theologisch gebildete Kirche verstehen sollte, in ganz anderer Weise als bisher den Gottesdienst der Kirche zum Gegenstand der Erforschung und Lehre zu machen."

[91] Vgl. Klaus Raschzok, *[Liturgiewissenschaft und Kirche. Was kann die Kirche von der Liturgiewissenschaft erwarten?]*, in: *Grenzen überschreiten. Profile und Perspektiven der Liturgiewissenschaft.* Hg. v. Wolfgang Ratzmann. Leipzig 2002 (Beiträge zu Liturgie und Spiritualität 9), 197f.

senschaftliche Geschäftsführerstelle, eine Sekretariatskraft und ein begrenzter Umfang an studentischen Hilfskraftstunden zur Verfügung. Dennoch gelang es 1994 bis 2010 unter der Leitung von Wolfgang Ratzmann, das Institut durch das regelmäßig veranstaltete „Liturgiewissenschaftliche Fachgespräch", durch die vom Institut herausgegebene, inzwischen auf rund 25 Bände angewachsene Schriftenreihe „Beiträge zu Liturgie und Spiritualität" und durch profilierte Forschungsarbeit sowie durch den dort angesiedelten Ökumenischen Aufbaustudiengang Liturgiewissenschaft in Verbindung mit den Theologischen Fakultäten der Universitäten Erfurt, Halle und Jena zu einem Zentrum evangelischer liturgiewissenschaftlicher Forschung auszubauen. Zu den Aufgaben des Leipziger Instituts gehört auch die Sammlung des umfangreichen liturgiewissenschaftlichen Fachwissens des 20. Jahrhunderts in einer zentralen Fachbibliothek. Dadurch, dass Liturgiewissenschaft innerhalb der Evangelischen Theologie kein eigenständiges Fach darstellt, war zuvor der Blick für den Zusammenhang der zahlreichen Einzelforschungen des 20. Jahrhunderts immer wieder außer Acht geraten und das literarisch zugängliche Fachwissen bis 1994 nicht an einer zentralen Stelle gesammelt, gebündelt, gepflegt und systematisch vermittelt worden. Daher stellt es einen außerordentlichen Glücksfall dar, dass die Leipziger Spezialbibliothek auf der zeitgleich mit der Institutsgründung 1994 erworbenen privaten Bibliothek von Frieder Schulz aufbauen konnte. Dieser am Heidelberger Predigerseminar Petersstift tätige Pfarrer und Privatgelehrte hatte über Jahrzehnte hinweg nicht nur die deutschsprachige, sondern auch die wesentliche internationale Fachliteratur zum evangelischen Gottesdienst als Grundlage seiner akribischen liturgiehistorischen Forschungen systematisch gesammelt.

Auf evangelischer Seite fehlen weitere Institutionen, die sich konsequent der liturgiewissenschaftlichen Forschung zuwenden. Das in der Nachkriegszeit Mitte der 1950er Jahre gegründete EKD-Institut für Kirchenbau und kirchliche Kunst der Gegenwart an der Universität Marburg war zwar von seiner Gründungsintention her auf Fragestellungen des Kirchenbaus und des Kirchenraumes ausgerichtet gewesen; jedoch traten unter der fast 25jährigen Leitung von Horst Schwebel die gottesdienstlichen Fragen zugunsten einer intensiveren Beschäftigung mit zeitgenössischer Kunst und Medien deutlich in den Hintergrund.

Bis 2009 bestand in Hannover im Kirchenamt der EKD die Gemeinsame Arbeitsstelle für Gottesdienst, welche durch regelmäßig angebotene Fachtagungen, die Herausgabe der Zeitschrift „Gemeinsame Arbeitsstelle Gottesdienst" und die Betreuung der „Arbeitsgemeinschaft Evangelischer Liturgikdozenten" das Gespräch der im Bereich der evangelischen Liturgiewissenschaft Lehrenden wach gehalten hatte. Ihre Aufgaben sind nur zu einem Teil an das Referat Gottesdienst des Kirchenamtes der EKD übergegangen.

Das 2000 errichtete und auf der 1985 gegründeten Materialstelle für Gottesdienst aufbauende Gottesdienst-Institut der Evangelisch-Lutherischen Kirche in Bayern mit Sitz in Nürnberg ist vorwiegend als Fort- und Weiterbildungsinstitut für im Bereich des Gottesdienstes tätige haupt-, neben- und ehrenamtliche kirchliche Mitarbeiterinnen und Mitarbeiter konzipiert. Es nimmt jedoch einen begleitenden Auftrag zur gottesdienstlichen Grundlagenforschung in

Gestalt der Vergabe von Forschungsaufträgen[92], der Betreuung liturgiewissenschaftlicher Promotionen durch seinen (zugleich am Fachbereich Theologie der Universität Erlangen-Nürnberg als apl. Professor lehrenden) Leiter Hanns Kerner und die Veranstaltung regelmäßiger fachwissenschaftlicher Symposien wahr.[93]

Das Zentrum für Gottesdienst Hildesheim der Evangelisch-lutherischen Kirche Hannovers mit dem integrierten EKD-Zentrum für gottesdienstliche Qualitätssicherung sieht seinen Arbeitsschwerpunkt vorwiegend in der Begleitung gegenwärtiger gottesdienstlicher Praxis, ebenso wie die weiteren landeskirchlichen Gottesdienst-Arbeitsstellen in Frankfurt/Main, Schwerte bzw. Villigst und Hamburg sowie Hofgeismar (im Aufbau), die ebenfalls hauptsächlich gottesdienstpraktische Fragen bearbeiten, sich aber über die Liturgische Konferenz wie die Mitarbeit einzelner Fachwissenschaftlerinnen und Fachwissenschaftler mit der gegenwärtigen evangelischen liturgiewissenschaftlichen Forschung in fruchtbarem wechselseitigen Austausch befinden.

Einen weiteren wichtigen Ort der Institutionalisierung evangelischer Liturgiewissenschaft im 20. Jahrhundert stellen die Kirchenmusikschulen und Hochschulen für evangelische Kirchenmusik dar. Allerdings wird die liturgiewissenschaftliche Ausbildung im Studium der evangelischen Kirchenmusik von Seiten der Kirchenmusik in ihrer Bedeutung häufig überschätzt. Liturgiewissenschaft nimmt gegenwärtig im Rahmen des Kirchenmusikstudiums nur einen relativ geringen Stundenumfang ein. Es können lediglich Grundkenntnisse gottesdienstlicher Abläufe und ihrer Geschichte vermittelt werden.[94] Auf eine darüber hinausreichende eigenständige gottesdienstliche Theoriebildung wird jedoch weitgehend verzichtet.[95]

---

[92] Vgl. z.B. Jeannett MARTIN, *Mensch – Alltag – Gottesdienst. Bedürfnisse, Rituale und Bedeutungszuschreibungen evangelisch Getaufter in Bayern.* Berlin 2007 (Bayreuther Forum Transit 7).

[93] Vgl. Konrad MÜLLER – Klaus RASCHZOK, *Die stetige Herausforderung, heute Gottesdienst zu gestalten: Laudatio auf Hanns Kerner,* in: *Grundfragen des evangelischen Gottesdienstes.* Hg. v. Konrad MÜLLER – Klaus RASCHZOK. Leipzig 2010, 9–16, sowie die Dokumentation der regelmäßig vom Nürnberger Institut veranstalteten fachwissenschaftlichen Symposien wie z.B. *Gottesdienst und Kultur. Zukunftsperspektiven.* Hg. v. Hanns KERNER. Leipzig 2004, *Musikkultur im Gottesdienst. Herausforderungen und Perspektiven,* Hg. v. Hanns KERNER. Leipzig 2005, *Predigt in einer polyphonen Kultur.* Hg. v. Hanns KERNER. Leipzig 2006, *Lebensraum Kirchenraum. Das Heilige und das Profane.* Hg. v. Hanns KERNER. Leipzig 2008, *Zwischen heiligem Drama und Event* (wie Anm. 62).

[94] Vgl. z.B. die aus der kirchenmusikalischen Lehrtätigkeit entstandenen Lehrbücher von Christoph Albrecht und Friedrich Kalb: Christoph ALBRECHT, *Einführung in die Liturgik.* Göttingen ⁵1995; Friedrich KALB, *Grundriß der Liturgik. Eine Einführung in die Geschichte, Grundsätze und Ordnungen des lutherischen Gottesdienste.* München ³1985.

[95] Eine Ausnahme stellt hierbei das Wirken von Markus Jenny in Zürich dar, dessen liturgisch-hymnologischer Leitfaden posthum veröffentlicht wurde und einen überzeugenden Versuch darstellt, die Fächer Bibel- und Kirchenkunde sowie Glaubenslehre im kirchenmusikalischen Studium im Rahmen einer eigenständigen Theoriebildung in die Liturgik und Hymnologie zu integrieren: Markus JENNY, *Gottesdienst feiern. Ökumenischer Leitfaden für die Ausbildung und Praxis der Kirchenmusikerinnen und Kirchenmusiker und für die Hand aller, die an der Gottesdienstgestaltung aktiv beteiligt sind.* 2 Bde. Zürich 2001.

Zur Gründung evangelischer Kirchenmusikschulen[96] war es ab 1931 gekommen, als im Gefolge des Endes des Landesherrlichen Kirchenregimentes in der Zeit der Weimarer Republik wie im Nationalsozialismus die bis dahin selbstverständliche Ausbildung und Sicherung des kirchlichen Organistennachwuchses im Zusammenhang der Volksschullehrerausbildung über die Lehrerseminare nicht mehr gewährleistet war und von den Kirchen in die eigene Hand genommen werden musste.[97] Die neu gegründeten Kirchenmusikschulen sollten das Erbe der sing- und kirchenmusikalischen Erneuerungsbewegung aufnehmen und zukünftige Kantorinnen und Kantoren durch ein gemeinsames geistliches Leben während der Ausbildung prägen.[98] Die erstmals planmäßige kirchenmusikalische Ausbildung in kirchlicher Verantwortung war personell wie inhaltlich eng mit dem Kontext der Agendenwerke der 1950er Jahre und der dort favorisierten historisch-kritisch orientierten evangelischen Liturgiewissenschaft verbunden. Im Mittelpunkt der Ausbildung stand der Sonntagsgottesdienst in Form der lutherischen Messe oder des Predigtgottesdienstes.[99] Das Ziel war, die zukünftigen Kantorinnen und Kantoren, welche ein an die traditionellen gottesdienstlichen Formen und Lebensäußerungen der Kirche gebundenes eigenständiges gottesdienstliches Amt[100] wahrnehmen sollten, dort zu der Pfarrerschaft ebenbürtigen Trägern des liturgischen Fachwissens heranzubilden. Daher spielten Liturgik und Hymnologie neben den klassischen musikalischen Fächern eine entscheidende Rolle in der Ausbildung. Als Studien- und Lebensgemeinschaft verstanden stellte das geistliche Leben einen integralen Teil der Ausbildung an den Kirchenmusikschulen dar. Kirchenmusikschulen wurden zu einem wichtigen Arbeitsort liturgiewissenschaftlich engagierter Pfarrer und Theologen wie Karl Ferdinand Müller, Ernst Karl Rößler, Walter Blankenburg, Walter Reindell, Christhard Mahrenholz, Oskar Söhngen, Christoph Albrecht, Friedrich Kalb, Alexander Völker, Werner Horn oder Markus Jenny. Ihr Kreis ist zum Teil deckungsgleich mit den Mitarbeitern und Herausgebern des die Arbeit an den Agendenwerken begleitenden wissenschaftlichen Sammelwerkes „Leiturgia". Zeitgleich mit den in den großen Agendenwerken der 1950er Jahre rekonstruierten traditionellen Gottesdienstformen gelangte auch das Modell der Kirchenmusikschule im Zusammenhang der gesellschaftlichen wie kirch-

---

[96]   1931 Evangelisches kirchenmusikalisches Institut Heidelberg, 1934 Kirchenmusikschule Berlin-Spandau, 1938 Kirchenmusikschule Hamburg, 1939 Seminar für Evangelische Kirchenmusik in Stettin, 1941 Kirchenmusikschule Halle/Saale. Nach 1945 Gründungen Evangelischer Kirchenmusikschulen in Hannover, Esslingen, Schlüchtern, Görlitz, Bayreuth, Herford, Düsseldorf, Dresden, Eisenach und Frankfurt am Main.

[97]   Vgl. Karl Ferdinand MÜLLER, *Der Kantor. Sein Amt und seine Dienste.* Gütersloh 1964, 161ff.

[98]   Vgl. Walter BLANKENBURG, *Die Idee der evangelischen Kirchenmusikschule 1928 – 1949 – 1968,* in: DERS., *Kirche und Musik. Gesammelte Aufsätze zur Geschichte der gottesdienstlichen Musik.* Göttingen 1979, 323–326.

[99]   Vgl. Karl Ferdinand MÜLLER, *Die liturgische theologische Ausbildung des Kirchenmusikernachwuchses,* in: MuK 19. 1949, 102–109.

[100] Vgl. Christhard MAHRENHOLZ, *Kompendium der Liturgik des Hauptgottesdienstes. Agende I für evangelisch-lutherische Kirchen und Gemeinden und Agende I für die Evangelische Kirche der Union.* Kassel 1965, 23–38: Die gottesdienstlichen Amtsträger.

lichen Umbrüche zwischen 1965 und 1970 an seine Grenzen. Die Schließung
zahlreicher Kirchenmusikschulen und die weitgehende Aufgabe des Konzeptes
einer Haus- und Lebensgemeinschaft der zukünftigen Kantorinnen und Kantoren an den verbliebenen kirchenmusikalischen Ausbildungsstätten vollzog sich
parallel zur Auswanderung der evangelischen Kirchenmusik aus dem Gottesdienst in das Kirchenkonzert.

Neben der Kirchenmusikschule stellte auch das Predigerseminar seit den
1930er Jahren einen wichtigen Ort liturgiewissenschaftlicher Forschung und
Ausbildung in den deutschsprachigen evangelischen Kirchen dar. Die Fächer
„Liturgik" und „Gesangbuchkunde" waren bis in die 1970er Jahre hinein fester
Bestandteil der Ausbildung an den Predigerseminaren im Rahmen der zweiten
Ausbildungsphase für den evangelischen Pfarrberuf.[101] Hervorzuheben ist hier
das mit dem früheren Heidelberger Petersstift verbundene liturgiewissenschaftliche Wirken von Frieder Schulz. Erst mit der Aufgabe der sich an das Studium
anschließenden zumeist einjährigen geschlossenen Ausbildung am Predigerseminar und deren Überführung in ein die Praxis im Lehrvikariat begleitendes
Block-Kurs-System kam an den Predigerseminaren auch die – häufig ungeliebte
– systematische Ausbildung im Bereich der Liturgiewissenschaft zugunsten einer stärker gottesdienstpraktischen Anleitung der Vikarinnen und Vikare zum
Erliegen.

Seit Mitte der 1930er Jahre wird die evangelische liturgiewissenschaftliche
Forschung auch durch eine Reihe von Arbeitsgemeinschaften wie die 1938 gegründete Evangelische Gesellschaft für Liturgieforschung, die Internationale
Arbeitsgemeinschaft für Hymnologie (gegründet 1958) oder die Liturgische
Konferenz (früher: Lutherische Liturgische Konferenz Deutschlands) koordiniert und mit der kirchlichen gottesdienstlichen Praxis vernetzt. Die Arbeitsgemeinschaft evangelischer Liturgikdozenten führt regelmäßig das Fach Liturgiewissenschaft an den Theologischen Fakultäten und an den Hochschulen für
Kirchenmusik Lehrende zum Austausch zusammen. Die 1934 gegründete Marienberger Vereinigung für evangelische Paramentik als Dachverband der evangelischen Paramentenwerkstätten stellt mit den regelmäßig veranstalteten Evangelischen Paramententagen ein Forum für das Gespräch über den Umgang mit
dem evangelischen Kirchenraum und seinem textilen Schmuck einschließlich
der liturgischen Gewänder dar und regt zum Gespräch der evangelischen Liturgiewissenschaft mit der angewandten wie bildenden Kunst an.[102]

Die Evangelischen Kirchbautage boten seit 1946 ein wichtiges Forum für
die Fragen des zeitgenössischen evangelischen Kirchenbaus und seiner gottes-

---

[101] Eine gute Vorstellung dieser den Kandidaten der Theologie an den Predigerseminaren vermittelten Art von liturgiewissenschaftlich-seelsorgerlicher Bildung gibt immer
noch Otto DIETZ, *Unser Gottesdienst. Ein Hilfsbuch zum Hauptgottesdienst nach Agende I für
evangelisch-lutherische Kirchen und Gemeinden.* München ²1983.

[102] Vgl. z.B. *Heiliger Schmuck. Von der Herrichtung der gottesdienstlichen Stätten. Eine Einführung in die Paramentik der evang.-luth. Kirche.* Hg. von der engeren Arbeitsgemeinschaft
des Vorstandes der Marienberger Vereinigung für Evang. Paramentik. Erlangen 1935
(Hefte des Martin Luther-Bundes 2, 9), oder *Grundfragen evangelischer Paramentik. Vorträge des Paramententages 1954 im Kloster St. Marienberg.* Kassel 1955.

dienstlichen Nutzung.[103] Gerhard Kunze, Wilhelm Jannasch und Karl Ferdinand Müller gehören zu den Gründungsmitgliedern des Evangelischen Kirchbautages, und Oskar Söhngen war dessen langjähriger erster Vorsitzender. In den späteren Jahren nahm dann Rainer Volp von 1967–1998 diese Funktion wahr. Darüber hinaus waren im Arbeitsausschuss des Evangelischen Kirchbautags neben Architekten und Künstlern immer evangelische Liturgiewissenschaftler in Fragen der Gestaltung und des Umgangs mit dem evangelischen Kirchenraum engagiert.

Eine beachtliche Zahl an Publikationsorganen und Buchreihen boten der evangelischen Liturgiewissenschaft des 20. Jahrhunderts neben den klassischen theologischen Fachzeitschriften und Reihen breiten Raum. An erster Stelle hier zu nennen ist die „Monatschrift für Gottesdienst und kirchliche Kunst", die zwischen 1896 und 1941 das entscheidende Forum für liturgiewissenschaftliche historische wie praktisch orientierte Grundsatzbeiträge und Diskussionen darstellte. Die seit 1929 erscheinende Zeitschrift „Musik und Kirche" widmet sich dem Feld der evangelischen Kirchenmusikforschung, ebenso wie seit 1924 die Zeitschrift „Kunst und Kirche" ein Forum für Fragen des Kirchenraumes und seiner Gestaltung sowie des Umgangs mit kirchlicher Kunst darstellt. Wie die vom Verein für Christliche Kunst in der Evangelisch-Lutherischen Kirche in Bayern seit 1909 herausgegebene Zeitschrift „Kirche und Kunst" erscheinen beide Zeitschriften bis heute. „Kunst und Kirche" fusionierte 1970 mit der katholischen Zeitschrift „Christliche Kunstblätter" und wird seitdem unter Mitwirkung des Evangelischen Kirchbautages als ökumenische Fachzeitschrift herausgegeben.

Nach dem Zweiten Weltkrieg entwickelte sich das seit 1955 erscheinende „Jahrbuch für Liturgik und Hymnologie" zum entscheidenden Periodikum evangelischer Liturgiewissenschaft. An jüngeren Zeitschriften zu nennen sind die seit 1987 als Informations- und Korrespondenzblatt erscheinende „Gemeinsame Arbeitsstelle für gottesdienstliche Fragen der EKD", die ab 2010 durch die Liturgische Konferenz unter dem neuen Titel „Liturgie und Kultur" weitergeführt wird. Seit 1973 erscheint „Für den Gottesdienst" als Zeitschrift der Lutherischen Liturgischen Konferenz Niedersachsens und der Arbeitsstelle für Gottesdienst und Kirchenmusik der Ev.-luth. Landeskirche Hannovers, und seit 1983 die „Zeitschrift für Gottesdienst und Predigt". An Publikationsreihen stehen der evangelischen Liturgiewissenschaft seit 1994 die vom Liturgiewissenschaftlichen Institut Leipzig herausgegebenen „Beiträge zu Liturgie und Spiritualität", die „Veröffentlichungen zu Liturgik und Hymnologie" (später: „Veröffentlichungen zur Liturgik, Hymnologie und theologischen Kirchenmusikforschung") sowie seit 1947 die „Veröffentlichungen der Gesellschaft für evangelische Liturgieforschung" zur Verfügung. An älteren, nach 1945 nicht mehr weitergeführten Publikationsreihen zu erwähnen sind die unter dem Titel „Das Heilige und die Form" für Vorträge und kürzere Arbeiten als Beihefte zur Monatschrift für Gottesdienst und kirchliche Kunst erscheinen-

---

[103] Vgl. die zusammenfassende Dokumentation bei Rainer BÜRGEL – Andreas NOHR, *Spuren hinterlassen ... 25 Kirchbautage seit 1946.* Hamburg 2005.

de Reihe[104] ebenso wie die vom Kirchenmusikalischen Institut Erlangen zwischen 1936 und 1939 herausgegebene Reihe „Erneuerung des lutherischen Gottesdienstes"[105].

3.1.5 Verhältnis zu kirchlichen Institutionen und zur kirchlichen Praxis

Evangelische Liturgiewissenschaft ist zum einen eng in die kirchliche Praxis involviert und maßgeblich an der Erarbeitung liturgischer Bücher und Reformprogramme der Landeskirchen und Kirchenbünde beteiligt. Zum anderen aber steht sie den kirchlichen Institutionen und der kirchlichen Gottesdienstpraxis auch kritisch gegenüber und versteht sich keinesfalls als kirchlich orientierte Anwendungswissenschaft biblisch-dogmatischer Sachverhalte und Lehrinhalte auf die gottesdienstliche Praxisgestaltung hin.[106] War die Erarbeitung evangelischer Liturgiebücher (Agenden) bis Ende der 1930er Jahre weitgehend in landeskirchlicher Verantwortung geschehen, konkurrierten auf dem freien Markt der Gottesdienstgestaltung „Privatagenden" wie das Arper-Zillesensche Kirchenbuch mit den amtlichen Liturgiebüchern und beschränkte sich die evangelische Liturgiewissenschaft darauf, zu einem sachgerechten Umgang und zum Verständnis für diese Vorgaben anzuleiten, so geht mit den Agendenwerken der 1950er Jahre die Verantwortung für die Erarbeitung im Auftrag der Landeskirchen und kirchlichen Zusammenschlüsse bis zum Abschluss des Vorentwurfs Erneuerte Agende von 1989 auf die Lutherische Liturgische Konferenz (seit 2002 umbenannt in: Liturgische Konferenz[107]) über.[108] Mit der zweiten Arbeitsphase am Evangelischen Gottesdienstbuch von 1999 übernehmen die Liturgischen Ausschüsse der VELKD und der EKU wieder die Hoheit in der Produktion von Liturgiebüchern und wirkt Liturgiewissenschaft

---

[104] So z.B. der lediglich 30 Druckseiten umfassende Beitrag von Leonhard FENDT, *Die Bedeutung der Liturgie für die Persönlichkeit und Arbeit des Predigers. Vortrag auf der dritten Haupttagung der Liturgischen Konferenz Niedersachsens zu Hildesheim 1929.* Göttingen 1930 (Das Heilige und die Form 7). In der Reihe erschienen auch umfangreichere Sonderbände wie zum Beispiel LANSEMANN, *Die Heiligentage* (wie Anm. 78).

[105] Die von Georg Kempff herausgegebene Publikationsreihe dokumentiert die liturgische Pfarrerfortbildung durch das Erlanger Institut für Kirchenmusik. Der Kreis um Georg Kempff und Paul Althaus ging davon aus, Vorarbeiten an einer gemeinsamen Agende der zukünftigen deutschen Reichskirche zu leisten und sah die Zeit der landeskirchlichen Gottesdienstordnungen dem Ende zugehen. In der Reihe erschien z.B. Theodor KNOLLE, *Die Eucharistiefeier und der lutherische Gottesdienst.* Erlangen 1939 (Erneuerung des lutherischen Gottesdienstes 4/5) als Publikation eines Vortrags beim „Erlanger Lehrgang in musikalischer Liturgik" in der Pfingstwoche 1930.

[106] Vgl. dazu Michael MEYER-BLANCK, *Liturgiewissenschaft und Kirche. Eine ökumenische Verhältnisbestimmung in zehn Thesen,* in: *Liturgiewissenschaft und Kirche. Ökumenische Perspektiven.* Hg. v. Michael MEYER-BLANCK. Rheinbach 2003, 111–138.

[107] Vgl. Christian GRETHLEIN, *Von der Lutherischen Liturgischen Konferenz zur Liturgischen Konferenz,* in: JLH 44. 2005, 63–70.

[108] Vgl. Frieder SCHULZ, *Die Agendenreform in den evangelischen Kirchen,* in: *Liturgiereformen* Bd. II (wie Anm. 4) 1017–1050, der ebd. 1023 darauf hinweist, dass es in den beiden großen Agendenreformen des 20. Jahrhunderts nicht die für die Herausgabe einer Agende zuständigen Kirchen waren, die sich um die Gestaltung des Gottesdienstes kümmerten, sondern Gruppen und Vereinigungen, die ihre liturgischen Entwürfe als Beitrag zur Erneuerung der Kirche verstanden.

lediglich konsultierend mit. Die Liturgische Konferenz veränderte sich in dieser Phase zum Fachgremium für den Austausch zwischen gottesdienstlicher Praxis und evangelischer Liturgiewissenschaft.

Auch die fachwissenschaftliche Reflexion der Gottesdienste in neuer Gestalt ab Mitte der 1960er Jahre wird wieder zunächst durch die Lutherische Liturgische Konferenz koordiniert, die mit ihrem Strukturpapier „Versammelte Gemeinde" von 1974 den Entwurf eines Konvergenzmodells zwischen agendarischem Gottesdienst und Gottesdiensten in freier Gestalt vorlegt, der zum Evangelischen Gottesdienstbuch führte.

Kirche selbst wird in der evangelischen Liturgiewissenschaft nur bedingt als normative gottesdienstliche Instanz verstanden, wie auch der Zusammenhang von Gottesdienst und Kirche für die evangelische Liturgiewissenschaft keinesfalls selbstverständlich ist, da hier das Individuum immer wieder deutlich im Vordergrund steht. Zudem ist die Gottesdienstteilnahme für die Kirchenbindung aus evangelischer Sicht keinesfalls konstitutiv. Ebenfalls nicht selbstverständlich ist die Einhaltung gottesdienstlicher (kirchlicher) Ordnungen in der gottesdienstlichen Praxis. Über die im Mittelpunkt der liturgiewissenschaftlichen Aufmerksamkeit stehenden Agendenwerke von VELKD und EKU hinaus ist auch die vielfältige Gottesdienstarbeit und Agenden-Eigenständigkeit deutscher evangelischer Landeskirchen neben VELKD und EKU bzw. UEK (Union Evangelischer Kirchen) als Wirkungsfeld der Liturgiewissenschaft zu beachten.[109]

3.1.6 Verhältnis zur Gesamttheologie als Wissenschaft

Durchgängig ist eine Verknüpfung evangelischer Liturgiewissenschaft mit den großen theologischen Fragestellungen und Entwürfen des 20. Jahrhunderts zu konstatieren[110], ebenso wie eine Partizipation an den Paradigmen und methodischen Standards der Gesamttheologie.

Umgekehrt wird die evangelische Liturgiewissenschaft von der Gesamttheologie jedoch nur bedingt als Gesprächspartnerin wahrgenommen. Während des sog. „Kirchenkampfes" erfährt die Liturgiewissenschaft im Raum der Bekennenden Kirche und der in ihren Kreisen entwickelten alternativen praktisch-theologischen Konzeptionen eine erhebliche Aufwertung, die eng mit den gottesdienstlichen Erfahrungen der Kirchengemeinden verbunden ist. Gottesdienstlehre wird als ein – von den staatlichen Theologischen Fakultäten

---

[109] Vgl. die Zusammenstellung in: *Ein Evangelisches Zeremoniale. Liturgie vorbereiten. Liturgie gestalten. Liturgie verantworten.* Hg. vom Zeremoniale-Ausschuss der Liturgischen Konferenz. Gütersloh 2004, Agendenkunde (89–120). Zu den eigenständigen Agenden-Produzentinnen (98–104) gehören die Evangelische Landeskirche in Baden, die Evangelische Landeskirche in Württemberg, die Evangelische Kirche der Pfalz und die Evangelische Kirche von Kurhessen-Waldeck. Hinzu kommen die Reformierten Kirchen (Reformierter Bund) mit der Reformierten Liturgie von 1999 als Parallele zum Evangelischen Gottesdienstbuch. Die Disparatheit der Agendenwerke der einzelnen Landeskirchen und ihre jeweiligen Schwerpunktsetzungen waren bisher noch nicht Gegenstand liturgiewissenschaftlicher Forschung.

[110] Vgl. z.B. den kaum zur Kenntnis genommenen, dessen homiletischem Entwurf parallelen gottesdiensttheologischen Beitrag von Karl BARTH, *Gotteserkenntnis und Gottesdienst nach reformierter Lehre. 20 Vorlesungen über das Schottische Bekenntnis von 1560.* Zollikon 1938.

vernachlässigter – Schwerpunkt gesehen. Die Bekennende Kirche intensiviert daher dieses Fach in den theologischen Ferienkursen für Theologiestudierende und an ihren – illegalen – Kirchlichen Hochschulen in Wuppertal und Berlin. Nach 1945 überwindet evangelische Liturgiewissenschaft als einzige Teildisziplin der Praktischen Theologie durchgängig die innerdeutsche Teilung und kooperiert am stärksten grenzüberschreitend. Dies ist dem Umstand der gesamtdeutschen Agendenwerke in den 1950er Jahren wie später der gemeinsamen Arbeit an der Erneuerten Agende als dem Vorentwurf des Evangelischen Gottesdienstbuches zu verdanken. Hinzu kommt, dass die gesamte Forschergeneration nach 1945 auf den ostdeutschen praktisch-theologischen Lehrstühlen wie zum Beispiel Erich Hertzsch in Jena noch selbstverständlich eine gesamtdeutsche Praktische Theologie vertreten. So konzipiert das „Handbuch der Praktischen Theologie" (Ost) 1974 eine noch gesamtdeutsche Liturgiewissenschaft und geht im Gegensatz zu den anderen praktisch-theologischen Teildisziplinen nicht auf den ideologisch besetzten Anspruch einer spezifischen Liturgiewissenschaft für die sozialistische Gesellschaft ein. Der evangelische Gottesdienst bleibt trotz der deutschen Trennung gemeinsamer Kulturraum. So wird auch das „Handbuch der Liturgiewissenschaft" vor 1989 von Hans-Christoph Schmidt-Lauber und Karl-Heinrich Bieritz als gesamtdeutsches Werk konzipiert.

3.1.7 Offene Fragen der Forschung

Offene Fragen evangelischer liturgiewissenschaftlicher Forschung[111] betreffen vor allem das Feld zeitkirchengeschichtlich orientierter Arbeiten zur Theorie und Praxis des evangelischen Gottesdienstes und seiner Einbindung in das kirchliche, kulturelle, politische und gesellschaftliche Leben im 19. wie im 20. Jahrhundert. Insbesondere die Zusammenhänge von Nation, Krieg und Gottesdienst bedürfen detaillierter Studien, damit das Fach nicht mehr wie bisher auf eher großflächige Vermutungen angewiesen bleibt. Auch sind z.B. die Entstehungszusammenhänge der Agendenwerke der 1950er Jahre einschließlich der konkurrierenden gottesdienstlichen Entwürfe und Konzepte bisher immer noch nicht überzeugend aufgearbeitet. Ebenso stehen weitere historisch-kritische Editionen zu den verschiedenen Gottesdienstordnungen und Gottesdienstreformen des 19. wie des 20. Jahrhunderts noch aus. Auch eine wissenschaftliche Geschichte der Gottesdienste in neuer Gestalt zwischen 1965 und 1980 ist bisher noch nicht erarbeitet worden. Anzugehen sind auch präzise Liturgiekommentare der wesentlichen evangelischen Schlüsselliturgien des 19. und des 20. Jahrhunderts wie der Preußischen Agende und ihrer verschiedenen Bearbeitungsstufen, dem Hauptgottesdienst nach Agende I des VELKD- und EKU-Agendenwerkes, der einzelnen in der Gottesdienst- und Agendenarbeit von den großen Kirchenbünden unabhängigen Landeskirchen und ihrer Agenden wie typischer Gottesdienste der Aufbruchbewegung der Gottesdienste in anderer Gestalt, z.B. der Jugendgottesdienste in der Nürnberger Meistersingerhalle oder der Kölner Politischen Nachtgebete.

[111] Vgl. den Katalog von Forschungsdesideraten bei Klaus RASCHZOK, *Gottesdienst und Dramaturgie* (wie Anm. 66) 43–45.

Ebenfalls näherer Untersuchung bedürfen die zahlreichen Wechselwir-
kungen evangelischer und katholischer Liturgiewissenschaft im 20., aber auch
bereits im 19. Jahrhundert. Gezielte wissenschaftliche Aufmerksamkeit müsste
auch den Selbst- und Fremdbildern der jeweils konfessionell anderen Wissenschaft und ihrer wechselseitigen Beeinflussung gelten. Ebenfalls näher zu untersuchen wäre der Niederschlag der ökumenischen Dimension der Liturgiewissenschaft im „Vorentwurf Erneuerte Agende" und im „Evangelischen Gottesdienstbuch" sowohl in den Kriterien wie in den ausgewählten liturgischen Materialien. Offen ist auch, welche Bedeutung für den evangelischen Gottesdienst
der internationalen Ökumene über das Verhältnis zur römisch-katholischen
Kirche hinaus zukommt. Insgesamt wäre dabei auch kritisch aufzuarbeiten, ob
das Fach Liturgiewissenschaft sich so selbstverständlich, wie dies im 20. Jahrhundert Fachvertreter wie Frieder Schulz oder Hans-Christoph Schmidt-Lauber
vertreten hatten, als eine ökumenische Disziplin kennzeichnen lässt.

Wünschenswert wäre auch, die vielfältigen Wechselbeziehungen zwischen
Liturgie- und Theatergeschichte aus evangelischer Perspektive für das Sprech-
theater[112] und analog dazu aus katholischer Perspektive auch für die Oper darzustellen. Zu favorisieren wäre ferner der Einbezug von Quellen über das Litur-
giebuch hinaus, etwa im Blick auf eine noch zu erstellende Bildergeschichte
des evangelischen Gottesdienstes, welche auch eine Untersuchung von vorhandenen frühen Filmdokumenten evangelischer Gottesdienste einschließen
könnte.

Insgesamt bedarf aber auch die evangelische Liturgiewissenschaft des 19.
Jahrhunderts einer weiteren sachgerechten fachwissenschaftlichen Rehabilitierung. Dazu sind etwa grundlegende Theorieansätze des Faches im Kontext
der insgesamt neu einsetzenden Aufarbeitung und Wertschätzung der Theologiegeschichte des 19. Jahrhunderts zu prüfen und in ihre Kontexte einzuzeichnen. Ein ebenfalls weites Aufgabenfeld evangelischer Liturgiewissenschaft stellen Untersuchungen zur Auswirkung des Aufführungs- und Ereignisparadigmas
auf die Wahrnehmung des Gottesdienstes im 16. bis 20. Jahrhundert im Sinne
einer kulturwissenschaftlich orientierten Gottesdienstgeschichte dar. Zu arbeiten ist am Desiderat einer Geschichte des evangelischen Gottesdienstes und
der evangelischen Liturgiewissenschaft im 19. und im 20. Jahrhundert, welche
auch den Gottesdienst der evangelischen Freikirchen[113] und anderer Denominationen wie z.B. der Christengemeinschaft mit einbezieht. Aufmerksamkeit
hat auch sowohl kulturwissenschaftlich wie innertheologisch anschluss- und
gesprächsfähigen theologischen Theorien des evangelischen Gottesdienstes zu
gelten. Auch das Gespräch mit der nordamerikanischen liturgiewissenschaftlichen Forschung ist zu intensivieren, um die bisherigen Trennlinien zur dortigen stärker pragmatisch-dogmatisch orientierten Vorgehensweise zu überwinden.

---

[112] Vgl. die ersten Ansätze dazu bei Michael MEYER-BLANCK, *Liturgiegeschichte als Theatergeschichte. Ein Gang durch die Geschichte des evangelischen Gottesdienstes mit Seitenblick auf die
Theatergeschichte*, in: *Gottesdienst und Dramaturgie* (wie Anm. 66) 61–77.

[113] Vgl. Stephan NÖSSER – Esther REGLIN, *Wir feiern Gottesdienst. Entwurf einer freikirchlichen
Liturgik*. Wuppertal [u.a.] 2001.

3.2 Aus katholischer Perspektive (Benedikt Kranemann)

Die Entwicklung der Liturgiewissenschaft in der katholischen Theologie steht unter anderen Voraussetzungen als in der evangelischen Theologie, was beispielsweise die enge Verbindung von Liturgie und Kirche, aber auch die recht früh einsetzende Entstehung eines eigenen Faches angeht. Die Beschreibungen evangelischer und katholischer Liturgiewissenschaft im 20. Jahrhundert müssen deshalb variieren.

Die katholische Liturgiewissenschaft wird häufig als eine Disziplin beschrieben, die vor allem durch das Zweite Vatikanische Konzil ihre Prägung erfahren habe.[114] So richtig es ist, dass dieses Konzil dem Fach wichtige Impulse gegeben und mit SC 16 seinen Platz innerhalb der Theologie neu bestimmt hat,[115] zeigen die Beiträge dieses Bandes deutlich, dass die Liturgiewissenschaft auf eine längere und vielfältigere Geschichte zurückblicken kann. Sie bringt eine lange Vorgeschichte mit,[116] wird im 20. Jahrhundert durch ganz unterschiedliche gesellschaftliche Strömungen und Entwicklungen in der Wissenschaftslandschaft beeinflusst und steht selbstverständlich unter dem Einfluss innerkirchlicher und theologischer Veränderungen und Umbrüche. Das bedingt, dass die Liturgiewissenschaft eine äußerst vielfältige Disziplin mit unterschiedlichen Schattierungen und Akzentsetzungen ist, in deren Mitte die Reflexion über den Gottesdienst der Kirche und zumeist auch den Glauben der Kirche steht, der in der Liturgie Gestalt gewinnt. Wie aber diese Reflexion geschieht, was ihre Hermeneutik ist, was sie in den Blick nimmt und auch was ihr Ziel ist, variiert. Die Ausdifferenzierung des Faches zieht sich durch das 20. Jahrhundert hin und ist eng mit Kirchen-, Gesellschafts- und Geistesgeschichte verbunden. Katholische Liturgiewissenschaft ist heute eine etablierte theologische Disziplin mit vielfältigen Forschungsinteressen und entsprechender breiter Publikationstätigkeit, die im Folgenden nur angedeutet werden kann.

3.2.1 Zum Status katholische Liturgiewissenschaft

Als eigenständige theologische Disziplin hat die katholische Liturgiewissenschaft im 20. Jahrhundert ihr heutiges Profil innerhalb des theologischen Fächerkanons gewonnen. Eine lange, bis früh in das 19. Jahrhundert, im Detail

---

[114] Vgl. dagegen Benedikt KRANEMANN, *Grenzgängerin zwischen den theologischen Disziplinen. Die Entwicklung der deutschsprachigen Liturgiewissenschaft im 19. und 20. Jahrhundert*, in: TThZ 108. 1999, 253–272, hier 254–258; Winfried HAUNERLAND, *Liturgiewissenschaft in Forschung und Lehre. Zur Geschichte einer theologischen Disziplin an der LMU*, in: MThZ 61. 2010, 149–176.

[115] Vgl. die Hintergründe zuletzt bei Reiner KACZYNSKI, *Theologischer Kommentar zur Konstitution über die heilige Liturgie* Sacrosanctum Concilium, in: *Sacrosanctum Concilium, Inter mirifica, Lumen gentium*. Freiburg/Br. [u.a.] 2004 (Herders Theologischer Kommentar zum Zweiten Vatikanischen Konzil 2), 1–227, hier 81–84. Ausführlich kritisch zur Rezeption der Konzilsvorgaben Emil Joseph LENGELING, *Kritische Bilanz. Liturgische Bildung des Klerus und der Laien in den Aussagen des Zweiten Vatikanischen Konzils, in den römischen Ausführungsbestimmungen und in den reformierten liturgischen Büchern*. Regensburg 1976.

[116] Vgl. Benedikt KRANEMANN, *Geschichte, Stand und Aufgaben der Liturgiewissenschaft*, in: *Gottesdienst der Kirche. Handbuch der Liturgiewissenschaft*. Bd. 1. Hg. v. Martin KLÖCKENER – Angelus HÄUSSLING – Reinhard MESSNER. Regensburg (in Vorbereitung).

sogar bis in das 18. Jahrhundert zurückreichende, immer deutlicher Konturen annehmende wissenschaftliche Auseinandersetzung mit der Liturgie hat die Herausbildung einer eigenen Disziplin möglich und gleichsam als Konsequenz erforderlich gemacht. Handbücher der Liturgik, die theologische und geschichtswissenschaftliche Standards gesetzt haben, erschienen bereits im 19. Jahrhundert. Eines von ihnen, das Handbuch von Valentin Thalhofer, war in der Bearbeitung durch Ludwig Eisenhofer bis zur Mitte des 20. Jahrhunderts ein wichtiges Referenzwerk wissenschaftlicher Arbeit.[117] Im frühen 20. Jahrhundert ist zudem eine Reihe von Programmschriften zur Liturgiewissenschaft publiziert worden, die vor allem und zunächst der Liturgiegeschichtsforschung Ziele und Methoden, aber auch Gegenstände der Forschung erschließen wollte. Besonders einflussreich war der Benediktiner Kunibert Mohlberg.[118] Weitere programmatische Texte, darunter vor allem ein bahnbrechender Aufsatz von Romano Guardini, verstanden Liturgiewissenschaft als theologische Disziplin; ihr Gegenstand sei die Kirche, die in der Liturgie die Gnadengeheimnisse feiert.[119] Daneben kristallisierte sich als dritte Säule liturgiewissenschaftlicher Forschung immer deutlicher die Reflexion von Fragen gottesdienstlicher Praxis heraus.[120] Durch die Liturgische Bewegung, die Neuentdeckung der Bedeutung von gemeinschaftlich gefeierter Liturgie in der katholischen Kirche, Reformen des Gottesdienstes bereits vor dem Zweiten Vatikanischen Konzil, durch das im Zuge einer Relecture der Kirchenväter verstärkte Interesse an der Liturgie als Quelle der Theologie gewann ein eigenständiges Fach Liturgiewissenschaft immer stärker an Plausibilität.

Das Konzil sollte dann in der Liturgiekonstitution „Sacrosanctum Concilium" den Status eines Hauptfaches festschreiben. Dass es die Institution eines gesamtkirchlichen Konzils war, das diesen Schritt getan hat, ist das eine, dass in einem zentralen Dokument, einer Konstitution, diese Neubewertung vollzogen wurde, das andere, was die weitere Geschichte des Faches markant verändert hat. SC 16 formuliert: „Disciplina de sacra Liturgia in seminariis et studiorum domibus religiosis inter disciplinas necessarias et potiores, in facultatibus autem

---

[117] Vgl. Valentin THALHOFER, *Handbuch der katholischen Liturgik*. Freiburg/Br. 1883/1893 (Theologische Bibliothek); dazu Reinhold MALCHEREK, *Liturgiewissenschaft im 19. Jahrhundert. Valentin Thalhofer (1825–1891) und sein „Handbuch der katholischen Liturgik"*. Münster 2001 (LQF 86).

[118] Vgl. u.a. in der Reihenfolge des Erscheinens Beda KLEINSCHMIDT, *Die Aufgaben der liturgischen Forschung in Deutschland*, in: ThRev 16. 1917, 433–439; Kunibert MOHLBERG, *Die Aufgaben der liturgischen Forschung in Deutschland. Vorschläge und Anregungen*, in: ThRev 17. 1918, 145–151; Anton BAUMSTARK, *Ein liturgiewissenschaftliches Unternehmen deutscher Benediktinerabteien*, in: DLZ 40. 1919, 897–905, 921–927; Kunibert MOHLBERG, *Ziele und Aufgaben der liturgiegeschichtlichen Forschung*. Münster 1919 (LF 1); DERS., *Nochmals Ziele und Aufgaben für das Studium des christlichen Kultes. Zwei Beiträge zur Förderung liturgiewissenschaftlicher Arbeit*. Rom 1957, 7–11, sowie die unten in Anm. 141f genannte Literatur.

[119] Vgl. Romano GUARDINI, *Über die systematische Methode in der Liturgiewissenschaft*, in: JLw 1. 1921, 97–108.

[120] Vgl. Athanasius WINTERSIG, *Pastoralliturgik. Ein Versuch über Wesen, Weg, Einteilung und Abgrenzung einer seelsorgswissenschaftlichen Behandlung der Liturgie*, in: JLw 4. 1924, 153–167.

theologicis inter disciplinas principales est habenda, et sub aspectu cum theo-
logico et historico, tum spirituali, pastorali et iuridico tradenda." Damit verwarf
das Konzil ältere kirchliche Anweisungen, nach denen Liturgiewissenschaft zu
den „disciplinae auxiliares" innerhalb der Theologie zu rechnen sei.[121] Zugleich
wurde der Gegenstand der Beschäftigung mit der Liturgie neu definiert: Zukünftig sollte nicht mehr die Rubrizistik, also das Erlernen der rechtlichen Vor-
schriften für die gottesdienstlichen Zeremonien im Vordergrund stehen, sondern die Auseinandersetzung mit allen Aspekten des liturgischen Handlungsge-
schehens. Und Liturgie sollte nach dem Willen des Konzils nicht nur das Thema des Faches sein, sondern auch in den anderen theologischen Disziplinen so
thematisiert werden, „ut exinde earum connexio cum Liturgia et unitas sacer-
dotalis institutionis aperte clarescant" (SC 16). Zeitgenössische Kommentare haben darauf hingewiesen, dass sich in diesem Artikel die neue theologische Sicht
des Gottesdienstes als Quelle und Höhepunkt kirchlichen Lebens äußert.[122]

Auch in anderen Konzilsdokumenten hat sich diese Neubewertung des
Faches niedergeschlagen. Unter anderem hat das Dekret des Konzils über die
Priesterausbildung „Optatam totius" die Bedeutung der Heranführung an die
Liturgie (OT 4) unterstrichen und eine Ausbildung mit Blick auf die Liturgie
vorgesehen, welche die Liturgie als erste Quelle christlichen Geistes betrachtet.
Gerade der letztgenannte Artikel ist jüngst so interpretiert worden, dass sich
die Liturgiewissenschaft nicht in historischer Forschung erschöpfen dürfe, sondern Gegenwartsbezug und entsprechende Gestaltungen mit Blick auf Gesellschaft und Kirche zu reflektieren habe. Betont wird die „pastorale Verantwortung der Liturgiewissenschaft".[123]

Nachkonziliare kirchliche Dokumente, die Vorgaben für das Theologiestudium formulieren, haben diese Vorgaben weitergeführt. Die „Ratio
fundamentalis", die Grundordnung für die Priesterbildung von 1970,[124]
„Sapientia christiana", die Apostolische Konstitution über das Studium
an kirchlichen Universitäten und Fakultäten sowie die entsprechenden

---

[121] Dazu Emil Joseph LENGELING, *Die Konstitution des Zweiten Vatikanischen Konzils über die
Heilige Liturgie. Lateinisch-deutscher Text mit einem Kommentar.* Münster ²1965 (RLGD
5/6) 43, der ebd. 44 allerdings darauf hinweist, dass sich eine vergleichbare Anweisung für das Studium der Liturgie bereits 1920 in einer unter Benedikt XV. erlasse-
nen Vorgabe der römischen Studienkongregation für italienische Priesterseminare
finde.

[122] Vgl. Josef Andreas JUNGMANN, *Constitutio de sacra Liturgia. Konstitution über die heilige Liturgie. Einleitung und Kommentar,* in: LThK 12. 1966, 9–109, hier 29; LENGELING, *Konstitution* (wie Anm. 121) 43.

[123] Vgl. Ottmar FUCHS – Peter HÜNERMANN, *Theologischer Kommentar zum Dekret über die Aus-
bildung der Priester „Optatam totius",* in: Guido BAUSENHART u.a., *Orientalium Ecclesiarum,
Unitatis Redintegratio, Christus Dominus, Optatam Totius, Perfectae Caritatis, Gravissimum
Educationis, Nostra Aetate, Dei Verbum.* Freiburg/Br. [u.a.] 2005 (Herders theologischer
Kommentar zum Zweiten Vatikanischen Konzil 3), 315–489, hier 439.

[124] Vgl. den Text in *Dokumente zur Erneuerung der Liturgie. Dokumente des Apostolischen Stuhls
1963–1973.* Hg. v. Heinrich RENNINGS – Martin KLÖCKENER. Kevelaer 1983 (Dokumente zur Erneuerung der Liturgie 1), Nr. 2004–2018; vgl. die Neufassung in *Dokumente des Apostolischen Stuhls 4.12.1983 – 3.12.1993. Mit Supplementum zu Band 1 und
2.* Hg. v. Martin KLÖCKENER unter Mitarb. v. Guido MUFF. Kevelaer – Freiburg/Schw.
2001 (Dokumente zur Erneuerung der Liturgie 3), Nr. 5732a–5732p.

Ausführungsbestimmungen,[125] weitere Dokumente zur theologischen Ausbildung, die Priester und Laien, darunter auch angehende Religionslehrer betreffen, zeigen, dass die Notwendigkeit des Studiums der Liturgie und der Stellenwert der entsprechenden Disziplin in der katholischen Kirche unumstritten sind. Im deutschen Sprachgebiet bestehen heute an fast allen staatlichen Fakultäten und Hochschulen Lehrstühle für Liturgiewissenschaft.[126] In den theologischen Instituten aber, die vor allem angehende Religionslehrerinnen und -lehrer ausbilden, werden für Liturgiewissenschaft nur Lehraufträge vergeben. Dies ist ein Missstand, weil liturgische und damit verbunden auch ästhetische Bildung und Ausbildung hier nicht den Status besitzen, der ihnen in einer immer stärker säkularisierten Gesellschaft, in der die Bedeutung religiöser oder zivilreligiöser Rituale zu wachsen scheint, zukommen müsste.

Die Facharbeitsgemeinschaft der Liturgiewissenschaft hat 1991 in ihrer Standortbestimmung Status und Selbstverständnis der eigenen Disziplin geklärt. Darin wird unterstrichen, dass alle theologischen Disziplinen auf den „Grundvollzug ‚Leiturgia' als eine integrierende, verschränkende Wirklichkeit, als Verdichtung christlichen Lebens, verwiesen"[127] seien. Das Proprium der Liturgiewissenschaft besteht demnach darin, „nach der Realisierung des Grundvollzugs ‚Leiturgia' in der konkreten Feier zu fragen"[128]. Der Liturgiewissenschaft wird eine integrierende Funktion innerhalb der Theologie zugesprochen, weil sie die Doxologie als Ursprung und Ziel aller Theologie neu in Erinnerung zu bringen vermag.

Doch bleibt der Stellenwert der Liturgie in den anderen theologischen Disziplinen eher gering. Die Frage, ob Liturgie „ein vergessenes Thema der Theologie" sei, die Klemens Richter 1986 in einem Sammelband[129] und dann immer wieder in Einzelpublikationen aufgeworfen hat, ist nach wie vor aktuell. Den Lackmustest bietet immer wieder die Sakramententheologie. die leider zu oft ohne wirkliche Kenntnisnahme der gottesdienstlichen Feiern betrieben wird. Dennoch ist in den letzten Jahren die interdisziplinäre Einbindung der Liturgiewissenschaft in der Theologie deutlich gewachsen, an einer Vielzahl von Forschungs- und Publikationsprojekten ist sie maßgeblich beteiligt. Zugleich hat sie die Diskussion um eine Reihe aktueller Probleme von Theologie und

[125] Vgl. die entsprechenden Texte von Sapientia christiana in *Dokumente zur Erneuerung der Liturgie. Dokumente des Apostolischen Stuhls 4.12.1973 – 3.12.1983*. Hg. v. Martin KLÖCKENER – Heinrich RENNINGS (†). Kevelaer – Freiburg/Schw. 1997 (Dokumente zur Erneuerung der Liturgie 2), Nr. 3698–3705 bzw. von De studiis theologicis in: ebd. Nr. 3710–3714.

[126] Eine Ausnahme stellt allein Freiburg/Br. dar, wo nach langen, auch öffentlichen Auseinandersetzungen seit 2000 ein Lehrstuhl mit der Denomination „Dogmatik und Liturgiewissenschaft", allerdings mit entsprechender personeller Ausstattung, besteht.

[127] GERHARDS – OSTERHOLT-KOOTZ, *Kommentar zur „Standortbestimmung der Liturgiewissenschaft"* (wie Anm. 37) 126.

[128] GERHARDS – OSTERHOLT-KOOTZ, *Kommentar zur „Standortbestimmung der Liturgiewissenschaft"* (wie Anm. 37) 126.

[129] Vgl. *Liturgie – ein vergessenes Thema der Theologie?* Hg. v. Klemens RICHTER. Freiburg/Br. [u.a.] 1986. ²1987 (QD 107).

Kirche mitgeprägt.[130] Dabei wird die Liturgiewissenschaft einmal als ein Fach mit historisch-theologisch-pastoraler Kompetenz gefragt, dann aber wieder sind Spezialisten für die jeweiligen Felder gesucht. Das Fach gewinnt heute seinen Status in der katholischen Theologie, in der ökumenischen Zusammenarbeit, aber auch im Zusammenwirken mit den Kulturwissenschaften vor allem durch das aus mehreren Fachkompetenzen gespeiste Profil.

3.2.2 Phasen und Programme katholischer Liturgiewissenschaft im 20. Jahrhundert

Zum Verständnis des Faches trägt ein Blick auf seine Entwicklungsphasen bei. Auf der Ebene des kirchlichen Lebens sind sie rasch benannt: die Entwicklung der Disziplin und ihres Selbstverständnisses unter dem Einfluss der Liturgischen Bewegung; die Institutionalisierung des Faches im Kontext der vorkonziliaren Reformen des Gottesdienstes; Liturgiewissenschaft als Wissenschaft im Dienst am Konzil; die wissenschaftliche Begleitung der Liturgiereform. In jüngerer Zeit beeinflussen zunehmend Säkularisierung und religiöser Pluralismus die Frage- und Aufgabenstellungen des Faches.

Die katholische Liturgische Bewegung hat unübersehbar das Programm der Liturgiewissenschaft geprägt. Das gilt in doppelter Hinsicht: Die Geschichte des Faches im frühen 20. Jahrhundert wurde von Persönlichkeiten wie Odo Casel, Romano Guardini oder Josef Andreas Jungmann bestimmt, die für die Liturgische Bewegung einflussreich waren. Zugleich begegnete man vor dem Konzil Theologen, die durch das Miterleben wesentliche Impulse aus der Liturgischen Bewegung, näherhin ihrer „pastoralen Phase",[131] erhalten haben, aus dieser Vorgeschichte heraus das Konzil rezipierten und die nachkonziliare Liturgiereform unterstützten. Zentrale Gedanken dieser Bewegung, so die Konzentration auf die Liturgie als Mitte christlicher Spiritualität, das Verständnis der Liturgie als Mysterium, die Betonung der tätigen Teilnahme und damit verbundene Kirchenbilder u.a., gehören zum selbstverständlichen Programm der Liturgiewissenschaft zur Jahrhundertmitte, für die Theologen wie Balthasar Fischer, Emil Joseph Lengeling, Josef Andreas Jungmann, Burkhard Neunheuser,

[130] Genannt seien hier als beispielhaft Tagungsbände, die aus Kongressen der Facharbeitsgemeinschaft der Liturgiewissenschaft (vgl. Anm. 41) hervorgegangen sind: *Christologie der Liturgie. Der Gottesdienst der Kirche – Christusbekenntnis und Sinaibund.* Hg. v. Benedikt KRANEMANN – Klemens RICHTER. Freiburg/Br. [u.a.] 1995 (QD 159); *Wie weit trägt das gemeinsame Priestertum? Liturgischer Leitungsdienst zwischen Ordination und Beauftragung.* Hg. v. Martin KLÖCKENER – Klemens RICHTER. Freiburg/Br. [u.a.] ²1998 (QD 171); *Das Opfer. Biblischer Anspruch und liturgische Gestalt.* Hg. v. Albert GERHARDS – Klemens RICHTER. Freiburg/Br. [u.a.] ²2001 (QD 186); *Christliche Begräbnisliturgie und säkulare Gesellschaft.* Hg. v. Albert GERHARDS – Benedikt KRANEMANN. Leipzig 2002. ²2003 (EThS 30); *Dialog oder Monolog? Zur liturgischen Beziehung zwischen Judentum und Christentum.* Hg. v. Albert GERHARDS – Hans Hermann HENRIX. Freiburg/Br. [u.a.] 2004 (QD 208); *Liturgie und Trinität.* Hg. v. Bert GROEN – Benedikt KRANEMANN. Freiburg/Br. [u.a.] 2008 (QD 229); *Die modernen ritual studies als Herausforderung für die Liturgiewissenschaft. Modern ritual studies as a challenge for liturgical studies.* Hg. v. Benedikt KRANEMANN – Paul POST. Leuven 2009 (Liturgia condenda 20).
[131] Vgl. Theodor MAAS-EWERD – Klemens RICHTER, *Die Liturgische Bewegung in Deutschland,* in: *Liturgiereformen* Bd. 2 (wie Anm. 4), 629–648, hier 633–636.

Joseph Pascher oder Theodor Schnitzler stehen. Sie wurde zudem durch Persönlichkeiten wie Heinrich von Meurers oder Johannes Wagner vertreten, die
Institutionen der Liturgiewissenschaft wie das Liturgische Institut in Trier oder
die Liturgische Kommission der Fuldaer Bischofskonferenz mit aufgebaut oder
zumindest mit vorbereitet haben.[132] Es geht um zentrale Theologumena, die
in dieser Zeit grundgelegt wurden und die weitere Ausprägung des Faches und
sein Selbstverständnis maßgeblich mitbestimmt haben.

Einfluss auf die Herausbildung eines eigenständigen Faches „Liturgiewissenschaft" haben außerdem die liturgischen Reformen unter Pius XII. gehabt.
Die Enzyklika „Mediator Dei"[133] am Anfang der zweiten Entwicklungsphase
des Faches ist wegweisend gewesen, nicht nur, weil sie die Liturgische Bewegung in wesentlichen Punkten bestätigte, sondern auch ein rubrizistisches Liturgieverständnis durchbrach. Damit wurde der neue Blick auf die Feier des
Christusmysteriums in der Liturgie kirchenamtlich sanktioniert, was als Ende
einer Phase der Liturgiegeschichte und als ein Aufbruch erfahren wurde. So
verwundert es nicht, dass das „Liturgische Jahrbuch" seinen ersten Jahrgang
1951 mit einem Zitat aus Mediator Dei eröffnete.[134] Die ersten Lehrstühle für
Liturgiewissenschaft und liturgischen Institute entstanden in dieser Zeit.[135]

Eine dritte Entwicklungsphase innerhalb der Fachgeschichte geht einher mit der Vorbereitung des Konzils und der unmittelbaren Konzilszeit. Die
deutschsprachige Liturgiewissenschaft erhielt nun einen deutlich anderen und
neuen Akzent, insofern viele Wissenschaftler auf ganz unterschiedlichen Ebenen in die Arbeiten während des Konzils und in seinem Umfeld einbezogen
waren bzw. die Entscheidungen zur Liturgie in der Kirche intensiv durch die
Liturgiewissenschaft begleitet wurden. Alle Arbeitsfelder des Faches standen
unter dem Eindruck des Konzils. Das gilt auch für die Geschichtsforschung,
die etwa in der Auswahl der Themen und Fragestellungen deutlich von den Belangen der kirchlichen Gegenwart bestimmt war. Stärker als zuvor wurde die Liturgiewissenschaft auf die gottesdienstlich-kirchliche Praxis bezogen. Das Konzil stellte *die* Herausforderung für die Theologie der Zeit dar. So entstanden in
kurzer Zeit mehrere umfangreiche Kommentare zur Liturgiekonstitution, von
denen die von Josef Andreas Jungmann und Emil Joseph Lengeling Standardwerke geworden sind.[136] Die Problemstellungen der sich aufgrund der Liturgiekonstitution abzeichnenden Liturgiereform traten in den Mittelpunkt des liturgiewissenschaftlichen Interesses. Gute Beispiele dafür bieten neben vielen Einzelstudien u.a. Festschriften für führende Liturgiewissenschaftler wie Balthasar

[132] Zum Liturgischen Institut vgl. die Literatur in Anm. 195–198. Zur Liturgischen Kommission vgl. Theodor MAAS-EWERD, *Unter „Schutz und Führung" der Bischöfe. Zur Entstehung der Liturgischen Kommission im Jahre 1940 und zu ihrem Wirken bis 1947*, in: LJ 40.
1990, 129–163.
[133] Vgl. *(Mediator Dei) Unseres Heiligen Vaters Pius' XII. durch göttliche Vorsehung Papst. Rundschreiben über die heilige Liturgie* (20. November 1947: „Mediator Dei"). Lateinischer
Text nach den „Acta Apostolicae Sedis". Deutscher Text nach der von der Vatikanischen Druckerei vorgelegten Übersetzung. Freiburg/Br. 1948.
[134] Es handelt sich um einen Auszug aus Mediator Dei (wie Anm. 133) 20.
[135] Vgl. dazu unten 62f.
[136] Vgl. JUNGMANN, *Constitutio* (wie Anm. 122); LENGELING, *Konstitution* (wie Anm. 121).

Fischer („Zeichen des Glaubens") und Emil Joseph Lengeling („Gemeinde im Herrenmahl").[137]

Eine weitere Entwicklungsphase der Liturgiewissenschaft verbindet sich mit der Zeit der Liturgiereform. Vielfältige neue Aufgaben, die zum Teil in sehr kurzen Zeiträumen zu bewältigen waren, für deren Lösung aber keine Vorbilder existierten, standen an. Die neuen lateinischen liturgischen Bücher mussten ins Deutsche übersetzt werden, zugleich stellte sich die Frage der Anpassung an die pastoralen und kulturellen Erfordernisse des deutschen Sprachgebiets. Die reformierte Liturgie musste erklärt und vermittelt, Werkbücher für diesen Zweck mussten erarbeitet werden. Die Studienprogramme und Ausbildungskonzepte[138] waren umzustellen und den Erfordernissen der Liturgiereform anzupassen. Nicht zuletzt galt es, die Vorgaben von Sacrosanctum Concilium, Liturgiewissenschaft zähle zu den Hauptfächern der Theologie, umzusetzen und das Fach entsprechend neu auszurichten. Eine breite wissenschaftstheoretische Diskussion ist in der Folge zu beobachten.

In jüngster Zeit wird die Liturgiewissenschaft zunehmend mit der Frage konfrontiert, wie Kirche und Gemeinden auf die Herausforderungen der Säkularisierung und den zunehmenden religiösen Pluralismus reagieren sollen: die sich wandelnde Bedeutung der Kirche in der Gesellschaft, ein verändertes Teilnahmeverhalten am Gottesdienst, neue Seelsorgestrukturen, die wachsende Zahl der Konfessionslosen. Säkularisierung meint die rückläufige Kirchenbindung und religiöse Praxis. Die Liturgiewissenschaft steht vor der Aufgabe, diese Situation analysieren und theologische wie praxisbezogene Kriteriologien und Denkmodelle entwickeln zu müssen. Wie das gelingen kann und wie sich die Liturgiewissenschaft selbst angesichts sich verändernder kultureller und kirchlicher Voraussetzungen verstehen soll, ist umstritten. In der Diskussion wird sowohl für eine stärkere Rückbesinnung auf historische Formen des Gottesdienstes und ihre Theologie als auch für eine konsequente Inkulturation der Liturgie und die Entwicklung neuer Feierformen argumentiert.[139]

---

[137] Vgl. *Zeichen des Glaubens. Studien zu Taufe und Firmung. Balthasar Fischer zum 60. Geburtstag.* Hg. v. Hansjörg AUF DER MAUR – Bruno KLEINHEYER. Zürich [u.a.] 1972, wo die Herausgeber im Vorwort das Engagement des Jubilars für die Liturgiekonstitution erwähnen und die Festgabe in diesen Zusammenhang stellen (ebd. 14f); *Gemeinde im Herrenmahl. Zur Praxis der Meßfeier.* Hg. v. Theodor MAAS-EWERD – Klemens RICHTER. Einsiedeln [u.a.] ²1976 (PLR-GD). Hier heißt es in der Einleitung der Herausgeber: „Die neue Ordnung der Eucharistiefeier, ihre Strukturen und ihren theologischen Gehalt zu verdeutlichen, ist seit Jahren das Anliegen unseres Lehrers Emil Joseph Lengeling. Deshalb haben wir den Versuch unternommen, [...] das Konzept dieses Buches so auszurichten, daß es [...] der Pastoral förderlich werden kann" (ebd. 11).

[138] Vgl. dazu Martin KLÖCKENER, *Die Liturgiewissenschaft an deutschen Hochschulen*, in: LJ 32. 1982, 258–260; Klemens RICHTER, *Die Liturgiewissenschaft im Studium der Theologie heute*, in: LJ 32. 1982, 46–63; DERS., *Struktur und Aufbau des Studiums der Liturgiewissenschaft*, in: LJ 32. 1982, 89–107; DERS., *Die Liturgiewissenschaft im Studium der Theologie heute*, in: LJ 45. 1995, 40–47; Benedikt KRANEMANN, *Liturgische Bildung im römisch-katholischen Theologiestudium*, in: *Liturgie lernen und lehren. Aufsätze zur Liturgiedidaktik.* Hg. v. Jörg NEIJENHUIS. Leipzig 2001 (Beiträge zu Liturgie und Spiritualität 6), 27–41.

[139] Vgl. die unterschiedlichen Positionen, die in zwei in jüngerer Zeit erschienenen Sammelbänden deutlich werden: *Gottesdienst in Zeitgenossenschaft. Positionsbestimmungen 40 Jahre nach der Liturgiekonstitution des Zweiten Vatikanischen Konzils.* Hg. v. Martin KLÖ-

In der Geschichte der Disziplin schlagen sich zugleich Entwicklungen der Theologie, aber auch der Wissenschaftsgeschichte insgesamt nieder. Die Dominanz historischer Forschung zum Beginn des 20. Jahrhunderts kann man als Konsequenz des Antimodernismus und darauf antwortender Ausweichstrategien in der Wissenschaft, z.B. den Rückzug auf rein positive Arbeit, lesen.[140] Adalbert Ebner zählte 1897 Aufgaben liturgiegeschichtlicher Forschung auf, an erster Stelle stand das Sammeln und Edieren von Quellen.[141] 1908 beklagt Adolph Franz die Rückständigkeit der deutschen Liturgiewissenschaft auf diesem Gebiet.[142] Die theologische Dimension historischer Forschung ist bei ihm und vielen anderen noch nicht im Blick.[143] Das ändert sich erst mit dem Erstarken einer wirklich theologischen Reflexion der Liturgie, die durch Odo Casel und Romano Guardini befördert wird und auf die Hermeneutik der Geschichtsforschung Einfluss gewinnt.

Auch die Ausprägung unterschiedlicher historischer Forschungsansätze ist kein Solitär. Vergleichende Forschung, wie sie u.a. Anton Baumstark betrieben hat, begegnet in den Geisteswissenschaften insgesamt. Sie lässt sich auf Forschungsprogramme der Naturwissenschaften zurückführen, wo in der zweiten Hälfte des 19. Jahrhunderts komparatistische Forschung etwa in der Anatomie, Physiologie etc. begegnet. In der Sprach- und Literaturwissenschaft wird dann ebenfalls vergleichend geforscht, die Fragestellungen entsprechen denen, die auch in der Liturgiegeschichtsforschung eine Rolle spielen.[144]

Die Intensivierung der Liturgietheologie lässt sich parallel zu Versuchen einer Neuprofilierung der Systematischen Theologie beschreiben. Zwar ist die Neuscholastik bis zum Zweiten Vatikanischen Konzil Normalität in der theologischen Forschung und Ausbildung, doch gibt es Ausbruchversuche, „ihre als eng empfundene Darstellungs- und Denkweise zu sprengen, zu ergänzen oder

---

CKENER – Benedikt KRANEMANN. Fribourg 2006; *Der logos-gemäße Gottesdienst. Theologie der Liturgie bei Joseph Ratzinger*. Hg. v. Rudolf VODERHOLZER. Regensburg 2009 (Ratzinger-Studien 1).

[140] Vgl. Hubert WOLF, *Der Historiker ist kein Prophet. Zur theologischen (Selbst-)Marginalisierung der katholischen deutschen Kirchengeschichtsschreibung zwischen 1870 und 1960*, in: *Die katholisch-theologischen Disziplinen in Deutschland 1870–1962. Ihre Geschichte, ihr Zeitbezug*. Hg. v. Hubert WOLF. Paderborn [u.a.] 1999 (Programm und Wirkungsgeschichte des II. Vatikanums 3), 71–93.

[141] Vgl. Adalbert EBNER, *Über die gegenwärtigen Aufgaben und die Ziele der liturgisch-historischen Forschung*, in: Compte rendu du quatrième congrès scientifique international des catholique tenu à Fribourg (Suisse) du 16 au 20 août 1897. Fribourg 1898, Ire Sect., 32–41.

[142] Vgl. Adolph FRANZ, *Die Leistungen und die Aufgaben der liturgischen Forschung in Deutschland*, in: HPBl 141. 1908, 84–99.

[143] Vgl. Benedikt KRANEMANN, *Liturgiewissenschaft angesichts der „Zeitenwende". Die Entwicklung der theologischen Disziplin zwischen den beiden Vatikanischen Konzilien*, in: *Die katholisch-theologischen Disziplinen in Deutschland 1870–1962* (wie Anm. 140) 351–375, hier 363–366.

[144] Peter VON ZIMA, *Komparatistik*, in: *Metzler Lexikon Literatur- und Kulturtheorie. Ansätze – Personen – Grundbegriffe*. Hg. v. Ansgar NÜNNING. Stuttgart – Weimar 1998, 275–277, hier 275.

zumindest im Hinblick auf die pastorale Vermittlung umzuformulieren"[145]. Die für das Liturgie- und Sakramentenverständnis, aber auch beispielsweise die Ekklesiologie weitreichenden theologischen Arbeiten von Odo Casel,[146] Romano Guardini und anderen leisten genau dieses und schreiben Theologiegeschichte des 20. Jahrhunderts mit.

Für die Ausprägung der Pastoralliturgik gleichsam als drittem Forschungsfeld oder auch als dritter Säule der Disziplin lassen sich unterschiedliche Motivationen anführen. Genannt seien folgende: „Eine grundsätzliche Einheit von Theorie und Praxis"[147] kennt schon das 19. Jahrhundert auch für die Geisteswissenschaften. Peter Hünermann spricht von einer Verspannung der einzelnen Wissenschaften in den gesellschaftlichen Daseinsraum,[148] die aber nicht ausdrücklich reflektiert sein müsse. Bei einem Theologen wie Wintersig kann man diese Reflexion allerdings beobachten, er spricht von der „seelsorgswissenschaftlichen Behandlung der Liturgie"[149] und zielt auf ein Gemeindeleben,[150] das der Liturgie entspricht, „verspannt" also die Liturgiewissenschaft in die Seelsorge. Zudem hat die Liturgische Bewegung als zentrales Anliegen, die Liturgie wieder zum Mittelpunkt von Leben und Spiritualität des Christen werden zu lassen. Wie sich das im Leben des Christen wie der Kirche darstellen kann, soll nicht eine Rubrizistik, sondern die Pastoralliturgik untersuchen. Dass sich mit einer neuen Sicht auf die Liturgie im Umfeld des Konzils auch die Frage nach Gestalt und Gestaltung der unterschiedlichen Gottesdienste wie nach einer entsprechenden liturgischen Bildung stellt, legt sich nahe. In der zweiten Hälfte des 20. Jahrhunderts wirkt sich zudem ein wachsendes Interesse an der praktischen Seite von Wissenschaften aus, die zur Gestaltung gesellschaftlichen Lebens beitragen sollen. Paradigmatisch dafür steht der Bedeutungsgewinn der Erziehungswissenschaften oder auch der Fachdidaktiken in den einzelnen Disziplinen, entsprechender Theoriebildungen, der Ausbildung eigener Fachwissenschaftler etc. [151]

Schließlich sind deutliche Wechselbeziehungen zwischen Fach- und Gesellschaftsgeschichte nicht zu übersehen. Die Erfahrung des Fin de siècle, also eines Epochenendes in Politik, Kultur, Religion, Wissenschaft und Technik, dann die Grauen des Ersten Weltkriegs und in der Folge der Untergang der Monarchien, der Zerfall von Österreich-Ungarn, die Ausrufung von Republiken in Deutschland und Österreich etc. wurden als Umbruchsituationen erfahren, in

---

[145] Peter WALTER, *Die deutschsprachige Dogmatik zwischen den beiden Vatikanischen Konzilien untersucht am Beispiel der Ekklesiologie*, in: *Die katholisch-theologischen Disziplinen in Deutschland 1870–1962* (wie Anm. 140) 129–163, hier 138.

[146] Vgl. Joseph RATZINGER, *Die sakramentale Begründung christlicher Existenz*. in: DERS., *Theologie der Liturgie. Die sakramentale Begründung christlicher Existenz*, Freiburg/Br. [u.a.] 2010 (Gesammelte Schriften 11), 197–214 (zuerst 1966 erschienen), hier 197, wo Casels Mysterientheologie zu den fruchtbarsten theologischen Ideen des 20. Jahrhunderts gezählt wird.

[147] Peter HÜNERMANN, *Theologie als Wissenschaft*, in: NHThG 4. 2005, 283–293, hier 290.

[148] Vgl. HÜNERMANN, *Theologie als Wissenschaft* (wie Anm. 147) 291.

[149] WINTERSIG, *Pastoralliturgik* (wie Anm. 120) 156.

[150] WINTERSIG, *Pastoralliturgik* (wie Anm. 120) 159.

[151] Vgl. auch o. 26f.

denen sich auch die Rolle des Katholizismus veränderte.[152] Eine neue Konzentration auf das Kerngeschehen des Christentums schien angezeigt, dafür wies man der Liturgie eine besondere Rolle zu. In der Folge wuchs die Notwendigkeit, den Gottesdienst der Kirche neu zu reflektieren, entstanden wissenschaftliche Programme, Zeitschriften und Buchreihen. Nicht nur das Gewicht einer eigenständigen Liturgiewissenschaft[153] wuchs, auch das Profil des Faches veränderte sich mit langfristigen Folgen.

Die Zeit des Nationalsozialismus und dann des Zweitens Weltkriegs hinterließ ihre Spuren in der Fachgeschichte. Zunächst tangierte sie Biographien: Es gab Täter und Mitläufer und diejenigen, die sich kritisch äußerten bis hin zum Widerstand; es gab diejenigen, die sich arrangierten und die profitierten, aber auch jene, deren wissenschaftlicher Werdegang unterbrochen wurde. Es gab Themen, die zeitgenössisch in der Gesellschaft an ganz unterschiedlicher Stelle eine Rolle spielten, so „Volk", „Gemeinschaft", die Ablehnung von Individualismus etc., die unter anderen weltanschaulichen Voraussetzungen auch in der Liturgiewissenschaft diskutiert wurden.[154] Einzelne Wissenschaftler waren eng mit dem Widerstand verbunden. Hier erhielt die Liturgie nicht nur Bedeutung als „geistliches Exil", sie wurde auch Teil des Widerstehens gegen die NS-Ideologie. Die Beiträge dieses Bandes machen auf das Thema aufmerksam: Wer in der Liturgischen Bewegung oder auch welcher Teil dieser Bewegung hat sich auf den Nationalsozialismus und seine Ideologien eingelassen, wer hat sich abgegrenzt? Wo gab es in der Liturgiewissenschaft der Zeit programmatische Allianzen, wo gingen Themen und Begriffe in die historische Debatte ein, die jenseits einer Bindung an den Nationalsozialismus in gesellschaftlichen Diskursen präsent waren, wo gab es Abgrenzungen, Uminterpretationen, Neudeutungen etc.?

Die Nachkriegszeit entwickelte wiederum sehr unterschiedliche Szenarien: Der Wiederaufbau fand statt, also der Neuaufbau demokratischer Gesellschaften in Deutschland und Österreich, aber zugleich der Aufbau zerstörter Städte und damit vieler Kirchen, die wiedererrichtet oder aber ganz neu konzipiert wurden; nach dem Ende des „Dritten Reiches" ist ein Erstarken der katholischen Kirche zu beobachten, zugleich aber auch bei kritischen Bischöfen und Theologen eine zunehmende Sensibilität für den schleichenden Verlust der Volkskirche und die Notwendigkeit, dass die Kirche sich pastoral wie politisch

---

[152] Vgl. KRANEMANN, *Liturgiewissenschaft angesichts der „Zeitenwende"* (wie Anm. 143) 358f. Anders WOLF, *Der Historiker ist kein Prophet* (wie Anm. 140) 80 für die katholische Kirchengeschichtsschreibung: „Die große allgemeinhistorische Zäsur des 1. Weltkriegs bedeutete für die katholische deutsche Kirchengeschichte keinen so bedeutenden Einschnitt wie für die protestantische."

[153] Zum Begriff vgl. zuletzt LANGENBAHN, *Fürs Archiv des „Archius"* (wie Anm. 42), nach dessen Recherchen der Begriff „im Gedankenaustausch zwischen Mohlberg und Guardini geformt" wurde (ebd. 53), aber erstmals 1919 in einem Aufsatz von Anton Baumstark gedruckt erschien (ebd. 52).

[154] Als eine der sehr seltenen Fallstudien vgl. Marcel ALBERT, *Die Benediktinerabtei Maria Laach und der Nationalsozialismus.* Paderborn [u.a.] 2004 (VKZG.F 95). Eine kritische Diskussion der materialreichen Studie aus liturgiewissenschaftlicher Perspektive steht noch aus.

neu in die Gesellschaft einbringt.[155] Die Liturgiewissenschaft machte sich zunehmend die Reform der Liturgie zueigen und entdeckte diese immer stärker als ein eigenes Arbeitsfeld. Die in einer sich verändernden Kirche und Gesellschaft tragende Ausdrucksgestalt der Liturgie wurde reflektiert, nach einer kritischen Zeitgenossenschaft gesucht. Sprechende Beispiele sind die Mitwirkung von Emil Joseph Lengeling beim Wiederaufbau des Münsteraner Domes und das vom selben Liturgiewissenschaftler entwickelte Werkbuch „Gottesdienst",[156] die entscheidende Rolle, die Balthasar Fischer u.a. für ein Trierer Gesangbuch von 1955, aber auch insgesamt für die Erneuerung der Liturgie in seinem Heimatbistum gespielt hat,[157] das Engagement vieler Liturgiewissenschaftler in der Priesterbildung.[158]

Die Zeit nach dem Zweiten Vatikanischen Konzil war zumindest in Westeuropa eine Zeit gesellschaftlicher Reformen und Aufbrüche, die breit rezipiert wurden und Stimmungen und Mentalitäten in den Gesellschaften prägten. In diesem Umfeld begann die nachkonziliare Liturgiereform und etablierte sich die Liturgiewissenschaft an vielen theologischen Fakultäten mit eigenen Lehrstühlen.[159] Neue Fragestellungen, so zum Verhältnis von Liturgie und Gesellschaft, wurden diskutiert, aus der Liturgischen Bewegung Überkommenes wie die Rolle der Laien in der Liturgie in einem sich wandelnden Umfeld erörtert und in die Praxis eingebracht. Weniger das theologische Grundverständnis von Liturgie – hier sind entscheidende Arbeiten schon früher im Jahrhundert vorgelegt worden[160] – als das Bemühen um Gestaltung und Ästhetik des Gottesdienstes änderte sich. Mit Blick auf die nachlassende Bindungskraft der Kirche in der Gesellschaft und in Auseinandersetzung mit neueren römischen Dokumenten wie der Instruktion zur Übertragung liturgischer Texte („Übersetzerinstruktion")[161] arbeitete die Liturgiewissenschaft an der inhalt-

---

[155] Vgl. Erwin GATZ, *Die Katholische Kirche in Deutschland im 20. Jahrhundert.* Mit einem Beitrag von Karl-Joseph HUMMEL. Freiburg/Br. [u.a.] 2009, hier Teil 5: „Vom Ende des Zweiten Weltkriegs bis zum Beginn des Zweiten Vatikanischen Konzils"; das belegt auch für das Bistum Münster und Bischof Michael Keller Wilhelm DAMBERG, *Abschied vom Milieu? Katholizismus im Bistum Münster und in den Niederlanden 1945–1980.* Paderborn [u.a.] 1997 (VKZG.F 79), u.a. 122–128.

[156] Vgl. dazu Stefan BÖNTERT, *Das Gesangbuch „Laudate" und das Werkbuch „Gottesdienst". Liturgische Aspekte der Gesangbuchtradition im Bistum Münster am Vorabend des Konzils,* in: *Dem Konzil voraus. Liturgie im Bistum Münster auf dem Weg zum II. Vatikanum.* Hg. v. Klemens Richter – Thomas Sternberg. Münster 2004, 94–118; Martin STUFLESSER, *Der Wiederaufbau des Doms zu Münster. Zeichen des Neuaufbruchs in der Liturgie,* ebd. 151–177.

[157] Vgl. dazu in diesem Band den Beitrag von Andreas Heinz über Balthasar Fischer.

[158] Auf die sehr eingeschränkten Entwicklungsmöglichkeiten der katholischen Kirche in der DDR kann hier nur hingewiesen werden. Vgl. dazu Josef PILVOUSEK, *Theologische Ausbildung und gesellschaftliche Umbrüche. 50 Jahre Katholische Theologische Hochschule und Priesterausbildung in Erfurt.* Leipzig 2002 (EThSt 82).

[159] Vgl. dazu o. 46–48.

[160] Hier ist auf sehr unterschiedliche Arbeiten von Odo Casel, Romano Guardini u.a. zu verweisen, aber auch auf das 1957 auf Italienisch erschienene und dann ins Deutsche übersetzte Werk von Cyprian VAGAGGINI, *Theologie der Liturgie.* Ins Deutsche übertragen und bearbeitet von August BERZ. Einsiedeln 1959.

[161] Vgl. *De interpretatione textuum liturgicorum. Die Übertragung liturgischer Texte.* 25.1.1969, in: *Dokumente zur Erneuerung der Liturgie 1* (wie Anm. 124) 592–605.

lichen Gestaltung und Übersetzung der nachkonziliaren liturgischen Bücher
mit; es ging um den Brückenschlag zwischen Glaubensüberlieferung und Glaubensleben in der Gegenwart, zwischen Tradition und Heute; letztlich handelt
es sich um Adaptations- und Inkulturationsprozesse in sich verändernden kulturellen Zusammenhängen, an denen sich die Disziplin beteiligt.[162]

In jüngster Zeit ist im Fach eine Veränderung von Forschungsprofilen
festzustellen, die mit der wachsenden zeitlichen Distanz zum Konzil zusammenhängt. Es stellen sich für die wissenschaftliche Auseinandersetzung mit
dem Gottesdienst neue Fragen im sich verändernden kirchlichen wie gesellschaftlichen Umfeld. Überkommenen Themenfeldern muss neue Dynamik
verliehen werden, neue Fragestellungen entstehen auch im Gespräch mit anderen theologischen Disziplinen wie den Kulturwissenschaften. Die „Standortbestimmung", das gemeinsame Programmpapier der deutschsprachigen
Liturgiewissenschaft,[163] hat 1991 formuliert: „Hat die klassische Liturgiewissenschaft die Vielfalt der Traditionen in der Ökumene aufzeigen können, so geht
es heute zusätzlich um die Beobachtung und Analyse eines sich in der Liturgie
ständig neu vollziehenden Inkulturationsprozesses."[164] Angesichts von Säkularisierung und religiösem Pluralismus steht die Frage an, wie Inkulturation mit
Blick auf eine immer größere kulturelle Pluralität überhaupt noch gelingen
kann.

3.2.3 Arbeitsfelder und Schwerpunktsetzungen katholischer Liturgiewissen-
schaft

Das Arbeitsfeld der Liturgiewissenschaft ist der Gottesdienst der Kirche in seinem ganzen Umfang, doch schon diese Aussage, die eigentlich selbstverständlich ist, muss interpretiert werden: Sie kann den Gottesdienst vor allem als
Quelle theologischer, aber auch als Gegenstand praktisch-gestalterischer Reflexion verstehen; dahinter verbergen sich dann möglicherweise sehr unterschiedliche Konzeptionen von Liturgiewissenschaft.[165] Um das Fach in seiner ganzen
Breite in den Blick nehmen zu können, sollen einzelne Felder liturgiewissenschaftlicher Forschung genannt werden. Es kann nicht um Vollständigkeit gehen, sondern nur um Akzentsetzungen.

Es zählt zu den Spezifika katholischer Liturgiewissenschaft des 20. Jahrhunderts, dass die unterschiedlichen Arbeitsfelder des Faches – Geschichte, Theologie und Pastoral des Gottesdienstes – immer in Forschung und Lehre hinein-
spielen und sich überschneiden. Ein gewisses „Generalistentum" ist den Fachvertretern zu eigen und charakteristisch für das Fach. Die Vieldimensionalität

---

[162]   Einen Einblick in die Mitwirkung der Liturgiewissenschaft am Reformwerk vermittelt
        Heinrich RENNINGS, *Die Arbeit der Liturgiekommission der Deutschen Bischofkonferenz in
        den Jahren 1963–1990*, in: LJ 40. 1990, 178–191.

[163]   Vgl. dazu o. 19f.

[164]   GERHARDS – OSTERHOLT-KOOTZ, *Kommentar zur „Standortbestimmung der Liturgiewissen-
        schaft"* (wie Anm. 37) 125. Ebd. 131 merken die Kommentatoren an: „Auch stellen
        sich neue Anforderungen durch eine säkularisierte Gesellschaft."

[165]   Vgl. dazu mit dem Akzent auf einer theologisch-kommentierenden systematischen
        Liturgiewissenschaft MESSNER, *Was ist systematische Liturgiewissenschaft?* (wie Anm. 36);
        vgl. auch *Liturgische Theologie. Aufgaben systematischer Liturgiewissenschaft.* Hg. v. Helmut
        HOPING – Birgit JEGGLE-MERZ. Paderborn [u.a.] 2004.

des Gottesdienstes prägt die Arbeit der katholischen Liturgiewissenschaft, wie beispielsweise dem Werk so unterschiedlicher Persönlichkeiten wie Hansjörg Auf der Maur, Balthasar Fischer, Bruno Kleinheyer oder Emil Joseph Lengeling ablesbar ist.

Zur Arbeitsweise der Liturgiewissenschaft gehört von der Sache her zudem die Interdisziplinarität, wie von seinen Fragestellungen her das Handbuch „Gottesdienst der Kirche" exemplarisch zeigt.[166] Wer Liturgie als eine komplexe religiös-kulturelle Lebensäußerung versteht, wird vor allem theologische sowie geistes- und kulturwissenschaftliche Nachbardisziplinen für seine Forschung nutzen. Forscherpersönlichkeiten wie Peter Browe, Anton Baumstark und Franz Joseph Dölger stehen früh im 20. Jahrhundert für diese Interdisziplinarität, die häufig durch ein breites, nicht allein theologisches Studium oder die unterschiedlichen Aufgabenfelder in einem Orden, aber auch durch Wissenschaftler aus anderen Disziplinen ermöglicht worden ist, die sich nach und nach auf den Gottesdienst als Forschungsfeld verlegt haben.

Motivationen für die Liturgiegeschichtsforschung, dann aber auch die Schwerpunkte innerhalb dieser Forschung variieren stark. Unterschieden werden können als große Richtungen die vergleichende Liturgiegeschichtsforschung, wesentlich durch Anton Baumstark begründet,[167] die genetische Liturgieforschung, die mit dem Namen von Josef Andreas Jungmann verbunden ist – beide Richtungen haben Schulenbildungen erlebt –, und die geistesgeschichtlich orientierte Geschichtsforschung, von Anton Ludwig Mayer betrieben.[168] Die Methoden sind fortentwickelt worden und werden mittlerweile durch neue Ansätze erweitert.[169] Das Ziel kann u.a. eine Interpretation der Geschichte in ihrer Zeit, also das Interesse an der Geschichte um ihrer selbst willen, eine Rückbesinnung innerhalb der Liturgie der Gegenwart auf die Ursprünge und damit die Tradition oder auch der Versuch sein, in unterschiedlicher Weise an überlieferten Formen festzuhalten. In jedem Fall stellt sich die Frage, was als „Geschichte" wahrgenommen wird und welche Geschichtsbilder

[166] Der 2008 erschienene Band Karl-Heinrich BIERITZ [u.a.], *Theologie des Gottesdienstes.* Regensburg 2008 (GdK 2.2) führt die verschiedenen Arbeitsfelder der Liturgiewissenschaft, Ethnologie und Judaistik, Kultur- und Medienwissenschaften zusammen. Aber auch für die anderen Bände lässt sich ein interdisziplinäres Interesse nachweisen.

[167] Aus der Fülle der Literatur sei folgende Monographie genannt: Fritz WEST, *Anton Baumstark´s comparative liturgy in its intellectual context* (Diss.). Notre Dame IN 1988.

[168] Vgl. KRANEMANN, *Liturgiewissenschaft angesichts der „Zeitenwende"* (wie Anm. 143) 363–371.

[169] Vgl. die Studien von Friedrich LURZ, *Erlebte Liturgie. Autobiografische Schriften als liturgiewissenschaftliche Quellen.* Münster 2003 (Ästhetik – Theologie – Liturgik 28) (Ansatz bei autobiographischen Texten), Stephan GEORGE, *Bestattung und katholische Begräbnisliturgie in der SBZ/DDR. Eine Untersuchung unter Berücksichtigung präskriptiver und deskriptiver Quellen.* Würzburg 2006 (EThSt 89) (Rückgriff auf Interviews) oder Stefan BÖNTERT, *Friedlicher Kreuzzug und fromme Pilgerschar. Liturgiehistorische Studien zur Heilig-Land-Wallfahrt aus dem deutschen Sprachgebiet zwischen Mitte des 19. Jahrhunderts und 1914 im Spiegel von Pilgerberichten* [im Druck] (Untersuchung von Pilgerberichten). Neue Fragestellungen verbinden sich beispielsweise auch mit der Erforschung von Quellen wie dem Liber Ordinarius; vgl. dazu Jürgen BÄRSCH, *Liber ordinarius. Zur Bedeutung eines liturgischen Buchtyps für die Erforschung des Mittelalters,* in: Archa verbi 2. 2005, 9–58.

konstruiert und zugrunde gelegt werden. Auch muss zwischen unterschiedlichem Verständnis von Tradition unterschieden werden: Geht es um die frühe Kirche und die Kirchenväter, sind monastische Traditionen gemeint, ist nur allgemein tradierte Liturgie angesprochen usw.? Gegenüber anderen Tendenzen des 19. Jahrhunderts entdeckten Wissenschaftler die Bedeutung der diözesanen Eigenliturgien und Liturgiefamilien wieder; so legt Emil Joseph Lengeling mehrere Studien zur Geschichte der Liturgie des Bistums Münster vor, Balthasar Fischer einzelne Arbeiten zur Trierer Liturgiegeschichte, Odilo Heiming Forschungen zur Mailändischen oder Ambrosianischen Liturgie.

Schließlich ist im Zusammenhang des durch Tradition und Geschichtlichkeit geprägten Geschehens „Liturgie" wichtig, wie mit historischen Phänomenen für die Gegenwart umgegangen wird: Welcher Stellenwert wird der Geschichte für die Lösung von Gegenwartsproblemen zugesprochen? Josef Andreas Jungmann hat sich gegen Repristinierungsversuche in einer Liturgiereform ausgesprochen, Theodor Klauser sich aus aktuellen Diskussionen über Liturgie und Kirche herausgehalten,[170] viele andere hingegen haben aus ihrer Kenntnis der Geschichte heraus die Gegenwart mitzugestalten versucht.

Von besonderer Bedeutung sind heute jene Forschungsprogramme, die über die Theologie hinaus nach Interdisziplinarität gesucht haben. Eine enge Vernetzung mit der Frömmigkeits- und Kulturgeschichte (Peter Browe, Adolph Franz), der Geistesgeschichte (Anton Ludwig Mayer),[171] der Religionsgeschichte (Paul Hieronymus Frank), aber auch mit der Geschichte des Mönchtums (Paul Hieronymus Frank, Odilo Heiming, Emmanuel von Severus) und der Missionsgeschichte (Hansjörg Auf der Maur, Jakob Baumgartner) hat der Erforschung der Liturgie bedeutende Impulse gegeben. Auch die von Einzelnen wie Franz Joseph Dölger, Theodor Klauser oder Johannes Quasten betriebene liturgiewissenschaftliche Forschung mit Blick auf die Ikonographie oder die Archäologie hat zu wichtigen Erkenntnissen geführt, spielt aber später im Jahrhundert kaum mehr eine Rolle. Dagegen ist die Beschäftigung vor allem mit dem liturgischen Raum (Johannes H. Emminghaus, Otto Nußbaum, Hans Bernhard Meyer, Anton L. Mayer), aber auch mit dem Verhältnis von Kunst und Liturgie in der deutschsprachigen Liturgiewissenschaft durch das 20. Jahrhundert hindurch präsent und hat an Bedeutung gewonnen.[172] Sie weist auf den großen Bereich der Glaubensästhetik hin, der immer stärker zum Thema wird.

Gerade in der Historik der Liturgie spielt das Interesse an Liturgien verschiedener Traditionen und Kirchen eine Rolle. Ohne schon von einer „ökumenischen Liturgiewissenschaft" sprechen zu können,[173] muss man eine breite

---

[170] Vgl. in diesem Buch die Beiträge von Rudolf Pacik sowie von Ernst Dassmann.

[171] Vgl. Benedikt KRANEMANN, *Liturgischer Pluralismus als Herausforderung liturgiewissenschaftlicher Forschung*, in: JLO 22. 2006, 29–47, hier 41–45.

[172] Anstelle von Einzelbelegen sei auf die Reihen *Bild – Raum – Feier. Studien zu Kirche und Kunst.* Regensburg 2002ff und *Bild – Raum – Feier. Kirche und Kunst im Gespräch.* Regensburg 1997ff sowie auf die Beiträge katholischer Liturgiewissenschaftler in Zeitschriften wie „Kunst und Kirche" (1924ff) und „Das Münster" (1947ff) verwiesen.

[173] Vgl. dazu Karl-Heinrich BIERITZ, *Chancen einer ökumenischen Liturgik*, in: ZKTh 100. 1978, 470–483 (ND in: DERS., *Zeichen setzen. Beiträge zu Gottesdienst und Predigt.* Stuttgart [u.a.] 1995 [PTHe 22] 29–41); Angelus A. HÄUSSLING, *Was heißt: Liturgiewissen-*

Forschung zur Vielfalt der Liturgien in den christlichen Kirchen konstatieren. Sie begegnet bei Anton Baumstark und legt sich für eine komparative Forschung nahe; Hans Bernhard Meyer untersucht lutherische Liturgiegeschichte, Max von Sachsen hat sich um die Erschließung ostkirchlich-orientalischer Liturgien bemüht; auch Odilo Heiming befasste sich mit den Liturgien des christlichen Ostens; Jakob Baumgartner und Anton Hänggi haben sich selbst als Ökumeniker verstanden; Johannes Pinsk war im ökumenischen Gespräch engagiert, Emil Joseph Lengeling Mitglied des Jäger-Stählin-Kreises. Man kann die Reihe fortführen: Über die Liturgiegeschichtsforschung hinaus ist ein verbreitetes Interesse an und Engagement für die Ökumene in der Liturgiewissenschaft nicht zu übersehen.[174]

Mit der jüdischen Liturgie beschäftigt sich die Liturgiewissenschaft in ganzer Breite und ernsthaft erst relativ spät. Dabei werden sowohl historische als auch theologische Fragestellungen bearbeitet.[175] Eine eindrucksvolle Ausnahme unter den hier Porträtierten ist John Hennig, der in seinem Forschungsinteresse durch die eigene Lebensgeschichte motiviert wurde. Zwar fand das Judentum auch bei anderen Liturgiewissenschaftlern Beachtung, oft aber nur als ein historisches Phänomen und nicht als eine lebendige Größe in der Gegenwart, ein beachtlicher Unterschied. Erst in den letzten Jahrzehnten sind hier neue Forschungsimpulse gesetzt worden;[176] es wird nach Gemeinsamkeiten, Parallelentwicklungen im selben kulturellen Umfeld, aber auch nach Abgrenzungen und Aggressionen gefragt.

Auch auf dem Gebiet der Theologie der Liturgie lassen sich einige Hauptrichtungen der Forschung beschreiben, doch auch dann begegnet im Weiteren eindrucksvolle Vielfalt. Die entscheidende theologische Neuorientierung gibt Odo Casel mit seinem Entwurf der Mysterientheologie vor.[177] Für die Reflexion

---

schaft ist ökumenisch?, in: *Gottesdienst – Weg zur Einheit. Impulse für die Ökumene.* Hg. v. Karl SCHLEMMER. Freiburg/Br. [u.a.] 1989 (QD 122), 62–88; Friedrich LURZ, *Für eine ökumenische Liturgiewissenschaft*, in: TThZ 108. 1999, 273–290 (Nachdruck in: *Grenzen überschreiten* [wie Anm. 91] 149–165); Irmgard PAHL, *Ökumenische Liturgiewissenschaft und Liturgik heute und künftig*, in: Arbeitsstelle Gottesdienst 2001, H. 39, 41–59; Reinhard MESSNER, *Ansätze für eine ökumenische Liturgiewissenschaft*, in: *Grenzen überschreiten* (wie Anm. 91) 127–137; Peter CORNEHL, *Ansätze zu einer ökumenischen Liturgiewissenschaft. Antwort auf Reinhard Meßner*, in: ebd. 139–147; *Liturgiewissenschaft und Kirche* (wie Anm. 106).

[174] Vgl. die Diskussion zwischen Teresa BERGER, *Prolegomena für eine ökumenische Liturgiewissenschaft*, in: ALw 29. 1987, 1–18, und Angelus A. HÄUSSLING, *Bemerkungen zu Teresa Bergers 'Prolegomena für eine ökumenische Liturgiewissenschaft'*, in: ALw 29. 1987, 242–249, die angesichts der vorliegenden Einzelporträts weitergeführt werden müsste.

[175] Vgl. beispielsweise *Jüdische Liturgie. Geschichte – Struktur – Wesen.* Hg. v. Hans Hermann HENRIX. Freiburg/Br. [u.a.] 1979 (QD 86).

[176] Einen Überblick über eine mittlerweile sehr umfangreiche Literatur bieten Clemens LEONHARD – Albert GERHARDS – Peter EBENBAUER, *Liturgie und Judentum*, in: ALw 46. 2004, 407–451. Vgl. außerdem Daniela KRANEMANN, *Israelitica dignitas? Studien zur Israeltheologie eucharistischer Hochgebete.* Altenberge 2001 (MThA 66); *Kontinuität und Unterbrechung. Gottesdienst und Gebet in Judentum und Christentum.* Hg. v. Albert GERHARDS – Stephan WAHLE. Paderborn 2005 (Studien zu Judentum und Christentum); *Dialog oder Monolog?* (wie Anm. 130).

[177] Vgl. dazu Anm. 20.

der Sakramente und der Sakramentenliturgie, letztlich der Liturgie insgesamt, für das Bild der Kirche, für das Verständnis des Christusgeheimnisses („Paschamysterium") und seine Gegenwart im Heute hat Casel richtungsweisende Aussagen formuliert, die liturgietheologisch längst nicht ausgeschöpft sind.[178] Eine breite Wirkungsgeschichte hat darüber hinaus Casels Vorstellung erfahren, das Christusmysterium solle Mittelpunkt christlicher Existenz sein. Dieses ist zu einem Grundmodell der Liturgietheologie des 20. Jahrhunderts vor und nach dem Konzil geworden und prägt Theologie wie Pastoral der Liturgie. Die Vorstellung, dass die Liturgie im Zentrum des kirchlichen Lebens steht und eine Erneuerung von Glauben und Kirche in der Liturgie ihren Anfang nehmen muss, legt sich von hierher nahe. Das Wort vom liturgischen Apostolat erklingt aus dieser Richtung (Ildefons Herwegen).

Vor dem Hintergrund der Theologie Casels sind wiederholt Versuche unternommen worden, das Geschehen der Liturgie begrifflich zu klären. So wurde die Liturgie u.a. als Lebenstausch zwischen Gott und Mensch (Johannes Pinsk) oder als Dialog zwischen Gott und Mensch (Emil Joseph Lengeling) beschrieben. Angesichts eines solchen Verständnisses von Liturgie legt es sich nahe, nach der Teilnahme der Gläubigen als der Initiierten am zentralen Glaubensgeschehen zu fragen. Die „tätige Teilnahme" ist nicht erst seit dem Konzil eine grundlegende Forderung an den Gottesdienst der Kirche. Die Rolle der Gemeinde in der Liturgie wird neu definiert.[179]

Damit drängt sich ein anderes Thema auf, das die Theologie insgesamt beschäftigt: Die Anthropologie wird für die Liturgie in neuer Weise als ein unverzichtbares Thema entdeckt.[180] In der Beschreibung der Liturgie als dialogischem Geschehen kommt dieses anthropologische Moment zum Ausdruck. Wo von Heilsgeschichte, Gedächtnis, Partizipation usw. die Rede ist, geht es nie um Äußerlichkeiten, sondern um das auf den Menschen zukommende Gnadenhandeln Gottes, das diesen mit seinem Leben einschließt. Anthropologie und Theologie gehen Hand in Hand.

Zugleich stellte sich die Frage, wie man die Gläubigen an dieses Zentralgeschehen neu heranführen kann. Zahlreiche Studien beschäftigten sich mit der Möglichkeit einer mystagogischen Erschließung der bestehenden Liturgie (Johannes Pinsk, Urbanus Bomm, Aemiliana Löhr u.a.). Programme wurden für die liturgische Bildung entworfen (Romano Guardini), eine eigene Literatur

---

[178] Vgl. zuletzt Stephan WAHLE, *Gottes-Gedenken. Untersuchungen zum anamnetischen Gebet christlicher und jüdischer Liturgie.* Innsbruck 2006 (IThS 73).

[179] Vgl. Franz KOHLSCHEIN, *Bewußte, tätige und fruchtbringende Teilnahme. Das Leitmotiv der Gottesdienstreform als bleibender Maßstab*, in: *Lebt unser Gottesdienst? Die bleibende Aufgabe der Liturgiereform.* Hg. v. Theodor MAAS-EWERD. Freiburg/Br. [u.a.] 1988, 38–62; Angelus A. HÄUSSLING, *Liturgiereformen. Materialien zu einem neuen Thema der Liturgiewissenschaft*, in: DERS., *Christliche Identität aus der Liturgie* (wie Anm. 34) 11–45; Benedikt KRANEMANN, *Der Gemeindebezug des Gottesdienstes aus katholischer Sicht*, in: *Beteiligung? Der Gottesdienst als Sache der Gemeinde.* Hg. v. Irene MILDENBERGER – Wolfgang RATZMANN. Leipzig 2006 (Beiträge zu Liturgie und Spiritualität 15), 77–100.

[180] Der derzeit beste überblicksartige Beitrag stammt von einem evangelischen Theologen: Karl-Heinrich BIERITZ, *Anthropologische Grundlegung*, in: *Handbuch der Liturgik* ³2003 (wie Anm. 1) 95–128.

widmete sich dieser Wissensvermittlung über Liturgie,[181] die Ausbildung und Fortbildung wurde zu einem eigenen Reflexionsobjekt (Emil Joseph Lengeling). Die Liturgiewissenschaft fragte mit neuer Intensität nach dem Zueinander von Liturgie und Seelsorge.

Doch wuchs die Überzeugung, dass allein eine Erschließung der Liturgie nicht reicht, sondern Reformen notwendig sind, um die Liturgie als Zentrum des Glaubens erfahrbar zu machen. Unter Reformen verstand man wirkliche Eingriffe in die Gestalt der Gottesdienste.[182] Eine Reform der Liturgie um der Glaubenserneuerung willen forderten Liturgiewissenschaftler wie Balthasar Fischer, Bruno Kleinheyer, Emil Joseph Lengeling u.a. nicht nur, sie stellten sich in den Dienst dieser Reform. Vor allem die liturgiehistorische Forschung bereitete den Boden für die späteren Reformen, auch wenn sie darauf zunächst möglicherweise gar nicht gezielt hatte. Die Erkenntnis, dass Liturgie als Kulturgebilde in Bewegung bleibt, spielte dabei eine wichtige Rolle, aber auch die erworbene Kenntnis altkirchlicher Liturgie, die als theologisch ursprünglicher eingeschätzt wurde.[183] Für die konkrete Reformarbeit kamen dann vor allem theologische Arbeiten, die das liturgische Geschehen in seiner Bedeutung reflektierten, und pastoralliturgische Studien zum Zuge, letztere mit einem unmittelbaren pastoralen Interesse. Einmal mehr lässt sich das Ineinander der verschiedenen Arbeitsfelder beobachten. Allerdings traten allein an Geschichte orientierte Arbeiten zurück. Und: Man konzentrierte sich mehr denn je auf die westliche, mehr noch die römische Liturgie. Das weite Feld der ostkirchlich-orientalischen Liturgien trat für einige Zeit an den Rand des Blickfeldes.

Die Unterstützung der Reform schlug sich in der Mitwirkung in unterschiedlichsten kirchlichen Gremien nieder, seien es vatikanischen Kommissionen im unmittelbaren Vorfeld des Konzils, während des Konzils selbst und dann in der eigentlichen Reformarbeit,[184] seien es Kommissionen, die die Liturgiereform beispielsweise in den Diözesen und Orden wissenschaftlich begleitet haben. Auf die Arbeitsgruppen, in denen u.a. unter Beteiligung von Liturgiewissenschaftlern die muttersprachlichen liturgischen Bücher vorbereitet

---

[181] Der Bogen entsprechender Reihen, Zeitschriften und Einzeltitel ist weit gespannt. Er reicht von der Schriftenreihe „Ecclesia orans", in der 1918 als erster Band von Romano GUARDINI, *Vom Geist der Liturgie* erschien (Freiburg/Br.), über die „Liturgische Zeitschrift" (dazu BENDER, *Programm und Rezeption der Liturgischen Bewegung im Spiegel der „Liturgischen Zeitschrift"* [wie Anm. 42]), der viele vergleichbare Publikationen an die Seite zu stellen wären (vgl. RÜPKE, *Liturgische Zeitschriften und Reihen* [wie Anm. 42]) bis zu den verbreiteten Arbeiten von Adolf ADAM nach dem Konzil, für die hier pars pro toto *Erneuerte Liturgie. Ein Sachbuch zum katholischen Gottesdienst.* Freiburg/Br. [u.a.] 1972, stehen mag.

[182] Vgl. die Zusammenstellung von Charakteristika einer Liturgiereform bei Martin KLÖCKENER – Benedikt KRANEMANN, *Liturgiereform – Grundzug des christlichen Gottesdienstes. Systematische Auswertung*, in: *Liturgiereformen* Bd. 2 (wie Anm. 4) 1083–1108, hier 1087–1105.

[183] Vgl. Arnold ANGENENDT, *Liturgik und Historik. Gab es eine organische Liturgie-Erklärung?* Freiburg/Br. [u.a.] 2001 (QD 189), 55f.

[184] Einen Überblick vermittelt das Register von Annibale BUGNINI, *La riforma liturgica 1948 – 1975. Nuova ed. riveduta e arricchita di note e di supplementi per una lettura analitica.* Roma 1997 (BEL.S 30).

wurden, ist bereits hingewiesen worden. Die kirchliche Sozialisation der beteiligten Wissenschaftler und die eigene liturgische Praxis dürften ein besonderes Movens bei dieser Arbeit gewesen sein.

Über Jahrzehnte ist die Mitarbeit von Liturgiewissenschaftlern an kirchlichen Reformprojekten selbstverständliche Praxis gewesen.[185] Mit den restriktiven Vorgaben neuer römischer Dokumente wie „Liturgiam authenticam"[186] scheint diese Praxis gefährdet zu sein.

3.2.4 Institutionalisierung der Liturgiewissenschaft

Unter Institutionen der Liturgiewissenschaft werden für die katholische Theologie Lehrstühle, die liturgiewissenschaftlichen Institute, wissenschaftliche Vereinigungen und die einschlägigen Zeitschriften und Buchreihen behandelt. Daneben sollen die Zentren der Liturgischen Bewegung genannt werden, die heute jedoch zumeist nicht mehr Mittelpunkt der liturgiewissenschaftlichen Forschungen und der pastoralliturgischen Arbeit sind.

Lehrstühle für Liturgiewissenschaft, die nur dieses Fach zu vertreten haben, sind bereits vor dem Zweiten Vatikanischen Konzil entstanden. Allerdings sind sie erst durch die bereits beschriebenen Vorgaben der Konzilsväter zum Standard in theologischen Fakultäten geworden. Der erste Lehrstuhl im deutschen Sprachgebiet besteht seit 1950 an der Theologischen Fakultät Trier. Hier forschte und lehrte seit 1947 Balthasar Fischer und damit eine Persönlichkeit, die in der Folgezeit für das weitere Geschick des Faches sehr prägend wirken sollte.[187] Interessant ist die Vorgeschichte der Einrichtung des Lehrstuhls. Trier war in der ersten Hälfte des vergangenen Jahrhunderts eine, wenn nicht die in liturgischen Fragen führende deutschsprachige Diözese. Heinrich von Meurers wirkte hier von 1935 bis 1951 als Generalvikar. Er stand ganz im Dienste der liturgischen Erneuerung und hat, dadurch für die Bedeutung der Liturgie sensibilisiert, den Plan eines liturgiewissenschaftlichen Lehrstuhls am Trierer Priesterseminar verfolgt. 1947 wurde Fischer in Trier zum Professor ernannt. 1950 wurde die Hochschule von Rom als Theologische Fakultät anerkannt.[188]

[185] Vgl. Winfried HAUNERLAND, *Instanzen und Prozesse von Missalereformen. Liturgiegeschichtlicher Rückblick und systematischer Ausblick*, in: *Liturgie in kulturellen Kontexten. Messbuchreform als Thema der Liturgiewissenschaft. Liturgia w kontekstach kulturowych – reforma mszału jako temat w nauce o liturgii.* Hg. v. Benedikt KRANEMANN – Helmut Jan SOBECZKO. Opole – Trier 2010 (Colloquia Theologica 11), 119–143.

[186] Vgl. Kongregation für den Gottesdienst und die Sakramentenordnung, *Der Gebrauch der Volkssprache bei der Herausgabe der Bücher der römischen Liturgie* Liturgiam authenticam. *Fünfte Instruktion „zur ordnungsgemäßen Ausführung der Konstitution des Zweiten Vatikanischen Konzils über die heilige Liturgie" (zu Art. 36 der Konstitution)*. Lateinisch – Deutsch. 28. März 2001. Hg. vom Sekretariat der Deutschen Bischofskonferenz. Bonn 2001 (VApS 154). Vgl. dazu aus einer Fülle von Literatur zwei deutschsprachige kritische Stimmen: Reiner KACZYNSKI, *Angriff auf die Liturgiekonstitution? Anmerkungen zu einer neuen Übersetzer-Instruktion*, in: StZ 219. 2001, 651–668; Albert GERHARDS, *Tradition versus Schrift? Die Übersetzerinstruktion „Liturgiam authenticam" und die deutsche Einheitsübersetzung*, in: StZ 224. 2006, 821–829.

[187] Vgl. Andreas HEINZ, *Der erste Lehrstuhl für Liturgiewissenschaft an einer deutschen Theologischen Fakultät (Trier 1950)*, in: TThZ 108. 1999, 291–304.

[188] Alle Angaben nach HEINZ, *Der erste Lehrstuhl für Liturgiewissenschaft* (wie Anm. 187).

Weitere Lehrstühle sollten ebenfalls noch vor dem Konzil entstehen. In St. Georgen wurde 1953 mit Alois Stenzel, in Freiburg/Schw. 1956 mit Anton Hänggi ein Lehrstuhl für Liturgiewissenschaft besetzt. In Münster war es Emil Joseph Lengeling, der 1959 auf den Lehrstuhl für Liturgiewissenschaft berufen wurde. Weitere Lehrstühle wurden nach dem Konzil geschaffen.[189]

Allerdings darf nicht übersehen werden, dass auch schon früher Liturgie als Thema im theologischen Fächerkanon vertreten war. So hatte vor Lengeling in Münster Heinrich Bernhard Elfers den Lehrstuhl für Liturgiewissenschaft und Homiletik innegehabt. Seit 1919 hatte in Münster Richard Stapper als außerplanmäßiger Professor, dann ab 1923 als Ordinarius Pastoraltheologie und darin auch Liturgie gelehrt. Auch für die Münchener Fakultät kann gezeigt werden, dass dort „Liturgik" bereits im 19. Jahrhundert von einem Lehrstuhl bestritten wurde, der die Zuständigkeit für Pastoraltheologie, Liturgik, Homiletik und Katechetik, zeitweise auch für Kirchenrecht besaß. Die Liturgik wurde in der Beschreibung des Lehrstuhls ausdrücklich erwähnt.[190]

Eine für die katholische Theologie lange Zeit strittige Frage war die Berufung von Laien auf theologische Lehrstühle. Die ersten Laien auf liturgiewissenschaftlichen Lehrstühlen waren in Mainz 1978 Hansjakob Becker und in Münster 1981 Klemens Richter. Mit Gabriele Winkler, Irmgard Pahl und – derzeit – Birgit Jeggle-Merz sind bislang drei Frauen auf entsprechende Positionen berufen worden.

Heute gibt es Lehrstühle für Liturgiewissenschaft an den kirchlichen und staatlichen Fakultäten in Deutschland in St. Augustin, Augsburg, Benediktbeuern, Bochum, Bonn, Eichstätt, Erfurt, Frankfurt/Main, Freiburg/Br.,[191] Fulda, Mainz (Universität und Fachhochschule), München, Münster, Paderborn, Regensburg, Trier, Tübingen, Vallendar, Würzburg, in Österreich in Graz, Innsbruck, Linz, Salzburg und Wien, in der Schweiz in Fribourg und Chur (Doppelprofessur im Fachbereich Liturgiewissenschaft mit der Universität Luzern). Diese Lehrstühle gehören zumeist zur praktischen Fächergruppe, selten zur historischen oder zur systematisch-theologischen Sektion. Die erstgenannte Zuordnung legt sich von den Vorgaben des Konzils und der nachkonziliaren Dokumente her nahe.

Neben diesen Institutionen sind bis heute die liturgiewissenschaftlichen Institute in Trier, Salzburg und Freiburg/Schw. mit ihrem spezifischen Auftrag wichtige Einrichtungen für die Liturgiewissenschaft.[192] Im Oktober 1946 hatte die Österreichische Bischofskonferenz beschlossen, eine Initiative zur Gründung eines entsprechenden Instituts aufzugreifen, die aus der Salzburger Abtei St. Peter stammte. Wissenschaft und Praxis sollten hier zusammengeführt,

---

[189] Vgl. die Übersicht bei Franz KOHLSCHEIN, *Zur Geschichte der katholischen Liturgiewissenschaft im katholischen deutschsprachigen Bereich*, in: *Liturgiewissenschaft* (wie Anm. 19) 66–69.

[190] Vgl. dazu HAUNERLAND, *Liturgiewissenschaft in Forschung und Lehre* (wie Anm. 114) 155f u.ö.

[191] Vgl. dazu Anm. 126.

[192] Den Gründungen im deutschen Sprachgebiet ging allerdings in Paris die Errichtung des Centre de Pastorale Liturgique (1943) voraus. Vgl. dazu die kurze Information von Lucas BRINKHOFF, *Centre des Pastorale Liturgique*, in: LitWo 380f; Pie DUPLOYÉ, *Les origines du Centre de pastorale liturgique, 1943–1949*. Mulhouse 1968.

das Feld der Liturgie beobachtet und liturgische Erneuerung und Kirchenleitung zusammengehalten werden. Das Institutum Liturgicum in St. Peter sollte diese Aufgaben zukünftig übernehmen.[193] Im Dezember 1947, wenige Wochen nach der Veröffentlichung der Enzyklika „Mediator Dei",[194] die die Initiativen der Liturgischen Bewegung anerkannte und als entscheidende Station auf dem Weg zur Liturgiekonstitution „Sacrosanctum Concilium" gilt, wurde auf Beschluss der Fuldaer Bischofskonferenz in Trier das Liturgische Institut, später Deutsches Liturgisches Institut, gegründet. Das Arbeitsprogramm ähnelt dem in Salzburg, das Ziel ist die Förderung des Liturgischen Apostolats in ganzem Umfang. Das Institut sollte in Deutschland die dritte Institution neben dem Liturgischen Referat und der Liturgischen Kommission sein.[195] Seit 1947 ist es Aufgabe des Trierer Instituts, sich Fragen der Liturgiewissenschaft und Liturgiepastoral zu widmen, die Bischofskonferenz auf dem gesamten Feld der Liturgiepastoral zu unterstützen, Fortbildung für Priester und Laien zu organisieren, Publikationen und Arbeitsmaterialien zur liturgischen Praxis herauszugeben, aber auch das zu sammeln, was zur Liturgie und ihrem Umfeld publiziert wird. So ist in Trier über die Jahre eine der weltweit größten Bibliotheken für Liturgiewissenschaft entstanden.[196] Im Archiv des Deutschen Liturgischen Instituts werden u.a. Dokumente des Zweiten Vatikanischen Konzils, zur Umsetzung der Liturgiereform, Nachlässe von Liturgiewissenschaftlern aufbewahrt.

Ein bedeutender Ort der liturgiewissenschaftlichen Bildung und internationaler Vernetzung wurde das Trierer Institut durch die von 1965 bis 1975 veranstalteten Studienkurse. Zusammen mit der Theologischen Fakultät Trier und dem Abt-Herwegen-Institut, Maria Laach, bildete man zukünftige Führungskräfte für die Liturgiepastoral aus.[197] Seit 1985 organisiert das Institut den Fernlehrgang „Liturgie im Fernkurs".[198] Es veranstaltet die Fortbildungsreihe „Trierer Sommerakademie", die an der Schnittstelle von Wissenschaft und Praxis angesiedelt ist, und ist Mitveranstalterin der „Internationalen Theologisch-Kunsthistorischen Studienwochen ‚Liturgie'", die in der Bistumsakademie Franz Hitze Haus in Münster stattfindet und sich den wissenschaftlichen Aus-

---

[193] Vgl. ESTERBAUER, *Im Dienst der Liturgie* (wie Anm. 40).

[194] Vgl. dazu aus einer Fülle von Literatur Theodor MAAS-EWERD, *„Mediator Dei" – vor 50 Jahren ein Signal. Die Liturgie-Enzyklika Papst Pius' XII. vom 20. November 1947*, in: LJ 47. 1997, 129–150; Andreas HEINZ, *Liturgiereform vor dem Konzil. Die Bedeutung Pius' XII. (1939–1958) für die gottesdienstliche Erneuerung*, in: LJ 49. 1999, 3–38. Das Dokument vgl. in Anm. 133.

[195] Vgl. auch o. 50; WAGNER, *Liturgisches Referat – Liturgische Kommission – Liturgisches Institut* (wie Anm. 38).

[196] Vgl. Martin KLÖCKENER, *Die Bibliothek des Deutschen Liturgischen Instituts. Geschichte, Ziele, Bestand und Dienstleistungen*, in: LJ 40. 1990, 242–254; zuletzt Artur WAIBEL, *Ein Juwel: die Bibliothek des Deutschen Liturgischen Instituts*, in: Gottesdienst 44. 2010, 94.

[197] Vgl. Artur WAIBEL, *Die Studienkurse des Liturgischen Instituts Trier*, in: LJ 40. 1990, 211–227.

[198] Vgl. Artur WAIBEL, *„Liturgie im Fernkurs". Ein Praxisbericht*, in: *Liturgie mit offenen Türen. Gottesdienst auf der Schwelle zwischen Kirche und Gesellschaft*. Hg. v. Irene MILDENBERGER – Wolfgang RATZMANN. Leipzig 2005 (Beiträge zu Liturgie und Spiritualität 13), 185–196.

tausch zwischen Liturgiewissenschaft, Kunst(geschichte) und Denkmalschutz zum Ziel gesetzt hat.

Auch in der Schweiz existiert ein liturgisches Institut, das heute seinen Sitz in Freiburg/Schw. hat. Es versteht sich als Kompetenzzentrum für alle Bereiche des Gottesdienstes, bietet pastoralliturgische Hilfestellungen für die deutsche und die rätoromanische Schweiz an, veranstaltet Fortbildungsveranstaltungen und arbeitet mit den kirchlichen Gremien und Institutionen in der Schweiz zusammen. 1963 wurde es durch die Schweizer Bischofskonferenz errichtet. Aufgebaut wurde es vom Freiburger Liturgiewissenschaftler Anton Hänggi, sein Sitz war auch schon zu Beginn zunächst in Freiburg. Nachdem Hänggi 1968 zum Bischof von Basel gewählt worden war, wechselte das Institut nach Zürich, wurde von dort 2000 nach Luzern verlegt und dort an die Theologische Fakultät angebunden. Seit 2003/04 hat es seinen Sitz wieder in Freiburg/Schw.[199]

Die Geschichte der Liturgiewissenschaft des 20. Jahrhunderts würde verkürzt dargestellt, wenn nicht auch die Zentren der Liturgischen Bewegung genannt würden. Man wird Burg Rothenfels, Klosterneuburg, die Abtei Maria Laach und das Kloster Grüssau sowie das Leipziger Oratorium nennen müssen.[200] Die jeweils selbst gewählten Aufgabenstellungen differierten und lagen einmal mehr auf der pastoralliturgischen Arbeit, dann stärker auf der liturgiewissenschaftlichen Forschung. Auf Rothenfels versammelte sich bündische Jugend um Romano Guardini, wurden wichtige Akzente im Zusammenspiel von Liturgie und Raum, von Gottesdienst und Ästhetik gesetzt. In Maria Laach fanden Akademikerarbeit, liturgiewissenschaftliche Forschung, aber auch gottesdienstliche „Experimente" ihren Platz.[201] Im Leipziger Oratorium wurden theologische und pastorale Ansätze der Liturgischen Bewegung mit Blick auf eine Arbeiter- und Großstadtgemeinde hin entwickelt und in die Praxis umgesetzt.

Nach wie vor besteht in Maria Laach das Abt-Herwegen-Institut,[202] mit dem das „Archiv für Liturgiewissenschaft" und die „Liturgiewissenschaftlichen Quellen und Forschungen" in enger Verbindung stehen. In Klosterneuburg hat heute die Liturgiewissenschaftliche Gesellschaft ihren Sitz, die sich vor allem der

---

[199] Vgl. Peter SPICHTIG, *Seit 1 Jahr: neu strukturiert: das Liturgische Institut der deutschsprachigen Schweiz in Freiburg/Schw.*, in: Gottesdienst 39. 2005, 137–139; vgl. auch *Der Zeit voraus* (wie Anm. 39).

[200] Vgl. u.a. Ambrosius ROSE, *Die Benediktinerabtei Grüssau als liturgisches Zentrum in Deutschland: 1919–1945*, in: ASKG 32. 1973, 212–222; POSCHMANN, *Das Leipziger Oratorium* (wie Anm. 24); Godehard RUPPERT, *Quickborn katholisch und jugendbewegt. Ein Beitrag zur Wirkungsgeschichte der katholischen Jugendbewegung.* Opole 1999 (Z dziejów kultury chrześcijańskiej na Śląsku 17); *Mit sanfter Zähigkeit. Pius Parsch und die biblisch-liturgische Erneuerung.* Hg. v. Norbert W. HÖSLINGER – Theodor MAAS-EWERD. Klosterneuburg 1979 (SPPI 4); Angelus A. HÄUSSLING, *Kirchliche Erneuerung aus dem Geist der Liturgie. II. Die betende Kirche. Maria Laach und die deutsche Liturgische Bewegung*, in: Arno SCHILSON – Angelus A. HÄUSSLING, *Erneuerung der Kirche aus dem Geist der Liturgie.* Maria Laach 1992, 15–26.

[201] Vgl. Martin CONRAD, *Die „Krypta-Messe" in der Abtei Maria Laach. Neue Untersuchungen zu Anfang, Gestaltungsformen und Wirkungsgeschichte*, in: ALw 41. 1999, 1–40.

[202] Vgl. Werner WEIDENFELD, *Das Abt-Herwegen-Institut*, in: *Laacher Lesebuch zum Jubiläum der Kirchweihe 1156 – 2006. Im Auftrag der Mönche von Maria Laach.* Hg. v. Angelus A. HÄUSSLING – Augustinus SANDER. St. Ottilien 2006, 213–216.

Erforschung des Erbes von Pius Parsch verschrieben hat. Burg Rothenfels versteht sich auch heute noch als ein Ort, an dem liturgiewissenschaftliche Fortbildung angeboten wird.

Neben einer Vielzahl kleinerer Zeitschriften, die zum größeren Teil noch nicht systematisch erforscht sind,[203] haben vor allem die im Folgenden genannten Zeitschriften die deutschsprachige, aber auch internationale Fachdiskussion geprägt: Das „Jahrbuch für Liturgiewissenschaft" wurde von 1921 bis zum Berichtsjahr 1935[204] durch die Mönche der Abtei Maria Laach herausgegeben, wobei unter den Mitherausgebern auch die nicht der Abtei angehörenden Wissenschaftler Anton Baumstark, kurzzeitig Romano Guardini und Anton L. Mayer vertreten waren. Wie stark der Orden die Zeitschrift prägte, deutet die Statistik der Mitarbeiter an den Literaturberichten an: „Es sind deren fast 90; davon gehören 30 der Abtei Maria Laach an, 8 sind Frauen der Abtei Herstelle, 12 zählen zu anderen Benediktinerkonventen – gut die Hälfte sind also, in der Summe der Jahre gesehen, Benediktiner."[205] Vor allem die liturgietheologischen Diskussionen, u.a. um die Mysterientheologie, und die Entwicklung der liturgiegeschichtlichen Forschung lassen sich dieser Zeitschrift ablesen. Ihr Spezifikum waren umfassende Literaturberichte, die die Liturgiewissenschaft und ihre Nachbargebiete abzudecken versuchten. Die prägende Herausgebergestalt war P. Odo Casel, entsprechend positionierte sich das „Jahrbuch" auch in der Auseinandersetzung um die Mysterientheologie.

Das Programm des „Jahrbuchs" setzt seit 1950 das „Archiv für Liturgiewissenschaft" fort. Im Vordergrund stehen ebenfalls Theologie und Geschichte des Gottesdienstes. Getragen wird es vom Abt-Herwegen-Institut der Abtei Maria Laach. Das Programm der Zeitschrift wird im ersten Band so skizziert: „Nach wie vor soll die exakte, von den Regeln kritischer Methode geleitete Beschäftigung mit den mannigfachen noch offenstehenden Problemen der Liturgiewissenschaft, sei es auf dem Gebiet der Theologie, sei es in den allgemeineren Zusammenhängen und Verbindungen zu den verwandten Wissenschaftszweigen, im Vordergrund seiner Bemühungen und Aufgaben stehen. Die mehr auf die pastoral-liturgische Seite hingeordnete Auswertung der durch die wissenschaftliche Forschung gewonnenen Erkenntnisse soll dabei nach Maß der Möglichkeiten des *Archivs für Liturgiewissenschaft* nicht unberücksichtigt bleiben."[206]

Das „Liturgische Jahrbuch" erschien im ersten Band 1951 unter der Verantwortung von Joseph Pascher und wird seitdem vom (Deutschen) Liturgischen Institut in Trier herausgegeben. Der Zeitschrift geht es von Beginn an um eine „praxisbezogene Forschung" und die Ausarbeitung von „Reformvorschlägen".

---

[203] Vgl. dazu RÜPKE, *Liturgische Zeitschriften und Reihen* (wie Anm. 42).

[204] Tatsächlich erschien der Band 1941.

[205] Angelus A. HÄUSSLING, Das „Jahrbuch für Liturgiewissenschaft", in: *Jahrbuch für Liturgiewissenschaft. Herausgegeben von Odo Casel OSB. Register zu allen von 1921 bis 1941 erschienenen Bänden.* Bearbeitet von Photina RECH OSB unter Mitarbeit von Sophronia FELDHOHN OSB. Hg. v. Angelus A. HÄUSSLING. Münster 1982, 1–16, hier 15.

[206] ALw 1. 1950, X. Vgl. Martin KLÖCKENER, Das „Archiv für Liturgiewissenschaft", in: *Laacher Lesebuch* (wie Anm. 202) 217–222. Vgl. auch Angelus A. HÄUSSLING – Martin KLÖCKENER, *Archiv für Liturgiewissenschaft. Erschließung des Inhalts der Bände und Jahrgänge 1–50. 1950–2008*, in: ALw 50. 2008, 383–452.

Sie ist eng der Erneuerung des Gottesdienstes, der Umsetzung der Liturgiereform und ihrer Fortschreibung verbunden. Deshalb stehen Studien zu Wesen und Gestalt des Gottesdienstes auch dann im Mittelpunkt, wenn nach der Geschichte oder Theologie der Liturgie gefragt wird. Konkret heißt dies, dass als thematische Schwerpunkte Probleme der Reform der Liturgie behandelt wurden, man Berichte zu diesen Fragestellungen aus der Weltkirche bot und auch kirchliche Dokumente im Jahrbuch abgedruckt und kommentiert wurden. Dieses Programm entwickelte und veränderte sich mit dem Verlauf der Liturgiereform bzw. der zeitlichen Distanz zum Konzil. Das Liturgische Jahrbuch galt lange als Zeitschrift, mit der ein an Liturgiewissenschaft interessiertes akademisches Publikum sich über die laufenden Fachdiskussionen informieren konnte. Noch heute ist die Zeitschrift vor allem an theologischen und pastoralen Fragestellungen interessiert. Historische Themen werden in der Regel mit Blick auf Gegenwartsprobleme beleuchtet.

„Bibel und Liturgie" wurde 1926 von Pius Parsch gegründet,[207] auch bei dieser Zeitschrift ist der zeitgeschichtliche Kontext klar zu erkennen. Sie führte zwei Initiativen des frühen 20. Jahrhunderts zusammen, die Bibelbewegung und die Liturgische Bewegung. [208] Parsch brachte „seine großen Themen und seine Hauptanliegen [...] immer wieder vor: die aktive Teilnahme des Volkes an der Liturgie, die sinnvolle Gestaltung der gottesdienstlichen Feier, vor allem der Osternacht, eine auf Bibel und Liturgie aufbauende Frömmigkeit und das Vertrautwerden der Christen mit der Heiligen Schrift"[209]. Nach wechselnden Akzentsetzungen über die Jahrzehnte versteht sich die Zeitschrift heute als ein Ort, an dem Themen vor allem zu Bibel und Liturgie wissenschaftlich reflektiert und auf pastorale Aspekte hin diskutiert werden.

Die Zeitschrift „Heiliger Dienst" wird seit 1947 durch das Institutum Liturgicum in Salzburg herausgegeben.[210] Sie richtet sich deutlich an den Belangen der Seelsorge aus, ist „kein reines Wissenschaftsorgan, sondern eine Zeitschrift für die Praxis der liturgischen Erneuerung"[211] und ist als „Spiegelbild einer liturgiegeschichtlichen Epoche"[212] bezeichnet worden. Einzelne wissenschaftliche Beiträge, die Dokumentation von Symposien, Praxisberichte, Dokumente etc., die sich fast durchgängig mit der Erneuerung und Reform der Liturgie

[207] Vgl. Norbert W. Höslinger, „Bibel und Liturgie". Das Sprachrohr von Pius Parsch. Eine kurze Geschichte der Zeitschrift, in: Mit sanfter Zähigkeit. Pius Parsch und die biblisch-liturgische Erneuerung. Hg. v. Norbert W. Höslinger – Theodor Maas-Ewerd. Klosterneuburg 1979 (SPPI 4), 240–249.

[208] Vgl. Benedikt Kranemann, Bibel und Liturgie in Wechselbeziehung. Eine Perspektivensuche vor historischem Hintergrund, in: BiLi 80. 2007, 205–217.

[209] Höslinger, „Bibel und Liturgie" (wie Anm. 207) 240.

[210] Einen Einblick geben die bislang erschienenen Register zur Zeitschrift: Fünfzig Jahre im Dienst der Liturgie. „Heiliger Dienst" und „Liturgische Kommission" für Österreich. Register 1 (1947) – 50 (1996) und Dokumentation. Erstellt von Erich Renhart und Robert Wentz. Herausgegeben im Auftrag des Österreichischen Liturgischen Instituts. Graz – Salzburg 1997; Robert Wentz, 60 Jahre im Dienst der Liturgie. „Heiliger Dienst"- Register der Jahrgänge 51 (1997) – 60 (2006), in: HlD 60. 2006, 241–280.

[211] Redtenbacher, 60 Jahre Liturgieentwicklung 1 (wie Anm. 42) 228. Vgl. auch ders., 60 Jahre Liturgieentwicklung II (wie Anm. 42).

[212] Redtenbacher, 60 Jahre Liturgieentwicklung 1 (wie Anm. 42) 239.

bzw. der Pflege der nachkonziliaren Liturgie befassen, bestimmen das Bild der Zeitschrift.

Seit 2007 erscheinen neu die „Protokolle zur Liturgie", die von der Liturgiewissenschaftlichen Gesellschaft Klosterneuburg herausgegeben werden. Ihr Ziel ist die Publikation von Studien, die im Umfeld des Chorherrenstiftes entstehen. Neben wissenschaftlich interessierten Beiträgen stehen Fragen der Liturgiepastoral, darunter die Analyse von Beispielen aus der Praxis.

Seit 1967 gibt das Trierer Institut die Zeitschrift ‚Gottesdienst' heraus, die seit 2002 um die Zeitschrift „Praxis Gottesdienst" ergänzt wurde. Das Publikum sind in beiden Fällen Praktiker: Während „Gottesdienst" mit Leitartikeln und Literaturhinweisen, aber auch Bausteinen für die Liturgie eher Hauptamtliche anspricht, sind Adressaten von „Praxis Gottesdienst", die einem Materialbrief gleicht, alle, die sich für den Gottesdienst engagieren. Die erstgenannte Zeitschrift hat eine wesentliche Rolle bei der Umsetzung der Liturgiereform im deutschen Sprachgebiet gespielt und nimmt heute die Funktion der Information und Diskussion über praxisrelevante Fragen des Gottesdienstes wie Entwicklungen in der Liturgiepastoral wahr. An ihr lässt sich vorzüglich die Entwicklung des katholischen Gottesdienstes in den letzten Jahrzehnten ablesen. „Praxis Gottesdienst" weist daraufhin, dass immer stärker Laien, die nicht hauptamtlich für die Kirche tätig sind, in die Vorbereitung der Liturgie einbezogen werden.

Ganz als Hilfe bei der Vorbereitung der sonn- und werktäglichen Messfeier ist die Zeitschrift „Liturgie konkret" konzipiert (seit 1977).

Die maßgeblichen liturgiewissenschaftlichen Buchreihen im deutschen Sprachgebiet sind heute die „Liturgiewissenschaftlichen Quellen und Forschungen", die in Zusammenarbeit mit dem Abt-Herwegen-Institut, Maria Laach, herausgegeben werden, die „Studien zur Pastoralliturgie" und „Pietas Liturgica". Ersterer gingen voraus die „Liturgiegeschichtlichen Forschungen" (1919–1927) und die „Liturgiegeschichtlichen Quellen" (1918–1927) sowie die „Liturgiegeschichtlichen Quellen und Forschungen" (1928–1939). Publikationen, die Kunst und Kirche betreffen, erscheinen in den Reihen „Bild – Raum – Feier. Studien zu Kirche und Kunst" oder „Ästhetik – Theologie – Liturgik". Ein kleineres Publikationsformat bietet die Reihe „Bild – Raum – Feier. Kirche und Kunst im Gespräch". Unregelmäßig werden neue Studien und Sammelbände in der „Pastoralliturgischen Reihe in Verbindung mit der Zeitschrift ‚Gottesdienst'" veröffentlicht. Ganz auf eine Person und Epoche der Liturgischen Bewegung bezogen ist die noch junge Reihe „Pius-Parsch-Studien".

Als eine historisch sehr einflussreiche Reihe muss „Ecclesia orans" genannt werden, kleinformatige Bände, die von der Abtei Maria Laach herausgegeben wurden und sowohl Programmschriften der Liturgischen Bewegung als auch liturgische Quellen in Übersetzung abgedruckt haben.

Institutionalisierungen der theologischen Disziplin vollziehen sich auch auf der Ebene der wissenschaftlichen Zusammenschlüsse. Die deutschsprachigen Liturgiewissenschaftler sind in der Arbeitsgemeinschaft katholischer Liturgiewissenschaftlerinnen und Liturgiewissenschaftler e.V. (AKL) zusammengeschlossen. Deren Anfänge liegen im Jahre 1947, als, durch Theodor Schnitzler und Balthasar Fischer initiiert, erstmals eine Konferenz von Liturgikdozenten an den Priesterseminaren Westdeutschlands stattfand. Fachwissenschaftliche Kooperation und hochschulpolitischer Austausch stehen heute im Mittelpunkt der Aktivitäten. Die AKL arbeitet international und ökumenisch. Ihre Ziele sind „die Förderung der liturgiewissenschaftlichen Forschung und Lehre, die Darstellung des Faches in der Öffentlichkeit, die wissenschaftsöffentliche Interessenvertretung sowie die Kontaktpflege zu benachbarten Fachgebieten und Fachverbänden im In- und Ausland."[213] An der „Societas Liturgica" waren von Beginn an deutsche Wissenschaftler beteiligt.[214] Von den hier Porträtierten waren Balthasar Fischer von 1975–1977 und Hans-Christoph Schmidt-Lauber von 1981–1983 Präsidenten der Societas.

4. Konfessioneller Vergleich: Beeinflussungen, Kooperationen, Abgrenzungen

Mit Sicherheit kann davon ausgegangen werden, dass die für die evangelischen Agendenwerke der 1950er Jahre verantwortlichen evangelischen Liturgiewissenschaftler Peter Brunner, Joachim Beckmann, Christhard Mahrenholz und Herbert Goltzen seit Anfang der 1940er methodisch deutlich vom ihnen literarisch vermittelten Werk Josef Andreas Jungmanns und dessen historisch-liturgiegenetischem Ansatz beeinflusst waren. Dieser verlieh dem Vorhaben der Agendenwerke schon in der Frühzeit eine scheinbar unbestechliche wissenschaftliche Dignität und vermochte die eher zurückhaltend-kritische Position der von der Älteren Liturgischen Bewegung geprägten evangelischen Liturgiewissenschaftler gegenüber dem Vorhaben zurückzuweisen. Das evangelische Agendenwerk war damit auf ein liturgiewissenschaftliches Konzept bezogen, das wissenschaftsmethodisch voll im Trend der Zeit lag und sich aus Sicht der evangelischen Rezipienten als zukunftsfähig erwies, um dem Agendenwerk die erforderliche fachwissenschaftliche Seriosität zu verleihen, die dann auch anschließend in den Bänden des Sammelwerkes „Leiturgia" in jeweils enger Bezugnahme zur vorkonziliaren katholischen Liturgiewissenschaft in die Fragestellungen des evangelischen Gottesdienstes hinein entfaltet wird. Vorlaufend waren auch die liturgietheologischen Positionen von Romano Guardini und Odo Casel intensiv literarisch von der evangelischen Liturgiewissenschaft rezipiert worden.

Auch die mit dem Konzil beginnende grundlegende Reform liturgischer Bücher in der katholischen Kirche und deren Begleitung durch die Liturgiewissenschaft ist ohne die Kenntnis und Auseinandersetzung mit den Liturgien anderer christlicher Kirchen nicht denkbar. Man hat von einem Geben und Nehmen unter den Kirchen gesprochen.[215] Später im Jahrhundert ist insbesondere der Prozess der Erarbeitung des Evangelischen Gottesdienstbuches in der katholischen Liturgiewissenschaft mit großem Interesse verfolgt und mit Blick

---

[213] Vgl. RICHTER, Liturgiewissenschaft (wie Anm. 41).

[214] Vgl. u. 72. Vgl. Bruno BÜRKI, Societas Liturgica: Tracing its Journey so Far, in: StLi 27. 1997, 129–151. Über die weiteren Kongresse der Societas informiert die Zeitschrift „Studia Liturgica".

[215] Vgl. Bruno BÜRKI, Die Bedeutung liturgischen Gebens und Nehmens unter den Kirchen, in: Gottesdienst – Weg zur Einheit (wie Anm. 173) 19–33.

auf die Revision der liturgischen Bücher der eigenen Kirche reflektiert worden.[216]

Ab den 1960er Jahren wird im Gefolge der Liturgiereformen des Zweiten Vatikanischen Konzils auch die bisherige vorwiegend literarische Wahrnehmung der beiden Fachwissenschaften durch die persönliche Begegnung ergänzt und beginnt ein auf weite Strecken gemeinsamer Weg der beiden großen Konfessionen im Bereich der Liturgiewissenschaft.

Zu einer unmittelbaren Beeinflussung kommt es auch im Bereich der deutschen Gregorianik. Dort rezipiert die Alpirsbacher Bewegung weitgehend die Theorie des katholischen Musikwissenschaftlers Karl Gustav Fellerers aus dessen Geschichte der katholischen Kirchenmusik, dass Gregorianik die Musik des Gottesdienstes ist.[217]

Eine solche umfassende Rezeption der katholischen Liturgischen Bewegung und der Liturgiereform des Zweiten Vatikanischen Konzils durch die evangelische Liturgiewissenschaft erfolgte nicht im Bewusstsein des Fremden, sondern als Annäherung und Bestätigung des eigenen Weges evangelischer Liturgiewissenschaft (so Frieder Schulz, Hans-Christoph Schmidt-Lauber und Karl-Heinrich Bieritz). Der 1964 veröffentlichte Aufsatz von Bernhard Klaus über Sacrosanctum Concilium stellt einen dieser ersten evangelischen Rezeptionsversuche dar.[218] Seitdem sind die katholische Liturgische Bewegung und die Liturgiereform des Zweiten Vatikanischen Konzils klassischer Bestand evangelischen liturgiewissenschaftlichen Grundwissens, und die evangelische Liturgiewissenschaft verzichtet darauf, sich in Lehrbüchern und Gesamtdarstellungen kritisch an der vorkonziliaren Römischen Messe und deren Opferbegriff abzuarbeiten.[219] Nicht zu unterschätzen ist in diesem Prozess auch die – sicher nur indirekt literarisch – vermittelnde Position von Leonhard Fendt als zum evangelischen Glauben konvertierter ehemaliger Dillinger katholischer Dogmatikprofessor mit hoher liturgiewissenschaftlicher Kompetenz.

---

[216] Vgl. *Evangelisches Gottesdienstbuch. Agende für die Evangelische Kirche der Union und für die Vereinigte Evangelisch-Lutherische Kirche Deutschlands.* Hg. von der Kirchenleitung der Vereinigten Evangelisch-Lutherischen Kirche Deutschlands und im Auftrag des Rates von der Kirchenkanzlei der Evangelischen Kirche der Union. Berlin 1999. Dazu Karl SCHLEMMER, *Liturgietheologische und liturgiepraktische Überlegungen und Beobachtungen im Hinblick auf das Deutsche Meßbuch und auf den Entwurf Gottesdienstbuch*, in: *Erneuerte Agende im Jahr 2000?* Hg. v. Jörg NEIJENHUIS. Leipzig 1998 (Beiträge zur Liturgie und Spiritualität 2), 35–52.

[217] Vgl. Karl Gustav FELLERER, *Geschichte der katholischen Kirchenmusik.* Düsseldorf 1949.

[218] Vgl. Bernhard KLAUS, *Die Liturgie-Konstitution des II. Vatikanischen Konzils*, in: MDKI 15. 1964, 21–28.

[219] Vgl. so z.B. noch Julius SMEND, *Die römische Messe.* Tübingen 1928 (Religionsgeschichtliche Volksbücher für die deutsche christliche Gegenwart. Reihe 4, Kirchengeschichte 32/33), 1: „Wer die Messe verneint, verneint den Katholizismus. Die Reformation hat nicht mit der Ablehnung des Messopfers begonnen, aber sie hat mit Notwendigkeit zu ihr geführt. Der zu unerhörter täglicher Wundertat bevollmächtigte Priester, die dem Christenvolke vorgeschriebene, heilsnotwendige Zwangesübung, das in sich selber wirksame heilige Werk, der eucharistische Gott ist und bleibt für den evangelischen Christen ein unterchristlicher, mit der Religion des Geistes unvereinbarer Vorstellungskreis, zu dem es auch vom strengen, sakramentsgläubigen Luthertum [...] keine Brücke gibt."

Auch die katholische Liturgiewissenschaft nimmt historische Gestalten wie gegenwärtige Entwicklungen des evangelischen Gottesdienstes und die entsprechenden Diskussionen in der evangelischen Theologie zur Kenntnis. Dabei geht es ihr nicht allein um Erscheinungsformen der Liturgie, sondern vor allem auch um theologische Fragen. So hat Hans Bernhard Meyer bereits 1965 nach dem Verhältnis Martin Luthers zur spätmittelalterlichen Messe gefragt,[220] Reinhard Meßner 1989 Luthers Meßreform und Eucharistie in der Alten Kirche zusammengeschaut.[221] Im von Meyer verfassten Band des Handbuchs „Gottesdienst der Kirche" findet sich ein umfangreicher Beitrag zu Abendmahlsliturgien in den Reformationskirchen.[222] In jüngerer Zeit hat sich Friedrich Lurz ausführlich mit einer evangelischen Kirchenordnung befasst;[223] Andreas Odenthal hat u.a. die Stundenliturgie im gemischt-konfessionellen Domkapitel in Halberstadt untersucht.[224] Die von Anton Hänggi und seiner akademischen Schülerin Irmgard Pahl verantwortete Edition „Prex eucharistica" verstand von Anfang an die Eucharistiefeier in den reformatorischen Kirchen als Teil des umfassenden Editionsprojektes und dokumentiert diese in den beiden vorliegenden Bänden von „Coena Domini".[225] Die Auseinandersetzung mit der Bedeutung der Liturgie für die Ökumene[226] und die Diskussion zentraler liturgischer Fragen unter Einbeziehung evangelischer Fachwissenschaftler ist mittlerweile Standard.[227] Katholische Liturgiewissenschaft ist heute ohne eine kleinteilige Auseinandersetzung mit den Liturgien der Nachbarkirchen und deren Liturgiewissenschaft nicht mehr denkbar.

Die nach dem Zweiten Vatikanischen Konzil einsetzende enge Zusammenarbeit zwischen katholischer und evangelischer Liturgiewissenschaft im

---

[220] Vgl. Hans Bernhard MEYER, *Luther und die Messe. Eine liturgiewissenschaftliche Untersuchung über das Verhältnis Luthers zum Meßwesen des späten Mittelalters.* Paderborn 1965 (KKTS 11).

[221] Vgl. Reinhard MESSNER, *Die Meßreform Martin Luthers und die Eucharistie der Alten Kirche. Ein Beitrag zu einer systematischen Liturgiewissenschaft.* Innsbruck 1989 (IThS 25).

[222] Vgl. Irmgard PAHL, *Die Feier des Abendmahls in den Kirchen der Reformation,* in: Hans Bernhard MEYER, *Eucharistie. Geschichte, Theologie, Pastoral. Mit einem Beitrag von Irmgard Pahl.* Regensburg 1989 (GdK 4), 393–440.

[223] Vgl. Friedrich LURZ, *Die Feier des Abendmahls nach der Kurpfälzischen Kirchenordnung von 1563. Ein Beitrag zu einer ökumenischen Liturgiewissenschaft.* Stuttgart 1998 (PThe 38).

[224] Vgl. Andreas ODENTHAL, *Die* Ordinatio Cultus Divini et Caeremoniarium *des Halberstädter Domes von 1591. Untersuchungen zur Liturgie eines gemischtkonfessionellen Domkapitels nach Einführung der Reformation.* Münster 2005 (LQF 93); DERS., *Gefeierte Ökumene. Zur nachreformatorischen Stundenliturgie des gemischt konfessionellen Domkapitels in Halberstadt,* in: LJ 53. 2003, 76–100.

[225] Vgl. dazu den Beitrag von Irmgard Pahl über Anton Hänggi in diesem Band.

[226] Vgl. u.a. *Gottesdienst – Weg zur Einheit* (wie Anm. 173); *Gemeinsame Liturgie in getrennten Kirchen?* Hg. v. Karl SCHLEMMER. Freiburg/Br. [u.a.] 1991 (QD 132); *Ausverkauf unserer Gottesdienste? Ökumenische Überlegungen zur Gestalt von Liturgie und zu alternativer Pastoral.* Hg. v. Karl SCHLEMMER. Würzburg 2002 (STPS 50).

[227] Vgl. aus der Fülle der Literatur: *Eheschließung – mehr als ein rechtlich Ding?* Hg. v. Klemens RICHTER. Freiburg/Br. [u.a.] 1989 (QD 120); *Tagzeitenliturgie. Ökumenische Erfahrungen und Perspektiven. Liturgie des heures. Expériences et perspectives oecuméniques.* Hg. v. Martin KLÖCKENER – Bruno BÜRKI. Fribourg 2004; *Identität durch Gebet. Zur gemeinschaftsbildenden Funktion institutionalisierten Betens in Judentum und Christentum.* Hg. v. Albert GERHARDS [u.a.]. Paderborn 2003 (Studien zu Judentum und Christentum).

deutschen Sprachraum kommt in zahlreichen Kooperationsprojekten orga-
nisatorisch wie literarisch zum Ausdruck. So nehmen an den Beratungen der
Liturgischen Konferenz wie der Arbeitsgemeinschaft Katholischer Liturgiewissenschaftler seit langem regelmäßig Vertreter der anderen konfessionellen
Fachwissenschaft als Berater und Beobachter mit Gaststatus teil. Die Societas
Liturgica versteht sich seit ihrer Gründung im Jahre 1967 als weltweit arbeitende ökumenische internationale liturgiewissenschaftliche Fachgesellschaft.[228]
Über hohes Innovationspotenzial verfügt auch der bereits erwähnte ökumenische Aufbaustudiengang Liturgiewissenschaft.[229] Zu nennen sind aber auch die
langjährige Kooperation des Deutschen Liturgischen Instituts Trier mit dem
Gottesdienstinstitut der Evangelisch-Lutherischen Kirche in Bayern, Nürnberg,
und zahlreiche weitere Einzelkooperationen. Literaturberichte und Rezensionen sowie die Mitarbeit evangelischer Liturgiewissenschaftler am Handbuch
Gottesdienst der Kirche und umgekehrt am Handbuch der Liturgik sind inzwischen selbstverständlicher Bestandteil der Fächerkulturen geworden. Das Archiv für Liturgiewissenschaft informiert mit regelmäßigen Literaturberichten
zur evangelischen Liturgiewissenschaft durch evangelische Forscherpersönlichkeiten, wie umgekehrt im Jahrbuch für Liturgik und Hymnologie regelmäßig
katholische liturgiewissenschaftliche Literatur zur Vorstellung gelangt, ebenso
in der Theologischen Literaturzeitung.

Was in der evangelischen Liturgiewissenschaft fehlt, sind ausgesprochene
„Schulen" und „Schulbildungen". Dies hängt sicherlich damit zusammen, dass
ein Großteil der evangelischen Liturgiewissenschaft sich außerhalb der Theologischen Fakultäten vollzieht und damit auch wenig Möglichkeit zur klassischen
akademischen Nachwuchsbildung über akademische Qualifikationsarbeiten
bestand.

Jüngst ist katholischerseits für eine ökumenische Liturgiewissenschaft plädiert und damit eine Diskussion wieder aufgenommen worden, die auch in der
evangelischen Praktischen Theologie immer wieder geführt wird.[230] Es wurde
gefragt, ob nicht bereits eine Vergleichende Liturgiewissenschaft vom Ansatz
her als ökumenisch ausgerichtet verstanden werden könne.[231] Im Mittelpunkt
stand zuletzt die Diskussion, was das Ziel einer ökumenischen Liturgiewissenschaft sein müsse. Friedrich Lurz hat gezeigt, dass es vor allem um eine Hermeneutik anderer Liturgien geht, die diese in ihrer Verschiedenheit verstehen
und mit Blick auf das theologische Zentrum des Gottesdienstes als Ausdrucksformen des einen Pascha-Mysteriums reflektieren will. „Intention einer inhaltlich ökumenischen Liturgiewissenschaft kann wegen dieser legitimen Verschiedenheit der Liturgie *zunächst nur ein Verstehen* sein, d.h. sie ist als *Hermeneutik*

---

[228]   Vgl. Anm. 214.

[229]   Vgl. o. 36.

[230]   Vgl. BIERITZ, *Chancen einer ökumenischen Liturgik* (wie Anm. 173) (auch in: BIERITZ, *Zei-
        chen setzen* [wie Anm. 173] 29–41); DERS., *Liturgik II. Forschungsstand*, in: RGG 5. 2002,
        452–457, hier 454. Vgl. auch die Beiträge in *Gottesdienst – Weg zur Einheit* (wie Anm.
        173).

[231]   Vgl. die in Anm. 174 genannten Titel von Teresa Berger und Angelus A. Häußling.
        Dazu auch Albert GERHARDS, *Liturgiewissenschaft: Katholisch – Evangelisch – Ökumenisch*,
        in: *Liturgiewissenschaft und Kirche* (wie Anm. 106) 63–86, hier 79–86. Vgl. ebenfalls
        PAHL, *Ökumenische Liturgiewissenschaft und Liturgik heute und künftig* (wie Anm. 173).

einer anderen Liturgie zu betreiben, die das Anderssein des Gegenübers zu verstehen sucht, d.h. letztlich die Gottesdienst feiernden Menschen. [...] Weil in der
Liturgie der verschiedenen Konfessionen der im Geist präsente *eine* erhöhte
Herr der Gastgeber ist, darf ökumenische Liturgiewissenschaft die ‚liturgische
Mehrsprachigkeit‘ ernst nehmen."[232] In einer Gesellschaft, in der Konfessions-
losigkeit, Indifferentismus und Atheismus immer mehr an Einfluss gewinnen,
wird sich in der Liturgiewissenschaft die Frage nach einer Zusammenarbeit
über die Konfessionsgrenzen hinaus zunehmend stellen.[233]

---

[232] Lurz, *Für eine ökumenische Liturgiewissenschaft* (wie Anm. 173) 280. Vgl. auch Gerhards, *Liturgiewissenschaft* (wie Anm. 230); Benedikt Kranemann, *Gottesdienst als ökumenisches Projekt*, in: *Liturgisches Kompendium* (wie Anm. 72) 77–100.

[233] Zur aktuellen Entwicklung in der evangelischen Liturgiewissenschaft vgl. z.B. Michael Meyer-Blanck, *Evangelische Gottesdienstlehre heute* (wie Anm. 50); *Grundfragen des
evangelischen Gottesdienstes* (wie Anm. 93); *Gottesdienst und Dramaturgie* (wie Anm. 66),
und *Gottesdienst feiern* (wie Anm. 68). Zur aktuellen katholischen Liturgiewissenschaft
vgl. u.a. die in Anm. 130 genannte Literatur.

Adolf Adam (1912–2005)[1]

Franz Rudolf Weinert

1. Seine Vita

Adolf Adam wurde am 19. März 1912 als Sohn des Gürt-
lers August Nikolaus Adam in Dietesheim/Main geboren.[2]
Nach fünfjährigem Besuch der Volksschule trat er 1923 in
die Quinta des humanistischen Gymnasiums in Offenbach
ein, wobei er das Latein der Sexta bis zu den Sommerferien nachholen musste, was mit Hilfe seines Pfarrers Johannes Beiz auch gelang. Nach seiner Reifeprüfung trat
er nach Ostern 1931 in das Mainzer Priesterseminar ein
und empfing am 6. Januar 1937 die Priesterweihe durch

Bischof Albert Stohr im Hohen Dom zu Mainz. Am 1. Februar 1937 wurde er
Kaplan in Mainz-Kostheim (St. Kilian), wo er bereits den ersten Schikanen der
Gestapo in Form von Hausdurchsuchung und Verhören, vor allem wegen seiner Jugendarbeit, ausgesetzt war. Kurz nach Ausbruch des Zweiten Weltkrieges
wurde er am 16. November 1939 nach Ober-Mörlen (Oberhessen) versetzt, wo
er dem dienstältesten Pfarrer der Diözese Paul Michel zur Seite stehen sollte.
Weil er dabei als Pfarrvikar galt, blieb er vom Kriegsdienst verschont. Stattdessen nahm sich die Gestapo seiner an und verbrachte ihn wegen „feindseliger
Einstellung gegen die Hitlerjugend" nach vorausgegangenen Verhören, Hausdurchsuchung und Beschlagnahme seiner Predigten am 22. August 1941 ins
Gestapo-Gefängnis Gießen, wo er drei Wochen ohne Gerichtsverhandlung in
„Schutzhaft" war. Am 1. Oktober 1943 wurde er als Kaplan nach Heppenheim
versetzt, am 2. Januar 1946 nach Lorsch (Südhessen). Aber bereits vier Monate
später ernannte ihn der Bischof zum Religionslehrer an der Oberrealschule in
Mainz, wo er 1947 Studienrat wurde. Neben seiner schulischen Arbeit widmete
er sich dem katholischen Schülerbund „Neudeutschland" in Stadt und Diözese
Mainz. Außer diesen Tätigkeiten war es ihm noch möglich, seine theologische
Promotion an der Mainzer Universität vorzubereiten, die am 6. Juli 1956 zum
Abschluss kam. Seine dogmengeschichtliche Dissertation trägt den Titel: „Das
Sakrament der Firmung nach Thomas von Aquin".[3] Ohne Beurlaubung vom
Schuldienst bereitete er sich anschließend auf die Habilitation vor, die am 22.
April 1959 an der Universität Bonn mit der Ernennung zum Privatdozenten für
Pastoraltheologie abgeschlossen wurde.

---

[1] Leicht überarbeitete Fassung eines Aufsatzes, der bereits unter folgendem Titel erschienen ist: *Adolf Adam zum Gedenken. Mit der Bibliographie seiner Schriften*, in: LJ 56.
2006, 147–157.

[2] Vgl. *Priester aus Dietesheim*. Hg. v. Adolf ADAM. Mühlheim-Dietesheim 1990, 11–12;
DERS., *Aus Kindheit und Jugend, Heimatliche Erinnerungen*. Mühlheim-Dietesheim 1988,
bes. 39–47.

[3] Vgl. Adolf ADAM, *Das Sakrament der Firmung nach Thomas von Aquin*. Freiburg/Br.
[u.a.] 1959 (FThSt 73).

Seine Habilitationsarbeit aus dem Jahr 1959 trägt den Titel: „Firmung und Seelsorge"[4]; sie wurde alsbald ins Französische, Italienische, Spanische und in Auszügen auch ins Englische übersetzt. Am 1. April 1960 wurde Adolf Adam zum ordentlichen Professor für Praktische Theologie an der Mainzer Johannes-Gutenberg-Universität ernannt; damit für eine Disziplin, die damals Liturgie-wissenschaft, Predigtlehre, Katechetik und auch Religionspädagogik umfasste. Von 1963 bis 1965 war er Dekan seiner Fakultät, anschließend ein Jahr Prode-kan und von 1967 bis 1969 Rektor und Prorektor der Universität. Nach Teilung des Lehrstuhls war Adolf Adam von 1970 bis 1977 ordentlicher Professor für Liturgiewissenschaft und Homiletik am Mainzer Fachbereich. Seine Emeritie-rung erfolgte 1977. Kirchlicherseits wurde er 1964 zum Geistlichen Rat und 1985 zum Päpstlichen Ehrenprälaten ernannt. Für seine Verdienste um die li-turgische Bildung in der Zeit der nachkonziliaren Erneuerung wurde ihm im Oktober 1990 der Ehrenring des „Deutschen Liturgischen Institutes" zuteil.[5] Am Epiphaniefest 1997 konnte Adolf Adam sein Diamantenes Priesterjubiläum feiern. Er war nicht nur seiner Heimatgemeinde Mühlheim-Dietesheim stets verbunden, sondern auch der Pfarrei St. Martin in Mainz-Finthen, in der er lebte und regelmäßig gottesdienstlich aushalf. In den letzten Jahren litt er aber auch darunter, nicht mehr als Priester für Messzelebrationen angefragt worden zu sein, obwohl er es noch gekonnt hätte. Adolf Adam war ein stiller, sehr dis-ziplinierter und selbstloser Mensch, der großherzig das, was er besaß, anderen zukommen ließ. Nicht nur seine erste Gabe, die Fähigkeit den christlichen Got-tesdienst verständlich zu vermitteln. Was er an materiellen Dingen besaß, ließ er „seinen Kindern" zukommen; den Kindern aus den Armenvierteln in Chi-le, zu denen er über die Missions- und Anbetungsschwestern in Mainz-Finthen eine besondere Beziehung bekommen hatte und die er finanziell über Jahr-zehnte unterstützte.

Am 16. Dezember 2005, nach kurzer Krankheit, verstarb Universitäts-Pro-fessor (em.) Dr. Adolf Adam in seinem 94. Lebensjahr. Sein ehemaliger Schü-ler und wissenschaftlicher Assistent, der Bischof von Regensburg Dr. Gerhard Ludwig Müller, feierte am 22. Dezember 2005 in der Heimatgemeinde des Verstorbenen das Requiem. Auf dem Friedhof zu Mühlheim-Dietesheim wurde sein Leib beigesetzt. Auf seinem Totenbild stehen die Worte aus dem II. Eucha-ristischen Hochgebet, die wie eine Überschrift über sein Leben sind: „Wir dan-ken dir, dass du uns berufen hast, vor dir zu stehen und dir zu dienen."[6]

2. Verdienste in Forschung und Lehre

Der Beitrag Adolf Adams für die Erschließung und Vermittlung des christ-lichen Gottesdienstes liegt auf zwei Ebenen: Er hat in Vorlesungen, Seminaren und Übungen eine ganze Generation von Priestern, Laien, Theologen und Religionslehrern ausgebildet und sich damit insbesondere im Bistum Mainz

---

[4]   Vgl. Adolf ADAM, *Firmung und Seelsorge. Pastoraltheologische und religionspädagogische Un-tersuchungen zum Sakrament der Firmung.* Düsseldorf 1959.

[5]   Vgl. Andreas HEINZ, *Adam, Adolf,* in: LThK 11. 2001, 2.

[6]   Zur Würdigung seiner Person vgl. auch Andreas HEINZ, *Adolf Adam – 80 Jahre*, in: Got-tesdienst 26. 1992, 50; *Zum Tod von Adolf Adam*, in: Christ in der Gegenwart 58. 2006, 18; *Professor Adolf Adam verstorben*, in: Mainzer Bistumsnachrichten 48, 21.12.2005, 10.

große Verdienste erworben. Seine Stärke lag aber vor allem darin, in schrift-
licher Form theologisch komplizierte Sachverhalte in einer einfachen und gut
verständlichen Sprache darzustellen. Seine Schriften erreichten eine breite
Leserschaft, denen er nach dem II. Vatikanischen Konzil die erneuerte Liturgie erschloss. Seine „Erneuerte Liturgie"[7], „Die Messe in neuer Gestalt",[8] „Sinn
und Gestalt der Sakramente"[9] geben davon ein beredtes Zeugnis. Nach seiner
Emeritierung 1977 begann für Adam noch einmal eine ganz intensive Phase
der Veröffentlichungen. „Das Kirchenjahr mitfeiern"[10], das mit Rupert Berger
herausgegebene Werk „Pastoralliturgisches Handlexikon"[11], „Wo sich Gottes
Volk versammelt"[12] und vor allem der „Grundriß Liturgie"[13] sind hier als seine
Hauptwerke zu nennen, die in mehrere Sprachen übersetzt wurden und die an
vielen theologischen Fakultäten zur Prüfungsvorbereitung bzw. als Standardwerke bis heute dienen. Von der professionellen Liturgiewissenschaft her kom-
mend hat Adam liturgische Sachverhalte fachmännisch vermittelt. Dabei ging
es ihm immer auch um die liturgische Frömmigkeit. Die Monografien „Die
Eucharistiefeier – Quelle und Gipfel des Glaubens"[14], oder „Das Kirchenjahr
– Schlüssel zum Glauben – Betrachtungen"[15] beinhalten beides: die liturgische
Hinführung und eine spirituelle Vertiefung. Seine zahlreichen Bücher wurden in insgesamt neun Fremdsprachen übersetzt, auch ins Koreanische! Mit
bibliophilen Gebetssammlungen wie „Te deum laudamus – große Gebete der
Kirche"[16], „Maria, wir rufen zu dir – Die schönsten Gebete",[17] „In deiner Hand
geborgen – Gebetbuch für ältere Menschen"[18] öffnete er Vielen verborgene Ge-
betsschätze der Christen und machte sie in attraktiver Weise zugänglich. Adam
setzte sich in dieser Phase seines literarischen Schaffens für zwei Anliegen besonders ein: Er plädierte engagiert für einen fixen Ostertermin[19] und regte die

7   Vgl. Adolf ADAM, *Erneuerte Liturgie. Eine Orientierung über den Gottesdienst heute.* Frei-
    burg/Br. [u.a.] 1972; ⁵1982.
8   Vgl. Adolf ADAM, *Die Messe in neuer Gestalt. Ein Buch für Predigt, Katechese und Besinnung.*
    Würzburg 1974; ²1976 (PastH 10).
9   Vgl. Adolf ADAM, *Sinn und Gestalt der Sakramente.* Würzburg 1975 (PastH 16).
10 Vgl. Adolf ADAM, *Das Kirchenjahr mitfeiern. Seine Geschichte und seine Bedeutung nach der
    Liturgieerneuerung.* Freiburg/Br. [u.a.] 1970; ⁶1991. Neuausgabe 1995.
11 Vgl. Adolf ADAM - Rupert BERGER, *Pastoralliturgisches Handlexikon.* Freiburg/Br. [u.a.]
    1980; ⁶1994.
12 Vgl. Adolf ADAM, *Wo sich Gottes Volk versammelt. Gestalt und Symbolik des Kirchenbaus.* Frei-
    burg/Br. [u.a.] 1984.
13 Mittlerweile ist das Werk in der achten Auflage erschienen, bzw. als Neuauflage:
    Grundriß Liturgie. Freiburg/Br. [u.a.] 1985; ⁸2005.
14 Vgl. Adolf ADAM, *Die Eucharistiefeier – Quelle und Gipfel des Glaubens.* Freiburg/Br. [u.a.]
    1991.
15 Vgl. Adolf ADAM, *Das Kirchenjahr. Schlüssel zum Glauben – Betrachtungen.* Freiburg/Br.
    [u.a.] 1990.
16 Vgl. Adolf ADAM, *Te deum laudamus. Große Gebete der Kirche.* Freiburg/Br. [u.a.] 1987;
    ²1989. Neuausgabe 2001.
17 Vgl. Adolf ADAM, *Maria, wir rufen zu dir.* Freiburg/Br. [u.a.] 1989; ²1991.
18 Vgl. Adolf ADAM, *In deiner Hand geborgen. Gebetbuch für ältere Menschen.* Freiburg/Br.
    [u.a.] 1988; ²1989.
19 Vgl. Adolf ADAM, *Ostern alle Jahre anders? Zur Geschichte und Verbesserung des Kalenders.*
    Paderborn 1993.

Einführung eines Festes zur Bewahrung der Schöpfung an.[20] In diesem Kontext steht auch sein Engagement für die „Ethik der Jagd"[21]. Adam war von frühester Kindheit ein naturverbundener Mensch; über Jahrzehnte war er passionierter Jäger im Sinne der Hege und Pflege. Er war es auch, der 1969 im Mainzer Dom zum ersten Mal einen Gottesdienst zu Ehren des Heiligen Hubertus feierte, unter musikalischer Mitgestaltung von Jagd- und Parforcehörnern. Professor Adam feierte diese Gottesdienste über 20 Jahre; seine „Hubertuspredigten" waren bei den Hörern sehr beliebt.[22] Mit seiner liturgischen Beratung gab er zwei Mainzer Komponisten wertvolle Hilfestellungen für die Komposition einer Hubertusmesse, die sich an die gregorianische Tradition anlehnt und in der Messfeier im Umfeld des Hubertustages (3. November) erklingt.[23] Seinem Anliegen, die Liturgie gut und verständlich zu vermitteln, blieb er auch noch im Alter treu. Er schrieb keine großen Monografien mehr, aber er veröffentlichte noch eine ganze Reihe von insgesamt 13 Kleinschriften in mehreren Auflagen, die alle zentralen Themen des Glaubens beinhalten.[24]

Auswahlbibliografie

Das Sakrament der Firmung nach Thomas von Aquin. Freiburg/Br. [u.a.] 1959 (FThSt 73).

Firmung und Seelsorge. Pastoraltheologische und religionspädagogische Untersuchungen zum Sakrament der Firmung. Düsseldorf 1959 (auch in italienischer, französischer, englischer und spanischer Übersetzung erschienen).

Firmung und Laienpostulat, in: rhs 2. 1959, 87–91.

Das Problem der Landessprache in der römischen Messliturgie, in: Universitas, Dienst an Wahrheit und Leben [FS Bischof Albert Stohr]. Bd. I. Hg. v. Ludwig LENHART. Mainz 1960, 410–421.

Das Firmalter, in: ORPB 61. 1960, 161–167.

Die große Botschaft (Weihnachten), in: Glaube und Leben. Kirchenzeitung für das Bistum Mainz (Weihnachten 1960) 901.

Preparation for Confirmation, in: Lumen Vitae 17. 1962, 292–312.

Firmung, in HThG 1. 1962, 382–387.

Zur Diskussion über die rechtzeitige Erstkommunion, in: Mitteilungen für Seelsorger und Laienarbeit in der Diözese Mainz 1. 1963, 3–8.

Gedanken zur Vorbereitung und Gestaltung der Erstkommunion, in: Mitteilungen für Seelsorger und Laienarbeit in der Diözese Mainz 1. 1963, 30–38.

Die Firmung, in: Wort und Sakrament. Hg. v. Heinrich FRIES. München 1966, 137–145.

Um den rechten Zeitpunkt der Firmungsspendung, in: Diak. 1. 1966, 289–291.

Fragen der Kalenderreform, in: TThZ 3. 1966, 154–168.

Drei Jahrhunderte ohne Weihnachten, in: KlBl 47. 1967, 429f.

[20] Vgl. Adolf ADAM, *Geliebte Schöpfung. Dankbarkeit und Verantwortung.* Leutesdorf 1996.
[21] Vgl. Adolf ADAM, *Ethik der Jagd.* Paderborn ²1996.
[22] Vgl. Adolf ADAM, *Im grünen Wald ein Blick zum Himmel? Gedanken und Ansprachen eines Theologen zum Hubertustag.* Hamburg – Berlin 1979.
[23] Es handelt sich um die „Kurmainzer Hubertusmesse", komponiert von Heinrich HEFNER und Adalbert FREY.
[24] Vgl. die Veröffentlichungen in der Bibliografie von 1996 bis 2004, die allesamt in der Katholischen Schriftenmission Leutesdorf erschienen sind.

Fragen der Disziplin in der Katechese, in: *De magistro. Über Lehre und Lehrer des Glaubens* [FS Alfred Schüler]. Hg. v. Erich DAUTZENROTH – Erich GEISSLER. Mainz 1967, 93–105.

Stellung und Aufgaben des Rektors, in: Allgemeine Zeitung Mainz (Hochschulbeilage zum Wintersemester 1967/68) 1.

Theologische Aspekte zum modernen Kirchbau. Mainz 1968 (Mainzer Universitäts-Reden 28).

Das Kirchenjahr mitfeiern. Seine Geschichte und seine Bedeutung nach der Liturgieerneuerung. Freiburg/Br. [u.a.] 1970; ⁶1991. Neuausgabe 1995 (auch englisch, italienisch, portugiesisch, holländisch, spanisch, tschechisch).

Zeitgemäße Sprache in heutiger Verkündigung, in: TThZ 79. 1970, 355–366.

Erwägungen zum Patenamt bei Taufe und Firmung, in: *Zeichen des Glaubens. Festschrift für Balthasar Fischer zum 60. Geburtstag.* Hg. v. Hansjörg AUF DER MAUR – Bruno KLEINHEYER. Zürich [u.a.] 1972, 415–428.

Erneuerte Liturgie. Eine Orientierung über den Gottesdienst heute. Freiburg/Br. [u.a.] 1972; ⁵1982.

Die Messe in neuer Gestalt. Ein Buch für Predigt, Katechese und Besinnung. Würzburg 1974; ²1976 (PastH 10).

Sinn und Gestalt der Sakramente. Würzburg 1975 (PastH 16) (auch slowenisch, koreanisch).

Der Sonntagsgottesdienst als geistliche Mitte der Pastoral, in: LS 26. 1975, 225–228.

Adolf Kolping. Ein Lebensbild, in: *Kolpingsfamilie Dietesheim.* FS zum 25jährigen Bestehen. Hg. v. der Kolpingsfamilie Dietesheim. Mühlheim-Dietesheim 1975, 11f.

Die Meßpredigt als Teil der eucharistischen Liturgie, in: *Gemeinde im Herrenmahl. Zur Praxis der Meßfeier* [FS Emil Joseph Lengeling]. Hg. v. Theodor MAAS-EWERD – Klemens RICHTER. Freiburg/Br. [u.a.] ²1976, 242–250.

Im grünen Wald ein Blick zum Himmel? Gedanken und Ansprachen eines Theologen zum Hubertustag. Hamburg – Berlin 1979.

Die Feier des Glaubens im Kirchenjahr, in: LebZeug 34. 1979, 16–28.

Dankbarkeit und Verantwortung. Eine Meditation über die Schöpfung, in: LebZeug 35. 1980, 5–12.

(Zus. mit Rupert BERGER) *Pastoralliturgisches Handlexikon.* Freiburg/Br. [u.a.] 1980, ⁶1994 (auch italienisch).

Vom Rühmen des Herrn, in: *Gott feiern. Theologische Anregung und geistliche Vertiefung zur Feier von Messe und Stundengebet* [FS Theodor Schnitzler]. Hg. v. Josef G. PLÖGER. Freiburg/ Br. [u.a.] ²1980, 85–93.

Neue Aspekte der Krankensalbung, in: KatBl 7. 1982, 509–512.

Christlicher Gottesdienst und persönliches Opfer, in: *Freude am Gottesdienst. Aspekte ursprünglicher Liturgie* [FS Josef G. Plöger]. Hg. v. Josef SCHREINER. Stuttgart 1983, 361–370.

Die Präfation von der seligen Jungfrau Maria II, in: Weizenkorn 1. 1983, 157–159.

Die Präfation von der Schöpfung, in: Weizenkorn 5. 1983, 133–135.

Die Präfation für Sonntage VII, in: Weizenkorn 6. 1983, 119f.

Die Präfation für die Sonntage III, in: Weizenkorn 7. 1983, 102f.

Wo sich Gottes Volk versammelt. Gestalt und Symbolik des Kirchenbaus. Freiburg/Br. [u.a.] 1984.

Die Präfation für Wochentage I, in: Weizenkorn 6. 1984, 118–120.

Zum Hochfest Aufnahme Marias in den Himmel, in: KlBl 64. 1984, 201–203.

Wo sich Gottes Volk versammelt, in: KlBl 64. 1984, 252f.

Grundriß Liturgie. Freiburg/Br. [u.a.] 1985; ⁸2005 (auch in englischer, französischer, italienischer und holländischer Übersetzung).

Die Botschaft der Altarweihe und die Funktion des Kirchenraums, in: *Liturgie und Kirchenraum.* Hg. v. Jürgen E. LENSSEN. Würzburg 1986, 19–24.

Te deum laudamus. Große Gebete der Kirche. Freiburg/Br. [u.a.] 1987; ²1989. Neuausgabe 2001.

Ritengruppen der Meßfeier, in: HlD 41. 1987, 211–215.

Probleme der zweigestaltigen Kommunion, in: Gottesdienst 21. 1987, 20f.

Geschichte und Bedeutung der Hubertusmessen, in: *Uraufführung der Kurmainzer Hubertusmesse.* Hg. v. Jagdhornbläsercorps Kur-Mainz und dem Landesjagdverband Rheinland-Pfalz Kreisgruppe Mainz-Bingen. Mainz 1987, 15–19.

In deiner Hand geborgen. Gebetbuch für ältere Menschen. Freiburg/Br. [u.a.] 1988; ²1989.

Das Pascha-Mysterium und seine Feier im Österlichen Triduum, in: KlBl 68. 1988, 55.

Aus Kindheit und Jugend, Heimatliche Erinnerungen. Mühlheim-Dietesheim 1988.

Maria, wir rufen zu dir. Freiburg/Br. [u.a.] 1989; ²1991.

Wie es zum Hochfest der Erscheinung des Herrn kam, in: Dienender Glaube 65. 1989, 19–21.

Zu seinem Tempel kommt der Herr, in: Dienender Glaube 65. 1989, 42f.

Ursprung und Feier des österlichen Triduums, in: Dienender Glaube 65. 1989, 83–86.

Hochfest der Verkündigung des Herrn, in: Dienender Glaube 65. 1989, 105f.

Pfingsten, in: Dienender Glaube 65. 1989, 147f.

Sinn und Geschichte der Herz-Jesu-Verehrung, in: Dienender Glaube 65. 1989, 170–172.

Das Hochfest Aufnahme Mariens in den Himmel, in: Dienender Glaube 65. 1989, 211–214.

Das Fest Kreuzerhöhung, in: Dienender Glaube 65. 1989, 266–268.

Erntedank, in: Dienender Glaube 65. 1989, 280–282.

Jenseits des Todes, in: Dienender Glaube 65. 1989, 313–316.

In allem uns gleich geworden, in: Dienender Glaube 65. 1989, 357–359.

Das Kirchenjahr. Schlüssel zum Glauben – Betrachtungen. Freiburg/Br. [u.a.] 1990 (auch englisch).

Priester aus Dietesheim. Mühlheim-Dietesheim 1990.

Die Eucharistiefeier – Quelle und Gipfel des Glaubens. Freiburg/Br. [u.a.] 1991 (auch italienisch).

Höre mein Gebet. Aus der Schatzkammer der Stundenliturgie. Freiburg/Br. [u.a.] 1992.

Liturgie und das Tridentinum, in: EKL III. 1992, 155.

Eucharistisches Hochgebet und Selbstopfer der Kirche, in: *Gratias agamus. Studien zum eucharistischen Hochgebet. Für Balthasar Fischer.* Hg. v. Andreas HEINZ – Heinrich RENNINGS. Freiburg/Br. [u.a.] 1992, 5–10.

Annuntiationsstil I, in: LThK 1. 1993, 699.

Aschermittwoch, in: LThK 1. 1993, 1058f.

Ave Maria stella, in: LThK 1. 1993, 1307.

Ostern alle Jahre anders? Zur Geschichte und Verbesserung des Kalenders. Paderborn 1994.

Beschneidung des Herrn (Fest), in: LThK 2. 1994, 310.

Cisiojanus, in: LThK 2. 1994, 1204.

Ethik der Jagd. Paderborn 1995; ²1996.

Epakten, in: LThK 3. 1995, 701.

Festkreis, in: LThK 3. 1995, 1258.

Gedenktag, in: LThK 4. 1995, 339.

Geschlossene Zeit, in: LThK 4. 1995, 574.

Goldene Zahl, in: LThK 4. 1995, 823f.

Heilige Familie I, in: LThK 4. 1995, 1276f.

Heilige Zeiten III, in: LThK 4. 1995, 1287.

Geliebte Schöpfung. Dankbarkeit und Verantwortung. Leutesdorf 1996; ²1999.

Die geschichtliche Entwicklung des Advents, in: *Weihnachten entgegen. Ein Begleiter durch die Advents- und Weihnachtszeit.* Hg. v. Ludger HOHN-KEMLER. Freiburg/Br. [u.a.] 1996, 21–24.

Hubertusmessen, in: LThK 5. 1996, 296.

Kalender IV, in: LThK 5. 1996, 1145–1147.

Maria im Kirchenjahr. Information und Meditation. Leutesdorf 1997; ³2001.

Levitenamt, in: LThK 6. 1997, 867.

Die Apostel und ihre Feier im Kirchenjahr. Leutesdorf 1998.

Sinn und Segen des Sonntags. Leutesdorf 1999; ²2001.

Christusfeste im Kirchenjahr. Information und Meditation. Leutesdorf 1999.

Pfingsten II, in: LThK 8. 1999, 189.

Pfingstnovene, in: LThK 8. 1999, 190.

Die Fastenzeit. Vorösterliche Bußzeit. Leutesdorf 2000.

Die Musik im Gottesdienst, in: IKaZ 29. 2000, 286–295.

Taufe und Firmung. Die Feier der Grundsakramente. Leutesdorf 2001.

An Gottes Segen ist alles gelegen. Die Segnungen der Kirche. Leutesdorf 2001.

Zeichen und Symbole im katholischen Gottesdienst. Leutesdorf 2002.

Unser Lebensabend. Gabe – Bürde – Aufgabe. Leutesdorf 2002.

Der Advent. Unser Weg zum Weihnachtsfest. Leutesdorf 2003.

Vater unser – das Gebet unseres Herrn. Leutesdorf 2004.

Unsere Glaubensbekenntnisse. Dokumente frühchristlicher Zeit. Leutesdorf 2004.

Paul Althaus (1888–1966)

Martin Nicol

Paul Althaus war Theologe im umfassenden Sinn. Aus seiner Disziplin, der Systematischen Theologie, unternahm er Grenzgänge nach vielen Seiten. Die neutestamentliche Wissenschaft hat er mit substanziellen Beiträgen ebenso bedacht wie die Lutherforschung. Zu politischen Angelegenheiten seiner Zeit hat er, unter der braunen Diktatur auch hoch problematisch, Stellung genommen. Ein genuiner Liturgiker war er nicht. Gleichwohl lag ihm der Gottesdienst theologisch und biografisch am Herzen.  Daher hat er sich immer wieder auch zu liturgischen Fragen geäußert. Sein Anliegen war es stets, in den Debatten des liturgisch bewegten Jahrhunderts ein unverwechselbar lutherisches Profil von Gottesdienst zur Geltung zu bringen. So fügen sich seine eher verstreuten Beiträge zum Gottesdienst dann doch zu einem interessanten Konzept lutherischer Liturgik im 20. Jahrhundert.

1. Leben und Werk

Paul Althaus wurde 1888 in Obershagen bei Celle in einem Pfarrhaus geboren.[1] Auf seine Herkunft aus dem Luthertum Hannovers hat Althaus auch nach langen bayerischen Jahrzehnten gerne verwiesen.[2] Durch seinen Vater, Paul Althaus d.Ä. (1861–1925), bekam der Sohn sowohl die Liebe zum Gottesdienst als auch die Freude an wissenschaftlicher Reflexion gottesdienstlichen Lebens mit auf den Weg.[3] Paul Althaus d.Ä. wurde nach dem Pfarramt zuerst Professor für Systematische und Praktische Theologie in Göttingen, dann ab 1912 Professor für Systematische Theologie und Neues Testament in Leipzig. Er publizierte unter anderem Arbeiten zur Taufliturgie und zur Gebetsliteratur. Auch die kulturelle Weite, die Paul Althaus d.J. auszeichnete, verdankt sich Einflüssen aus dem Elternhaus.[4] Insbesondere die Liebe zur Musik wurde schon in frühen Jahren geweckt.[5]

---

[1] Vgl. insgesamt zu Leben und Werk: Walter Sparn, *Paul Althaus*, in: *Profile des Luthertums. Biographien zum 20. Jahrhundert.* Hg. v. Wolf-Dieter Hauschild. Gütersloh 1998, 1–26. Zur Bibliografie von Paul Althaus vgl. *Bibliographie der Veröffentlichungen von Professor D. Paul Althaus*, in: *Dank an Paul Althaus. Eine Festgabe. Zum 70. Geburtstag dargebracht von Freunden, Kollegen und Schülern.* Hg. v. Walter Künneth – Wilfried Joest. Gütersloh 1958, 246–272. Vgl. auch: Bibliografie 1958–1966, in: NZSTh 8. 1966, 237–241.

[2] Vgl. Paul Althaus, *Um die Ordnung des Hauptgottesdienstes. Erwägungen und Fragen zur neuen Agende,* in: Nachrichten für die evangelisch-lutherischen Geistlichen in Bayern 10. 1955, 329–332, hier 330.

[3] Zum Vater als Liturg und Prediger vgl. Paul Althaus, *Aus dem Leben von D. Althaus-Leipzig.* Leipzig 1928, 70–81.

[4] Vgl. etwa zu Musik und Literatur im Leben seines Vaters: *Aus dem Leben von D. Althaus-Leipzig* (wie Anm. 3) 12f, 37.

[5] Eine Tagebuchnotiz aus den Osterferien 1905 belegt gutes Klavierspiel des 17-Jähri-

Paul Althaus d.J. wurde, nach einer Zeit als Privatdozent in Göttingen und als Lazarettpfarrer in Lodz, 1919 Professor für Systematische und Neutestamentliche Theologie in Rostock. Von 1925–1956 wirkte er zunächst als Systematiker und dann zugleich als Neutestamentler in Erlangen. Über seine unmittelbare Lehrtätigkeit hinaus war Althaus für Jahrzehnte Universitätsprediger (1931–1964) und als Nachfolger von Karl Holl Präsident der Luthergesellschaft (1926–1964). Althaus hat die lutherische Theologie des 20. Jahrhunderts nachhaltig geprägt. Eine zweite Blütezeit der Erlanger Theologie ist wesentlich mit seinem Namen verbunden. Zu den systematisch-theologischen Hauptwerken mit mehreren Auflagen gehören sein Lehrbuch der Eschatologie „Die letzten Dinge" (1922), die zweibändige Dogmatik „Die christliche Wahrheit" (1947/48) und die beiden Bücher zur Theologie und zur Ethik Martin Luthers (1962/1965). Breit gewirkt hat er auch mit einer stattlichen Reihe von Predigtbänden, beginnend mit Kriegspredigten aus Lodz (1916) bis zu „Letzte Predigten" aus Erlangen (1968). Paul Althaus starb 1966.

2. Grundbestimmungen einer Theologie des Gottesdienstes

Hans Kreßel hat 1946, aus fränkischem Blickwinkel und nicht ohne hagiografische Anwandlungen, die „Liturgik der Erlanger Theologie" beschrieben. Über mehr als zwei Jahrhunderte, von der Gründung der Universität 1743 bis zum Neuanfang nach dem Krieg, spannt sich der Bogen. Paul Althaus hat seinen Platz in der unmittelbaren Gegenwart des Verfassers. Eine „Liturgik in nuce" und ein klärendes Wort im Gemenge „unevangelischer Begriffe von Gottesdienst" sei seine kleine Schrift über das „Wesen des evangelischen Gottesdienstes". Kreßels liturgiepolitische Linie ist klar. Auf dem Hintergrund dessen, was die Erlanger seit dem 19. Jahrhundert an „Grundsätzen" erarbeitet hätten, solle nun, in der Neuorientierung nach dem Krieg, Paul Althaus mit seiner „Liturgik in nuce" mindestens dem Luthertum in Bayern die Richtung vorgeben: „Ein kürzeres und trefflicheres liturgisches Vademecum für unsere Pfarrer von heute zur liturgischen Besinnung und Befolgung wüßten wir nicht zu nennen!"[6]

Es wird dem Systematiker Althaus gerecht, wenn man verfolgt, wie er im Laufe der Zeit das, wie man damals zu sagen pflegte, „Wesen" des Gottesdienstes bestimmte. Die Reihe der Definitionen beginnt 1926 bei der „Liturgik in nuce" (Hans Kreßel) und mündet 1948 in die entsprechenden Formulierun-

gen: „Mit Papa spielte ich vierhändig Beethoven, Symphonie II und die großartige V." Orgel gespielt hat Althaus schon früh, dann aber auch immer wieder in späteren Jahren, so etwa während eines Kurprediger-Urlaubs am Tegernsee: Am 22. August 1943 habe er nach der Kirche Orgel geübt, am 29. August habe er gar gepredigt und in Ermangelung eines Organisten selbst die Lieder begleitet. Die Hinweise auf die Tagebücher im Nachlass verdanke ich Prof. Dr. Gotthard Jasper, Erlangen, der an einem Buch über Paul Althaus arbeitet. Vgl. auch die Bemerkungen des jungen Althaus zur Liturgie in Württemberg und zu Predigtereignissen in der Tübinger Stiftskirche: Gotthard JASPER, *Theologiestudium in Tübingen vor 100 Jahren. Im Spiegel der Briefe des Studienanfängers Paul Althaus an seine Eltern*, in: ZNThG 13. 2006, 251–335, hier 257f, 334 u.ö.

6   Hans KRESSEL, *Die Liturgik der Erlanger Theologie. Ihre Geschichte und ihre Grundsätze.* Göttingen 1946, 65–69. Vgl. zur Einordnung von Althaus in die Erlanger Liturgik auch Hans KRESSEL, *Paul Althaus als Liturg und Liturgiker*, in: DtPfrBl 66. 1966, 547f.

gen im zweiten Band der Dogmatik. Althaus' letztes größeres Wort in Sachen Liturgik war 1962 die Wiederveröffentlichung seines Aufsatzes zum „Sinn der Liturgie" von 1936.

Das Wesen des evangelischen Gottesdienstes (1926)
Althaus definiert evangelischen Gottesdienst im Anschluss an Luthers berühmte Wort-Antwort-Formel von 1544 anlässlich der Einweihung der Schlosskirche zu Torgau: „So läßt sich das Wesen evangelischen Gottesdienstes im Anschluß an Luther ausdrücken: Gegenwart Gottes im Worte für die Gemeinde und Antwort der Gemeinde in dieser seiner Gegenwart. Wort und Antwort, Wechselgespräch, bei dem Gott doch der bleibt, der, wie das Wort, so auch die Antwort der Gemeinde schenkt – das ist unser Gottesdienst."[7]
Problematischen Verwendungen von Luthers Formel baut Althaus vor. Zum einen seien Wort und Antwort nicht fein säuberlich auf verschiedene Stücke der Liturgie aufzuteilen; es handle sich nicht um „Teile" der Liturgie, sondern um „zwei Beziehungen" im liturgischen Geschehen. Zum anderen wehrt Althaus einer typisch protestantischen Verengung: dass nämlich aus dem Gottesdienst als einem dialogischen Geschehen im Machtfeld des Heiligen Geistes ein vom Pastor dominierter Wortwechsel wird. Althaus' Verständnis von „Wort Gottes" reicht über die Kanzelrede weit hinaus. Es umfasst künstlerische Gestaltungen ebenso wie elementare Lebensäußerungen oder gottesdienstliche Symbolik. All das könne die Predigt nicht ersetzen, komme aber im Licht der Predigt zu „seiner wahren Erfüllung".[8]
In der markant bearbeiteten Neuauflage (1932) seiner liturgischen Grundschrift nahm Althaus in der Definition dessen, was Gottesdienst sei, eine kleine, aber theologisch gewichtige Präzisierung vor: „Gegenwart Gottes im Worte für die *durch es begründete* Gemeinde und Antwort der Gemeinde in dieser seiner Gegenwart"[9]. Durch seinen Zusatz (Kursiva von M.N.) bringt Althaus schon in der zentralen Definition zum Ausdruck, dass Wort und Antwort nicht zwei gleichberechtigte Aktivitäten verschiedenen Ursprungs sind – die eine von Gott, die andere vom Menschen –, sondern zwei Momente in der einen Bewegung des göttlichen Schöpferwortes.

Wesen und Sinn der Liturgie (1932)
Wenn Althaus ebenfalls 1932 neuerlich definiert, was er unter Gottesdienst versteht, dann klingt das anders als bisher, bringt aber, nun lediglich aus menschlichem Blickwinkel und institutionell akzentuiert, das gleiche göttliche Geschehen zum Ausdruck: „Evangelischer Gottesdienst ist das Handeln einer Gemeinde Getaufter durch ihr Amt und mit ihm, um sich das ihr geschenkte Gottesverhältnis andächtig zu vergegenwärtigen und zu bezeugen – in der Erwartung des Glaubens, daß durch solches menschliche Handeln Gott selber

7   Paul ALTHAUS, *Das Wesen des evangelischen Gottesdienstes*. Gütersloh 1926, 17.
8   ALTHAUS, *Das Wesen des evangelischen Gottesdienstes* (wie Anm. 7) 25.
9   Paul ALTHAUS, *Das Wesen des evangelischen Gottesdienstes*. 2., erweiterte Aufl. Gütersloh 1932, 22.

in Wort und Sakrament handeln und damit die Gemeinde des Glaubens aufs neue begründen will."[10]

Der Sinn der Liturgie (1936)
In einer Definition von 1936 verweist Althaus auf die „dienende Hilfe der Kunst". Neu ist nicht die Hochschätzung der Kunst an sich. Sie ist biografisch und konzeptionell vorgebildet; schon 1932 hieß es sehr bestimmt, die Liturgie müsse „sowohl theologisch wie ästhetisch begründet und gemessen werden"[11]. Neu ist nun, dass die Kunst überhaupt bis in den Kernbereich theologischer Liturgiedefinition vordringt:[12] „Liturgie ist der gemeinsame Gottesdienst der christlichen Kirche, bestehend aus Verkündigung des Wortes Gottes, Bekenntnis, Gebet und Lob Gottes, sofern er bewußt und relativ fest geordnet und mit dienender Hilfe der Kunst gestaltet ist."[13]

Die Kunst gehört nach dieser Definition zum Wesen des Liturgischen. Darüber hinaus ist bemerkenswert, wie der Gottesdienst in seiner Ganzheit gewürdigt wird. Althaus widerspricht einer durchaus üblichen und traditionsreichen Gegenüberstellung von Predigt und Liturgie. Liturgie kommt nicht, wie fälschlich oft behauptet werde, zur Predigt dazu, sondern die Predigt ist selbst Teil der Liturgie. Beachtlich, wie der gefeierte und durchaus auch ausgiebige Kanzelredner Paul Althaus dieses sein ureigenes Tun zurücknimmt in den großen Spannungsbogen der Liturgie. Wohl bestünden Unterschiede zwischen der Predigtrede und den gebundenen Formen der Liturgie. Aber auf keinen Fall gehe es an, „hierbei kurzerhand die Liturgie und die Predigt formal einander gegenüberzustellen und die Merkmale der Liturgie durch diesen Gegensatz zu bestimmen. Die Predigt unterliegt selber den Gesetzen einer bestimmten festen Ordnung, z.B. der Ordnung des Kirchenjahres. Sie hat ihren festen Platz im Gottesdienste und ist schon dadurch selber ein Stück der Liturgie. [...] Liturgie nennen wir am besten nicht das am Gottesdienste, was nicht Predigt ist, sondern die ganze Geordnetheit des Gottesdienstes, welche die Predigt mit umgreift."[14]

Die christliche Wahrheit (1947/48)
In seinem zweibändigen dogmatischen Hauptwerk thematisiert Althaus den Gottesdienst nicht eigens. Das ist von einer Dogmatik auch gar nicht unbedingt zu erwarten. Erstaunlich ist dann aber doch, wie er in der Christologie die „Gegenwart des Heils in der Kirche" zur Sprache bringt. Der Gottesdienst kommt unter „Verkündigung" (§ 53) zur Sprache. In der Verkündigung haben das Amt und alle Lebensäußerungen der Kirche ihre „entscheidende Mitte". Es ist Alt-

---

[10]   Paul ALTHAUS, *Wesen und Sinn der Liturgie. Sieben Leitsätze*, in: AELKZ 65. 1932, 1025f.

[11]   ALTHAUS, *Wesen und Sinn der Liturgie* (wie Anm. 10) 1026.

[12]   Meine Vermutung ist, dass die explizite und hochrangige Wertschätzung der Kunst einen Reflex auf die Zusammenarbeit mit Georg Kempff seit 1933 darstellt.

[13]   Paul ALTHAUS, *Der Sinn der Liturgie. Leitsätze und Erläuterungen*, in: Luth. 47. 1936, 235–245, hier 235f. Wiederabdruck in: Erneuerung des lutherischen Gottesdienstes. Veröffentlichungen des Erlanger Instituts für Kirchenmusik. Heft 2. Erlangen 1937, 3–12, und in: Paul ALTHAUS, *Um die Wahrheit des Evangeliums. Aufsätze und Vorträge*. Stuttgart 1962, 106–116 (nach der Ausgabe von 1936).

[14]   ALTHAUS, *Der Sinn der Liturgie* (wie Anm. 13) 236.

haus wieder darum zu tun, die Predigt nicht über Gebühr von anderen kirchlichen Handlungen abzuheben. Es gehe um „das Zeugnis in seiner Ganzheit
[...], in seiner umfassenden Weite, nicht etwa das Predigtwort für sich allein."
Oder kurz und bündig: „Das Wort muß es tun – das heißt nicht: die Predigt
muß es tun." Im Horizont einer dergestalt weiten Theologie des Wortes Gottes
bringt Althaus den Gottesdienst zur Sprache: „Die Predigt gehört auch mit dem
Ganzen des kirchlichen ,Gottesdienstes' zusammen, mit aller Gestaltung, die
an ihm beteiligt ist. Dieses Ganze zeugt mit der Predigt zusammen und trägt sie
dadurch. So die Liturgie, vor allem das Bibelwort in ihr, die Lieder der Kirche,
ihre Gebete und Hymnen, die Ordnung jedes Gottesdienstes und des Kirchenjahres, überhaupt die kirchliche Ordnung und Sitte. Aber auch der Raum, Bild
und Bildwerk, die liturgische Musik, die gesamte christliche Kunst; soweit das
alles aus der Begegnung mit dem Evangelium entsprungen, aus Gottes Geist
geboren ist, kann es ein Zeugnis werden, das die Kirche baut. Vielen ist das
Evangelium durch ein Bild oder durch eine der großen Passionsmusiken von
Bach bis zur Gegenwart oder durch einen Vers alter und heutiger christlicher
Dichter tief ins Herz geschrieben worden; und das alles redet mit, wenn wir das
Wort der Predigt hören."[15]

Die Weite von Althaus' Begriff des Wortes hat auch Verwirrung gestiftet. So
wollte man eine Inkongruenz zwischen dem lutherischen Prediger des Wortes
und dem Fürsprecher der Künste konstatieren. In einer späteren Anmerkung
zu seiner „Liturgik in nuce" nimmt Althaus darauf Bezug, indem er aus einer eigenen Predigt zu einer Bach-Kantate zitiert: „Dazu aber, daß seine [d.h.
Bachs] Predigt als Predigt gehört werde, dazu will das gesprochene Wort helfen. Dazu tritt neben das Zungenreden des großen Meisters das ganz nüchterne Wort von der Kanzel, der ganz unmittelbare Anruf von Mensch zu Mensch:
höre des Herrn Wort! – daß, soweit es an uns liegt, niemand nur genießend
heute morgen hören könne, daß jeder, soviel an uns liegt, der Gottesfrage, der
Christusfrage, der Todesfrage, die diese Musik bedeutet, sich stelle."[16] Dass also
in der Vielzahl der möglichen Zeichensprachen die Verkündigung des Wortes
nicht unklar werde, dazu braucht es die Predigt als Kanzelrede.

3. Althaus als Prediger und Liturg

Die Liebe zum Gottesdienst brachte Althaus bereits mit nach Erlangen. Eine
neue Qualität erhielt sein liturgisches Engagement, als er selbst 1931 Universitätsprediger und als wenig später Georg Kempff Universitätsmusikdirektor
am Erlanger Institut für Kirchenmusik sowie Organist und Kantor an der Neu-
städter (Universitäts-) Kirche wurde (1933–1959). Über ein Vierteljahrhundert,
darunter die Kriegsjahre, wirkten diese beiden ausgeprägten Persönlichkeiten
in so außergewöhnlicher Partnerschaft, dass Althaus' Tochter im Rückblick von
der „Einheit Althaus-Kempff" in den Erlanger Universitätsgottesdiensten reden

---

[15]   Paul Althaus, *Die christliche Wahrheit. Lehrbuch der Dogmatik.* 2 Bde. Gütersloh
      1947/48, hier Bd. 2, 322f.
[16]   Althaus, *Das Wesen des evangelischen Gottesdienstes* (wie Anm. 9) 32, Anm. 1 (aus einer
      Predigt am 15.07.1928, St. Lorenz Nürnberg, „inmitten" der Kantate BWV 75).

konnte.[17] Althaus selbst erinnert sich im Vorwort zu einer Predigtsammlung. Er wolle, so schreibt er, den Band „nicht hinausgehen lassen, ohne sehr dankbar der Gemeinschaft des Dienstes zu gedenken, die mich seit einem Vierteljahrhundert mit Professor Georg Kempff verbindet. Mit seinem Orgelspiel und seinem akademischen Chor hat er, wie der Gemeinde zum Hören des Wortes, so auch mir für die Freudigkeit zur Predigt oft genug mitgeholfen."[18]

Die Erinnerungen vieler Menschen sprechen dafür, dass wir es hier mit einem der wichtigen deutschsprachigen Gottesdienst-Ereignisse jüngerer Zeit zu tun haben. Im Unterschied zu vergleichbaren Phänomenen, bei denen etwa mit Helmut Thielicke in Hamburg oder Walter Lüthi in Bern ausgesprochene Predigerpersönlichkeiten im Mittelpunkt standen, dürfte es sich in Erlangen um Gottesdienst gleichsam als Gesamtkunstwerk gehandelt haben. Was 1933 in Deutschlands schlimmen Jahren begann und über die Nachkriegszeit bis in die ausgehende Ära Adenauer reichte, war ein weithin ausstrahlendes Beispiel lutherischer Gottesdienstkultur. Vieles spricht dafür, dass nicht nur die Genialität und Spontaneität des Musikers Kempff, sondern auch die konzeptionelle Besonnenheit des Predigers und Liturgen Althaus zu der außergewöhnlichen Wirkung beitrugen. Beide Persönlichkeiten werden, wo es um jene Gottesdienste geht, gerne in einem Atemzug genannt: „Das Zusammenwirken der beiden Männer schuf unvergeßliche Gottesdienste, um die man uns damals in ganz Deutschland hätte beneiden können."[19]

An den Universitätsprediger Althaus erinnert sich sein Schüler und späterer Fakultätskollege Walther von Loewenich: „In der Wärme seiner Rede streifte er gelegentlich an das Pathetische. Vielleicht war manches zu abgerundet, um ganz zu überzeugen; aber ich kann von mir nur sagen, daß Althaus der Prediger war, der auf mich den größten Eindruck machte."[20] Und Hans Graß fügt hinzu: „Häufig war die Kirche mit ihren 1200 Plätzen gefüllt. Er konnte predigen, gewiß nicht prophetisch oder charismatisch, aber klar verständlich und eindringlich."[21] Auf die Auswahl der Lieder legte der Prediger Althaus großen Wert.[22] Wie sehr ihm bei seinem Einsatz für das Gemeindelied und überhaupt für die künstlerische Seite der Liturgie der Musiker Georg Kempff entgegenkam, zeigt die Reminiszenz der Tochter: „Unvergessen sind auch die Universitätsgottesdienste, in denen meist mein Vater, Paul Althaus, predigte und Kempff in seinem Orgelspiel feinsinnig auf den Text einging. Gelegentlich komponierte Kempff Liedverse für den Chor, mit der Gemeinde im Wechsel zu singen. Oft rief mein Vater nach dem Gottesdienst bei Kempff an, um sich dafür oder für ein besonders schönes Nachspiel zu bedanken."[23]

[17] Dorothea PETERSEN, *Georg Kempffs 80. Geburtstag*, in: *Erlebnisse mit Georg Kempff*. Hg. v. Walter OPP. Erlangen [u.a.] 2001, 58f.
[18] Paul ALTHAUS, *Die Kraft Christi. Predigten*. Gütersloh 1958, 5f.
[19] Walther VON LOEWENICH, Erlebte Theologie. Begegnungen, Erfahrungen, Erwägungen. München 1979, 129.
[20] VON LOEWENICH, *Erlebte Theologie* (wie Anm. 19) 129.
[21] Hans GRASS, *Althaus*, in: TRE 2. 1978, 329–337, hier 335.
[22] Vgl. VON LOEWENICH, *Erlebte Theologie* (wie Anm. 19) 129.
[23] PETERSEN, *Georg Kempffs 80. Geburtstag* (wie Anm. 17) 14.

Schwärmerische Töne sind in allen Rückblicken zu vernehmen. Wolfgang Trillhaas resümiert: „Die Gottesdienste, in denen Prediger wie Althaus wirkten, wurden durch Kempffs Dienst als Organist und Chorleiter zu unvergeßlichen Stunden."[24] Den begeisterten Erinnerungen auch historisch Substanz zu geben, wäre reizvoll. Hier harrt ein Stück evangelischer Gottesdienstgeschichte im 20. Jahrhundert seiner wissenschaftlichen Aufhellung.

4. Profilierungen

Althaus hat sich eingeschaltet in liturgische Debatten seiner Zeit. Immer ging es ihm darum, ein unverwechselbares Profil von Gottesdienst zu schärfen. In fünf Stichworten versuche ich dieses Profil zu markieren.

4.1 Lutherisch

Althaus ist sich sicher, in seinen Schriften und Stellungnahmen den genuin lutherischen Gottesdienst zu vertreten. Auch wenn er oft nur vom „evangelischen" Gottesdienst spricht, grenzt er sich doch gleichermaßen gegenüber Katholiken und Reformierten ab.

Schon in seiner Kernliturgik von 1926 profilierte er „die Grundzüge evangelischen Verständnisses von Gottesdienst" gegenüber der katholischen Messe.[25] Auslöser für diese Frontstellung waren bestimmte Entwicklungen in der liturgischen Bewegung:[26] „Das Liebäugeln mit der römischen Messe geht in den hochkirchlichen Kreisen der liturgischen Bewegung bis heute um."[27] Das Wesen des katholischen Gottesdienstes aber sei die „dingliche Vergegenwärtigung des Heiligen durch kultische Handlung des Priesters"[28]. Daraus resultierten zwei missbräuchliche Dimensionen von Gottesdienst, nämlich „Sakramentarismus und Mystik": „Einmal findet die Vergegenwärtigung des Heiligen statt in der Wandlung der Hostie: Gott ist in der theurgisch geweihten Substanz dinglich gegenwärtig. Daneben aber wird der Gottesdienst auch als Mysterienfeier in der Art verstanden, daß die gläubige Seele durch das Erleben des kultischen Aktes zur mystischen Einigung mit der Gottheit geführt wird."[29]

---

[24] Wolfgang TRILLHAAS, *Aufgehobene Vergangenheit. Aus meinem Leben.* Göttingen 1976, 137.

[25] Althaus hat die katholische Messe durchaus auch zu schätzen gewusst. Am 22. April 1934 notiert er während eines Urlaubs am Tegernsee: „Messebesuch eindrucksvoll". Am 22. März 1936 beeindruckte ihn in Mittenwald die „frische Predigt des Kaplans" bei einer Singmesse, die er gleich im Anschluss an einen offenbar wenig befriedigenden evangelischen Gottesdienst besuchte. Zu den Tagebüchern im Nachlass vgl. o. Anm. 5.

[26] Althaus redet im Singular. Historisch wäre der Plural angemessener. Vgl. Karl-Heinrich BIERITZ, *Liturgische Bewegungen im deutschen Protestantismus,* in: *Liturgiereformen. Historische Studien zu einem bleibenden Grundzug des christlichen Gottesdienstes.* Bd. 2: *Liturgiereformen seit der Mitte des 19. Jahrhunderts bis zur Gegenwart.* Hg. v. Martin KLÖCKENER – Benedikt KRANEMANN. Münster 2002 (LQF 88), 711–748.

[27] ALTHAUS, *Das Wesen des evangelischen Gottesdienstes* (wie Anm. 7) 9.

[28] ALTHAUS, *Das Wesen des evangelischen Gottesdienstes* (wie Anm. 7) 8.

[29] ALTHAUS, *Das Wesen des evangelischen Gottesdienstes* (wie Anm. 7) 8.

Althaus profiliert zunächst ein evangelisches gegenüber einem katholischen Verständnis von Liturgie.[30] Aber auch binnenprotestantisch grenzt er den lutherischen gegen den reformierten Gottesdienst scharf ab: „Die lutherische Kirche weiß sich mit ihrer Auffassung und Übung der Liturgie sowohl gegen Rom und seine Geistesverwandten (z.B. auch die ‚Christengemeinschaft') wie auch gegen die reformierte Kirche abgegrenzt. [...] In der reformierten Liturgielosigkeit kann das Luthertum weniger reformatorischen Radikalismus als vielmehr humanistischen und puritanischen Spiritualismus erkennen, der der Leiblichkeit unseres Lebens nicht gerecht wird."[31]

Eine profiliert lutherische Liturgik ist Althaus ein Herzensanliegen. Zum Mitstreiter in einer Formation der liturgischen Bewegung aber wird er nicht. Schon die Kernliturgik von 1926 war, so deren einleitende Sätze, wesentlich durch theologische Unklarheiten der liturgischen Bewegung motiviert. Trotz mancher Zustimmung zum Grundanliegen einer kirchlichen Erneuerung kritisiert Althaus das „Berneuchener Buch" von 1926 scharf.[32] Es gehe von einem Symbolbegriff aus, der das geschichtliche Wort des Evangeliums undeutlich werden lasse. In den späteren Vorgängen um zwei Gutachten der Erlanger Theologischen Fakultät (1949/51)[33] zur „Agende" von Karl Bernhard Ritter[34] war es maßgeblich Althaus, der die Ablehnung begründete. Die Kritik entzündete sich besonders an dem liturgischen Stück der Epiklese (samt Anamnese), das die Verba Testamenti entwerte, und gipfelte im Vorwurf des liturgischen und dogmatischen „Synkretismus".[35]

4.2 Hymnisch

Eine bemerkenswerte Liebe zum Kirchenlied kennzeichnet den Dogmatiker Althaus. Das wird an seinem Engagement als Universitätsprediger ebenso deutlich wie an seinen schriftlichen Äußerungen in dieser Sache. Eigens zu nennen ist die Monografie „Der Friedhof unserer Väter" (1915). Das Gesangbuch stelle mit den entsprechenden Liedern, so Althaus, eine Art Friedhof dar, in dem christliche Frömmigkeit im Horizont von Tod und Auferstehung spezifisch evangelische Gestalt gewonnen habe: „Ehrfürchtig treten wir in den Friedhof der Väter ein. Wir, die da ringen um Klarheit und Freudigkeit im Angesichte des Todes, suchen die Gemeinschaft der Väter in ihren Liedern von Tod und Ewigkeit."[36] Das Buch, in mehreren Auflagen erschienen, leitet mit den entspre-

30 Die freundlichen Sätze zum „Reichtum der anderen" (ALTHAUS, *Das Wesen des evangelischen Gottesdienstes* [wie Anm. 7] 47) mit ausdrücklicher Erwähnung der römischen und orthodoxen Liturgie fallen in der zweiten Auflage von 1932 weg.
31 ALTHAUS, *Wesen und Sinn der Liturgie* (wie Anm. 10) 1026.
32 Rezension des „Berneuchener Buches" von 1926, in: ThLZ 52. 1927, 217–221.
33 Vgl. Wilhelm STÄHLIN, *Viva Vitae. Lebenserinnerungen.* Kassel 1968, 575f.
34 Karl Bernhard RITTER, *Gebete für das Jahr der Kirche. Agende für alle Sonntage und Feiertage des Kirchenjahres.* 2., neubearbeitete Aufl. Kassel 1948.
35 Gutachten der Theologischen Fakultät Erlangen vom 19. September 1949 (im Archiv der Fakultät). Der Passus mit dem Vorwurf des Synkretismus ist als Einziger im ganzen Gutachten durchgängig unterstrichen.
36 Paul ALTHAUS, *Der Friedhof unserer Väter. Ein Gang durch die Sterbe- und Ewigkeitslieder der evangelischen Kirche* [1915]. 4. Aufl. Gütersloh 1948, hier zitiert nach der 3. Aufl. 1928, 14.

chenden Liedern des Gesangbuchs zu einer evangelischen Ars moriendi wie auch zu laiendogmatischem Denken im Bereich der Eschatologie an.

Auf die spirituelle Kraft der Lieder kommt Althaus oft zu sprechen. Für den Gottesdienst als Wort-Antwort-Bewegung des göttlichen Schöpferwortes sei es „eine Frage von höchstem Ernste, ob unsere Gemeinden wieder singen lernen oder nicht". Die „Überschwenglichkeit" Gottes dränge zu vielfältigen Formen des Ausdrucks: „Was nicht mehr gesagt werden kann, kann noch gesungen werden."[37] Diese Einsicht ist auch ein Grund dafür, dass Althaus seine publizierten Predigten ab 1924 mit der Angabe der Lieder oder Liedverse versieht, die vor und nach der Predigt sowie am Schluss des Gottesdienstes gesungen wurden.[38] In Predigten, insbesondere zum Sonntag Kantate, nimmt das Lob des Kirchenliedes selbst fast schon hymnische Züge an: „Da kann man nicht nur bezeugen, reden, predigen, da muß gesungen sein. Sie [d.h. die Apostel nach Ostern] können nicht nur singen, sie müssen singen. Sie singen, stimmen in das Lied der Väter als ein eigenes ein und singen neue Lieder – alles ist der eine Ton: Jesu, meine Freude. Was kann man, aus dem Tode lebendig geworden, anderes als singen: Jesu, meine Freude!" Zuweilen scheint gar der Liedsänger Althaus mit dem Prediger in freundliche Konkurrenz zu geraten: „Gleich in den Tagen der Reformation: das Evangelium ist in unser Volk fast mehr hineingesungen als -gepredigt worden."[39] Liturgiepolitisch setzte sich Althaus für neues Liedgut auf der Basis des bewährten Bestandes ein. Auf der Suche nach Beispielen richtete sich sein Blick insbesondere auf die Kirchen in Dänemark, Schweden und Norwegen, auf das Liedgut von Gemeinschaften und der Jugend sowie auf die religiöse Lyrik etwa eines Rudolf Alexander Schröder.[40] Diese Vorschläge, so zeitgebunden sie auch sind, zeigen doch, wie aufmerksam Althaus neues Liedgut im lutherischen Raum zur Kenntnis nahm und wie konkret sein Plädoyer für eine singende Kirche ausfiel.

4.3 Leibhaftig

Althaus' starker und beharrlicher Akzent auf der „Leiblichkeit" von Liturgie begründet eine prinzipiell ästhetische Liturgik: „Liturgie ist [...] Leiblichkeit, Gestalt, Form."[41] Liturgie wäre daher falsch verstanden, wenn man sie lediglich als „Ausdruck" von Glaubensinhalten verstanden wissen wollte. Althaus verbindet seine Einsicht vom Wesen der Liturgie mit der Notwendigkeit, den platonischen Dualismus zu überwinden, „daß die Seele als ein selbständiges Wesen, das mit dem Leibe wesentlich nichts zu tun hat, in ihm wohne, sich von ihm trennen könne und so weiter."[42] Bereits der Begriff „Ausdruck" sei „heimlich dualistisch"[43], weshalb Althaus dem Begriff der „Gestalt" den Vorzug gibt.[44] So

---

[37] ALTHAUS, *Das Wesen des evangelischen Gottesdienstes* (wie Anm. 7) 30.

[38] Vgl. Paul ALTHAUS, *Das Heil Gottes. Letzte Rostocker Predigten.* Gütersloh 1926, V.

[39] *Predigt zu Jes 38,17–19 am Sonntag Cantate, 18. Mai 1924*, in: ebd. 16–30 [!], hier 24f.

[40] Vgl. Paul ALTHAUS, *Neue Lieder!*, in: AELKZ 69. 1936, 916–922.

[41] ALTHAUS, *Wesen und Sinn der Liturgie* (wie Anm. 10) 1026.

[42] Paul ALTHAUS, *Von der Leibhaftigkeit der Seele* [1958], in: DERS., *Um die Wahrheit des Evangeliums. Aufsätze und Vorträge.* Stuttgart 1962, 158–167, hier 166.

[43] ALTHAUS, *Von der Leibhaftigkeit der Seele* (wie Anm. 42) 162.

[44] Vgl. ALTHAUS, *Von der Leibhaftigkeit der Seele* (wie Anm. 42) 159.

wenig es ein sprachloses Denken gebe, so wenig gebe es ein leibloses Singen. Liturgie, so könnte man pointiert sagen, ist leiblich oder sie ist nicht. Diese Einsicht impliziert einen deutlich eschatologischen Horizont. Liturgie ist nicht nur ein Raum gegenwärtigen Erlebens, sondern „zugleich ein Bekenntnis der Hoffnung auf die verheißene Leiblichkeit der neuen Welt".[45]

Gerade mit seinem Akzent auf Leiblichkeit und Gestalt sieht sich Althaus als Vertreter einer genuin lutherischen Liturgik: „Der Sinn für die Leiblichkeit des Gebets und damit Verständnis und Pflege der Liturgie im engeren und weiteren Sinn (Kirchenbau, Kirchenjahr usw.) ist innerhalb der evangelischen Kirche das Charisma des Luthertums."[46] Gottesdienst sei eben „nicht durchweg sinnvoll, von einem Gedanken aus, in einsichtigem Fortschritte gestaltet"; ebenso wenig wie einen alten Dom dürfe man die Liturgie „aus einem Baugedanken als konstruktive Einheit verstehen".[47] Gottesdienst wird als geschichtlich gewachsenes, in vieler Hinsicht auch zufälliges, dem Denken prinzipiell vorgegebenes Phänomen gewürdigt.

Trotz solcher Hochschätzung von Liturgie als einer Gestalthandlung des Glaubens bleibt Althaus wachsam im Blick auf klerikale Verengungen. Gegenüber Versuchen, die Leibwerdung des göttlichen Wortes wesentlich im Gottesdienst zu lokalisieren, legt er den Akzent auf die Leibwerdung in den Vollzügen der Welt. Dem Gottesdienst, insbesondere dem Abendmahl, eigne bei aller liturgischen Leiblichkeit eine diakonisch-leibliche Dimension. Das „Mahl der Gemeinschaft mit dem Herrn" ist zugleich das „Mahl der brüderlichen Gemeinschaft".[48] Ob die Kritik des Rezensenten an Berneuchen zutrifft, sei dahingestellt. Aber prinzipiell hat Althaus Recht: „Gewiß will das göttliche Wort auch Leib werden – aber diejenige Leibwerdung, die in einem Atem mit dem verkündigenden Zeugnis genannt werden darf, ist die in Jesu Liebe dienende Tat und nicht zunächst die liturgische Symbolik."[49]

4.4 Agendarisch

Ein sorgfältiger Umgang mit der Agende resultiert unmittelbar aus der Einsicht in den Gestaltcharakter von Liturgie: „Daher ringt liturgisches Wollen um das rechte Wort, das rechte Lesen und Sprechen, den rechten Rhythmus und Ton, um die rechte Haltung und Gebärde, von der des Betens an bis hin zu dem Antlitz des Raumes, der Gestaltung der Paramente."[50] In den Diskussionen um das lutherische Agendenwerk der 1950er Jahre hat sich Althaus auch ausführlicher zu Detailfragen geäußert.[51] Dabei wird immer wieder ein Bemühen deutlich, die agendarisch gegebenen Spielräume auch wahrzunehmen. Das gilt etwa für den fakultativen Charakter des Rüstgebets (Confiteor), das, jedenfalls in Bayern, faktisch zum Pflichtstück avancierte.

---

[45] ALTHAUS, *Wesen und Sinn der Liturgie* (wie Anm. 10) 1026.

[46] ALTHAUS, *Das Wesen des evangelischen Gottesdienstes* (wie Anm. 9) 39.

[47] ALTHAUS, *Der Sinn der Liturgie* (wie Anm. 13) 241.

[48] ALTHAUS, *Das Wesen des evangelischen Gottesdienstes* (wie Anm. 9) 56.

[49] Rezension des „Berneuchener Buches" (wie Anm. 32) 221.

[50] ALTHAUS, *Der Sinn der Liturgie* (wie Anm. 13) 239.

[51] Vgl. ALTHAUS, *Um die Ordnung des Hauptgottesdienstes* (wie Anm. 2).

Mit der Hochschätzung des agendarischen Gottesdienstes bekennt sich Althaus zur liturgischen Tradition der Weltkirche. Die gelegentlich scharfe Polemik gegen die Liturgie anderer Konfessionen ändert daran grundsätzlich nichts: „Indem die Liturgie nicht jeweils ganz neu gestaltet, sondern – unbeschadet der gewordenen Mannigfaltigkeit und nötigen Freiheit – aus dem biblischen und kirchlichen Erbe genommen wird und, soweit möglich, im Einklang mit der ganzen Kirche gebildet wird, läßt sie die Einheit der Kirche durch die Jahrhunderte und Länder hin erfahren."[52]

4.5 Kirchlich

Gegenüber der protestantischen Neigung zu einer individualisierenden Frömmigkeitspraxis betont Althaus die Notwendigkeit von Gemeinde und kirchlicher Gemeinschaft. Das gelte zunächst, weil das Wort der Kirche gegeben und weil die Kirche Gottes Wille und Gabe sei.[53] Ebenso wird wieder die Leiblichkeit des göttlichen Wortes zur Begründung herangezogen: „Gestaltung bedeutet Leiblichkeit. Der Gottesdienst als solcher hat Leiblichkeit, er ist leibliche Versammlung [...]; Gott führt und ruft durch das Wort zur leiblichen Gemeinde zusammen."[54] Der Leib Christi manifestiert sich bis hin zur Leiblichkeit einer Ortsgemeinde. In vielen Predigten hat Althaus diese Einsicht auch unmittelbar an die Gemeinden weitergegeben: „Ich habe mich einzubauen in das lebendige Haus Gottes. Damit erbaue ich die Gemeinde. Wie es mir etwas bedeutet, euch, meine Brüder, hier zu sehen und zu haben, so bin ich es euch schuldig, leibhaftig hier zu sein und nicht nur im Geiste."[55]

5. Ausblick

Vieles ist zeitgebunden an der Liturgik von Paul Althaus. Die Polemik gegen andere Konfessionen wurde durch die liturgische Arbeit der folgenden Jahrzehnte ebenso überholt wie viele seiner Vorstellungen zur Gestalt des „Hauptgottesdienstes". Gleichwohl bietet Althaus ein beachtliches Beispiel lutherischer Liturgik in der ersten Hälfte des 20. Jahrhunderts. Er hat mit Hilfe der bei Luther entlehnten Grundbewegung von Wort und Antwort einen noch immer bedenkenswerten Ansatz zur Theologie des Gottesdienstes geliefert. Sein weites Verständnis von der Bewegung des göttlichen Schöpferwortes schließt die Gestaltdimension von Liturgie konzeptionell ein. Es ergeben sich somit die Konturen einer frühen ästhetischen Theologie des Gottesdienstes.

Auswahlbibliografie

Das Wesen des evangelischen Gottesdienstes. Gütersloh 1926. 2., erweiterte Aufl. 1932.
Wesen und Sinn der Liturgie. Sieben Leitsätze, in: AELKZ 65. 1932, 1025f.
Der Sinn der Liturgie. Leitsätze und Erläuterungen, in: Luth. 47. 1936, 235–245; ebenso in:

52　ALTHAUS, *Wesen und Sinn der Liturgie* (wie Anm. 10) 1026.
53　Vgl. ALTHAUS, *Das Wesen des evangelischen Gottesdienstes* (wie Anm. 7) 12.
54　ALTHAUS, *Der Sinn der Liturgie* (wie Anm. 13) 239.
55　Paul ALTHAUS, *Predigt zu Ps 122,1–3 am 1. Sonntag nach Trinitatis, 27. Mai 1951,* in: DERS., *Die Herrlichkeit Gottes. Predigten zu den Festen und Festzeiten des Kirchenjahres.* Gütersloh 1954, 11–18, hier 16.

Erneuerung des lutherischen Gottesdienstes. Veröffentlichungen des Erlanger Instituts für Kirchenmusik. Heft 2. Erlangen 1937, 3–12; auch in: Paul ALTHAUS, *Um die Wahrheit des Evangeliums. Aufsätze und Vorträge.* Stuttgart 1962, 106–116 (nach der Ausgabe von 1936).

Bibliographie der Veröffentlichungen von Professor D. Paul Althaus, in: *Dank an Paul Althaus. Eine Festgabe. Zum 70. Geburtstag dargebracht von Freunden, Kollegen und Schülern.* Hg. v. Walter KÜNNETH – Wilfried JOEST. Gütersloh 1958, 246–272.

Bibliografie 1958–1966, in: NZSTh 8. 1966, 237–241.

Konrad Ameln (1899–1994)

Alexander Völker

Ein Nicht-Musik-Fachmann soll ein Bild von Leben und Werk von Konrad Ameln geben, einem Musikwissenschaftler und Hymnologen, dessen überragende Kompetenz und wissenschaftlich-künstlerische Leistung weit über den deutschen Sprachraum anerkannt ist. Für die folgende Porträtskizze sind lediglich „Blickpunkte" zusammengebracht, die sich aus persönlicher Begegnung und Erfahrung ergeben haben, Eindrücke und Impulse, die von zwei Jahrzehnten der Verbundenheit geblieben sind. Sie erheben keinen Anspruch auf fachwissenschaftliche Exaktheit und Vollständigkeit.

„Ameln, Konrad * 6. Juli 1899 in Neuß (Niederrhein), † 1. Sept. 1994 in Lüdenscheid, Musikwissenschaftler". So setzt die biografische Würdigung ein, die Alexander Hesse in „Musik in Geschichte und Gegenwart"[1] gegeben hat. Konrad Ameln hat einen eigenen Lebenslauf verfasst,[2] mit dem er zunächst selbst zu Worte kommen soll: „Die Familie meines Vaters ist am Niederrhein beheimatet. Seine Vorfahren waren überwiegend Bauern und Handwerker im Kreise Jülich und hatten ihren Namen nach dem dort gelegenen Ort Ameln. Die Vorfahren meiner Mutter waren Winzer, Handwerker und Lehrer im Rheingau. [...] Mein Vater war Sprachlehrer und übernahm [...] die Leitung der Berlitz-Schule in Kassel. So besuchte ich dort die dreiklassige Vorschule und das humanistische Wilhelm-Gymnasium. Von 1911 an war ich Wandervogel; das hat meine Entwicklung entscheidend beeinflusst. In meiner Klasse war ich der jüngste Schüler. Als 1914 der Krieg ausbrach, meldeten sich die z.T. erheblich älteren Mitschüler der Obersekunda als Kriegsfreiwillige, die Zurückbleibenden gingen großenteils zum Ernteinsatz. Auch danach litt es mich nicht mehr lange in der Schule, ich wurde freiwilliger Krankenpfleger, machte zuerst Dienst beim Roten Kreuz und in Heimatlazaretten, kam gegen Ostern 1915 zu einer Krankentransportabteilung bei der deutschen Südarmee und in der ungarischen Stadt Debrecen und nach einem Vierteljahr auf einen Lazarettzug, der von allen Teilen der langen Ostfront Verwundete und Kranke in die Heimat beförderte. Auf diese Weise lernte ich nicht nur viele Gebiete Osteuropas, sondern auch viele Menschen kennen; dazu boten besonders lange Wartezeiten in Danzig, Posen, Potsdam und mehreren schlesischen Städten gute Gelegenheit. Kurz nach Pfingsten 1916 meldete ich mich als Kriegsfreiwilliger beim Feldartillerie-Regiment 11 in Kassel und wurde als Reiter, Telefonist und Beobachter ausgebildet. Vom 1. Dezember 1916 bis Kriegsende war ich an der Westfront beim Mecklenburgischen Feldartillerie-Regiment 60, das in den Kämpfen an der Somme, in Flandern, an der Aisne und in der Champagne eingesetzt war. Am 6. November 1918, fünf Tage vor dem Waffenstillstand, geriet ich mit

---

[1]   Alexander Hesse, *Konrad Ameln*, MGG. Personenteil 1. 1999, 593f.

[2]   Zitiert in: „*In memoriam Konrad Ameln*", in: JLH 34. 1992/93, VII–X.

meinem Geschützzug bei einem Nachhutgefecht an der Aisne in französische Kriegsgefangenschaft, aus der ich im Oktober 1919 zurückkehrte. Da ich das Reifezeugnis ohne Prüfung erhielt, konnte ich gleich mit dem Studium beginnen, belegte zunächst in Göttingen Neue Sprachen, Erdkunde und Pädagogik, ging aber bald zur Musikwissenschaft und Kunstgeschichte über, obwohl dies Studium damals als ‚brotlos‘ galt. Von 1921 bis 1924 studierte ich in Freiburg i.Br. und promovierte mit der Arbeit ‚Beiträge zur Geschichte der Melodien „Innsbruck, ich muß dich lassen“ und „Ach Gott, vom Himmel sieh darein“‘. Einen großen Teil der Mittel für mein Studium hatte ich mir als Werkstudent mit Privatstunden und Gelegenheitsarbeiten während des Semesters und mit Forst- und Landarbeit erworben."

In einer Zeit wie heute, da wir aus bestimmten Gründen erst *jetzt* das Geschick des eigenen Volkes, insbesondere seit Kriegsende 1945, aufarbeiten und dabei gerade auf den Ersten Weltkrieg zurückgreifen müssen, ist ein solch persönlicher Bericht Konrad Amelns mit der Schilderung des ersten Vierteljahrhunderts seines Lebens einfach kostbar.

1. Aus der PSALMODIA singen und beten

Erst ein halbes Jahrhundert (!) nach den soeben berichteten Ereignissen aus seiner Jugend lernte ich Konrad Ameln persönlich kennen. Er war damals bereits jenseits der Siebzig und konnte auf ein beträchtlich großes Lebenswerk zurückblicken. Nach dem so plötzlichen Tode von Karl Ferdinand Müller Mitte der siebziger Jahre übertrug mir Christhard Mahrenholz die nunmehr vakante Schriftleitung für Liturgik beim „Jahrbuch für Liturgik und Hymnologie".[3] Ameln reiste nun zu einem Treffen mit Mahrenholz und mir eigens nach Hannover an. Eine einzige Erinnerung ist mir an diesen Tag geblieben: Die beiden „großen alten Männer" redeten sich gegenseitig in der 2. Person Plural und mit vollem Namen an, wie es offensichtlich den Gepflogenheiten aus der Zeit ihrer bündischen Jugend entsprach. Wiewohl eine solche Anrede-Art dem Jüngeren zunächst altfränkisch und gekünstelt vorkam, teilte sich mit ihr etwas von der Wertschätzung des je Anderen mit, die nachdenklich stimmte.

Mit Güte und Verständnis machte der lebens- und welterfahrene Wissenschaftler den jüngeren „Kollegen", akademisch-wissenschaftlich nicht ausgewiesen, mit den Jahrbuch-„Geschäften" vertraut. Ein erster Besuch in Lüdenscheid, im Hause Posener Weg 4, ließ mich über den Kosmos an Gelehrsamkeit und Wissenschaft staunen, der dort anzutreffen war. Voller Stolz führte

[3] Das „Jahrbuch für Liturgik und Hymnologie" (JLH) war 1955 durch Konrad Ameln, Christhard Mahrenholz und Karl Ferdinand Müller im Johannes Stauda-Verlag, einem Zweig des Bärenreiter-Verlages Kassel, begründet worden; mit dem Gründer des Bärenreiter-Verlages, Karl Vötterle, verband Ameln seit frühen Finkensteiner Zeiten eine lebenslange Freundschaft. Ameln übergab 1986 die Schriftleitung Hymnologie des JLH an Andreas Marti, 1991 schied er aus dem Kreis der Herausgeber aus. Von diesem Jahrbuch, dem im Raum evangelischer Theologie und Kirchen doch singulären Publikationsorgan für Gottesdienst, Liturgiewissenschaft, Kirchenlied und Gesangbuch, ist Ende 2008 der jetzt 47. Bd., durch den Verlag Vandenhoeck & Ruprecht, Göttingen, verlegerisch betreut, erschienen. Eine wirklich vollständige Übersicht über sämtliche Beiträge Amelns zum JLH findet sich www.iah.unibe.ch (26. Januar 2009).

er mich zu einem Stehpult in der Nähe eines Fensters: Dort prangte ein dick-
leibiger Foliant, in Leder gebunden – es war wohl eine der späteren Ausgaben
der „Psalmodia",[4] vielleicht war es auch eine Ausgabe der „Sonntagsevangelia".[5]
Der Besucher konnte nur staunen über den prächtigen Band, seine kunstvoll
gestalteten Initialen, den Satzspiegel mit der damaligen Notenschrift in alten
Schlüsseln, vierhundert Jahre alt – aufgeschlagen auf den entsprechenden
Seiten der Kirchenjahreszeit bzw. des zurückliegenden Sonntags. „Jeden Tag
pflege ich daraus zu singen und zu beten", bemerkte Ameln, der dann seinen
Besucher sogleich in ein Gespräch über eine Liedzeile hineinzog, die ihn gerade beschäftigte.[6] Über viele Jahrzehnte hat der große Forscher und Sammler,
durch die Großzügigkeit der Lüdenscheider Industriellenfamilie Hueck mit
ermöglicht, einen beträchtlichen Schatz an Autographen, an Gesangbüchern
und an Notendrucken erwerben, aufbauen und vermehren können. Auf seinen Wunsch hin ist diese großartige Sammlung mit jetzt 622 Exponaten, die
„als eine der herausragenden, wenn nicht als die bedeutendste ihrer Art in
Privathand"[7] gilt, durch die Universitätsbibliothek Augsburg Anfang der neunziger Jahre angekauft worden.[8] Einen Teil seiner musikwissenschaftlichen Bibliothek, viel an Korrespondenz und Noten überließ er dem Sängermuseum
in Feuchtwangen,[9] das seines Todestags nach einem Jahrzehnt (1. September
2004) eigens mit einer Gedenkausstellung gedachte.

2. Einen neuen Formwillen in Kultus und Kunst bekunden

„Jede Darstellung des Heiligen steht unter den Formgesetzen aller Darstellung, d.h. unter den Gesetzen der Kunst. Kein frommer Zweck entbindet von
der strengen Verpflichtung, das innere Gesetz der Form zu wahren. Gerade weil
wirklich das Wort Gottes im Gleichnis verkündet werden kann, ist jeder künstlerische Dilettantismus in Bild, Musik und gesprochenem Wort unfromm, ein

---

[4]   Lukas Lossius gilt mit Urbanus Rhegius als Reformator Lüneburgs; er gab 1553 für
      das dortige Gymnasium Johanneum, dessen Konrektor er war, die „Psalmodia", eine
      Sammlung vorwiegend lateinischer Kirchengesänge, heraus: *Psalmodia, hoc est, Cantica
      Sacra Veteris Ecclesiae Selecta: Quo ordine, & Melodijs per totius anni curriculum* [...] / Iam
      primum [...] collecta [...] per Lucam Lossium. Cum Praefatione Philippi Melantho-
      nis. Noribergae: apud Gabrielum Hayn, Iohan. Petrei Generum, 1553.

[5]   Bei Nikolaus Herman, Lehrer und Kantor in Joachimsthal (Böhmen), finden sich
      überaus zahlreiche Lieder in seinen „Sonntagsevangelia über das Jahr in Gesänge ver-
      fasset", die 1560 erschienen: *Sontags Euangelia vber das gantze Jar: Jn Gesenge verfasset;
      Für die Kinder vnd Christlichen Haußveter [...] Ein Bericht, vff was thon vnd Melodey ein jedes
      mag gesungen werden* / Durch Nicolaum Herman im Joachimsthal. Mit einer Vorrede
      D. Pauli Eberi Pfarrhers der Kirchen zu Witteberg. Witteberg: Rhau, 1560.

[6]   Ich erinnere mich z.B. an das Gespräch mit ihm über Sinn und Bedeutung von
      „Gleich wie das Gras ..." (damals Evangelisches Kirchengesangbuch 188,3 vgl.
      dazu Konrad AMELN, „*Gleich wie das Gras ..."* Eine „*dunkle Stelle"* in dem Psalmlied von
      J. Gramann, in: JLH 26. 1982, 118–135).

[7]   So eine Anzeige der Universität Augsburg: http://www.bibliothek.uni-augsburg.de/
      fachinformation/theologie/hymnologie/ (26. Januar 2009).

[8]   Die Sammlung Ameln trägt dort das DKL-Sigel LÜDa.

[9]   Stiftung Dokumentations- und Forschungszentrum des Deutschen Chorwesens, Sän-
      germuseum Feuchtwangen: Archiv-Sigel ZFC-Arch, B1 (mit umfangreichem Find-
      buch, bearbeitet von Günter Ziesemer).

Mangel an Ehrfurcht vor der Sache und kann nicht entschuldigt werden mit der billigen Ausrede, dass es sich bei der Kritik hiegegen nur um eine ästhetische Betrachtung handele [...]. Das Problem, oder richtiger gesagt die Not, wird brennend in der Stellung der sogenannten Kirchenchöre. Der Kirchenchor kann und darf nichts anderes sein als der im Gesang besonders hervortretende Teil der Gemeinde. Ein Kirchenchor, der nicht zunächst und vor allem den schlichten Choral singen will und singen kann, hat kein Recht im Gottesdienst. Es gilt hier ganz energisch die eitlen ‚künstlerischen‘ Zierate wegzuschneiden und sich zu der großen Schlichtheit zu bescheiden. Viel eher kann ein Kreis, der durch den Willen, zur Ehre Gottes zu singen, zusammengeführt ist, künstlerisch emporgebildet, in seinem Können und in seinem Geschmack gefördert werden, als dass ein rein musikalisch interessierter Kreis, der auch geistliche Musik ‚pflegt‘, zu einem wirklichen Kirchenchor werden könnte. Die Erfahrungen, die gerade in den Kreisen der Jugend mit dem gemeinsamen Gesang gemacht worden sind, und die dort ihren Ausdruck in der Idee der Singgemeinde gefunden haben, gelten streng und entscheidend für das ganze Gebiet des kirchlichen Gesanges."

Das Berneuchener Buch[10] brachte die Erfahrungen, die Amelns Generation (unter ihnen nicht wenige Weltkriegsteilnehmer) seit frühen Wandervogeltagen (er als gerade einmal 12-jähriger Gymnasiast) gemacht hatte, in der Entschiedenheit, ja Unbedingtheit solcher anspruchsvollen Grundsätze zur Sprache, Grundsätze, die für das Singen und Musizieren im Raum der Kirche fortan maßgeblich bleiben sollten. Durch die Singwochen des Finkensteiner Bundes[11] geprägt, wurde Ameln Mitarbeiter von Walther Hensel, gab die Zeitschrift „Die Singgemeinde" (von 1925 bis 1933) heraus und leitete selbst Singwochen, nach 1933 vom „Arbeitskreis für Hausmusik" aus.[12] „Die Singbewegung nahm ihren Ausgangspunkt vom Volkslied und vom Choral, die beide durch einen strengen Wertebegriff gegen Talmi-Werke abgegrenzt waren. In Sprache und Lied erfuhr man das Wesen eines Volkes, im Lied zugleich das Völkerverbindende".[13]

Es war wohl nichts weniger als ein umfassender Impuls zu einer Reform des Lebens und der Lebenshaltung, der jungen Menschen wie Konrad Ameln aus der Aufbruchsbewegung der ersten Jahrzehnte des Jahrhunderts erwuchs. Mit der Reformpädagogik der Zeit gab es viele hoffnungsvolle Ansätze zur Musikerziehung für Jung und Alt. So finden wir Ameln beruflich an den Volks-(bzw. Bauern-)hochschulen Rendsburg und Kassel tätig, als Fachreferent für Musik in Leipzig; dort gab er für die Zentralstelle für Büchereiwesen die Zeitschrift

---

[10]   Vgl. *Das Berneuchener Buch. Vom Anspruch des Evangeliums auf die Kirchen der Reformation.* Hg. v. der Berneuchener Konferenz (unveränd. reprograf. Nachdruck der Ausgabe Hamburg 1926). Darmstadt 1971, 112–114.

[11]   Der „Finkensteiner Bund" wurde nach der Waldsiedlung Finkenstein (bei Mährisch-Trübau) benannt, in der die erste Singwoche stattfand.

[12]   Die Singwochenarbeit wurde 1947 wieder aufgenommen; Amelns letzte Singwoche hielt er 1952 in einem Bergbauerndorf in Graubünden.

[13]   Karl Vötterle, *Begegnung der Singbewegung mit der Kirchenmusik,* in: *Traditionen und Reformen in der Kirchenmusik. Festschrift für Konrad Ameln zum 75. Geburtstag am 6. Juli 1974.* Hg. v. Gerhard Schumacher. Kassel 1974, 49–66, hier 52. Ebd. 234–245 auch eine nahezu vollständige Bibliographie Amelns bis 1973.

„Das musikalische Schrifttum" heraus. 1930 übernahm er einen Lehrauftrag für Kirchenmusik an der Universität Münster,[14] wirkte 1931 als Musikdozent an der Pädagogischen Akademie Elbing, ab 1932 in Dortmund. 1926 hatte er Friedel Wedekind aus Braunschweig geheiratet; ihnen wurden drei Kinder geboren.

Es entsprach der „ganzheitlichen" Erfahrung und dem „Formwillen", Kultus und Kunst ihre sachgemäße Gestalt zu geben, dass Ameln (mit Wilhelm Stählin, Karl Bernhard Ritter, Wilhelm Thomas, Karl Vötterle u.a.) 1931 die Michaelsbruderschaft mitbegründete, von der bekanntlich bedeutende Anstöße zur Neugestaltung von Kirche, Gottesdienst, Gebet, Sakrament, Meditation und Ökumene ausgegangen sind. „Wir stehen in der gleichen Not. [...] Wir glauben daran, daß den deutschen Kirchen der Reformation ein Beruf verliehen ist an der ganzen Kirche. [...] Wir können an der Kirche nur bauen, wenn wir selber Kirche sind. [...] In dem Kampf um die Kirche bedrohen uns widergöttliche Mächte. [...] Im Lied der Kirche gewinnen wir in besonderer Weise Anteil an der Gemeinschaft der betenden, lobenden Kirche."[15] Obschon Ameln als einer der „Stifter" dieser Gemeinschaft die damals strenge, mehr ordensähnliche geistliche Bindung der Brüder für sich selbst nicht übernahm, verband ihn dieser Ursprung mit den Michaelsbrüdern Paul Gümbel und Dietfried Mundry[16] und auch mit mir, der ich bereits der dritten Generation dieser Vereinigung angehörte.

Mit der „Machtergreifung" durch die nationalsozialistische Regierung 1933 änderten sich die Verhältnisse schlagartig. Hören wir Ameln dazu selbst: „Hier [gemeint ist: Dortmund] wurde ich wegen meines Einsatzes für zeitgenössische Musik, z.B. für das ‚Christgeburtsspiel' von Weber, das ich mit Studenten der Akademie öffentlich aufgeführt hatte, als ‚Kulturbolschewist' angegriffen und [...] meines Amtes enthoben [...]; gedrängt von vielen Seiten, ich solle mithelfen, daß die radikalen Elemente im ‚Dritten Reich' nicht die Oberhand gewannen, trat ich Ende 1933 in die SS ein und wurde sehr bald als Schulungsleiter eingesetzt. Als ich mich nicht nach den offiziellen Schulungsbriefen richtete, sondern unverfängliche Themen behandelte und trotz steigenden Druckes mich standhaft weigerte, aus der Kirche auszutreten, wurde ich mehrmals verwarnt, schließlich gemaßregelt und in die sog. Reserve versetzt. Bis dahin hatte die Zugehörigkeit zu dieser NS-Gliederung den Vorteil, dass ich für meine wissenschaftliche Arbeit Rückendeckung bekam und sogar Gelder für Werke flüssig machen konnte, die ausschließlich der Kirchenmusik dienten. Eine Wiedereinstellung als Dozent wurde jedoch abgelehnt, und so war ich von 1934 an auf ein winziges Ruhegehalt angewiesen. Da fand ich in Lüdenscheid eine Zuflucht, eine neue Heimat und auch ein neues Wirkungsfeld."[17]

3. Im Lied das Leben singend erfahren

Im Leben und Werk von Konrad Ameln hat die Form des Liedes eine alles überragende Rolle gespielt. Seine Dissertation befasste sich mit Liedmelodi-

---

[14]   Mit einem Jahr Unterbrechung wahrgenommen bis 1939.
[15]   Urkunde bzw. Regel der Evangelischen Michaelsbruderschaft (unveröff.).
[16]   Sie waren die Leiter des Johannes-Stauda-Verlages in Kassel.
[17]   Lebenslauf, vgl. oben Anm. 2.

en, bald gab er z.B. „Tanzlieder Neidharts von Reuental"[18] heraus. Gültige und
übertragbare Definitionen für das „Lied" bzw. „Kirchenlied" in seinen Schriften
zu finden, ist nicht ganz einfach. „Eine genaue Abgrenzung zwischen Kirchenlied und geistlichem Volkslied ist [...] nicht immer möglich. Beiden gemeinsam ist, dass das strophisch gebaute, in der Volkssprache verfaßte Gedicht und
die Weise für den ‚gemeinen Mann' sangbar sind. Sie unterscheiden sich darin,
daß jenes einen wesentlichen Bestandteil der Liturgie bildet, dieses hingegen
entweder außerhalb des Gottesdienstes oder nur ganz unverbindlich in losem
Zusammenhang mit ihm auftritt."[19] Die zentrale Bedeutung der Liedgestalt für
ihn zeigte sich z. B. an einem Quellenband zur Musikgeschichte:[20] Er setzt ein
mit dem spätmittelalterlichen Volkslied und seinem Umfeld.

Als epochemachend müssen Amelns Singhefte „Das Morgenlied"/„Das
Abendlied"[21] gelten, die weite Verbreitung fanden und einer wachsenden Zahl
von einzelnen, Gruppen und Chören *durch das Lied selbst* etwas vom geistlichen
Sinn der Tageszeiten vermittelten. Scherzhaft hörte man Ameln sagen, *das* Chorgesangbuch für viele Kirchenchöre hätte eigentlich nicht „der Gölz", sondern
„der Ameln" genannt werden müssen.[22] Eröffnet wird dieses bekannteste Chorbuch seiner Zeit durch das einstimmig (!) zu singende Lied Luthers „Komm, Heiliger Geist, Herre Gott",[23] mit einer Epistelmotette von Franck schließt es.[24]

Stellvertretend für die vielen von Ameln erarbeiteten Liedausgaben[25] soll
hier der „Quempas"[26] stehen; er hat auch Advent/Weihnachten meiner Kind-

---

[18] Zusammen mit Wilhelm RÖSSLE, *Tanzlieder Neidharts von Reuental. Mit den gleichzeitigen Melodien.* Jena 1927.

[19] Konrad AMELN u.a., *Kirchenlied I. Name, Wesen, Abgrenzung,* in: MGG 8. 1960, 781–856, hier 781.

[20] Herausgegeben zusammen mit Hans SCHNOOR: *Deutsche Musiker. Briefe, Berichte, Urkunden.* Göttingen 1956.

[21] *53 bzw. 70 deutsche geistliche Morgen- bzw. Abendlieder, größtenteils bzw. meist mit eigenen Weisen, aus dem 16., 17. und 18. Jahrhundert.* Gesammelt und mit einer Einführung in die Bedeutung der Morgen- bzw. Abendfeier. Kassel 1926. ²1928 (Bärenreiter Ausgabe 391) bzw. 1930 (Bärenreiter Ausgabe 393). Gegliedert durch elementare Zwischen-überschriften (Morgen: „Ruf", „Gruß", „Weg"; Abend: „Rast", „Einkehr", „Schlaf"), enthielten sie alte Hymnen und Lieder vorwiegend aus dem Reformationsjahrhundert, besonders aus dem Kreis der Böhmischen Brüder.

[22] *Chorgesangbuch. Geistliche Gesänge zu ein bis fünf Stimmen.* Im Auftrage des Verbandes evangelischer Kirchenchöre in Württemberg unter Mitarbeit von Konrad AMELN und Wilhelm THOMAS hg. v. Richard GÖLZ. Kassel 1934 (Bärenreiter Ausgabe 680); ⁶1959 u.ö. Es ist gegliedert nach den Themenbereichen Kirche, Gottesdienst, Wort Gottes, Sakramente, Kirchenjahr. Zu Amelns musikalischer Arbeit an diesem Werk vgl. das Geleitwort des Hg. ebd. 235.

[23] Vgl. o. 96f; das Zitat aus dem *Berneuchener Buch* (wie Anm. 10) 113.

[24] „Und ich hörte eine große Stimm", Epistelmotette zu Offb 12,10ff von Melchior Franck.

[25] Vgl. die Bibliografie in: *Traditionen und Reformen* (wie Anm. 13) 234–245.

[26] *Das Quempas-Heft. Auslese deutscher Weihnachtslieder.* Im Auftrag des Finkensteiner Bundes hg. v. Wilhelm THOMAS – Konrad AMELN. Mit Bildern geschmückt von Willi HARWERTH. Kassel 1930 (Bärenreiter Ausgabe 444).

heit und Jugend bestimmt. Die diversen Quempas-Ausgaben,[27] sämtlich von
Ameln musikalisch gestaltet, verlangten eigentlich eine monografische Darstellung. Was vom lateinischen Hirtengesang „Quem pastores laudavere" aus
in Texten, Weisen, Ausführungsformen dabei zusammengebracht wurde, muss
für die damalige Zeit als im besten Sinne volkstümlich bezeichnet werden.

Schließlich ist hier auf die überaus zahlreichen Studien zu Liedern Luthers,
seiner Zeit und folgender Epochen zu verweisen, auf Amelns „Liedmonogra-
phien", angefangen von „In dulci iubilo"[28] bis hin zu Parodien von Liedern.[29]

4. Ein Gesangbuch kennen und schätzen lernen

Für mich, mit Hymnologie-Unterricht an einer Kirchenmusik-Hochschule be-
traut, war es ein Geschenk des Himmels, dass vom Achtliederbuch, Erfurter
Enchiridion, vom Klugschen wie vom Babstschen Gesangbuch hervorragende
Faksimile-Ausgaben[30] existierten. Mit ihrer Hilfe konnte den Studierenden der
„Glaubenssinn" eines Gesangbuchs und seiner Lieder mit allen Details aufgezeigt werden. Die Begleitworte spiegeln die Kompetenz des Experten, der von
zeitgenössischen Wirtschafts- und Handelsbeziehungen angefangen über die
Verhältnisse betreffend Druck, Papier, Graphik, über das unglaublich komplexe soziale Geflecht der Entstehung eines Gesangbuchs bis zu dessen ökumenischer Fernwirkung Jahrhunderte später wirklich Bescheid wusste. Wie kein
anderer war Konrad Ameln mit den Chancen und dem Geschick, die Gesangbücher nun einmal erleben und haben, vertraut.[31]

Das gemeinsam mit Markus Jenny und Walther Lipphardt begründete
Groß-Unternehmen „Das Deutsche Kirchenlied" zeitigte alsbald einen ersten

---

[27] *Das Quempas-Buch. Lieder für den Weihnachtsfestkreis.* Hg. v. Konrad AMELN, Hans HARM-
SEN, Wilhelm THOMAS u. Karl VÖTTERLE. Kassel 1962 (Bärenreiter Ausgabe 5000) 136
S., nannte im Impressum die Gesamtauflage aller Quempas-Ausgaben mit 2.729.000
Exemplaren.

[28] Vgl. Konrad AMELN, *Die Cantio „In dulci iubilo",* in: JLH 29. 1985, 23–78.

[29] Vgl. Konrad AMELN, *Über die „Rabenaas"-Strophe und ähnliche Gebilde,* in: JLH 13. 1968,
190–194 (Die „Rabenaas"-Strophe wird von Thomas Mann in den Buddenbrooks zitiert).

[30] Vgl. die von Konrad Ameln betreuten Faksimile-Ausgaben (bis 1973) in der Bibliografie, in: *Traditionen und Reformen* (wie Anm. 13) 244f. Die Faksimile-Ausgabe des
„Geystliche gesangk Buchleyn" 1524 von Johann Walter, dem musikalischen Berater
Luthers, in 5 Stimmbüchern hg. von Walter Blankenburg, ist in der von Ameln mitbe-
gründeten Publikationsreihe Documenta musicologica als Band 1, 33 (Kassel 1979)
erschienen und Konrad Ameln zum 80. Geburtstag (1979) gewidmet.

[31] „Der Krieg hat gezeigt, dass wir nicht ein einziges Kirchenlied besitzen, welches von allen katholischen Soldaten gemeinsam gesungen werden kann. [...] Die Bischofskonferenz in Fulda bestimmt einfach, und die Sache ist erledigt. Ein wohlgemeinter Rat sei
noch ausgesprochen: Für die Auswahl der Texte und Sangesweisen wähle man ja keine
‚Kommission'. Sondern man nehme drei Personen: zuerst einen biederen deutschen
Soldaten, dann einen Feldgeistlichen, der den Jammer miterlebt hat, und zuletzt einen Musiker. Diese drei bestimmen die Texte und Melodien und die Behörde dekre-
tiert: Fertig! Wenn man sich auf musikästhetische Erwägungen einläßt, haben wir beim
nächsten Weltkrieg oder nach 100 Jahren immer noch keinen Gesang." Zu diesem Votum eines (röm.-kath.) Divisionshilfspfarrers (A.K., *Soldatenlieder,* in: MS[D] 48. 1915,
42f, zitiert bei Philipp HARNONCOURT, *Gesamtkirchliche und teilkirchliche Liturgie. Studien*

Band „Verzeichnis der Drucke",[32] der sich mittlerweile für Wissenschaft und Praxis als unentbehrlich erwiesen hat: Mit dem Forschungsstand von 1975 listet er sämtliche Gesangbuchausgaben bis 1800 lückenlos auf.[33]

Noch die letzte wissenschaftliche Veröffentlichung des fast 94jährigen, dem Gedenken an Frau Gertrud Hueck, geb. Röpke gewidmet, stellt ein Meisterstück an präziser Beobachtung und forschungsperspektivisch sachgemäßer Sinndeutung dar. Er vergleicht die Konzeptionen des Verhältnisses von ‚musica coelestis' zu irdisch-liturgischer Musikausübung in bestimmten Barockgesangbüchern sowohl ikonographisch wie vom Bibel- und Glaubensverständnis der Zeit her[34] und schließt mit Johan Walters „Lob vnd preis der löblichen Kunst Musica".[35]

Weniger erfreut waren wir Jüngeren, als Ameln die Publikation eines doch recht prinzipiellen Gesangbuch-Beitrags im JLH Mitte der achtziger Jahre durchsetzte.[36] Im Rückgriff auf Urteile prominenter Hymnologen des 19. Jahrhunderts[37] wurden die pauschalen Verdikte über die als „minderwertig" bezeichneten Gesänge der nachrationalistischen Epoche wiederholt, die auf das sog. geistliche Volkslied etwa des Deutschen Evangelischen Gesangbuchs[38] mit seinen Liedern für Kinder und Jugend, Schule und Haus übertragen werden. In der damaligen Situation – ein Erstentwurf für das Evangelische Gesangbuch war in Vorbereitung[39] – hätte ein wesentlich vorurteilsfreierer, einladender Prospekt aus der Feder des Nestors der deutschen Hymnologie Raum für *alle* Epochen geistlicher Lieddichtung geben können und müssen.

---

zum liturgischen Heiligenkalender und zum Gesang im Gottesdienst unter besonderer Berücksichtigung des deutschen Sprachgebietes. Freiburg/Br. [u.a.] 1974 [UPT3], 383, Anm. 38) hätte Ameln sogleich Dutzende von „Gesangbuch-Stories" beitragen können.

[32] Répertoire International des Sources Musicales VIII 1: *Das deutsche Kirchenlied. Kritische Gesamtausgabe der Melodien. Verzeichnis der Drucke von den Anfängen bis 1800.* Abt. I 1. Hg. v. Konrad AMELN, Markus JENNY u. Walther LIPPHARDT. Kassel 1975; allein die Liste zitierter bibliografischer Literatur und der Bibliotheken umfasst mehr als 40 S.

[33] Das Verzeichnis der Drucke beginnt mit 1481[01] „Sant Ursulen Schifflein" (Straßburg um 1481) mit dem DKL-Sigel „Th Straß um 1481", es endet mit 1799[14] Choralbuch Württemberg mit dem Sigel „ChB Württ 1799". Druck, Format, Umfang und Kurzinhalt der jeweiligen Gesangbuchausgabe sind vermerkt; die Herausgeber sagen im Vorwort, dass sie etwa zehn Jahre Arbeit für die Erstellung dieses Bandes gebraucht haben.

[34] Konrad AMELN, *Himmlische und irdische Musik,* in: Neues musikwissenschaftliches Jahrbuch 2. 1993, 55–81.

[35] Wittemberg 1538; Faksimile-Ausgabe: Mit einem Geleitwort hrsg. von Wilibald GURLITT. Kassel 1938.

[36] *Von der Verantwortung der Herausgeber neuer Gesangbücher. Erfahrungen und Einsichten aus der Vergangenheit – Richtlinien für die Gegenwart und Zukunft,* in: JLH 30. 1986, 43–48.

[37] Ausführlich kommen zu Worte Ernst Moritz v. Arndt, Christian Karl Josias von Bunsen, Guido M. Dreves.

[38] Erschienen 1915, ursprünglich für die ev. Auslandsgemeinden konzipiert.

[39] Der „grüne" Entwurfsband für das Evangelische Gesangbuch (Hannover, 24.6.1988; unpag.) wurde den Kirchen 1988 übergeben.

5. Musik und Kultur einer westfälischen Stadt fördern

„Die Lüdenscheider Fabrikantengattin Gertrud Hueck förderte das wissenschaftliche und künstlerische Wirken von Konrad Ameln in großzügiger Weise.
Schon in den dreißiger Jahren, als Ameln und seine Familie durch die widri-
gen Zeitumstände in materielle Not gerieten, half sie durch materielle Zuwen-
dungen, das Überleben zu sichern."[40] Der seiner musikpädagogischen Ämter
Enthobene wurde in seiner neuen Heimat sogleich wieder Chorleiter, gründete alsbald die Lüdenscheider Musikvereinigung, mit der er Jahr für Jahr sog.
Kleine Musikfeste feierte;[41] deren Höhepunkt unstreitig die Aufführung von
Haydns „Schöpfung" unter Amelns Stabführung war (1955). Sein musikalisch-
künstlerisches Wirken war wohl ein Glückstreffer für die Stadt, bekannt als das
Zentrum vielseitiger Metall- und Kleineisenindustrie des Sauerlandes. Bemer-
kenswert: Aus der Zeit seiner „Lebenswende" Mitte der dreißiger Jahre, dem
Wechsel nach Lüdenscheid, sind einige kleine selbständige Kompositionen
Konrad Amelns, Vertonungen von Texten von Hermann Claudius und Stefan
George,[42] erhalten. Nicht zu vergessen seien hier die zahlreichen Vertonungen,
die Ameln zu einer Reihe von Spielen schrieb.[43]

An die (halb-)jährlichen Treffen der Redaktion des JLH in Amelns beiden
letzten Lebensjahrzehnten erinnere ich mich lebhaft. Dietfried Mundry (Verlag), Andreas Marti („der junge Revoluzzer") und ich durften mit dem Meister
in der Villa Hueck, einem zauberhaften Stadtpalais in Lüdenscheid zu Gast
sein. Die Gespräche bei köstlichem Tafelspitz und gutem Wein zeigten zuweilen, mit wie vielen Widerständigkeiten und Gegnerschaften, inneren und äußeren Kämpfen – auch mit Kollegen! – der große Hymnologe zu leben hatte. Die
bewundernswerte Einmaligkeit und Einzigartigkeit seiner Könnerschaft hatte
eben auch ihren Preis in mancher Einseitigkeit und Eigenwilligkeit der Persönlichkeit.

6. Werke der großen Meister erlebbar machen

Wer je einen Blick in die dickleibigen Bände des Handbuchs der Deutschen
Evangelischen Kirchenmusik[44] geworfen hat, hat sogleich einen Eindruck von

[40] So untertitelte die Gedenkausstellung 2004 im Sängermuseum Feuchtwangen (vgl. o.
       96) ein Großporträt der Mäzenin mit Ameln (wohl aus den späten 1950er Jahren).
[41] Von 1935 bis 1943, nach Amelns Kriegseinsatz (ab Mai 1940 als Leutnant einer
       „Schweren Kompanie", danach als Abwehroffizier in Frankreich und Osteuropa;
       Entlassung aus amerikanischer Kriegsgefangenschaft Ende 1946) wieder von 1950 bis
       1973.
[42] Es handelt sich um ein- und mehrstimmige Sätze zu „Getröste dich, du bist ein
       Christ" (Hermann CLAUDIUS), „Wir wollen ein starkes einiges Reich" (ders.), „Unsern
       Toten" (ders.) (sämtlich 1935), „Wer je die Flamme umschritt" (Stefan GEORGE, Ka-
       non 1936) sowie um einen „Sommer-Kanon" (nach einer mittelalterlichen Vorlage o.
       J.); alle Sätze sind im Feuchtwanger Archiv im Autograph erhalten bzw. dokumentiert.
[43] Als Beispiel sei an das seit der Jugend- und Singbewegung und den 1930er Jahren
       bekannt gewordene „Oberuferer Christgeburtsspiel" erinnert.
[44] Vgl. *Handbuch der deutschen evangelischen Kirchenmusik. Nach den Quellen.* Hg. v. Konrad
       AMELN, Christhard MAHRENHOLZ u. Wilhelm THOMAS unter Mitarb. v. Carl GERHARDT.
       Göttingen 1935f – zur Gesamtübersicht über die bisher vorgelegten Bände (zu I. Al-
       targesang: 3 Bände; II. Das gesungene Bibelwort: 2 Bände; III. Das Gemeindelied:

der Sammlungs-, Forschungs- und Editionsleistung bekommen, die Konrad Amelns Lebenswerk ausmachte. 13 Bände der von ihm mit großer Hingabe betreuten Lechner-Gesamtausgabe[45] sind bis 1988 erschienen, darunter vier aus Amelns eigener Redaktion.[46] In der Gedenkausstellung war der ihm 1986 vom Land Tirol für seine Verdienste um die Lechnerforschung verliehene Tiroler Adler-Orden in Gold zu bewundern; 1980 hatte ihm der nordrhein-westfälische Minister für Wissenschaft den Professorentitel verliehen, 1983 die Heinrich-Schütz-Gesellschaft ihn zum Ehrenmitglied erklärt.

Neben Melchior Franck[47] und Heinrich Schütz[48] wandte sich Konrad Amelns musikeditorisches Interesse vor allem den beiden Großmeistern des Barock, Georg Friedrich Händel und Johann Sebastian Bach, zu. Es sind drei Oratorien bzw. Opern von Händel,[49] deren Partitur die Musikwelt Ameln verdankt. Im Rahmen der Neuen Bach-Ausgabe erschien unter seiner Herausgeberschaft 1965 der große Band mit den sieben Motetten von Johann Sebastian Bach:[50] „Singet dem Herrn ein neues Lied" (BWV 225), „Der Geist hilft unsrer Schwachheit auf" (BWV 226), „Jesu, meine Freude" (BWV 227), „Fürchte dich nicht, ich bin bei dir" (BWV 228), „Komm, Jesu, komm" (BWV 229), „Lobet den Herrn, alle Heiden"(BWV 230) sowie „O Jesu Christ, meins Lebens Licht" (BWV 218, in zwei Fassungen). Was für eine profunde Kenntnis der Musik und welche immense Detailarbeit eine solche Edition voraussetzt, vermag nur zu beurteilen, wer in dieser Musik theoretisch wie praktisch „zu Hause" ist.

Vom Ausmaß musikwissenschaftlicher Forschung wie von der editorischen Verantwortung vermittelt der von Konrad Ameln verfasste Kritische Bericht zu

2 Bände mit unterschiedlichen Lieferungen) bis 1974 in der Bibliografie, in: *Traditionen und Reformen* (wie Anm. 13) 236. Diese merkt an, dass über 50 Sonderausgaben für den praktischen Gebrauch daraus erschienen, z.T. in mehreren Auflagen.

[45] Leonhard LECHNER, *Werke.* Im Auftrage der Internationalen Heinrich-Schütz-Gesellschaft hg. v. Konrad AMELN. Kassel 1954ff. Vgl. die Bibliografie (wie Anm. 13) 238.

[46] Bd. 5: *„Newe Teutsche Lieder mit fünff Stimmen con alchuni madrigali"* (1579). Kassel 1970 (Bärenreiter Ausgabe 2935); Bd. 7: *„Newe Teutsche Lieder mit fünff und vier Stimmen"* (1582). Kassel 1974 (Bärenreiter Ausgabe 2937); Bd. 11: *„Neue Geistliche und Weltliche Teutsche Lieder mit fünff und vier Stimmen"* (1589). Kassel 1980 (Bärenreiter Ausgabe 2967); Bd.12: *Historia der Passion und Leidens unsers einigen Erlösers und Seligmachers Jesu Christi"* (1573). Kassel 1960 (Bärenreiter Ausgabe 2968).

[47] Melchior FRANCK, *Deutsche Evangeliensprüche für das Kirchenjahr 1623 für gemischten Chor.* Hg. v. Konrad AMELN. Kassel 1937; ⁶1959.

[48] Heinrich SCHÜTZ, *Deutsches Magnificat „Meine Seele erhebt den Herren" zu acht Stimmen auf zwei Chören 1671.* Hg. v. Konrad AMELN. Kassel 1950; ³1954 u.ö.

[49] Georg Friedrich HÄNDEL, *Acis und Galatea, Pastoral, Textbuch.* Dichtung von John GAY. Aus dem Englischen neu übertragen und für den praktischen Gebrauch hg. v. Konrad AMELN. Wolfenbüttel 1951; DERS., *Das Alexander-Fest oder die Macht der Musik. Ode zu Ehren der heiligen Cäcilia von John Dryden. Kritischer Bericht.* Kassel – Leipzig 1958 (Hallische Händel-Ausgabe I); DERS. *Samson. Oratorium in drei Teilen, Text nach Milton. Aus dem Englischen neu übertragen und für den praktischen Gebrauch hg.* Kassel 1959 (vgl. Bibliografie [wie Anm. 13] 237f).

[50] Johann Sebastian BACH, *Neue Ausgabe sämtlicher Werke.* Hg. v. Johann-Sebastian-Bach-Institut Göttingen [...] Ser. 3: Motetten, Choräle, Lieder. Bd. 1. Bearb. v. Konrad AMELN. Kassel 1965 (Bärenreiter Ausgabe 5026).

diesem Band[51] einen guten Eindruck. Einleitend setzt er sich mit der Problematik „echter" und „unechter" Bach-Motetten auseinander;[52] danach kommt
sogleich der „Sitz im Leben" der Motetten zur Verhandlung – sie waren zumeist
für Trauer bzw. Begräbnisgottesdienste bestimmt.[53] Nach Abschnitten über
Quellenkritik und Aufführungspraxis werden die Stücke im einzelnen vorgestellt, wobei zunächst erhaltene wie verschollene Quellen präsentiert werden;[54]
dann wird auf die bisher vorhandenen Ausgaben des jeweiligen Werkes näher
eingegangen. Ein überwiegend interpretatorischer Teil schließt sich an, der
Text und Melodiebasis untersucht; hier fasziniert z.b. die sorgsame Analyse der
Choralmelodie.[55] Von ganz unschätzbarem Wert sind die jede Einzelvorstellung
einer Motette abschließenden „Speziellen Anmerkungen" zur Partitur insgesamt, die, nach Taktzahl, z.b. die in der Quelle untextiert belassenen Partien
auflisten, die zahllosen Abbreviaturen der damaligen Schreibweise erklären,
falls erforderlich, Noten-Konjekturen in den Vokal- wie Instrumentalstimmen
vorschlagen u.a.m. – eine ungeheuer aufwendige und diffizile Einzelarbeit an
einem Motettenwerk,[56] die dem Benutzer Respekt und Bewunderung abverlangt.

7. Hymnologie weltweit betreiben

„Hymnologie *konnte* man nicht studieren, Hymnologie *lernten wir bei ihm und
durch ihn*", sagte mir kürzlich eine Schülerin Konrad Amelns. „Als Konrad Ameln
den Auftrag erhielt, den Artikel ‚Lied, C. Das Kirchenlied' für die Enzyklopädie
‚Die Musik in Geschichte und Gegenwart' zu verfassen, rief er 1959 eine international zusammengesetzte Forschergruppe zusammen. Sie wurde der Kern der
IAH." So lautet die offizielle, im Internet nachzulesende Version hinsichtlich der
Entstehung der Vereinigung, die Ameln tatsächlich begründet hat.[57]

Die mit diesem Schritt erwiesene Kollegialität und der Teamgeist der For-
scherpersönlichkeit, deren Autorität auf kirchenmusikalisch-hymnologischem

[51]   Vgl. Konrad AMELN, *Kritischer Bericht: Motetten*. Kassel 1967.

[52]   „O Jesu Christ, meins Lebens Licht" zählt für ihn zu den echten, da Bach selbst diese
       Komposition als Motette bezeichnet hat.

[53]   Die große Ausnahme dabei bildet „Singet dem Herrn" (BWV 225); für diese Motet-
       te hat Ameln selbst einen bestimmten öffentlichen Anlass ihrer Entstehung plausibel
       gemacht (vgl. Konrad AMELN, *Zur Entstehungsgeschichte der Motette „Singet dem Herrn ein
       neues Lied" von J.S. Bach [BWV 225]*, in: BJ 48. 1961, 25–34).

[54]   Der Leser des Kritischen Berichts darf den Faksimile-Abdruck einer „Singet dem
       Herrn"-Abschrift aus Mozarts Besitz mit dessen handschriftlicher Bemerkung zur
       Kenntnis nehmen (AMELN, *Kritischer Bericht* [wie Anm. 51] 32).

[55]   Bei BWV 225 handelt es sich um das Lied „Nun lob, mein Seel, den Herren" von Jo-
       hann Gramann (Evangelisches Gesangbuch 188): Es wird mit Versionen der Bach-
       Zeit Zeile für Zeile verglichen bzw. interpretiert, a) nach der Fassung bei Johann
       Hermann Schein bzw. dem Gesangbuch Leipzig 1682 (Vopelius; ein Gesangbuch,
       das Bach nachweislich benutzt hat), b) nach einer Fassung von Daniel Vetter (Leipzig
       1709/1713), c) nach einem zeitgenössischen Choralbuch sowie nach den Komposi-
       tionen BWV 17 und BWV 225.

[56]   Bei „Singet dem Herrn" umfassen die „Speziellen Anmerkungen" fast 5 S. (AMELN,
       Kritischer Bericht [wie Anm. 51] 58–62).

[57]   Unter www.iah.unibe.ch (Zum Werdegang der Internationalen Arbeitsgemeinschaft
       für Hymnologie [IAH] e.V.) (26. Januar 2009).

Gebiet ganz fraglos das vergangene Jahrhundert beherrschte, lässt die Jüngeren doch aufhorchen. Tatsächlich erschien besagter Kirchenlied-Artikel bereits 1960,[58] vorbildlich in einer europäisch-globalen Spannweite dargeboten, vom deutschsprachigen Bereich über Europa und USA bis hin zu den Jungen Kirchen – insgesamt sind in diesem Kirchenlied-Artikel 13 namhafte Autoren „um Konrad Ameln versammelt".[59]

„Die Arbeitsgemeinschaft setzt sich für die Pflege und Erforschung des Kirchengesangs auf internationaler, interkonfessioneller und interdisziplinärer Ebene sein."[60] In dieser Zielsetzung ist Konrad Ameln mit überaus vielen Gelehrten verbunden gewesen; zum engeren Kreis um ihn und in der IAH gehörten z.b. Casper Honders (†) (Groningen), Philipp Harnoncourt (Graz), Waltraud-Ingeborg Sauer-Geppert (†) (Köln), Édith Weber (Paris) und Ada Kadelbach (Lübeck).

Mehr als erstaunlich, was aus der Initiative *eines* Menschen gewachsen ist: Eine Vereinigung wie die IAH, zu der etwa 3250 Einzel- und 14 Korporativmitglieder aus 32 Ländern mit dem Schwerpunkt Mittel-, Nord- und Osteuropa zählen.[61] Seit ihrer Gründung 1959 führt die IAH hymnologisch-wissenschaftliche Gesamt- wie gerade auch Regionaltagungen (überall in Europa, auch in den USA) durch, die inhaltsreichen Bulletins[62] geben Auskunft über Breite und Weite hymnologischer Forschung in aller Welt. Zwei Projekte im deutschsprachigen Raum aus dem Jahrzehnt seit Konrad Amelns Tod seien hier erwähnt, die als Früchte und Folgeerscheinungen seines Lebenswerkes gelten können: einmal die hymnologische Institution „Interdisziplinärer Arbeitskreis Gesangbuchforschung" der Johannes Gutenberg-Universität Mainz (mit einer großen Gesangbuchsammlung) unter dem Germanisten Hermann Kurzke,[63] zum an-

[58] AMELN u.a., *Kirchenlied* (wie Anm. 19).
[59] Stellvertretend für den gesamten Autorenkreis seien genannt Walther Lipphardt, Markus Jenny (ref. Schweiz), Pierre Pidoux (ref. Schweiz), Johannes Heinrich, Henrik Glahn (Dänemark), Helge Nyman (Finnland), Ulrich S. Leupold (USA). Amelns eigener Beitrag umfasst die Einführung (AMELN u.a., *Kirchenlied* [wie Anm. 19] 781–783) sowie den Bereich Deutschland (ebd. 797–810).
[60] So der Art. 2a der Satzung. Die Zielsetzung dieser Vereinigung wird wie folgt gekennzeichnet: „Die Pflege des Kirchengesangs geschieht durch Förderung des Singens (z.B. bei Tagungen und in Gottesdiensten) und durch Mitwirkung an der Herausgabe von Gesangbüchern und ähnlichen Publikationen. Die Erforschung des Kirchengesangs geschieht durch Studientage und Symposien sowie durch die Förderung hymnologischer Projekte und Veröffentlichungen. International ist die Arbeitsgemeinschaft, weil ihr Gegenstand grenzüberschreitend ist. Interkonfessionell ist sie, sofern Christinnen und Christen der verschiedensten Bekenntnisse in ihr zusammenarbeiten. Interdisziplinär ist sie, weil ein breiter Kreis von kulturwissenschaftlichen Disziplinen an der Erforschung des Kirchenlieds beteiligt ist, von der Theologie über Literatur-, Sprach- und Musikwissenschaft bis hin zu Buchwissenschaft und Volkskunde" (ebd.).
[61] Stand August 2001.
[62] Redigiert durch A. Casper Honders, später durch Hedda T. Durnbaugh (USA) und Jan R. Luth in Groningen, jetzt durch Cornelia Kück (ab 2003); das Bulletin gibt es seit 1973 bis heute.
[63] Vgl. www.uni-mainz.de/Organisationen/Hymnologie (26. Januar 2009) sowie die stattliche Reihe der Veröffentlichungen in den Mainzer Hymnologischen Studien (seit 2000) im Francke-Verlag Tübingen.

deren die Bemühung um eine systematische Hymnologiedidaktik, der sich vor allem der Theologe und Kirchenmusiker Andreas Marti (Bern) gewidmet hat.[64]

Mit Bedacht haben wir im Nachruf den musikwissenschaftlichen Kollegen von Ameln, Prof. Johannes Janota zitiert, der zu dessen 90. Geburtstag geschrieben hatte: „Konrad Ameln war uns Jüngeren bereits bei den ersten wissenschaftlichen Gehversuchen ein stets hilfsbereiter und ermunternder Begleiter und Förderer. Aber er war auch ein unerbittlicher Kritiker, der durch seinen immensen Forschungsvorsprung in unseren Arbeiten Schwächen bei der Quellenlage, im methodologischen Ansatz oder bei der interpretatorischen Durchdringung des Materials schonungslos aufdeckte – freilich nicht als ein unentwegter Besserwisser von oben herab, sondern als ein immer aufmunternder Helfer, der für unsere wissenschaftliche Reputation und für den Fortgang der Forschung stets das Beste forderte."[65]

Die Familie von Konrad Ameln hatte über die Anzeige von seinem Tod den Schluss der Bach-Motette „Singet dem Herrn ein neues Lied" gesetzt, der lautet: „Alles, was Odem hat, lobe den Herrn. Halleluja!" (Psalm 150,6).

Auswahlbibliografie

Eine Bibliografie Konrad Amelns bis 1973 findet sich in: *Traditionen und Reformen in der Kirchenmusik. Festschrift für Konrad Ameln zum 75. Geburtstag am 6. Juli 1974.* Hg. v. Gerhard Schuhmacher. Kassel [u.a.] 1974, 234–245.

Luther-Agende. Ein Kirchenbuch aus Luthers Schrifttum. Hg. v. Otto Dietz. Bearbeitung des musikalischen Teils von Konrad Ameln. Kassel 1928.

Geystliche Lieder. Mit einer Vorrede Martin Luthers. Nachdruck der Ausgabe Leipzig 1545. Kassel 1929.

Handbuch der deutschen evangelischen Kirchenmusik. Nach den Quellen hg. v. Konrad Ameln, Christhard Mahrenholz und Wilhelm Thomas. Göttingen 1935ff.

Das Gebet der Tageszeiten. Kassel 1937 (Der deutsche Dom).

Das Klug'sche Gesangbuch 1533 nach dem einzigen erhaltenen Exemplar der Lutherhalle zu Wittenberg. Kassel 1954.

Kirchenlied I. Name, Wesen, Abgrenzung, in: MGG 8. 1960, 781–856.

Zur Entstehungsgeschichte der Motette „Singet dem Herrn ein neues Lied" von J.S. Bach (BWV 225), in: BJ 48. 1961, 25–34.

Das Quempas-Buch. Lieder für den Weihnachtsfestkreis. Kassel 1962.

Über die Gestalt und den Gebrauch eines lutherischen Gesangbuchs zu Beginn des 18. Jahrhunderts, in: *Kerygma und Melos. Christhard Mahrenholz 70 Jahre, 11. August 1970.* Hg. v. Walter Blankenburg. Kassel [u.a.] 1970, 342–351.

Die Cantio „In dulce iubilo", in: JLH 29. 1985, 23–78.

Von der Verantwortung der Herausgeber neuer Gesangbücher, in: JLH 30. 1986, 43–48.

Himmlische und irdische Musik, in: Neues musikwissenschaftliches Jahrbuch 2. 1993, 55–81.

---

[64]   Vgl. Hymnologie als Lehrfach: www.iah.unibe.ch (26. Januar 2009).
[65]   *In memoriam,* in: JLH 34. 1992/93, X.

Karl Arper (1864–1936)

Susanne Böhm

1. Karl Arper – ein Pfarrer im Großherzogtum Sachsen-Weimar-Eisenach

Karl Arper wurde am 22. Dezember 1864 in dem südlich von Jena gelegenen Dorf Lobeda geboren. Sein Vater arbeitete als Handwerksmeister, der nebenbei auch das Postamt und später das Bürgermeisteramt versah.

In der nahen Universitätsstadt Jena nahm Karl Arper das Theologiestudium auf, das er nach vier Jahren 1888 mit dem Ersten theologischen Examen abschloss. In dieser Zeit trat er der bis zum Ersten Weltkrieg größten Organisation des Protestantismus bei, dem „Evangelischen Bund",[1] ohne jemals durch extreme konfessionelle Polemiken aufzufallen. Ein bewusst evangelisches Selbstverständnis, das ein auf das Gemeinwohl gerichtetes evangelisches Ethos einschloss,[2] blieb ihm jedoch sein Leben lang eigen.

Zwischen den Flüssen Saale und Ilm, im damaligen Großherzogtum Sachsen-Weimar-Eisenach lagen seine ersten landschaftlichen und kulturellen Bezugsorte. Er wurde als Hilfsprediger in Weimar ordiniert und wirkte dort bis 1890. Nach dem Zweiten theologischen Examen wurde er in die Pfarrstelle nach Thalbürgel (bei Jena) entsandt. Als die zwei Jahre der Hilfspfarrerzeit um waren, kehrte er in die Residenzstadt Weimar zurück. Er wirkte dort 26 Jahre als Pfarrer an der Stadtkirche Peter und Paul (Herderkirche). Seinen Pfarrberuf verstand er als „Fürsorge für die unsterblichen Seelen"[3] und übte deshalb Zurückhaltung in parteipolitischen Fragen.[4]

Mit dem „Geist von Weimar", mit der klassischen Epoche, hat sich Arper schriftlich nicht auseinandergesetzt. Er konzentrierte sich lieber auf die Reformationszeit mit lokalhistorischem Schwerpunkt. Die Texte aus dieser Zeit orientieren sich an historischen Quellen und geben einfühlsame Beobachtungen und Interpretationen an ein Laienpublikum weiter.[5] Zum damals entbrannten Methodenstreit zwischen theologisch Liberalen und „positiven" Offenbarungstheologen nahm er nicht direkt Stellung.

---

[1] Vgl. Georg DENZLER – Carl ANDRESEN, *dtv-Wörterbuch der Kirchengeschichte*. München ⁴1993, 206.

[2] Vgl. Kurt NOWAK, *Geschichte des Christentums in Deutschland. Religion, Politik und Gesellschaft vom Ende der Aufklärung bis zur Mitte des 20. Jahrhunderts*. München 1995, 226.

[3] Karl ARPER, *Quo vadis ecclesia?*, in: ThPfBl 19. 1928, 23.

[4] Vgl. Susanne BÖHM – Dietmar WIEGAND, *Liturgisch und sozial. Zur Frömmigkeit von Kirchenrat D. Arper (1864–1936)*, in: *Vestigia pietatis. Studien zur Geschichte der Frömmigkeit in Thüringen und Sachsen*. Hg. v. Gerhard GRAF – Hans-Peter HASSE [u.a.]. Leipzig 2000 (HerChr, Sonderband 5), 227–247, hier 245.

[5] Vgl. Karl ARPER, *Luther in Weimar*, in: Bote des Gustav-Adolf-Vereins aus Thüringen 49. 1896, 65–69; 82–87; DERS., *Zinsendorfs Bedeutung für die Mission*, in: ZMRW 15. 1900, 129–138; DERS., *Die Reformation in Weimar*, in: *Aus Weimars kirchlicher Vergangenheit, Festschrift zum vierhundertjährigen Jubiläum der Stadtkirche in Weimar*. Weimar 1900, 1–46.

Jedoch meldete er sich zu Wort, als an den Rändern der Auseinandersetzung um das Leben Jesu die Vertreter der Freidenkerbewegung die Historizität
Jesu überhaupt leugneten.[6] Einer der damals populären und Aufsehen erre-
genden Bestreiter der Geschichtlichkeit Jesu war der Philosoph Arthur Drews[7]
(1865–1935). Drews legte seine Ansichten in dem 1909 erschienenen Buch
„Die Christusmythe"[8] und in zahlreichen Vorträgen dar.[9] Die Art und Weise, wie
Karl Arper darauf reagierte, gewährt Einblicke in seine wissenschaftsethischen
wie theologischen Optionen.[10]

Arper wollte dem Autor Drews „alle Gerechtigkeit widerfahren lassen"[11] und
zitiert eingangs Drews Thesen, die er anschließend „gründlich untersucht und
gewissenhaft beantwortet"[12]. Dieser Ansatz überrascht, denn Drews bot durch
nebulöse Formulierungen und einen mit astrologischen Thesen vermischten
Mystizismus erhebliche Angriffsfläche. Um Drews zu widerlegen, ging Arper
die erhaltenen schriftlichen christlichen wie außerchristlichen Quellen durch
und legte ihre Glaubwürdigkeit dar. Dabei stützte er sich auf Albert Schweitzers
Arbeiten, vernachlässigte jedoch dessen Wiederentdeckung eschatologischer
Vorstellungen in der Verkündigung Jesu.[13] Arper bevorzugte die historischen
vor den dogmatischen Argumenten und bemühte sich um Versachlichung der
Debatte. Er war überzeugt, dass die Evangelien als Geschichtsquellen zu lesen
seien, wenn man das beiseite ließe, „was sich als Zutat des Glaubens, der Verehrung und der Liebe bekundet"[14].

Die Hoffnung, dass die historische Forschung eine tragfähige Grundlage
für den Glauben schaffen könnte,[15] weisen ihn als liberalen Theologen aus.
Das Jesusbild, das Arper anschließend entwirft, ist von allen Anstößigkeiten
und Befremdlichkeiten gereinigt: „Er liebt die Kinder, er geht dem Aufsehen
aus dem Wege, er haßt Frömmigkeitsdünkel und Unwahrhaftigkeit, er sucht
von Zeit zu Zeit im einsamen Gebet Stärkung." Jesus wird zu einem Bürger,
der, aller göttlichen Attribute entkleidet, nur notgedrungen Wunder tat. Um

[6]   Albert Schweitzer beschreibt Inhalt und Schärfe der Streitigkeiten anschaulich und
      ausführlich in: *Die Geschichte der Leben-Jesu-Forschung.* Tübingen ²1913, 500–526.
[7]   Arthur Drews engagierte sich im Monistenbund, einer Richtung in der Freidenker-
      bewegung, in der unter anderem auch der Jenaer Biologe und Naturphilosoph Ernst
      Haeckel (1834–1919) aktiv war.
[8]   Vgl. Arthur Drews, *Die Christusmythe.* Jena 1909; ³1910. Ein zweiter, noch ausführliche-
      rer Teil erschien unter dem Titel: *Die Christusmythe. Teil 2. Die Zeugnisse für die Geschicht-
      lichkeit Jesu.* Jena 1911.
[9]   Vgl. Johannes Wendland, *Drews, Arthur,* in: RGG 1. 1927, 2026f.
[10]   Vgl. Karl Arper, *Jesus hat gelebt!* in: Kirchen- und Schulblatt 61. 1912, H. 9, 129–135;
      H. 10, 146–150; H. 11, 162–166. Der Titel des Aufsatzes nimmt Bezug auf die Her-
      ausgabe der Reden vom „Berliner Religionsgespräch" durch den Deutschen Monis-
      tenbund: *Hat Jesus gelebt? Reden gehalten auf dem Berliner Religionsgespräch des Deutschen
      Monistenbundes am 31. Jan. u. Febr. 1910.* Hg. v. Deutschen Monistenbund. Berlin
      [u.a.] 1910.
[11]   Arper, *Jesus hat gelebt!* (wie Anm. 10) 116.
[12]   Arper, *Jesus hat gelebt!* (wie Anm. 10) 114.
[13]   Vgl. Johannes Weiss, *Die Predigt Jesu vom Reiche Gottes.* Göttingen 1892.
[14]   Arper, *Jesus hat gelebt!* (wie Anm. 10) 148.
[15]   Vgl. John Macquarrie, *Jesus Christus VI. Neuzeit (1789 bis zur Gegenwart),* in: TRE 17.
      1988, 16–42; ders., *Jesus Christus VII. Dogmatisch,* in: ebd., 42–64.

die Originalität Jesu herauszustellen, wird die „innere Kongenialität" Jesu bei der „Zurückführung der unübersehbaren Überlieferung auf das Wesentliche" gerühmt. Er sieht Jesus – ganz im überheblichen, antijüdischen Geiste seiner Zeit – „turmhoch" über dem Alten Testament und der jüdischen Überlieferung stehen.[16] Karl Arper mischte sich selten in theologischen Streit ein. Er tat es nur, wenn er die Grundfesten des Christentums zum Beispiel durch die Leugnung der Geschichtlichkeit Jesu bedroht sah. Doch selbst in so polemisch und emotional geführten Auseinandersetzungen nahm Arper die Gegenseite ernst und bemühte sich um Versachlichung. Diese humane und vermittelnde Art machte ihn zum prädestinierten Schlichter bei Streitigkeiten, eine Eigenschaft, auf die die Thüringer Kirchenleitung in den 1920er Jahren gern zurückkam.

2. Die liturgischen Arbeiten Karl Arpers

Eine Frucht von Arpers Weimarer Pfarramtstätigkeit ist die 1910 erschienene „Liturgien-Sammlung für evangelische Gottesdienste"[17]. Sie ging aus einer Gebetssammlung „des klassischen Gebetsschatzes"[18] der deutschen Landeskirchen hervor. Im Vordergrund stand für Arper die Bereicherung des bestehenden Gottesdienstes mit älterem, wiederentdeckten liturgischen Material und neuen Texten.[19] Die liturgische Arbeit konzentrierte sich auf Sammlung, Sichtung, Auswahl und erneute Zusammenstellung des Überkommenen, wobei man nicht so sehr in die historische Tiefe sondern vielmehr in die landeskirchliche Weite blickte. Damit gehört Karl Arper zu den Vertretern der älteren liturgischen Reformbewegung, die den Gottesdienst in seiner geschichtlich gewachsenen Gestalt auffassten und bestehen ließen.[20]

Ein weiteres Ziel der „Liturgien-Sammlung" war die sprachliche Bearbeitung der Gebetstexte, die geglättet, gekürzt und dem modernen Sprachgebrauch angepasst wurden. Die Herausgeber begründeten dies mit dem Interesse der zeitgenössischen Gemeinde: „Die Kinder unserer Tage haben die Ruhe nicht mehr, weit ausgedehnte Predigten zu hören, strophenreiche Lieder zu singen, lange Gebete mit zu beten."[21]

Für die Gottesdienste von Advent bis Trinitatis folgten die Herausgeber bei der Textauswahl landeskirchlichen Agenden, für die Trinitatiszeit wurden Themengottesdienste zu Motiven der christlichen Glaubens- und Sittenlehre entworfen.

---

[16] ARPER, *Jesus hat gelebt!* (wie Anm. 10) 164.

[17] Vgl. Karl ARPER – Richard BÜRKNER, *Liturgien-Sammlung für evangelische Gottesdienste.* Göttingen 1910 (PThHB.S 1).

[18] ARPER – BÜRKNER, *Liturgien-Sammlung* (wie Anm. 17) III.

[19] In diesen liturgiegeschichtlichen Zusammenhang gehören beispielsweise: Julius SMEND, *Kirchenbuch für evangelische Gemeinden, zunächst für die in Elsaß-Lothringen.* Straßburg 1906. 2. Aufl. 1910; Ernst KÖLLN – Ulrich ALTMANN, *Erhebet eure Herzen. Ein gottesdienstliches Handbuch.* Breslau. 2. u. 3., verb. u. verm. Aufl. 1924; Johannes BAUER, *Entwurf zu einem Kirchenbuche für die evangelisch-protestantische Kirche Badens.* Karlsruhe 1912.

[20] Vgl. Peter CORNEHL, *Gottesdienst VIII. Evangelischer Gottesdienst von der Reformation bis zur Gegenwart,* in: TRE 14. 1985, 54–85, hier 64f.

[21] ARPER – BÜRKNER, *Liturgien-Sammlung* (wie Anm. 17) V.

Die liturgische Arbeit hat Karl Arper immer in Gemeinschaft mit einem anderen Pfarrer als Partner geleistet. Die „Liturgien-Sammlung" entsprang der Arbeitsgemeinschaft mit Richard Bürkner (1856–1913), dem damaligen Superintendenten von Auma, der ein Schüler Karl von Hases[22] (1800–1890) und ein vorzüglicher Kenner der christlichen Kunst war.[23] Der Badener Pfarrer Karl Anton (1887–1956), mit dem Karl Arper eine „Nachkriegsagende" herausgab, hatte sich auf dem Gebiet der Musik und Kirchenmusik hervorgetan.[24] Den wichtigsten Arbeitskollegen fand Arper jedoch in Alfred Zillessen (1871–1937), einem Pfarrer aus dem Rheinland. Die vierundzwanzigjährige Zusammenarbeit mit Alfred Zillessen begann mit der Vorbereitung der „Liturgien-Sammlung" für eine 2. Auflage.[25] In ihrer „ungetrübten liturgischen Ehe"[26] – wie Zillessen es nannte – bemühte sich Arper um die praktischen Vorschläge oder das Ausprobieren und Zusammenstellen von neuen Formularen. Zillessen, der 1919 aus gesundheitlichen Gründen aus dem Pfarramt ausscheiden musste und 1927 Mitglied der Bibelrevisionskommission der Deutschen Bibelgesellschaften wurde, sorgte durch seine Beschäftigung mit der Lutherübersetzung für die sprachlichen Verbesserungen der Gebete und Sprüche.[27]

Karl Arper teilte die nationale Begeisterung, mit der viele Deutsche den Ausbruch des Ersten Weltkrieges begrüßten. Als seinen Beitrag betrachtete er die Umarbeitung der 2. Auflage der „Liturgien-Sammlung" zu einer „Kriegsagende", die im Spätsommer 1914 erschien.[28]

Die „Kriegsagende" enthält neben einer Materialsammlung von Gebeten, Bibeltexten und „Vaterländischen Worten" auch Vorschläge für Kriegsbetstunden und rein musikalische Andachten (zumeist mit Bachpräludien, Orgelchorälen, Gemeinde- und Sologesang bzw. Gesang der Kurrende). Vorher werden für verschiedene Kriegslagen Gottesdienstabläufe mit passenden Sprüchen und Gebeten abgedruckt. Neben Entwürfen für die Mobilmachung stehen Entwürfe für Etappensiege und -niederlagen. Eine „Siegesfeier am Ende des Krieges" schließt die Zusammenstellung ab. Etwas anderes als einen deutschen Sieg konnten sich die Herausgeber nicht vorstellen. Doch gerade in diesem Gottes-

[22] Vgl. Richard BÜRKNER, *Karl von Hase, ein deutscher Professor*. Leipzig 1900.

[23] Davon zeugen seine Veröffentlichungen z.B.: *Grundriss des deutsch-evangelischen Kirchenbaues*. Göttingen 1899; *Kirchenschmuck und Kirchengerät*. Gotha 1892; *Geschichte der christlichen Kunst*. Freiburg/Br. 1903; *Altar und Kanzel, Geschichte des Gotteshauses*. Tübingen 1909; *Kunstpflege in Haus und Heimat*. Leipzig 1910. Vgl. Stefan MICHEL: *Liturgische Erneuerungsbewegung in Auma nach 1900*, in: *800 Jahre Christentum im Greizer Land. Einblicke in die reußische Kirchengeschichte*. Hg. von der Superintendentur Greiz. Greiz 2009, 68f.

[24] Vgl. Karl ANTON, *Beiträge zur Biographie Carl Loewes mit besonderer Berücksichtigung seiner Oratorien und Ideen zu einer volkstümlichen Ausgestaltung der protestantischen Kirchenmusik nebst einem Register zu Loewes Selbstbiographie als Anhang*. Halle 1912; DERS., *Luther und die Musik. Eine Gabe an das deutsche Volk zum Reformationsjubiläum*. Zwickau 1916; DERS., *Angewandte Liturgik*. Göttingen 1919 (PThHB 23).

[25] Gustav RUPRECHT, *D. Alfred Zillessen und D. Karl Arper*, in: MGKK 42. 1937, 49–52, hier 49.

[26] Vgl. Alfred ZILLESSEN, *Abschied von einem treuen Freund*, in: DtPfrBl 40. 1936, 798.

[27] Vgl. RUPRECHT, *D. Alfred Zillessen* (wie Anm. 25) 52.

[28] Karl ARPER – Alfred ZILLESSEN, *Agende für Kriegszeiten. Teil 1*. Göttingen 1914; [5]1915 (PThHB.S 3).

dienstentwurf bleibt ein triumphalistischer Pathos aus. Der Krieg wird traditionell als Gericht Gottes über die Menschen gedeutet. Im Gebet nach der Predigt heißt es: „Wir gedenken der vielen Gottlosigkeit und Sittenlosigkeit in unserem Volke vor Ausbruch des Krieges", weshalb das deutsche Volk die Barmherzigkeit Gottes (bzw. den nationalen Sieg) nicht verdient habe, sondern von Gott geschenkt bekam.

In einer zweiten „Kriegsagende"[29] von 1915 vollzogen Arper und Zillessen den nationalen Stimmungsumschwung mit. Der Krieg zog sich hin und immer mehr Tote waren zu beklagen. Im Inland wurden Lebensmittel und Brennstoffe rationiert. Die Weimarer Stadtkirche musste vier ihrer Glocken abgeben, die zu Kriegszwecken eingeschmolzen wurden.[30]

Im Vorwort dieser „Kriegsagende" wurden die üblichen Durchhaltephrasen wiedergegeben: „Wir stehen in der bittersten Notwehr; es geht ums Ganze, um Bestand und Zukunft unseres deutschen Volkes. [...] Wir bauen auf Gott und auf den Geist unseres Volkes, gestählt durch die innere Notwendigkeit: Durchhalten um jeden Preis! Uns Pfarrern zumal fällt in dieser außerordentlichen Zeit die bedeutsame Aufgabe zu, den Geist restloser Pflichterfüllung und unwandelbarer Treue bis in den Tod zu pflegen und zu stärken."[31]

Das Büchlein, das auch im Titel die Zielrichtung „Durchhalten!" vorgibt, bietet 23 Gottesdienstentwürfe, sodann Gebete, Gedichte und „Vaterländische Worte" für das Heer und die zivile Gemeinde. An den Gottesdienstthemen werden die Aspekte des Durchhaltens durchbuchstabiert: „Heiliger Haß", „Wir mit Gott", „Den Nacken steif im Glauben!", „Durch Opfer verbunden", „Rechter Kampf", „Wir wollen Helden sein!". Am Ende steht ein Trauergottesdienst für Gefallene.

Der Gottesdienst als Beitrag zum Krieg wurde hier in den Dienst einer bürgerlichen Integrationsideologie gestellt.[32] Vom Krieg erhoffte Arper, was er früher von der protestantischen Kirche erhofft hatte: die Einigung des Volkes über alle sozialen und weltanschaulichen Unterschiede hinweg. Den nationalen Kurzschluss vollzog er mit und ließ sich auch nach Ende des Krieges nicht mehr davon abbringen.

Für Karl Arper selbst war die Kriegszeit eine produktive Zeit. Rasch hintereinander erschienen die „Kriegsagende", im Advent 1914 eine Agende für die hohen christlichen Feiertage[33] (inklusive Feier zum Gedächtnis der Gefallenen und „Kaisersgeburtstag") und 1915 eine zweite „Kriegsagende". Diese Bücher verdankten sich dem Wunsch, den Gottesdienst der gesellschaftlich-mentalen Lage in Deutschland anzupassen. In einer „situativen" Liturgik stimmten die Autoren Verkündigung und Gottesdienst ganz auf die (vermeintlichen) Bedürf-

[29] Karl ARPER – Alfred ZILLESSEN, *Agende für Kriegszeiten. Teil 3. Durchhalten! Entwürfe, Gebete, Gedichte und Vaterländische Worte für Kriegsgottesdienste*. Göttingen ²1915 (PThHB.S 3).
[30] Friederike SCHMIDT-MÖBUS – Frank MÖBUS, *Kleine Kulturgeschichte Weimars*. Köln [u.a.] 1998, 238.
[31] ARPER – ZILLESSEN, *Agende für Kriegszeiten. Teil 3. Durchhalten!* (wie Anm. 29) III.
[32] Vgl. NOWAK, *Geschichte des Christentums* (wie Anm. 2) 200.
[33] Karl ARPER – Alfred ZILLESSEN, *Agende für Kriegszeiten. Teil 2. Festagende für Kriegszeiten*. Göttingen 1915; ³1917 (PThHB.S 3).

nisse der christlichen Gemeinde bzw. der deutschen Nation ab. Demgegenüber sahen sie die landeskirchlichen Gottesdienstbücher als wenig hilfreich an, weil sie eben nicht für „Notzeiten" geschaffen worden seien. Dass sie dabei den Gottesdienst für nationale Mobilisierungsstrategien funktionalisierten, war den Autoren erwünscht: „Besonders möchten wir durch unsre Gottesdienste helfen, unsre Gemeindeglieder stark, willig und tüchtig zu machen zu treuer Arbeit an allem, was unserm Volk dient und frommt."[34] Der Gottesdienst wurde in dieser Form durch ein national-protestantisches Konzept enggeführt.

Auf den verlorenen Krieg, die Nachkriegszeit und die sozial-mentalen Demütigungen durch den Versailler Vertrag reagierte Karl Arper mit der Nachkriegsagende „Aus tiefer Not!". Wieder bestimmte ein nationales Ziel die Ausgabe: „Die Zeit schwerster vaterländischer Not, die mit dem unglücklichen Ausgang des Weltkriegs über unser deutsches Volk gekommen ist, hat uns Pfarrern eine besondere Aufgabe gebracht: Wir wollen Gotteskräfte zur Überwindung der Not in unserm Volke wecken."[35]

Die Nachkriegsagende enthält nicht nur bearbeitetes Material aus dem „Evangelischen Kirchenbuch", sondern auch zwölf Liedandachten, zum Beispiel zu „So nimm denn meine Hände", „Befiel du deine Wege" (zweimal), „Wer nur den lieben Gott läßt walten", „Aus tiefer Not" und „Jesu, meine Freude". Die Liedandachten faßten die Autoren auf als ein „Beispiel für neue Wege der kirchlichen Erbauung".[36]

Die Perikopen sind nach dem Trostaspekt zusammengestellt, und die Formulare ringen mit der Bedeutung des verlorenen Krieges. Sie enthalten sich jedoch revanchistischer Töne und versuchen, den verlorenen Krieg als Strafe Gottes oder Prüfung des Volkes zu verstehen. In einem Materialteil werden verschiedene Eingangsworte, Buß- und Gnadenworte, Eingangs- und Schlussgebete, Predigttexte, Gebete nach der Predigt und „Stimmen der Väter"[37] (Textausschnitte von Martin Luther, Friedrich Ernst Daniel Schleiermacher und Ernst Moritz Arndt) angeboten. Im Anhang wird auf Rezitative und Arien aus geistlicher Musik verwiesen, in der Hauptsache auf Bachkantaten und Stücke von Felix Mendelssohn Bartholdy. Es fehlt auch nicht der Hinweis auf die *Monatschrift für Gottesdienst und kirchliche Kunst*, „die jeder Pfarrer und Kirchenmusiker in den Händen haben sollte"[38].

Neu ist die Aufnahme von Lyrik („Zeitgedichten"). Die „Zeitgedichte" bieten Stoff für Buß- und Gnadenworte, Eingangs- und Schlussgebete. Die Herausgeber sahen sich nur in der Lage, „in mäßigem Umfange" dem Wunsch danach zu entsprechen, da „die Anschauungen über die Verwendung dichterischer Stücke in der Liturgie noch recht ungeklärt sind"[39]. Arpers Zurückhaltung ge-

---

[34] Vgl. Karl Arper – Karl Anton, *Aus tiefer Not! Liturgisches Hilfsbuch für die Zeit des Wiederaufbaues.* Göttingen 1919 (PThHB.S 4), 3.

[35] Arper – Anton, *Aus tiefer Not!* (wie Anm. 34) 3.

[36] Arper – Anton, *Aus tiefer Not!* (wie Anm. 34) 4.

[37] Letztere hatte der Jenaer Pfarrer und liberale Theologe August César (1863–1959) ausgesucht; vgl. Arper – Anton, *Aus tiefer Not!* (wie Anm. 34) 155.

[38] Arper – Anton, *Aus tiefer Not!* (wie Anm. 34) 154.

[39] Arper – Anton, *Aus tiefer Not!* (wie Anm. 34) 4.

genüber nichtbiblischen Texten für den evangelischen Gottesdienst macht sich hier erstmals bemerkbar.

3. Das Evangelische Kirchenbuch

Trotz aller Einschränkungen durch den Krieg konnte Karl Arper zusammen mit Alfred Zillessen 1917 sein erfolgreichstes Werk – die 2. Auflage der „Liturgien-Sammlung" – unter dem Titel „Evangelisches Kirchenbuch"[40] herausbringen. Im zeitlichen Abstand von etwa vier Jahren wurden immer wieder Neubearbeitungen davon auf den Büchermarkt gebracht.

Die Bände des Evangelischen Kirchenbuchs zeichnen sich durch ihre praktische Handhabbarkeit aus. Für alle Sonntage und Kasualien liegen Formulare mit ausgedruckten Lesungen und Predigttexten vor. Nicht zuletzt durch diese die Pfarrer entlastende Anlage hat das Werk mannigfachen Einzug in die Pfarrämter halten können. Schon im Januar 1919 urteilte der Jenaer Praktische Theologe Friedrich Wilhelm Thümmel (1856–1928): „[Das] vortreffliche Buch ist längst in den Sakristeien nicht nur der Weimarischen Landeskirche [angekommen]."[41] Heinrich Weinel (1874–1936) sprach sogar davon, dass 99% der Pfarrer dieses Kirchenbuch benutzten.[42] Dieses Urteil teilte noch eine Generation später Gerhard Kunze (1892–1954), der dem Evangelischen Kirchenbuch bescheinigte, noch immer „das nächst der Bibel in den deutschen Pfarrbüchereien am häufigsten anzutreffende Buch"[43] zu sein.

In den verschiedenen Teilen des Evangelischen Kirchenbuches ist die Bemühung spürbar, den evangelischen Gottesdienst an eine im Umbruch befindliche Gesellschaft anzupassen und ihn gleichwohl in seiner überbrachten Form zu erhalten. Damit stellte sich die Frage nach der Einheit des Gottesdienstes. Die Frage nach Einheit und Vielfalt betrachten die Autoren unter zwei Aspekten: unter der thematischen Einheit eines Gottesdienstes und der Einheit innerhalb der Gottesdienstgemeinde. Die Einheit der Gemeinde wurde durch den Gottesdienst gestiftet, und sie waren so aufeinander bezogen. In den Gottesdienst bringen die Kirchgänger verschiedene seelische Bedürfnisse mit, die in „Harmonie religiöser Gedanken und Anregungen" gebracht werden, „die für die Erbauung der Gemeinde von wesentlicher Bedeutung ist".[44]

Um in rechter Weise auf die Befindlichkeiten der Gottesdienstbesucher eingehen zu können, vervielfachten die Herausgeber die Texte, aus denen der Liturg auswählen konnte. Auch wurde die Zahl der Formulare stark vermehrt. Am augenfälligsten ist dies bei den Bestattungen, die einen Einzelband umfassen und losgelöst von den übrigen „kirchlichen Handlungen" erschienen.[45] Die

40 Vgl. Karl Arper – Alfred Zillessen: *Evangelisches Kirchenbuch. Der Gottesdienst.* Göttingen 1917; ²1917; ³1921; ⁴1925; ⁵1929; ⁶1936; ⁷1940 (PThHB.S 1).

41 *Verhandlungen der elften ordentlichen Synode der evangelischen Landeskirche des Großherzogtums Sachsen.* Weimar o. J. [1919], 75.

42 Vgl. *Verhandlungen der elften ordentlichen Synode* (wie Anm. 41) 77.

43 Gerhard Kunze, *Die gottesdienstliche Zeit,* in: Leit. 1. 1954, 437–535, hier 516.

44 Arper – Zillessen, *Evangelisches Kirchenbuch* (wie Anm. 40), ²1917, V.

45 Karl Arper – Alfred Zillessen, *Evangelisches Kirchenbuch. Bd. 2. Die Bestattung.* Göttingen 1923; ²1927; ³1938; ⁴1947 (PThHB.S 2,1). Es sind darin 15 Entwürfe für Bestattungen enthalten. Im Einzelnen: für kleine Kinder (betrauert), für kleine Kinder (unbetrauert), für größere Kinder, Junge Leute, Erwachsene, für Gatten und Eltern,

Autoren begründeten dies mit der fast unbegrenzten Zahl und der Verschie-
denartigkeit der Trauernden und damit, dass Tote in verschiedenen Lebensal-
tern kirchlich bestattet werden, wie auch die innere und äußere Lebenslage, in
denen die Verstorbenen gestanden haben, berücksichtigt werden müssten in
allen „nur erdenklichen materiellen, sozialen, geistigen, sittlichen, religiösen
Situationen"[46]. Gerade so könnten „Evangelium und Kirche wieder Eindruck
und Anziehungskraft auf jene ungeheure Masse der Entfremdeten gewinnen"[47].

Diese missionarischen und sozialintegrativen Ziele lassen indirekt auf das
zugrunde liegende Gottesdienstverständnis schließen. Nach Arpers und Zilles-
sens Ansicht machten Kirchenlied, Gebet und Predigt einen evangelischen
Gottesdienst aus.[48] Die Einheit(lichkeit) des Gottesdienstes beruhe auf Konso-
nanz bzw. Gleichklang der ausgewählten (Text-)Teile. Arper und Zillessen setzten den sonntäglichen Hauptgottesdienst (ohne Abendmahl) voraus, das heißt
sie verzichteten bewusst auf andere Formen wie liturgische Feiern oder musikalische Feierstunden. Solchen Entwürfen bestritten sie ihr Recht nicht, vermerkten aber, „daß unser Buch gerade in der Beschränkung auf den Stoff, der
in allen, selbst den einfachsten Verhältnissen verwandt werden kann, sich auch
weiterhin brauchbar erweisen wird."[49] Eine zurückhaltende Kritik übten sie an
der bürgerlichen Kultur- und Kunstinszenierung im Gottesdienst, wie sie Julius
Smend (1857–1930) und Friedrich Spitta (1852–1924) einführten. Effektvolle
„Erlebnisgottesdienste" lagen beiden Autoren fern. Noch schärfer formulierten
sie ihr Anliegen 1929: „Auch [...] scheint uns ein Kirchenbuch nicht da zu sein,
eine bunte Menge liturgischer Skizzen zu bringen, die auf das Bedürfnis nach
,Stimmung' und ,Erlebnis' berechnet sind, oder dem heutigen Drang nach
,Gestaltung' in ungehemmten Experimenten Ausdruck geben."[50]

Vergleichsweise konservativ innerhalb der älteren liturgischen Bewegung
verhielten sich die Autoren auch bei der Auswahl aus den kirchlichen Bekennt-
nissen. Nur das Apostolicum und ein aus biblischen Zitaten zusammengestell-
tes Glaubensbekenntnis wurden abgedruckt.[51] Dass diese Distanz auch von den
führenden Vertretern der liturgischen Erneuerungsbewegung wahrgenommen
wurde, beweist die kritische Rezension des Evangelischen Kirchenbuches von
Julius Smend. Er warf dem Kirchenbuch Eintönigkeit, ein homiletisches Übergewicht und eine teilweise Verkennung des Kirchenjahres vor.[52]

Alleinstehende, Betagte, Alte, Geisteskranke, Selbstmörder, nach langem Leiden, bei
schwerem Leid, Unglücksfällen, und allgemein gehalten (z.B. bei Feuerbestattung zu
verwenden).

[46]   ARPER – ZILLESSEN, *Evangelisches Kirchenbuch. Bd. 2.* (wie Anm. 45) 5*.
[47]   ARPER – ZILLESSEN, *Evangelisches Kirchenbuch. Bd. 2.* (wie Anm. 45) 14*.
[48]   ARPER – ZILLESSEN, *Evangelisches Kirchenbuch* (wie Anm. 40), ⁴1925, 6*.
[49]   ARPER – ZILLESSEN, *Evangelisches Kirchenbuch* (wie Anm. 40), ⁴1925, 6*.
[50]   ARPER – ZILLESSEN, *Evangelisches Kirchenbuch. Bd. 2.* (wie Anm. 45), ²1927, 14*.
[51]   Dagegen bot Smends *Kirchenbuch für evangelische Gemeinden* (wie Anm. 19) historische
       Texte als Glaubenbekenntnisse und KÖLLN – ALTMANN, *Erhebet eure Herzen* (wie Anm.
       19) nichtbiblische Texte als Vertiefung der altkirchlichen Lesungen. Vgl. auch Fried-
       rich SPITTA, *Gottesdienst und Glaubensbekenntnis*, in: MGKK 8. 1903, 1–8.
[52]   Vgl. ThLZ 44. 1919, 20–22. Vgl. auch Konrad KLEK, *Erlebnis Gottesdienst. Die liturgischen
       Reformbestrebungen um die Jahrhundertwende unter Führung von Friedrich Spitta und Julius*

Ein zweites Charakteristikum tritt im Evangelischen Kirchenbuch zu Tage: die Neuentdeckung bzw. fast ausschließliche Verwendung der Luther-Bibel. In den Neuauflagen des Evangelischen Kirchenbuches werden immer mehr Stücke des Gottesdienstes in der biblischen Sprache gestaltet. Allein ein Blick in das Bibelstellenregister, in der 4. Auflage umfasst es immerhin 13 Seiten, macht dies deutlich. Auch nationale Gesichtspunkte spielten bei der Konzentration auf die Luther-Bibel eine Rolle, denn „die Bibel [bleibt] in ihrer klassischen Gestalt, die ihr für uns Deutsche Luther geschaffen, das unveräußerliche Erbe und der unvergängliche und unerschöpfliche Schatz, aus dem die Kirche zu jeder Zeit ihren Gliedern das Beste zu geben hat"[53]. Deshalb lehnten Arper und Zillessen wie Emanuel Hirsch[54] (1888–1972) die – aus heutiger Sicht zurückhaltende – Bibelrevision von 1912 in einigen Passagen ab, weil sie den Rhythmus und den Klang des Luther-Deutschs verwischte und sich nicht mehr in jedem Fall zum lauten Vorlesen eignete.[55]

Dass die Gemeinden die Begeisterung für die Luther-Bibel nicht im gleichen Maße wie Arper und Zillessen teilten, die Lesungen z.B. als zu lang und als unverständlich empfanden, war den Herausgebern bewusst. Sie kamen dieser Einstellung entgegen, indem sie kürzten und glätteten und die Lesungen aus verschiedenen Bibelstellen zusammensetzten. Die Bevorzugung der Luther-Bibel stand dem Bemühen um eine moderne Sprache entgegen.

Zudem fällt auf, dass das Alte Testament deutlich unterrepräsentiert ist, bzw. nur Texte aus dem Psalter und den Prophetenbüchern gewählt wurden. Dazu berief man sich auf den freien Umgang Luthers mit der Heiligen Schrift.[56]

4. Pfarrer in der Weimarer Republik und im Nationalsozialismus

Der moralischen Verpflichtung gegenüber dem Nächsten und einem „tatkräftigen" Christentum war Karl Arper ein Leben lang verpflichtet. Tätiges Christentum hieß für ihn Engagement in protestantischen, „überparteilichen", kirchenmilieu-übergreifenden Vereinigungen.[57] An erster Stelle ist sein über vierzigjähriges Engagement für die Standesvertretung der Pfarrerschaft zu nennen, den Pfarrerverein des Großherzogtums Sachsen-Weimar-Eisenach. Nach dem kirchlichen Zusammenschluss zur Thüringer Evangelischen Kirche 1919/20 gehörte er dem Vorstand des Thüringer Pfarrervereins an. Er stand dem ersten Thüringer Landesbischof Wilhelm Reichardt (1871–1941) nahe, so dass Konflikte zwischen Pfarrerschaft und Kirchenleitung meist einvernehmlich, auf dem „kurzen Dienstweg" und mündlich geklärt werden konnten.[58]

Er arbeitete ebenfalls im Vorstand des Deutschen Pfarrervereins mit. 1930 gelang es ihm, mehrere karitative Initiativen zur „Amtsbrüderlichen Nothilfe"

Smend. Göttingen 1996 (Veröffentlichungen zur Liturgik, Hymnologie und theologischen Kirchenmusikforschung 32), 147–150.

53 ARPER – ZILLESSEN, *Evangelisches Kirchenbuch* (wie Anm. 40), ⁴1925, 6*.

54 Vgl. Emanuel HIRSCH, *Über eine bisher unbekannt gebliebene Bibelrevision*, in: ZNW 26. 1927, 26–39.

55 ARPER – ZILLESSEN, *Evangelisches Kirchenbuch* (wie Anm. 40), ⁴1925, 10*f.

56 ARPER – ZILLESSEN, *Evangelisches Kirchenbuch* (wie Anm. 40), ⁴1925, 12*f.

57 BÖHM – WIEGAND, *Liturgisch und sozial* (wie Anm. 4) 229.

58 Thüringer Pfarrerblatt 25. 1934, 2.

116 Karl Arper (1864–1936)

zusammenzuschließen, deren Kassenwart und zeitweiliger Vorsitzender er war. Die Amtsbrüderliche Nothilfe sammelte Geld für evangelische Pfarrfamilien in der mittel- und osteuropäischen Diaspora. Für Arper vereinigten sich hier karitative und konfessionelle Interessen mit denen des Berufsstandes.[59]

Bis zu seinem Tode war Arper Mitglied im Evangelisch-Sozialen Kongress. Die Spaltung des Kongresses in einen konservativen und einen liberalen Teil sah er ungern. Deshalb stellte er sich in den 1920er Jahren der „Sozialen Arbeitsgemeinschaft evangelischer Männer und Frauen Thüringens" zur Verfügung, gerade weil sie diese Spaltung in Thüringen überwinden wollte. Als Vorsitzender dieser Arbeitsgemeinschaft betonte er die pastorale wie paternalistische Sorge gegenüber jedem einzelnen Arbeiter, von dem er fürchtete, dass er durch die Industrialisierung der Arbeitswelt „zum seelenlosen Rädchen im Getriebe" werde.[60]

Als Mitglied des Thüringer Volkskirchenbundes (einer Vereinigung liberal gesinnter Theologen und Laien), als Mitglied der Großherzoglichen Kirchenregierung und später als Synodaler im 1. und 3. Thüringer Landeskirchentag wirkte er bei der Gründung der Thüringer Evangelischen Kirche und ihrem Auf- und Ausbau mit. 1919 wechselte er als Oberpfarrer (Superintendent) nach Eisenach. Dort wirkte er bis zu seiner Pensionierung 1932 und zog sich danach auf seinen Alterswohnsitz in Lobeda bei Jena zurück.

Karl Arper begrüßte den nationalsozialistischen Staat, weil er sich von ihm die Wiederherstellung eines kooperativen Verhältnisses zwischen Staat und Kirche versprach. In Hinblick auf die Thüringer kirchlichen Verhältnisse konnte er jedoch zu bedenken geben: „Die Ersetzung des demokratischen Prinzips der Parlamentsherrschaft durch das aristokratische des Führertums ist nur dann ein begrüßenswerter Fortschritt, wenn der berufene Führer auch wirkliche Führereigenschaften hat."[61] Diese Führereigenschaften sprach er einzelnen Kirchenleitungsmitgliedern der Thüringer Deutschen Christen ab. Von deren Leiter, Siegfried Leffler (1900–1983) ließ er sich jedoch beeindrucken, bzw. erkannte „gut christliche" Grundsätze in seinen Reden. Dem Gebaren von Reichsbischof Ludwig Müller (1883–1945) stand er allerdings kritisch gegenüber.[62]

In den kirchenpolitischen Kämpfen der 1930er Jahre hielt er das Berufsethos des Pfarrers und die persönliche Integrität und Loyalität hoch. Deshalb waren ihm die heftigen Konflikte innerhalb der evangelischen Kirche zuwider, nicht nur weil er sie für den Pfarrerstand für unwürdig hielt, sondern auch, weil er die Verunsicherung des „Kirchenvolks" und die Spaltung der jungen Thüringer Evangelischen Kirche fürchtete. So urteilte er: „Unser Kirchenvolk kann es kaum verstehen, daß wir dogmatisch nicht einer Meinung sind, es mißbilligt es aber aufs schärfste, wenn die für uns unerläßlichen Auseinan-

59 Vgl. Fritz KLINGLER, *Kirchenrat D. Karl Arper*, in: DtPfrBl 40. 1936, 797.
60 BÖHM – WIEGAND, *Liturgisch und sozial* (wie Anm. 4) 242.
61 Thüringer Pfarrerblatt 25. 1934, 1.
62 Vgl. Erwiderung von D. Arper auf das Tadelsvotum Pfarrer E[rnst] Thiems namens der Deutschen Pfarrergemeinde am 18. Oktober 1935 in Jena. Hauptstaatsarchiv Weimar, Bestand des Thüringer Volksbildungsministeriums, A 1519, Pfarrerverein (Reichsbund der Deutschen evangelischen Pfarrervereine), 1934–35, unpag.

dersetzungen in breiter Öffentlichkeit, wohl gar im Gottesdienste, vollzogen werden."[63] Der „Brudergeist", eine gemeinsame Berufsbiografie und der gemeinsame Glaube sollten den Zusammenhalt der Pfarrerschaft stiften. Immer wieder mahnte er, die theologischen und kirchenpolitischen Kämpfe in „brüderlichem Geiste" zu führen und auf „unnötige Schärfe" zu verzichten. Pfarrer Paul Dahinten (1885–1972), Arpers Nachfolger im Amt des Thüringer Pfarrervereinsvorsitzenden, übermittelte die letzte Bitte Arpers, dass nämlich „die kirchenpolitischen Gegensätze sich nicht im persönlichen Verkehr der Amtsbrüder untereinander auswirken" sollten.[64]

5. Zusammenfassung

Die Skizze über Leben und Wirken Karl Arpers zeigt ein gut integriertes und engagiertes Pfarrerdasein im ausgehenden Kaiserreich und in der Weimarer Republik. Er widmete sich den damaligen sozialen Herausforderungen aus der Perspektive und im besonderen Interesse des Pfarrerstandes. Begriffe wie Loyalität und Traditionsbewusstsein waren ihm dabei wichtig. Karl Arper lebte ein „tätiges Christentum". Er stand der theologisch liberalen Richtung seiner Zeit und der älteren liturgischen Bewegung nahe, war jedoch einem theologischen Richtungsstreit wenig zugeneigt.

Mit dem Evangelischen Kirchenbuch gelang es Karl Arper und Alfred Zillessen, eine Hilfe für die Gottesdienstpraxis zu gestalten, die bis nach dem Zweiten Weltkrieg Verbreitung und Nutzer fand. Allerdings lag es ihnen fern, ein „liberales" oder gar „individualistisches"[65] Kirchenbuch zu schaffen. Eher war es der Blick für das Praktische und Konsensfähige, was diesem Werk zum Erfolg verhalf.

Einen wissenschaftlichen Beitrag für die Entwicklung der Liturgiewissenschaft hat Karl Arper sich nicht abgerungen. Aber er sammelte und sondierte das Material seiner Zeit, eine Arbeit, die er neben und aus seinem Pfarramt heraus bewältigte.

Auswahlbibliografie
Arpers Artikel im Deutschen Pfarrerblatt und Thüringer Pfarrerblatt bleiben im Folgenden unberücksichtigt.

Luther in Weimar, in: Bote des Gustav-Adolf-Vereins aus Thüringen 49. 1896, Nr. 5, 65–69; Nr. 6, 82–87.

Zinzendorfs Bedeutung für die Mission, in: ZMRW 15. 1900, 129–138.

Die Reformation in Weimar, in: *Aus Weimars kirchlicher Vergangenheit. Festschrift zum vierhundertjährigen Jubiläum der Stadtkirche in Weimar*. Weimar 1900, 1–46.

zusammen mit Richard BÜRKNER, *Liturgiensammlung für evangelische Gottesdienste*. Göttingen 1910 (PThHB.S1).

---

[63] Thüringer Pfarrerblatt 25. 1934, 4.
[64] Thüringer Pfarrerblatt 28. 1937, 63.
[65] Diese Zuschreibung stammt u.a. von dem Praktischen Theologen Emil Pfennigsdorf (1868–1952). Das Evangelische Kirchenbuch reagiere nur auf die Bedürfnisse des frommen Individuums, offenbare aber ein geringes Verständnis des „eigentlich Kirchlichen". Vgl. Emil PFENNIGSDORF, *Praktische Theologie, Bd. 2*. Gütersloh 1930, 380.

Jesus hat gelebt! in: Kirchen- und Schulblatt 61. 1912, 113–119; 129–135; 146–150; 162–166.

Pfarrervereine, in: RGG 4. 1913, 1439–1443.

Sachsen III. Großherzogtum Sachsen-Weimar-Eisenach, in: RGG 5. 1913, 145–153.

zusammen mit Alfred ZILLESSEN, *Agende für Kriegszeiten. Teil 1.* Göttingen 1914; ⁵1915 (PThHB.S 3).

zusammen mit Alfred ZILLESSEN, *Agende für Kriegszeiten. Teil 2. Festagende für Kriegszeiten.* Göttingen 1915; ³1917 (PThHB.S 3).

zusammen mit Alfred ZILLESSEN, *Agende für Kriegszeiten. Teil 3. Durchhalten! Entwürfe, Gebete, Gedichte und Vaterländische Worte für Kriegsgottesdienste.* Göttingen 1915 (PThHB.S 3).

Am Sarge von Fräulein Charlotte von Krackow. Zwei Reden. Weimar 1915.

zusammen mit Alfred ZILLESSEN, *Evangelisches Kirchenbuch. Der Gottesdienst.* Göttingen ²1917; ³1921; ⁴1925; ⁵1929; ⁶1936; ⁷1940 (PThHB.S 1).

zusammen mit Karl ANTON, *Aus tiefer Not! Liturgisches Hilfsbuch für die Zeit des Wiederaufbaues.* Göttingen 1919 (PThHB.S 4).

zusammen mit Alfred ZILLESSEN, *Evangelisches Kirchenbuch. Bd. 2. Die Bestattung.* Göttingen 1923; ²1927; ³1938; ⁴1947 (PThHB.S 2,1).

zusammen mit Alfred ZILLESSEN, *Evangelisches Kirchenbuch. Bd. 3. Die Handlungen: Taufe, Konfirmation, Abendmahl, Trauung, Einführung, Einweihung.* Göttingen 1929 (PThHB.S 2,2).

Thüringen, in: RGG 5. 1931, 1163–1169.

Hans Asmussen (1898–1968)

Birgit Fenske

Biografie und Werk des im Wortsinne Praktischen Theologen Hans Asmussen sind ursächlich aufeinander bezogen und tief in seiner Herkunft verwurzelt. Sein bibliografisch wie inhaltlich schwer systematisierbares Schrifttum[1] zeugt von kontinuierlicher Auseinandersetzung mit der Differenz zwischen biblisch bezeugtem und praktisch gelebtem Glauben.

Der stärkste Ausdruck dieser Auseinandersetzung findet sich in Predigten und Vorträgen. Um der Endgestalt dieses lebendigen Zeugnisses, das Asmussen in Leben und Werk hinterlässt, gerecht zu werden, werden im Folgenden beide in ihrer Einheit dargestellt. Dieses Vorgehen trägt zum einen den Schriften Asmussens Rechnung, zum anderen der Einsicht, dass der durchgängige Bezug auf die Biografie den Impetus der jeweiligen praktisch-theologischen Theoriebildung deutlicher hervortreten lässt. Die bewusste Einbeziehung von Elternhaus und religiöser Heimat Asmussens gehört zu dieser Vorgehensweise.

1. Biografie und Werk

Hans Asmussens Vater, Jes Georg Asmussen, war Lehrer und Schulrektor in Flensburg. Die Mutter, Elise Asmussen, geb. Koch, Tochter eines Bildhauers, erzog die sieben Kinder der Familie.[2]

Kirchlich geprägt wurde die Familie durch Emil Wacker, den damaligen Pfarrer und Vorsteher der Flensburger Diakonissenanstalt, einer „Hochburg des liturgischen Lebens nach Löhescher Art"[3]. In seiner Person verband Wacker lutherische und pietistische Prägungen. Dabei bildeten sein Amts- und Sakramentsverständnis und die objektiven Heilstatsachen das Fundament für

---

[1] „Mir ist die Gabe, Papiere zu sammeln, nicht verliehen. Aber viel mehr erwuchsen die Schwierigkeiten aus der Eigenart meines Lebensweges. Von 1933 bis 1945 mußte ich alles Interesse daran haben, daß die Polizei möglichst wenig Schriftliches bei mir finden konnte. [...] Ich bin kein Kierkegaard, der bereits am Anfang seiner schriftstellerischen Existenz ziemlich genau wußte, welche Straßen seine Feder mit seinen Spuren bezeichnen und auszeichnen werde. Der Ehrgeiz dazu fehlt mir; ja, ich bin sogar ein wenig stolz darauf, daß ich auch als Schriftsteller immer neugierig war, wie Gott meine Feder nun leiten oder – ausgleiten lassen werde." Hans ASMUSSEN, *Vorwort*, in: DERS., *Aufsätze, Briefe, Reden: 1927–1945*. Itzehoe 1963, 5f, hier 6.

[2] Enno KONUKIEWITZ, *Hans Asmussen. Ein lutherischer Theologe im Kirchenkampf*. Gütersloh. 2. Aufl. 1985 (LKGG 6), 15. – Diese theologische Biografie wird im Folgenden zugrundegelegt.

[3] Hans ASMUSSEN, *Zur jüngsten Kirchengeschichte. Anmerkungen und Folgerungen*. Stuttgart 1961, 15. – Seine liturgische Prägung beschreibt Asmussen damit, dass ihm „von Kind auf ein Sonntagsgottesdienst, in welchem nicht das Abendmahl begangen wird, als unvollständig vorkam". (ebd.)

„Erweckung, Bekehrung, Heilsgewissheit und geistliche Erneuerung"[4]. Mit diesem Hintergrund gründete er 1893 die „Flensburger lutherische Konferenz"[5], die als Gegenpol zur von der Landeskirche vertretenen liberalen Theologie fungierte.[6] Dennoch war Emil Wacker kein dem Konfessionalismus verschworener Amtstheologe, was unter anderem an seiner Veröffentlichung über Maria[7] deutlich wird.[8]

Hans Christian Asmussen wird am 21. August 1898 als jüngstes Kind seiner Eltern in Flensburg geboren. Nach dem Abitur 1917 wird Asmussen Soldat im Ersten Weltkrieg. Er übersteht diesen ohne äußere Verwundungen, jedoch nicht ohne „innere Unsicherheit im Lebensgefühl"[9]. 1919 beginnt er – zusammen mit zwei Geschwistern – in Kiel Theologie zu studieren. Die an der Universität vorherrschende liberale Theologie lehnt Asmussen ab, weshalb er in Kiel den „lutherischen Bruderbund" gründet. Sein Ziel ist es, Schüler und Kommilitonen gegen die „offizielle" Theologie der Universität und der Landeskirche, vor allem gegen deren Schriftauslegung, zu „immunisieren".[10] Mit dieser Position weist sich Asmussen im Bruderbund als Repräsentant der für die Diakonissenanstalt signifikanten Theologie aus.[11]

Im darauffolgenden Jahr zieht er mit Freunden aus dem Bruderbund nach Tübingen, um dort bis 1921 sein Studium fortzusetzen. Nach Kiel zurückgekehrt, legt Asmussen noch im selben Jahr (Oktober 1921) das Erste Theologische Examen ab.

Während seiner Vikariatszeit kehrt Asmussen in seine Heimatstadt und -gemeinde zurück. An der Diakonissenanstalt in Flensburg wird Pastor Carl Matthiesen sein Mentor. Für Asmussen, der meinte, von seinen Universitätslehrern „kaum Eindrücke fürs Leben"[12] mitbekommen zu haben, war Matthiesen Pfarrer und theologischer Lehrer, dessen Stärke – wie schon bei Wacker – in der

---

4   Emil WACKER, *Die Heilsordnung.* Gütersloh 1898, 4 (zitiert nach: KONUKIEWITZ, *Hans Asmussen* [wie Anm. 2] 17).

5   Carl MATTHIESEN, *Ev.-luth. Diakonissenanstalt Flensburg 1874–1924.* o.O. u. J. [Flensburg 1924], 30.

6   Hans Asmussen schreibt: „Demgegenüber [gemeint ist die herrschende liberale Universitätstheologie, Verf.] vertrat der Kreis unserer Väter eine handfeste lutherische Orthodoxie. Auch Laien dieses Kreise kannten die orthodoxe Dogmatik. [...] Die eigentliche Stärke dieser Theologie sehe ich darin, daß man unter Emil Wackers Führung eine Lehre entwickelte über den Weg zum Glauben und im Glauben. Wacker selbst gab eine ‚Heilsordnung‘ heraus. [...] Und diese Lehre von der Heilsordnung wurde auch gepredigt. Theologie treiben war in diesem Kreise eine praktische Angelegenheit. In der dialektischen Debattiersucht hätte sich dieser Kreis nicht wohlgefühlt. Daß man die Heilsordnung predigte, hatte heilsame Folgen für den Pietismus. Dieser blieb in der Kontrolle der Exegese [...]". ASMUSSEN, *Zur jüngsten Kirchengeschichte* (wie Anm. 3) 14f.

7   Emil WACKER, *Maria die Mutter des Herrn oder Natur und Gnade.* Gütersloh 1891.

8   Für den Zusammenhang vgl. KONUKIEWITZ, *Hans Asmussen* (wie Anm. 2) 16f.

9   Hans ASMUSSEN, *Das Ende der Weltanschauungen.* Hamburg 1948, 7.

10   Vgl. KONUKIEWITZ, *Hans Asmussen* (wie Anm. 2) 20.

11   KONUKIEWITZ, *Hans Asmussen* (wie Anm. 2) 20.

12   ASMUSSEN, *Zur jüngsten Kirchengeschichte* (wie Anm. 3) 20.

Verbindung von Leben und Lehre lag.[13] Nur diese Kombination konnte er aufgrund seiner bisherigen Prägung als beeindruckend und bildend empfinden.[14] Auch nach seiner Ordination (April 1923) bleibt Asmussen als Hilfsgeistlicher an der Diakonissenanstalt. In dieser Funktion ist er mit der Krankenhausseelsorge beauftragt[15], als Theologe befasst er sich, wie in Anstaltskreisen jener Zeit üblich,[16] mit Kierkegaard, aber auch mit Karl Barth. Die Dialektische Theologie führt die für Asmussen nötige Auseinandersetzung mit der liberalen Theologie, erstmals aber hinterfragt sie auch die eigene, von den Vätern ererbte lutherisch-pietistische Position. Für ihn macht Barth ernst mit der Totalität der Sündhaftigkeit des Menschen, doch schreibt der von Kindheit an tief in der Schrift verwurzelte Asmussen bereits 1925 an seine Braut: „Alles, was Barth sagt von dem ganz Anderen usw., ist alles richtig. Aber nun kommt das Evangelium und macht es in allen Dingen eben doch möglich, dass das Endliche das Unendliche fassen kann. Das Letztere weiß Barth noch weniger als Sören Kierkegaard."[17]

Trotz Schwierigkeiten mit seiner Landeskirche wird er 1925 gewählt, das Pfarramt in Albersdorf in der Propstei Meldorf, einer bäuerlich geprägten Landgemeinde in Schleswig-Holstein, zu übernehmen. Da seine Mutter aus dieser Gegend stammte, beherrscht er den Dialekt der Gegend und weiß ihn auch in der Predigt einzusetzen.

Als Inhaber einer Pfarrstelle sieht Asmussen die Möglichkeit zur Familiengründung. 1926 heiratet er Elsbeth Pickersgill, die er während seiner Studienzeit in Tübingen kennengelernt hatte. Die eher pietistische Stuttgarterin wuchs in einem gemischt-konfessionellen Elternhaus auf (Mutter evangelisch, Vater russisch-orthodox).[18] In den Albersdorfer Jahren werden alle drei Kinder geboren: Jes (1926–1960), Doris (1930) und Reimer (1931–2005).[19]

In seiner Landgemeinde sieht sich Asmussen Ende der zwanziger Jahre verstärkt mit den Zielen völkischer und deutschnationaler Bewegungen konfrontiert, mit denen er sich auseinanderzusetzen versucht.[20] Das Aufkommen des Nationalsozialismus führt zunehmend zu Anfeindungen und Spannungen in der Gemeinde[21], auf die Asmussen publizistisch reagiert.[22]

---

[13] Vgl. KONUKIEWITZ, *Hans Asmussen* (wie Anm. 2) 22.

[14] Vgl. ASMUSSEN, *Zur jüngsten Kirchengeschichte* (wie Anm. 3) 20.

[15] Vgl. ASMUSSEN, *Zur jüngsten Kirchengeschichte* (wie Anm. 3) 23.

[16] Vgl. KONUKIEWITZ, *Hans Asmussen* (wie Anm. 2) 24.

[17] Brief Asmussens an Elsbeth Pickersgill vom 21.7.1925, zitiert nach: KONUKIEWITZ, *Hans Asmussen* (wie Anm. 2) 25. Für den gesamten Abschnitt vgl. ebd. den Briefwechsel zwischen Elsbeth Pickersgill und Hans Asmussen.

[18] Vgl. ASMUSSEN, *Zur jüngsten Kirchengeschichte* (wie Anm. 3) 21.

[19] Vgl. KONUKIEWITZ, *Hans Asmussen* (wie Anm. 2) 28.

[20] Vgl. Hans ASMUSSEN, *Die Not des Landvolkes* (1928), in: Hans ASMUSSEN, *Leben und Werk IV. 4. Abteilung: Kleine Schriften.* Hg. v. Friedrich HÜBNER, Hermann KUNST u. Hugo SCHNELL; bearb. v. Ursula KLATTE – Hellmut HEEGER. Berlin – Stuttgart 1973, 9–35.

[21] Die näheren Umstände können hier nicht geschildert werden. Vgl. dazu KONUKIEWITZ, *Hans Asmussen* (wie Anm. 2) 27–42, sowie Klaus RASCHZOK, *Wolf Meyer-Erlach und Hans Asmussen*, in: *Zwischen Volk und Bekenntnis. Praktische Theologie im Dritten Reich.* Hg. v. Klaus RASCHZOK. Leipzig 2000, 189–202.

[22] Vgl. etwa Hans ASMUSSEN, *Das praktische Amt und der Nationalsozialismus*, in: Niederdeutsche Kirchenzeitung 1. 1931, 178–182.

1932 sieht er sich gezwungen, auf die 2. Pfarrstelle der Hauptgemeinde in Altona zu wechseln. Äußerlich seinem Herkommen entfernt – die Altonaer Großstadtgemeinde liegt in einem kommunistisch geprägten Arbeiterviertel –, bleibt Asmussen diesem treu, indem er die Einarbeitung ins Amt zur Veröffentlichung seines ersten, Emil Wacker gewidmeten[23] Buches nutzt. Unter dem Eindruck der Dialektischen Theologie verfasst Asmussen das Buch „Die Offenbarung und das Amt"[24]. Es widmet sich dem Verkündigungsauftrag im Amt und ist für die „Amtsbrüder" zur Bestimmung ihrer theologischen Existenz geschrieben. Der Ruf nach Erneuerung der Kirche gemäß ihrer Verkündigung und ihres Bekenntnisses gehört für Asmussen zu den Aufgaben des Amtes. „Dieser Ruf nach der Kirche ist aber auch ein *Anspruch an die Kirche.* Wenn die Theologie Besinnung auf die Verkündigung ist, dann lautet der Ruf an die Kirche: Verkündige! Sage uns, was du verkündigst, damit wir Theologie treiben können!"[25] Um der Existenz der Kirche willen[26] hält Asmussen diesen seinerzeit nicht bestehenden Zusammenhang für unabdingbar.[27]

In der Praxis seines Amtes gerät Asmussen wieder in eine politisch aufgeheizte Atmosphäre. Schon in Albersdorf hatte er sich durch einen Protestbrief an Adolf Hitler bei der NSDAP unbeliebt gemacht. Der 17. Juli 1932 gerät durch Schießereien zwischen Kommunisten und Nationalsozialisten während des Gottesdienstes zum sogenannten „Altonaer Blutsonntag", worauf die ortsansässigen Geistlichen am 11. Januar 1933 mit dem „Wort und Bekenntnis Altonaer Pastoren in der Not und Verwirrung des öffentlichen Lebens"[28] reagieren. Am Ende desselben Jahres wird in Kiel eine Deutsch-Christliche Kirchenleitung installiert, die den Kreis der Altonaer Pastoren zersprengt und Asmussen im Februar 1934 in den Ruhestand versetzt.[29]

---

23   Das Buch ist nicht nur Emil Wacker, sondern auch dem ihm verbundenen Volksschullehrerkreis gewidmet. Darüber hinaus schreibt Asmussen am Ende seiner Einleitung: „Dieser Kreis hat in einer Zeit, in welcher die Vertreter der Schule meistens andere Sorgen hatten, sich *kirchlich,* d.h. in Gebet, Bezeugung und Belehrung, um die werdenden Theologen bemüht [...]. Auf diesem Hintergrunde ist die Fragestellung erwachsen, von der dies Buch ausgeht. [...] Die Fragestellung reifte dann in dauernder Verbindung mit der neuen Theologie, aus der sie also zwar nicht erwachsen ist, aber der sie doch viel verdankt." Vgl. Hans ASMUSSEN, *Die Offenbarung und das Amt.* München ²1934, 17f. Hervorhebung im Original.

24   Hans ASMUSSEN, *Die Offenbarung und das Amt.* München 1932.

25   ASMUSSEN, *Die Offenbarung und das Amt* [1934] (wie Anm. 24) 8. Hervorhebung im Original.

26   „[...] wir werden nicht mehr existieren können, wenn wir nicht die Botschaft der Kirche verkündigen [...]. Darum fragen wir nach dieser Botschaft. Und in unserem Fragen können wir uns nicht beschwichtigen lassen. Auch unser ‚jugendlicher Eifer' [...] erklärt uns nicht hinlänglich die Tatsache, daß wir uns bei der Bekenntnislosigkeit der Kirche nicht beruhigen können, und daß uns diese oder jene Theologie dieses oder jenes Professors nicht das Wort der Kirche selbst ersetzen kann, sondern daß eine Unruhe in uns gefahren ist, die erst durch die handelnde Kirche selbst gestillt werden kann." ASMUSSEN, *Die Offenbarung und das Amt* [1934] (wie Anm. 23) 15f.

27   Vgl. KONUKIEWITZ, *Hans Asmussen* (wie Anm. 2) 48.

28   Vgl. *Das Altonaer Bekenntnis,* in: PrKz 29. 1933, 81–85.

29   Für den Zusammenhang vgl. KONUKIEWITZ, *Hans Asmussen* (wie Anm. 2) 43–87.

Aus Asmussens Verwicklung in die kirchenpolitischen Ereignisse des Jahres 1934 resultiert eine ihn im deutschen Protestantismus bekanntmachende Vortragstätigkeit.[30] 35-jährig wird er als erfahrener Pfarrer und theologischer Lehrer geschätzt.[31] Dieser Umstand und der Verlust des Pfarramtes ermöglichen seine Mitarbeit[32] in der Bekennenden Kirche (BK) auf überregionaler Ebene. An Vorbereitung und Durchführung der Barmer Theologischen Erklärung ist Asmussen maßgeblich beteiligt. Als Sprecher des Theologischen Ausschusses trägt Asmussen die „Theologische Erklärung zur gegenwärtigen Lage der Deutschen Evangelischen Kirche"[33] vor und hält den die Barmer Thesen begründenden Vortrag. Daraufhin erklärt die Synode, dass sie die Theologische Erklärung „im Zusammenhang mit dem Vortrag von Pastor Asmussen als christliches, biblisch-reformatorisches Zeugnis"[34] anerkennt und verantwortet: „Ein Zusammenhang, der später weder kirchenpolitisch noch verfassungsrechtlich genügend (wenn überhaupt) beachtet wurde."[35]

Auf der Synode von Barmen wird Asmussen zum Mitglied des Reichsbruderrates und zum theologischen Mitarbeiter des Präses der Bekenntnissynode, Karl Koch, gewählt. Die neue Tätigkeit macht einen Wechsel nach Bad Oeynhausen erforderlich. Asmussens Auftrag, die konfessionellen Differenzen innerhalb der BK auszugleichen, erwies sich als überaus schwierig, da die in der BK vertretenen Lutheraner die Barmer Theologische Erklärung ganz oder teilweise ablehnten. Gleichwohl erblickte Asmussen in der gegebenen Situation die Möglichkeit zur Neuformulierung eines gemeinsamen Bekenntnisses von Lutheranern, Reformierten und Unierten. Dieses Vorhaben war nur denkbar vor dem Hintergrund einer engen Anbindung der Theologie an die kirchliche Pra-

---

[30]   Hans Dunker (Vikar Asmussens in Albersdorf und Altona) schreibt: „Könnten sie zu einem Vortrag über die kirchliche Lage zu uns kommen', lauteten damals fast täglich die Anfragen aus den Großstädten Deutschlands. Mein ,Chef' [sc. Asmussen; Verf.] [...] war ein so begehrter Mann geworden, daß er sich eine damals noch selten gebrauchte Netzkarte der Reichsbahn kaufen mußte". Hans DUNKER, Hans Asmussen – persönliche Erinnerungen an ihn, in: Breklumer Sonntagsblatt 95. 1970, 329f, 338–340. 346f, hier 339.

[31]   Für Kurt Dietrich Schmidt war Asmussen der „fähigste Theologe, den die schleswig-holsteinische Kirche hat, wie seine Schriften zeigen und auch im praktischen Pfarramt in jeder Hinsicht bewährt, allerdings auch ein Mann, der keinen Anstoß fürchtet, den die lautere Verkündigung des Evangeliums etwa herbeiführen könnte". Kurt Dietrich Schmidt in einen Brief an Landesbischof Meiser vom 20.2.1934, zitiert nach: KONUKIEWITZ, Hans Asmussen (wie Anm. 2) 91.

[32]   Zunächst hatte Generalsuperintendent Wilhelm Zoellner Asmussen mit der Leitung einer Kommission zur Erstellung eines Bekenntnisses für die geplante lutherische „Reichskirche" beauftragt. Dieses Vorhaben scheiterte an den konfessionellen Gegensätzen. Näheres dazu bei KONUKIEWITZ, Hans Asmussen (wie Anm. 2) 66–74.

[33]   Hans ASMUSSEN, Vortrag über die Theologische Erklärung zur gegenwärtigen Lage der Deutschen Evangelischen Kirche (1934), in: Hans Asmussen, Leben und Werk. Bd. 3: Aufsätze. Teil 1: 1927–1934. Hg. v. Friedrich HÜBNER. Berlin 1976, 165–180.

[34]   Gerhard NIEMÖLLER, Die erste Bekenntnissynode der Deutschen Evangelischen Kirche zu Barmen. II. Texte – Dokumente – Berichte. Göttingen 1959 (AGK 6), 156f.

[35]   Herbert GOLTZEN – Johann SCHMIDT – Henning SCHRÖER, Asmussen, Hans, in: TRE 4. 1979, 259–265, hier 260.

xis, wie Asmussen sie vertrat, verlor sich aber in den Auseinandersetzungen um theologische Einzelfragen und führte schließlich zur Krise der BK.[36]

Bereits zum Wintersemester 1935/36 übernimmt Asmussen die Leitung der auf der Augsburger Bekenntnissynode von 1935 gegründeten Kirchlichen Hochschule Berlin.[37] Nach seinem Wechsel nach Berlin im Frühjahr 1936 lehrt er dort Praktische Theologie, insbesondere Homiletik und Liturgik,[38] sowie Neues Testament[39] und ist zugleich Pfarrer an der Johannis-Kirche in Berlin-Lichterfelde.[40]

2. Die Gottesdienstlehre[41]

In dieser Zeit der theologischen wie kirchenpolitischen Brüche treten gottesdienstliche Ordnung und gottesdienstliches Leben weit auseinander. Asmussen erblickt darin einen Auftrag zu praktisch-theologischer Arbeit: „*Heute* vollzieht sich auf dem Gebiete der gottesdienstlichen Ordnung ein Wandel. Ich würde es nicht wagen zu diesen Dingen das Wort zu nehmen, wenn ich nicht sähe, wie hier und dort im Lande sich der Rahmen des überkommenen Gottesdienstes als zu eng erweist. Das geschenkte Leben sprengt bereits die Rahmen, die vorhanden sind. In dieser *Gabe*, die wir durch das Wort glauben, erwächst uns die Aufgabe, am Gottesdienste anders als wissenschaftlich zu arbeiten." (III, VIII). Gleichwohl ist Asmussens dreibändige Gottesdienstlehre kein Nachschlagewerk; sie richtet sich an den Theologen im Amt.[42] Ein liturgiewissenschaftlicher Diskurs an Fakultäten oder in Liturgischen Kommissionen liegt ihr fern.[43]

[36] Auf die zahlreichen Details, die in diesem zweijährigen Prozess eine Rolle spielten, kann hier nicht eingegangen werden. Ein Überblick und weitere Literaturhinweise finden sich bei KONUKIEWITZ, *Hans Asmussen* (wie Anm. 2) 149–153.

[37] Vgl. GOLTZEN – SCHMIDT – SCHRÖER, *Asmussen* (wie Anm. 35) 260. – Übergangsweise hatte Asmussen zuvor das Frankfurter Ausbildungsseminar der BK geleitet. Vgl. KONUKIEWITZ, *Hans Asmussen* (wie Anm. 2) 165.

[38] Vgl. GOLTZEN – SCHMIDT – SCHRÖER, *Asmussen* (wie Anm. 35) 260.

[39] Vgl. Andreas SIEMENS, *Hans Asmussen*, in: *Profile des Luthertums. Biographien zum 20. Jahrhundert*. Hg. v. Wolf-Dieter HAUSCHILD u.a. Gütersloh 1998 (LKGG 20), 35.

[40] Vgl. GOLTZEN – SCHMIDT – SCHRÖER, *Asmussen* (wie Anm. 35).

[41] Vgl. Hans ASMUSSEN, *Gottesdienstlehre. Bd. II: Das Kirchenjahr*. München 1936; DERS., *Gottesdienstlehre. Bd. III: Ordnung des Gottesdienstes*. München 1936; DERS., *Gottesdienstlehre. Bd. I: Die Lehre vom Gottesdienst*. München 1937.

[42] „Dieses Buch ist für solche geschrieben, die Sonntag für Sonntag Gottesdienst halten müssen, zwischendurch einmal einige Stunden lesen können und diese Zeit benutzen möchten, um Antwort auf die Frage zu haben: ‚Wie soll ich es nun am nächsten Sonntag besser machen.'" (ASMUSSEN, *Gottesdienstlehre I* [wie Anm. 41] 7f).

[43] „Hätten uns die Leute ‚vom Fach' geholfen, unser Amt so auszurichten und alles, was das Amt mit sich bringt, in Beziehung zu diesem *Einen* zu setzen, was not ist, so müßten sie auch nicht über uns ‚Laien' klagen. So aber gebietet die amtbrüderliche Nothilfe, daß wir schreiben und helfen. Wir verachten freilich die wissenschaftliche Akribie nicht. Aber es gibt bestimmte Augenblicke, in denen die Kirche nicht mehr zuwarten darf! Sie darf auch auf dem Gebiet des Gottesdienstes nicht mehr zuwarten. Sie muß bessern und bauen." (ASMUSSEN, *Gottesdienstlehre I* [wie Anm. 41] 7. [Hervorhebung im Original]) – Die Bände kommen ohne wissenschaftlichen Apparat, Fußnoten oder entsprechend belegte Auseinandersetzung mit abweichenden Positionen aus.

Im ersten Band geht es Asmussen um die Theologie des Gottesdienstes, in den Bänden II und III um die Praxis. Bemerkenswert ist, dass Band I zuletzt erschien, weil er erst auf der Grundlage der Praxisbände entstanden ist. Somit werden Band II und III nicht als Anwendungen einer Lehre, sondern als Dialog zwischen Praxis und Lehre verstehbar.[44]

Gemäß seiner Erfahrung, dass Glaubenspraxis und Theologie einander bedürfen, postuliert Asmussen in Band I die untrennbare, aber dennoch unvermischte Einheit von Lehre und Gestalt des Gottesdienstes: „Die Lehre vom Gottesdienst ist wirklich Lehre. Denn sie drückt aus, was die christliche Gemeinde von ihrem eigenen Leben glaubt. [...] Die Lehre vom Gottesdienst steht aber an der Grenze des Lehrhaften. Denn sie wird vorgetragen in starker Ausrichtung auf jenen Bezirk des geistlichen Lebens, in dem das strenge Aut-Aut der Lehre durch ein Et-Et des Lebens abgelöst wird." Die zwei Grundfragen der Gottesdienstlehre sind demnach als eine zu stellen und zu beantworten: „Was tut Gott in der Gemeinde?; und was hat darum die Gemeinde zu tun?" (I, 19). Entsprechend befasst sich der erste Teil des ersten Bandes mit der Lehre vom Wort Gottes und der zweite Teil mit der Lehre von der Gestaltung. Beide Abschnitte münden in den dritten Teil: Der christliche Gottesdienst.

Vor dem Hintergrund einer an Schrift und Bekenntnis orientierten und Luther wie Barth verpflichteten Wort-Gottes-Theologie fordert Asmussen den Rückbezug auf den altkirchlichen und reformatorischen Gottesdienst, wobei dieser weder im urchristlichen noch historischen Sinne nachgeahmt werden soll,[45] sondern eine Äußerung gegenwärtigen Lebens bleibt. „Denn es geht im Gottesdienst nicht um angewandte Konstruktion, sondern um ein gelebtes Leben. Was im christlichen Gottesdienst an einzelnen Akten geschieht, wird in seinen letzten Ursprüngen historisch gesehen immer wesentlich im Dunkel liegen. [...] Was hier geschieht, wird im Augenblick, wo es geschieht; [...]" (I, 188f). Geschichtstreue und Tradition sind Voraussetzungen, das allein durch die Schrift gegebene Wort Gottes[46] aber ist Ausgangspunkt und Korrektiv allen Nachdenkens über Gottesdienst und gottesdienstliches Handeln (III, IX).

Die einzelnen Elemente des Gottesdienstes haben ihre Einheit in ihrem je eigenem, jedoch der Schrift entstammenden Verkündigungscharakter. Christus ist im verlesenen, bekennenden, gebeteten, gepredigten, gesungenen und

---

[44] Erscheinungszeit und -reihenfolge der Bände sind zudem ein formales Zeugnis des Hier und Heute der Gottesdienstlehre.

[45] Asmussen wendet sich gegen die historische Liturgiewissenschaft, namentlich gegen ihren Vertreter Christhard Mahrenholz. Vgl. ASMUSSEN, *Gottesdienstlehre I* (wie Anm. 41) 8f. Ein einfaches Anknüpfen etwa an das Erbe der romantischen Repristination schließt Asmussen ebenfalls aus. Das Lebenswerk Wilhelm Löhes (bzw. August Vilmars) sei „in Dankbarkeit" zu schätzen, weil es ein Aufbegehren gegen die Erniedrigung der Kirche durch die Aufklärung darstellt, aber es trägt die Hypothek der romantischen Bewegung, die im Hier und Heute verfehlt ist. Vgl. ASMUSSEN, *Gottesdienstlehre III* (wie Anm. 41) VI.

[46] „Jesus Christus kommt auf keinem anderen Wege zu uns als durch die Heilige Schrift." (Im Original gesperrt.) Vgl. ASMUSSEN, *Gottesdienstlehre I* (wie Anm. 41) 21.

sichtbar ausgeteilten Wort gegenwärtig.[47] Der Ort des „Allerheiligsten [...] ist identisch mit dem ganzen christlichen Gottesdienst. Dabei bilden Wort und Sakrament eine Einheit, wenn auch in ihrer Mannigfaltigkeit." (I, 40). Das in dieser Einheit geschehende „Ineinander des gefeierten Ereignisses und der dies Ereignis feiernden Gemeinde" (I, 55) bedarf keiner symbolischen Ausgestaltung, psychologischen Überleitungen oder rationaler Erklärungen. „Es ist alles verloren, wenn man in Sachen des christlichen Gottesdienstes den beiden großen Gefahren der Christenheit, der Werkerei oder der fleischlichen Freiheit, erliegt, wenn also im Gottesdienst gewirkt werden soll, was nur geschenkt werden kann, oder wenn das Geschenk Gottes nicht Auge, Ohr, Mund und Glieder in Zucht, Gehorsam und Dank bewegt" (I, 49).

Dementsprechend versteht Asmussen gottesdienstliche Gestaltung als Ineinander von schriftgemäßem Handeln und gestaltendem Handeln. Ausgangspunkt allen Fragens nach der Gestalt christlicher Lehre ist folglich die Fleischwerdung Jesu Christi. Da Gott menschliche Gestalt annahm, kann Christliches nie gestaltlos bleiben, doch kommt dieser Gestalt kein eigener Wert zu, da die einmalige Fleischwerdung des Wortes der Wert der Gestalt überhaupt ist (I, 101f). Daraus folgert Asmussen: „Wer Formen und Gestalten sucht, die zu dem in der Gemeinde Gegenwärtigen passen und die seiner würdig sind, wird in der Übertragung auf die Gestalten lernen müssen, was hinsichtlich der Menschen Grund-Satz der frohen Botschaft ist: Zu dem im Fleische erschienenen Worte gehört auf Erden das Verlorene – und nur dem Verlorenen gilt die Verheißung" (I, 103).

Die Unvollkommenheit menschlicher Gestalt und irdischen Gestaltens zu jeder Zeit heben den Zeichencharakter gottesdienstlichen Handelns nicht auf, sie eignen ihm. Das heißt umgekehrt, dass um der Sache willen auf die Gestaltung das größte Gewicht zu legen ist, da Gott die Heilsvermittlung an gerade diese Gestalten und Formen gebunden hat (I, 109). Aus dieser Tatsache folgt auch, dass die Gestalt des Gottesdienstes der Lehre wie dem Leben verpflichtet ist, dass also die „Zeremonien" frei sind (I, 123).

Die Liturgie, die Asmussen selbst als „Kernstück des Lebens der Gemeinde" (III, III) bezeichnet, misst er in den Praxisbänden der Gottesdienstlehre an Schrift und Bekenntnis; Eigenständigkeit wird ihr abgesprochen.[48] Damit unterliegt beispielsweise die am Leben der Kirche „gewachsene Größe"[49] Kirchenjahr dem Gestaltungsprinzip einer wortorientierten Lehre (II, 9). Wo Asmussen das Kirchenjahr biblischen Themen[50] unterstellt, ist für lediglich traditionsbeding-

---

[47] Dementsprechend wirbt Asmussen auch für eine den Sakramenten entsprechende Integration von Taufe, Abendmahl und Beichte in den Gottesdienst der Gemeinde. Vgl. ASMUSSEN, *Gottesdienstlehre III* (wie Anm. 41) XVII.

[48] „Liturgie ist keine Sache für sich. Sie ist die Konsequenz eines bestimmten Vorverständnisses der Botschaft." ASMUSSEN, *Gottesdienstlehre II* (wie Anm. 41) 8.

[49] Gerhard KUNZE, *Die gottesdienstliche Zeit*, in: Leit. 1. 1954, 437–535, hier 438.

[50] Vgl. ASMUSSEN, *Gottesdienstlehre II* (wie Anm. 41) 43–120. Beispiel: Die traditionell mit Vorfastenzeit bezeichneten Sonntage Septuagesimae bis Estomihi werden „Übergangszeit" genannt. Ihre Sonntage erhalten das als gemeinsam empfundene Thema von Epistel und Evangelium zur Überschrift.

te Zeiten und Feste kein Platz mehr.[51] Andererseits erwachsen aus diesem Ansatz auch neue Gestaltungsräume, etwa die Begehung des „Totensonntages" als Allerseelentag, der zugleich Trauer, Hoffnung und Gemeinschaft mit der triumphierenden Kirche verbindet (II, 39).

Sich zur alten Perikopenordnung – und damit zur Doppelheit von Epistel und Evangelium – bekennend (I, 233), erstellt Asmussen Homilien für die einzelnen Sonn- und Festtage des Kirchenjahres. In diesen Homilien postuliert er eine Polarität und Kontrapunktik zwischen Epistel und Evangelium, die er als Prediger exegetisch-dogmatisch auszulegen versucht (II, 13f).

Der Hauptteil des dritten Bandes – eine agendarische Materialsammlung[52] – bietet Muster für die Gestaltung von Hauptgottesdiensten für jeden Sonntag und von Nebengottesdiensten für jede Woche des Kirchenjahres sowie liturgische Propriumsstücke.

Die Gottesdienstlehre Asmussens wurde von den Zeitgenossen fast durchgängig positiv gewürdigt, weil sie in ihrer Verbindung von Theorie und Praxis das Bedürfnis nach einer zeitnahen Liturgie im Kirchenkampf befriedigte.[53] Asmussen lieferte einen konstruktiven Beitrag zum Neuanfang gottesdienstlichen Fragens, obwohl Abfassung und Druck des dreibändigen Werkes sich in nur zwei Jahren vollzogen. Im Kairos[54] des Werkes liegt aber zugleich sein Verhängnis. Theologischer Anspruch und Durchführung desselben treten auseinander. Die unterlassene Auseinandersetzung mit bestehenden liturgischen und exegetischen Bemühungen wird Anlass zur Kritik.[55] Asmussens praktische Vorschläge werden von der historischen Liturgieforschung detailliert wiederlegt, weil sie oft in Unkenntnis der Quellen- und Forschungslage gemacht wurden.[56] Das Postulat, Liturgie sei keine Sache für sich (II, 8), macht Asmussen bei seinen Kritikern ungewollt zum Vertreter einer „Aufklärungsliturgik"[57], deren Idee eines Einheitsgottesdienstes er ungewollt übernehme.

1938 wird Hans Asmussen für seine „Gottesdienstlehre" und für seine Bemühungen um die Annäherung zwischen Lutheranern und Reformierten die Ehrendoktorwürde der schottischen St.-Andrews-Universität verliehen.[58]

Neben seiner Tätigkeit in Hochschule und Gemeinde ist Asmussen Mitglied des Reichsbruderrates und des altpreußischen Bruderrates[59] sowie nach

---

[51] So hält Asmussen den Michaelistag für eine folkloristische Angelegenheit ohne Verkündigungswert. Vgl. Asmussen, *Gottesdienstlehre II* (wie Anm. 41) 9f.

[52] Als Agende kann Asmussen, *Gottesdienstlehre III* (wie Anm. 41) nicht bezeichnet werden, da sie als solche etwa wegen fehlender Rubriken und Einlegebänder nicht zu gebrauchen ist.

[53] Vgl. Wilhelm Gohl, *Liturgie und Theologie*, in: MGKK 42. 1937, 60–68, hier 61.

[54] Vgl. Gerhard Kunze, *Asmussens Gottesdienstlehre*, in: MGKK 43. 1938, 154–161, hier 154.

[55] Vgl. Martin Schian, in: ThLZ 63. 1938, 443–445.

[56] Vgl. Christhard Mahrenholz, *Hans Asmussen: „Ordnung des Gottesdienstes". Eine Besprechung und zugleich ein kritischer Beitrag zu einigen liturgischen Fragen der Gegenwart*, in: MuK 9. 1937, 57–56, sowie Kunze, *Asmussens Gottesdienstlehre* (wie Anm. 54).

[57] Vgl. Gohl, *Liturgie und Theologie* (wie Anm. 53) 67, sowie Mahrenholz, *Hans Asmussen: „Ordnung des Gottesdienstes"* (wie Anm. 56) 75.

[58] Vgl. Konukiewitz, *Hans Asmussen* (wie Anm. 2) 191.

[59] Seit September 1935. Vgl. Siemens, *Hans Asmussen* (wie Anm. 39) 35.

dem Ausscheiden aus diesem (1940) Vorsitzender des Berliner Bruderrates. In den tagenden Kirchenausschüssen halten die interkonfessionellen Streitigkeiten an[60], die Auseinandersetzung mit den Deutschen Christen und die Verfolgung durch den Staat rücken in den Vordergrund. 1936 erhält Asmussen für zwei Jahre Reichsredeverbot. In den folgenden Jahren wird er mehrfach kurzzeitig inhaftiert. Mit Ausbruch des Krieges dezimiert sich die Zahl der BK-Pfarrer durch Inhaftierungen und Berufungen zum Heeresdienst, so dass Asmussen zahlreiche Vertretungen übernimmt und einer der Hauptordinatoren der BK wird.[61]

Als sein inhaftierter Freund Martin Niemöller die Konversion zur römisch-katholischen Kirche erwägt, bricht in dessen Dahlemer Gemeinde eine „Katholisierungswelle"[62] los. Es gelingt Asmussen jedoch, einerseits den Freund umzustimmen und andererseits mit Abendmahlsgottesdiensten und Vortragsreihen die Situation in der Gemeinde zu entschärfen.[63] Die Praxis regelmäßiger Abendmahlsgottesdienste führt Asmussen in der Frage nach der rechten Gestalt des Gottesdienstes zu neuen Einsichten: „Mir ist dabei die Erfahrung am meisten eindrücklich gewesen, wie sehr das Abendmahl auf die Predigt wirkt."[64] Im Zuge der angestrebten Neuordnung der Kirche durch den Gottesdienst tadelt er in Vorträgen die „Verödung der Altäre"[65] und die „Predigtwerkerei"[66] im Protestantismus. Mit Rückgriff auf Carl Matthiesen fordert er zu einem „rechten Verständnis der Sakramente" durch deren „rechten Gebrauch"[67] auf.

Die Verstärkung der gottesdienstlichen Praxis stößt im Bruderrat nicht auf Gegenliebe. Trotzdem forciert Asmussen die Thematik. In Vorträgen und Veröffentlichungen[68] führt er den Begriff des Opfers ein und bezieht ihn auf die gottesdienstliche Handlung: „Die Aufgabe der Priesterschaft, die aus allen Gläubigen besteht, ist die Darbringung heiliger Opfer. Die christliche Opferhandlung ist zunächst und zumeist der christliche Gottesdienst, in welchem die Einheit der Christenheit wirklich wird, in welchem in dem Opfer der Lippen, in Sündenbekenntnis, Glaubensbekenntnis, Lied, Gebet, Abendmahls-

---

[60]   Vgl. Hans ASMUSSEN, *Abendmahlsgemeinschaft. Consensus de doctrina evangelii?*, in: DERS., *Aufsätze, Briefe, Reden* (wie Anm. 1) 106–128. Vorlage Asmussens auf der 4. Bekenntnissynode der evangelischen Kirche der altpreußischen Union in Halle / S. 1937.

[61]   Vgl. KONUKIEWITZ, *Hans Asmussen* (wie Anm. 2) 220.

[62]   Begriff von Zenk, der urteilt, Asmussen habe durch Niemöller zu dieser Zeit eine Wende zum Katholizismus vollzogen, was KONUKIEWITZ, *Hans Asmussen* (wie Anm. 2) 220f, bestreitet. Vgl. Georg ZENK, *Evangelisch in Katholizität, Ökumenische Impulse aus Dienst und Werk Hans Asmussens.* 2 Bde. Frankfurt/M. 1977 (EHS.T 99), Bd. 1, 64. Juha PIHKALA spricht in seinem Buch *Mysterium Christi – Kirche bei Hans Asmussen seit 1945.* Helsinki 1978, 42, von einem „Anstoß zur Kursänderung".

[63]   Vgl. ASMUSSEN, *Zur jüngsten Kirchengeschichte* (wie Anm. 3) 54.

[64]   ASMUSSEN, *Zur jüngsten Kirchengeschichte* (wie Anm. 3).

[65]   Hans ASMUSSEN, *Solches tut!* (Vortrag 1941) (ACDP Bonn-St. Augustin, NL Hans Asmussen, Faszikel-Nr. 01-398-002/1.) 1.

[66]   Vgl. ASMUSSEN, *Zur jüngsten Kirchengeschichte* (wie Anm. 3) 54.

[67]   ASMUSSEN, *„Solches tut!"* (wie Anm. 65).

[68]   Vgl. etwa Hans ASMUSSEN, *Eucharistie!*, in: JK 9. 1941, 4–8 und DERS., *Das heilige Mahl und der gegenwärtige Christus*, in: JK 9. 1941, 218–221.

gang und Hören der Predigt die Gläubigen sich Gott darbringen und opfern. Wir müssen es verlernen, den Gottesdienst als eine mehr oder weniger zufällige Angelegenheit anzusehen; er ist vielmehr die Mitte unseres Christenstandes; es ist anzustreben, dass alle seine Teilnehmer in ihm auch *handeln.*"[69] Asmussens Verständnis der Liturgie als hingebendes Handeln trifft die Krise der Frömmigkeitspraxis im Protestantismus. Auf die dringend benötigte Erneuerung des Gebetslebens der Kirche reagiert er mit vier innerhalb eines Jahres erschienenen Büchern,[70] die das Gebet als grundlegend für jedes christliche Handeln und als von Gott gebrachtes und gefordertes Opfer beschreiben. Den Zusammenhang von Gebet und Verkündigung zeichnet er im prozesshaften Wandel des dem Prediger gegebenen Wortes nach, der dies ihm fremde Wort im Gebet zu seinem eigenen werden lässt und nun der Gemeinde darbringt.[71]

Hans Asmussens Auseinandersetzung mit Leben und Lehre des römischen Katholizismus ereignet sich neben dem Studium entsprechender Veröffentlichungen auch in zahlreichen Kontakten zu katholischen Glaubensbrüdern. Seine Arbeit als Pfarrer in der Gemeinde, im Widerstand[72] und in den Einigungsbemühungen der Una-Sancta-Bewegung[73] stehen in diesem Zusammenhang. Im Zuge einer mehrere Monate währenden Haft (wegen illegal vorgenommener Prüfungen an der Kirchlichen Hochschule Berlin) erfährt er die Einsamkeit im Gebet,[74] aber auch die gottesdienstliche Gemeinschaft mit Geistlichen unterschiedlicher Konfessionen.[75] Zuletzt bringt ihn sein Wechsel

---

[69]   Hans ASMUSSEN, *Das Opfer* (Vortrag 1942) (ACDP Bonn-St. Augustin, NL Hans Asmussen, Faszikel-Nr. 01-398-002/1.) 1 (Hervorhebungen im Original).

[70]   Vgl. Hans ASMUSSEN, *Das Gebet der Woche. Was alle Christen in ihren Gebeten erbitten.* Berlin 1941 (Furche-Bücherei 72); DERS., *Betet ohne Unterlaß! Von der Ordnung des Gebets.* Berlin 1941 (Furche-Bücherei 71); DERS., *Das Gebet der Diener am göttlichen Wort. Vom Gebetsdienst der Träger des Amtes.* Berlin 1941 (Die Bücher des neuen Lebens 10); DERS., *Christlicher Gehorsam. Vom dankbaren Bekenntnis zu Gottes Güte. 16 Andachten.* Berlin 1941 (Die Bücher des neuen Lebens 12).

[71]   Vgl. dazu Hans ASMUSSEN, *Evangelischer Gottesdienst* (Vortrag 1943) (ACDP Bonn-St. Augustin, NL Hans Asmussen, Faszikel-Nr. 01-398-002/2.) [5 ungezählte Seiten].

[72]   Vgl. ASMUSSEN, *Zur jüngsten Kirchengeschichte* (wie Anm. 3) 87f. Vgl. auch Walter BAUER, *Erinnerungen an schwere Zeit,* in: *Ich glaube eine Heilige Kirche. Festschrift für D. Hans Asmussen zum 65. Geburtstag am 21. August 1965.* Hg. v. Walter BAUER [u.a.]. Stuttgart 1963, 87–97.

[73]   Vgl. ASMUSSEN, *Zur jüngsten Kirchengeschichte* (wie Anm. 3) 106f. Vgl. KONUKIEWITZ, *Hans Asmussen* (wie Anm. 2), 227–230.

[74]   „Ich habe dort gelernt, ein geregeltes Gebetsleben zu führen. [...] Ich habe auch den Anfang einer merkwürdigen anderen Erfahrung gemacht, mit der ich aber keineswegs fertig bin. Ich habe gelernt, warum Fasten und Beten zusammengehören. Ich glaube, daß dem, der fastet, sich eine andere Welt erschließt, die ihm sonst nicht in demselben Maße offensteht. Die Versuchlichkeit des Menschen nimmt in einem hohen Grade zu. Darum bedarf es größter Wachsamkeit." Zitiert nach: KONUKIEWITZ, *Hans Asmussen* (wie Anm. 2) 233. Vgl. dazu Hans ASMUSSEN, *Aus meinem Gebetbuch, das in der Haft entstand,* in: DERS., *Zur jüngsten Kirchengeschichte* (wie Anm. 3) 158–161.

[75]   Vgl. Hans ASMUSSEN, *Abendmahl und Messe. Was Papst Pius XII. in der Encyclica Mediator Dei vom Abendmahl lehrt.* Stuttgart 1949, 37 (Evangelischer Schriftendienst 5): „Wir hielten im Gefängnis den gemeinsamen Gottesdienst so, daß ein Katholik die Messe

ins katholische Schwäbisch-Gmünd[76] wieder in die Nähe katholischen Glaubenslebens, was ihn in seiner ökumenischen Haltung bestärkt.[77]

Nachdem die Kirchliche Hochschule geschlossen (1941) und Asmussens Wohnung 1943 ausgebombt worden war und er zudem aus seinem Lichterfelder Pfarramt ausscheiden sollte, arbeitet er – vermittelt durch Kontakte zum Widerstand – bis Kriegsende als offizieller Privatsekretär des Generaldirektors der Bremer Rüstungsfirma Deschimag[78] mit Wohnsitz in Schwäbisch-Gmünd. Inoffiziell aber ist er am Einigungswerk Bischof Theophil Wurms[79] beteiligt und leistet pfarramtliche Aushilfe in Württembergischen Gemeinden.[80]

1944 tritt Asmussen wegen seiner „einseitigen Ausrichtung auf Liturgie und Gebet" und seines an der römischen Messe orientierten Gottesdienstverständnisses[81] in einen Briefwechsel mit Mitgliedern der BK ein.[82] Dabei bekennt er in einem Brief an Joachim Beckmann und Peter Brunner, dass er in seiner Gottesdienstlehre diesen Aspekt zu wenig berücksichtigt und daher „zu kurz geschossen" habe und das Bekenntnis zur katholischen Messtheorie ein konsequentes Ernstnehmen des Priestertums aller Gläubigen nach Luther sei.[83]

Nach Kriegsende ist Hans Asmussen im Auftrag von Bischof Wurm mit der Neuordnung der schleswig-holsteinischen Landeskirche befasst.[84] In Rendsburg sondiert er in einem Vortrag über die „Stunde der Kirche"[85] die Glaubenserfahrungen des Kirchenkampfes, die er der Neuorientierung und

---

las bis zum Credo. Dann predigte ein lutherischer Pfarrer. Dann las der Katholik die Messe bis zu Ende."

76   Der Sohn Asmussens, Reimer ASMUSSEN, schreibt in seinem Aufsatz *Hans Asmussen als Vater und Erzieher*, in: Bausteine für die Einheit der Christen 38. 1998, Sonderheft, 8–18, hier 14: „In Berlin waren unsere Spielkameraden aus der Nachbarschaft, aus der Schule, oder es waren die Kinder anderer evangelischer Pastoren. Plötzlich aber war die Mehrheit der uns umgebenden Menschen, die prägende Kraft von Stadt und Land, katholisch. [...] Zum ersten Mal tauchte in unserem Bewußtsein das Wort Una Sancta auf, synonym für alle Bestrebungen, die auf eine Einheit der Christenheit hinarbeiteten. [...] Es war für uns eine Selbstverständlichkeit, daß beim Tischgebet der Mitglieder und Führer der katholischen Kirche in der Ukraine und Ungarn, [...] die in Verfolgung lebten, gedacht wurde." Familie Asmussen pflegte persönliche Kontakte zum Haus Venio in München, zum jüdisch-katholischen Schriftsteller Alfons Rosenberg und zum Haus der Dominikanerinnen in Speyer. Vgl. ebd. 15.

77   Vgl. dazu Hans ASMUSSEN, *Zur Vorgeschichte der evangelisch-katholischen Berührungen und Annäherungen*, in: *Volk Gottes. Zum Kirchenverständnis der evangelischen, katholischen und anglikanischen Theologie. Festgabe für Josef Höfer*. Hg. v. Remigius BÄUMER – Heimo DOLCH. Freiburg/Br. [u.a.] 1967, 730–742.

78   Vgl. KONUKIEWITZ, *Hans Asmussen* (wie Anm. 2) 246.

79   Näheres dazu vgl. KONUKIEWITZ, *Hans Asmussen* (wie Anm. 2) 247f.

80   Die Predigten dieser Zeit hat Hans Asmussen in dem Band: *Gelegen oder ungelegen*. Stuttgart 1947, veröffentlicht.

81   Zitiert nach: KONUKIEWITZ, *Hans Asmussen* (wie Anm. 2) 249.

82   Darunter mit Peter Brunner, Joachim Beckmann, Martin Albertz und Gerhard Jacobi. – Vgl. KONUKIEWITZ, *Hans Asmussen* (wie Anm. 2) 249.

83   Brief vom 21.4.1944, zitiert nach: KONUKIEWITZ, *Hans Asmussen* (wie Anm. 2) 249, Anm. 16. Weitere Briefauszüge vgl. ebd. 249ff.

84   Vgl. Hans ASMUSSEN, *Die Stunde der Kirche*, in: DERS., *Aufsätze, Briefe, Reden* (wie Anm. 1) 158–171, hier 158, Anm. 1.

85   ASMUSSEN, *Die Stunde der Kirche* (wie Anm. 84) 158–171.

Neuordnung der Kirche zugrundelegen will: „Es ist eine unbestreitbare Erfahrung der letzten zwölf Jahre, daß eine Kirchenleitung im Allerheiligsten der Kirche wurzeln muß. Nur diese Verwurzelung kann es machen, daß ihre tagtägliche Arbeit ein Wandel im Heiligtum wird. Wort, Sakrament und Gebet sind das Schicksal jeder Kirchenleitung. Sie wird durch diese Säulen getragen oder sie wird von ihnen zerschmettert." (158f). Dementsprechend fuße kirchliche Arbeit auf einer als „Lobopfer" verstandenen Verkündigung in Gebet, Bekenntnis und priesterlichem Dienst, d.h. im „Eintreten für Gott bei den Menschen" (160). Die Erfahrung der sakramentalen Ausrichtung der Bruderschaften erlaube kein Anknüpfen an bisherige Strukturen (168f). Es bedarf einer völligen Neuordnung aus Gottes Offenbarung, die den verschiedenen Gliedern am Leib Christi innerhalb der Kirche Raum gibt. Gleich sind die Glieder nur an dem Ort, von dem her sie sich als Leib verstehen: an Kanzel und Altar (169).

Vom Angebot, seine Altonaer Pfarrstelle oder ein kirchenleitendes Amt zu übernehmen, kann Asmussen keinen Gebrauch machen.[86] Auf einer ersten Versammlung des Reichsbruderrats im Juni 1945 wird er zu dessen Vorsitzenden gewählt.[87] Noch sieht er in der Ausübung dieser Funktion keinen Widerspruch zu seinem Anliegen, eine Einheit der evangelischen Kirchen in Deutschland herbeizuführen.[88]

Auf Initiative von Bischof Wurm tagt im August 1945 die „Konferenz evangelischer Kirchenführer" in Treysa,[89] die die Evangelische Kirche in Deutschland (EKD) gründet und Asmussen zum Präsidenten ihrer Kirchenkanzlei wählt.[90] In dieser Funktion gibt er vor Vertretern der Ökumene im Oktober 1945 das bereits vor Kriegsende von ihm mitentworfene[91] Stuttgarter Schuldbekenntnis[92] ab.[93]

Als Präsident der Kirchenkanzlei wirbt Asmussen in Veröffentlichungen und Vorträgen für seine theologischen Anliegen. Er bekennt sich zur Wertschätzung von Liturgie und Gebet[94] und zu einem Verständnis des Abendmahls

[86]   Für den Zusammenhang vgl. Wilhelm HALFMANN, *Hans Asmussen, eine biografische Skizze*, in: *Ich glaube eine Heilige Kirche* (wie Anm. 72) 33–40, hier 38.
[87]   Der Reichsbruderrat nennt sich von nun an „Bruderrat der Bekennenden Kirche in Deutschland". Seine Aufgabe beschreibt Asmussen in: *Die Ziele der Bekennenden Kirche.* Stuttgart 1946 (Die Stimme der Kirche 2).
[88]   Vgl. Hans ASMUSSEN, *Eine neue Lage in der EKD*, in: ELKZ 3. 1949, 235–236.
[89]   Vgl. KONUKIEWITZ, *Hans Asmussen* (wie Anm. 2) 253.
[90]   Vgl. HALFMANN, *Hans Asmussen* (wie Anm. 86) 38.
[91]   Vgl. GOLTZEN – SCHMIDT – SCHRÖER, *Asmussen* (wie Anm. 35) 261.
[92]   In seiner Auslegung interpretiert Asmussen das Schuldbekenntnis im Sinne eines Opfers, das viele zum Nachahmen anregen soll, indem sie opfernd Priester werden. Nur in solcher Hingabe sei Wandlung möglich. Vgl. Hans ASMUSSEN, *Eine Auslegung zum Schuldbekenntnis der evangelischen Kirchen vom Oktober 1945*, in: Besinnung und Umschau 2. 1959, 8–21, hier 16f (Bekenntnistext 8f).
[93]   Zu den Unterzeichnern gehören u.a. Bischof Theophil Wurm, Hans Asmussen, Martin Niemöller, Otto Dibelius. Vgl. ASMUSSEN, *Eine Auslegung zum Schuldbekenntnis der evangelischen Kirchen* (wie Anm. 92) 9.
[94]   Vgl. Hans ASMUSSEN, *Zur inneren Lage der evangelischen Kirche in Deutschland.* Zürich 1946, 26f: „Denn die Art wie wir Gottesdienst halten, ist entscheidend für die Art, wie wir die Kirche ordnen. [...] Man hat sich neuerlich [...] gefragt, warum wir in der Bekennenden Kirche wohl so viel Kraft daran wenden, Andachts- und Gottes-

als Opferhandlung,[95] zur Einheit der Kirche[96] und zur Stärkung eines ihrem Leben entsprechenden Amtes.[97] Die gegenwärtige Aufgabe der Christen in Deutschland beschreibt er im Sinne des Priestertums aller Gläubigen, das sich der Sache des Neubeginns opfernd hinzugeben vermag.[98]

Die auseinanderstrebenden Kräfte innerhalb der EKD, ihres Rates sowie des Lutherrates erschweren die Einigungsbemühungen. Im Detmolder Kreis versucht Asmussen, Lutheraner aus unierten Kirchen und nicht zum „Lutherrat" tendierende lutherische Landeskirchen zu sammeln.[99] Mit Gründung der VELKD werden jedoch Tatsachen[100] geschaffen. Gleichzeitig übt Asmussen öffentlich Kritik an der politischen Theologie Karl Barths,[101] an der politischen Ausrichtung der BK (relative Anerkennung des Marxismus, Ostausrichtung) und deren fortgeführtem Kirchenkampf. Polemisch bezeichnet er die BK als „4. Konfession", deren Notregiment er für gegenstandslos hält.[102] Das kämpferische und nicht konsensfähige Bemühen Asmussens um seine theologischen

dienstordnungen zu schaffen [...]. Man hat darin ein Ausweichen vor den harten Tatsachen des Lebens und des Kampfes der Kirche gesehen. Das ist ein schweres Mißverständnis. Unsere Sorge um die Ordnung der Kirche ist die eine Quelle, aus der unsere Bemühungen um die Ordnung des Gebetslebens und des Gottesdienstes fließen." Vgl. auch DERS., *Seid nüchtern zum Gebet! Eine politisch-christliche Bilanz.* Hamburg 1947 (Evangelische Zeitstimmen 16); DERS., *Pfarr-Brevier. Ordnungen für Andachten und Schriftlesung.* Stuttgart o.J. [1946]. – Hans Asmussen war auch Mitglied im Vorläufigen gottesdienstlichen Ausschuß der EKD. Vgl. *Liturgische Hilfe,* in: Verordnungs- und Nachrichtenblatt 21/22. 1946. Amtliches Organ der EKD. Stuttgart 1946, 1–5.

95   Vgl. Hans ASMUSSEN, *Das Sakrament.* Stuttgart 1948.
96   Vgl. etwa ASMUSSEN, *Zur inneren Lage* (wie Anm. 94) 40. DERS., *Der Stand des Gespräches,* in: Amtsblatt der EKD. Hg. i.A. des Rates der EKD durch den Leiter der Kirchenkanzlei Präsident Hans Asmussen DD. in Schwäbisch-Gmünd 6. 1947; DERS., *Um die Einheit der evangelischen Kirche in Deutschland. Vier brüderliche Fragen an die Reformierten.* Stuttgart 1947; DERS., *Die Kirche im Heilsplan Gottes. Ein Beitrag zur Weltkirchenkonferenz Amsterdam 1948.* Stuttgart 1947; DERS., *Eisenach – Lambeth – Amsterdam 1948.* Hamburg 1948 (EZS 20).
97   ASMUSSEN, *Zur inneren Lage* (wie Anm. 94) 25f. DERS., *Bericht von der EKD,* in: Schriftendienst der Evangelischen Kirche in Deutschland 1946, 3/4. Hg. v. Günther SIEGEL. Schwäbisch-Gmünd 1946, 22f. Vgl. auch DERS., *Warum noch lutherische Kirche? Ein Gespräch mit dem Augsburgischen Bekenntnis.* Stuttgart 1949.
98   Vgl. Hans ASMUSSEN, *Sollen wir unser Vaterland liebhaben?,* in: Schriftendienst der Kanzlei der Evangelischen Kirche in Deutschland 1946, 2. Hg. v. Günther SIEGEL. Schwäbisch-Gmünd 1946; DERS., *Ein Wort der Kirche zur Lage.* Stuttgart 1946 (Schriftenreihe Stimmen zum Neubau 2); DERS., *Zur inneren Lage* (wie Anm. 94) 53, 56; DERS., *Das Priestertum aller Gläubigen.* Stuttgart 1946.
99   Vgl. SIEMENS, *Hans Asmussen* (wie Anm. 39) 38.
100 Für den Zusammenhang vgl. Wolf–Dieter HAUSCHILD, Vom „Lutherrat" zur VELKD 1945–1948, in: *... und über Barmen hinaus. Studien zur Kirchlichen Zeitgeschichte. Festschrift für Carsten Nicolaisen zum 4. April 1994.* Für die Evangelische Arbeitsgemeinschaft für Kirchliche Zeitgeschichte hg. v. Joachim MEHLHAUSEN. Göttingen 1995 (AKZG R. B 23), 451–470.
101 Vgl. Hans ASMUSSEN, *Antwort an Karl Barth,* in: Schriftendienst der Evangelischen Kirche in Deutschland 1946, 7. Hg. v. Günther SIEGEL. Schwäbisch–Gmünd 1946.
102 Vgl. dazu ASMUSSEN, *Bericht von der EKD* (wie Anm. 97). Vgl. auch ZENK, *Evangelisch in Katholizität* (wie Anm. 62) 73.

Anliegen[103] belastet sein Amt. Fehlende Sensibilität in administrativen und diplomatischen Angelegenheiten machen ihn angreifbar.[104] Verlautbarungen, die denen des Außenamtes der EKD unter dem Vorsitz Martin Niemöllers widersprechen, gefährden die Homogenität der EKD. 1948 verzichtet der theologisch und kirchenpolitisch nahezu isolierte Asmussen im Zuge von Umstrukturierungen im Rat der EKD auf sein Amt.[105]

Als Propst der Propstei Kiel kehrt Asmussen 1949 in seine Heimatkirche zurück. Täglich ist er mit dem Wiederaufbau zerstörter Kirchen[106] und kirchlicher Strukturen befasst. Die vorgefundene Zerstörung und die Erfahrungen des Kirchenkampfes treiben Asmussen, weiter an einer ökumenischen Theologie auf der Basis lutherischer Positionen und unter Aufnahme katholischer (allgemeinkirchlicher) Traditionen zu arbeiten. Diesem Anliegen dienen insbesondere die in dieser Zeit erschienen Veröffentlichungen „Warum noch lutherische Kirche?" sowie „Abendmahl und Messe".[107]

Die Erneuerung der Kirche aus ihrem liturgischen Leben steht für Asmussen auch bei seiner Mitgliedschaft in der Theologischen Kommission des Lutherischen Weltbundes (LWB) an. Ausgehend vom reformatorischen und altkirchlichen Gottesdienst versucht er 1951 für die Tagung in Lund sowie 1952 für die in Hannover eine „Liturgie der Schrift" zu entwickeln und im Blick auf den ökumenischen Dialog seine Vorstellung vom Opfercharakter des Abendmahles in die Diskussion um den Gottesdienst einzubringen.[108] Asmussens Ausscheiden aus der Kommission beendet auch die Beschäftigung des LWB mit der Thematik.[109]

Seit den dreißiger Jahren setzte Hans Asmussen sich kritisch mit der exegetischen Forschung – insbesondere mit der Theologie Rudolf Bultmanns – und

---

[103] Nach der Einschätzung von GOLTZEN – SCHMIDT – SCHRÖER, *Asmussen* (wie Anm. 35) 261, „überforderte [Asmussen; Verf.] sein Amt mit kühnen eigenwilligen Plänen. Die Begründung einer theologischen, einer liturgischen und einer Kammer für Beziehungen zur katholischen Kirche konnte er nicht erreichen."

[104] Vgl. Nora Andrea SCHULZE, *„Ein anderer Kurs fordert andere Menschen." Von der Deutschen evangelischen Kirchenkanzlei zur Kanzlei der Evangelischen Kirche in Deutschland*, in: ... *und über Barmen hinaus* (wie Anm. 100) 429–450.

[105] Zum Amtsverzicht Asmussens äußerte sich dieser in einem Brief an Bischof Hermann Dietzfelbinger wie folgt: „Als man mich als Präsident der Kanzlei entfernte, hat man mich zwei Stunden vor dem Beratungszimmer sitzen lassen, bis Dibelius herauskam und mich draussen fragte, ob ich jetzt freiwillig ginge, oder ob der Rat entsprechende Schritte unternehmen solle. Gründe dafür wurden mir nicht bekannt gegeben." Vgl. PIHKALA, *Mysterium Christi* (wie Anm. 62) 41f. Vgl. auch Wolfgang LEHMANN, *Hans Asmussen, Ein Leben für die Kirche*. Göttingen 1988, 217f.

[106] Vgl. Hans ASMUSSEN, *Unsere Toten in der Hand Christi. Ein Briefwechsel zur Frage des Schicksals der Verstorbenen*. Hamburg 1956 (Furche-Bücherei 122), 36.

[107] Hans ASMUSSEN, *Warum noch lutherische Kirche?* (wie Anm. 97); DERS., *Abendmahl und Messe* (wie Anm. 75). Vgl. auch Asmussens Auseinandersetzung mit Wilhelm Andersen um den Opfercharakter des Abendmahls, dargestellt in: Wilhelm AVERBECK, *Der Opfercharakter des Abendmahls in der neueren evangelischen Theologie*. Paderborn 1966 (KKTS 29), 452f.

[108] Vgl. AVERBECK, *Der Opfercharakter des Abendmahls* (wie Anm. 107) 639f.

[109] Für den Zusammenhang vgl. AVERBECK, *Der Opfercharakter des Abendmahls* (wie Anm. 107) 666–668.

der aus ihr resultierenden akademischen Predigt auseinander.[110] Seine Epheser-
und Römerbriefauslegung[111] dienen zwar in erster Linie der Begründung eines
für Asmussen aus den Paulusbriefen herleitbaren, auf seinem Sakramentsverständnis basierenden und auf Amt und Kirche bezogenen Mysterienbegriffs,
doch bilden sie gerade darin einen Frontalangriff auf das Bultmannsche Ent-
mythologisierungsprogramm.[112]

Die später (1954) von Asmussen mitbegründete „Sammlung" verbindet
ihre Kritik an der Theologie Bultmanns mit einer konstruktiven Erarbeitung
biblisch verbindlicher Verkündigung in der Vollmacht des kirchlichen Amtes
und auf der Grundlage einer Rückbesinnung auf das gottesdienstliche Mysterium als Mitte der Kirche. Die Glieder der Sammlung teilen zudem die Vorstellung von einer katholischen Reformation.[113] Die in Asmussens Schriften
wiederkehrende Rede von einer „kommenden Kirche" zeugt davon.[114]

Asmussens theologische Positionen – seine Amtsführung, seine kirchenpolitische Einstellung[115] und sein Verhältnis zum „Mythos von Barmen"[116] – führen
ihn an die Grenze dessen, was dem Propst einer lutherischen Landeskirche
theologisch möglich ist.

Wie einst Wacker hatte Asmussen bereits 1950 ein Marienbuch[117] veröffentlicht[118], um die Gottesmutter in den Horizont evangelischen Glaubenslebens zu
rücken. Das Buch will das die Konfessionen durch Schrift und Tradition Verbindende aufzeigen, nährt jedoch den Vorwurf der „katholisierenden Neigungen" Asmussens und überschreitet die Grenze.

[110] Vgl. ASMUSSEN, *Zur jüngsten Kirchengeschichte* (wie Anm. 3) 98f.
[111] Vgl. Hans ASMUSSEN, *Der Brief des Paulus an die Epheser. Eine Herausforderung an die Macht.* Breklum 1949; DERS., *Der Römerbrief.* Stuttgart 1952. Vgl. auch DERS., *Zur soge-nannten modernen Theologie – ein persönliches Bekenntnis,* in: LRb 16. 1968, 264f.
[112] Umfang und Intensität der theologischen und zuweilen auch polemischen Auseinan-dersetzung können hier nicht dargestellt werden. Vgl. dazu ZENK, *Evangelisch in Katho-lizität* (wie Anm. 62) 398–414.
[113] Vgl. Hans ASMUSSEN, *Vorwort,* in: *Die Erbsünde.* Hg. v. Ernst KINDER. Stuttgart 1959, 7–34, hier 27ff. Vgl. auch Hans ASMUSSEN [u.a.], *Das Manifest der Sammlung vom 1.5. 1958,* in: *ebd.,* 139–148.
[114] Mit dem II. Vatikanum sah die Sammlung eines ihrer Ziele erreicht und löste sich 1963 auf.
[115] In der schleswig–holsteinischen Landeskirche vertraten ehemalige Mitglieder aus der BK in Abkehr vom Führerprinzip das Modell einer kongregationalistischen Selbstverwaltung der Kirche. Zudem war man politisch eher auf dem Kurs Kurt Schu-machers (Asmussen trat nach 1955 in die CDU ein). Asmussens Pläne für den Wie-deraufbau Kieler Kirchen und Gemeinden überstiegen nach Wilhelm Halfmanns Urteil deren wirtschaftliches und verwaltungstechnisches Potential. Vgl. HALFMANN, *Hans Asmussen* (wie Anm. 86) 39.
[116] Hans ASMUSSEN, *Barmen 1934,* in: Informationsblatt für die Gemeinden in den nie-derdeutschen lutherischen Landeskirchen 3. 1954. Hamburg 1954, 49–54. 373–375.
[117] Vgl. Hans ASMUSSEN, *Maria, die Mutter Gottes.* Stuttgart 1950. – Vom Opfer der Maria (u.a. biblischer Gestalten), das dann tröstend auf die Opfer der Mütter allgemein und in Deutschland nach Kriegsende bezogen wird, sprach Asmussen bereits in sei-nem Aufsatz: *Die Mutter des Herrn und die Mütter,* in: Evangelische Weihnacht III. Tü-bingen 1946, 73–77, hier 76.
[118] Es erschien im Jahr der Verkündigung des Dogmas der leiblichen Aufnahme Marias in den Himmel durch Pius XII.

Am Ende seines von Anbeginn schwierigen Propstamtes steht die (von ihm gebilligte) vorzeitige Versetzung in den Ruhestand, die mit einem Forschungsauftrag verbunden ist.[119] In seiner Abschiedspredigt[120] gibt er ein Zeugnis seiner vom Bekenntnis her gelebten Theologie.

Mit seinem Wechsel nach Heidelberg (1955) tritt Asmussen – erstmals ohne Amt – eine Phase literarischer Wirksamkeit an.[121] Seine Veröffentlichungen sind Zeugnisse einer tiefen Durchdringung, in Teilen auch Systematisierung[122] des bisherigen theologischen Weges.

In seinem 1957 erschienen Buch „Das Sakrament"[123] bezieht er seinen aus den Paulusbriefen erhobenen Mysterienbegriff auf die von der Kirche tradierten Sakramente und formuliert: „Alles, was dazu dient, dass Christus als das Urmysterium gegenwärtig ist, ist selbst Mysterium [...]" (10). Damit hat das Wort selbst sakramentalen Charakter, und die Ausbreitung desselben ist im paulinischen Sinne (Röm 15) ein Opferkult (19), weil es des Urmysteriums teilhaftig ist. Als Sakramente der Kirche benennt Asmussen konkret: Taufe, Abendmahl, Konfirmation, Beichte, Buße und Absolution sowie Ordination, Kirche und Ehe.

Mit der Definition des Mysterienbegriffs, durch den der Wortcharakter des Sakraments und der sakramentale Charakter des Wortes bedingt sind, gelingt es Asmussen, die Elemente des gottesdienstlichen Geschehens so aufeinander zu beziehen, dass sie wirklich eine liturgische Einheit bilden.[124]

Das Mysterium Gottesdienst besteht für Asmussen in dem von seinen Teilnehmern mitvollzogenen Wandel seiner Elemente. In Wort und Sakrament gibt sich Gott in Christus den Menschen ganz dar, indem er in von ihm (nicht zufällig) bestimmte irdische Gestalten eingeht, sie wandelt und sie so an den körperlichen Bezug zum Menschen bindet.[125] Die Dinghaftigkeit des Wortes,

---

[119] Vgl. HALFMANN, *Hans Asmussen* (wie Anm. 86) 39. Bei Gewährung der vollen Bezüge wird Asmussen der Auftrag zur Erforschung der schleswig-holsteinischen Kirchengeschichte erteilt, woraus das Buch: Hans ASMUSSEN, *Tradition. Von der Landeskirche Schleswig-Holsteins bis zur Urkirche.* Itzehoe 1962, hervorgeht.

[120] Vgl. Hans ASMUSSEN, *Ich glaube..., Abschiedspredigt vom 28.6.1955,* in: Der Konvent 1. 1955, 65–68.

[121] Vgl. ASMUSSEN, *Rom – Wittenberg – Moskau. Zur großen Kirchenpolitik.* Stuttgart 1956; DERS., *Das Sakrament* (wie Anm. 95); DERS., *Das Christentum eine Einheit. Biblisch – reformatorisch – ökumenisch.* Wiesbaden 1958 (Vorträge/Institut für Europäische Geschichte Mainz 25); DERS., *Gespräch zwischen den Konfessionen.* Frankfurt/M. [u.a.] 1959 (Fischer-Bücherei 310; Bücher des Wissens); DERS., *Selbstgespräch und Gebet. Ein Dank an alle, die meiner im Besten gedachten.* Berlin [u.a.] 1963; DERS., *Die Heilige Schrift. Sechs Kapitel vom Dogma von der Bibel.* Berlin 1967; DERS., *Christliche Lehre anstatt eines Katechismus.* Berlin [u.a.] 1968.

[122] Vgl. etwa ASMUSSEN, *Christliche Lehre* (wie Anm. 121).

[123] Vgl. ASMUSSEN, *Das Sakrament* (wie Anm. 95).

[124] Vgl. Hans ASMUSSEN, *Bekennende Kirche 1962. – Anläßlich des 70. Geburtstages Martin Niemöllers am 14.1.1962,* in: LM 1. 1962, 20–26.

[125] „So wie Brot und Wein und die Hand des Darreichenden und der Mund des Genießenden Dinge sind, so auch ,Leib und Blut'. Die Besonderheit der biblischen Aussagen über das Heilige Abendmahl liegt geradezu darin, daß man an keiner Stelle die Worte Leib und Blut einfach ersetzen kann durch Jesus Christus." Hans ASMUSSEN, *Das Wort zwischen Person und Ding,* in: LM 8. 1969, 57–60, hier 60.

das ans Ohr dringt, des Brotes, das der Mund schmeckt, wird von Asmussen betont, weil im gottesdienstlichen Handlungsprozess des Gebens und Empfangens mehr geschieht als die Vorstellung von der Realpräsenz auszudrücken vermag. Der Vollzug der Handlung ist nicht immer und vor allem nicht nur ein kognitives Nachvollziehen des Mysteriums. Das Eintauchen in das gottesdienstliche Geschehen „Liturgie" enthebt das Wort der rein rationalen und subjektiven Sphäre. Der Ruf etwa nach einer (nur) verständlichen Predigt geht damit an der Wirkmächtigkeit des Gotteswortes vorbei.[126]

Das Mysterium Kirche verleiht seinen Gläubigen dadurch, dass sie in Christus sakramental handeln, Anteil an seinen „Gnadenmitteln"[127], also an Wort, Sakrament, Leiden[128] und Gebet. Mit selbstverständlichem Rückgriff auf die monastische Tradition der Kirche postuliert Asmussen die Ebenbürtigkeit von Leiden[129] und Gebet[130] mit Wort und Sakrament als der Nachfolge Jesu entsprechende Opferdienste. In dieser Imitatio steht der Christ letztlich mit seinem ganzen Leben, denn seine Aufgabe ist es, alles von Gott Empfangene, in Selbsthingabe zu opfern.[131]

1966 zog Asmussen zusammen mit seiner Frau in ein katholisches Altersheim in Speyer. Sie und zwei ihrer Kinder hatten bereits in den fünfziger Jahren die katholische Konfession angenommen.[132] Am 30. Dezember 1968 stirbt Hans Asmussen in Speyer und wird am 4. Januar 1969 in Kiel beerdigt.

3. Würdigung

Hans Asmussens an der Praxis der Kirche gewordene, sich stets als Schriftauslegung verstehende Praktische Theologie erklärt sich jenseits praktisch-theologischer Richtungen, Forschungsgebiete und Systeme nur aus sich selbst. Sie bemüht sich nicht um Teildisziplinen, sondern um das Ganze eines an Schrift und Tradition gebundenen Handelns der Kirche. Dabei ist der Gottesdienst Zentrum und Ausgangspunkt des gestalteten Lebens der Kirche wie des einzelnen Gläubigen. Im Gottesdienst findet der einzelne zur Gemeinschaft und dadurch zu sich selbst. Im Mitvollziehen der Handlung trägt er die eigene Lebensgeschichte in die des Jesus von Nazareth ein. Er hört, sieht, schmeckt wie Christus zu seinem Heil wird. Sakramentales, seelsorgerliches und priester-

---

[126] Vgl. Hans ASMUSSEN, *Laßt uns verständlich reden*, in: Die Spur 2. 1962, H. 2, 3–5. DERS., *Christliche Lehre anstatt eines Katechismus* (wie Anm. 121) 11; DERS., *Sprache als theologisches Problem, in: Interpretation der Welt. Festschrift für Romano Guardini zum 80. Geburtstag.* Hg. v. Helmut KUHN u. a. Würzburg 1965, 646–662, hier 654f, 658.

[127] Hans ASMUSSEN, *Einübung im Christentum. Ein Laien-Brevier.* Itzehoe 1961, 43.

[128] 1960 stirbt Asmussens ältester Sohn Jes.

[129] Vgl. Hans ASMUSSEN, *Epistelpredigten. Meditationen zu den altkirchlichen Episteln.* Stuttgart 1965, 41.

[130] Vgl. ASMUSSEN, *Selbstgespräch und Gebet* (wie Anm. 121) 20, 22, 24.

[131] Vgl. ASMUSSEN, *Christliche Lehre anstatt eines Katechismus* (wie Anm. 121) 17.

[132] Die Konversion Elsbeth Asmussens ist ein „Unikum in der Kirchengeschichte" (Andreas Siemens), weil die katholische Konfession (1955) zusätzlich zur lutherischen angenommen wurde. Die Konversion seiner Ehefrau und jüngeren Kinder (der älteste Sohn war bis 1960 evangelischer Pfarrer) hat Asmussen trotz seiner Ablehnung der Einzelkonversionen akzeptiert. Vgl. ZENK, *Evangelisch in Katholizität* (wie Anm. 62) 551.

liches Handeln des Leibes Christi finden in ein und demselben Akt statt. Zugleich ist damit Asmussens pastoraltheologisches und kybernetisches Konzept umrissen, da sich jede Ebene kirchenleitenden Handelns vom Gottesdienst her versteht. Jenseits bürokratischer Akte verlegt Asmussen die Vollmacht des Amtes in den Bereich der Wirkmächtigkeit des Wortes. Das im Amtsalltag täglich „durchbetete"[133] Wort leitet die Geschicke des Verkündigungsamtes, das sich sein Inhaber „erpredigen"[134] muss. Priester und Laie agieren in Vollmacht des Wortes im gleichen priesterlichen Amt: Sie beten an, lobsingen und bringen opfernd ihre Gaben dar. Ein in diesem Sinne gestaltetes gottesdienstliches Leben deutet auf die Schönheit der in Ewigkeit lobsingenden Kirche.

Auswahlbibliografie

Gottesdienstlehre. Bd. 2. Das Kirchenjahr. München 1936.

Gottesdienstlehre. Bd. 3. Ordnung des Gottesdienstes. München 1936.

Gottesdienstlehre. Bd. 1. Die Lehre vom Gottesdienst. München 1937.

Das Gebet der Woche. Was alle Christen in ihren Gebeten erbitten. Berlin 1941.

Betet ohne Unterlaß! Von der Ordnung des Gebets. Berlin 1941.

Das Gebet der Diener am göttlichen Wort. Vom Gebetsdienst der Träger des Amtes. Berlin 1941.

Das Priestertum aller Gläubigen. Stuttgart 1946.

Pfarr-Brevier. Ordnungen für Andachten und Schriftauslegung. Stuttgart o. J. [1946].

Gelegen oder ungelegen. Predigten. Stuttgart 1947.

Das Sakrament. Stuttgart 1957.

Einübung im Christentum. Ein Laien-Brevier. Itzehoe 1961.

Epistelpredigten. Meditationen zu den altkirchlichen Episteln. Stuttgart 1965.

---

[133] Vgl. ASMUSSEN, *Das Gebet der Diener am göttlichen Wort* (wie Anm. 70).

[134] Hans ASMUSSEN, *Das Lutherische Bischofsamt. Bischof D. Wilhelm Halfmann zum 65. Geburtstag am 12.5.1961,* in: Die Spur 1. 1961, 1–7, hier 1.

Hansjörg Auf der Maur (1933–1999)

Harald Buchinger

1. Biografie

Am 24. November 1933 in Brunnen am Vierwaldstättersee geboren, war Hansjörg[1] Auf der Maur Spross einer alten Familie im Hauptort des Kantons Schwyz; diese ur- und innerschweizer Verwurzelung prägte zeitlebens die Geisteshaltung des später gleichermaßen überzeugten Kosmopoliten. Das Bewusstsein von Freiheit und Demokratie hielt er im gesellschaftlichen Leben genauso hoch wie im wissenschaftlichen Diskurs und im kirchlichen Engagement; kompromisslose Geradheit des Charakters bestimmte sein Denken und seinen menschlichen Umgang. Nach dem Studi-  um im Missionsseminar Schöneck bei Beckenried, wo ein Bruder seiner Mutter Moraltheologie dozierte, wurde Hansjörg Auf der Maur 1959 als Mitglied der Betlehem-Missionare Immensee zum Presbyter ordiniert. Die weitere pastorale Ausbildung führte ihn ans Katechetische Institut der Jesuiten „Lumen Vitae" nach Brüssel; anschließend begann er liturgiewissenschaftliche Studien bei Balthasar Fischer in Trier, wo Auf der Maur die Grundlage für seine profunde Kenntnis vor allem der altkirchlichen Traditionen legen konnte. Aufenthalte in London und Paris ermöglichten ihm, seine Sprachkompetenzen zu vertiefen. Gleichzeitig sammelte er erste Missionserfahrungen auf der Insel Taiwan. Schon nach einem Jahr zwang ihn freilich eine schwere Lungenoperation zur Rückkehr in die Schweiz; eine bleibende, stets diskret verborgene Behinderung beendete nicht nur die Missionstätigkeit des jungen Priesters, sondern setzte auch seinen ausgeprägten bergsteigerischen und wintersportlichen Ambitionen schmerzliche Grenzen. Zugleich eröffnete sie ihm aber die Chance, sich ganz der Liturgiewissenschaft zu widmen. 1965 in Trier zum Dr. theol. promoviert, dozierte Auf der Maur ab 1966 am Missionsseminar seiner Gemeinschaft. Noch bevor er sich 1972 in Trier habilitierte, erhielt Auf der Maur 1971 einen Ruf an die Katholische Theologische Hochschule (später: Universität) Amsterdam, wo er die 14 produktivsten und vermutlich auch glücklichsten Jahre seines Lebens verbrachte. Die niederländische Metropole hat seinen ausgeprägten Hang zum Unkonventionellen wohl genauso verstärkt wie seine Weltoffenheit; der theologische, liturgische und ökumenische Aufbruch der 1970er Jahre, an dem Auf der Maur unter anderem durch intensives Engagement in der Dominikuskerk und in der Studentenekklesia teilhatte,[2]

---

[1] Hansjörg Auf der Maur variierte die Schreibung seiner Vornamen: in Publikationen meist als Hansjörg angeführt, unterschrieb er als Hj.; in offiziellen Dokumenten las man in der Regel Hans Jörg. Der Taufschein wies – einer mündlichen Mitteilung zufolge – die Namensform Johann Georg aus. Als Namenspatron betrachtete Auf der Maur den hl. Georg.

[2] Vgl. Anm. 20. Auf der Maur war auch Mitglied des Beirates des „Nationale Raad voor Liturgie", der sich freilich aufgrund der kirchenpolitischen Umstände gegen Ende der 1970er Jahre selbst auflöste.

wurde zum prägenden Moment seines Denkens. Zunehmende Verstrickung in Organisationsreformen und die vergleichsweise geringe Zahl von Studierenden in Amsterdam veranlassten Auf der Maur, 1985 einen Ruf an die Katholisch-Theologische Fakultät der Universität Wien – die an Studierenden zweitgrößte des deutschen Sprachraums – anzunehmen. Es war allerdings unübersehbar, dass er sich in der österreichischen Hauptstadt lange nicht so zu Hause fühlte wie in Amsterdam; die vom Niederländer Joop Roeland betreute Gemeinde St. Ruprecht, in der sich Auf der Maur engagierte, mag ihm manchmal fast als Reservat besserer Zeiten erschienen sein. Zunehmende körperliche Beeinträchtigungen trugen das Ihre zu einer immer deutlicheren Ermüdung bei, taten Auf der Maurs Arbeitswillen aber keinen Abbruch. Sein Entschluss zur vorzeitigen Emeritierung im Jahre 2000 war hauptsächlich von drohenden Strukturreformen der Universität motiviert und hatte keine Auswirkungen auf seine Forschungspläne. Sein alles andere als absehbarer Tod am 22. Juli 1999 im Wiener Allgemeinen Krankenhaus infolge verschiedener unglücklicher medizinischer Verwicklungen riss Auf der Maur mitten aus der Arbeit an der methodisch völlig neu konzipierten und um ein Vielfaches erweiterten Neufassung seines Standardwerkes über die Osterfeier der Kirche.[3]

2. Schwerpunkte des wissenschaftlichen Wirkens
Hansjörg Auf der Maurs Publikationsliste beeindruckt nicht durch ihre Länge; vielmehr sind es die Gründlichkeit der Auseinandersetzung mit den historischen Quellen und die Wahl der theologischen Perspektiven, die etliche seiner Werke zu Ecksteinen der Forschung werden ließen. An erster Stelle sind hier seine fundamentalen Beiträge zur Osterfeier der Kirche zu nennen. Nachdem sich Auf der Maur in seiner Dissertation über *Die Osterhomilien des Asterios Sophistes*[4] *als Quelle für die Geschichte der Osterfeier* (1967) mit der altchristlichen Feier und Theologie des Pascha vertraut gemacht und einige Aspekte in Detailstudien weiter verfolgt hatte,[5] wurde der Handbuchband über die *Feiern im Rhythmus der Zeit I. Herrenfeste in Woche und Jahr* (1983) für mindestens eine Generation zum Standardwerk, das auch ins Italienische übersetzt wurde (1990). In dieser

---

[3]   Vgl. folgende ausgewählte Nachrufe: LJ 49. 1999, 141f (Balthasar FISCHER); HlD 53. 1999, 152–154 (Georg BRAULIK; Ansprache zur Verabschiedung); ebd. 150f (Harald BUCHINGER – Clemens LEONHARD – Ewald VOLGGER), italienische Version mit Auswahlbibliografie in RivLi 87. 2000, 521–525; ALW 42. 2000, 97–105 (Harald BUCHINGER – Angelus A. HÄUSSLING; mit vollständiger Bibliografie); JLO 16. 2000, 161–166 (Gerard ROUWHORST); SKZ 68. 2000, 442f (Ernst Boos; wichtige Informationen zum persönlichen und familiären Hintergrund); BBKL 23. 2004, 31–35.

[4]   Die Identifikation des Verfassers wurde inzwischen bestritten und eine spätere Datierung der Quelle (Ende 4. Jh.) vorgeschlagen; vgl. Wolfram KINZIG, *Asterius der Homilet*, in: *Lexikon der antiken christlichen Literatur*. Hg. v. Siegmar DÖPP – Wilhelm GEERLINGS. Freiburg/Br. [u.a.] ³2002, 67f. Damit würden manche der von Auf der Maur erschlossenen Phänomene zwar nicht weniger interessant, aber weniger prominent in ihrer historischen Einordnung.

[5]   Vgl. Hansjörg AUF DER MAUR, *Der Osterlobpreis Asterius' des Sophisten. Das älteste bekannte Loblied auf die Osternacht*, in: LJ 12. 1962, 72–85; DERS., *Eine Vorform des Exsultet in der griechischen Patristik*, in: TThZ 75. 1966, 65–88; DERS., *Die österliche Lichtdanksagung. Zum liturgischen Ort und zur Textgestalt des Exsultet*, in: LJ 21. 1971, 38–52.

Arbeit kommen am deutlichsten seine methodischen Prinzipien zum Tragen, minutiöse historische Untersuchungen in einem theologischen Gesamtentwurf zusammenzufassen, in dem die großen Traditionslinien christlicher Liturgiegeschichte genauso deutlich werden wie ihre jüdischen Wurzeln.[6] Überhaupt darf Auf der Maur als Pionier des konsequenten Einbezugs judaistischer Aspekte in die liturgiewissenschaftliche Forschung gelten;[7] dass manche gerade auch der sympathischsten Grundperspektiven seiner Gesamtschau vom geänderten Standpunkt einer späteren Generation aus revidiert werden müssen, relativiert nicht die bahnbrechende Bedeutung seines Konzeptes. Er selbst hat dem veränderten Forschungsstand in der formalen Anlage und in der methodischen Durchführung der völligen Neubearbeitung seiner Darstellung Rechnung getragen.[8] Das anfänglich sehr konzis und für höchste wissenschaftliche Ansprüche angelegte Handbuch musste mitunter etwas spröde bleiben;[9] in einer Reihe kleinerer Artikel machte Auf der Maur die Inhalte seiner Forschung einer breiteren Leserschaft zugänglich und führte sie im Blick auf die gegenwärtige Praxis weiter;[10] es war ihm ein Anliegen, auch die ökumenische Relevanz der von

[6]   Beispielhaft vgl. auch Hansjörg AUF DER MAUR, *De Paaspreek van Meliton van Sardes. Joodse wortels – christelijke herinterpretatie – anti-joodse polemiek*, in: *Joden en christenen. Een moeizam gesprek door de eeuwen heen.* Hg. v. L.A.R. BAKKER – H.P.M. GODDIJN. Baarn 1985 (Annalen van het thijmgenootschap 73/2), 64–80 (deutsche Übersetzung: *Meliton von Sardes „Über das Pascha". Die älteste bekannte christliche Osterpredigt [2. Jh.]. Jüdische Wurzeln – christliche Neuinterpretation – antijüdische Polemik.* Wien 1988 [IDCIV-Vorträge 36]).

[7]   Auch über die judaistische Perspektive hinaus war Auf der Maurs Interesse von religionswissenschaftlichen Anliegen (programmatisch vgl. seinen Aufsatz über *Das Verhältnis einer zukünftigen Liturgiewissenschaft zur Religionswissenschaft*, in: ALw 10. 1968, 327–343), bis hin zur vergleichenden Betrachtung liturgischer und profaner Feiern und Rituale geleitet, auch wenn letztere sein wissenschaftliches Œuvre materialiter nicht dominierte. Generell verbanden sich in Auf der Maurs Denken detaillierte historische Vertiefung mit interdisziplinärer Offenheit, die sich vor allem in regelmäßiger fächerübergreifender Lehre niederschlug.

[8]   Das umfangreiche Fragment über *Die Osterfeier in der alten Kirche* wurde aus dem Nachlass von Reinhard Meßner und Wolfgang G. Schöpf herausgegeben, die Revision des judaistischen Teiles hat Clemens Leonhard weitergeführt: Hansjörg AUF DER MAUR, *Die Osterfeier in der alten Kirche. Aus dem Nachlass hg. v. Reinhard MESSNER und Wolfgang G. SCHÖPF. Mit einem Beitrag von Clemens LEONHARD. Münster 2003 (Liturgica Oenipontana 2).

[9]   Der Band von Hansjörg AUF DER MAUR, *Feiern im Rhythmus der Zeit I: Herrenfeste in Woche und Jahr.* Regensburg 1983 (GDK 5) eröffnete das *Handbuch der Liturgiewissenschaft: Gottesdienst der Kirche* (GDK), dessen später erschienene Teile den ursprünglich gesetzten Rahmen zunehmend erweiterten. Dem Wissenschaftsbetrieb diente Auf der Maur nicht nur als Mitherausgeber dieses maßgeblichen Handbuches, sondern auch als langjähriges Redaktionsmitglied des *Liturgischen Jahrbuches*.

[10]   Vgl. Hansjörg AUF DER MAUR, *Die hora competens der Osternacht. Der frühe Ostermorgen*, in: Gottesdienst 2. 1968, 39; DERS., *Osternachtfeier am toten Punkt?*, in: Gottesdienst 4. 1970, 64; DERS., *Überlegungen und Wünsche der Schweizer Liturgikdozenten zur Neugestaltung der Karwochen- und Osterliturgie*, in: LJ 20. 1970, 52–57; DERS., *Die jährliche Osterfeier. Ergebnisse eines liturgiegeschichtlich-kirchenmusikalischen Kolloquiums*, in: Gottesdienst 5. 1971, 49–51; DERS., *Het Pascha van de Heer door de kerk gevierd. Een liturgiehistorische en -theologische schets van de vroege ontwikkeling van het christelijk Pasen*, in: TLi 64. 1980, 22–

ihm erschlossenen älteren und jüngeren Traditionen aufzuweisen.[11] Neben der zentralen Aufarbeitung der Herrenfeste rundet der ebenfalls von Auf der Maur verantwortete umfangreiche Beitrag über *Feste und Gedenktage der Heiligen* die Darstellung der *Feiern im Rhythmus der Zeit II/1* (1994) ab; gerade der Umstand, dass das Sanktorale nicht Gegenstand von Auf der Maurs ureigenster Leidenschaft war, gibt der theologisch sensiblen Darstellung, die kaum auf vergleichbare Vorstudien zurückgreifen konnte, erfrischende Noten.[12]

Enger mit der Osterfeier der Kirche verbunden ist der Themenbereich der christlichen Initiation; nachdem schon die Dissertation wiederholt auf Fragen der Tauffeier und -theologie zu sprechen gekommen war, gab Auf der Maur die Festschrift für Balthasar Fischer zum 60. Geburtstag unter dem Thema *Zeichen des Glaubens. Studien zu Taufe und Firmung* mit heraus (1972) und leistete auch selbst einen einschlägigen Beitrag: *Unctio quae fit manus impositione. Überlegungen zum Ritus der Firmsalbung.*[13] Die für den Amsterdamer Kollegen Pieter Smulders mitherausgegebene Festschrift *Fides Sacramenti – Sacramentum Fidei* (1981) enthält die bislang gründlichste und umfangreichste Untersuchung von *Wort, Glaube und Sakrament in Katechumenat und Taufliturgie bei Origenes.*[14] Eines der letzten Werke zieht die sakramententheologischen Linien weiter aus: *Lobpreis und Anrufung Gottes im sakramentlichen Vollzug. Eine noch immer unterbelichtete Dimension westlicher Sakramententheologie und Praxis* (2000; posthum),[15] und auch der Lexikonbeitrag zum Thema *Siegel. II. Theologisch* (2000; posthum) gehört inhaltlich zur Initiationsthematik.

39; DERS., *Vom Tod zum Leben. Liturgiehistorische und theologische Aspekte*, in: HlD 46. 1992, 3–25; DERS., *Die Vierzig Tage vor Ostern. Geschichte und Neugestalt*, in: HlD 47. 1993, 6–23; DERS., *Die fünfzigtägige Osterfeier. Feiergestalt und Theologie in Geschichte und Gegenwart*, in: HlD 48. 1994, 16–37; DERS., *Von der einen Osternachtfeier zum ausgestalteten Osterfestkreis. Eine historische Skizze zur Entwicklung von Gestalt und Gehalt der Osterfeier*, in: Liturgische Kommission für Österreich, *Ostern feiern. Hilfen zur Gestaltung des Osterfestkreises.* Salzburg 1995 (Texte der Liturgischen Kommission für Österreich 16), 11–24.

[11] Vgl. die Wiener Antrittsvorlesung über *Die Wiederentdeckung der Osternachtfeier in den abendländischen Kirchen des 20. Jahrhunderts. Ein noch nicht ganz ernst genommener Beitrag zum ökumenischen Dialog*, in: BiLi 60. 1987, 2–25. Die Neuauflage von GDK 5 (erscheint demnächst) sollte auch diesen im ursprünglichen Konzept nicht vorgesehenen Aspekt gebührend berücksichtigen.

[12] Vgl. Hansjörg AUF DER MAUR, *Feste und Gedenktage der Heiligen*, in: Philipp HARNONCOURT – Hansjörg AUF DER MAUR, *Feiern im Rhythmus der Zeit II/1.* Regensburg 1994 (GdK 6/1), 64–357

[13] Vgl. Hansjörg AUF DER MAUR, *Unctio quae fit manus impositione. Überlegungen zum Ritus der Firmsalbung*, in: *Zeichen des Glaubens. Festschrift für Balthasar Fischer zum 60. Geburtstag.* Hg. v. Hansjörg AUF DER MAUR – Bruno KLEINHEYER. Zürich [u.a.] 1972, 469–483.

[14] Vgl. Hansjörg AUF DER MAUR – JOOP Waldram, *illuminatio verbi divini – confessio fidei – gratia baptismi. Wort, Glaube und Sakrament in Katechumenat und Taufliturgie bei Origenes*, in: *Fides sacramenti – sacramentum fidei. Studies in honour of Pieter Smulders.* Hg. v. Hansjörg AUF DER MAUR [u.a.]. Assen 1981, 41–95.

[15] Vgl. Hansjörg AUF DER MAUR, *Lobpreis und Anrufung Gottes im sakramentlichen Vollzug. Eine noch immer unterbelichtete Dimension westlicher Sakramententheologie und Praxis*, in: *Zeichen des Lebens. Sakramente im Leben der Kirchen – Rituale im Leben der Menschen.* Hg. v. Paul M. ZULEHNER – Hansjörg AUF DER MAUR – Josef WEISMAYER. Ostfildern 2000, 179–198.

Als Schüler von Balthasar Fischer verband Hansjörg Auf der Maur liturgiewissenschaftliche Perspektiven mit der Kompetenz zur Arbeit an patristischen Quellen; die Befassung mit der christlichen Rezeption der Psalmen setzt thematisch die Arbeit an einem Lieblingsthema seines Lehrers fort. Das ausgeprägte hermeneutische Interesse prägte nicht nur die Dissertation über Osterhomilien, welche formal als Psalmenauslegungen vorgetragen worden waren, und die monumentale Habilitationsschrift über *Das Psalmenverständnis des Ambrosius von Mailand* (1977)[16] sowie kleinere Studien;[17] es ermöglichte ihm auch eine angemessene Untersuchung schwieriger Autoren wie eines Origenes, der sich bei oberflächlicher Betrachtung häufig gegen eine ertragreiche liturgiewissenschaftliche Auswertung zu sträuben scheint.[18]

Kompromissloses Quellenstudium war der Maßstab des Forschens genauso wie des Lehrens von Prof. Auf der Maur. Die Erforschung der Tradition war für ihn allerdings kein Selbstzweck. „Die Vorsehung hatte dem Schweizer Theologen beide Male Wirkungsstätten zugedacht, die in Brennpunkten der nachkonziliaren Unruhe lagen. Bei aller jugendlichen Aufgeschlossenheit für gesunden Wandel in der Kirche ließ sich Prof. Auf der Maur nicht irre machen. Es blieb sein Ziel, junge Menschen im Geiste des Konzils unerbittlich mit den Quellen des christlichen Gottesdienstes und damit der christlichen Spiritualität zu konfrontieren."[19] Von der gründlichen Einsicht in Grundgehalt und Grundgestalt christlicher Liturgie erwartete sich Auf der Maur die Kompetenz zur mutigen Gestaltung von Neuem, was für ihn auch die Offenheit für experimentelle Feierformen einschloss.[20] Seine von keiner Kritik anfechtbare Verwurzelung in

[16] „Definitiv führte sich Auf der Maur mit dieser Arbeit als Kenner der patristischen Theologie ein, wohl der versierteste unter den Liturgiewissenschaftlern deutscher Sprache der Gegenwart. Der Kenntnis der Kirchenväter verdankt Auf der Maur nicht zuletzt Klarheit und Sicherheit im theologischen Urteil." (Angelus A. Häussling, *Bibliographie Hansjörg Auf der Maur [1933–1999]*, in: ALw 42. 2000, 97–105, hier 98).

[17] Vgl. Hansjörg Auf der Maur, *Zur Deutung von Psalm 15 (16) in der Alten Kirche. Eine Übersicht über die frühchristliche Interpretationsgeschichte bis zum Anfang des 4. Jahrhunderts*, in: Bijdr. 41. 1980, 401–418, zuletzt vgl. ders., *Psalmen. V. Alte Kirche*, in: LThK 8. 1999, 695f.

[18] Die umfangreiche Untersuchung über *Das Psalmenverständnis des Ambrosius von Mailand. Ein Beitrag zum Deutungshintergrund der Psalmenverwendung im Gottesdienst der Alten Kirche.* Leiden 1977, fragt konsequent nach dem Verhältnis zu dessen Hauptquelle Origenes; auf die maßgebliche Darstellung von Katechumenat und Taufliturgie bei Origenes (wie Anm. 14) wurde schon hingewiesen.

[19] Balthasar Fischer, *Nachruf auf Prof. Dr. Hansjörg Auf der Maur († 22. Juli 1999)*, in: LJ 49. 1999, 141f, hier 142.

[20] Frucht der kritischen Begleitung der liturgischen Praxis sind z.B. die Beiträge zur Bewertung der Eucharistiegebete von Huub Oosterhuis und anderen; vgl. Hansjörg Auf der Maur, *Over de thematiek van het eucharistisch gebed*, in: *Goed of niet goed? Het eucharistisch gebed in Nederland.* Hg. v. Herman A. J. Wegman. Hilversum 1976, 12–16; ders., *Eucharistisch gebed 16 (Gij die weet …)*, in: *Goed of niet goed?* 96–100; ders., *De tafelgebeden van Huub Oosterhuis (liturgische gezangen nummers 190; 202; 205; 221)*, in: *Goed of niet goed? Het eucharistisch gebed in Nederland 2.* (FS Henk Manders). Hg. v. Herman A. J. Wegman. Hilversum 1978, 11–37; ders., *Wij herinneren-belijden-verwachten. Enkele overwegingen ten aanzien van de anamnese in eucharistische tafelgebeden*, in: *Goed of niet goed? 2*, 155–168. Auch die in der Durchführung rein historische Studie *Die Gnade tanzt. Das Tanzritual der apokryphen Johannesakten und seine Bedeutung*, in: *Das Gold im Wachs. Fest-*

der kirchlichen, theologischen und liturgischen Tradition war eine Quelle für gelassenen Optimismus genauso wie für ein unerschütterliches Vertrauen auf die nachhaltige Wirkung von Bildung auf allen Ebenen der Kirche. Diese Haltung ließ ihn zugleich die Mitarbeit an der Reform des Messbuchs (bekannt als Projekt „Meßbuch 2000")[21] ablehnen; Auf der Maur ging es weniger um die Verbesserung liturgischer Bücher als um die Befähigung mündiger Vorsteher zur kreativen und kompetenten Gestaltung lebendiger Liturgie aus dem Geist der Tradition. Durch umfassende und profunde Kenntnis dieser Tradition vor Kurzsichtigkeit und Willkür gefeit, war es eine oft geäußerte Grundüberzeugung dieses profilierten Forschers der Konzilsgeneration, dass die gewordene Liturgie auch eine immer neu werdende und somit eine liturgia semper reformanda ist.

Auswahlbibliografie

Der Osterlobpreis Asterius' des Sophisten. Das älteste bekannte Loblied auf die Osternacht, in: LJ 12. 1962, 72–85.

Eine Vorform des Exsultet in der griechischen Patristik, in: TThZ 75. 1966, 65–88.

Die Osterhomilien des Asterios Sophistes als Quelle für die Geschichte der Osterfeier. Trier 1967 (TThSt 19).

Das Verhältnis einer zukünftigen Liturgiewissenschaft zur Religionswissenschaft, in: ALw 10. 1968, 327–343.

Die hora competens der Osternacht. Der frühe Ostermorgen, in: Gottesdienst 2. 1968, 39.

Die nachkonsekratorischen Riten bei der Priesterweihe, in: Gottesdienst 2. 1968, 141f.

Der neue Ordo Missae – Abschluß der Meßreform?, in: MusAl 21. 1969, 147–153.

Die Institutio Generalis. Überblick über die vorrangigen Ziele und Absichten der „Allgemeinen Einführung in das Römische Missale", in: Gottesdienst 4. 1970, 27f; 76f.

Osternachtfeier am toten Punkt?, in: Gottesdienst 4. 1970, 64.

Neubewertung des Kantorendienstes, in: Gottesdienst 4. 1970, 132f.

Überlegungen und Wünsche der Schweizer Liturgikdozenten zur Neugestaltung der Karwochen- und Osterliturgie, in: LJ 20. 1970, 52–57.

Die österliche Lichtdanksagung. Zum liturgischen Ort und zur Textgestalt des Exsultet, in: LJ 21. 1971, 38–52.

Die jährliche Osterfeier. Ergebnisse eines liturgiegeschichtlich-kirchenmusikalischen Kolloquiums, in: Gottesdienst 5. 1971, 49–51.

Unctio quae fit manus impositione. Überlegungen zum Ritus der Firmsalbung, in: *Zeichen des Glaubens. Festschrift für Balthasar Fischer zum 60. Geburtstag.* Hg. v. Hansjörg AUF DER MAUR – Bruno KLEINHEYER. Zürich [u.a.] 1972, 469–483.

Schwierigkeiten des gemeinschaftlichen Betens heute, in: LJ 24. 1974, 71–91 (niederländische

---

schrift für Thomas Immoos zum 70. Geburtstag. Hg. v. Elisabeth GÖSSMANN – Günter ZOBEL. München 1988, 109–145, war wohl von Überzeugungen geleitet, die erst später in breiteren Kreisen der Liturgiewissenschaft Platz griffen. Um die Vermittlung der Anliegen des Zweiten Vatikanums und der von diesem angestoßenen Liturgiereform bemüht sich eine ganze Reihe pastoralliturgischer Aufsätze; vgl. die Bibliografie.

[21] Vgl. *Studien und Entwürfe zur Meßfeier. Texte der Studienkommission für die Meßliturgie und das Meßbuch der Internationalen Arbeitsgemeinschaft der Liturgischen Kommissionen im deutschen Sprachgebiet 1.* Hg. v. Eduard NAGEL. Freiburg/Br. [u.a.] 1995.

Übersetzung: *Moeilijkheden bij het gemeenschappelijk gebed in onze tijd,* in: Rond de Tafel
29. 1974, 170–188).

Over de thematiek van het eucharistisch gebed, in: *Goed of niet goed? Het eucharistisch gebed in Nederland.* Hg. v. Herman A.J. WEGMAN. Hilversum 1976, 12–16.

Eucharistisch gebed 16 (Gij die weet ...), in: *Goed of niet goed?* 96–100.

De tafelgebeden van Huub Oosterhuis (liturgische gezangen nummers 190; 202; 205; 221), in: *Goed of niet goed? Het eucharistisch gebed in Nederland 2.* (FS Henk Manders). Hg. v. Herman A.J. WEGMAN. Hilversum 1978, 11–37.

Wij herinneren-belijden-verwachten. Enkele overwegingen ten aanzien van de anamnese in eucharistische tafelgebeden, in: *Goed of niet goed?* 2, 155–168.

Das Psalmenverständnis des Ambrosius von Mailand. Ein Beitrag zum Deutungshintergrund der Psalmenverwendung im Gottesdienst der Alten Kirche. Leiden 1977.

Zur Deutung von Psalm 15 (16) in der Alten Kirche. Eine Übersicht über die frühchristliche Interpretationsgeschichte bis zum Anfang des 4. Jahrhunderts, in: Bijdr. 41. 1980, 401–418.

Het Pascha van de Heer door de kerk gevierd. Een liturgiehistorische en -theologische schets van de vroege ontwikkeling van het christelijk Pasen, in: TLi 64. 1980, 22–39.

Zusammen mit Joop WALDRAM, *Illuminatio verbi divini – confessio fidei – gratia baptismi. Wort, Glaube und Sakrament in Katechumenat und Taufliturgie bei Origenes,* in: *Fides sacramenti – sacramentum fidei. Studies in honour of Pieter Smulders.* Hg. v. Hans Jörg AUF DER MAUR [u.a.]. Assen 1981, 41–95.

Feiern im Rhythmus der Zeit I. Herrenfeste in Woche und Jahr. Regensburg 1983 (GDK 5).

De Paaspreek van Meliton van Sardes. Joodse wortels – christelijke herinterpretatie – anti-joodse polemiek, in: *Joden en christenen. Een moeizam gesprek door de eeuwen heen.* Hg. v. L.A.R. BAKKER – H.P.M. GODDIJN. Baarn 1985 (Annalen van het thijmgenootschap 73/2), 64–80 (deutsche Übersetzung: *Meliton von Sardes „Über das Pascha“. Die älteste bekannte christliche Osterpredigt [2. Jh.]. Jüdische Wurzeln – christliche Neuinterpretation – antijüdische Polemik.* Wien 1988 [IDCIV-Vorträge 36]).

Die Wiederentdeckung der Osternachtfeier in den abendländischen Kirchen des 20. Jahrhunderts. Ein noch nicht ganz ernst genommener Beitrag zum ökumenischen Dialog, in: BiLi 60. 1987, 2–25.

Die Gnade tanzt. Das Tanzritual der apokryphen Johannesakten und seine Bedeutung, in: *Das Gold im Wachs. Festschrift für Thomas Immoos zum 70. Geburtstag.* Hg. v. Elisabeth GÖSSMANN – Günter ZOBEL. München 1988, 109–145.

Die Liturgiekonstitution des Zweiten Vatikanischen Konzils. Ihre Schwerpunkte und ihre Aktualität heute, in: Ordensnachrichten 28. 1989, 10–23.

Zur Verwirklichung der Liturgiekonstitution. Aufgezeigt am Beispiel der Eucharistiefeier, in: Ordensnachrichten 28. 1989, 25–34.

Le celebrazioni nel ritmo del tempo I. Feste del Signore nella settimana e nell'anno. Torino 1990 (La liturgia della Chiesa. Manuale di scienza liturgica 5).

Vom Tod zum Leben. Liturgiehistorische und theologische Aspekte, in: HlD 46. 1992, 3–25.

Die Vierzig Tage vor Ostern. Geschichte und Neugestalt, in: HlD 47. 1993, 6–23.

Liturgiereform im Geiste der kirchlichen Tradition. Zum Grundanliegen der Liturgiekonstitution, in: *Aufbruch des Zweiten Vatikanischen Konzils heute.* Hg. v. Jacob KREMER. Innsbruck 1993, 46–72.

Feste und Gedenktage der Heiligen, in: Philipp HARNONCOURT – Hansjörg AUF DER MAUR, *Feiern im Rhythmus der Zeit II/1.* Regensburg 1994 (GdK 6/1), 64–357.

Die fünfzigtägige Osterfeier. Feiergestalt und Theologie in Geschichte und Gegenwart, in: HlD 48. 1994, 16–37.

Von der einen Osternachtfeier zum ausgestalteten Osterfestkreis. Eine historische Skizze zur Entwicklung von Gestalt und Gehalt der Osterfeier, in: Liturgische Kommission für Österreich, *Ostern feiern. Hilfen zur Gestaltung des Osterfestkreises.* Salzburg 1995 (Texte der Liturgischen Kommission für Österreich 16), 11–24.

Psalmen. V. Alte Kirche, in: LThK³ 8. 1999, 695f.

Lobpreis und Anrufung Gottes im sakramentlichen Vollzug. Eine noch immer unterbelichtete Dimension westlicher Sakramententheologie und Praxis, in: *Zeichen des Lebens. Sakramente im Leben der Kirchen – Rituale im Leben der Menschen.* Hg. v. Paul M. ZULEHNER – Hansjörg AUF DER MAUR – Josef WEISMAYER. Ostfildern 2000, 179–198 (posthum redigiert von Michael MARGONI-KÖGLER).

Siegel. II. Theologisch, in: LThK³ 9. 2000, 568.

Die Osterfeier in der alten Kirche. Aus dem Nachlass hg. v. Reinhard MESSNER und Wolfgang G. SCHÖPF. Mit einem Beitrag von Clemens LEONHARD. Münster 2003 (Liturgica Oenipontana 2).

Feiern im Rhythmus der Zeit I. Herrenfeste in Woche und Jahr. 2. Aufl. bearb. v. Harald BUCHINGER – Reinhard MESSNER; mit Beiträgen von Clemens LEONHARD, Hans-Christoph SCHMIDT-LAUBER u. Hans-Joachim SCHULZ. Regensburg (in Vorbereitung) (GDK 5).

Jakob Baumgartner (1926–1996)

Alberich Martin Altermatt OCist

Prof. Dr. Jakob Baumgartner, ein begeisterter Vermittler der vom Zweiten Vatikanischen Konzil (1962–1965) aus-gegangenen Liturgiereform, lehrte zweiundzwanzig Jahre lang, nämlich von 1969 bis 1991, an der Universität Freiburg/Schweiz das Fach Liturgiewissenschaft und machte sich mit seinen liturgie- und missionswissenschaftlichen Publikationen international einen Namen.[1*]

1. Einleitung: Die Lehrtätigkeit von Jakob Baumgartner im „Kairos" der Liturgiereform

Der Beginn der Lehrtätigkeit von Jakob Baumgartner im Januar 1969 fiel zu-sammen mit jenen ungemein hoffnungsvollen und dynamischen Aufbruchs-jahren der Konzils- und Nachkonzilszeit, die für den 42-jährigen und eben promovierten Theologen einen „Kairos" darstellten, von dem ein Liturgiewis-senschaftler eigentlich nur träumen kann. Er selbst erlebte den Anfang des Zweiten Vatikanischen Konzils (1962–1965) aus allernächster Nähe mit, weilte er doch gerade 1962/1963 zu einem Studienjahr an der Gregoriana in Rom. Zwei seiner späteren Lehrer sind zudem als namhafte Pioniere der Liturgiere-form in die Geschichte eingegangen: Balthasar Fischer († 2001) in Trier und Dom Bernard Botte OSB († 1980) in Paris. Das Zweite Vatikanum und die von ihm angeregte liturgische Erneuerung der Kirche waren daher die Grundlage und die Inspirationsquelle für die ganze Arbeit des Liturgikers Baumgartner und belebten die ihm ohnehin angeborene Leidenschaft, mit der er alles tat. Sein Weg zur Liturgiewissenschaft und erst recht zur Laufbahn eines Universi-tätsprofessors verlief allerdings alles andere als gradlinig, wie ein Blick in sein „Curriculum vitae" zeigt.

2. Kurze Biografie bis zu seiner Professur

Jakob Baumgartner, ein Schweizer, stammte aus dem sankt-gallischen Rheintal, aus Montlingen, wo er am 18. November 1926 als achtes von zehn Kindern ge-boren wurde.[2] Sein Vater war Dorfschmied und betrieb nebenher ein kleines

---

1   Dieser Beitrag ist eine veränderte Fassung von: Alberich Martin ALTERMATT, *Prof. Dr. Jakob Baumgartner (1926–1996): ein leidenschaftlicher Pastoralliturgiker*, in: *Der Zeit voraus/ Devancer son époque. 50 Jahre Lehrstuhl für Liturgiewissenschaft an der Universität Freiburg/ Schweiz.* Hg. v. Martin KLÖCKENER – Bruno BÜRKI. Freiburg/Schw. (im Druck), 69–83.

2   Zur Biografie v. Jakob Baumgartner vgl. *Der Sonntag. Anspruch – Wirklichkeit – Gestalt* [Festschrift für Jakob Baumgartner zum 60. Geburtstag]. Hg. v. Alberich Martin ALTERMATT – Thaddäus A. SCHNITKER unter Mitarbeit von Walter HEIM. Würzburg – Freiburg/Schw. 1986, 309f; Martin KLÖCKENER, *Liturgie und Mission. Zum wissenschaft-lichen Werk von Jakob Baumgartner SMB (1926–1996) mit einer Bibliographie seiner Schriften 1986–1997*, in: ALw 38/39.1996/97, 273–304, hier: 273–278. Vgl. auch die v. Mar-tin Klöckener zusammengestellten Nachrufe und Würdigungen, die nach dem Tod

Bauerngewerbe. Nach der Grundschulausbildung suchte sich Jakob, geführt „An der Leine Gottes" – so der bezeichnende Titel einer autobiografischen Notiz[3] –, beruflich zu orientieren. Kapuziner oder Postbeamter: das waren anfängliche Alternativen! Doch ein schweres Augenleiden, das ihn über ein Jahr lang in eine komplette Ruhephase versetzte und bei dem er für immer das Licht des rechten Auges verlor, durchkreuzte manche seiner Lebenspläne. Diese harte Prüfung gab ihm aber ein waches Gespür für die kranken und leidenden Mitmenschen. In Neuenburg, wo er sich mit der französischen Sprache und Kultur vertraut machte (was ihm in seiner späteren Tätigkeit sehr zugute kam), legte er 1948 an der Höheren Handelsschule die Matura ab. Das danach in Freiburg begonnene Studium der Rechtswissenschaften brach er nach einem Jahr wieder ab und entschloss sich, in die Missionsgesellschaft Bethlehem von Immensee SZ (SMB) einzutreten. Am Gymnasium Rebstein SG darauf vorbereitet, begann er 1950 das Noviziat. Beim anschließenden Studium der Philosophie und Theologie am Seminar Schöneck (Beckenried NW) machte er eine der entscheidendsten Begegnungen seines Lebens, die nämlich mit dem Kirchengeschichtler, Missionswissenschaftler und Mitbruder Johannes Beckmann (†1971), der ihn maßgebend prägen und ihn später zum Studium der Missions- und Liturgiewissenschaft animieren sollte.[4] Nach der Priesterweihe im Jahre 1957 wirkte Jakob Baumgartner fünf Jahre lang als Lehrer und Präfekt an den „bethlehemitischen" Schulen in Freiburg (am Progymnasium im „Torry", wo er dann auch in der ganzen Zeit seiner Professur wohnte) und am Gymnasium in Immensee.

Von 1962 bis 1968 wurde Baumgartner von seinen Oberen für ein Aufbaustudium in Missionsgeschichte und Liturgiewissenschaft freigestellt. Nach einem Jahr in Rom (1962/63 an der Gregoriana) setzte er das Studium am Liturgischen Institut und an der Theologischen Fakultät Trier unter der Leitung von Balthasar Fischer fort und erwarb 1965 das theologische Lizentiat mit der Arbeit „Die Passa-Thematik in der Osterhomilie Melitons". Anschließend studierte er 1965/1966 am Institut Supérieur de Liturgie in Paris. Zurückgekehrt nach Trier, schloss er seine Studien 1968 mit der Promotion zum Doktor der Theologie ab. Der Titel der von Balthasar Fischer betreuten Dissertation, die 1971/1972 in zwei Bänden erschienen ist: „Mission und Liturgie in Mexiko",

Baumgartners erschienen sind: ebd. 273 und DERS., *Bio-bibliographisches Repertorium der Liturgiewissenschaft. Folge 2 für die Jahre 1993–1997. Mit Nachträgen aus früheren Jahren*, in: ALw 41.1999, 63–120, hier: 68 (Nr. 2015). Zu ergänzen sind noch die Nachrufe von Nicola ZANINI, *Si è spento a Immensee dopo una vita dedicata all'insegnamento. Un amico del Ticino: Padre Baumgartner, la liturgia nel sangue*, in: Giornale del Popolo vom 11.10.1996; Alberich Martin ALTERMATT, *Ein begeisterter und begeisternder Mensch. Zum Gedenken an Prof. Dr. Jakob Baumgartner (1926–1996)*, in: AnzSS 109. 2000, 31–32.

[3]   In: *Folge mir nach. Geschichten über die Berufung zum Priester*. Hg. v. Anton LOETSCHER. Luzern 1956, 113–119. Aus Versehen wurde dieser Beitrag Baumgartners nicht in seine Bibliografie aufgenommen, vgl. unten Anm. 33.

[4]   Vgl. Urban SCHWEGLER, *Johannes Beckmann SMB (1901–1971). Leben und Werk*. Nettetal 2005 (SIM 85). Baumgartner wird in diesem Buch öfters erwähnt; vgl. das Personenregister, ebd. 494.

bis heute ein Standardwerk, verbindet auf glückliche Weise die beiden Interessengebiete, die ihn bis an sein Lebensende beschäftigen werden.[5]

Bestens ausgerüstet konnte Jakob Baumgartner im Wintersemester (im Januar) 1969 als zweiter Inhaber des Lehrstuhls für Liturgiewissenschaft an der Universität Freiburg die Nachfolge des Ende 1967 zum Bischof von Basel gewählten Anton Hänggi (†1994) antreten, und zwar gemäß der damaligen „Karriereleiter" an der Theologischen Fakultät, zunächst als Lehrbeauftragter, dann ab 1971 als außerordentlicher und ab 1977 als ordentlicher Professor für Liturgiewissenschaft.[6] Neben seiner Tätigkeit an der Universität nahm Baumgartner während vieler Jahre auch noch Lehraufträge für Liturgik an der in Freiburg ansässigen „École de la foi" (mit einem großen Anteil von Studierenden aus nicht-europäischen Ländern) und an der „École des catéchistes" wahr.[7]

3. Die Lehr- und Vortragstätigkeit

3.1 Das neue Konzept von Liturgiewissenschaft

Das Zweite Vatikanische Konzil und die nachkonziliare Liturgiereform erforderten eine völlige Neuorientierung der Liturgiewissenschaft, die Jakob Baumgartner 1970 in einer von der „Freiburger Zeitschrift für Philosophie und Theologie" veröffentlichten grundsätzlichen Überlegung: „Die liturgische Ausrichtung des Theologie-Unterrichts" dargelegt hat,[8] – ein Artikel übrigens, von dem P. Angelus A. Häußling OSB damals schrieb, er sei eine der „wenigen wissenschaftstheoretischen Erörterungen der Liturgiewissenschaft, die auf der Höhe der Zeit stehen"[9]. War Anton Hänggi von seiner Ausbildung und seinem Interesse her vorwiegend Liturgiehistoriker, so war Jakob Baumgartner ganz und gar Pastoralliturgiker.[10] In einem unveröffentlichten und in jeder Hinsicht aufschlussreichen Exposé, das Baumgartner zu Beginn des Sommersemesters 1991 vor der Berufungskommission für den Liturgielehrstuhl zu halten aufgefordert worden war,[11] griff er am Ende seiner Lehrtätigkeit die zu deren Beginn formulierten wissenschaftstheoretischen Prinzipien wieder auf. Unter anderem

---

5   Vgl. Jakob BAUMGARTNER, *Mission und Liturgie in Mexiko.* Bd. 1: *Der Gottesdienst der jungen Kirche Neuspaniens.* Schöneck-Beckenried 1971 (NZM.S 18); Bd. 2: *Die ersten liturgischen Bücher in der Neuen Welt.* Schöneck-Beckenried 1972 (NZM.S 19).

6   Zur liturgiewissenschaftlichen Professur Baumgartners an der Universität Freiburg, vgl. Bruno BÜRKI, *Das Fach Liturgie an der Universität Freiburg (Schweiz). Zum Hundertjahr-Jubiläum der Universität,* in: FZPhTh 37.1990, 465–497, hier 471f, 473, 474f, 476f, 481–485, 487–494.

7   Vgl. BÜRKI, *Das Fach Liturgie an der Universität Freiburg (Schweiz)* (wie Anm. 5) 472.

8   FZPhTh 17.1970, 409–427.

9   Zitiert bei KLÖCKENER, *Liturgie und Mission* (wie Anm. 2) 275.

10   Vgl. KLÖCKENER, *Liturgie und Mission* (wie Anm. 2); BÜRKI, *Das Fach Liturgie an der Universität Freiburg (Schweiz)* (wie Anm. 6), 481; Anton HÄNGGI, *Zum Geleit,* in: *Der Sonntag* (wie Anm. 2) 9–11, hier 9. Vgl. Anm. 12.

11   Prof. Baumgartner hat das maschinengeschriebene Manuskript dem Vf. damals zugeschickt. Es umfasst 8 Seiten und ist betitelt: „*Der Liturgieunterricht an der Theologischen Fakultät Freiburg heute und morgen (Exposé vor der Berufungskommission für den Liturgielehrstuhl, Anfang Sommersemester 1991".* Entsprechend dem Titel ist das Exposé in zwei Teile gegliedert: „1. Die gegenwärtige Organisation des Liturgieunterrichts an unserer Fakultät" (1–4), „2. Die künftige Organisation des Liturgieunterrichts an unserer Fakultät" (4–8), wobei er in diesem Teil sechs konkrete Problemkreise anspricht.

sagte er damals: „Prof. Hänggis Tätigkeit fiel mit dem wachsenden Interesse für die Liturgiereform unmittelbar vor und nach dem II. Vatikanum zusammen. Wie es damals weithin üblich war, gab er seinem Fach eine vorwiegend historische Ausrichtung, und als das Konzil in Sicht trat, kamen allmählich Fragen der konkreten Reform des Gottesdienstes zum Zuge. Der erste Lehrstuhlinhaber verlegte sich in seiner Forschungsarbeit auf die Herausgabe liturgischer Quellen und engagierte sich dann sehr rege bei der Durchführung der Gottesdienstreform, die mit dem konziliaren Vorgang nach und nach konkrete Gestalt annahm." Und dann explizierte Baumgartner seine eigene interessante Konzeption von Liturgieunterricht, indem er erklärte: „Da ich meine Spezialausbildung (in Rom, Trier und Paris) während der eigentlichen Reformphase durchmachte, fiel es mir nicht allzu schwer, als ich 1969 ins Lehramt einstieg, die von der Liturgiekonstitution Art. 16 vorgesehene Behandlungsweise des Gegenstandes – eine grundlegende Direktive! – mir zu eigen zu machen. Es heisst nämlich dort, das Lehrfach Liturgiewissenschaft sei ‚sowohl unter theologischem und historischem wie auch unter geistlichem (spirituellem), seelsorglichem und rechtlichem Gesichtspunkt zu behandeln'. Nachdem jahrhundertelang der juridisch-rubrizistische Aspekt und seit der Jahrhundertwende vorherrschend der historische Gesichtspunkt im Vordergrund gestanden hatte (Liturgik als Rubrizistik, Liturgik als eine Art Archäologie), lag es mir daran, gemäss der konziliaren Weisung *die theologische und pastorale Dimension* vermehrt zu betonen, ohne deshalb die geschichtliche Perspektive aus den Augen zu verlieren. Die Liturgiewissenschaft, eine selbständige Disziplin, hat ihre eigene[n] Rechte und Anforderungen anzumelden, auch wenn sie ein Teil der praktischen Theologie bleibt, der praktischen Theologie, in welcher die pastorale Dimension der Theologie als ganzer artikuliert wird, im Blick auf die tatsächliche und die erstrebenswerte kirchliche Praxis. Es scheint mir wichtig festzuhalten, dass Liturgiewissenschaft nicht einfach die Anwendung pastoraler Anliegen ist (also eine Art Vermittlung zelebratorischer Rezepte), sondern *die spezifische Dimension heilsgeschichtlicher Feier (also das den liturgischen Handlungen eigene theologische Moment)* in Anschlag bringen soll. Im heutigen liturgiewissenschaftlichen Unterricht muss, so scheint es mir, deutlich werden, wie die Erkenntnis des II. Vatikanums vom Gottesdienst als Werk Christi und seiner Kirche zur Heiligung der Menschen und zur Verherrlichung Gottes fruchtbar gemacht werden kann."[12]

An das hier beschriebene Konzept, namentlich an die Vorgaben von Art. 16 der Liturgiekonstitution, hat sich Baumgartner in all seinen Vorlesungen und Veranstaltungen sehr genau gehalten, worauf noch zurückzukommen ist. Es wurde im zitierten Text ebenfalls angesprochen, dass es der Liturgiewissenschaftler Jakob Baumgartner nicht als seine Aufgabe erachtete, die künftigen Diakone, Priester, Seelsorgerinnen und Seelsorger in die „Ars celebrandi" einzuweisen. Im erwähnten Exposé begründete er diese seine Haltung folgendermaßen: „... eine theologische Fakultät ist weder eine Pfarrei noch ein Seminar. *Liturgiewissenschaft darf keinen Ersatz für gottesdienstliche Praxis bilden* (hier müssten die Seminare sich etwas einfallen lassen); sie vermag indessen, den Sinn

---

[12] BAUMGARTNER, *Der Liturgieunterricht an der Theologischen Fakultät Freiburg heute und morgen* (wie Anm. 11) 1–3 (Kursivierungen vom Vf.).

für liturgisches Tun zu fördern und, im glücklichsten Fall, dazu zu begeistern. (Deshalb sollte ein Lehrer der Liturgik auch über ein gewisses Charisma als Mystagoge verfügen und nicht als abschreckendes Beispiel wirken ...). Was uns Liturgiedozenten am Herzen liegen muss, ist, dass Studenten und Studentinnen lernen, ihre Verantwortung als Laien oder als Ordinierte für den Gottesdienst der Kirche wahrzunehmen ..."[13] Auch da kommt ganz klar das pastoralliturgische Anliegen Baumgartners zum Ausdruck. Im Unterschied zu seinem Vorgänger Anton Hänggi brachte Baumgartner kein großes Interesse auf für rein liturgiegeschichtliche Studien oder liturgische Quelleneditionen, was wohl auch mit seinem Werdegang zusammenhing.

3.2 Das Lehrprogramm
Seit Beginn seiner Lehrtätigkeit an der Theologischen Fakultät, und zwar sowohl an der deutsch- als auch der französischsprachigen Sektion, erteilte Jakob Baumgartner sieben Wochenstunden. Dabei bot er den gesamten Lehrstoff gewöhnlich in einem vierjährigen Zyklus an, der wie folgt aussah: Erstes Jahr: Die Feier der Initiationssakramente; zweites Jahr: Die Feier der Eucharistie; drittes Jahr: Die Feiern rund um Krankheit, Sterben und Tod; viertes Jahr: Die Feier der Ordinationen, Institutionen, der anderen Personenweihen und die Feier der Ehe. Dafür eignete sich vor allem das längere Wintersemester, während er im kurzen Sommersemester das Kirchenjahr und das Stundengebet – wenigstens in großen Linien – behandelte. Die Wochenstunde im propädeutischen Jahr gestaltete er als eine Hinführung zum gottesdienstlichen Handeln (Fundamentalliturgik). Das wöchentliche Seminar gab ihm die Möglichkeit, spezielle liturgische Probleme aufzugreifen. So widmete er zum Beispiel sein erstes Seminar im Sommer 1970 – deutsch und französisch parallel geführt – dem Stundengebet in seiner neuen Feierform.[14] Obgleich Baumgartner die Interdisziplinarität ein offen ausgesprochenes Anliegen war, gelang es ihm – wie er später gestand – nur zweimal, zusammen mit anderen Fachkollegen ein Seminar durchzuführen.[15]

Angesichts der Doppelsprachigkeit der akademischen Veranstaltungen hat Jakob Baumgartner in all den Jahren seines Wirkens an dieser Universität ein höchst beachtliches Pensum geleistet, wenn man nämlich noch weiß, dass ihm in dieser ganzen Zeit nur ein „Unterassistent" zugestanden wurde. Die Aufgaben eines Dekans der Theologischen Fakultät, die er von 1981 bis 1983 wahrnahm, bedeuteten für ihn eine zusätzliche Belastung, zumal in jener Periode etliche delikate Verhandlungen mit den römischen und den staatlichen Instanzen geführt werden mussten.[16] Wer aber Baumgartner kannte, weiß, dass er

---

[13] BAUMGARTNER, *Der Liturgieunterricht an der Theologischen Fakultät Freiburg heute und morgen* (wie Anm. 11) 7.
[14] Zum Lehrprogramm Baumgartners vgl. BAUMGARTNER, *Der Liturgieunterricht an der Theologischen Fakultät Freiburg heute und morgen* (wie Anm. 11) 2; BÜRKI, *Das Fach Liturgie an der Universität Freiburg (Schweiz)* (wie Anm. 6) 474–477, 476 (erstes Seminar).
[15] Vgl. BAUMGARTNER, *Der Liturgieunterricht an der Theologischen Fakultät Freiburg heute und morgen* (wie Anm. 11) 6; BÜRKI, *Das Fach Liturgie an der Universität Freiburg (Schweiz)* (wie Anm. 6) 475, 476–477.
[16] Vgl. BÜRKI, *Das Fach Liturgie an der Universität Freiburg (Schweiz)* (wie Anm. 6) 472.

einen unbändigen Arbeitswillen und eine eiserne Disziplin besaß, die ihn täglich, schon in den frühesten Morgenstunden, an sein Arbeitspult riefen. Wie oft wiederholte er: „Meine ganze Askese ist die Arbeit."!

3.3 Der Lehrstil

Jakob Baumgartners typischste Eigenschaft war die Begeisterung. Das war er vor allem bei den Vorlesungen an der Universität! Immer hervorragend vorbereitet, alle seine Vorlesungen mit seiner großen und zügigen Handschrift auf Makulaturpapier[17] gänzlich niedergeschrieben, kam „Jimmy" – so nannten ihn Mitbrüder, Kollegen und Studenten – zu Fuß und mit Schwung zu den Lektionen. Er eröffnete diese meistens mit einem Gebet – in der sangesfreudigeren französischen Sektion ließ er es sogar singen – und wehe, wenn dann das „Amen" nicht „una voce dicentes" laut und deutlich in den Saal hineingerufen wurde! Das Gebet musste ganz einfach wiederholt werden ... Mit einer Lebendigkeit und Donnerstimme, die selbst bei nicht sonderlich interessanten Themen auch nur die geringste narkotische Wirkung aufkommen ließen, trug er dann seine Lehre vor und veranschaulichte den Stoff mit ausladenden Gesten und immer wieder auch mit rituell vollzogenen Fallbeispielen. Zu-spät-Kommen, Schwatzen oder Zwischenrufe während des Unterrichts[18] konnte der Professor absolut nicht ertragen, ja sie konnten Anlass werden zu den gefürchteten Zornausbrüchen! „Heiliger Zorn": das war nicht nur ein Wort, das er oft brauchte, sondern auch eine Realität, vor der niemand verschont blieb! Studenten, die ihm durch wiederholte Absenzen aufgefallen waren, konnte er am Semesterende ohne Weiteres das Testat verweigern. Das heißt aber keineswegs, dass Baumgartner nicht auch Sinn für Humor gehabt hätte, ganz und gar nicht! Er konnte herzlich lachen und die Studenten und Studentinnen manchmal sogar necken. Nach den Semesterferien oder nach der Rückkehr von einer Reise oder einer Tagung konnte man sich immer auf seine interessanten Berichte und Nachrichten freuen, besonders natürlich wenn er über liturgische Aktualitäten, Veröffentlichungen und römische Verlautbarungen oder auch über persönliche Erlebnisse „in liturgicis" referierte und sich dabei sehr ereifern konnte.

Seinen pastoralliturgischen Vorlesungen lag immer (wie bereits angetönt) – ohne, dass das langweilig gewirkt hätte – das gleiche, von Art. 16 der Liturgiekonstitution vorgegebene Schema zugrunde, nämlich: eine historische, liturgietheologische, praktische und spirituelle Behandlung des jeweiligen Themas. Seine Ausführungen waren dabei stets getragen von einer erstaunlichen Weitsicht und Offenheit für die Zeitprobleme, die Ökumene und die Entwicklung in der großen Weltkirche, besonders in den sogenannten jungen Kirchen. Er scheute sich auch nicht, immer wieder, mitten in den Vorlesungen, ein Zeugnis seines ganz persönlichen, manchmal kindlich anmutenden Glaubens zu geben, das auf den Zuhörenden Eindruck machte. Aus all diesen

---

[17] Gewöhnlich benützte er dazu die Rückseite der vervielfältigten Nachrichtenblätter der katholischen Presseagentur KIPA, Freiburg. Beim Umzug von Freiburg nach Immensee im Sommer 1992 scheint Baumgartner alle seine Vorlesungsmanuskripte vernichtet zu haben, denn sie sind in seinem Nachlass nicht mehr auffindbar.

[18] Es waren damals die 68er-Jahre – und so etwas konnte während Vorlesungen an der Universität durchaus vorkommen!

Gründen haben ihn wohl viele Studenten und Studentinnen als Leiter für ihre
Abschlussarbeiten gewählt, obschon allgemein bekannt war, dass er hohe Ansprüche stellte, und zwar nicht nur inhaltlicher, sondern vor allem auch formeller und sprachlicher Art. So mussten selbst nichtdeutschsprachige Kandidaten
gewärtigen, dass sie ihre Arbeiten mit den feuerroten Markierungen seines
Korrekturstiftes zurückbekamen! In seinen 22 Jahren als Professor der Liturgiewissenschaft hat Jakob Baumgartner 27 Diplomarbeiten, 59 Lizentiatsarbeiten,
4 Dissertationen und 3 Habilitationsschriften betreut.[19] Doch Baumgartner war
mehr als nur ein akademischer Lehrer, denn vielen jungen Menschen wurde er
immer wieder zu einem Ratgeber und Helfer in seelischen und gar materiellen
Nöten. Was das Letztere betrifft, so konnte er sich sehr großzügig zeigen. Als
Mitglied einer internationalen Missionsgesellschaft hatte er natürlich ein besonderes Gespür für die Anliegen der Studierenden aus der Dritten Welt.

3.4 Aktivitäten außerhalb der Universität

Außerhalb des universitären Lehrbetriebes engagierte sich Jakob Baumgartner
über viele Jahre zudem in verschiedensten Gremien der Kirche in der Schweiz,
so etwa in der „Synode 72", in der Liturgischen Kommission der Schweiz, beim
Liturgischen Institut (damals) in Zürich, in der Arbeitsgemeinschaft Katholischer Liturgiedozentinnen und Liturgiedozenten, bei den Missionswerken
und selbstverständlich auch innerhalb seiner eigenen Missionsgesellschaft
Bethlehem (Immensee).[20] Die Schweizerische Bischofskonferenz zog ihn
mehrfach als Experten und Verfasser von Gutachten und Richtlinien zu Rate.
Konkret war das der Fall 1974 bei der Neuordnung der Buße (Bußfeiern und
Generalabsolution);[21] 1978 bei den Vorarbeiten für ein Lehrschreiben über
den Sonntag (erschienen 1981)[22] und um 1988 bei der ganzen Diskussion um
die „Laienpredigt" sowie bei den Richtlinien für Konzerte in Kirchen[23]. Baumgartner war auch aktiv beteiligt am Zustandekommen des „Synoden Hochgebetes", das als „Schweizer Hochgebet" international bekannt geworden ist und
mit dem er sich mehrfach beschäftigt hat, besonders als es 1981 ins Kreuzfeuer
italienischer und römischer Kritik kam.[24] In unzähligen Kursen und Vorträgen
im Rahmen der Aus- und Weiterbildung der Seelsorgenden und Ordensleute,
aber auch anlässlich von Einkehrtagen suchte er im In- und Ausland das Interesse für die Liturgie und die Liturgiereform zu wecken und in die neuen
liturgischen Bücher und Feiern einzuführen. Gerne übernahm er auch Seelsorgsaushilfen in Pfarreien und Klöstern, vorwiegend während der Sommerfe-

---

[19] Vgl. die Zusammenstellungen von Monique GAILLARD-NUSSBAUMER, in: *Der Sonntag*
(wie Anm. 2) 311–314 (1972–1985), und von KLÖCKENER, *Liturgie und Mission* (wie
Anm. 2) 278–279 (1987/88–1993/94).

[20] Vgl. die in Anm. 1 angegebenen Lebensdarstellungen Baumgartners; BÜRKI, *Das Fach
Liturgie an der Universität Freiburg (Schweiz)* (wie Anm. 6) 475 (Anm. 26: Synode 72).

[21] Vgl. BÜRKI, *Das Fach Liturgie an der Universität Freiburg (Schweiz)* (wie Anm. 6) 488.

[22] Vgl. BÜRKI, *Das Fach Liturgie an der Universität Freiburg (Schweiz)* (wie Anm. 6) 488–489.

[23] Vgl. BÜRKI, *Das Fach Liturgie an der Universität Freiburg (Schweiz)* (wie Anm. 6) 489–490.

[24] Vgl. KLÖCKENER, *Liturgie und Mission* (wie Anm. 2) 276; Jakob BAUMGARTNER, *Ambigua
per la Chiesa italiana la nuova preghiera eucaristica? Una replica*, in: RiviLi 68. 1981, 82–
94; DERS., *Die Aufnahme des Schweizer Hochgebetes ins Missale Romanum*, in: HlD 46. 1992,
90–105.

rien.[25] Das bot ihm die Gelegenheit, nicht nur seine Funktion als Liturge auszuüben, sondern auch ganz direkt den Freuden und Leiden, aber auch den
Erwartungen der einfachen Gläubigen zu begegnen. In früheren Jahren benutzte er die freien Sommermonate manchmal gerne für Studienreisen nach
Japan, Taiwan, Kolumbien, Mexiko und die Karibik.

3.5 Grundanliegen

Neben dem Hauptanliegen, der Liturgiereform nach dem Zweiten Vatikanischen Konzil zum Durchbruch zu verhelfen und sie theologisch und pastoral
zu vertiefen, waren es vor allem drei Grundintentionen, welche die Lehr- und
Vortragstätigkeit sowie die Publikationen von Jakob Baumgartner bestimmten
und prägten. Aufgrund seines Lebensweges und seiner Zugehörigkeit zu einer
Missionsgesellschaft war das natürlich an erster Stelle die *missionarische Dimension* der Kirche und der Liturgie. Sein Doktorvater Balthasar Fischer († 2001)
stellte ihm im Nachruf auf seinen Tod dieses Zeugnis aus: „Unter seinen Kollegen galt Baumgartner als bester Kenner der lange ungebührlich vernachlässigten Fragen, die das Verhältnis von Liturgie und Mission betreffen. Bei allem
Interesse und bei aller Kompetenz für die allgemeinen liturgiewissenschaftlichen und pastoralliturgischen Fragen blieb sein Spezialgebiet die Rolle der Liturgie in der Missionsgeschichte ...“[26]

Ein zweites Grundanliegen war ihm die *Ökumene* und die *ökumenische Dimension* der Liturgie.[27] Wie kaum ein anderer katholischer Liturgiewissenschaftler
hat sich Jakob Baumgartner immer wieder mit der Liturgie und der liturgischen Erneuerung der reformierten und christkatholischen Schwesternkirchen
der Schweiz befasst und ihre Beiträge für den ökumenischen Dialog und die
Zusammenarbeit zwischen den Kirchen zunutze gemacht. Aus diesem Grund
hat sich Baumgartner auch sehr dafür eingesetzt, dass Bruno Bürki, evange-
lisch-reformierter Pfarrer aus Neuenburg, der sich 1981 bei ihm habilitiert
hatte,[28] an der Theologischen Fakultät der Universität Freiburg als Dozent im
Fachbereich Liturgiewissenschaft eine Anstellung erhalten konnte. Seit dem
Wintersemester 1982/1983 hielt Bruno Bürki als Privatdozent und Lehrbeauftragter tatsächlich eine wöchentliche Spezialvorlesung, was für den Lehrstuhl-

---

[25]   Über viele Jahre verbrachte Baumgartner seine Sommerferien in den Pfarreien Mö-
        rel und Münster im Oberwallis, wo er jeweils seinen Freund Pfarrer Eugen Zimmer-
        mann vertrat.

[26]   In: Gottesdienst 30. 1996, 156; vgl. auch Anton HÄNGGI, *Zum Geleit* (wie Anm. 10)
        10; BÜRKI, *Das Fach Liturgie an der Universität Freiburg (Schweiz)* (wie Anm. 6) 483–484;
        KLÖCKENER, *Liturgie und Mission* (wie Anm. 2) 273–274, 277; Fritz KOLLBRUNNER, *In
        memoriam Jakob Baumgartner,* in: NZM 52. 1996, 241–242; DERS., *Zum Gedenken an Jakob
        Baumgartner,* in: ZMR 80. 1996, 284–286. – Zu den drei Grundanliegen vgl. in Anm. 33
        die Bibliografie Baumgartners (1953–1997) mit den entsprechenden Stichworten der
        Register.

[27]   Vgl. BÜRKI, *Das Fach Liturgie an der Universität Freiburg (Schweiz)* (wie Anm. 6) 483;
        HÄNGGI, *Zum Geleit* (wie Anm. 10) 11; KLÖCKENER, *Liturgie und Mission* (wie Anm. 2)
        276.

[28]   Vgl. Bruno BÜRKI, *Cène du Seigneur – eucharistie de l'Église. Le cheminement de la Sainte
        Cène des Églises réformées romandes et françaises depuis le 18ème siècle, d'après les textes liturgi-
        ques.* 2 Bde. Fribourg (Suisse) 1985 (Cahiers œcuméniques 17 A–B).

inhaber eine Entlastung und für das Liturgikangebot eine Bereicherung war, wie Baumgartner selbst meinte. Im schon zitierten Exposé von 1991 sagte dieser: „Da die Liturgie-Wissenschaft, eine ausgesprochen ökumenische Disziplin, an der Vielfalt gottesdienstlicher Praxis in Vergangenheit und Gegenwart den Studenten und Studentinnen die Weite der Kirche und den Reichtum ihrer Feierformen zu veranschaulichen vermag, lag mir stets daran, den evangelischen Kollegen uns als Privatdozenten zu erhalten ... Da Herr Bürki in französischer Sprache liest, bedeutet das einen Beitrag an den ‚caractère bilingue' unserer Universität."[29] 1988 erteilte die Fakultät schließlich Bruno Bürki einen offiziellen Lehrauftrag.[30]

Das dritte Grundanliegen: Jakob Baumgartner verstand sich speziell auf dem Gebiet der Liturgie und der Liturgiewissenschaft als *Vermittler zwischen der Frankofonie und der Germanofonie* und damit als Vermittler zwischen zwei verschiedenen theologischen und kirchlichen Denk- und Lebenswelten, mit denen er ja ganz konkret im Alltag einer zweisprachigen Universität konfrontiert worden war.[31] Zur Zweisprachigkeit des Lehrstuhls meinte Baumgartner: „Zweisprachigkeit besagt mehr, als sich bloss einigermassen in der zweiten Sprache korrekt auszudrücken, es besagt, eindringen in die Feiermentalität, in das Gottesdienstverständnis einer anderen als der germanischen Kultur und sich dieses rituelle Andersverhalten (sensibilité liturgique propre) anzueignen: Gerade für ein pastorales Fach wie die Liturgik von eminenter Bedeutung"[32]. Anlässlich seiner Studienaufenthalte in Neuenburg und Paris sensibilisiert für die französische Lebenswelt, wollte er – vor allem mit seinen Veröffentlichungen – die neuere liturgische Forschung und Praxis in Frankreich und in den französischsprachigen Ländern dem deutschsprachigen Raum zugänglich machen und dadurch auch neue Impulse und Anregungen geben.

4. Die Publikationen

Die ganze universitäre Arbeit von Jakob Baumgartner ging einher mit einer regen Publikationstätigkeit. Seine Bibliografie umfasst ganze 767 Nummern oder Titel – ein beachtliches Werk also, auch wenn seine bevorzugte Publikationsweise und literarische Gattung nicht das Buch war, sondern der wissen-

[29] BAUMGARTNER, *Der Liturgieunterricht an der Theologischen Fakultät Freiburg heute und morgen* (wie Anm. 11) 3–4; BÜRKI, *Das Fach Liturgie an der Universität Freiburg (Schweiz)* (wie Anm. 6) 475–476. – Zu Bruno Bürki vgl. *Liturgia et Unitas. Liturgiewissenschaftliche und ökumenische Studien zur Eucharistie und zum gottesdienstlichen Leben in der Schweiz. Études liturgiques et oecuméniques sur l'Eucharistie et la vie liturgique en Suisse. In honorem Bruno Bürki* [Festschrift zum 70. Geburtstag]. Hg. v. Martin KLÖCKENER – Arnaud JOIN-LAMBERT. Freiburg/Schw. – Genève 2001; ebd. 27–30 (Biografie); 35–35, 42–43 (Wirken an der Universität Freiburg); 44–54 (Bibliografie).

[30] BAUMGARTNER, *Der Liturgieunterricht an der Theologischen Fakultät Freiburg heute und morgen* (wie Anm. 11) 3. Vgl. auch *Liturgia et Unitas* (wie Anm. 29) 37–39.

[31] Vgl. HÄNGGI, *Zum Geleit* (wie Anm. 10) 10; BÜRKI, *Das Fach Liturgie an der Universität Freiburg (Schweiz)* (wie Anm. 6) 471–472. Vgl. Anm. 32.

[32] BAUMGARTNER, *Der Liturgieunterricht an der Theologischen Fakultät Freiburg heute und morgen* (wie Anm. 11) 4–5.

schaftliche Zeitschriftenartikel, Miszellen und Rezensionen.[33] Dank seiner großen Belesenheit und Freude an der Literatur wurde er – wie Bischof Anton
Hänggi im Vorwort zu seiner Festschrift geschrieben hat – zu einem „Meister
des gesprochenen und geschriebenen Wortes"[34]. Die inhaltliche und stilistische
Qualität seiner Veröffentlichungen war ihm soviel wert, dass er für das Redi-
gieren nicht nur sehr viel Zeit aufwandte, sondern seine Manuskripte vor der
Drucklegung kompetenten Mitbrüdern oder Kollegen zum Lesen gab. Waren
seine Interessengebiete sehr weit gefächert, so lassen sie doch einige vorherrschende oder für Baumgartner spezifische Themenkreise[35] ausmachen, nämlich: Taufe, Eucharistie, Buße, Sonntag, Kirchenjahr, Segnungen[36], Liturgie
und Volksreligiosität[37], Liturgie in der Ökumene, Liturgie und Inkulturation
in den jungen Kirchen[38], die „Ars celebrandi"[39], Liturgie und Schönheit[40], der
liturgische Tanz[41], die Liturgische Bewegung der Schweiz[42] usw. Das eigentliche Lieblingsthema Baumgartners war aber zweifelsohne der *Sonntag*. Darum
haben ihm seine Schüler zum 60. Geburtstag am 18. November 1986 eine the-
menzentrierte Festschrift übergeben, mit dem Titel: „Der Sonntag. Anspruch
– Wirklichkeit – Gestalt". Viele seiner Kollegen aus der Schweiz und anderen
Ländern, aber auch einige seiner Schüler, haben zu diesem Band beigetragen.[43]

33 Die Bibliografie Baumgartners von 1953 bis 1997 wurde zusammengestellt von Alberich Martin ALTERMATT, in: *Der Sonntag* (wie Anm. 2) 315–338 (1953–1985, Nrn.
1–460), Register: 339–344 und von KLÖCKENER, *Liturgie und Mission* (wie Anm. 2) 280–
300 (1986–1997, Nrn. 461–767), Register: 301–303.

34 HÄNGGI, *Zum Geleit* (wie Anm. 10) 9.

35 Vgl. die entsprechenden Stichworte in den Registern zu seiner Bibliografie (Anm.
33).

36 Bekannt geworden ist das von ihm herausgegebene Buch: *Gläubiger Umgang mit der
Welt. Die Segnungen der Kirche*. Einsiedeln [u.a.] 1976.

37 Ebenfalls verbreitet war das von ihm herausgegebene Buch: *Wiederentdeckung der Volksreligiosität*. Regensburg 1979.

38 Vgl. etwa seine Beiträge: *Die vatikanische Gottesdienstreform im Kontext einer polyzentrischen
Weltkirche – der Weg zu einer inkulturierten Liturgie*, in: NZM 46. 1990, 10–30. 99–113; *Für
eine der Kultur angepasste Liturgie* (zusammen mit Jean-Claude CRIVELLI), in: SKZ 156.
1988, 729f; 157. 1989, 33f.

39 Vgl. seinen Artikel: *De arte celebrandi. Anmerkungen zur priesterlichen Zelebration*, in: HlD
36. 1982, 1–11.

40 Vgl. seinen Artikel: *Liturgie und Schönheit*, in: HlD 40. 1986, 65–84.

41 Auf diese Thematik hat ihn die Dichternonne Sr. M. Hedwig Silja Walter OSB vom
Kloster Fahr aufmerksam gemacht, vgl. Silja WALTER – Jakob BAUMGARTNER, *Tanz vor
dem Herrn. Neue Wortgottesdienste*. Zürich 1974.

42 Die Aufarbeitung der Geschichte der Liturgischen Bewegung in der Schweiz war für
Baumgartner ein großes Anliegen, für das er sich auf Anregung des Historikers und
Spezialisten des Schweizer Katholizismus Urs Altermatt (Universität Freiburg) ver-
schiedentlich eingesetzt hat. Vgl. den grundlegenden Artikel: Jakob BAUMGARTNER,
Die Liturgische Bewegung in der Schweiz – ein brachliegendes Feld der Forschung, in: ZSKG 83.
1989, 247–262.

43 Vgl. Anm. 2. Es war damals noch kein sehr verbreiteter akademischer Usus, schon
zum 60. Geburtstag eines Universitätsprofessors eine Festschrift herauszugeben.
Die Herausgeber ahnten aber bereits, dass Baumgartner seinen 70. Geburtstag
nicht mehr erleben würde. Vgl. Walter HEIM [W.H.], *Zum 60. Geburtstag von Pater Jakob Baumgartner. Montlinger durch Festschrift geehrt*, in: Rheintalische Volkszeitung vom

Seit 1973 war Jakob Baumgartner Mitredaktor der von seiner Missionsgesellschaft herausgegebenen „Neue Zeitschrift für Missionswissenschaft". Für
diese Zeitschrift verfasste er, besonders intensiv in den Jahren vor seinem Tod,
eine beträchtliche Zahl von Artikeln, Miszellen und speziell Rezensionen, wobei er die zu besprechenden Bücher immer sehr gewissenhaft und „per integrum" gelesen hat.[44]

5. Die Emeritierung und die letzten Jahre von Jakob Baumgartner

Am frühen Morgen der Festschriftübergabe am 22. November 1986 erlitt Jakob
Baumgartner einen leichten Streifschlag, erschien aber dennoch zur Feier und
versuchte, das Vorgefallene zu verheimlichen. Seit diesem gesundheitlichen
Einbruch waren die Jahre vor und nach seiner Emeritierung überschattet von
Krankheit und leider auch von einer gewissen Verbitterung und Resignation.
Er litt zusehends – das tritt im schon mehrmals erwähnten Exposé von 1991
ganz klar zu Tage – an der Marginalisierung der Liturgiewissenschaft im Gesamten des Lehrbetriebes an der Theologischen Fakultät,[45] aber auch am ungeklärten und gespannten Verhältnis von Liturgiewissenschaft und spezieller
Sakramententheologie.[46]

Mit Erreichen seines 65. Lebensalters am 18. November 1991 verabschiedete sich Jakob Baumgartner von der Universität Freiburg.[47] Im Sommer
1992 übersiedelte er definitiv ins Missionshaus nach Immensee, von wo er
1968/1969 nach Freiburg gekommen war. Das lang gehegte Projekt eines
mehrjährigen Forschungsaufenthalts bei seinen Mitbrüdern in Popayán (Kolumbien) musste er leider aus vorwiegend gesundheitlichen Gründen bald
wieder abbrechen. Das war für ihn eine erneute Enttäuschung, die sich dann
für sein weiteres Arbeiten lähmend auswirken sollte. In die Schweiz heimgekehrt, isolierte er sich immer mehr und brach auch den Kontakt mit vielen
seiner Freunde ab. Er gab es auch auf, über Liturgie und liturgische Themen

---

25.11.1986; Erich CAMENZIND (cd), *Prof. Jakob Baumgartner wurde Festschrift „Der Sonntag" überreicht*, in: Freiburger Nachrichten vom 24.11.1986.

[44]   Vgl. Anm. 26.

[45]   Vgl. BAUMGARTNER, *Der Liturgieunterricht an der Theologischen Fakultät Freiburg heute und
morgen* (wie Anm. 11) 2, 3, 4, 5, 7–8.

[46]   BAUMGARTNER, *Der Liturgieunterricht an der Theologischen Fakultät Freiburg heute und morgen* (wie Anm. 11) 5. Die Aufteilung: Theologie der Sakramente (Dogmatik) und Liturgie der Sakramente (Liturgiewissenschaft) empfand J. Baumgartner – aber auch
die Studierenden! – als nachteilig. So schreibt er: „Entweder kommt es zu ständigen
Überschneidungen und Wiederholungen, weil der Dogmatiker bzw. der Liturgiker
über denselben Gegenstand spricht, oder der Dogmatiker lässt die Riten, die Symbole und euchologischen Texte ausser Betracht und entspricht damit nicht der erforderten Lehrweise auf dem Gebiet der Sakramente, wo gerade die liturgischen
Gegebenheiten und Quellen zum Tragen kommen müssten ... Andererseits droht
bei dieser Scheidung dem Liturgiker die Gefahr, nur dem Zeremoniellen verhaftet zu
bleiben, was postvatikanischem Liturgieverständnis widerspricht, wo doch das Konzil
fordert, die theologische Dimension des Gottesdienstes einzubeziehen."

[47]   Vgl. Bruno BÜRKI, *Professor Jakob Baumgartner tritt in den Ruhestand*, in: Uni-Reflets Nr. 7
vom 28.11.1991, 6; Eugen ZIMMERMANN [EZ.], *Professor Jakob Baumgartner aus Montlingen geht in den „Ruhestand"*, in: Rheintaler Volkszeitung vom 12.11.1991.

zu publizieren[48] und widmete sich praktisch nur noch der „Neuen Zeitschrift für Missionswissenschaft".[49] Kraft und Freude schöpfte er aus der täglichen Messfeier, die er für seine alten und kranken Mitbrüder gestaltete und feierte. Ab und zu übernahm er noch eine Aushilfe in einer Pfarrei.[50] Der überraschende Tod seines Mitbruders und Freundes Walter Heim, Archivar und Historiker der Missionsgesellschaft Immensee, am 31. März 1996, hat ihn zutiefst erschüttert.[51] Er selbst starb nach einem Schlaganfall am 14. September 1996, am Abend des Festes Kreuzerhöhung, kurz vor seinem 70. Geburtstag. Begraben wurde er am 19. September 1996 auf dem Friedhof der Missionsgesellschaft Bethlehem in Immensee.

Geist und Werk Jakob Baumgartners aber, eines leidenschaftlichen Pastoralliturgikers in der Ära der liturgischen Erneuerung der Kirche nach dem Zweiten Vatikanum, leben weiter!

Auswahlbibliografie

Die Bibliografie Jakob Baumbartners umfasst 767 Nummern und ist zusammengestellt (mit Registern) in:

Alberich Martin ALTERMATT, *Bibliographie Jakob Baumgartner 1953–1985,* in: *Der Sonntag. Anspruch – Wirklichkeit – Gestalt.* Hg. v. Alberich Martin ALTERMATT – Thaddäus A. SCHNITKER unter Mitarbeit von Walter HEIM. Würzburg – Freiburg/Schw. 1986, 315–338 (Register: 339–344) = Nummern 1–460.

Martin KLÖCKENER, *Liturgie und Mission. Zum wissenschaftlichen Werk von Jakob Baumgartner SMB (1926–1996) mit einer Bibliographie seiner Schriften 1986–1997,* in: ALw 38/39.1996/97, 273–304, hier 280–300 (Register: 301–303) = Nummern 461–767.

---

[48] Der Vf. konnte Prof. Baumgartner dazu bewegen, am 20. April 1995 im Kloster Frauenthal (Zug), anlässlich einer Tagung der Liturgischen Kommission des Zisterzienserordens über das Gebet für die Verstorbenen, wieder einmal ein liturgisches Thema anzugehen, vgl. Jakob BAUMGARTNER, *„Auch den Toten versage nicht deine Liebe!" (Sir 7,33). Pastoralliturgische Überlegungen zum Totengedenken,* in: HlD 49. 1995, 174–187.

[49] Vgl. die Nummern 601–764 der Bibliografie in: KLÖCKENER, *Liturgie und Mission* (wie Anm. 2) 289–300. Vgl. ebd. 277.

[50] Die wohl letzte Predigt, die Baumgartner hielt, war die vom 10./11. August 1996 zum Patronatsfest der Pfarrkirche des heiligen Johannes M. Vianney (Pfarrer von Ars) in Muttenz (bei Basel) über das Thema: „Gottes Kraft in des Menschen Schwachheit".

[51] Zu Walter Heim vgl. Ueli GYR, *Mission und Volksfrömmigkeit. Zur Erinnerung an Walter Heim (1922–1996), mit Bibliographie,* in: SAVK 93. 1997, 199–214.

158

Anton Baumstark (1872–1948)

Hans-Jürgen Feulner

Anton Baumstark zählt zu den bedeutendsten katholischen Liturgiewissenschaftlern, obwohl er von seiner
akademischen Ausbildung her eigentlich Orientalist
war und als Forscher auf vielen Gebieten hervorgetre-
ten ist. Er verstand es, die orientalischen Literaturen
und Kulturen in feinsinniger Weise mit Archäologie,
Kunstgeschichte, Theologie und Liturgiewissenschaft
zu verbinden. Diese fruchtbare Zusammenschau ist
ihm eigen, wobei seine vielseitigen Veröffentlichungen aufgrund seines gekünstelten Stils jedoch nicht
leicht zu lesen sind.[1] Aus seiner tiefen Gläubigkeit heraus lagen Baumstark besonders die orientalische und vergleichende Liturgiewissenschaft am Herzen.
Seine Vorliebe galt den Problemen der gottesdienstlichen Entwicklungen und
insbesondere der Frage nach der Entstehung der christlichen Liturgie. Was er
auf diesem Gebiet geleistet hat, ist trotz seiner gelegentlichen Hypothesenfreu-
digkeit aus der neueren Liturgiewissenschaft nicht mehr wegzudenken.

1. Leben und wissenschaftliches Werk Baumstarks

Carl Anton Joseph Maria Dominikus Baumstark wurde am 4. August 1872 in
Konstanz als Sohn des späteren Landgerichtspräsidenten Reinhold Baumstark
(1831–1900) geboren.[2] Anton Baumstark studierte an den Universitäten Heidelberg, Freiburg i.Br. und Leipzig klassische Philologie und semitische Sprachen. Aus der Verbindung beider Fächer entstand seine lateinisch abgefasste
Doktorarbeit *Lucubrationes Syro-Graecae*,[3] in der er profane griechisch-syrische
Übersetzungsliteratur bearbeitete und mit der er 1894 in Leipzig zum Doktor der Philosophie promoviert wurde. Nach dem Staatsexamen (1895) war
Baumstark zunächst als Lehramtspraktikant in Karlsruhe und Heidelberg, von
1898–99 dann auch als Privatdozent für klassische und semitische Philologie in

---

[1] Seine Sätze sind zu lang und überladen, ein Gedanke wird in den anderen geschach-
telt, so dass man am Ende des Satzes nicht mehr weiss, was man am Anfang gelesen
hat. Ein typisches Beispiel ist sein an die Soldaten gerichteter Lehrbrief vom Januar
1944 über *Die orthodoxe Ostkirche*: die erste Druckseite besteht aus zwei ganzen Sätzen!
– *Die orthodoxe Ostkirche*. Bonn 1944 (Feldunterrichtsbrief der Katholisch-Theologischen Fakultät der Universität Bonn).

[2] Sein Vater, der Jurist war, stand zugleich mitten im politischen Leben als Publizist
und badischer Landtagsabgeordneter. 1869 trat er zum Katholizismus über und setzte sich im Kulturkampf für die Sache der Kirche ein. Diese Eindrücke hatten die frühe Jugend seines Sohnes mitbestimmt. – Anton Baumstark war Einzelkind und hat
sehr darunter gelitten (ihm selbst wurden 14 Kinder geboren, von denen zwei ganz
früh starben). – Siehe auch Hubert KAUFHOLD, *Liturgie im Leben und Werk Anton Baumstarks*, in: *Acts of the International Congress „Comparative Liturgy Fifty Years After Anton
Baumstark (1872–1948)". Rome, 25.–29. September 1998*. Ed. by Robert F. TAFT – Gabriele WINKLER. Roma 2001 (OCA 265), 119–144.

[3] Leipzig 1894, 353–524 (Jahrbücher für classische Philologie. Supplementband 21).

Heidelberg tätig. Dort habilitierte er sich 1898 mit der Studie *Syrisch-arabische Biographieen des Aristoteles*.[4] Seine ersten Arbeiten befassten sich in diesen Jahren mit philologischen und philosophiegeschichtlichen Fragen, jedoch unter starker Berücksichtigung orientalischer Quellen.

Eine neue Richtung erhielt sein unermüdlicher Arbeitsdrang während wiederholter Studienaufenthalte in Rom, zuletzt von 1899–1904 in dem im Vatikan gelegenen „Campo Santo Teutonico", durch den damaligen Rektor Anton M. de Waal (1837–1917), der den jungen, vielseitigen Gelehrten auf das Gebiet der Literatur und der Liturgie der orientalischen Kirchen hinwies und auch den Anstoß zur Gründung der noch heute existierenden Zeitschrift *Oriens Christianus (Halbjahreshefte für die Kunde des christlichen Orients)* gab. Die Schriftleitung lag in den Händen Baumstarks, der hier alljährlich einige Aufsätze und viele kritische Besprechungen veröffentlichte. Dieser römische Aufenthalt brachte ihm auch die Bekanntschaft mit Joseph Strzygowski (1862–1941), die ihm weitere wichtige Anregungen vermittelte und neben den bisherigen noch ein neues Arbeitsgebiet erschloss, nämlich die christliche Archäologie mit besonderer Bevorzugung der orientalischen Situation. Angeregt durch das *Testamentum Domini nostri Jesu Christi*[5] veröffentlichte er viele Einzeluntersuchungen zu der Überlieferung, den arabischen Texten, der syrischen Übersetzung der Diathēkē, zu den Apostolischen Konstitutionen und der arabischen Didaskalia. Darüber hinaus entstanden die auf Quellen- und Handschriftenstudien beruhenden Arbeiten zur orientalischen Kirchen- und Dogmengeschichte sowie zur syrischen Literatur. Diese wissenschaftlichen Arbeiten fanden später eine Zusammenfassung in *Die christlichen Literaturen des Orients*[6] *und in dem fundamentalen Werk Geschichte der syrischen Literatur*,[7] das Baumstarks ungeheure Arbeitskraft und die sowohl in die Tiefe wie in die Breite gehenden Kenntnisse bezeugt.

Eine nach der römischen Zeit durchgeführte längere Studienreise nach Palästina und Ägypten (November 1904 bis Juli 1905) brachte weitere wissenschaftliche Früchte hervor. Seit dieser Zeit entstanden viele wissenschaftliche Beiträge auf den Gebieten der christlich-orientalischen Literatur, der Archäologie und der orientalischen Liturgien. Programmatisch ist seine Schrift *Palaestinensia*.[8] Dieser Aufenthalt führte Baumstark auch in die Klöster und ihre Bibliotheken, wo er Handschriften und Handschriften-Illustrationen studierte, die eine reiche wissenschaftliche Ausbeute ergaben.[9] Zusammenfassend über

---

[4]   Die Habilitationsschrift wurde veröffentlicht unter dem Titel: *Aristoteles bei den Syrern vom V.–VIII. Jahrhundert*. Leipzig 1900 [Nachdruck: Aalen 1972].

[5]   Hg. von Ignatius Ephraem RAHMANI. Moguntiae [Mainz] 1899.

[6]   Leipzig 1911 (SG 527–528).

[7]   Vgl. *Geschichte der syrischen Literatur mit Ausschluß der christlich-palästinensischen Texte.* Bonn 1922 [Nachdruck: Berlin 1968].

[8]   Vgl. u.a. *Palaestinensia. Ein vorläufiger Bericht.* Roma 1906 (= RQ 20. 1906, 123–149, 157–188). – Siehe auch: *Abendländische Palästinapilger des ersten Jahrtausends und ihre Berichte.* Köln 1906; *Die Wandgemälde in der Kirche des Kreuzesklosters bei Jerusalem*, in: MKW 1. 1908, 771–784; *Die modestianischen und die konstantinischen Bauten am Heiligen Grabe zu Jerusalem.* Paderborn 1915 (SGKA 7/3–4) [Nachdruck: New York 1967]; *Wandmalereien und Tafelbilder im Kloster Mâr Sâbâ*, in: OrChr N.S. 9. 1920, 123–129.

[9]   So z.B.: *Drei illustrierte syrische Evangeliare*, in: OrChr 4. 1904, 409–413; *Frühchristlich-syrische Psalterillustration in einer byzantinischen Abkürzung*, in: OrChr 5. 1905, 295–320;

Bild und Lied des christlichen Ostens[10] hat Baumstark in der Festschrift für Paul Clemens berichtet.

In der Zeit nach dem Ersten Weltkrieg fand Baumstark in der Benediktiner-abtei Maria Laach ein Asyl zu wissenschaftlicher Arbeit, wo er u.a. seine syrische Literaturgeschichte vollenden konnte. Hier erhielt er den Anstoß von Abt Ilde-fons Herwegen (1874–1946), einem feinsinnigen Kenner und Förderer der Li-turgischen Bewegung und des Liturgiestudiums, sich auch der Erforschung der westlichen Liturgien zuzuwenden. Baumstark wurde Mitbegründer[11] der Reihe *Liturgiegeschichtliche Quellen und Forschungen* und Mitherausgeber des *Jahrbuch für Liturgiewissenschaft*.

Während seiner 15-jährigen zermürbenden Beschäftigung als Lehrer an der Privatlehranstalt Lender in Sasbach b. Achern (Baden), die er von 1906–1921 leistete, hat er neben seiner Tätigkeit in der Schule in den Nachtstunden so großartige Arbeiten veröffentlicht, dass ihn 1921 der Kultusminister Carl Heinrich Becker (1876–1933) als Studienrat pro forma in den preußischen Schuldienst berief und ihn zum Honorarprofessor für „Geschichte und Kultur des christlichen Orients und orientalische Liturgie" in Bonn ernannte. Neue Betätigungsfelder eröffneten sich ihm 1923 durch seine Berufung als außer-ordentlicher Professor für Semitistik an der Universität Nijmegen (mit einem Lehrauftrag für „Vergleichende Liturgiegeschichte" an der dortigen Katho-lisch-Theologischen Fakultät von 1923–1930) und 1926 als Professor für Islam-kunde und Arabisch an die Universität Utrecht. 1925 wurde Baumstark die Würde eines Ehrendoktors der Katholisch-Theologischen Fakultät der Univer-sität Bonn verliehen. Neben seinen bisherigen Arbeitsgebieten wandte er sich nunmehr auch der Erforschung des Textes des Alten und Neuen Testamentes in stärkerem Maße zu, wozu ihm vor allem der Gedankenaustausch mit dem Orientalisten und Alttestamentler Paul E. Kahle (1875–1964) in Bonn die An-regung gab.[12] Mit formgeschichtlicher Methode hat er die Abhängigkeit des Ko-rans von jüdisch-christlicher Liturgie und ihren Gebetstypen aufgehellt.[13]

Zur byzantinischen Odenillustration, in: RQ 21. 1907, 157–175; *Eine frühchristlich-syrische Bilderchronik*, in: ebd. 197–199; *Eine Gruppe illustrierter armenischer Evangelienbücher des XVII. und XVIII. Jahrhunderts in Jerusalem*, in: MKW 5. 1911, 249–260.

[10]   In: *Festschrift zum sechzigsten Geburtstag von Paul Clemens, 31. Oktober 1926*. Bonn 1926, 168–180. – Vgl. auch Otto Spies, *Anton Baumstark (1872–1848)*, in: *Bonner Gelehrte. Bei-träge zur Geschichte der Wissenschaften in Bonn*, Teil 8: *Sprachwissenschaften*. Bonn 1970, 347–349, hier 348.

[11]   Odilo Heiming schreibt im Geleitwort zu Baumstarks Nocturna Laus, dass Baumstark „zwar nicht dem Herausgeberstab der LQF" angehörte, aber er habe „den Charakter der Sammlung wesentlich mitbestimmt" und bezeichnete ihn als „Hauptmitarbeiter" [Anton Baumstark, *Nocturna Laus. Typen frühchristlicher Vigilienfeier und ihr Fortleben vor allem im römischen und monastischen Ritus. Aus dem Nachlaß hg. v. Odilo Heiming.* Münster 1956 (LQF 32), VII].

[12]   So etwa: *Die Evangelienzitate Novatians und das Diatessaron*, in: OrChr 3.S. 5. 1930, 1–14; *Aramäischer Einfluß in altlateinischem Text von Habakuk 3*, in: OrChr 3.S. 6. 1931, 163–181; *Eine altarabische Evangelienübersetzung aus dem Christlich-Palästinensischen*, in: ZS 8. 1932, 201–209 usw.

[13]   Vgl. *Jüdischer und christlicher Gebetstypus im Koran*, in: Islam 16. 1927, 229–248; *Das Pro-blem eines vorislamischen christlich-kirchlichen Schrifttums in arabischer Sprache*, in: Islamica

1930 wurde er als ordentlicher Professor für Orientalistik nach Münster berufen, wo er später Dekan wurde, setzte aber seine Lehrtätigkeit auch in Utrecht fort. In Münster entfaltete er seine reiche Lehr- und Forschungstätigkeit bis zu seiner nicht ganz freiwilligen Emeritierung im Jahre 1935.[14] 1940 wurde er, im Alter von 67 Jahren, ebenfalls von seiner noch bestehenden Lehrtätigkeit in Nijmegen entbunden.

Bei aller Gelehrsamkeit hatte Baumstark – wohl durch seine Tätigkeit an der Schule – auch eine Neigung, wissenschaftliche Fragen und Ergebnisse einem großen Leserkreis zugänglich zu machen, und so schrieb er viele Artikel in allgemeinen, sich an das breite Publikum wendende Zeitschriften und Zeitungen wie „Hochland", „Gottesminne", „Wissenschaftliche Beiträge zur Germania", „Kölnische Volkszeitung", „Fliegende Blätter für katholische Kirchenmusik" usw.[15]

Das nationale Bekenntnis stand bei Anton Baumstark in fast der gleichen Stärke neben dem religiösen. Diese Verbindung hatte Baumstark eine zeitlang zu dem verhängnisvollen Glauben verführt, der Nationalsozialismus, dessen kirchenfeindliche Haltung erst im Laufe der Zeit immer stärker deutlicher wurde, könne eine Lösung bringen – was ihm später zu Recht sehr verübelt wurde[16] und die letzten Jahre seines Lebens überschattete. Es ist unstrittig, dass Baumstark während der Nazizeit Schuld auf sich geladen hat,[17] indem er v.a. in Münster 1933 ohne Notwendigkeit mehrere Kollegen denunzierte.[18] Allerdings

4. 1931, 562–575; *Zur Herkunft der monotheistischen Bekenntnisformeln im Koran*, in: OrChr 4.S. 1. 1953, 6–22 [posthum].

[14] Vgl. Helmut HEIBER, *Universität unterm Hakenkreuz*. Teil I: *Der Professor im Dritten Reich*. München u.a. 1991, 465–472.

[15] Beispielsweise: *Vorbyzantinische Kulturzentren des christlichen Morgenlandes*, in: Hochland 3/1. 1905/06, 440–455; *Syrische und hellenistische Dichtung*, in: Gottesminne 3. 1905, 570–593; *Der „Cherubhymnus" und seine Parallelen*, in: Gottesminne 6. 1912, 10–22; *Griechische und syrische Weihnachtspoesie bis zur Mitte des 8. Jahrhunderts*, in: Gottesminne 6. 1912, 244–263; *Aufgaben und Aussichten der Perikopenforschung im Orient*, in: Wissenschaftliche Beilage zur Germania 1913, 9–13; *Osterfeuer und Osterlicht*, in: Kölnische Volkszeitung Nr. 278 – Erste Beilage (31. März 1907); *Der Ostermorgen im griechischen Kirchenliede*, in: Kölnische Volkszeitung Nr. 306 (7. April 1912); *Die Formulare der römischen Weihnachtsmesse und die Liturgie des frühchristlichen Orients*, in: Fliegende Blätter für katholische Kirchenmusik 45. 1910, 159–164 usw. – Allgemeine Darstellungen enthalten auch seine Feldunterrichtsbriefe, die er für die Katholisch-Theologische Fakultät der Universität Bonn z.B. im Jahre 1944 über *Die orthodoxe Ostkirche* und *Die Entwicklung des Messritus* verfasst hat (wie Anm. 1).

[16] So entband ihn Odo CASEL (1886–1948) schließlich von der Mitherausgeberschaft des *Jahrbuch für Liturgiewissenschaft* [vgl. auch Hans LIETZMANN, *Glanz und Niedergang der deutschen Universität. 50 Jahre deutscher Wissenschaftsgeschichte in Briefen an und von Hans Lietzmann (1892–1942)*. Hg. v. Kurt ALAND. Berlin 1979, 825f].

[17] BAUMSTARK rühmte sich, bereits am 1. Aug. 1932, „als erster ordentlicher Professor" der Universität Münster, Mitglied der NSDAP geworden zu sein (so in der Biografie: *Karl Maria Kaufmann. Skizze eines deutschen Gelehrtenlebens*. Leipzig 1937, 34).

[18] Vgl. dazu bes. Rudolf MORSEY, *Anton Baumstark und Georg Schreiber 1933–1948. Zwei gegensätzliche politische Positionen innerhalb der Görres-Gesellschaft*, in: *Jahres- und Tagungsbericht der Görres-Gesellschaft 2003*. Paderborn 2004, 103–129; Ekkehard ELLINGER, *Deutsche Orientalistik zur Zeit des Nationalsozialismus 1933–1945*. Edingen-Neckarhausen 2006 (Thèses 4) 35, 47, 60f.

ist festzuhalten, dass sich in seinen wissenschaftlichen Arbeiten keinerlei nationalsozialistisches Gedankengut findet. Er starb am 31. Mai 1948 in Bonn nach einem arbeitsreichen und wissenschaftlich äußerst produktiven Leben im Alter von 75 Jahren infolge eines Schlaganfalles.[19]

2. Der Stellenwert der Liturgie im wissenschaftlichen Werk Baumstarks

Seine Beschäftigung mit den orientalischen Literaturen und der christlichen Archäologie hatte von Anfang an auch das starke Interesse am liturgischen Leben der Kirche wachgerufen.[20] Die Neuausgabe des Ferialbreviers des antiochenischen Ritus durch den syrisch-katholischen Patriarchen Ignatius Ephraem II. Rahmani gab den Anlass zu einer wertvollen Studie,[21] der noch weitere zur Aufhellung der Geschichte der Perikopenordnungen dienten.[22] Zahlreiche liturgische Texte wurden durch Baumstark ediert und weiteren Studien erst zugänglich gemacht oder durch seine detaillierten Untersuchungen richtig eingeordnet und gewertet.[23] Auch das jüdische Erbe im liturgischen Gebet untersuchte er in verschiedenen Abhandlungen.[24] Vornehmlich der Entwicklungsgeschichte der orientalischen Liturgien diente schließlich eine Reihe von sehr wertvollen Publikationen über Dokumente dieser Riten, wobei er auch neue und bislang unbeachtet gebliebene Quellen der Forschung erschloss.[25]

Bei Baumstarks stark ausgeprägtem Sinn für vergleichende Forschung auf weitester Grundlage ist es nicht verwunderlich, dass er frühzeitig auch die abendländischen Liturgiegebiete in den Kreis seiner Arbeiten mit einbe-

---

[19] Seine Bibliografie umfasst 570 Veröffentlichungen! – Siehe auch Reinhold BAUMSTARK – Hubert KAUFHOLD, *Anton Baumstarks wissenschaftliches Testament zu seinem 50. Todestag am 31. Mai 1998*, in: OrChr 82. 1998, 1–52 [nachgedruckt in: *Acts of the International Congress „Comparative Liturgy Fifty Years After Anton Baumstark (1872–1948)"* (wie Anm. 2) 61–117].

[20] Auf Fragen der geschichtlichen Entwicklung des Kirchenjahres in den orientalischen Kirchen wurde er bereits 1897 geführt: *Das Kirchenjahr in Antiocheia zwischen 512 und 518*, in: RQ 11. 1897, 31–66; 13. 1899, 305–323.

[21] Vgl. *Das „syrisch-antiochenische" Ferialbrevier*, in: Der Katholik 82. 1902, 401–427, 538–550; 83. 1903, 43–54, und die diesem Aufsatz folgende und auf eingehenden handschriftlichen Studien aufgebaute Monographie: *Festbrevier und Kirchenjahr der syrischen Jakobiten* [...]. Paderborn 1910 (SGKA 3/3-5).

[22] Vgl. u.a. *Nichtevangelische syrische Perikopenordnungen des ersten Jahrtausends im Sinne vergleichender Liturgiewissenschaft untersucht*. Münster 1921 (LF 3) [Münster 1972 (LWQF 15)]; *Neuerschlossene Urkunden altchristlicher Perikopenordnung des ostaramäischen Sprachgebietes*, in: OrChr 3.S. 1. 1927, 1–22.

[23] Es seien nur Folgende erwähnt: *Eine aegyptische Mess- und Taufliturgie vermutlich des 6. Jahrhunderts*, in: OrChr 1. 1901, 1–45; *Eine syrische „Liturgia S. Athanasii"*, in: OrChr 2. 1902, 90–129; *Die Anaphora von Thmuis und ihre Ueberarbeitung durch den hl. Serapion*, in: RQ 18. 1904, 123–142; *Die Chrysostomosliturgie und die syrische Liturgie des Nestorios*, in: XPYCOCTOMIKA. Roma 1908, 711–857.

[24] Vgl. u.a. *Das eucharistische Hochgebet und die Literatur des nachexilischen Judentums*, in: ThGl 2. 1910, 353–370; *Trishagion und Qeduscha*, in: JLw 3. 1923, 18–32.

[25] Vgl. u.a. *Quadragesima und Karwoche Jerusalems im siebten Jahrhundert*, in: OrChr N.S. 5. 1915, 201–233; *Oster- und Pfingstfeier Jerusalems im siebten Jahrhundert*, in: OrChr N.S. 6. 1916, 223–239; *Neue handschriftliche Denkmäler melkitischer Liturgie*, in: OrChr N.S. 10–11. 1923, 157–168; *Denkmäler der Entstehungsgeschichte des byzantinischen Ritus*, in: OrChr 3.S. 2. 1927, 1–32.

zog.[26] Das Hauptgewicht seiner Studien lag zunächst aber auf dem Gebiet der orientalischen Liturgien und meist im Dienste einer *Vergleichenden Liturgiewissenschaft*, deren Grundsätze und Methoden von ihm mit großer Meisterschaft ausgearbeitet worden sind.[27] Aus einer im Frühjahr 1932 in der belgischen Benediktinerabtei Amay-sur-Meuse gehaltenen Vorlesungsreihe[28] entstand sein viel beachtetes Standardwerk *Liturgie Comparée*.[29] Vom Benediktinerkloster Maria Laach kam schließlich der Anstoß, auch der abendländischen Liturgieforschung sein reiches Können zu widmen.[30]

3. Würdigung der von Baumstark grundgelegten „Vergleichenden Liturgiewissenschaft"[31]

Auch innerhalb der Liturgiewissenschaft hat sich für den wissenschaftlichen Umgang mit liturgischen Texten und Strukturen eine vergleichende Methodik bewährt. Der Orientalist Anton Baumstark befasste sich in seinen liturgiegeschichtlichen Studien neben den gesamten orientalischen Riten auch mit den westlichen Liturgietraditionen.[32] Er war es wohl auch, der den Begriff

---

[26]　So versuchte er, die Rätsel, die die Geschichte des römischen Canon Missae stellt, durch die Annahme einer Vermischung eines bodenständig römischen und eines ravennatischen Formulars zu klären: *Liturgia Romana e Liturgia dell'Esarcato* [...]. Roma 1904.

[27]　*Jerusalem und die römische Liturgie der Karwoche*, in: Die Kirchenmusik 9. 1908, 65–69; *Rom oder Jerusalem? Eine Revision der Frage nach der Herkunft des Lichtmeßfestes*, in: ThGl 1. 1909, 89–105; *Der Orient und die Gesänge der Adoratio Crucis*, in: JLw 2. 1922, 1–17; *Vom geschichtlichen Werden der Liturgie*. Freiburg/Br. 1923 (EcOra 10); *Das Gesetz der Erhaltung des Alten in liturgisch hochwertiger Zeit*, in: JLw 7. 1927, 1–23; *Orientalisches in den Texten der abendländischen Palmenfeier*, in: JLw 7. 1927, 148–153 usw.

[28]　Die zehn Vorlesungen wurden zunächst als Artikelserie in der Zeitschrift *Irénikon* veröffentlicht, bevor sie in verschiedenen Auflagen in Buchform erschienen sind (siehe dazu Emmanuel Lanne, *Les dix leçons de Liturgie Comparée d'Anton Baumstark au monastère d'Amay-sur-Meuse en 1932: Leur contexte et leur publication*, in: Acts of the International Congress „Comparative Liturgy Fifty Years After Anton Baumstark [1872–1948]" [wie Anm. 2] 145–161).

[29]　*Liturgie Comparée. Principes et méthodes pour l'étude historique des liturgies chrétiennes*. Chevetogne 1939 (^{3}1953).

[30]　In rascher Folge erschienen eine Reihe wertvoller Einzelarbeiten: *Das Communicantes und seine Heiligenliste*, in: JLw 1. 1921, 5–33; *Eine nachgregorianische Umstellung im römischen Messkanon oder ein Nachhall seiner Vorgeschichte?*, in: ebd. 130–132; *Liturgischer Nachhall der Verfolgungszeit*, in: *Beiträge zur Geschichte des christlichen Altertums und der byzantinischen Literatur. Festgabe Albert Ehrhard zum 60. Geburtstag*. Hg. v. Albert Michael Koeniger. Bonn – Leipzig 1922 [Nachdruck: Amsterdam 1969] 53–72; *Die älteste erreichbare Gestalt des Liber Sacramentorum anni circuli der römischen Kirche (Cod. Pad. D. 47)* [mit Kunibert Mohlberg]. Münster 1927 (LQ 11–12); *Missale Romanum. Seine Entwicklung, ihre wichtigsten Urkunden und Probleme*. Eindhoven – Nijmegen 1929.

[31]　Vgl. hierzu auch die in Notre Dame/IN entstandene Dissertation von Fritz (Frederic S.) West, *Anton Baumstark's Comparative Liturgy in Its Intellectual Context*. Ann Arbor University Microfilms International 1988; sowie ders., *The Comparative Liturgy of Anton Baumstark*. Bramcote 1995 (Joint Liturgical Studies 31).

[32]　Vgl. auch die Festschrift, die ihm von seinen Freunden und Schülern (hg. von Adolf Rücker) zu seinem 60. Geburtstag am 4. Aug. 1932 gewidmet wurde (= OrChr 3.S. 7. 1932).

„Liturgie*wissenschaft*" erstmals in gedruckter Form vorgelegt hat.[33] Baumstark entwickelte den Ansatz einer *Vergleichenden Liturgiewissenschaft*, den er in seinem in französischer Sprache erschienenen Werk *Liturgie Comparée* schließlich umfassender ausführte.[34] Sein Interesse galt der Liturgiegeschichte, die dem Wissenschaftler als etwas Gewachsenes entgegentrete, das gleichzeitig Gegebenes und Bestehendes sei. Der Entfaltung der Liturgie entspreche die *Vergleichende Liturgiewissenschaft*, die durch Vergleich und Zusammenschau zwischen den verschiedenen östlichen und westlichen Liturgiefamilien die Hauptentwicklungslinien der Liturgie und ihre Gesetzmäßigkeiten erheben und untersuchen solle. Eine *Vergleichende Liturgiewissenschaft* will den größeren religionsgeschichtlichen Kontext, die jüdische Liturgie und in ganzer Breite die Liturgien der verschiedenen christlichen Kirchen berücksichtigen.[35] Diesem Denkansatz kommt auch heute im Hinblick auf die Ökumene ein besonderes Gewicht zu. In der klassischen Sicht einer *Vergleichenden Liturgiewissenschaft* kristallisierte sich die Idee heraus, dass die einzelnen Riten in ihren jeweiligen Originalsprachen zu erfassen sind, dass die einzelnen *liturgischen Einheiten* („*liturgical units*")[36] und *Strukturen* miteinander verglichen werden müssen und schließlich auch noch der historische Wandel vergleichend gegenüberzustellen ist. Mit und nach Baumstark suchte man nach grundlegenden Prinzipien, mit denen die Evolution der Liturgie erfasst werden konnte, und zwar aufgrund (1) einer vergleichenden *strukturellen* Analyse der liturgischen Texte, (2) einer vergleichenden *textlichen* Untersuchung auf *philologischer* Grundlage und (3) einer vergleichenden *historischen* Studie.[37] Anton Baumstark und besonders

---

[33] Anton BAUMSTARK, *Ein liturgiewissenschaftliches Unternehmen deutscher Benediktinerabteien*, in: DLZ 40. 1919, 897–905, 921–927. – Er hat den Begriff „Liturgiewissenschaft" wohl von Kunibert MOHLBERG übernommen, mit dem er in ständigem Briefkontakt stand (s. hierzu ausführlich Stefan K. LANGENBAHN, *Fürs Archiv des „Archivs".* Die Vorgeschichte des *Jahrbuch für Liturgiewissenschaft (1918-1921) – zugleich eine Namensgeschichte des* Archiv für Liturgiewissenschaft, in: ALw 50. 2008, 31–61, hier bes. 50f, 52–54).

[34] In seiner Rezension von Gustav Diettrichs *Die nestoranische Taufliturgie* skizzierte Baumstark zum ersten Mal das Konzept einer *Vergleichenden Liturgiewissenschaft* als einer „allseitige Orientierung über das Ganze" betreibenden „Wissenschaft, die noch zu begründen wäre" (Anton BAUMSTARK, *Rez. „G. Diettrich, Die nestorianische Taufliturgie"*, in: OrChr 3. 1903, 219–226, hier 220f). – Vgl. dazu auch Anton BAUMSTARK, *Ein liturgiewissenschaftliches Unternehmen deutscher Benediktinerabteien*, 901–905, 921–924; DERS., *Arbeiten zur Literaturgeschichte, Kirchengeschichte und Liturgie des christlichen Orients*, in: LitRdsch 37. 1911, 225–230, 386–388, hier 388.

[35] Vgl. Benedikt KRANEMANN, *Liturgiewissenschaft angesichts der „Zeitenwende".* Die Entwicklung der theologischen Disziplin zwischen den beiden Vatikanischen Konzilien, in: *Die katholisch-theologischen Disziplinen in Deutschland 1870–1962. Ihre Geschichte, ihr Zeitbezug*. Hg. v. Hubert WOLF. Paderborn [u.a.] 1999 (Programm und Wirkungsgeschichte des II. Vatikanums 3) 351–375, hier 367.

[36] Robert F. TAFT, *The Structural Analysis of Liturgical Units. An Essay in Methodology*, in: Worship 52. 1978, 314–329 (= DERS., *Beyond East and West. Problems in Liturgical Understanding*. Roma ²1997, 187–202).

[37] Zu diesen grundlegenden Ansätzen der *Vergleichenden Liturgiewissenschaft* siehe z.B. BAUMSTARK, *Liturgie Comparée* (wie Anm. 29): „La première tâche de l'étude comparée des textes liturgiques est de nature purement *philologique* ... On voit immédiatement que la connaissance des langues est de toute nécessité pour ce genre d'études et l'on doit ajouter que l'on ne peut aborder la liturgie comparée sans une science étendue

seine beiden Schüler Fritz Hamm (1901–1970) und Hieronymus (Karl) Engberding (1899–1969) fanden durch den Vergleich und die Zusammenschau der verschiedenen Liturgiefamilien wichtige Entwicklungsstränge heraus und formulierten einige grundlegende „*Gesetzmäßigkeiten*" (nicht „Gesetze"[38]), die zur Erklärung der Entwicklung der Liturgie dienen. Diese „Gesetzmäßigkeiten", die in den frühen Formen der Liturgie bis etwa zur ausgehenden Antike bzw. ins Frühmittelalter auftreten, sind auch für das Verständnis der späteren liturgischen Traditionen von großer Tragweite.

Die von Baumstark ausgeprägte Methodik ist jedoch nicht unumstritten gewesen. Bernard Botte (1893–1980) hat im Vorwort zur 3. Auflage von *Liturgie Comparée* – bei aller betonter Zustimmung im Grundsätzlichen – auf das Problem hingewiesen, dass durch die von Baumstark aufgestellten „Gesetze" die Gefahr der Verwechslung von logischer Konstruktion und historischer Realität drohe.[39] Auch Baumstarks Schüler haben bereits nur von einer *relativen* Gültigkeit solcher „Gesetzmäßigkeiten" sprechen wollen.[40] In der neueren englischsprachigen Literatur wird diese Seite der *Vergleichenden Liturgiewissenschaft* einer deutlichen Kritik unterzogen,[41] die allerdings in sehr vielen Punkten nicht haltbar ist. Die „Gesetzmäßigkeiten" der *Vergleichenden Liturgiewissenschaft*, die nicht nur auf Baumstark, sondern auch auf seine beiden Schüler F. Hamm und H. Engberding zurückgehen, lassen sich im Wesentlichen wie folgt umrisshaft zusammenfassen, wenngleich bezüglich der Anzahl dieser „Gesetzmäßigkeiten" der liturgischen Entwicklung eine gewisse Uneinigkeit vorherrscht:[42]

des langues orientales" (ebd. 59); „Nous commencerons par étudier *la structure* de ces unités liturgiques ... *Ces structures*, soit en leur état définitif, soit à un moment déterminé de leur évolution, sont très souvent le résultat d'un développement fort compliqué" (ebd. 35); „Par ce rapprochement, on entend délimiter nettement la place occupée par *l'histoire de la liturgie* dans l'ensemble des sciences" (ebd. 3) (alle Hervorhebungen vom Vf.). – Siehe auch Gabriele WINKLER – Reinhard MESSNER, *Überlegungen zu den methodischen und wissenschaftstheoretischen Grundlagen der Liturgiewissenschaft*, in: ThQ 178. 1998, 229–243, hier 240f.

[38] Anton BAUMSTARK spricht an einigen Stellen von „Gesetzen" („lois" bzw. „laws"), was wohl in manchen Zusammenhängen einer gewissen Modifizierung bedarf (siehe auch die Stellungnahme von Bernard BOTTE im Vorwort zur 3. Auflage: *Liturgie Comparée* [wie Anm. 29] VI–VII; *Comparative Liturgy*. Revised by Bernard BOTTE. English edition translated by Frank L. CROSS. Westminster/Maryland 1958, viii–ix).

[39] Vgl. Bernard BOTTE, in: BAUMSTARK, *Liturgie Comparée* (wie Anm. 29) VII; DERS., *Comparative Liturgy* (wie Anm. 38) ix.

[40] So z.B. Fritz HAMM, *Die liturgischen Einsetzungsberichte im Sinne vergleichender Liturgieforschung untersucht*. Münster 1928 (LQF 23) 97.

[41] So z.B. von WEST, *The Comparative Liturgy of Anton Baumstark* (wie Anm. 31) 25; Martin STRINGER, *Liturgy and Anthropology. The History of a Relationship*, in: Worship 63. 1989, 503–521; John R.K. FENWICK, *The Anaphoras of St. Basil and St. James. An Investigation into their Common Origin*. Roma 1992 (OCA 240) 61–69 ("Methodology"); Paul F. BRADSHAW, *The Search for the Origins of Christian Worship. Sources and Methods for the Study of Early Liturgy*. London – Cambridge 1992, 56–79 ("Ten Principles for Interpreting Early Christian Liturgical Evidence") u.a.

[42] Siehe im Folgenden besonders: Robert F. TAFT, *Anton Baumstark's Comparative Liturgy Revisited*, in: *Acts of the International Congress „Comparative Liturgy Fifty Years After Anton Baumstark (1872–1948)"* (wie Anm. 2) 191–232; Hans-Jürgen FEULNER, *Die armenische*

Allgemeine Prinzipien

1. *Die Entwicklung von der Mannigfaltigkeit zur Einheitlichkeit:*[43] Die divergie-renden örtlichen liturgischen Feiern wurden auf Dauer in überörtliche Liturgiefamilien gefasst,[44] die sich um die damaligen bedeutenden kultu-rellen und theologischen Zentren wie Alexandrien, Antiochien, Rom und Konstantinopel bildeten. Rom und Konstantinopel übten dabei den nachhaltigsten Einfluss aus.

2. *Die zunehmende Anreicherung der liturgischen Riten und Texte:*[45] Ein ursprünglich einfacher, schlichter Ritus oder liturgischer Text wurde oft auf Kosten der Durchschaubarkeit durch Hinzufügungen erweitert. Bei einer einsetzenden Gegenbewegung kam es manchmal wieder zu Kürzungen, jedoch nicht der sekundären Anreicherungen, sondern oftmals sogar der substantiellen Elemente.

3. *Die Entwicklung von freien und improvisierten Gebeten zu Formulargebeten:*[46] Ein fest fixiertes Formulargebet steht oftmals am Ende einer längeren mündlichen Überlieferung. Klassisches Beispiel sind die überlieferten liturgischen Texte in der dem Hippolyt von Rom zugeschriebenen so genannten *Traditio Apostolica* aus dem 3. Jahrhundert.

4. *Die liturgischen Verwandtschaftsverhältnisse:*[47] Aufgrund des Vergleiches einzelner Riten miteinander können bedeutsame liturgische Beziehungen bzw. Verwandtschaftsverhältnisse ausgemacht werden, und zwar:
   - zwischen dem stadtrömischen Ritus und der lateinischen Liturgie Nordafrikas sowie dem (stadt-)römischen Ritus und der alexandrini-schen Liturgiefamilie,
   - zwischen altgallischem, altspanischem (und keltischem) Ritus einer-seits und dem westsyrischen Liturgiebereich andererseits,
   - zwischen maronitischem Ritus und syro-mesopotamischem („nestoria-nischem") Ritus ostsyrischen Typus',
   - zwischen armenischem Ritus und Jerusalem sowie den liturgischen Ge-bräuchen Persarmeniens und Syriens,
   - zwischen der west-syrischen Liturgiefamilie und dem alexandrinischen Liturgiebereich.

Athanasius-Anaphora. Kritische Edition, Übersetzung und liturgievergleichender Kommentar. Roma 2001 (Anaphorae Orientales 1 – Anaphorae Armeniacae 1) 63–75.

[43] Vgl. BAUMSTARK, *Vom geschichtlichen Werden* (wie Anm. 27) 29–31, 32–35, 37–47; DERS., *Liturgie Comparée* (wie Anm. 29) 17–20, 21f; DERS., *Comparative Liturgy* (wie Anm. 38) 15–17, 18f.

[44] Ferdinand Probst (1816–1899) ging noch von einer einheitlichen apostolischen Ur-liturgie aus (siehe DERS., *Liturgie der ersten drei christlichen Jahrhunderte.* Tübingen 1870; DERS., *Sakramente und Sakramentalien in den ersten drei christlichen Jahrhunderten.* Tübin-gen 1872; DERS., *Liturgie des vierten Jahrhunderts und deren Reform.* Münster 1893).

[45] Vgl. BAUMSTARK, *Liturgie Comparée* (wie Anm. 29) 22–25; DERS., *Comparative Liturgy* (wie Anm. 38) 19–22.

[46] Vgl. BAUMSTARK, *Vom geschichtlichen Werden* (wie Anm. 27) 31f; DERS., *Liturgie Comparée* (wie Anm. 29) 20f; DERS., *Comparative Liturgy* (wie Anm. 38) 17f.

[47] Vgl. BAUMSTARK, *Vom geschichtlichen Werden* (wie Anm. 27) 38f; DERS., *Liturgie Comparée* (wie Anm. 29) 5f; DERS., *Comparative Liturgy* (wie Anm. 38) 5f; DERS., *Orientalisches in altspanischer Liturgie,* in: OrChr 3.S. 10. 1935, 1–37 u.a.

Spezielle „Gesetzmäßigkeiten"

A. Texte

5. *Die Einfügung biblischer Zitate in liturgische Texte:*[48] Liturgische Texte, in denen Bibelzitate unsystematisch bzw. in paraphrasierter Form eingefügt sind, sind oft älter als Texte, in denen Bibelzitate wörtlich und zu doktrinellen Zwecken thematisch gezielt eingesetzt werden.

6. *Das Prinzip der Symmetrie:*[49] Bei manchen liturgischen Texten (wie z.B. bei den Einsetzungsworten) ist die jüngere Textgestalt symmetrischer strukturiert als die ältere.

7. *Die Anreicherung liturgischer Texte mit doktrinellen Elementen:*[50] Ab dem vierten Jahrhundert werden die liturgischen Texte mit doktrinellen Elementen durchsetzt, die die theologischen Kontroversen der frühen Konzilien widerspiegeln.

8. *Die zunehmende rhetorische Prägung der liturgischen Sprache.*[51]

B. Strukturen, Handlungen und ihre Symbolisierung

9. *Die Verdrängung älterer Elemente durch neue:*[52] Im zweifachen, entgegengerichteten Prozess der Anreicherung und Kürzung (vgl. „Gesetzmäßigkeit" 2) können zwar eine Zeit lang jüngere Elemente mit älteren zusammen bestehen, bevor diese schließlich verdrängt werden, gewöhnlich machen aber die ältesten Elemente Platz, bevor die neuen übernommen werden. Diese von Baumstark als „Gesetz der organischen Entwicklung"[53] bezeichnete „Gesetzmäßigkeit" hat mit den besonderen liturgischen Einheiten (Antiphonen, Litaneien etc.) innerhalb von Ritualen wie Taufe, Eucharistie etc. zu tun.

10. *Die Bewahrung des Alten in „liturgisch hochwertiger Zeit":*[54] Vor allem an liturgischen Hochfesten und in geprägten Zeiten während des Kirchenjahres haben sich ansonsten verschwundene liturgische Bräuche und Texte noch erhalten können (z.b. am Karfreitag die „Großen Fürbitten" und die Prostratio des Zelebranten zu Beginn der liturgischen Feier).

11. *Die Symbolisierung liturgischer Handlungen:*[55] Rein utilitaristische liturgische Handlungen bekommen eine symbolische Bedeutung, was dann später in eine *allegorische Liturgieerklärung* einmündet.

---

[48] Vgl. BAUMSTARK, *Liturgie Comparée* (wie Anm. 29) 67; DERS., *Comparative Liturgy* (wie Anm. 38) 59.

[49] Vgl. BAUMSTARK, *Liturgie Comparée* (wie Anm. 29) 67; DERS., *Comparative Liturgy* (wie Anm. 38) 59.

[50] Vgl. BAUMSTARK, *Liturgie Comparée* (wie Anm. 29) 68f; DERS., *Comparative Liturgy* (wie Anm. 38) 59f.

[51] Vgl. BAUMSTARK, *Liturgie Comparée* (wie Anm. 29) 69–79; DERS., *Comparative Liturgy* (wie Anm. 38) 61–70.

[52] Vgl. BAUMSTARK, *Liturgie Comparée* (wie Anm. 29) 26–30; DERS., *Comparative Liturgy* (wie Anm. 38) 23–26.

[53] Vgl. BAUMSTARK, *Liturgie Comparée* (wie Anm. 29) 26; DERS., *Comparative Liturgy* (wie Anm. 38) 23.

[54] Vgl. Anton BAUMSTARK, *Das Gesetz der Erhaltung des Alten in liturgisch hochwertiger Zeit*, in: JLw 7. 1927, 1–23; DERS., *Liturgie Comparée* (wie Anm. 29) 30–34; DERS., *Comparative Liturgy* (wie Anm. 38) 27–30.

[55] Vgl. BAUMSTARK, *Liturgie Comparée* (wie Anm. 29) 144; DERS., *Comparative Liturgy* (wie Anm. 38) 130.

Durch diese „Gesetzmäßigkeiten", die bereits größtenteils von der klassischen *Vergleichenden Liturgiewissenschaft* aufgezeigt wurden, konnte man auf Entwicklungen in der Liturgiegeschichte rückschließen. Die klassische *Vergleichende Liturgiewissenschaft* hat im deutschen Sprachgebiet mit einer Reihe beachtlicher Untersuchungen nur eine relativ kurze Zeit der Blüte erlebt, besonders mit dem Benediktiner Hieronymus Engberding, der mit seiner 1931 veröffentlichten Dissertation über alle orientalischen Rezensionen der sogenannten *Basilius-Anaphorä*[56] *die Methodik der Vergleichenden Liturgiewissenschaft* verfeinern konnte. Anton Baumstarks methodische Grundlegung der klassischen *Vergleichenden Liturgiewissenschaft* ist in den sechziger Jahren in Rom am *Päpstlichen Orientalischen Institut* durch die von Juan Mateos begründete „School of Comparative Liturgiology" rezipiert und weiterentwickelt worden. Aus dieser Schule mit internationaler Besetzung sind mehrere namhafte Vertreter des Faches hervorgegangen.

Das bisherige Materialobjekt einer *Vergleichenden Liturgiewissenschaft* waren fast ausschließlich die orientalischen Liturgien, da aufgrund ihrer starken Beharrungskraft diese Liturgien in die Zeit der antiken Liturgien zurückblicken lassen. Aufgrund dogmatischer Überlegungen kam es in der ersten Hälfte des 20. Jahrhunderts in der klassischen *Vergleichenden Liturgiewissenschaft* zu einem auffallenden Außerachtlassen der reformatorischen Liturgien.[57] Der tiefere Grund für die bisherige Ignorierung der reformatorischen Tradition in der klassischen *Vergleichenden Liturgiewissenschaft* liegt nicht in einer konfessionellen Voreingenommenheit, sondern in der Anwendung einer Methodik und der Übertragung des dahinterstehenden Entwicklungsparadigmas auf die Liturgie. Die Liturgie wird als etwas Gewachsenes, Organisches gesehen, wie sich Anton Baumstark ausdrückt: „Die Liturgie ist ein Gewordenes, aber nicht wie eine beliebige Schöpfung mit bewußter Absicht auf ein selbstgewähltes Ziel gerichteter menschlicher Willkürtätigkeit ... [Es handelt] sich um die Ergebnisse eines organischen, nach inneren Gesetzen sich vollziehenden Werdens, dessen Aufhellung durch die Ermittlung jener Gesetze erfolgt ... Dieses Ziel wird nicht ohne Anwendung eines Verfahrens zu erreichen sein, für das eher naturwissenschaftliche Forschungsweise in der Unerbitterlichkeit ihrer exakten Beobachtung das Vorbild liefern dürfen ... Zu prüfen gilt es sodann vor allem, ob nicht und wieweit an dem so bereicherten Beobachtungsstoffe eine innere Gesetzmäßigkeit auch liturgischer Entwicklung sich nachweisen läßt, vermöge deren diese mehr oder weniger in eine Linie mit sprachlicher und biologischer Entwicklung träte"[58].

Das Spezifische dieser Sicht ist, dass nach ihr die Liturgie wie die Natur in ihrer Entwicklung bestimmten liturgischen „Gesetzmäßigkeiten" folgt, die oben skizziert wurden. Ein radikaler Umbruch aber, wie ihn die reformatorischen Litur-

---

[56]   Hieronymus ENGBERDING, *Das Eucharistische Hochgebet der Basileiosliturgie. Textgeschichtliche Untersuchungen und kritische Ausgabe.* Münster 1931 (Theologie des Christlichen Ostens 1).

[57]   Vgl. Friedrich LURZ, *Die Feier des Abendmahls nach der Kurpfälzischen Kirchenordnung von 1563. Ein Beitrag zu einer ökumenischen Liturgiewissenschaft.* Stuttgart 1998 (PThe 38), 24–27; DERS., *Für eine ökumenische Liturgiewissenschaft,* in: TThZ 108. 1999, 273–290, hier 276f.

[58]   BAUMSTARK, *Vom geschichtlichen Werden* (wie Anm. 27) 2–4.

gien tatsächlich beinhalten und der sich auch gegen die innere Gesetzlichkeit richtet, lässt sich in diese Methodik nur schwer einbinden. Eine *Vergleichende Liturgiewissenschaft* vermag jedoch über diese anskizzierten „Gesetzmäßigkeiten" hinaus einerseits auch für das Mittelalter und die Neuzeit[59] und andererseits ebenso in Hinblick auf die reformatorischen Liturgien wesentliche Abhängigkeitsverhältnisse bzw. wechselseitige Einflüsse herauszuarbeiten, obgleich die *klassischen* „Gesetzmäßigkeiten" hier nicht mehr zur Anwendung kommen können.[60] Aber in einer solchen einseitigen Anwendung von „Gesetzmäßigkeiten" erschöpft sich eine *Vergleichende Liturgiewissenschaft* durchaus nicht.

Der philologischen und der historisch-kritischen Arbeitsweise kommt in einer *Vergleichenden Liturgiewissenschaft*, die umfassend ökumenisch nach Ost *und* West ausgerichtet sein sollte, entscheidende Bedeutung zu. In einer so verstandenen *Vergleichenden Liturgiewissenschaft* geht es darum, auch die Theologie der verschiedenen Liturgien zu erforschen und zu verstehen, womit nicht nur die faktische Vielfalt der Liturgien in Ost und West wahrzunehmen, sondern auch die Kontextualität zu beachten ist, d.h. der theologiegeschichtliche, kulturelle sowie gesellschafts-politische Kontext. Eine so verstandene *Vergleichende Liturgiewissenschaft* ist zugleich auch eine wahrhaft *Ökumenische Liturgiewissenschaft*.

Bei der historisch-kritischen Arbeitsweise einer *Vergleichenden Liturgiewissenschaft* geht es ja nicht nur um Vergangenes, sondern letztlich auch um das Verstehen der Gegenwart. Einer historisch-kritisch arbeitenden Liturgiewissenschaft wird es zudem wesentlich leichter fallen, konvergente wie divergente Entwicklungen in den verschiedenen Liturgien und ihre Ursachen wahrzunehmen. Aber auch die gegenseitige Beeinflussung liturgischer Traditionen wird so deutlicher. Das Verstehen der anderen Liturgien und der Motivation für ihre Änderungen bringen ein besseres Verstehen der eigenen Liturgie mit sich.

Auswahlbibliografie

Anton BAUMSTARK, *Liturgia Romana e Liturgia dell'Esarcato: Il Rito detto in seguito patriarchino e le origini del Canon Missae romano.* Roma 1904.

DERS., *Die Messe im Morgenland.* Kempten 1906 [Nachdruck: 1921].

DERS., *Die konstantinopolitanische Meßliturgie vor dem 9. Jahrhundert.* Bonn 1909 (Kleine Texte für theologische und philosophische Vorlesungen und Übungen 35 – Liturgische Texte 3).

DERS., *Festbrevier und Kirchenjahr der syrische Jakobiten* [...]. Paderborn 1910 (SGKA 3/3–5).

DERS., *Die christlichen Literaturen des Orients* 1–2. Leipzig 1911 (SG 527–528).

[59]   So z.B. Martin KLÖCKENER, *Die Auswirkungen des „Baumstarkschen Gesetzes" auf die Reform des II. Vaticanums, dargestellt anhand des Triduum Paschale*, in: *Ecclesia Lacensis. Beiträge aus Anlaß der Wiederbesiedlung der Abtei Maria Laach durch Benediktiner aus Beuron vor 100 Jahren* [...]. Hg. v. Emmanuel VON SEVERUS. Münster 1993 (BGAM.S 6) 371–402.

[60]   Vgl. Bryan D. SPINKS, *Evaluating Liturgies of the Reformation: The Limitations of the Comparative Methods of Baumstark*, in: *Acts of the International Congress „Comparative Liturgy Fifty Years After Anton Baumstark (1872–1948)"* (wie Anm. 2) 283–303; David R. HOLETON, *The Evolution of Utraquist Eucharistic Liturgy: Baumstark Confirmed*, in: ebd. 777–785.

170 Anton Baumstark (1872–1948)

DERS., *Nichtevangelische syrische Perikopenordnungen des ersten Jahrtausends im Sinne vergleichender Liturgiewissenschaft untersucht.* Münster 1921 (LF 3) [Münster 1972 (LWQF 15)].

DERS., *Geschichte der syrischen Literatur mit Ausschluß der christlich-palästinensischen Texte.* Bonn 1922 [Nachdruck: Berlin 1968].

DERS., *Vom geschichtlichen Werden der Liturgie.* Freiburg/Br. 1923 (EcOr 10) [Nachdruck: Darmstadt 1971].

DERS., *Die älteste erreichbare Gestalt des Liber Sacramentorum anni circuli der römischen Kirche* [mit Kunibert MOHLBERG]. Münster 1927 (LQ 11–12) [Nachdruck: Münster 1967].

DERS., *Missale Romanum. Seine Entwicklung, ihre wichtigsten Urkunden und Probleme.* Eindhoven – Nijmegen 1929.

DERS., *Liturgie Comparée. Principes et méthodes pour l'étude historique des liturgies chrétiennes.* Revue par Bernard BOTTE. Chevetogne 1939 (³1953) [*Comparative Liturgy.* Revised by Bernard BOTTE. English edition translated by Frank L. CROSS. Westminster/Maryland 1958; *Liturgia Comparada.* Barcelona 2005 (Cuadernas Phase 155–154)].

DERS., *Antik-roemischer Gebetsstil im Messkanon*, in: *Miscellanea Liturgica in Honorem L. Cuniberti Mohlberg* I. Roma 1948 (BEL 22) 301–331.

DERS., *Nocturna Laus. Typen frühchristlicher Vigilienfeier und ihr Fortleben vor allem im römischen und monastischen Ritus.* Münster 1957 (LQF 32) [Nachdruck: Münster 1967].

Hans-Jürgen FEULNER, *Bibliography of Anton Baumstark*, in: *Acts of the International Congress „Comparative Liturgy Fifty Years after Anton Baumstark (1872–1948)" Rome, 25–29 September 1998.* Ed. by Robert F. TAFT – Gabriele WINKLER. Roma 2001 (OCA 265) 31–60 [mit 570 Veröffentlichungen].[61]

---

[61] Vgl. auch in: EL 63. 1949, 185–207 [Theodor KLAUSER – Herta Elisabeth KILLY].

Joachim Beckmann (1901–1987)

Christina Falkenroth

1. Lebensstationen

Joachim Beckmann wurde am 18. Juli 1901 in einem reformierten Pfarrhaus am Rande des Ruhrgebietes im westfälischen Eickel geboren. In seiner Kindheit entwickelte er vielseitige Interessen in den Bereichen der bildenden Kunst, Literatur, Musik, des Theaters, der Naturwissenschaften und Philosophie. Seine Neigungen ließen ihm viele Berufswege als möglich erscheinen. Zum Theologiestudium führten ihn schließlich besonders zwei prägende Erfahrungen: Die eine bestand in seiner Teilnahme an einem „Bibelkränzchen", später „Bibelkreis unter Schülern höherer Lehranstalten"

genannt, in dem die Schüler in großer Selbständigkeit unter Anregung von Pfarrern oder Religionslehrern die Bibel studierten und auf ihre existentielle Aussage und ihre Bedeutung für das Leben in der gegenwärtigen Welt hin befragten. Diese Fragestellung prägte seine Bibelauslegung in allen Bereichen seiner späteren Tätigkeit.

Das andere Ereignis war das Ende des Ersten Weltkrieges, das er als 17jähriger erlebte. Die unerwartete Niederlage Deutschlands, das auch er für unbesiegbar gehalten hatte, erschütterte ihn. Er fühlte den dringenden Wunsch, durch die Verkündigung des Evangeliums an einer religiösen Erneuerung seines Volkes mitzuwirken. In seinem Lebenslauf zur Meldung zum Ersten Theologischen Examen verleiht er in der Begründung seiner Berufswahl der Überzeugung Ausdruck, dass „nur eine Erneuerung der evangelischen Volks- und Missionskirche die Rettung des Vaterlandes aus seinen inneren sittlichen und religiösen Nöten wie von seinen äußeren Wunden möglich macht, ja daß dadurch allein die Lösung der sozialen Frage möglich ist"[1].

Was lebenslang bezeichnend für sein Wirken sein wird, ist hier schon deutlich: Die Fragen der Gegenwart haben Joachim Beckmann bewegt und sind in sein theologisches Denken und Handeln im kirchlichen Dienst eingegangen.

So begann er sein Studium der Theologie und der Philosophie im Sommersemester 1920 in Marburg, ging nach einem Semester für ein Jahr nach Tübingen, um schließlich in Münster 1923 in der Religionsphilosophie über den Begriff der religiösen Erfahrung bei Carl Stange promoviert zu werden. Der Anreiz zu diesem Thema steckte für ihn darin, sich mit der „Frage der Wirklichkeit und der Wahrheit der Religion, die mich am stärksten bewegte"[2], beschäftigen zu können. Ein Jahr später legte er sein Erstes Theologisches Examen ab. Im Anschluss daran zog es ihn für drei Semester zu Karl Barth nach Göttingen, wo er als Studieninspektor des reformierten Studienhauses arbeitete. Er hörte bei Barth die Schöpfungslehre. Rückblickend urteilte er darüber:

---

[1] Joachim BECKMANN, *Das Wort Gottes bleibt in Ewigkeit. Erlebte Kirchengeschichte.* Neukirchen-Vluyn 1986, 20.

[2] BECKMANN, *Das Wort bleibt in Ewigkeit* (wie Anm. 1) 2.

„Die Vorlesung gehörte zu dem schönsten, was ich je auf der Universität erlebt hatte." Das „Entscheidende für die Auseinandersetzung mit den Deutschen Christen [DC]" verdankt er diesen Semestern.[3] 1925 wurde er bei Emanuel Hirsch über „Die Sakramentslehre Calvins in ihren Beziehungen zu Augustin" zum Lic. theol. promoviert.

Sein Weg führte ihn über Berlin als Assistent im „Centralausschuß für Innere Mission", nach Wiesbaden, wo er nach seinem Zweiten Theologischen Examen Landespfarrer für Innere Mission und Wohlfahrtspflege war, bis er schließlich nach Soest als Pfarrer für die westfälische Frauenhilfe berufen wurde und dabei Lehrtätigkeiten an der Haushaltsschule und Wohlfahrtsschule in Bielefeld und an der Bibelschule in Witten ausübte. Diese Zeit war für ihn Zeit der „theologischen Fortbildung und des Lernens von Lehre und Unterricht"; er übte sich darin, „theologischer Lehrer von Nichttheologen zu werden".[4]

Im Februar 1933 trat er ein Pfarramt in der Lutherkirchengemeinde zu Düsseldorf an. Die nächsten Jahre waren geprägt von der kirchenpolitischen Situation. In seinem Pfarrhaus gründete sich die Rheinische Pfarrbruderschaft. Beckmann war unermüdlich darin, im Namen der bekennenden Gemeinden Stellung zur staatlichen Kirchenpolitik zu beziehen, z.B. verfasst er die Gegenthesen zu den Rengsdorfer Thesen der DC unter Bischof Heinrich Oberheid, in denen von der Kirche eine vorbehaltlose Zustimmung zum nationalsozialistischen Weltbild gefordert wird[5] und wächst so in eine verantwortungsvolle Rolle innerhalb der Bekennenden Kirche hinein. Als Konsequenz hat er immer wieder Repressalien zu erleiden, darunter eine bald wieder aufgehobene Suspendierung vom Amt und schließlich 1939 das Reichsredeverbot.

Ab 1940 arbeitet er im rheinischen Ausschuss zur Erneuerung der Agende mit. Inmitten einer politisch gespannten Situation begann für ihn ein Nachdenken über die Liturgie, das viele Jahre lang seine Arbeit prägen sollte und den engen Zusammenhang von Gottesdienst und Gegenwart offenlegte.

Als 1945 die ersten Überlegungen zur Wiederherstellung der rheinischen Kirche begannen, war Joachim Beckmann federführend daran beteiligt. Auf der Grundlage der „Vereinbarung über die Bildung einer bekenntnisgebundenen Leitung und Ordnung", die er entworfen hatte, wurde die Neubildung der Kirchenleitung vorangetrieben. Auf der ersten Synode 1946 wurde er zum Stellvertreter des Präses und theologischen Dirigenten des Landeskirchenamtes gewählt und übernahm ab 1958 bis 1971 das Amt des Präses.

Ebenfalls mit Ende des Krieges nahm die Kirchliche Hochschule Wuppertal ihre Arbeit wieder auf, nachdem sie, 1935 gegründet, sofort verboten worden war und bis 1942 illegal gearbeitet hatte: Seit dem Wintersemester 1945/46 las Beckmann regelmäßig Liturgik und veranstaltete hymnologische und kirchenmusikalische Übungen. Dazu übernahm er 1947, nachdem Peter Brunner dem Ruf nach Heidelberg gefolgt war, den Lehrstuhl für lutherische

---

[3]   BECKMANN, *Das Wort bleibt in Ewigkeit* (wie Anm. 1) 22.

[4]   BECKMANN, *Das Wort bleibt in Ewigkeit* (wie Anm. 1) 25.

[5]   Joachim BECKMANN, *Artgemäßes Christentum oder schriftgemäßer Christusglaube? Eine Auseinandersetzung mit der Lehre der Glaubensbewegung Deutscher Christen.* Essen 1933. Hier sind die Rengsdorfer Thesen wiedergegeben.

Dogmatik. Auch im Predigerseminar der rheinischen Kirche war er für den Unterricht in Liturgik zuständig.

Die Lehrtätigkeit an der Kirchlichen Hochschule unterbrach er nur zwischen 1966 und 1971 in den letzten fünf Jahren seines Amtes als Präses der rheinischen Kirche; nachdem er ausgeschieden war, nahm er sie bis 1981 wieder auf. Seinen Ruhestand verbrachte er bis zu seinem Tode 1987 in Haan.

In dem Lebenslauf, den er zur Meldung zum Ersten Theologischen Examen verfasst hat, schlussfolgerte er aus seinem inneren Streit zwischen der „Neigung für Theorie und Praxis, Wissenschaft und Leben", dass er „einst Pfarrer oder Dozent werden" muss.[6] Er hat in seinem Leben schließlich beides miteinander verbunden.

Dabei beherrschte ihn seit den Zeiten des „Bibelkränzchens" die Frage nach der Bedeutung der biblischen Botschaft für „das Leben in der wirklichen Welt".[7] Aus diesem Grundanliegen heraus entstanden in den Jahren seines Dienstes neben theologischen Arbeiten viele Gelegenheitsschriften zu politischen und gesellschaftlichen Fragen der Gegenwart.

2. Joachim Beckmann und die liturgischen Bewegungen seiner Zeit
2.1 Die Jahre vor 1933
Joachim Beckmann studierte in einer Zeit, die intensiv von der Diskussion um die gottesdienstliche Liturgie bestimmt war. Die sog. „Ältere liturgische Bewegung", Rudolf Otto, die Hochkirchliche Bewegung, die Berneuchener Bewegung um Wilhelm Stählin und Karl Bernhard Ritter bemühten sich mit unterschiedlichen Zielsetzungen um den Gottesdienst, mit dem gemeinsamen Grundanliegen, die nach dem Ersten Weltkrieg sehr veränderte innere Situation Deutschlands aufzunehmen und im Gottesdienst darauf zu reagieren.

Joachim Beckmann hat die Entwicklungen mit Aufmerksamkeit zur Kenntnis genommen. Im Studium hat er Gelegenheit gehabt, einzelne Vertreter der Diskussion kennenzulernen. In seinem ersten Semester hörte er in Marburg Rudolf Otto. In Münster richtete er seine Aufmerksamkeit u.a. auf die Praktische Theologie und fand besonders in Julius Smend einen Lehrer, dem seine „Liebe und Dankbarkeit gehört".[8] Er schildert ihn als einen „von den wenigen evangelischen Professoren, die die Liturgie hoch achteten und auch etwas davon verstanden"[9]. Beckmann gehörte zu dem von Smend geleiteten Kirchenchor, mit dem er auch im Gottesdienst sang. In seinen drei Semestern in Göttingen, in denen er bei Karl Barth studierte, wird er sich auch mit dessen Gottesdienstverständnis auseinandergesetzt haben: Die Betonung des Wortes Gottes als einzige Offenbarungsquelle führt Barth dazu, den Schwerpunkt auf die Verkündigung zu legen, den Fragen des Kultus, der Liturgie und des Sakramentes geringeren Wert beizumessen.

Doch noch vor seinen theologischen Lehrern sieht er in seinem Vater den, der ihn – obgleich reformierten Bekenntnisses – die Hochschätzung der Litur-

---

6   BECKMANN, *Das Wort bleibt in Ewigkeit* (wie Anm. 1) 21.
7   BECKMANN, *Das Wort bleibt in Ewigkeit* (wie Anm. 1) 1.
8   BECKMANN, *Das Wort bleibt in Ewigkeit* (wie Anm. 1) 19.
9   BECKMANN, *Das Wort bleibt in Ewigkeit* (wie Anm. 1) 694.

gie lehrte. Von Beginn an hatte er „große Freude an der liturgischen Praxis".[10]
Die Theologie des Gottesdienstes war für ihn von Bedeutung, wenn dies auch
erst später in seinem Wirken sichtbar wurde.

2.2 Die Jahre nach 1933

Die Ausformung seines Verständnisses vom Gottesdienst wurde bei Joachim
Beckmann schließlich besonders vom aktuellen Zeitgeschehen geprägt. Als
Joachim Beckmann, seine Frau und Kinder 1933 „in das Pfarrhaus am Luther-
haus einzogen, war das Dritte Reich noch keinen Monat alt".[11] Doch schon bald
bekam er dessen Auswirkungen zu spüren: Die Kirchenwahl, die Sportpalast-
kundgebung, die Rengsdorfer Thesen seien hier beispielhaft für die kirchen-
politischen Ereignisse genannt, die ihn dazu veranlassten, als Beauftragter des
„Rheinischen Bundes um Wort und Kirche" Stellungnahmen zu verfassen und
Kommentare abzugeben, die ihn bald in eine herausragende Position in den
Auseinandersetzungen zwischen Staat und Bekennenden Christen brachten.

Über Fragen des Gottesdienstes liegen uns aus diesen Jahren keine Zeugnisse vor. Doch mit dem Jahr 1940 begann seine intensive Beschäftigung mit
agendarischen Fragen. Auf der 9. Bekenntnissynode der Evangelischen Kirche
der altpreußischen Union 1940 in Leipzig wurde auf „die unbiblische verküm-
merte Stellung des heiligen Abendmahls im gegenwärtigen gottesdienstlichen
Leben" hingewiesen und die Bruderräte der rheinischen und westfälischen
Bekenntnissynode beauftragt, sich um eine neue Gottesdienstordnung zu bemühen, „in der Predigtgottesdienst und Abendmahlsfeier in rechter Weise einander zugeordnet seien"[12]. Beckmann wurde Mitglied des hierzu beauftragten
Ausschusses. Aus der dann erfolgenden Zusammenarbeit mit der Niedersächsischen Liturgischen Konferenz ging im Oktober 1941 die „Arbeitsgemeinschaft
der Liturgischen Konferenzen Niedersachsens, Westfalens und Rheinlands"
hervor.

Diese Arbeitsgemeinschaft traf sich in regelmäßigen Abständen, arbeitete bald auf der Basis eines Entwurfes des rheinisch-westfälischen Ausschusses.
Nachdem aufgrund der Kriegsereignisse Gesamttagungen schwierig wurden,
arbeitete von 1944 bis 1946 der rheinisch-westfälische Ausschuss allein weiter,
bis nach dem Krieg die gesamte Arbeitsgruppe 1946 wieder zusammenkam
und ab 1948 als „Lutherische Liturgische Konferenz" unter Leitung von Christhard Mahrenholz und bald unter stellvertretendem Vorsitz Beckmanns tagte.
Zum Teilnehmerkreis gehörten die Kirchen der VELKD, andere lutherische
und unierte Kirchen, die Michaelsbruderschaft. Die fast ununterbrochene Arbeit ermöglichte es, von 1948 bis 1958 die Lutherische Agende I–IV herauszugeben, die neu gebildete EKU konnte aufgrund dieser Vorarbeiten 1959 ihre
Agende verabschieden.

---

[10] BECKMANN, *Das Wort bleibt in Ewigkeit* (wie Anm. 1) 695.
[11] BECKMANN, *Das Wort bleibt in Ewigkeit* (wie Anm. 1) 26.
[12] Joachim BECKMANN, *Im Kampf für die Kirche des Evangeliums. Eine Auswahl von Reden und
      Aufsätzen aus drei Jahrzehnten.* Gütersloh 1961, 382.

3. Joachim Beckmann und seine Theologie des Gottesdienstes

Aus der Zeit, in der die Arbeit an der Agende sich ihrer Vollendung zuneigte, liegen uns Aufsätze vor, in denen Joachim Beckmann seine theologischen Leitlinien darstellt.[13] Sie legen sein Verständnis von Liturgik und Gottesdienst offen:

3.1 Gottesdienst als Wesensäußerung der christlichen Kirche

Der Gottesdienst der Kirche lässt sich nicht religionswissenschaftlich oder -psychologisch herleiten. Er ist kein Sonderfall der allgemeinen menschlichen Gottesverehrung, sondern „über den christlichen Gottesdienst kann nur von Christus her, d.h. also aus christologischer Begründung, gelehrt werden"[14]. Der Gottesdienst des neuen Bundes findet in Person und Werk Jesu Christi statt: „Der in Wort und Sakrament gegenwärtige Herr und die an ihn glaubende Gemeinde machen das Wesen des Gottesdienstes aus."[15] Der Gottesdienst ist für die Existenz der Gemeinde konstitutiv, denn sie wird erst dadurch Gemeinde, dass sie durch Christus selbst versammelt wird. Die Gemeinde dient ihm, indem sie sich von ihrem Herrn dienen lässt. Das Geschehen im Gottesdienst ist vom Evangelium her bestimmt: Er ist Verkündigung Christi in Wort und Sakrament, Gebet, Lobpreis, Dank und Bekenntnis.

Die reformatorische Theologie des 16. Jahrhunderts und die Rechtfertigungslehre begründen den Gottesdienst als wesentliches Handeln der Kirche und sind gleichzeitig sein Prüfstein: Der wahre Gottesdienst ist Werk des Heiligen Geistes und Frucht des Glaubens, nicht Opfer zur Vergebung der Sünden (CA IV). Weil das Predigtamt Weg der Ausrichtung des Evangeliums ist (CA V), sind Rechtfertigung und Gottesdienst aufeinander angewiesen. Notae ecclesiae sind die rechte Verwaltung von Evangelium und Sakrament (CA VII), darum ist der Gottesdienst die sichtbare Wesensgestalt der Kirche.

3.2 Die Freiheit der Ordnung

Indem Evangelium und Sakrament der Gemeinde zur Verwaltung aufgegeben sind, ist eine innere Ordnung gegeben, aber die äußere Ordnung des Gottesdienstes ist eine „in der Freiheit des Glaubens zu lösende Aufgabe"[16]. Daher kann für Beckmann die liturgische Gestalt des Gottesdienstes nie „heiliges Ritual" sein, kein zu erfüllendes Gesetz, an dem das Heil hängt. Daraus schlussfolgert er: „Deshalb ist es Aufgabe der Kirche, eine gute gemeinsame Ordnung des Gottesdienstes zu schaffen, und die Pflicht des Glaubenden, sich in diese Ordnungen freiwillig und freudig hineinzustellen. Alle Gottesdienstordnung ist um der Einheit und Gemeinschaft der christlichen Kirche willen. Sie ist geradezu ein Zeichen dafür, daß die Kirche in der Welt die eine Kirche Christi ist und sein will. Deswegen achtet die Kirche in der Gottesdienstordnung auch

---

13 Vgl. Joachim Beckmann, *Rechtfertigung und Gottesdienst*, in: Mitteilungsblatt der EKD. Schwäbisch-Gmünd 1947; ders., *Die Aufgabe einer Theologie des Gottesdienstes*, in: ThLZ 79. 1954, 520–526. Sie sind abgedruckt im Aufsatzband „Im Kampf für die Kirche des Evangeliums" (wie Anm. 12), aus dem im Folgenden zitiert wird.

14 Beckmann, *Im Kampf für die Kirche des Evangeliums* (wie Anm. 12) 370.

15 Beckmann, *Im Kampf für die Kirche des Evangeliums* (wie Anm. 12) 337.

16 Beckmann, *Im Kampf für die Kirche des Evangeliums* (wie Anm. 12) 341.

auf den Gottesdienst ihrer Väter und Brüder, sie schätzt die Tradition und fragt nach den Gemeinden der anderen christlichen Kirchen, wenn sie ihre eigenen Gottesdienste ordnet."[17]

3.3 Liturgik als Teil der dogmatischen Theologie

Für Joachim Beckmann ist grundlegende Voraussetzung, dass die Liturgik keine „Abteilung der Archäologie noch der Ästhetik ist, sondern der Theologie"[18]. Mit dieser Aussage trifft er deutliche Abgrenzungen: Er kritisiert zum einen den Schwerpunkt, der in der Liturgik des 19. Jahrhunderts auf die historische Fragestellung gelegt wurde, und den Mangel an einer theologischen Bestimmung des Gottesdienstes. Die Liturgik erschien als Darstellung der Geschichte des Gottesdienstes und als Norm zur Behandlung der praktischen gottesdienstlichen Fragen. Damit ist die Liturgik zum „Abschnitt der Konfessionskunde" geworden. Die Liturgik als empirisch-deskriptive Wissenschaft kann aber das Wesen des Gottesdienstes nicht sichtbar machen.

Zum anderen distanziert er sich von der ästhetischen Fragestellung, die die ältere liturgische Bewegung bestimmt hatte.[19] Die Betonung von ästhetisch ansprechenden Gottesdiensten hatte zu z.T. ungewöhnlichen Auswirkungen geführt.[20]

Neben der Kritik am ästhetischen Gesichtspunkt, der sich über Smend und Spitta auf Schleiermacher zurückführen lässt, richtet sich Beckmanns Kritik grundsätzlich gegen das auf ihn und Carl Immanuel Nitzsch zurückgehende System der Praktischen Theologie. Denn „die Idee dieser Praktischen Theologie gründet in einer in sich selbst ruhenden Ekklesiologie, bzw. in einem philosophischen Verständnis des Christentums als Religion"[21]. Wenn Liturgik innerhalb dieses Systems betrieben wird, verändert sich ihr Selbstverständnis. „Liturgik wird in diesem System zu einer Lehre religiöser Ausdrucksformen des Christentums, einer Beschreibung kultischer Gestaltung religiösen Lebens der Kirche. Sie ist dann keine theologische Disziplin mehr, sondern nur

---

[17]   BECKMANN, *Im Kampf für die Kirche des Evangeliums* (wie Anm. 12) 342.

[18]   BECKMANN, *Im Kampf für die Kirche des Evangeliums* (wie Anm. 12) 334.

[19]   „Ja, was sind wir Evangelischen in unserem Gottesdienste doch für geschmacklose, unkünstlerische Menschen! Ganz verbohrt in die Vorstellung, daß es auf die Form gar nicht ankomme, zwingen wir die heiligen Handlungen unserer Gottesdienste, die doch nun einmal eine äußere Gestalt haben müssen, in die möglichst unpassenden Formen." Nach Karl-Heinrich BIERITZ, *Liturgische Bewegungen im deutschen Protestantismus*, in: *Liturgiereformen. Historische Studien zu einem bleibenden Grundzug des christlichen Gottesdienstes*. Bd. 2: *Liturgiereformen seit der Mitte des 19. Jahrhunderts bis zur Gegenwart*. Hg. v. Martin KLÖCKENER – Benedikt KRANEMANN. Münster 2002 (LQF 88), 711–748, hier 714; Friedrich SPITTA, *Zur Reform des evangelischen Kultus. Briefe und Abhandlungen*. Göttingen 1891, 51.

[20]   Z.B. führt Otto DIETZ einen „Bergmannsgottesdienst im Kohlenrevier" an, in dem die Kirche mit Kohlen, Briketts, Bergmannswerkzeug, Grubenlampen usw. geschmückt ist; Otto DIETZ, *Die liturgische Bewegung der Gegenwart im Lichte der Theologie Luthers*. Göttingen 1932, 10.

[21]   BECKMANN, *Im Kampf für die Kirche des Evangeliums* (wie Anm. 12) 365.

noch Bestandteil einer christlichen Frömmigkeitslehre oder einer christlichen Religionspsychologie."[22]

Ist dagegen Liturgik „Lehre vom Gottesdienst der Kirche [...], dann ist ihre Aufgabe die einer echt theologischen Disziplin, so gewiss der Gottesdienst der Kirche nicht ein Randgebiet kirchlichen Lebens ist, sondern zur Mitte ihres Lebens gehört."[23]

So möchte Beckmann die Liturgik ganz aus einem System Praktischer Theologie ausgliedern: „Ihre Aufgabe ist keine in erster Linie ‚praktische', sondern eine ‚theoretische', das heißt dogmatische."[24] Die Grundlegung einer Theologie des Gottesdienstes muss in einer Entfaltung einer Theologie des Wortes bestehen. Hier verweist Beckmann gleichermaßen auf Barth, Asmussen und Brunner,[25] nach denen die Lehre vom christlichen Gottesdienst sich am Verständnis des Wortes entscheidet.

Indem Beckmann die Praktische Theologie als handlungsorientiert und deskriptiv wahrnimmt, muss er die Liturgik in ihrer Aufgabe, den dogmatischen Ort des Gottesdienstes zu bestimmen, der Dogmatik zuordnen. Dennoch weist sie auf die Praxis des Gottesdienstes zurück: Sie benennt sein Wesen aufgrund des apostolischen Zeugnisses und kann von daher Prinzipien der Gestaltung des Gottesdienstes darlegen, auch wenn eine „Idealform" des Gottesdienstes nicht zu bestimmen ist. Darum ist im Neuen Testament keine „Urform" überliefert; die liturgische Gestalt kann nur „Frucht des Glaubens und des Gehorsams der Christenheit"[26] sein.

4. Die Arbeit an der Agende

In seinem Gottesdienstverständnis geht Joachim Beckmann zu den Wurzeln der evangelischen Kirche zurück. Im Gottesdienst vergewissert sich die Kirche ihrer Grundlagen inmitten einer Zeit, in der sie der Anfechtung ausgesetzt ist. Die Liturgie ist darüber hinaus Ausdruck des reformatorischen Glaubens, der in einer vergleichbaren Situation der Anfechtung von außen gewachsen war. Die alleinige Ausrichtung auf Gottes Handeln und die Bezogenheit allein auf sein Wort konnte die Menschen darin bestärken, sich nicht von zeitbedingten politischen Meinungen beeinflussen zu lassen.

Der Blick auf den reformatorischen Gottesdienst hatte für Joachim Beckmann auch nach dem Krieg Bedeutung angesichts der neuen Situation, wie er sie erlebte: Das Ende der 50er Jahre beschreibt er als „völligen Niedergang der evangelischen Kirche"[27]. Nicht mehr die politische Indoktrinierung ist es, gegen die er sich wehrt; nun ist die Stabilität der Kirche von innen bedroht. Spaltungen entstehen über die moderne Theologie (Bultmann) und über po-

---

[22] BECKMANN, *Im Kampf für die Kirche des Evangeliums* (wie Anm. 12) 365.

[23] BECKMANN, *Im Kampf für die Kirche des Evangeliums* (wie Anm. 12) 365.

[24] BECKMANN, *Im Kampf für die Kirche des Evangeliums* (wie Anm. 12) 367.

[25] Karl BARTH, *Gotteserkenntnis und Gottesdienst nach reformatorischer Lehre. 20 Vorlesungen (Gifford-Lectures) über das Schottische Bekenntnis von 1560, gehalten an der Universität Aberdeen im Frühjahr 1937 und 1938.* Zollikon 1938; Hans ASMUSSEN, *Die Lehre vom Gottesdienst.* 3 Bde. München 1937; Peter BRUNNER, *Zur Lehre vom Gottesdienst der im Namen Jesu versammelten Gemeinde,* in: Leit. 1. 1954, 83–364.

[26] BECKMANN, *Im Kampf für die Kirche des Evangeliums* (wie Anm. 12) 370.

[27] BECKMANN, *Das Wort bleibt in Ewigkeit* (wie Anm. 1) 481.

litische Fragen, z.B. die Wiederbewaffnung. Er sieht als Folge davon „Kirchen-
austritte in bisher selten erlebter Höhe. Die Kirchen leerten sich, und die im
Gottesdienst zurückblieben, waren weithin mit dem, was hier [...] gepredigt
wurde, unzufrieden. Die Pastoren [...] versuchten sich den neuen Verhältnissen einer religiösen Erschlaffung anzupassen, aber auch ihre Versuche einer
modernen Ordnung und Gestalt des Gottesdienstes blieben ganz überwiegend
ohne Erfolg."[28]

Joachim Beckmann sah die Probleme der kirchlichen Gegenwart in der
Nachkriegszeit und suchte eine Antwort auf die „erschütternde gottesdienstliche Verarmung" der Kirche und „die weitgehende Entkirchlichung der evangelischen Christenheit"[29]. Er ging aber einen anderen Weg als die Theologen der
älteren liturgischen Bewegung: Friedrich Spitta hatte nach einem Gottesdienst
gesucht, der die „wirklichen gottesdienstlichen Bedürfnisse der Gegenwart"[30]
aufnimmt. Beckmann suchte nicht bei den „Bedürfnissen der Gegenwart" nach
einer Antwort, sondern ging zurück zur reformatorischen Theologie: „Die Wiedergewinnung der reformatorischen Theologie der Rechtfertigung öffnet uns
den Blick für die zentrale Bedeutung des Gottesdienstes im Leben der Kirche, denn sie lehrt uns den Schaden unserer heutigen Theologie und Kirche
erkennen, der darin besteht, dass wir die reformatorische Lehre von den Gnadenmitteln und den in der reformatorischen Kirche geübten Gebrauch der
Gnadenmittel verloren haben. Rechtfertigung, Gnadenmittel und Gottesdienst
hängen in der Lehre und Praxis aufs engste miteinander zusammen, wie der
Verfall des Protestantismus und seines Gottesdienstes deutlich zeigt. Es gilt heute, diese Verbundenheit wieder zu erkennen und Lehre und Handeln der Kirche danach auszurichten."[31]

Die Agenden der VELKD und der EKU wurden, kaum herausgegeben,
heftig kritisiert. Man warf denen, die sie konzipiert hatten, Restaurationsbe-
strebungen vor und die Absicht, mit ihr die Macht der Kirche in einer Zeit des
Wertewandels festigen zu wollen. An liturgischen Elementen werde um ihrer
selbst willen festgehalten, die vermeintlich „reine Objektivität der Liturgie"[32]
sei eine „Flucht aus der Verantwortung" vor der Gegenwart. Diese Einschätzung
wird z.T. bis heute vertreten und das Agendenwerk als „umfassendste liturgische Restauration"[33] bezeichnet. Bestenfalls wird ihnen zugestanden, in der Zeit
des Nationalsozialismus mit ihrem Entwurf den richtigen Weg eingeschlagen
zu haben, doch angesichts der Situation in der Nachkriegszeit sich anachronis-
tisch an die vergangene Stellung der Kirche im Streit mit der Welt geklammert
zu haben. „Was im Kirchenkampf ein notwendiger Abwehrakt zur Sicherung
des eigenen Themas war, wurde nun zur Mauer um ein geistliches Reservat.

---

[28]   BECKMANN, *Das Wort bleibt in Ewigkeit* (wie Anm. 1) 481.
[29]   BECKMANN, *Im Kampf für die Kirche des Evangeliums* (wie Anm. 12) 343.
[30]   Zitiert nach Konrad KLEK, *Erlebnis Gottesdienst. Die liturgischen Reformbestrebungen um
       die Jahrhundertwende unter Führung von Friedrich Spitta und Julius Smend.* Göttingen 1996
       (Veröffentlichungen zur Liturgik, Hymnologie und theologischen Kirchenmusikfor-
       schung 32), 46.
[31]   BECKMANN, *Im Kampf für die Kirche des Evangeliums* (wie Anm. 12) 343.
[32]   Peter CORNEHL, *Gottesdienst VIII. Evangelischer Gottesdienst von der Reformation bis zur Ge-
       genwart,* in: TRE 14. 1985, 54–85, hier 76.
[33]   CORNEHL, *Gottesdienst* (wie Anm. 32) 77.

Sprache und Liturgie wurden perfekt gegen jeden Einfluss der ‚Welt' abgedichtet und dem gesellschaftlichen Wandel entnommen."[34]

Diese Einwände dürfen angesichts der Tatsache, dass die Agende auf der Grundlage der gottesdienstlichen Restauration des 19. Jh. und der damit verbundenen staatstragenden Funktion des Gottesdienstes entstanden ist, nicht übergangen werden.

Dennoch erscheint diese Einschätzung der Agende zu einseitig. Die Referenz auf die Theologie des Gottesdienstes nach Peter Brunner, nach der Christus das Subjekt des Gottesdienstes ist, der als Ort in der Heilsgeschichte verstanden wird, weist auf ein Verständnis des Gottesdienstes, das sich auf die Gegenwart richtet und überkommene Strukturen mit neuem Inhalt füllt.

Die freie Bindung an eine Ordnung, der Gottesdienst als Ort aktueller Verkündigung, wie ihn Beckmann in offensichtlicher Anlehnung an Paul Althaus[35] versteht, Beckmanns Aufmerksamkeit für die Gegenwart und der ökumenische Horizont, in dem er die Kirche mit ihrer Ordnung sieht, zeigen deutlich, dass sein Gottesdienstverständnis, wie es sich auch in der Agende niedergeschlagen hat, nicht als Ergebnis rückwärtsgewandter Verfestigung betrachtet werden kann. Mit ihm ist der Gottesdienst ein Ereignis, das sich vor Tradition und Gegenwart verantworten kann.

5. Würdigung

Joachim Beckmann ist nicht einfach einer bestimmten Position innerhalb der Theologie zuzuordnen. In seiner Nähe zum lutherischen Gottesdienstverständnis ist ihm die Offenheit für andere christliche Kirchen wichtig. „Wir sollten [...] im ökumenischen Zeitalter viel mehr die gottesdienstlichen Ordnungen christlicher Kirchen in der Welt studieren"[36]. Er will von dem lernen, „was Gott den Vätern an geistlichen Gaben in ihrem Gottesdienst geschenkt hat"[37]. In diesem Anliegen stimmt er mit den Ideen der Hochkirchlichen Vereinigung und der Berneuchener Bewegung überein. Er war Mitglied im Kuratorium des Alpirsbacher Kreises. Er schätzte die Liturgischen Bewegungen der 1920er Jahre und nahm deren Anliegen ernst.

Obwohl er selbst schließlich zu einem anderen Verständnis vom Gottesdienst gelangt ist, stand er – zumindest im Rückblick – dem Anliegen der jüngeren liturgischen Bewegung positiv gegenüber. Als die Evangelische Kirche der altpreußischen Union 1931 einen Agendenentwurf zur Vorlage an die Provinzialsynoden herausgab, der die preußische Agende von 1895 ablösen sollte, kritisierte er, dass er zu dem Zeitpunkt, zu dem er „zum Gebrauch freigegeben

---

[34] CORNEHL, *Gottesdienst* (wie Anm. 32) 78.

[35] Paul ALTHAUS, *Das Wesen des evangelischen Gottesdienstes. Ein Vortrag*, in: ZSTh 4. 1926, 266–308, hier 279.

[36] BECKMANN, *Das Wort bleibt in Ewigkeit* (wie Anm. 1) 701.

[37] *Kirchenagende*. Hg. im Auftrage der liturgischen Ausschüsse von Rheinland und Westfalen in Gemeinschaft mit anderen von Joachim BECKMANN, Peter BRUNNER, Hans Ludwig KALE, Walter REINDELL. *Band 1: Ordnung des Gottesdienstes an Sonn- und Feiertagen*. Gütersloh 1948, X.

wurde, [...] eigentlich schon überholt [war]. An ihm hatten die vorwärts drängenden Kräfte der liturgischen Bewegung nicht mitgearbeitet"[38].

„Nichts hat mich in meinem Leben so stark in Anspruch genommen, mich mit so heißer Anteilnahme und großer Freude erfüllt wie die Theologie."[39] Dennoch verstand Joachim Beckmann sich selbst sicher nicht als Liturgiewissenschaftler. Denn gleichrangig neben seiner Liebe zur wissenschaftlichen Theologie stand das Interesse an der Praxis der Kirche.

Über seine intensive Arbeit an der Agende liegen zahlreiche Dokumente und einführende Texte von Joachim Beckmann vor, in seiner theologischen Begründung entwickelt er weniger eigene Konzepte, sondern schließt sich in den Grundzügen seiner Theologie des Gottesdienstes eng an die Positionen von Peter Brunner und Paul Althaus an.[40]

Dass er sich besonders in liturgische Fragen vertiefte, wurde sicher durch den Umstand gefördert, dass er sein Pfarramt in einer Zeit ausübte, in der die Diskussion um die Liturgie Ausdruck der theologischen und kirchenpolitischen Auseinandersetzungen war. Diese Diskussion, wie sie nach dem ersten Weltkrieg aufgelebt war, hatte seit 1933 grundlegende Bedeutung bekommen: Liturgie wurde zum Bekenntnis. Joachim Beckmann ist in seiner Arbeit an der Agende dem Ruf zum Bekenntnis gefolgt und hat damit Zeugnis abgelegt für den Gottesdienst als einen Ort, an dem Theologie und Gegenwart eng miteinander verschränkt sind.[41]

Auswahlbibliografie

Vom Sakrament bei Calvin. Die Sakramentslehre Calvins in ihren Beziehungen zu Augustin. Tübingen 1926.

Ruf zum Gehorsam. Predigtgrundriß zu den alten Episteln. Gütersloh 1940.

Rechtfertigung und Gottesdienst, in: Mitteilungsblatt der EKD. Schwäbisch-Gmünd 1947.

Kirchenagende. Hg. im Auftrag der liturgischen Ausschüsse von Rheinland und Westfalen von Joachim BECKMANN [u.a.]. Gütersloh 1949.

Die Gesangsstücke des Proprium missae (Introitus, Graduale, Halleluja und Tractus), in: *Der Gottesdienst an Sonn- und Feiertagen. Untersuchungen zur Kirchenagende I.* Hg. v. Joachim BECKMANN [u.a.]. Gütersloh 1949, 205–280.

Die kirchliche Ordnung der Taufe. Stuttgart 1950 (BeKi 7).

Das Proprium missae (Wesen und Geschichte), in: Leit.2. 1954, 47–86.

Die Aufgabe einer Theologie des Gottesdienstes, in: ThLZ 79. 1954, 520–526.

Quellen zur Geschichte des christlichen Gottesdienstes. Gütersloh 1956.

Die Entstehung der Agenden der VELKD und der EKU, in: *Gott ist am Werk. Festschrift für Landesbischof D. Hanns Lilje zum sechzigsten Geburtstag am 20. August 1959.* Hg. v. Heinz BRUNOTTE – Erich RUPPEL. Hamburg 1959, 304–313.

---

[38] BECKMANN, *Das Wort bleibt in Ewigkeit* (wie Anm. 1) 696.

[39] BECKMANN, *Das Wort bleibt in Ewigkeit* (wie Anm. 1) 681.

[40] Vgl. BRUNNER, *Zur Lehre vom Gottesdienst* (wie Anm. 25); ALTHAUS, *Das Wesen des evangelischen Gottesdienstes* (wie Anm. 35).

[41] Vgl. zu Beckmann auch Günther VAN NORDEN, *Joachim Beckmann,* in: RGG 1. 1998, 1200f.

Theologische Grundlegung der Lehre vom Gottesdienst, in: *Gestalt und Glaube.* Festschrift für
Vizepräsident Professor D. Dr. Oskar Söhngen zum 60. Geburtstag am 5. Dezember
1960. Hg. v. einem Freundeskreis. Witten [u.a.] 1960, 9–17.

Im Kampf für die Kirche des Evangeliums. Eine Auswahl von Reden und Aufsätzen aus drei Jahr-
zehnten. Gütersloh 1961.

Das Wort Gottes bleibt in Ewigkeit. Erlebte Kirchengeschichte. Neukirchen-Vluyn 1986.

Walter Blankenburg (1903–1986)

Konrad Klek

Walter Blankenburgs Name ist Inbegriff für die spezifische Identität evangelischer Kirchenmusik in
Deutschland nach 1945, hinsichtlich ihrer Prägung
durch die nach 1918 aufkommenden „Bewegungen"
ebenso wie ihres Profils als essentiell gemeinde- und
liturgiebezogene Kunst. Obwohl Blankenburg der
Ausbildung nach gar nicht Kirchenmusiker war, sondern Theologe und Musikwissenschaftler, zudem in
weniger bedeutender Stellung agierte als seine namhaften Generationskollegen Christhard Mahrenholz
und Oskar Söhngen, kann er wie wohl kein anderer als
der „Vater" des im 20. Jahrhundert neu installierten

Kirchenmusikerstandes und seines Leitbildes betrachtet werden. In der dafür
entscheidenden Funktion als Schriftleiter des Organs *Musik und Kirche* über fast
vierzig Jahre, als Mitglied, teilweise als Spiritus rector und Leiter verschiedener
hochrangiger Gremien, als Vortragsredner bei unzähligen Symposien und festlichen Anlässen wirkte er – auch aufgrund seiner einzigartigen Persönlichkeit
– sowohl integrierend wie anregend. Er scheute sich auch nicht, die um 1960
sich anbahnende problematische Situation der Kirchenmusik- und Liturgik-
konzeption seiner Generation zu thematisieren. Als Praktiker, als Gestalter im
besten Sinne des Wortes war er in einer wohl einzigartigen Symbiose zugleich
Wissenschaftler und Sammler, Historiker mit phänomenalem Gedächtnis und
herausragendem Gespür für die Relevanz der Konkretionen in musikalischer
Lokalhistorie oder Gesangbuchkunde, andererseits auch einer der anerkannten Experten in Sachen des großen Namens Johann Sebastian Bach. Für die
Liturgiewissenschaft relevant ist im Lebenswerk Blankenburgs weit mehr als
seine Tätigkeit als Mitherausgeber des Handbuches *Leiturgia* (1954–1970) mit
eigenen Fachbeiträgen.

1. Zu Lebensweg und Lebenswerk Walter Blankenburgs[1]

Blankenburg war thüringischer Pfarrerssohn, wuchs zunächst in Emleben bei
Gotha auf, besuchte ab 1913 das humanistische Gymnasium in der Residenzstadt mit großer kultureller Tradition und verbrachte die letzten Schuljahre ab
1919 in Altenburg, wo er über einen Lehrer Anschluss an die Jugendbewegung
erhielt. Nach dem Abitur 1922 ging er zum Theologiestudium nach Rostock
und wechselte mit dem vierten Semester nach Tübingen, wo er namentlich
durch Adolf Schlatter geprägt wurde. Lebensentscheidend war hier aber die
Begegnung mit dem von der Singbewegung infizierten Kommilitonen Erich
Vogelsang, der Blankenburg ansteckte, so dass auch er der Singbewegung als-

---

[1] Die detailliertesten Angaben zum Lebensweg Blankenburgs finden sich bei Franz
    GANSLANDT, *Jugendmusikbewegung und kirchenmusikalische Erneuerung. Impulse, Einflüsse,
    Wirkungen dargestellt in Verbindung mit Leben und Werk Walter Blankenburgs.* München
    1997.

bald „mit Haut und Haaren verschrieben war"[2]. Es entstand der „Bachkreis Tübinger Studenten", der als so genannter Fahrtenchor sogleich ehrgeizige Auslandsreisen ins Visier nahm (Schweden 1924).[3] Zum Sommersemester 1924 wechselte Blankenburg mit Vogelsang nach Göttingen, wo nun der „Bachkreis Göttinger Studenten" gegründet wurde. Mit diesen Leuten ging es im Frühjahr 1925 gen Osten bis nach Riga und Reval. Beim Göttinger Kurrendesingen aber erregte man die Aufmerksamkeit des Musikologen Heinrich Besseler, was Blankenburg dann definitiv zur Musikwissenschaft als zweitem Fach brachte. Nach dem Ersten theologischen Examen 1926 ging er nach Freiburg, um bei Wilibald Gurlitt, dem musikwissenschaftlichen Mentor der Orgelbewegung, weiter zu studieren. Herausragend im Jahre 1926 war die Teilnahme Blankenburgs an einem Führertreffen der Musikantengilde, wo er wichtigen späteren Weggefährten wie Karl Vötterle, dem Inhaber des Bärenreiter-Verlags, erstmals begegnete und inhaltlich die zeitgenössische Symbiose von moderner Musik (Paul Hindemith) und Jugendmusikbewegung erlebte. Das Sommersemester 1928 verbrachte er in Berlin. Auf Vermittlung von Freund Vogelsang konnte er sich den Lebensunterhalt als Assistent an der Apologetischen Zentrale im Spandauer Johannesstift sichern. Hier oblag ihm die Organisation der zweiten Tagung „Kirche und Musik"[4]. Seine Befugnisse reichten so weit, dass er selbst die Einzuladenden bestimmen konnte. So zitierte er zum einen Karl Vötterle, zum andern Christhard Mahrenholz, der sich in Göttingen als Führer der Orgelbewegung kenntlich gemacht hatte. Beide besiegelten bei dieser Tagung das Projekt *Musik und Kirche*, dem Blankenburg ein Arbeitsleben lang dienen sollte.[5] Zurück in Göttingen legte er im Sommer 1929 das Staatsexamen in Musikwissenschaft und Geschichte ab.

Den Berufsweg begann Blankenburg im staatlichen Schuldienst. Im Jahr 1930 kam er nach Kassel, sozusagen ins Herz der Jugend- und Singbewegung, wo auch der in Augsburg begründete Bärenreiter-Verlag sich postiert hatte.[6]

---

[2]   Walter BLANKENBURG, *Was war die Singbewegung?*, in: MuK 43. 1973, 258–260, hier 258.

[3]   Im Kontext der Singbewegung ist die Berufung auf Bach, den instrumental komponierenden Meister, als Namenspatron ungewöhnlich. Die Priorität hatte hier sonst Heinrich Schütz. Offensichtlich kündigt sich so bei Blankenburg schon das Lebensthema „Bach" an. Ganslandt gibt Passagen aus dem Programmzettel der Schwedenfahrt wieder. Da ist von der „hohen Pflicht gegen einen deutschen Mann Joh. Seb. Bach" die Rede, dem „Vollender und Erfüller der Kirchenmusik. – Sein Geist ist unter uns lebendig, seine Musik ist uns heilig, und wir glauben an seine lebenschaffende Kraft [...] " (GANSLANDT, *Jugendmusikbewegung* [wie Anm. 1] 41).

[4]   Zu dieser für die Integration der Singbewegung in die Kirche folgenreichen Tagung siehe die Angaben beim Beitrag über Richard Gölz.

[5]   Mahrenholz und Vötterle kannten sich von der Freiburger Orgeltagung 1926, wo die Idee einer Zeitschrift erstmals aufkam. Blankenburg kannte Mahrenholz persönlich aus Göttingen. Die Informationen zu Spandau 1928 gibt Blankenburg in der Laudatio zu Vötterles 70. Geburtstag, in: MuK 43. 1973, 57, und im Nachruf auf Mahrenholz, in: MuK 50. 1980, 161. Bei GANSLANDT, *Jugendmusikbewegung* (wie Anm. 1) 68f, ist der von Blankenburg entworfene Arbeitsplan der Tagung (aus dessen Nachlass) wiedergegeben. Er selbst sprach über Chorgesang im Gottesdienst.

[6]   Zur Kasseler Jugend- und Singbewegungs-„Szene" (mit den für kirchliche Arbeit relevanten Namen Pfr. Hermann Schafft und Hymnologe Konrad Ameln) siehe GANSLANDT, *Jugendmusikbewegung* (wie Anm. 1) 54f, 83–85.

Im Februar 1932 wechselte er doch in den Kirchendienst, wurde Vikar in Grebenstein bei Kassel und erhielt nach Ablegen des Zweiten theologischen Examens im März 1933 die Pfarrstelle in Vaake/Veckerhagen zugewiesen, wo er, abgesehen von der Militärzeit mit 14monatiger (russischer) Gefangenschaft 1943–1945, bis 1947 als Dorfpfarrer wirkte. Am Predigerseminar in Hofgeismar organisierte er nach der Machtergreifung der Nationalsozialisten Fortbildungskurse für nebenamtliche Organisten und Chorleiter, die nun als Ersatz für die ausfallenden Lehrer gebraucht wurden. Im Jahre 1940 konnte er sich mit der Arbeit *Die innere Einheit von Bachs Werk* in Göttingen zum Dr. phil. promovieren. Seinen Singbewegungsfreunden Schafft, Ameln, Thomas und Vötterle folgte er auch in die Michaelsbruderschaft, wo er wenige Jahre nach deren 1931 in Marburg erfolgten Gründung aufgenommen wurde.

Seit 1928 war Blankenburg musikalisch in den Kasseler Singbewegungs-Organen aktiv, zunächst als Lehrer in der Schule *Lied und Volk*, ab 1932 als Chorleiter der *Kasseler Singgemeinde*. Dazu gehörte auch die Leitung von Singwochen. Seit 1938 agierte er als Landesobmann des Verbandes der Evangelischen Kirchenchöre von Kurhessen und Waldeck im landeskirchlichen Spektrum und – als stellvertretender Reichsobmann für Westdeutschland – auch darüber hinaus. Von dieser Position aus konnte er im 1939 vom Reichsverband unter Mahrenholz einberufenen Ausschuss für ein neues, gesamtdeutsches Gesangbuch mitarbeiten. Im Bärenreiter-Verlag als Schriftleiter aktiv war Blankenburg seit 1932 mit der Zeitschrift für Musizierkreise *Collegium musicum*, ab 1933 dann (sprachlich und politisch unverdächtig) *Zeitschrift für Hausmusik*. Im Jahre 1941, als die meisten kirchlichen Periodika wegen Verweigerung der Papierlieferungen ihr Erscheinen einstellen mussten, gelang es, die Fortexistenz von *Musik und Kirche* mit dadurch zu sichern, dass der bisherige Schriftleiter Richard Baum, Cheflektor des Verlages, aus der Schusslinie genommen wurde und Blankenburg an seine Stelle trat.[7] Aus der Notmaßnahme wurde eine Lebensaufgabe: Erst mit dem Ende des Jahrgangs 1980, also im Alter von 77 Jahren, gab Walter Blankenburg nach annähernd 40 Jahren diesen Auftrag wieder zurück.

Bei der Rückkehr aus der Gefangenschaft am Ural erschlossen sich die Kräfte des gemeinschaftlichen Singens und Musizierens erneut als Segen, die Unerschütterlichkeit des kirchlichen „Amtes", Gott zu loben und zu danken, hatte sich in den Augen Blankenburgs gerade auch mit der „geradlinigen" Kirchenmusik-Praxis im Dritten Reich bewährt und konnte jetzt erst recht bezeugt werden.[8] Schon 1946 wurde die Singwochenarbeit auf Burg Ludwigstein bei Kassel wieder aufgenommen.

---

[7] Zur (ambivalent zu beurteilenden) Geschichte des Bärenreiter-Verlages in der Nazi-Zeit siehe Sven HIEMKE, *„Folgerichtiges Weiterschreiten"*. *Der Bärenreiter-Verlag im „Dritten Reich"*, in: *Bärenreiter-Almanach: Musik-Kultur heute. Positionen – Profile – Perspektiven.* Kassel [u.a.] 1998, 161–170.

[8] Vgl. den Appell Blankenburgs – im Anknüpfen an persönliche Kriegserfahrungen – zum Neustart von Musik und Kirche mit der Überschrift *Nach dem großen Kriege*, in: MuK 17. 1947, 2f, und im Folgeheft den Leitartikel *Die Gegenwartslage der Evangelischen Kirchenmusik*, in: MuK 18. 1947, 33–39.

Im Jahre 1947 begann ein neuer Lebensabschnitt, der mit dem zuvor kaum geläufigen Ortsnamen Schlüchtern verbunden ist. Im ehemaligen Kloster Ulrich von Huttens, das bei der Säkularisation vergessen worden war und sich so in Kirchenbesitz befand, gründete die kurhessische Landeskirche eine Kirchenmusikschule, zu deren Leiter Blankenburg berufen wurde.. Die Impulse der Singbewegung als Laienbewegung sollten nun in tragfähige kirchliche Strukturen überführt werden, und die Lebens- und Lernform Kirchenmusikschule ermöglichte das Weitergeben der Schlüsselerfahrung „Singwoche" als Leitbild.[9] Im Jahr 1949 brachte Blankenburg alle Direktoren der teilweise ebenfalls neu gegründeten kirchenmusikalischen Ausbildungsstätten zu einer Tagung in Schlüchtern zusammen und gründete damit die so genannte Direktorenkonferenz, deren Leiter und Spiritus rector er bis zu seiner Pensionierung blieb. Eine Entschließung der Tagungsteilnehmer hielt fest: „Die Musik ist ein von der Bibel her gefordertes und daher unaufgebbares Mittel der Verkündigung und Anbetung. Damit erwächst der Kirche die Verpflichtung, die Unentbehrlichkeit des kirchenmusikalischen Amtes anzuerkennen und die Lebensmöglichkeit seiner Träger zu sichern, wie das beim Pfarramt eine Selbstverständlichkeit ist."[10] Dieses „Amt" erhielt seine Begründung und sein Profil durch die ausschließliche Zuordnung zum Gottesdienst (im Sinne einer auf das Kirchenjahr bezogenen „regulierten Kirchenmusik") und damit zur Gemeinde: Kirchenmusik – Verkündigung und Gotteslob im Munde der Gemeinde. Die Direktorenkonferenz arbeitete u.a. Studien- und Prüfungsordnungen aus,[11] in seiner eigenen Landeskirche gelang Blankenburg eine erhebliche Verbesserung der Stellensituation[12] und durch die Pfarrer-Kirchenmusiker-Konferenz eine optimale strukturelle Einbindung der Kirchenmusik-Interessen in die Kirchenleitung.[13] Für seine Verdienste um die „Heimholung der Kirchenmusik in den Raum und in die Verantwortung der evangelischen Kirche" verlieh der gesamtdeutsche Kirchenchorverband Walter Blankenburg zum 75. Geburtstag die Karl-Straube-Plakette[14] und ehrte ihn

[9] Vgl. schon 1931 Wilhelm Stählins Vorstellung des Berneuchener Konzepts *Freizeiten*, in: MGKK 36. 1931, 151–153, das Singwochen unter Leitung von Konrad Ameln einschloss.

[10] Zur „Kirchenmusikschulbewegung" nach 1945 siehe Blankenburgs umsichtige Darstellung im Vortrag zum 40-Jahr-Jubiläum der Spandauer Schule 1968 *Die Idee der evangelischen Kirchenmusikschule 1928–1948–1968*, in: MuK 38. 1968, 270–278; wieder abgedruckt in: Walter BLANKENBURG, *Kirche und Musik. Gesammelte Aufsätze zur Geschichte der gottesdienstlichen Musik. Zu seinem 75. Geburtstag.* Hg. v. Erich HÜBNER – Renate STEIGER. Göttingen 1979, hier 323f.

[11] Zur Direktorenkonferenz gehörten auch die Leiter von Kirchenmusikabteilungen an staatlichen Hochschulen. Zu den verschiedenen Problemfeldern der Kirchenmusik nach 1945 siehe die Arbeit von Wolfgang KÖRNER, *Kirchenmusik im Plural. Musik im Raum der Ev. Kirche in Deutschland 1945–2001.* Nürnberg 2003; zu den Fragen von Amt und Ausbildung vgl. ebd. Kap. 6, 123–145.

[12] BLANKENBURG, *Die Idee der evangelischen Kirchenmusikschule* (wie Anm. 10) 327, nennt über 30 Stellen im Jahre 1968 gegenüber vier 1949.

[13] Freundliche Auskunft von Prof. Walter Opp, Blankenburgs Nachfolger als Landeskirchenmusikdirektor, an den Verf.

[14] Vgl. Erich HÜBNER, *Laudatio auf Kirchenrat D. theol. Dr. phil. Walter Blankenburg*, in: MuK 48. 1978, 158f, hier 158.

mit dem 1979 erschienenen Kompendium seiner Fachbeiträge *Kirche und Musik*[15], in einigen Landesverbänden als Mitglieder-Jahresgabe verteilt, so Blankenburgs Status als „Vater" der Evangelischen Kirchenmusik in Deutschland unterstreichend.

Dem konstruktiven kirchlichen Gestalten stand bei Blankenburg stets ein höchst respektables wissenschaftliches Arbeiten gegenüber, das der Erschließung eines historisch präzisen und vielfältigen Bildes von Kirchenmusik und Kirchenlied der Zeit Luthers bis zu J. S. Bach diente und zu einer Publikationsliste mit über 500 Positionen führte.[16] Die Universität Marburg verlieh ihm im Jahre 1962 den theologischen Ehrendoktor. Im Lauf der Jahre legte sich Blankenburg eine der umfangreichsten Gesangbuchsammlungen zu.[17] Das hohe Niveau seiner Privatbibliothek war nicht zuletzt auch Frucht einer unermüdlichen und akribischen Rezensententätigkeit. Ein Forum für die liturgiegeschichtliche und hymnologische Forschung boten die *Evangelische Gesellschaft für Liturgieforschung* (gegründet 1938) und später die *Internationale Arbeitsgemeinschaft für Hymnologie* mit dem *Jahrbuch für Liturgik und Hymnologie* (gegründet 1958), aber auch das seit 1949 im Bärenreiter-Verlag edierte Lexikon *Musik in Geschichte und Gegenwart* (MGG), wo gerade die zahlreichen Beiträge Blankenburgs zur starken Gewichtung der Kirchenmusik beitrugen. Dessen Herausgeber Friedrich Blume (1893–1975), Ordinarius für Musikwissenschaft in Kiel,[18] kam aus Schlüchtern, wohnte im Ruhestand wieder ständig dort und stand mit Blankenburg oft täglich im Dialog.[19] Die MGG-Beiträge zogen Folgeaufträge für weitere theologische und musikalische, auch internationale Lexika nach sich.[20] Übersichtsdarstellungen zur Lied- und Kirchenmusikgeschichte, die für die Kirchenmusikerausbildung grundlegend wurden, brachte er 1961 im Musik-Band von *Leiturgia* ein.[21] Die von Blankenburg als

15 Vgl. BLANKENBURG, *Kirche und Musik* (wie Anm. 10). Der Band enthält 29 Abhandlungen von 1935 bis 1975.
16 Vgl. die Bibliografie bis 1979, in: BLANKENBURG, *Kirche und Musik* (wie Anm. 10) 349–359, und die Ergänzung bis zum Lebensende in: *Theologische Bachforschung heute. Dokumentation und Bibliographie der Internationalen Arbeitsgemeinschaft für Theologische Bachforschung. 1976–1996; mit 15 Textbeiträgen.* Hg. v. Renate STEIGER. Glienicke/Berlin [u.a.], 449–454.
17 Diese Sammlung konnte nach seinem Tod von der Universität Augsburg übernommen werden ebenso wie die ähnlich umfangreiche Sammlung von Konrad Ameln, der dem „Konkurrenten" Blankenburg dort nicht das Feld überlassen wollte. (Freundliche Auskunft vom ehemaligen Augsburger Ordinarius für Musikwissenschaft, Franz Krautwurst, an den Verf.).
18 Zu Blume als seinerseits innovativem Gestalter und Integrator im Kreis der Musikologen siehe Ludwig FINSCHER, *Blume, Friedrich*, in: MGG² 3. 2000, 128–132.
19 Im Sommer begann der Tag mit gemeinsamem Freibad-Besuch der Herren Blume und Blankenburg. (Freundliche Auskunft von W. Opp.) Blankenburg gründete und leitete auch die Fachgruppe Kirchenmusik in der von Blume initiierten *Gesellschaft für Musikforschung*.
20 Neben RGG, 3. Aufl., und TRE (in den Anfangsbänden) war es vor allem das Musiklexikon *New Grove's Dictionary*, 1980ff.
21 Vgl. Walter BLANKENBURG, *Der gottesdienstliche Liedgesang der Gemeinde*, in: Leit. 4. 1961, 559–660; DERS., *Der mehrstimmige Gesang und die konzertierende Musik im evangelischen Gottesdienst*, in: ebd., 661–721.

Herausgeber verantwortete Konzeption dieses Kompendiums intendiert eine definitive Festschreibung des „liturgischen Amtes" der Musik, flankiert von allgemein-theologischer Begründung und historischer wie praktisch-theologischer Entfaltung der diesem Amt gemäßen Erscheinungsweisen von Kirchenmusik.[22]

Aus der Fülle der behandelten Personen und Sachtitel ragen zwei Spitzen als Lebensthemen hervor: Johann Walter (1496–1570) und Johann Sebastian Bach (1685–1750), in damals gängiger Terminologie also Urkantor und Erzkantor der evangelischen Kirche, beide wie Blankenburg aus Thüringen stammend.[23] Eine umfangreiche Walter-Monografie hatte er als Ruhestandsarbeit (ab 1968) angekündigt, sie blieb ob der bleibenden Fülle von Einzelaufgaben unvollendet und wurde posthum als Torso ediert.[24]

In Sachen J.S. Bach kam es zu einer bemerkenswerten Weiterentwicklung. Seit 1951 gehörte Blankenburg zum Direktorium (bis 1962 Beirat) der Neuen Bachgesellschaft (NBG), die nach dem Bach-Jahr 1950 vor der Aufgabe stand, die auseinander strebenden Forschungstendenzen in Ost und West in einem Boot zu halten.[25] Gerade in der Frontstellung zur ungeistlichen Bach-Deutung der DDR musste es da wie ein Dolchstoß wirken, dass ausgerechnet der Schlüchtener Partner Friedrich Blume bei einem öffentlichkeitswirksamen Vortrag 1962 in Mainz[26] das westliche Bachbild vom frommen Thomaskantor und damit auch das Kirchenmusiker-Leitbild Bach in Frage stellte. Vorausgegangen war die Publikation neuerer Erkenntnisse von Alfred Dürr und Georg von Dadelsen zur Chronologie des Kantatenschaffens[27] mit der Pointe: Bach hat im Wesentlichen nur zu Beginn seiner Leipziger Zeit Kantaten, also „Kirchenmusik" komponiert und sich dann „weltlichen" Interessengebieten der Instrumentalmusik zugewandt. Von daher verwahrte sich Blume gegen die Vereinnahmung Bachs als evangelischem „Erzkantor" oder gar „fünftem Evangelisten". Taktisch klug ließ Blankenburg in *Musik und Kirche* den philologischen

---

[22] Den Amtsbegriff (nach NT und Martin Luther) entfaltete Christoph WETZEL, *Die Träger des liturgischen Amtes im evangelischen Gottesdienst*, in: Leit. 4. 1961, 269–342, die theologische Grundlegung lieferte Oskar SÖHNGEN, *Theologische Grundlagen der Kirchenmusik*, ebd., 1–268, als weitere Felder der Konkretion wurden von verschiedenen Autoren der gregorianische Choral, die Singerziehung, Orgelbau, Bläserspiel und sogar das Glockenwesen behandelt.

[23] Zur Bedeutung der Thüringer Herkunft vgl. auch den späten Titel zum Schütz-Bach-Händel-Jahr 1985: Walter BLANKENBURG, *Heinrich Schütz und Johann Sebastian Bach als Thüringer und überhaupt*, in: Ernestinum NF Nr. 84, Juni 1985, 406–410.

[24] Vgl. Walter BLANKENBURG, *Johann Walter. Leben und Werk.* Aus dem Nachlaß hg. v. Friedhelm BRUSNIAK. Tutzing 1991. Die Arbeit ist sehr umfangreich und fast vollendet. Das Vorwort muss tatsächlich schon zu Beginn des Ruhestandes um 1970 verfasst worden sein.

[25] Vgl. *100 Jahre Neue Bachgesellschaft. Beiträge zu ihrer Geschichte.* Hg. v. Rudolf ELLER. Leipzig 2001, die Personalangaben zu den Leitungsgremien hier 139–146.

[26] Vgl. Friedrich BLUME, *Umrisse eines neuen Bach-Bildes*, in: Musica 16. 1962, 169–176. Durch die publizistische Ausschlachtung des Vortrags in der Tageszeitung *Die Welt* wurde „eine Sensation" daraus.

[27] Vgl. Alfred DÜRR, *Zur Chronologie der Leipziger Vokalwerke J. S. Bachs*, in: *Bach-Jahrbuch 1957*, 5–162; Georg von DADELSEN, *Beiträge zur Chronologie der Werke J. S. Bachs*. Trossingen 1958.

Gewährsmann A. Dürr den Angriff zurückweisen. Der Stachel saß jedoch tief und bohrte weiter.[28] Eine methodisch souveräne „theologische Bachforschung" blieb Desiderat. Als sich namentlich in der jüngeren Generation Personen fanden, das theologie- und frömmigkeitsgeschichtliche Umfeld Bachs, die Sprach- und Denkwelt seiner Libretti und die hermeneutischen Fragen, die sich in Verbindung mit den Spezifika der barocken Tonsprache ergeben, zu erforschen, gründete Blankenburg (zusammen mit Christoph Trautmann[29]) – 14 Jahre nach jener Bachbild-„Sensation" – am Rande des NBG-Bachfestes in Berlin 1976 die *Internationale Arbeitsgemeinschaft für Theologische Bachforschung* als interdisziplinäres Gremium von maximal 25 Wissenschaftlern. So hatte Blankenburg erneut eine spezifische Kommunikationsstruktur geschaffen, um eine zentrale, letztlich liturgische Sachangelegenheit in exponierter Form klären zu können. Auf dem Spiel stand das sachgemäße Verständnis von Bachs Musik allgemein als sacrificium laudis und speziell als „Predigtmusik". Von den acht Jahrestagungen unter Blankenburgs Leitung fanden fünf in Schlüchtern statt.[30] Mit seinen beiden als dtv-Taschenbuch weit verbreiteten Werkeinführungen zu *h-Moll-Messe* (1974/1982) und *Weihnachtsoratorium* (1982)[31] leistete er respektable, in der Darstellung sehr gut fassliche Beiträge zu einer theologisch akzentuierten Bach-Präsentation, welche allerdings auch zum Widerspruch herausfordert ob der hier zu konstatierenden theologischen Überdeutung mancher musikalischer Sachverhalte.[32]

Die einschlägigen Jubiläen der 80er-Jahre, das Lutherjahr 1983 und das Bachjahr 1985, konnte Blankenburg mit Vorträgen und Publikationen noch begleiten.[33] Ohne die Flankierung und Bündelung durch die Gemeinschaft der theologischen Bachforschung[34] wäre es aber wohl kaum gelungen, gerade

---

[28]   Nach Auskunft von Walter Opp, der in Schlüchtern von 1973 bis 1981 mit Blankenburg in Kontakt stand, war und blieb das Problem Bach-Bild tatsächlich Blankenburgs stete Sorge. Vgl. Blankenburgs Rückblick auf die Bach-Bild-Diskussionen in seinem Augsburger Vortrag zum Bach-Jahr 1985, *Theologische Bachforschung heute*, wieder abgedruckt in: *Theologische Bachforschung heute* (wie Anm. 16) 176–189.

[29]   Christoph Trautmann (1933–1984) hatte 1969 mit der Entdeckung der Calov-Bibel aus dem Besitz Bachs in den USA, welche handschriftliche, theologisch akzentuierende Randnotizen enthält, ein neues Kapitel für die theologische Bachforschung aufgeschlagen.

[30]   Die Arbeit dieser Arbeitsgemeinschaft ist detailliert dokumentiert in *Theologische Bachforschung heute* (wie Anm. 16).

[31]   Beim *Weihnachtsoratorium* hatte Blankenburg bereits 1960 zusammen mit Alfred Dürr die Notenedition im Rahmen der *Neuen Bachausgabe* verantwortet.

[32]   Bei der *h-Moll-Messe* sei beispielhaft genannt die Übergewichtung des Symmetriekonzepts im *Symbolum Nicenum* und die Tendenz zu einem trinitarischen Totalitarismus, welcher überall in musikalischen Strukturen Trinitäts-Symbolik liest, z.B. beim Duett *Domine Deus*. (Der Beitrag des Verf. über J.S. Bachs Messen im Bach-Handbuch des Laaber-Verlags setzt sich damit detailliert kritisch auseinander: Konrad KLEK, *Ergänzung zur Missa tota BWV 232*, in: *Bachs Lateinische Kirchenmusik*. Hg. v. Reinmar EMANS – Sven HIEMKE. Laaber 2007 [Das Bach-Handbuch 2], 312–347).

[33]   Vgl. z.B. den Vortrag bei der Stuttgarter Bachakademie im Mai 1983: Walter BLANKENBURG, *Luther und Bach*, in: MuK 53, 1983, 233–242. Bei dieser Gelegenheit konnte der Verf. Blankenburg noch persönlich erleben.

[34]   Vgl. den noch von Walter BLANKENBURG zusammen mit Renate STEIGER redigierten Band *Theologische Bach-Studien I*. Stuttgart 1987, darin auch seine letzte Arbeit zu Bach: *Mystik in der Musik J.S. Bachs*, 47–66.

mit diesen Jubiläen in Fachwelt und Öffentlichkeit eine neue Sensibilität für die theologischen Dimensionen des Phänomens Bach und die Bereitschaft zu differenzierterer Betrachtung jenseits der herkömmlichen Schlagworte zu erreichen. Die Schriftleitung von *Musik und Kirche* konnte mit dem Jahrgang 1981 an Renate Steiger und damit an eine Vertraute aus diesem Kreis der theologischen Bachforscher übergeben werden. Als Mitherausgeber (seit 1952) und stets ansprechbarer Berater blieb Blankenburg der Zeitschrift bis zu seinem Tod verbunden.

Ein weiteres Koordinationsprojekt Blankenburgs in den letzten Lebensjahren verfolgte als Ziel die Dokumentation der Kirchenmusikalischen Erneuerung,[35] nachdem 1980 eine Dokumentation der Jugendmusikbewegung vorgelegt worden war, welche den kirchlichen Zweig kaum berücksichtigte. Gerade im Wissen um die einschlägige eigene Prägung und aus nüchterner Betrachtung der total veränderten Zeitsituation stellte sich Blankenburg der Frage „Was war die Singbewegung?"[36] und ermunterte andere, dasselbe zu tun, „weil sie Zerrbilder verhüten können und weil sie überzeugt sind, daß die Singbewegung bleibende Bedeutung hat und manche Errungenschaften von damals nicht wieder verlorengehen sollten"[37]. Als mit einer hessischen Fernsehsendung im Januar 1986 unter dem Titel *Kirchenmusik unterm Hakenkreuz – Taktlose Erinnerungen* eine neue Front gegen die Generation der Kirchenmusik-„Väter" aufgemacht wurde, indem ihnen Kumpanei mit dem NS-Regime unterstellt wurde, reagierte Blankenburg in einer kurzen Replik entsetzt ob solcher Zerrbild-Dreistigkeit. Sein letzter Satz in MuK, posthum erschienen, heißt: „Der Verfasser dieser Zeilen hofft, daß es ihm vergönnt ist, eine in Vorbereitung befindliche kommentierte Dokumentation der Kirchenmusikalischen Erneuerung für die Zeit von 1925 bis 1945 noch fertigzustellen."[38] Es war ihm nicht vergönnt.[39] Durch den Tod im März 1986 wurde ihm aber auch erspart, die – von *Musik und Kirche* abgelehnte – in der Zeitschrift *Der Kirchenmusiker* dann in den Jahren 1989 bis 1991 präsentierte Aufarbeitung des Themas „Kirchenmusik im Nationalsozialismus" mitverfolgen zu müssen, die teilweise durchaus Züge einer Abrechnung mit der „Väter"-Generation trug.[40]

2. „Musik und Kirche" in der Ära Blankenburg
Die Bärenreiter-Zeitschrift *Musik und Kirche*, gestartet als Organ der Sing- und Orgelbewegung im Jahre 1929, unterschied sich mit dieser Milieuorientie-

---

[35] Vgl. dazu GANSLANDT, *Jugendmusikbewegung* (wie Anm. 1) 92.

[36] So der Titel eines eigenen Beitrags zu seinem 70. Geburtstag in: MuK 43. 1973, 258–260, den Blankenburg im Untertitel als *Dank des Schriftleiters* kennzeichnete, wieder abgedruckt in BLANKENBURG, *Kirche und Musik* (wie Anm. 10) 343–346.

[37] Blankenburg am Schluss seines Nachwortes zur Aufsatzsammlung *Kirche und Musik* (wie Anm. 10) 348.

[38] Walter BLANKENBURG, *Kirchenmusik unterm Hakenkreuz. Taktlose Erinnerungen,* in: MuK 56. 1986, 110.

[39] Die im Briefverkehr mit Zeitzeugen erworbene Materialsammlung im Nachlass ist dem Archiv der Jugendmusikbewegung in Wolfenbüttel übergeben worden.

[40] Die vorwiegend aus Vorträgen in der Evang. Akademie Arnoldshain resultierenden Beiträge sind zusammengefasst erschienen unter dem Titel *Kirchenmusik im Nationalsozialismus. Zehn Vorträge.* Hg. v. Dietrich SCHUBERTH. Kassel 1995.

rung von der einem umfassenderen Horizont verpflichteten *Monatschrift für Gottesdienst und kirchliche Kunst* (MGKK), die damals noch unter der Ägide ihres (Mit-)Gründers Julius Smend stand. Gleichwohl wird man die Besetzung des Feldes „Musik und Kirche" durchaus als Konkurrenz zur gerade diesbezüglich profilierten Tätigkeit der MGKK betrachten können,[41] und die 1936 in der MGKK artikulierte Klage über kritische Dimensionen erreichende Bezieherzahlen[42] könnte dieser Konkurrenzsituation geschuldet sein. Als Blankenburg die Schriftleitung von MuK 1941 übernahm, musste die MGKK gerade ihr Erscheinen einstellen. Nach dem Krieg jedenfalls war – neben einigen landeskirchlichen „Blättern" – die bundesweite Zentralstellung von *Musik und Kirche* unangefochten, was sich auch darin zeigte, dass wie schon vor dem Kriege andere Organe hier angehängt wurden.[43] Allerdings erstarkte mit dem Kirchenmusikerstand auch das 1950 gegründete berufsständische Organ *Der Kirchenmusiker*, das sich gleichfalls theologisch-inhaltlich profilierte. Da dessen Bezug in der Regel mit der Mitgliedschaft im Kirchenmusikerverband verbunden war, implizierte das Lesen von MuK darüber hinaus nun ein besonderes theologisches und liturgisches Interesse.

Blankenburg hat zum Ende seiner Schriftleitertätigkeit mit dem 50. MuK-Jahrgang in der ihm eigenen Redlichkeit Rechenschaft abgelegt über den zurückgelegten Weg.[44] Er spricht vom „unvergeßlichen Neubeginn" nach dem Krieg in direktem Anknüpfen an den „beglückenden Aufbruch" der 1930er-Jahre „fern von Historismus und Restauration", konstatiert aber auch, dass schon bald nach Erreichen des Ziels Einheitsgesangbuch (EKG ab 1950), um das 25-Jahr-Jubiläum von MuK (1955) „der Überschwang der ersten Nachkriegszeit weithin der Nüchternheit und dem kirchenmusikalischen Alltag gewichen" war. Trotz äußerer Konsolidierung im Ausbau von Kirchenmusikerausbildung und -stellen sieht er seine Zeitschrift von da ab als Dokument einer Problemgeschichte. „Die zurückgewonnene Würde und Vollgültigkeit der gottesdienstlichen Gebrauchsmusik begann wieder verloren zu gehen. Verloren zu gehen drohte gleichzeitig auch die beherrschende Stellung des evangelischen

---

[41] „Wenn nun auch diese Zeitschrift – in Gemeinschaft mit vielen anderen tätigen Kräften – in der Arbeit an diesem Ziele ihre vornehmste Aufgabe sieht ..." Mit dieser Formulierung versucht Christhard Mahrenholz im Eröffnungsartikel von MuK (*Die Aufgabe der Zeitschrift Musik und Kirche*, in: MuK 1. 1929, 1–4, hier 1) die Konkurrenzsituation zu verwischen.

[42] „Die Monatschrift gerät in Gefahr, aus Mangel an Beziehern einzugehen," schreibt Gerhard Kunze im Jubiläums-Artikel *Vierzig Jahre Monatschrift für Gottesdienst und kirchliche Kunst*, in: MGKK 41. 1936, 1–5, hier 4.

[43] Z.B. *Der Kirchenchordienst*, ab 1949 *Der Kirchenchor* als Organ des Chorverbandes (bis 1969), von 1966–1973 die Zeitschrift *Schallplatte und Kirche*.

[44] Walter BLANKENBURG, *50 Jahre ‚Musik und Kirche' – Rückschau und Ausblick*, in: MuK 50. 1980, 285–295, die folgenden Zitate hier 287. Zum 25-Jahr-Jubiläum war zu Beginn des Jahrgangs 1955 eine Inhaltsübersicht über alle Jahrgänge von Anna Martina Gottschick erschienen. Zum 75-Jahr-Jubiläum lieferte Gustav Adolf Krieg in Heft 1/2005 eine tour d'horizon. Vgl. auch die kritische Aufarbeitung von Britta MARTINI, *Der Weg der Kirchenmusik in der nationalsozialistischen Zeit im Spiegel der Zeitschrift „Musik und Kirche"*, in: *Der Kirchenmusiker* 40. 1989, 81–96, wieder abgedruckt in *Kirchenmusik im Nationalsozialismus* (wie Anm. 40) 23–39.

Kirchenliedes der Reformation und des Zeitalters von Paul Gerhardt, das dem
Evangelischen Kirchengesangbuch das Gepräge gegeben hatte." Gleichsam in die
Zange genommen wurde „die Kirchenmusik" einerseits von der künstlerischen
Avantgarde, welche sich der liturgischen Einbindung entzog, andrerseits von
den Strömungen um das neue (popmusikalische) Liedgut und die neuen Gottesdienstformen. Intern folgte die Kirchenmusik einer Dynamik, die weg von
der Priorität Gottesdienst hin zum Kirchenkonzert führte, vom a-cappella-Ge-
sang der Motettenkunst alter und neuer Zeit hin zu den vokal-instrumentalen
Großformen von Passion, Messe und Oratorium.[45] „Unsere Zeitschrift hat bewußt stets beiden Seiten das Wort erteilt, sowohl denen, die im Zuge der allgemeinen Entwicklung glaubten, nicht anders handeln zu können, wie erst recht
denen, die das unaufgebbare Anliegen des Gottesdienstes mahnend im Auge
behielten", resümiert Blankenburg,[46] der sich in mehreren eigenen Beiträgen
stets als besonnen abwägender „Mahner" geäußert hat, der Gegenseite aber
über alle Jahrzehnte hinweg als Schriftleiter sehr viel Raum gewährte.

Von der Erfahrung jenes beglückenden Aufbruches her, wo Rückbesinnung
auf Tradition und kompositorische Innovation Hand in Hand gingen und sich
darin Actualitas der Wortverkündigung ereignete, konnte er die noch so elitär
oder solipsistisch sich gebärdende Avantgarde nicht von vornherein abschrei-
ben. Die Frage nach der „Zeitgemäßheit" der Kirchenmusik blieb zentral und
die hier auftretenden „Spannungen" galt es auszutragen.[47] Diesbezüglich re-
servierter war seine Haltung allerdings gegenüber den neuen Liedern, da ihm
das Niveaudefizit zu evident erschien. Jedoch war auch hier MuK schon um
1960 mit Erörterungen zu Jazzgottesdiensten etc. zeitnah mit am Ball. Völliges
Unverständnis brachte Blankenburg sowohl theologischen Strömungen der
1960er- und 1970er-Jahre entgegen, die kein Interesse für das Thema „Musik
und Kirche" zeigten, weil sie gar kein Interesse mehr am Gottesdienst hatten,
als auch den Einwürfen von dialektischen Theologen, die das „und" prinzipiell
in Frage stellten.[48] „Jedoch die vorrangigste Aufgabe ist und bleibt der Gottesdienst. Zur Überwindung seiner Not aber ist der Kantor nicht weniger beru-

[45] Vgl. die Präsentation der Problemfelder und ihre Diskussion bei Wolfgang KÖRNER,
Kirchenmusik im Plural. Musik im Raum der Kirche in Deutschland 1945–2000. Nürnberg
2003, Kap. 2–4.

[46] KÖRNER, *Kirchenmusik im Plural* (wie Anm. 45) 288. Vgl. hierzu auch die Debatte um
das Kirchenkonzert und den Applaus in der Kirche, die von Blankenburg 1971 ange-
zettelt wurde. (Die Fundstellen sind bei BLANKENBURG, *50 Jahre ,Musik und Kirche'* [wie
Anm. 44] 291 genannt.)

[47] Vgl. den Eröffnungsartikel Blankenburgs zum Jahrgang 1964: *Die evangelische Kirchenmusik und die gesamtmusikalische Situation der Gegenwart,* in: MuK 34. 1964, 1–7.
Am Ende steht hier ein Karl-Barth-Zitat aus Kirchliche Dogmatik IV/3 zur Welt-
haftigkeit kirchlichen Handelns. Vgl. weiter *Gedanken und Fragen des Schriftleiters zum
25-Jahr-Jubiläum,* in: MuK 25. 1955, 25–28, hier 26: „Über die Fülle solcher vorhandenen Spannungen innerhalb des Aufgabenbereichs von Musik und Kirche kann der
Schriftleiter nur froh sein; denn sie verleiht der Zeitschrift Lebendigkeit und Aktualität. Das aber ist ein Zeichen dafür, daß etwas im Gange ist."

[48] Vgl. die Auseinandersetzung Blankenburgs mit Götz Harbsmeier und Hellmut Traub
im Beitrag zu Beginn des 30. Jahrgangs: *Das Verhältnis von Form und Inhalt in der gottesdienstlichen Vokalmusik,* in: MuK 30. 1960, 18–25. Sieben Jahre zuvor bewegte die Frage
kontrovers die Gemüter: *Kann Singen Verkündigung sein?,* in: MuK 23. 1953, 177–194.

fen als der Pfarrer; denn er setzt das unentbehrliche Zeichen des Lobens und Rühmens."[49]

Gegenüber den Entwicklungen in der etablierten landeskirchlichen Kirchenmusik behielt Blankenburg stets einen klaren Blick und ein nüchternes Urteil, das den gravierenden Unterschied zur Ursprungssituation der 1930er-Jahre fest hielt und ernst nahm. Er erlaubte sich, Dankbarkeit über das Erreichte wie „Unbehagen" ob der Entwicklungstendenzen zur Sprache zu bringen: „Noch in keiner Zeit hat es ein so entfaltetes und weit verzweigtes kirchenmusikalisches Leben gegeben wie heute. Allein um die Frage, wo die Schwerpunkte liegen, ob sie an den rechten Stellen gesetzt werden, geht es."[50] Mit seiner Redaktionstätigkeit diente er der „Berichterstattung" über die Entwicklungen ebenso wie der inhaltlichen Diskussion dieser Schwerpunkte. Das Grußwort eines Mitherausgebers zu Blankenburgs 75. Geburtstag bringt es auf den Punkt: „Die Kontinuität von *Musik und Kirche* hat unter den heutigen Musikzeitschriften keine Parallele. Sie haben durch Ihre Tätigkeit als Schriftleiter erreicht, daß Wissenschaft und Praxis, die Erörterung grundsätzlicher Fragen und praktischer Spezialprobleme, die Diskussion avantgardistischer Musik und historische Forschung nicht getrennte Welten sind, sondern sich ergänzen und im kirchenmusikalischen Leben unserer Gemeinden sinnvoll auswirken."[51]

Die historische Erschließungsarbeit, also Referate über Komponisten und ihre Werke, beschränkte sich in der Ära Blankenburg der Singbewegungslinie gemäß fast ausschließlich auf die Epoche von Luther bis Bach. Dem unbestreitbaren Faktum der Romantik-Renaissance stellte sich Blankenburg wiederum mit einem „Mahn"-Wort, gesprochen an prominenter Stelle bei der Verleihung der Karl-Straube-Plakette im Mai 1978 in Berlin. „Im Hinblick auf die romantische Kirchenmusik aber geht es um das besonders brennende Problem, ob wir mit der heutigen Zuwendung zu ihr auch das sie tragende Verständnis vom Gottesdienst und ihre von daher abgeleitete Aufgabe zurückgewinnen wollen."[52] Blankenburgs Problemlösungsstrategie ist im folgenden Kapitel zu thematisieren.

3. Musik – eine Art Naturform des Evangeliums

Blankenburgs Vermächtnis als MuK-Schriftleiter endet mit dem fast prophetischen „Ausblick" über das zu erwartende „Urteil der Geschichte": „Wir werden befragt werden, ob wir die seelsorgerlich-helfende Macht der Musik, dieser ‚nobilis, salutaris et laeta creatura', dieser edlen, heilsamen und frohen Kreatur,

---

[49] BLANKENBURG, *50 Jahre „Musik und Kirche"* (wie Anm. 44) 293.
[50] BLANKENBURG, *50 Jahre „Musik und Kirche"* (wie Anm. 44) 294.
[51] *Grüße an Walter Blankenburg*, in: MuK 48. 1978, 155–159, hier Gerhard SCHUHMACHER 155.
[52] Walter BLANKENBURG, *Romantische Kirchenmusik heute*, in: MuK 49. 1979, 5–13, das Zitat ebd. 11. Vgl. eine Generation früher die von Helmut Walchas Reger-Verdikt ausgehende, engagierte Diskussion im Jahrgang 1952. Hier reklamierte Blankenburg bei den Kirchenmusikern das Recht und die Pflicht einer Entscheidung „existentieller Art, die nirgendwo anders so unbedingt stattfinden muß wie in der Kirche, dort, wo es um die Gestaltung des christlichen Gottesdienstes, ja, ganz allgemein um die Verantwortung des Glaubens gegenüber der Welt geht." (*Abschließendes Wort des Schriftleiters*, in: MuK 22, 1952, 110f, hier 111.)

wie sie Luther im Vorwort von Georg Rhaus Sammelwerk *Symphoniae iucundae* (1538) bezeichnet hat, ob wir sie als ‚eine Art Naturform des Evangeliums' (Alfred Dedo Müller [...] 1946) den Menschen unserer Zeit nahe gebracht haben."[53] So hält er auch im Jahre 1980 als entscheidendes Kirchenmusik-Kriterium fest, was die Singbewegungserfahrung 50 Jahre zuvor kennzeichnete: Singen und Musizieren bringt wahrhaftige Freude[54] und wird als worthaftes Geschehen der Art erlebt, dass das Evangelium als unmittelbar wirkende Kraft spürbar wird, „natürlich" in Musik sich erschließt.[55] Die wissenschaftliche Aufarbeitung der Geschichte von Kirchenmusik und Kirchenlied untermauert diese Erfahrung: So war es früher und so soll und kann es wieder sein, wie die Singbewegungserfahrung belegt. Einwände gegen die „mißverständliche und daher nicht ungefährliche" Rede von der „Naturform des Evangeliums" wischt Blankenburg beiseite: „Tatsächlich trifft diese Formulierung den Sachverhalt; denn keine irdische Erscheinungsweise bringt den Kern des Evangeliums, die Botschaft von der Gnade Gottes, nach Luther so charakteristisch zum Ausdruck als das aus dem Glauben kommende, fröhlich gesungene Wort Gottes. Die gottesdienstliche Mehrstimmigkeit aber, [...] stellt nach Luther die Musik als Wunderwerk Gottes sowohl hinsichtlich ihres Seines wie ihrer Wirkung, und d.h. zugleich hinsichtlich ihrer gottesdienstlichen Bestimmung, deutlicher heraus als die Einstimmigkeit."[56]

Das von Blankenburg aus zahlreichen lokalhistorischen Forschungen erhobene Bild der „altlutherischen"[57] Kirchenmusik, namentlich im mitteldeutschen Raum mit seiner reichen vokal-instrumentalen Figuralmusik im Gottesdienst, bestätigt jene bei Luther erhobene Legitimation, welche jüngeren Forschungen nach allerdings nicht solchermaßen einseitig auf Gottesdienstmusik bezogen werden kann.[58] Blankenburgs Verdienst ist, durch

53 BLANKENBURG, *50 Jahre „Musik und Kirche"* (wie Anm. 44) 294f.
54 Vgl. im Gruß des Kirchenchorverbands-Obmanns Hans-Christian Drömann zum 75. Geburtstag Blankenburgs die Passage: „Sie haben nicht nur selber gesungen, sondern auch anderen zu der beglückenden Erfahrung verholfen, daß Singen Freude bereitet." (in: MuK 48. 1978, 157) Blankenburg versäumte auch im Ruhestand nach Möglichkeit keine Chorprobe in der Schlüchterner Kantorei und reiste oft von Tagungen oder Vorträgen extra an, um mit seinem Tenor zur Stelle zu sein. (Freundliche Auskunft von Walter Opp.) Das ist „Treue" als Strukturmoment einer dezidierten Praxis pietatis.
55 Vgl. die Ausführungen des Verf. zur Wortorientierung bei Richard Gölz und die differenzierten Ausführungen von Gustav Adolf KRIEG, *Die gottesdienstliche Musik als theologisches Problem. Dargestellt an der kirchenmusikalischen Erneuerung nach dem ersten Weltkrieg.* Göttingen 1990 (VEGL 22). Ebd. 248, 253f ist die Auseinandersetzung mit einem MuK-Beitrag Blankenburgs *Neue Kultmusik* aus dem Jahre 1936 hervorzuheben.
56 Walter BLANKENBURG, *Der mehrstimmige Gesang und die konzertierende Musik im evangelischen Gottesdienst*, in: Leit. 4. 1961, 661–719, hier 664. Das Folgende bezieht sich, wenn nicht anders genannt, ohne Einzelnachweis auf die Ausführungen in diesem Beitrag.
57 „Altlutherisch" dient stets als Chiffre für die Epoche von Luther bis Bach, wo die kirchenmusikalische Welt sozusagen (noch) in Ordnung war.
58 Siehe die gründliche und differenzierte Kritik des von Blankenburg und seinen Zeitgenossen (Oskar Söhngen) aufgebauten Legitimations-Systems der eigenen Praxisideale durch Christoph KRUMMACHER, *Musik als praxis pietatis. Zum Selbstverständnis*

seine Präsentation des Reichtums und der Vielfalt der auf Kirchenlied und Sonntagsevangelium bezogenen „altlutherischen" Kirchenmusikpraxis die singbewegte Fixierung auf reine Vokalmusik aufgebrochen zu haben. Er hat sozusagen den Weg von J. Walter zu J.S. Bach als authentische Entwicklung lutherischer Kirchenmusikpraxis erschlossen. Das einigende Band ist der liturgische Dienst an der Aktualisierung des Evangeliums. Die zunehmende Rhetorisierung der Musiksprache im Barock verleiht auch instrumentalen Partien Sprachcharakter und ermöglicht die Einheit von weltlicher und geistlicher Musiksprache, wie sie an Bachs Parodieverfahren pointiert deutlich wird.

Dass Blankenburg in der 1965 erschienenen Neuauflage von Friedrich Blumes *Geschichte der evangelischen Kirchenmusik* ausgerechnet das Kapitel „Die Kirchenmusik in den reformierten Gebieten des europäischen Kontinents" behandelt,[59] also den Bereich, wo diese „altlutherischen" Grundsätze und Praktiken gerade nicht galten, belegt nicht nur seinen Weitblick als Forscher, sondern zeigt speziell sein Bestreben, auch ex negativo, also aus der Entwicklung im reformierten Raum, die Gültigkeit des „altlutherischen" Leitbildes zu belegen. Das hymnologische Phänomen von Produktion und Rezeption des Genfer Liedpsalters in dessen Schematismus und Fixierung auf bestimmte Melodie- und Textgestalten lässt sich als Gegenbild zum lutherischen Kreativprinzip der *viva vox evangelii* profilieren. Und die reformierte Verbannung der Kunstmusik aus dem Gottesdienst begründet ja das von diesem getrennte Kirchenkonzert, dessen zunehmende Dominanz Blankenburg nie akzeptieren konnte, wenngleich er die prinzipielle Legitimität nicht bestreiten mochte.

Was zwischen 1750 und dem Neuaufbruch der 1920er- und 30er-Jahre geschah, wird unter der Doppelkategorie „Verfall und Restauration"[60] abgehandelt. Im hymnologischen Bereich beschreibt Blankenburg eindrücklich das Unwesen der rationalistischen Gesangbuchreformen und Singepraxis und versäumt dann auch nicht, bei allen Erörterungen über das „Neue Lied" auf die Analogien zu jener Zeit hinzuweisen. Die Restaurationsepoche erfährt eine durchaus ambivalente Beurteilung.[61] Einerseits bemüht sich Blankenburg um „Erklärung" dieser einseitigen Rückwendung aus den Zeitumständen, würdigt die Verdienste bei der Sicherung und Edition von Quellen und bestätigt allgemein die Notwendigkeit einer steten Rückorientierung an der Tradition für

---

evangelischer Kirchenmusik. Göttingen 1994 (Veröffentlichungen zur Liturgik, Hymnologie und theologischen Kirchenmusikforschung 27), 11–52.

[59] Walter BLANKENBURG, *Die Kirchenmusik in den reformierten Gebieten des europäischen Kontinents,* in: Friedrich BLUME, *Geschichte der evangelischen Kirchenmusik.* Kassel [u.a.] 1965, 341–400. Im Anschluss behandelt Blankenburg (ebd. 401–412) auch noch *Die Musik der Böhmischen Brüder und der Brüdergemeine.*

[60] So auch die Überschrift des entsprechenden Kapitels (verf. vom Katholiken Georg FEDER) bei BLUME, *Geschichte der evangelischen Kirchenmusik* (wie Anm. 59). Diese auch in den Ausbildungscurricula dominierende Kirchenmusikgeschichtsschreibung ist das präzise Pendant zu Paul GRAFF, *Geschichte der Auflösung der alten gottesdienstlichen Formen, Bd. 2: Die Zeit der Aufklärung und des Rationalismus.* Göttingen 1939.

[61] Vgl. vor allem Walter BLANKENBURG, *Entstehung, Wesen und Ausprägung der Restauration im 19. Jahrhundert,* in: *Traditionen und Reformen in der Kirchenmusik. Festschrift für Konrad Ameln zum 75. Geburtstag am 6. Juli 1974.* Hg. v. Gerhard SCHUMACHER. Kassel [u.a.] 1974, 25–40.

liturgisches Gestalten, andrerseits betont er die bleibende Fragwürdigkeit des romantischen Gottesdienstverständnisses und die fatale Einseitigkeit in der Fixierung auf einen bestimmten (a-cappella-)Musikstil, welche eine unevangelische Trennung von geistlicher und weltlicher Kultursprache festschreibe. Als Beleg für die Verfehltheit dieses Ansatzes dient auch die Feststellung, dass das 19. Jahrhundert sowohl zur Kirchenlieddichtung als auch zur Kirchenmusikkomposition keinen wesentlichen Beitrag geleistet habe. Erst im Neuaufbruch seiner Generation sieht Blankenburg einen Wiederanschluss an die „altlutherische" Tradition eben fern von Historismus und Restauration, ablesbar an der Gleichzeitigkeit von Schütz-Rezeption und davon inspirierter Distlerscher Chormusik und am Ineinanderfallen von Wiedergewinnung des reformatorischen Liedgutes und qualitativ hochstehender Neudichtung (z.B. J. Klepper, R.A. Schröder).

Es fällt auf, dass Blankenburg die kirchenmusikalischen Reformbestrebungen in der zweiten Hälfte des 19. Jahrhunderts und bis 1918 kaum in den Blick nimmt, als bloße Verlängerung der Restauration, beziehungsweise als ineffektiv oder kontraproduktiv darstellt. Die seit den 1870er-Jahren entstehenden Kirchengesangvereine seien der Vereinsmeierei verhaftet geblieben, weit entfernt vom Begriff eines „gottesdienstlichen Amtschores" und hätten nur ab und an Einzelbeiträge „zur Verschönerung" geliefert. Das Bemühen um Gefühligkeit und erhebende Stimmung habe im Vordergrund gestanden. Die Organisten hätten die Gemeinden mit ihrer subjektiven Effekthascherei überzogen. Ohne die Arbeit der Kirchengesangvereine und ihrer Führer wie auch der *Monatschrift für Gottesdienst und kirchliche Kunst* ernsthaft würdigen zu wollen, behauptet Blankenburg: „Hier hat erst die kirchenmusikalische Erneuerungsbewegung einen neuen Anstoß zu allgemeinerer Besinnung auf breiter Ebene gegeben."[62]

Die Entwicklungen nach 1960 brachten für Blankenburgs liturgisch-musikalisches Leit- und Geschichtsbild sozusagen eine doppelte Anfechtung: in liturgischer Hinsicht die „Experimente" um „Gottesdienste in neuer Gestalt" samt der Konnotation „Neues Lied", in musikpraktischer die Renaissance der Romantik und – damit durchaus verbunden – das Erstarken des Kirchenkonzerts. Bei letzterem blieb nur der Appell pro Priorität Gottesdienst und die (durchaus berechtigte) Warnung vor einem routinemäßigen Oratorienbetrieb mit wenigen Standardwerken. Zur Romantik im Gottesdienst warnte er einerseits vor

---

[62] Der Abschnitt *Grundlinien der Entwicklung des kirchlichen Chorwesens im Protestantismus von der Reformation bis zur Gegenwart* (Leit. 4. 1961, 703–718, hier 715), ist bezüglich der Negativfolie 19. Jahrhundert besonders tendenziös. Vgl. das Zitat in Walter BLANKENBURG, *Offizielle und inoffizielle liturgische Bestrebungen in der evangelischen Kirche in Deutschland,* in: LJ 13. 1963, 70–83, wieder abgedruckt in BLANKENBURG, *Kirche und Musik* (wie Anm. 10) 284–297, hier 290: „Wie fundamental der Wandlungsprozeß des gottesdienstlichen Singens war, der seit etwa 1925 durch den Einbruch der Singbewegung erfolgte, wird deutlich, wenn man bedenkt, dass bis dahin noch immer mehr oder weniger der aus dem kirchlichen Rationalismus des späten 18. Jahrhunderts stammende Satz, die gottesdienstliche Musik diene nur ,zur Erweckung und Belebung frommer Gefühle', in Geltung war." Siehe dagegen die Beiträge des Verf. zu Fr. Spitta und J. Smend. Auch die Arbeit der lutherisch-restaurativ orientierten Zeitschrift *Siona* (seit 1876) und ihres praktisch-kirchenmusikalischen Umfeldes müsste diesbezüglich differenzierter betrachtet werden.

den Trivialitäten und Sentimentalitäten bei „Meistern dritten Ranges", andererseits eben vor dem unbedachten Einkauf des falschen Gottesdienstverständnisses dieser Zeit als „Abstand vom täglichen Leben durch gemeinschaftliche Gemütserhebung"[63]. Das um 1930 neu erlebte Ineinander von geistlicher und weltlicher Kultursprache als Leitbild machte es nun allerdings schwierig, sowohl gegen die kirchenmusikalischen Avantgardisten („Musik nach Auschwitz") als auch gegen die Kirche-und-Welt-Synthesen der liturgischen Revolutionäre zu argumentieren. Erstere wurden in die Schranken verwiesen ob der destruktiven statt seelsorgerlich-heilenden Stoßrichtung ihrer Kunst und der darum fehlenden Gemeindeverträglichkeit. Avantgardistische Musik sei eben keine „nobilis, salutaris et laeta creatura" mehr. Blankenburg konstatiert hier den Verlust der „naturhaften Bindung" der Musik und bleibt dabei, dass diesbezüglich „der Anspruch von Luthers und Bachs Musikverständnis an uns und unsere Zeit vernommen und verstanden" werden muss.[64] In der Frontstellung zu letzteren erlaubt er sich eine Präzisierung, vielleicht sogar Modifizierung seiner liturgietheoretischen Maxime: „Die immer wieder ausgesprochene Behauptung, daß es einen Unterschied zwischen Geistlich und Weltlich bis zum Zeitalter Bachs überhaupt nicht gegeben habe, kann vor der geschichtlichen Wahrheit jedenfalls nicht bestehen. Muß es gleich Flucht vor der Wirklichkeit und vor Verantwortung sein, wenn christlicher Gottesdienst ein Gegenüber zum Alltag darstellt, wenn er eine Stätte der Zuflucht, der Einkehr und Stille, der Bereitschaft zum Hören und der Besinnung, sowie ganz gewiß auch ein Ort bitter ernster Vergegenwärtigung und Vorhaltung menschlicher Not, Versäumnis und Schuld sein soll, aber dennoch eine Stätte, in der der Mensch lebensnotwendigen Abstand gewinnt, um hernach um so besser und mit wachgerütteltem Gewissen für die täglichen Aufgaben gerüstet zu sein?"[65] – Da erlaubt und fordert Walter Blankenburg für den Gottesdienst schließlich doch romantikverdächtigen „Abstand vom täglichen Leben"!

Auswahlbibliografie

Musikalische Maßstäbe und Forderungen für die Arbeit am neuen Gesangbuch, in: MGKK 40. 1935, 155–165.

Die Gegenwartslage der Evangelischen Kirchenmusik, in: MuK 17. 1947, 33–39.

Kann Singen Verkündigung sein? Vom gesprochenen und gesungenen Wort Gottes. Kassel 1953 (Sonderdruck aus: MuK 23. 1953, 177–194).

Heinrich Schütz und das 20. Jahrhundert, in: MuK 27. 1957, 1–9.

Das Verhältnis von Form und Inhalt in der gottesdienstlichen Vokalmusik, in: MuK 30. 1960, 18–25.

Der gottesdienstliche Liedgesang der Gemeinde, in: Leit 4. 1961, 559–660.

---

[63] Blankenburg, *Romantische Kirchenmusik* (wie Anm. 52) 8.

[64] So endet der Beitrag zum Lutherjahr: *Luther und Bach* (wie Anm. 33) 242, das Zitat zuvor ebd. 241.

[65] Blankenburg, *Entstehung, Wesen und Ausprägung der Restauration* (wie Anm. 61) 40. Vgl. die identische Argumentation in Blankenburgs Beitrag *Gottesdienste in neuer Gestalt*, in: Quatember 30. 1965/66, 108–114, hier 112f.

Der mehrstimmige Gesang und die konzertierende Musik im evangelischen Gottesdienst, in: Leit 4.
1961, 661–719.

Zehn Jahre Bachforschung, in: ThR 24. 1963, 335–358; 25. 1964, 493–506.

Kritische Fragen zu den Versuchen mit neuen religiösen Liedern, in: MuK 34. 1964, 135–140.

Gottesdienste in neuer Gestalt, in: Quatember 30. 1965/66, 108–114.

*Die Kirchenmusik in den reformierten Gebieten des europäischen Kontinents; Die Musik der Böhmi-
schen Brüder und der Brüdergemeine,* in: Friedrich BLUME, *Geschichte der evangelischen Kirchenmusik.* Kassel ²1965, 341–412.

*Das Verhältnis von geistlicher und weltlicher Musik im Werk J.S. Bachs und dessen Bedeutung für
die Gegenwart,* in: *Musik und Verlag. Karl Vötterle zum 65. Geburtstag am 12. April 1968.* Hg.
v. Richard BAUM. Kassel 1968, 159–167.

Einführung in Bachs h-moll-Messe. Kassel 1973.

Entstehung, Wesen und Ausprägung der Restauration im 19. Jahrhundert, in: *Traditionen und Reformen in der Kirchenmusik. Festschrift für Konrad Ameln zum 75. Geburtstag.* Kassel 1974,
25–40.

*Gottesdienstreform in der Sicht geschichtlicher, insonderheit kirchenmusikgeschichtlicher Entwick-
lung,* in: MuK 45. 1975, 183–190.

Die Entwicklung der Hymnologie seit etwa 1950, in: ThR 42. 1977, 131–170, 360–405; 44.
1979, 36–39.

Kirche und Musik. Gesammelte Aufsätze zur Geschichte der gottesdienstlichen Musik. Zu seinem 75.
Geburtstag hg. v. Erich HÜBNER und Renate STEIGER. Göttingen 1979 (Schriftenverzeichnis!).

Romantische Kirchenmusik heute, in: MuK 49. 1979, 5–13.

50 Jahre ,Musik und Kirche' – Rückschau und Ausblick, in: MuK 50. 1980, 285–295.

Luther und Bach, in: MuK 53. 1983, 233–242.

Theodor Bogler OSB (1897–1968)

Angelus A. Häußling OSB

1. Biografie[1]

Theo Bogler (seit seinem Klostereintritt 1927 in Maria Laach Namensform „Theodor") wurde am 10. April 1897 in Hofgeismar, damals preußische Provinz Hessen(-Kassel)-Nassau, geboren. Die Familie war protestantisch, aber wohl nicht intensiv kirchennah. Künstlerischen Interessen gegenüber war man aufgeschlossen. Der Großvater arbeitete in Wiesbaden als Architekt; auch ein Entwurf für den Fußboden des Kölner Doms, von ihm eingereicht, liegt noch vor. Prägend war die Teilnahme am Ersten Weltkrieg. Gleich  nach dem beschleunigt abgelegten Abitur meldete er sich, 17jährig, als Kriegsfreiwilliger zu den Pionieren, in deren Einheiten er als Offizier das Kriegsende erlebte. Die beste Tradition des preußischen Soldatentums – Kampf unter strikter Beachtung der Humanität, menschlicher Respekt vor dem Gegner, selbstverständliches Einstehen füreinander in der Gruppe ungeachtet möglicher Opfer, voraussorgende und kluge Verpflichtung auf das Wohl des umfassenden Ganzen – diese blieben fortan für seine Persönlichkeit durchaus kennzeichnend.

Nach dem Krieg begann er in München ein Architekturstudium, wechselte aber noch 1919 zum Staatlichen Bauhaus in Dessau, dessen modernes Programm ihn faszinierte: Kunsthandwerk und industrielle Produktion, unter strikter Wahrung der Sachbezogenheit, zu vereinen. In der Bauhaustöpferei in Dornburg (Saale) legte er 1922 die Gesellenprüfung als Töpfer ab und übernahm 1924 die kaufmännische Leitung der Werkstatt, wechselte aber 1925 in gleicher Funktion in die keramische Werkstatt der Steingutfabrik in Velten-Vordamm bei Berlin, die noch heute durch die Arbeiten von Hedwig Bollhagen (1907–2001) bekannt ist. Seine eigenen Entwürfe und keramischen Arbeiten werden immer wieder unter dem Namen „Theo Bogler" im Zusammenhang mit dem „Bauhaus" angeführt.

Inzwischen hatte er die Witwe eines Kriegskameraden geheiratet, ein Versprechen erfüllend, er werde sich um dessen Frau sorgen, wenn der Ehemann den Krieg nicht überlebe. Die Krankheit seiner Frau – sie starb 1925 – traf ihn tief und wurde schließlich zu einem Anlass, um Aufnahme in die katholische Kirche zu bitten. Begleitet wurde er auf diesem Weg, von Romano Guardini vermittelt, von dem späteren Pfarrer Alphons Maria Wachsmann, der 1943 unter der nationalsozialistischen Regierung um der Treue zu Glaube und Kirche willen hingerichtet wurde. Guardini und Wachsmann waren es auch, die ihn an

[1] Zu Bogler vgl. Emmanuel VON SEVERUS, *P. Theodor Bogler, Benediktiner von Maria Laach*, in: EuA 44. 1968, 334f; Martin KLÖCKENER, *Bio-Bibliographisches Repertorium für die Liturgiewissenschaft. Folge 2 für die Jahre 1993–1997. Mit Nachträgen aus früheren Jahren*, in: ALw 41. 1999, 63–120.

die Benediktinerabtei Maria Laach verwiesen, wo er 1927 eintrat. Unter dem damaligen Abt Ildefons Herwegen (Abt 1913–1946) war diese Klostergemeinschaft ein weit wirkender Vorort der Erneuerung der Kirche aus der theologisch neu gesehenen und erfahrenen Feier der Liturgie heraus.

Im Kloster durchlief er den üblichen Gang der Ausbildung. Das Noviziat schloss 1928 mit der Profess; es folgten die Studien von Philosophie und Theologie in Maria Laach und Beuron. Die letzte Profess war 1931, die Priesterweihe 1932. Danach übernahm er im Kloster verschiedene Aufgaben: U.a. leitete er seitens des Klosters die Restauration der romanischen Abteikirche (in zwei Phasen: 1935/1936 und 1955/1956) und den Kunstverlag Ars liturgica. Hier konnte er, Leitlinien und Formen des Bauhauses aufnehmend, das Konzept der Abtei auch auf die Utensilien der Bereiche Liturgie und Frömmigkeit gestalterisch anwenden.

Von 1939 bis 1946 hatte ihn Abt Ildefons Herwegen und bis 1948 auch der Nachfolger Abt Basilius Ebel als ersten Mitarbeiter und Vertreter, als „Prior", eingesetzt. Während des Krieges war er der Seelsorger der Soldaten, die im Lazarett gepflegt wurden, für das im Klostergebäude Räume beschlagnahmt waren.

Nach dem Tod von Odo Casel an Ostern 1948 war er drei Jahre dessen Nachfolger als Spiritual in der Benediktinerinnenabtei Herstelle an der Weser und kam somit in den Raum seiner Heimat zurück. Danach leitete er von 1951 bis zu seinem Tod mit großem Erfolg wieder die Kunstwerkstätten und den Kunstverlag Ars liturgica. Am 13. Juni 1968 verstarb er, unerwartet, im Stiftshospital in Andernach.

1936, von Abt Ildefons Herwegen veranlasst, um der klosterfeindlichen Propaganda der Nationalsozialisten eine Stimme entgegenzusetzen, kam ein autobiografischer Bericht Theodor Boglers heraus, im Titel „Soldat und Mönch"[2] zwar fast der Sprachmode der Zeit entgegenkommend, im Inhalt aber unbelastet von Anleihen bei den Parolen der staatlichen Öffentlichkeit, nüchtern die Geschicke seines Lebens darstellend und die Existenz in einem der Tradition des benediktinischen Mönchtums verpflichteten Kloster eine durchaus menschenwürdige Lebensform präsentierend. Das Buch war ein Geheimtip: Es zeigte, dass ein Deutscher auch in der so angepriesenen Epoche des „Dritten Reiches" ein Christ, sogar ein Christ im Kloster, sein kann. Das Buch wirkte auf viele befreiend und helfend. Es erlebte, aus zeitbedingt guten Gründen in der Auflagenhöhe vernebelt, mindestens sechs Drucke. Heute ist es auch ein dokumentarisches Zeugnis, wie ein Kloster, führend in der „Liturgischen Erneuerung", selbst gesehen sein wollte.

2. Theodor Bogler und die Liturgiewissenschaft

Bogler war gewiss kein Gelehrter, kein Wissenschaftler, auch keiner der Liturgie, so sehr er mystagogisch, wie auch viele Abschnitte von „Soldat und Mönch" zeigen, in sie einführen konnte, auch weil er, in der Liturgiegeschichtsforschung gut informiert, über Liturgie zu sprechen wusste. Es sind aber drei Aspekte, die ihm einen Platz unter den Liturgiewissenschaftlern sichern.

---

[2] Vgl. Theodor BOGLER, Soldat und Mönch. Ein Bekenntnisbuch. 2. Neuaufl. Köln 1937.

2.1 Mitbegründer wissenschaftlicher Institute

Am Rande kann bleiben, dass er Mitbegründer des „Abt-Herwegen-Instituts"
war, in dem, seit 1948, die liturgiewissenschaftlichen Tätigkeiten und Unternehmungen der Abtei Maria Laach organisiert sind. Zwar waren die von ihm
betreuten Publikationen der „Laacher Hefte" (unter dem Haupttitel „Liturgie
und Mönchtum" 41 Hefte zwischen 1948 und 1968) auch Themen der Liturgie gewidmet und brachten auch liturgiewissenschaftlich relevante Beiträge
in dieser vom Abt-Herwegen-Institut verantworteten Publikationsreihe, doch
gewann Theodor Bogler eher liturgiewissenschaftliche Relevanz durch die
Tatsache, dass er seit 1941, kurz nach der Gründung, bis zu seinem Tod Mitglied der „Liturgischen Kommission" der Deutschen Bischofskonferenz war.
In diesem Gremium, in dem eigentliche Liturgiewissenschaftler die Mehrheit
bildeten, war er kraft seiner reichen Persönlichkeit und seines klugen Urteils
ein geschätztes Mitglied. Als solches war er 1948 auch Mitbegründer des (seit
1989: Deutschen) „Liturgischen Instituts" in Trier, und sein Name taucht deshalb auch unter den Mitherausgebern der ersten Jahrgänge des „Liturgischen
Jahrbuches" auf.

2.2 Wegbereiter der Kelchkommunion

Schon vor Jahren erfuhr der Verfasser von zwei Mitgliedern der Kommission,
Josef Andreas Jungmann (1889–1975) und Balthasar Fischer (1912–2001), wie
Theodor Bogler in einem wichtigen Punkt die verengte Mentalität der Kommissionsmitglieder zu verändern verstand. Sie berichteten, wie Theodor Bogler im Kreis der Kommissionsmitglieder einmal in seiner ruhig-nüchternen
Art, für alle unerwartet, davon sprach, dass er, der Konvertit, gewiss gern ein
katholischer Christ sei und auch als ein solcher sterben wolle, wie er es aber
doch schmerzlich empfunden habe, dass er als evangelischer Christ das Abendmahl unter den beiden Gestalten gereicht bekam, als katholischer Christ bis zu
seiner Priesterweihe die Eucharistie aber nur unter der einen Gestalt, der des
Brotes, also in einem doch defizienten Modus, empfangen durfte. Er kenne
zwar die Argumente aus der Geschichte und die theologische Absicherung, die
auch in die Aussagen des Konzils von Trient einging: Dank der „Konkomitanz"
des mit dem „Leib Christi" verbundenen Blutes des Herrn empfängt der Kom-
munizierende auch unter nur einer der beiden Gestalten den ganzen Christus.
Aber das Evangelium, oberstes Gesetz in der Kirche, sage es doch klar: Alle zur
Eucharistie Kommenden sollen auch aus dem Kelch das Blut Christi trinken.
Die Mitglieder der Kommission, allesamt „gelernte Katholiken", waren von
Kind auf gewohnt, dass die Laien die Eucharistie nur unter der Gestalt des
Brotes empfingen und dass sie dadurch, dogmatisch gesehen, nicht schlech-
ter gestellt waren als die Priester, die unter beiden Gestalten kommunizierten,
kommunizieren mussten. Aber da es Theodor Bogler war, ein in diesem Kreis
ob seiner zweifelsfreien Lauterkeit geschätzter Mönch, fanden sie sich gezwungen, in einen Denkprozess einzutreten und das Defizit wahrzunehmen. Als
dann, unerwartet, das Zweite Vatikanische Konzil die Möglichkeit von zeit- und
evangeliumsgerechten Reformen bot, kam das Thema der Öffnung der Kelchkommunion in die Agenda des Entwurfes der späteren Liturgiekonstitution,
und dank kluger Aktionen – für die maßgeblich der Wiener Erzbischof, Kardinal

Franz König, gewonnen werden konnte – öffnete das Konzil prinzipiell allen die Eucharistie Mitfeiernden den Zugang zur Kommunion unter den beiden Gestalten (vgl. SC 55,2).

Der Verfasser erinnert sich seiner Überraschung, als, kaum war von konziliaren Reformen die Rede, Pater Theodor im Laacher Kloster jüngere Mitbrüder zusammenrief, um praktische Möglichkeiten der Kelchkommunion zu erkunden, die er dann in der Kommission vorbringen wolle. Sein Gedanke war, die aus Literatur und Museen bekannte „Fistula" (ein Metallröhrchen, mit dem der Priester das Blut des Herrn aufsaugte und das übrigens der Papst im feierlichen Amt bis in die Gegenwart benutzte) in der derzeit üblichen Gestalt des Strohhalmes zu reaktivieren. Wir seien es jetzt doch gewohnt, so Theodor Bogler, alle möglichen Getränke mittels Strohhalmen und Röhrchen zu uns zu nehmen – warum nicht auch (wieder) auf diese Weise Kelchkommunion? Das schien ihm angesichts der hygienischen Bedenken vieler gegen das Trinken aus dem einen Kelch eine echte Möglichkeit. Ein so kreatives Agieren im Dienste eines ihn schon lang bedrängenden Anliegens war typisch für den wachen und welterfahrenen Theodor Bogler. Durchsetzen konnte er sich in diesem Punkt zwar nicht (die Assoziationen zu den so profanen Getränken, die mit Strohhalmen genossen werden, waren zu sperrig), doch, lebte Theodor Bogler noch, wäre er mit Recht betrübt, dass trotz konziliarer Öffnung die Kommunion unter beiden Gestalten in vielen Gemeinden noch unbekannt ist – ein Defizit, dessen evangeliumswidrigen Charakter er, eigenes Erleben umsetzend, früher als viele andere in der römisch-katholischen Kirche erkannt und zur Sprache gebracht hatte.

2.3 Ein Volksmessbuch der Reformationszeit

In einem anderen Thema, das sich Theodor Bogler aus der Mitarbeit in der Liturgischen Kommission stellte, hat er nun aber eine eigentlich liturgiewissenschaftliche Kompetenz entwickelt und diese Wissenschaft auf ein neues Thema verwiesen.

Als Beitrag zum Eucharistischen Weltkongress, der 1960 in München stattfinden sollte (und stattfand), hatte die Kommission eine Ausstellung zum Thema „Eucharistie" vorgesehen. Theodor Bogler war eine maßgebende Person in der Vorbereitung. In diesem Zusammenhang stieß er auch auf die überraschend zahlreichen Übersetzungen des lateinischen Missale in die deutsche Sprache, zu Händen der Laien, welche diesen die textnahe Mitfeier der Eucharistie mit dem Priester ermöglichen sollten und konnten. Gleich zwei Drucke solcher „Volksmessbücher" aus der Zeit der Reformation (1526 und 1529) kamen ans Tageslicht. Theodor Bogler sorgte nun dafür, dass der bedeutendere der beiden Drucke, das 1529 erstmals in Leipzig gedruckte, von dem Laien Christoph Flurheym verantwortete Buch „Alle Kirchen Gesäng vnd Gebeet des gantzen Jars ..."[3] als Faksimile neu herauskam. Es erschien 1964 in „seinem"

---

[3]   Vgl. Christophorus FLURHEYM, *Alle Kirchen Gesäng vnd Gebeet des gantzen Jars, von der hailigen Christenlichen Kirchen angenomen, und bißher in löblichem Brauch erhalten, Vom Introit der Mess biß auff die Complent; darneben die benedeyung der Liecht, der Palm, des Feürs, des Osterstocks, der Tauff, vnd der Kreütter.* Faksimile-Ausgabe. In Verbindung mit Richard BELLM hg. v. Theodor BOGLER. Maria Laach 1964.

Verlag, dem Verlag „Ars liturgica" Maria Laach, und zwar – und das ist das hier Interessierende – mit einer Einleitung des Herausgebers, die in höchst wissenschaftlicher Akribie die historischen und ideellen Umstände dieses Buches herausstellte. Er konnte auf den Zusammenhang mit den schon vorliegenden Bibelübersetzungen verweisen und die programmatisch mystagogische, pastorale, „katholische" Zielsetzung hervorheben. Diese Einleitung, 147 Seiten im Kleinformat der Originalausgabe umfassend, stellt bis heute die beste Beschreibung zur Frühgeschichte des Gebetbuchtypus „Volksmessbuch" dar und ist eine der „Inkunabeln" der Geschichtsschreibung der Rezeption der lateinischen Messliturgie im deutschen Sprachbereich. Hier hat Theodor Bogler unerwartet auch seinen Platz in einer modernen Thematik der Liturgiegeschichtsforschung gefunden.

3. Die Persönlichkeit

Theodor Bogler hat gewiss nicht damit gerechnet, in einer Reihe von Biografien der veritablen Liturgiewissenschaftler gewürdigt zu werden. Bescheiden und nüchtern, wie es seine Art war, hat er im Zusammenhang seiner Aufgaben als Christ, Mönch und Künstler der Liturgie und denen, die sie zu feiern berufen sind, dienen wollen – so wie es auch die meisten tun wollten, die das vorliegende Buch nennt und beschreibt. Aber das Kriterium, mit dem die Liturgiewissenschaft sich glaubhaft macht, sind Zeugnisse dieser Dienstbereitschaft, deretwegen auch Theodor Bogler hier einen Platz verdient. Es ehrt diese Sammlung und spricht für die Lebensnähe dieser Wissenschaft, wenn auch eine so ungewöhnliche, aber redlich gelebte Biografie wie die von Theodor Bogler darin vorkommen muss.

Auswahlbibliografie

Eine zusammenfassende und zuverlässige Bibliografie der vielen Publikationen Boglers gibt es noch nicht. Sie hätte hier auch, wie ausgeführt, wenig Sinn. Am umfangreichsten, aber nicht in allem verlässlich ist der Beitrag von Friedrich Wilhelm BAUTZ, *Bogler, Theodor*, in: BBKl 1. 1990, 671–673. Ein Literaturverzeichnis ist beigegeben. Bautz verfasste den Beitrag auf der Grundlage von Materialien, die ihm Emmanuel von Severus, Maria Laach, zur Verfügung gestellt hatte.

Autobiografische Publikationen Boglers:

Soldat und Mönch. Ein Bekenntnisbuch. Köln 1936. – Bis 1940 erschienen mindestens fünf Nachauflagen. Neubearbeitung: *Ein Mönch erzählt.* Honnef/Rhein 1959. Fortsetzung: *Suche den Frieden und jage ihm nach.* Recklinghausen 1964.

Tagebuch einer Frankreichfahrt. Köln 1938. – Eine Publikation, die sich bewusst in den Dienst der Völkerversöhnung und des Friedens stellte.

Der Glaube von gestern und morgen. Briefe an einen jungen Soldaten. Köln 1939. – Erschien in drei Auflagen. Der angeschriebene Soldat ist sein Stiefsohn aus der ersten Ehe seiner Frau, der allerdings im Krieg fiel. Die Publikation gehört in die Abwehr der antichristlichen Propaganda des „Dritten Reiches".

Wissenschaftliche Publikationen Boglers:

Christophorus FLURHEYM, *Alle Kirchen Gesäng vnd Gebeet des gantzen Jars, von der hailigen Christenlichen Kirchen angenomen, und bißher in löblichem Brauch erhalten, Vom Introit der Mess biß auf die Complent; darneben die benedeyung der Liecht, der Palm, des Feürs, des Osterstocks, der Tauff, vnd der Kreütter.* Faksimile-Ausgabe. In Verbindung mit Richard BELLM hg. v. Theodor BOGLER. Maria Laach 1964. Die Vorlage erschien: Leyptzig: Jacob Thanner 1529. – Die Einleitung Boglers im Nachdruck 1964 befindet sich auf den mit einem Asteriskus markierten (147) Seiten am Anfang des Bandes. – Die Ausgaben Flurheyms sind bibliografiert bei Angelus A. HÄUSSLING, *Das Missale deutsch. Materialien zur Rezeptionsgeschichte der lateinischen Meßliturgie im deutschen Sprachgebiet bis zum Zweiten Vatikanischen Konzil. Teil 1: Bibliographie der Übersetzungen in Handschriften und Drucken.* Münster 1984 (LQF 66), 21f. Nr. 126–131.

Eucharistia. Deutsche eucharistische Kunst. Offizielle Ausstellung zum Eucharistischen Weltkongreß München 1960. München [u.a.] 1960. – Es handelt sich um die Dokumentation der genannten Ausstellung aus Anlass des eucharistischen Weltkongresses in München. Im gleichen Jahr auch eine „2., verb. Aufl."

Liturgie und Mönchtum. Thematisch auf Liturgie bezogene Hefte in: LuM 1–43. Erschienen zuächst in Freiburg/Br. bei Herder (1–5); danach Maria Laach, Verlag Ars liturgica. Alle Hefte nennen Theodor Bogler als Herausgeber:

Das Paschamysterium. P. Odo Casel zum Gedächtnis. Hg. v. Theodor BOGLER. Freiburg/Br. 1949 (LuM 3).

Beiträge zur Theologie des Kirchenjahres. Hg. v. Theodor BOGLER. Freiburg/Br. 1950 (LuM 5).

Lebendige Liturgie. Hg. v. Theodor BOGLER. Maria Laach 1951 (LuM 9).

Osternacht – Neuheit des Lebens. Hg. v. Theodor BOGLER. Maria Laach 1952 (LuM 10).

Erneuerung der Liturgie. Schwierigkeiten – Wünsche – Vorschläge. Maria Laach 1954. Hg. v. Theodor Bogler (LuM 14,3).

Spiel und Feier. Ihre Gestaltung aus dem Geist der Liturgie. Gesammelte Aufsätze und Texte. Hg. v. Theodor BOGLER. Maria Laach 1955 (LuM 16,3).

Kirchenmusik in der Gegenwart. Gesammelte Aufsätze und Texte. Hg. v. Theodor BOGLER. Maria Laach 1956 (LuM 18,3).

Liturgische Haltung und soziale Wirklichkeit. Gesammelte Aufsätze und Texte. Hg. v. Theodor BOGLER. Maria Laach 1956 (LuM 19).

Mönchisches Leben und liturgischer Dienst. Gesammelte Aufsätze und Texte. Hg. v. Theodor BOGLER. Maria Laach 1958 (LuM 22).

Liturgische Bewegung nach 50 Jahren. Gesammelte Aufsätze und Texte. Hg. v. Theodor BOGLER. Maria Laach 1959 (LuM 24).

Tod und Leben. Von den letzten Dingen. Gesammelte Aufsätze und Texte. Hg. v. Theodor BOGLER. Maria Laach 1959 (LuM 25).

Eucharistiefeiern in der Christenheit. Gesammelte Aufsätze und Texte. Hg. v. Theodor BOGLER. Maria Laach 1960 (LuM 26).

Nachfolge Christi in Bibel, Liturgie und Spiritualität. Gesammelte Aufsätze und Texte. Hg. v. Theodor BOGLER. Maria Laach 1962 (LuM 31).

Leben aus der Taufe. Abt Basilius Ebel zum 25. Jahrestag seiner äbtlichen Weihe dargebracht. Gesammelte Aufsätze und Texte. Hg. v. Theodor BOGLER. Maria Laach 1963/64 (LuM 33/34).

Österliches Heilsmysterium. Das Paschamysterium – Grundmotiv der Liturgiekonstitution. Gesammelte Aufsätze und Texte. Hg. v. Theodor BOGLER. Maria Laach 1965 (LuM 36).

Sakrale Sprache und kultischer Gesang. Gesammelte Aufsätze und Texte. Hg. v. Theodor BOGLER. Maria Laach 1965 (LuM 37).

Ist der Mensch von heute noch liturgiefähig? Ergebnisse einer Umfrage. Gesammelte Aufsätze und Texte. Hg. v. Theodor BOGLER. Maria Laach 1966 (LuM 38).

Weihnachten heute – Das Weihnachtsfest in pluralistischer Gesellschaft. Gesammelte Aufsätze und Texte. Hg. v. Theodor BOGLER. Maria Laach 1966 (LuM 39).

Deutsche Liturgie? Sind wir auf dem Weg dahin? Gesammelte Aufsätze und Texte. Hg. v. Theodor BOGLER. Maria Laach 1965 (LuM 40).

Das Sakrale im Widerspruch. Gesammelte Aufsätze und Texte. Hg. v. Theodor BOGLER. Maria Laach 1967 (LuM 41).

Ostern – Fest der Auferstehung heute. Gesammelte Aufsätze und Texte. Hg. v. Theodor BOGLER. Maria Laach 1968 (LuM 42).

Liturgische Erneuerung in aller Welt. Ein Sammelbericht. Hg. v. Theodor BOGLER. Maria Laach 1950.

Moderner Kirchenbau und heilige Schrift, in: Anima 12. 1957, 356–363.

Symbole. Maria Laach 1962 (Vom christlichen Sein und Leben 5).

Liturgie und Kirchenbau: Gedanken zu einer Reform der Kirchweihriten, in: Anima 20. 1965, 375–382.

Urbanus Bomm OSB (1901–1982)

Angelus A. Häußling OSB

1. Biografie

Die Gemeinde Lobberich am Niederrhein war sein Geburtsort (28. Juni 1901), aber wichtiger für seine Prägung ist die Stadt Köln, in der aufwuchs und an deren kulturellem Leben er lebhaft teilnahm. Lebhafte Wachheit für die kulturellen Vorgänge, die im Bereich der Musik zumal, war eines der ausgeprägtesten Merkmale seiner starken Persönlichkeit. Nach dem Abitur inskribierte er sich an der Theologischen Fakultät der Universität Bonn, trat aber schon bald in die nahe Abtei Maria Laach ein. Dort legte er 1922 die Profess ab, wurde 1925 Priester und absolvierte in Göttingen und Freiburg in  der Schweiz ein Studium der Musikwissenschaft. Die von der Universität Bonn angenommene und 1929 publizierte Dissertation „Der Wechsel der Modalitätsbestimmung in der Tradition der Messgesänge im IX. bis XIII. Jahrhundert und sein Einfluss auf die Tradition ihrer Melodien"[1] wies ihn gleich als tüchtigen Gregorianik-Forscher aus, widerfuhr der Studie doch, was bei Dissertationen selten ist: Sie erlebte einen Nachdruck. Im Kloster war er in vielen Diensten tätig; kaum ein wichtiges Amt, das ihm nicht, auf kürzere oder längere Zeit, übergeben worden ist, einschließlich des Dienstes als Abt, in den ihn 1964 das Vertrauen der Mitbrüder berief. Für die Kommunität prägend war seine langwährende Tätigkeit als Kantor: Der Künstler aus Begabung, Ausbildung und Passion, überzeugend durch den vollen Einsatz seiner Persönlichkeit, gab der Liturgie in der Laacher Basilika eine besondere und anerkannte musikalische Gestalt. Nach seiner Resignation als Abt, 1977, begann er eine für ihn neue Kunst: Er übte sich im Zeichnen und hielt Bauten und Landschaften fest, wie er sie sah. Am 2. Oktober 1982 verstarb er in Andernach und fand auf dem Friedhof der Laacher Mönche sein Grab.

2. Wissenschaft der Gregorianik und mystagogische Vermittlung der Liturgie

Unter zwei Aspekten hat Urbanus Bomm einen Platz in dieser Sammlung von Biografien der Liturgiewissenschaftler.[2]

(1) Zwar hat Urbanus Bomm schon früh am „Jahrbuch für Liturgiewissenschaft" mitgearbeitet und dort zwischen 1926 und 1931 für sechs Literaturberichte zur „Liturgiegeschichte des 19. und 20. Jahrhunderts" die

---

[1] Vgl. Urbanus BOMM, *Der Wechsel der Modalitätsbestimmung in der Tradition der Messgesänge im IX. bis XIII. Jahrhundert und sein Einfluss auf die Tradition ihrer Melodien.* Einsiedeln 1929 (Nachdruck: Hildesheim – New York 1975).

[2] Vgl. zu Persönlichkeit und Werk: Angelus A. HÄUSSLING, *Abt Urbanus Bomm OSB (1901–1982) zum Gedächtnis,* in: ALw 24. 1982, [VIII]; DERS., *Bomm, Urbanus,* in: LThK 2. 1994, 568; *Rheinische Musiker.* Hg. von Karl Gustav FELLERER. Bd. 3. Köln 1964, 5ff (autobiografisch, mit [Teil-]Bibliografie).

Verantwortung übernommen.[3] Aber das blieb für den vielseitig interessierten Mann eine Nebensache, eine Pflichtübung, auch wenn er urteilssicher die Neuerscheinungen anzeigte und besprach. Seine eigentliche wissenschaftliche Arbeit sah er im Referat zur Gregorianik, das er seit 1929 im „Jahrbuch für Liturgiewissenschaft" alleinverantwortlich innehatte[4] und, bis zu seinem Tod, auch im Nachfolgeorgan des „Jahrbuchs", im „Archiv für Liturgiewissenschaft"[5], weiterführte. Es sind insgesamt 20 Literaturberichte (der letzte erschien noch nach seinem Tod), mittels derer er das von der Abtei verantwortete Periodikum der Liturgiewissenschaft zu einem anerkannten Ort der Gregorianik-Forschung machte. Denn seine Literaturberichte referierten nicht nur umfassend die Neuerscheinungen dieser Wissenschaft, sie stellten nicht nur die Gregorianik als Teil der Liturgiewissenschaft heraus – wie eben Musik überhaupt und der gregorianische Choral im Besonderen ein integraler Teil der Gestalt der Liturgie ist –, sie brachten vielmehr auch Sachaussagen zu den Themen der Publikationen selbst, lobend, Akzente setzend, die Thematik weiterführend, aber auch kritisch bis sehr kritisch urteilend, wo es angebracht war. Das Niveau dieser Literaturberichte war musterhaft; sie behalten Rang und Wert über die Zeit der Publikation hinaus. Dass Bomm sich strikt auf die Gregorianik beschränkte, war nicht Desinteresse oder gar Ablehnung anderer Arten von Kirchenmusik – dafür war er selbst viel zu sehr Liebhaber und Kenner der Musik im Ganzen –, sondern Teil des strikt durchgehaltenen Programms von Liturgiewissenschaft, wie sie seinerzeit in Maria Laach gesehen und geübt wurde. Wie er selbst den Ort des gregorianischen Chorals und seinen Dienst als Kantor innerhalb der liturgischen Feier ansah, legte er, wohl immer noch nicht anderswo überboten, in dem Vortrag „Gregorianischer Choral als Gegenwartskunst" auf dem Ersten Kirchenmusikertag Berlin 1959 dar. In seinem Urteil kommt wissenschaftlich verantwortete Sachkenntnis und langjährige Hingabe an ein künstlerisches Tun ohne Peinlichkeit zu einer Einheit der sprachlichen Form.

(2) Das Odium, das der „Liturgischen Bewegung" anhing – gerade so weit sie von Maria Laach aus unter Abt Ildefons Herwegen gefördert wurde –, sie sei etwas für die Akademiker, gar: für die Schöngeistigen, drohte dem eigentlichen Anliegen zum Schaden zu gereichen: Erneuerung der Kirche im Ganzen durch spirituelle Erschließung der Liturgie im Leben der Christen. Es brauchte also eine Übersetzung der (lateinischen!) Texte der Eucharistiefeier „für alle", „für das Volk", sprachlich gut und billig im Preis.[6] Die schon vorliegende Übersetzung des Missale, die nach dem ersten Bearbeiter „Schott" hieß, galt damals

---

[3]   Vgl. diesen Literaturbericht mit leicht variierenden Titeln in: JLw 6. 1926, 427–435; ebd. 7. 1927, 385–391; ebd. 8. 1928, 433–440; ebd. 9. 1929, 330–337; ebd. 10. 1930, 414–422; ebd. 11. 1931, 444–447.

[4]   Vgl. diesen Literaturbericht in JLw 9. 1929, 299–324; ebd. 11. 1931, 393–427; ebd. 12. 1932, 454–467; ebd. 13. 1933, 449–460; ebd. 14. 1934, 543–556.

[5]   Vgl. diesen Literaturbericht in ALw 1. 1950, 397–443; ebd. 4,1. 1955, 184–222; ebd. 6,1. 1959, 256–290; ebd. 7,2. 1962, 470–511; ebd. 9,1. 1965, 232–277; ebd. 14. 1972, 283–328; ebd. 20/21. 1978/79, 281–347; ebd. 23. 1981, 377–433; ebd. 25. 1983, 308–354. Ab 9,1. 1965 erarbeitete Bomm den Literaturbericht gemeinsam mit Willibrord Heckenbach.

[6]   Vgl. zur Geschichte der Volksmessbücher Angelus A. HÄUSSLING, *Das Missale deutsch. Materialien zur Rezeptionsgeschichte der lateinischen Liturgie im deutschen Sprachgebiet bis zum*

als ein „nobles" Buch. Maria Laach sollte dem entgegenwirken. Der bekannte Kölner Pfarrer Josef Könn konnte Abt Ildefons Herwegen für das Projekt gewinnen, und dieser beauftragte Urbanus Bomm noch vor dem Abschluss seiner monastischen Ausbildung mit der Bearbeitung eines echten Volksmessbuches.[7] 1928 erschien die erste Ausgabe,[8] die bald, parallel zum „Schott",[9] unter dem Namen „Bomm" lief und wegen der gepflegten Sprache der Übersetzung, der schnörkellos-nüchternen Einführungen in Text und Feier und auch des guten Layouts bei den Kennern geschätzt wurde. Urbanus Bomm sah in dieser Aufgabe einen mystagogischen Dienst: So wie er die Übersetzung unmittelbar nach der Feier, aus deren Erleben heraus, gestaltete (und ebenso immer neu überprüfte), sollte sie auch unmittelbar in die liturgische Feier selbst einführen. Bis zur letzten Ausgabe 1963[10] begleitete Urbanus Bomm die Sorge um das „Volksmeßbuch" als die Aufgabe, die er als den ihm zugefallenen wichtigen Dienst in der Kirche und an den Christen erachtete. Der seine Mühe bestätigende Erfolg blieb nicht aus; die Gesamtzahl der gedruckten und verkauften „Bomm" überschritt, alle Ausgabensorten zusammengerechnet, die Millionengrenze.

3. Die Persönlichkeit

Unter den in dieser Sammlung vorgestellten Liturgiewissenschaftlern steht Urbanus Bomm eher abseits. Er ist als Wissenschaftler „nur" der Fachmann für Gregorianik und der Herausgeber eines „Volksmeßbuches". Aber neben dem unerlässlichen Fleiß, ohne den keine der beiden Aufgaben zu leisten ist, zeigt er, der anerkannte Gregorianikforscher, die Symbiose von Theorie und Praxis: Liturgiewissenschaft hat als Ziel die rechte Praxis, oder, das gleiche in den Worten der Liturgiekonstitution des Zweiten Vatikanischen Konzils gesagt: Liturgiewissenschaft hat als Ziel und ist zugleich auch eine Vorbedingung einer tätigen, vollen, betroffen-bewussten Teilnahme und Teilhabe am Gottesdienst der Kirche.

Auswahlbibliografie

Der Wechsel der Modalitätsbestimmung in der Tradition der Messgesänge im IX. bis XIII. Jahrhundert und sein Einfluss auf die Tradition ihrer Melodien. Einsiedeln 1929 (Nachdruck: Hildesheim – New York 1975).

Gregorianischer Choral als Gegenwartskunst, in: *Musica sacra in unserer Zeit. Die Vorträge des Ersten Deutschen Kirchenmusikertages Berlin 1959.* Berlin 1960, 78–88. – Auch abgedruckt in: MS(D) 79. 1959, 194–204.

Zweiten Vatikanischen Konzil. 1: Bibliographie der Übersetzungen in Handschriften und Drucken. Münster 1984 (LQF 66).

[7] Vgl. Angelus A. HÄUSSLING, *Aus der Geschichte des „Volksmeßbuches" von Urbanus Bomm. Die Initiative des Verlagsbuchhändlers Franz Bettschart,* in: ALw 26. 1984, 174–179.

[8] Vgl. Urbanus BOMM, *Das Volksmeßbuch.* Einsiedeln 1928.

[9] Vgl. HÄUSSLING, *Das Missale deutsch* (wie Anm. 6) 92–120; Nr. 596–1004.

[10] Vgl. zu den verschiedenen Auflagen: HÄUSSLING, *Das Missale deutsch* (wie Anm. 6) 148–155; Nr. 1211–1280.

Peter Browe SJ (1876–1949)[1]

Hubertus Lutterbach

Weit über 100 Aufsätze zu vielfältigen Aspekten christlichen Lebens im Mittelalter hat er geschrieben; zwischen 1920 und 1949 publizierte er in den renommiertesten theologischen und kulturgeschichtlichen Journalen seiner Zeit; den unterschiedlichsten Themenfeldern, einige damals schon von größter Brisanz, wandte er sich im Laufe seines Lebens zu, darunter die Eucharistie- und die Bußfrömmigkeit, die Sexualität und die Entmannung, schließlich wagte er sich an das Verhältnis von Judentum und Christentum in seiner Gewordenheit. Eine profunde und bis heute kaum eingeholte Quellenkenntnis zeichnete ihn aus. Sein wissenschaftliches Leben ist rückblickend als wahrlich facettenreich zu kennzeichnen: als Moraltheologe gestartet, über ‚Umwege' zu liturgie- und kirchengeschichtlich relevanten Themen vorgedrungen, stets innovativ geblieben, ja mit bewundernswertem Weitblick über die theologischen Fächergrenzen hinaus orientiert in Richtung Kulturgeschichte und Volkskunde. Umso verwunderlicher muss es erscheinen, dass er mittlerweile von seinem Orden ebenso wie im Rahmen der volkskundlichen und kulturwissenschaftlichen Forschung beinahe vergessen ist.[2] Die Rede ist von dem Jesuitenpater Peter Browe, dessen Biografie eine Revision dringend verdient.[3]

1. Peter Browes Biografie

Am 22. Dezember 1876 wurde er in Konstanz geboren. Zunächst studierte er Jura in Berlin, bevor er am 1. Mai 1895 in den Jesuitenorden eintrat und die ordensinternen sog. ‚höheren Studien' in Valkenburg und Ore Place (England) absolvierte. Nachdem er sechs Semester Philosophie studiert hatte, wirkte er fünf Jahre lang als Mathematiklehrer an einem Gymnasium im brasilianischen Sao Leopoldo. An der Ordenshochschule Valkenburg (Niederlande) schloss sich ein vierjähriges Studium der Theologie an. Im Jahre 1912 wurde Browe zum Priester geweiht. Während des Ersten Weltkrieges übte er zwei Jahre lang das Amt eines Divisionspfarrers aus. In Berlin folgten drei weitere Jahre juristischen Studiums, bevor er katholischer Studentenseelsorger in Frankfurt am

---

[1] Mit Blick auf die Biografie von Peter Browe s. auch Hubertus LUTTERBACH, *Peter Browe SJ (1876–1949) – Kulturgeschichtliche Anstöße aus dem moraltheologischen ‚Abseits'?*, in: Peter BROWE, *Die Eucharistie im Mittelalter. Liturgiewissenschaftliche Forschungen in kulturhistorischer Absicht.* Hg. v. Hubertus LUTTERBACH – Thomas FLAMMER. Münster ⁴2009 (Vergessene Theologen 1).

[2] In der zweiten Auflage des „Lexikon für Theologie und Kirche" findet sich im zweiten Band von 1958 noch ein knapper, von dem Jesuiten und Liturgiehistoriker Stenzel verfasster sechszeiliger Artikel „Browe, Peter SJ", der im Blick auf den Theologen hervorhebt: „ausgezeichnet durch ungewöhnliche Quellenkenntnis" (Alois STENZEL, *Browe, Peter*, in: LThK 2. 1958, 710). Dagegen enthält die dritte Neuauflage des „LThK" keinen Hinweis mehr auf diesen Forscher.

[3] Zu seiner Biografie vgl. anonym, *Browe, Peter*, in: *Jesuiten-Lexikon. Die Gesellschaft Jesu einst und jetzt.* Hg. v. Ludwig KOCH. Paderborn 1934, 268; anonym, *Browe, Peter*, in: Kürschners Deutscher Gelehrten-Kalender 1. 1950, 236–237; anonym, *Browe, Peter*, in: Deutsche biographische Enzyklopädie 2. 1995, 147.

Main wurde: „In der Arbeit an den dortigen Bibliotheken fand er sein eigent-
liches Forschungsgebiet – die Moral- und Pastoraltheologie des Mittelalters."[4]
Wenn sich Browe in den folgenden Jahrzehnten tatsächlich immer mehr zum
„Spezialisten für alte Konzeptionen von Religion und Moraltheologie besonders des Mittelalters"[5] entwickelte, dann bezog er in seinen wissenschaftlichen
Horizont zwar stets die Liturgie und ihre Ausdrucksformen als Grundbestände
mittelalterlicher Lebenswirklichkeit ein, ohne dass er sich allerdings deshalb
selbst als Liturgiehistoriker bezeichnet hätte. So ist an dieser Stelle seine jahr-
zehntelange Tätigkeit als Lehrer der Moraltheologie hervorzuheben, die er an
den Ordenshochschulen Maastricht (Niederlande), Valkenburg (Niederlande)
und Immensee (Schweiz) ausübte, überdies in Frankfurt a.M., wo er Mitglied
der dortigen Fakultät am Institut St. Georgen war. 1949 starb Browe 75-jährig
im Vinzentiushaus der Jesuiten in Baden-Baden.

Bemerkenswerterweise ist über dieses karge biografische Gerüst hinaus
kaum etwas aus Browes Leben bekannt: „„Den Browe' darzustellen, wie er leibhaftig war", das erscheint im Nachhinein kaum noch möglich; er „war stets einer von den Stillen, den Schweigsamen und ‚Einsamen'"[6], wie es ein Freund
des Gelehrten im Rückblick auf dessen Leben formuliert.

2. Der theologische Werdegang von Peter Browe

Wie bereits anhand der äußerlichen Stationen seines Lebenslaufes erkennbar,
fand Browe seinen Zugang zur liturgie- und kirchenhistorischen Forschung
über seinen Einstieg bei der Moraltheologie. Überdies publizierte er – und dieses Faktum verdient Beachtung – ausschließlich zu einer einzigen Epoche der
abendländisch-christlichen Geschichte; so befassen sich seine Studien allesamt
mit dem christlichen Leben im Mittelalter. Unter den Beiträgen seines wissenschaftlichen Lebenswerkes finden sich kaum Spuren, die darauf hindeuten,
dass sich Browe direkt in die während der ersten Hälfte des 20. Jahrhunderts
virulenten Auseinandersetzungen um die Ausrichtung der Disziplin ‚Moraltheologie' eingemischt hätte. Auch in die zeitgenössischen ‚Richtungsdebatten'
innerhalb der liturgiewissenschaftlichen Forschung, welche bekanntermaßen
bis zum Vaticanum II. als Bestandteil des Faches ‚Pastoraltheologie' galt, schal-
tete er sich nicht unmittelbar ein. Umso mehr deuten seine Themenschwer-
punkte darauf hin, dass er die in seiner aktiven Lebenszeit kirchlich aktuellen
Frömmigkeitspraktiken in ihrer Gewordenheit zu erforschen suchte, darunter
solche, die auch für die Liturgiewissenschaft von Bedeutung waren: der ‚re-
gressive', vielfältig kasuistisch geregelte Umgang mit der Sexualität, wie er ‚den
Christen damals in den zeitgenössischen lehramtlichen Dokumenten, nicht
zuletzt gebündelt im Katechismus und in den Handbüchern der katholischen
Moral, abverlangt wurde; eine Beichtfrömmigkeit, die gleichfalls stark von der

---

4   Hermann Tüchle, *Browe, Peter*, in: Neue deutsche Biographie 2. 1955, 639; auch an-
     onym, *Browe, Peter*, in: Biographisch-bibliographisches Kirchenlexikon 1. 1975, 758.

5   W. Goossens, *Rez. zu Peter Browe, Die eucharistischen Wunder des Mittelalters*, in: RHE 34.
     1938, 813–814, hier 813; auch ders., *Rez. zu Peter Browe, Die häufige Kommunion im Mit-
     telalter*, in: RHE 36. 1940, 417–419, hier 417.

6   Anonym, *P. Peter Browe*, in: Mitteilungen aus den deutschen Provinzen der Gesell-
     schaft Jesu 17. 1953–1956, 542–544, hier 542.

Kasuistik her geprägt war; weiterhin die oftmals von Rubrizismen durchsetzte Kommunionfrömmigkeit; schließlich die Frage nach der christlichen Sicht
auf die Juden, der sich die Kirche im nationalsozialistischen Deutschland seit
den 1930er Jahren nachhaltig zu stellen hatte und die Browe durch seine 1942
publizierte Monografie „Die Judenmission im Mittelalter und die Päpste" historisch zu erhellen suchte.[7] Bis hin auf sein Totenbett in Baden-Baden zeigte
er sich bemüht, noch eine weitere Studie zum Verhältnis des Papsttums zu den
Juden fertigstellen zu können; ein Vorhaben, das er angesichts einer ihn in den
letzten Lebensjahren heimsuchenden Erblindung und zunehmenden körperlichen Hinfälligkeit nicht mehr zu vollenden vermochte.[8]

Browes geistige Hinterlassenschaft, die auf der „autodidaktisch erworbenen
historisch[-kritisch]en Methode" beruht,[9] erreichte ihren publikatorischen Höhepunkt zwischen 1932 und 1942.[10] Mehr als zehn Bücher hat er in dieser Zeit
geschrieben: u.a. sechs Bücher zur Kommunion- und Eucharistiefrömmigkeit[11]
im Mittelalter – übrigens wohl der Themenschwerpunkt in Browes Gesamtwerk, darüber hinaus eine Monografie zur Sexualität im Mittelalter[12], ein Werk
zur Geschichte der Entmannung[13] sowie zur Herkunft und zu den Erscheinungsformen des Gottesurteils[14], bevor er sein Lebenswerk mit einer Buchpu-
blikation zum Judentum im Mittelalter abrundete[15].

Über seine monografischen Veröffentlichungen hinaus spiegelt sich die Fülle seines stupenden wissenschaftlichen Arbeitens in Aufsatz-Publikationen wider, die sich über die mittelalterliche Bußfrömmigkeit hinaus vor allem auf das
mittelalterliche Verständnis und die entsprechende Verehrung der Eucharistie
beziehen; so lässt sich auch im Bereich seiner Aufsätze ein liturgiehistorischer
Arbeitsschwerpunkt ausmachen.

Aus rezeptionsgeschichtlicher Perspektive haben es besonders Browes
Publikationen zum Verständnis und zur Handhabung der Kommunion im
Mittelalter zu Einfluss gebracht, konnte doch Browes Ordensmitbruder, der
Innsbrucker Liturgiehistoriker Josef Andreas Jungmann († 1975), im Rahmen
seiner zweibändigen Genese der Eucharistiefeier, welche ihrerseits als ‚Steilvor-
lage' für das Messdekret des Vaticanum II anzusehen ist, an die Forschungen

---

[7]   Vgl. Peter BROWE, *Die Judenmission im Mittelalter und die Päpste*. Rom 1942 (MHP 6).

[8]   Anonym, *P. Peter Browe* (wie Anm. 6) 544.

[9]   TÜCHLE, *Browe* (wie Anm. 4) 639.

[10] Eine umfangreiche, auf der Basis der „Revue d'histoire ecclésiastique" erstellte Bi-
     bliografie zum Monografie- und Aufsatzschrifttum von Peter Browe findet sich bei
     BROWE, *Die Eucharistie im Mittelalter* (wie Anm. 1).

[11] Als wichtigste sind zu nennen Peter BROWE, *Die Verehrung der Eucharistie im Mittelalter*.
     München 1932; DERS., *Die häufige Kommunion im Mittelalter*. Münster 1938; DERS., *Die
     eucharistischen Wunder des Mittelalters*. Breslau 1938 (BSHT.NF 4); DERS., *Die Pflichtkom-
     munion im Mittelalter*. Münster 1940.

[12] Vgl. Peter BROWE, *Beiträge zur Sexualethik des Mittelalters*. Breslau 1932 (BSHT 23).

[13] Vgl. Peter BROWE, *Zur Geschichte der Entmannung. Eine religions- und rechtsgeschichtliche
     Studie*. Breslau 1936 (BSHT.NF 1).

[14] Peter BROWE, *De Ordalis. I. Decreta Pontificum Romanorum et Synodorum collegit et illustra-
     vit*. Rom 1932 (TD.T 4); DERS., *De Ordalis. II. Ordo et rubricae. Acta et facta. Sententiae
     theologorum et canonistarum. Collegit et illustravit*. Rom 1933 (TD.T 11).

[15] BROWE, *Die Judenmission* (wie Anm. 7).

seines liturgiehistorisch profunden Mitstreiters aus der Moraltheologie anknüpfen. Immerhin hatte kein anderer Autor bis in die 1930er und 1940er Jahre hinein so umfassende und quellengesättigte Buch- und Aufsatzstudien zur mittelalterlichen Kommunion vorgelegt wie Peter Browe.[16]

Gewiss wird Peter Browe wie viele zeitgenössische Theologen nicht unberührt geblieben sein von den Auseinandersetzungen um die Bewertung des Modernismus.[17] Indem er sich allerdings als historische Quellenbasis seiner Untersuchungen, einerlei ob er moraltheologische, liturgie- oder kirchengeschichtliche Fragen verfolgte, nicht vornehmlich lehramtliche und kirchenoffizielle Beschlüsse wählte, sondern vielmehr Chroniken, Predigten, Heiligenlegenden, Zunftordnungen, Urkundenbücher, liturgische Texte, Klosterregeln, epische Darlegungen oder Lyrik zugrundelegte,[18] ‚unterlief‘ er gewissermaßen eine Moraltheologie bzw. Kirchen- und Liturgiegeschichtsschreibung, die sich allein als eine die Dogmatik ‚illustrierende‘ Disziplin verstand.[19] Mit beispielhaftem Bezug auf seine Publikationen zur Eucharistie im Mittelalter lässt sich festhalten:

1. Indem Browe damals virulente dogmatische Konfliktthemen im Umfeld der Eucharistie allenfalls ‚nebenbei‘ mitberücksichtigte, um sich stattdessen vielmehr auf die Bedeutung der Eucharistie für die Bewältigung des Lebens unter den ‚einfachen Leuten‘ im Mittelalter zu konzentrieren, blieb er vor einem Konflikt mit den dogmatischen Vorgaben für die wissenschaftliche Forschung bewahrt, einerlei ob sich diese ‚Weisungen‘ auf die Moraltheologie oder auf die Kirchengeschichte bezogen.

2. Wenn den Modernisten vorgeworfen wurde, sie „unterschieden eine doppelte Geschichte", insofern sie der „Geschichte des Glaubens" die „wirkliche Geschichte" gegenüberstellten,[20] so bezog Peter Browe in diesem Spannungsfeld durchaus Position zugunsten eines im Kern profangeschichtlichen Forschungsansatzes: Ohne dass er die vom kirchlichen Lehramt verordnete heilsgeschichtliche Sicht auf die Geschichte ausdrücklich verwarf, weist er im Vorwort zu einigen seiner Monografien gleichwohl ausdrücklich darauf hin,

---

[16]   Vgl. Ludwig Eisenhofer, *Rez. zu Peter Browe, Die häufige Kommunion im Mittelalter*, in: ThRv 38. 1939, 229–231, hier 230: „Geradezu erstaunlich ist das Material, das den Darlegungen des Vf.s zur Grundlage dient. [...] Selbst die entlegensten Zeitschriften entgehen nicht dem Spürsinn des Vf.s, mögen sie in deutscher, französischer, spanischer, englischer oder holländischer Sprache geschrieben sein."

[17]   Mit Blick auf die Rolle von Peter Browe im Rahmen der zeitgenössischen Entwicklung der Moraltheologie, vgl. Lutterbach, *Peter Browe SJ (1876–1949) – Kulturgeschichtliche Anstöße aus dem moraltheologischen ‚Abseits‘?* (wie Anm. 1).

[18]   Dazu auch Goossens, *Rez. zu Peter Browe, Die häufige Kommunion im Mittelalter* (wie Anm. 5) 418.

[19]   Joseph Mausbach, *Der Eid wider den Modernismus und die theologische Wissenschaft*. Köln 1911, 32 wies die Behauptung entschieden zurück, dass „die [anti-modernistische] Eidesformel den sachgemäßen Prozeß der [historisch-kritischen] Quellenbeurteilung und -deutung stören." Ebd. zahlreiche Beispiele für Fragestellungen und bereits vorliegende Beurteilungen der kirchengeschichtlichen Tradition, die von dem Eid unangetastet blieben.

[20]   Dazu umfassend Mausbach, *Der Eid wider den Modernismus* (wie Anm. 19) 34f.

dass er seine Forschungsergebnisse – darauf wird noch zurückzukommen sein –
vor allem als Beiträge zur ‚Volkskunde' und ‚Kulturgeschichte' verstand.

3. Schließlich konzentrierte sich Browe im Rahmen seiner historischen Forschungen auf die Zeit des Mittelalters und wählte sich damit eine Epoche, die
von der Dogmengeschichte seit jeher als eine Zeit von dogmatisch geringer
Relevanz eingestuft wurde. Unter der Überschrift „Das finstere Mittelalter" gingen die Dogmenhistoriker davon aus, dass in diesem 1000-jährigen Zeitraum
keine Fortentwicklung der lehramtlichen Beschlüsse altkirchlicher Provenienz
stattgefunden hätte, sondern diese vielmehr unverändert rezipiert worden sei-
en.[21] Entsprechend suchte man noch in den ersten Jahrzehnten des 20. Jahrhunderts von Seiten der Moraltheologie, der Kirchen-, der Liturgie- oder der
Dogmengeschichte – ausgehend von den lehramtlich-aktuell festgeschriebenen
Dogmen – in das Verständnis der älteren, patristischen Lehre einzudringen,
um die kirchenoffiziellen Beschlüsse der Jetztzeit nachträglich nach Kräften
historisch zu legitimieren.[22]

Die inhaltliche Entfernung zwischen einer ‚profangeschichtlichen' Ausrichtung – dieser hatte sich Browe verschrieben – und einer den dogma-
tisch-päpstlichen Vorgaben für die Moraltheologie und die Liturgie- bzw.
Kirchengeschichte verpflichteten Wissenschaft bringt sogar ein der Welt gegenüber so aufgeschlossener Moraltheologe wie Joseph Mausbach († 1931)
grundsätzlich ins Wort; auch dieser Gelehrte verwirft in Anknüpfung an die
maßgeblichen römischen Dokumente die Auffassung der Profanhistoriker,
„daß die Tradition und Lehre der Kirche ‚nichts Göttliches' im übernatürlichen Sinne enthalte, sondern geschichtlich ein rein menschliches Entwick-
lungsganzes darstelle"[23]. Ein inhaltlicher Vergleich der Veröffentlichungen von
Peter Browe mit den zeitgenössischen ‚mainstreams' unter den moraltheologischen Publikationen vermag zu erweisen, dass sich der Jesuit klar vom systematisch-theologischen Haupttrend innerhalb seiner Lehrdisziplin absetzte;
denn selbst die historische Aufarbeitung der Tradition war dem lehramtlich
vorgegebenen Ziel verpflichtet, „die *positive* Durchsetzung des ausgemacht katholischen Glaubensgutes [auszuführen], das in seiner Wirkung *nicht* in Frage
gestellt wird"[24]. Anders gesagt: Während man als „nachdrücklichstes Charak-

---

[21] Ein Blick in die unterschiedlichen Faszikel der verschiedenen Auflagen vom „Handbuch der Dogmengeschichte" vermag die Marginalisierung des Mittelalters aus der
Perspektive traditioneller Dogmengeschichtsschreibung zu belegen.

[22] Immerhin heißt es in der anti-modernistischen Eidesformel des Motuproprio vom 1.
September 1910 (hier in deutsch-lateinischer Version im „Anhang" von MAUSBACH,
Der Eid wider den Modernismus [wie Anm. 19] 75–79): „Ebenso verurteile und verwerfe
ich die Ansicht, der christliche Gelehrte stelle gleichsam eine doppelte Persönlichkeit dar, die des Gläubigen und die des Historikers, und zwar so, daß es dem Historiker gestattet sei, das festzuhalten, was der Überzeugung des Gläubigen widerspricht,
oder Vordersätze aufzustellen, aus denen die Falschheit oder Unsicherheit der Dogmen als Konsequenz folgt, mögen letztere auch nicht direkt geleugnet werden."

[23] MAUSBACH, *Der Eid wider den Modernismus* (wie Anm. 19) 36.

[24] Marianne HUBERT, *Moraltheologie im Kontext ihrer Zeit. Beiträge zu Themen der Moral in den
„Stimmen aus Maria Laach" der Jahre 1871–1914.* Trier 1999 (TThSt 63), 251 (Hervorhebungen M.H.).

teristikum" der damaligen moraltheologischen Forschung an der „betonten Kirchlichkeit des ethischen Verständnisses" festhielt,[25] ließ sich Peter Browe von einem umfassenderen, auf die Kulturgeschichte und die Volkskunde hinzielenden Horizont leiten.

3. Peter Browes Interdisziplinarität

Ohne Zweifel darf Peter Browe als interdisziplinär ausgerichteter Historiker gelten: Zum einen dachte er innerhalb der theologischen Disziplinen fächerübergreifend, so dass er vor allem die Moraltheologie sowie die liturgie- und kirchengeschichtlichen Disziplinen aufeinander bezogen sah; andererseits verfolgte er Fragestellungen, die direkt mit zeitgenössischen Perspektiven innerhalb der profangeschichtlichen Fächer korrespondierten oder zumindest für diese von Relevanz sein konnten. Im Unterschied zu einer bisweilen stark religionsgeschichtlich ausgerichteten Erforschung der Alten Kirchengeschichte, wie sie nicht zuletzt sein Zeitgenosse Franz-Joseph Dölger († 1940) initiiert hatte, gab sich der Jesuit gesprächsbereit gegenüber der Kulturgeschichte. Entsprechend dokumentierte er die historisch-kritische Ausrichtung seiner Monografie über „Die eucharistischen Wunder des Mittelalters" mit diesen Worten: „Viele der im folgenden angeführten Wundergeschichten haben keinen oder nur geringen historischen Wert, aber sie zeigen die religiösen Vorstellungen auf, die damals beim Volk und beim Klerus lebendig waren, und charakterisieren treffend jene Zeit, in der tiefer, opferfroher Glaube, aber auch Aberglaube und leichtgläubige Wundersucht die Gemüter beherrschten, und sind so ein Beitrag zur Volkskunde und zur Kulturgeschichte. Sie belehren uns auch über die Entwicklung, welche die Auswirkung des eucharistischen Dogmas durchgemacht und welche Bedeutung es im Leben jener Menschen gehabt hat, und sind insofern ein wertvoller Beitrag zur Geschichte der Frömmigkeit jener Zeit."[26] Diese Prioritätensetzung, als erstes einen Beitrag zur Volkskunde und zur Kulturgeschichte zu leisten, um in diesem Horizont zugleich noch einen Beitrag zur theologischen Disziplin ‚Dogmengeschichte' beizusteuern, spiegelt sich auch in anderen Vorworten seiner Monografien wider: „Aus den vielen Riten und Zeremonien, mit denen die früheren Zeiten den Kommunionempfang umgeben haben, sollen hier einige herausgegriffen werden, die von den heutigen teilweise oder ganz abweichen oder die allmählich abgeschafft

[25] HUBERT, *Moraltheologie im Kontext ihrer Zeit* (wie Anm. 24) 251; auch ebd. 244: „Es begegnet eben nicht jener Typus der Moraltheologie, der von einer *inneren* Grundhaltung her das menschliche Handeln zu steuern sucht. Vielmehr wird der Weg als Orientierung vorgezeichnet, der von der *äußeren* Verpflichtung zum Verhalten geht, von der Gesinnung zum äußeren Tun" (Hervorhebungen M.H.).

[26] BROWE, *Die eucharistischen Wunder des Mittelalters* (wie Anm. 11) 1f; auch DERS., *Die Verehrung der Eucharistie im Mittelalter* (wie Anm. 11), Vorwort: „Die Entwicklung der eucharistischen Andacht bis zum Anfang der neueren Zeit darzulegen, ist der Hauptzweck dieses Buches. Es dient also zunächst der Geschichte der Liturgie und der Frömmigkeit; es bietet aber auch, da diese Verehrung des Sakraments sehr volkstümlich war und das religiöse Fühlen und Handeln der Kleriker und Laien stark beeinflußte, einen Beitrag zur Kulturgeschichte und Volkskunde des Mittelalters. Deshalb sind auch die Quellen, in denen sich das Leben des Volkes am deutlichsten widerspiegelt, ausgiebig herangezogen und benützt worden."

wurden, und die nicht nur für die Liturgik, sondern auch für Kulturgeschichte Interesse bieten."[27] In unübertroffener Weise verdeutlicht das Vorwort zur Monografie „Die häufige Kommunion im Mittelalter", dass Browe seine ‚Geschichtsschreibung' keinesfalls im ‚Schlepptau' einer systematisch dominierten Theologie sah; vielmehr vermochte er anhand seiner Erforschung der Kommunionbräuche umgekehrt zu zeigen, dass die Dogmatik gar ihre ursprünglichen Satzungen aufgeben konnte, wenn diese ‚an der christlichen Basis' nicht durchsetzbar waren: „Im Frühmittelalter und darüber hinaus war den Laien die Kommunion an Weihnachten, Ostern und Pfingsten vorgeschrieben; da sie sich aber diesem Gebote immer mehr entzogen, mußte sich die Kirche im großen Laterankonzil von 1215 darauf beschränken, nur noch *einen* Empfang im Jahre vorzuschreiben."[28]

Der fachlich weit gefächerte Horizont von Peter Browe darf nicht vergessen lassen, dass manche seiner Analysen weitestgehend von liturgiegeschichtlichen Frage- und Problemstellungen absehen. Sein volkskundliches und kulturgeschichtliches Interesse, gepaart mit seinem Sinn für notwendige Einmischungen in tagesaktuelle kirchenpolitische Debatten, führten ihn eben bisweilen auch zu anderen wissenschaftlichen Schwerpunktsetzungen. So konnte er seine kulturgeschichtlichen Untersuchungen auch als ‚Wasserträgerdienst' verstehen, um der Kirche Argumentationshilfen im Kampf gegen die zeitgenössische Rassenideologie zu bieten. Entsprechend schreibt er in seiner „Einleitung" zur „Geschichte der Entmannung"[29] mit Rückbezug auf das von der katholischen Kirche verurteilte „Gesetz zur Verhütung erbkranken Nachwuchses vom 14. Juli 1933"[30], welches die Entmannung um der Reinerhaltung des Volkserbgutes willen unter bestimmten Umständen für legitim hielt: „Infolge der Gesetze, welche in neuester Zeit von einigen Staaten, z.B. von Nordamerika und Deutschland, erlassen worden sind, ist die Erlaubtheit der Kastration und der Sperroperationen viel erörtert und heftig umstritten worden. Es scheint darum angebracht, die Lehre der katholischen Kirche, wie sie uns aus ihrer Tradition entgegentritt, zu untersuchen und aus ihr heraus die heutige Stellungnahme zu erkennen und zu begreifen." Auch wenn es Browe vor allem darum geht, das „historische Material aus den Quellen zusammenzustellen und zu erörtern, lässt er abschließend doch seine Ablehnung der damals

---

27 Peter BROWE, *Mittelalterliche Kommunionriten.* Maria Laach 1938 (Vereinsgabe zum Jahresbericht 1938/39 des Vereins zur Pflege der Liturgiewissenschaft, Sitz Maria Laach), 1. Entsprechend pflichtet Johannes BRINKTRINE, *Rez. zu Peter Browe, Die Verehrung der Eucharistie im Mittelalter,* in: ThGl 26. 1934, 122–123, hier 123 bei: „Das Buch B.'s ist ein Beitrag nicht nur zur Geschichte der Liturgie und Frömmigkeit, sondern auch, da die Verehrung des hl. Sakramentes tief im Volke wurzelte, zur Kulturgeschichte und Volkskunde des Mittelalters."

28 BROWE, *Die häufige Kommunion im Mittelalter* (wie Anm. 11), Einleitung (Hervorhebung von P.B.).

29 BROWE, *Zur Geschichte der Entmannung* (wie Anm. 13).

30 Der Gesetzestext findet sich in *Gesetz zur Verhütung erbkranken Nachwuchses vom 14. Juli 1933 nebst Ausführungsverordnungen.* Hg. v. Arthur GÜTT, Ernst RÜDIN u. Falk RUTTKE. München ²1936, 73–76. Zur Diskussion bzw. Ablehnung des Gesetzes durch die katholische Kirche vgl. mustergültig Ingrid RICHTER, *Katholizismus und Eugenik in der Weimarer Republik und im Dritten Reich.* Paderborn [u.a.] 2001 (VKZG.F 88), 367–492.

aktuellen Bestrebungen zugunsten der Entmannung erkennen, wenn er diese Auffassung en passant als „die gesunde, die Menschenwürde wahrende Lehre" herausstellt[31] und insofern indirekt der katholischen Ablehnung des Entmannungsgesetzes von 1933 beipflichtet. Einige Rezensenten vermerkten Browes fehlende Zustimmung zur Rassenideologie kritisch,[32] andere positiv.[33] Von damals aktueller Relevanz, allerdings von wiederum eher beiläufigem Wert für die Liturgiegeschichte, war auch Browes Studie über die „Judenmission im Mittelalter und die Päpste", mit der er „die Ursachen der Abneigung und des Hasses der Christen gegen die Juden und der schroffen Trennung zwischen beiden" erhebt und „die Mittel erklärt, mit denen man in der Geschichte eine Versöhnung zu erreichen suchte"[34]. Immerhin betont er noch auf der letzten Seite seiner Abhandlung, die er als „Beitrag zur Missionsgeschichte" und zur „Kenntnis der mittelalterlichen Kultur und Weltanschauung" versteht,[35] die „endzeitliche Wiedererwählung des jüdischen Volkes"[36].

Insgesamt wird man herauszustellen haben, dass sich Peter Browe mit seinen „vielen und oft an entlegener Stelle publizierten Arbeiten"[37] erstens von der thomistisch ausgerichteten Moraltheologie trennte, um stattdessen an die volkskundliche Forschung unter Einschluss liturgie- und kirchengeschichtlich relevanter Perspektiven anzuknüpfen; für seine Zeit gehörte der Jesuit damit zur ‚Avantgarde' der wissenschaftlichen Theologie, wie eine Rezension zu seinem ‚Sexualitätsbuch' hervorhebt: „Solche Forschungen sind die unerläßlichen Vorarbeiten zu einer Reform der Moraltheologie und zur Rückbesinnung auf das Wesentliche, [...] auf ihre letzten sittlichen Werte. In der kasuistischen Sexualmoral schlummern noch Reste von Volksaberglauben und gnostischen

---

[31] BROWE, *Zur Geschichte der Entmannung* (wie Anm. 13) 118 („Zusammenfassung").

[32] Z.B. H. VORWAHL, *Rez. zu Peter Browe, Zur Geschichte der Entmannung*, in: ThLZ 62. 1937, 171–172, hier 172: „Leider hat Browe seine sorgfältige Arbeit nicht bis auf die katholische Stellungnahme zu dem oben genannten deutschen Gesetz [von 1933] ausgedehnt. Es wäre bei dieser Tradition logisch, dass die mit anerkennenswerter Offenheit und ohne Beschönigungstendenzen geschriebene Darstellung zu einer Bejahung der von Staats wegen verfügten Maßnahmen im Interesse der Erbgesundheit und einer besseren Zukunft des deutschen Volkes kommen müßte und damit zu einer Bereinigung der Spannung zwischen Staat und katholischer Kirche beitragen würde."

[33] Z.B. Anonym, *Rez. zu Peter Browe, Zur Geschichte der Entmannung*, in: ZKTh 61. 1937, 160, bewertet das historische Faktum der Kastration von Kindern um der Erhaltung von deren Kinderstimme willen als eine „Verirrung des Geschmacks und der öffentlichen Meinung, die auch auf die Theologen eingewirkt hat", um fortzufahren: „Doch auch sehr viele Theologen haben die gesunde Meinung [d.h. die Ablehnung der Entmannung] vorgetragen und verteidigt. Ein Beweis, wie die ‚Zeitaufgeschlossenheit' [hier bezogen auf die Zustimmung zur Entmannung], die man manchmal von den Moralisten fordert, auch fehlgehen kann. Nun ist die Mode [der Kastration] trotzdem wieder abgekommen, und so wird hoffentlich auch die heutige Strömung wieder abflauen."

[34] BROWE, *Die Judenmission* (wie Anm. 7) 9 („Vorwort").

[35] BROWE, *Die Judenmission* (wie Anm. 7) 9.

[36] BROWE, *Die Judenmission* (wie Anm. 7) 310.

[37] Arnold ANGENENDT, *Liturgik und Historik. Gab es eine organische Liturgie-Entwicklung?* Freiburg/Br. [u.a.] ²2001 (QD 189), 21.

Irrtümern."[38] Zweitens vermied er es auf diese Weise, sich bei seinem Verständnis des Mittelalters von zeitgebundenen, aber mittlerweile überholten Interpretamenten leiten zu lassen.[39] Drittens ist er mit seinen Forschungen allerdings nicht bis zu den religionsgeschichtlichen Aufbrüchen seiner Zeit vorgedrungen. Arnold Angenendt benennt das Desiderat: „Peter Browe begann sich theologisch von der Neuscholastik zu trennen, ohne aber für seine frömmigkeits[und liturgie]geschichtlichen Beobachtungen eine Nähe etwa zur Religionsgeschichte zu suchen."[40] Anders gesagt: „Man spürt bei Peter Browe das Ungenügen an einer ‚umgesetzten Dogmatik‘, was ihn jedoch nicht zu einer religionsgeschichtlichen Einordnung weiterführte."[41] Immerhin hatte sich die Religionswissenschaft – wenn auch mit Verzögerung gegenüber Frankreich, Schweiz, England, Schweden und den Niederlanden – nach der Jahrhundertwende auch in Deutschland als eigene Universitätsdisziplin durchgesetzt, welche ihrerseits durchaus an einer Kontaktaufnahme mit den theologischen Fächern interessiert war.[42] Vor diesem Hintergrund fällt auf, dass die zwei religionsgeschichtlichen ‚Klassiker‘ aus den Jahren 1917/1918, nämlich die zuhöchst gerühmte und auch mit Blick auf die Liturgieforschung äußerst relevante Monografie „Das Heilige" von Rudolph Otto († 1937)[43] sowie der epochale Band „Das Gebet" von Friedrich Heiler († 1967)[44] bei Peter Browe keine weitere Aufmerksamkeit fanden, indem dieser sie zitiert hätte oder sich gar in seinen thematischen Schwerpunktsetzungen von ihnen hätte beeinflussen lassen.

---

[38] Josef MAYER, Rez. zu Peter Browe, Beiträge zur Sexualethik des Mittelalters, in: ThGl 26. 1934, 378–379, hier 378.

[39] Diese Schemata finden sich knapp charakterisiert bei ANGENENDT, Liturgik und Historik (wie Anm. 37) 54–70. So schloss sich Browe nicht der zu Beginn des 20. Jahrhunderts vertretenen These an, dass man es in der Alten Kirche hinsichtlich des kirchlichen Lebens mit geradezu idealen Verhältnissen zu tun gehabt hätte, deren ‚Abschwung‘ dann spätestens seit dem 10. Jahrhundert eingesetzt habe. Gleichfalls finden sich bei Browe keine Spuren der damals verbreiteten Auffassung, derzufolge man es im Frühmittelalter mit objektiven, durch die Gemeinschaft der Christen geheiligten Lebensverhältnissen zu tun hatte, wohingegen das Spätmittelalter aufgrund eines zunehmenden ‚Subjektivismus‘ durch Verfall und ‚Verherbstung‘ gekennzeichnet gewesen sei. Auch der in der Geschichtsschreibung seit der Jahrhundertwende oftmals konstatierte Gegensatz zwischen einer ‚romanischen Ordnung‘ und einer ‚gotischen Auflösung‘ vermochte Browe nicht zu affizieren.

[40] ANGENENDT, Liturgik und Historik (wie Anm. 37) 21.

[41] Arnold ANGENENDT, Geschichte der Religiosität im Mittelalter. Darmstadt ³2005, 30.

[42] Dazu Ulrich KÖPF, Kirchengeschichte oder Religionsgeschichte des Christentums? Gedanken über Gegenstand und Aufgabe der Kirchengeschichte um 1900, in: Der deutsche Protestantismus um 1900. Hg. v. Friedrich Wilhelm GRAF – Hans M. MÜLLER. Gütersloh 1996, 42–66, hier 45.

[43] Vgl. Rudolph OTTO, Das Heilige. Über das Irrationale in der Idee des Göttlichen und sein Verhältnis zum Rationalen. Breslau 1917.

[44] Vgl. Friedrich HEILER, Das Gebet. Eine religionsgeschichtliche und religionspsychologische Untersuchung. München 1918.

4. Peter Browes liturgiehistorische Forschung als Fundament und Herausforderung

Die Studien von Peter Browe zu Kommunion und Messe umfassen vielfältiges Material, das geeignet ist, das Mittelalter als historische Epoche aufgrund des in dieser Zeit vorfindlichen Umgangs mit Ritualen sowie aufgrund der Ausdrucksformen innerhalb der Frömmigkeit näherhin zu profilieren. Immerhin konnte schon Browes Ordensbruder, der Liturgiehistoriker Josef Andreas Jungmann, von einer zivilisationsgeschichtlichen Zäsur zwischen der Alten Welt und der Welt des Mittelalters, zwischen der Alten Kirche und der frühmittelalterlichen Kirche sprechen, die – so ließe sich aus heutiger Perspektive ergänzen – auch für die Geschichte der Kommunion- und Messfrömmigkeit von Relevanz ist: „Es ist in den Jahrtausenden der Kirchengeschichte an keiner Stelle ein größerer Umbruch sowohl im religiösen Denken wie in den entsprechenden Einrichtungen erfolgt, als es in den fünf Jahrhunderten zwischen dem Ausgang der Patristik und dem Beginn der Scholastik der Fall ist"; innerhalb der von den dogmatischen Lehrentscheidungen abgesteckten Möglichkeiten seien „in aller Stille Akzentverschiebungen vor sich gegangen, deren Tragweite offenkundig ist, da sie der ganzen Folgezeit bis heute das Gepräge gegeben haben"[45]. Jungmanns These, die über Browes Forschungen hinausweist, allerdings mit Blick auf die Kirchengeschichte jahrzehntelang ohne Echo verhallte, ist jüngst noch von Arnold Angenendt in ihrer Bedeutsamkeit hervorgehoben worden.[46] Trotz Jungmanns wegweisender Einsichten, denen zufolge sich die Lebens- und Denkverhältnisse seit dem 6. Jahrhundert ‚vereinfachten', stellte sich ihm die Frage nach der Interdependenz von Religion und Kultur ebenso wenig wie zuvor seinem Ordensbruder Browe: „ob es angesichts solcher Vereinfachungen nicht auch weniger elaborierte Religionsformen gebe [...], ob weiter nach einer notdürftigen Unterweisung – etwa aus Mangel an Schulen, also einem unzureichenden Zivilisationsapparat – nicht auch geminderte Formen von Unterweisung aufkommen mußten"[47].

Kurzum: Wenn es zu bilanzieren gilt, dass durch Browe und Jungmann „aufs Ganze gesehen ein wirklicher Schritt in die Religions-, Kultur- und Zivilisationsgeschichte nicht getan" wurde,[48] so vermögen gleichwohl besonders die durch Browe vorgenommenen und bis heute uneingeholten Untersuchungen zur Kommunion- und Messfrömmigkeit viel zu einer religions-, kultur- und zivilisationsgeschichtlichen Erforschung des Mittelalters beizutragen.

Auswahlbibliografie

Mit Blick auf die liturgiewissenschaftlichen Forschungen von Peter Browe ist der folgende Sammelband maßgeblich, der ein Lebensbild dieses Wissenschaftlers und seine vollständige Bibliografie umfasst:

[45]   Josef Andreas JUNGMANN, *Die Abwehr des germanischen Arianismus und der Umbruch der religiösen Kultur im frühen Mittelalter*, in: ZKTh 69. 1947, 36–99; hier wird der Nachdruck des Aufsatzes zitiert: Josef Andreas JUNGMANN, *Liturgisches Erbe und pastorale Gegenwart. Studien und Vorträge*. Innsbruck [u.a.] 1960, 3–78, hier 3.
[46]   ANGENENDT, *Liturgik und Historik* (wie Anm. 37) 97.
[47]   ANGENENDT, *Liturgik und Historik* (wie Anm. 37) 97.
[48]   ANGENENDT, *Liturgik und Historik* (wie Anm. 37) 98.

Die Eucharistie im Mittelalter. Liturgiewissenschaftliche Forschungen in kulturhistorischer Absicht. Hg. v. Hubertus LUTTERBACH – Thomas FLAMMER. Münster [4]2009 (Vergessene Theologen 1).

Darüber hinaus sind folgende Titel zu konsultieren:

Beiträge zur Sexualethik des Mittelalters. Breslau 1932 (BSHT 23).

Die Verehrung der Eucharistie im Mittelalter. München 1932.

De ordalis. I. Decreta Pontificum romanorum et Synodorum cellegit et illustravit. Rom 1932 (TD.T 4).

De ordalis. II. Ordo et rubricae. Acta et facta. Sententiae theologorumet canonistarum. Collegit et illustravit. Rom 1933 (TD.T 11).

Zur Geschichte der Entmannung. Eine religions- und rechtsgeschichtliche Studie. Breslau 1936 (BSHT. NF 1).

Die häufige Kommunion im Mittelalter. Münster 1938.

Mittelalterliche Kommunionriten. Maria Laach 1938 (Vereinsgabe zum Jahresbericht 1938/39 des Vereins zur Pflege der Liturgiewissenschaft, Sitz Maria Laach).

Die eucharistischen Wunder des Mittelalters. Breslau 1938 (BSHT. NF 4).

Die Judenmission im Mittelalter und die Päpste. Rom 1942 (MHP 6).

Die Pflichtkommunion im Mittelalter. Münster 1940.

Peter Brunner (1900–1981)

Jörg Neijenhuis

1. Biografisches und Bibliografisches
1.1 Biografisches

Peter Brunner wurde am 25. April 1900 in Arheil-
gen bei Darmstadt geboren. Nach dem Abitur nahm
er noch während der letzten Kriegsmonate als Soldat am Ersten Weltkrieg teil und studierte danach in
Marburg/Lahn Theologie, u.a. bei Friedrich Heiler
und Rudolf Otto, sowie Philosophie bei Paul Natorp.
Ab 1921 studierte er in Gießen, wo er 1923 das Fakultätsexamen ablegte. Nach dem Zweiten Examen 1924
in Darmstadt war er zunächst Repetent in Gießen und
veröffentlichte die Lizentiatenarbeit „Vom Glauben bei
Calvin". Zwei Studienjahre verbrachte er in Boston und
Cambridge (Mass.) und setzte sich dort mit dem Reli-
gionsphilosophen William James auseinander. 1927
wurde er zum Doktor der Theologie an der Harvard Universität promoviert.
1928 erschien die Schrift „Probleme der Teleologie bei Maimonides, Thomas
von Aquin und Spinoza", daraufhin bekam er die *venia legendi* in Gießen verliehen. Von 1930–1932 wirkte er als Studentenseelsorger in Gießen und heiratete Margarethe geb. Funccius; dieser Ehe wurden zwei Töchter geschenkt.
Von 1932–1936 war er Pfarrer in Ranstadt (Hessen). Er wurde zwar auf den
systematisch-theologischen Lehrstuhl in Gießen berufen; doch diese Berufung
wurde aufgrund der Machtergreifung Hitlers nicht vollzogen, weil Brunner
den faschistischen Staat öffentlich verworfen hatte. Brunner gehörte zur Bekennenden Kirche, von März bis Juni 1935 wurde er wegen seiner Predigten ins
KZ Dachau verschleppt. 1936 entzog man ihm die *venia legendi*, von der Theologischen Fakultät Basel wurde er dagegen mit einem Ehrendoktor geehrt.
Bis Kriegsende wirkte er als Dozent an der illegal arbeitenden Theologischen
Schule der Bekennenden Kirche in Wuppertal und war zugleich Pfarrer in der
evangelisch-lutherischen Bekenntnisgemeinde in Elberfeld. Von Kriegsende
bis 1947 wirkte er als Dozent an der Kirchlichen Hochschule Wuppertal und
Pfarrer in Elberfeld, dann folgte die Berufung auf die Professur für Systematische Theologie in Heidelberg, die er bis zu seiner Emeritierung 1968 innehatte.
    Brunner hat in vielen theologischen wie kirchlichen Ausschüssen mitge-
wirkt, so im Theologischen Ausschuss der VELKD, der Theologischen Kommission des Lutherischen Weltbundes, dem Evangelischen und Katholischen
Ökumenischen Arbeitskreis (Stählin-Jäger-Kreis) und dem Theologischen Konvent des Augsburgischen Bekenntnisses. Er galt als ein streitbarer lutherischer
Theologe, dem Glaube und Handeln, theologische Lehre und kirchliche Verkündigung als Einheit galten, die im Gottesdienst grundgelegt ist. Hans Georg
Pöhlmann schreibt im Gedenken an Brunner, dass dieser ein einsamer Rufer
in der Wüste gewesen sei, ein prophetischer Typ, der ganz im Gegensatz zum

deskriptiven Typ – „dem durchs Unterscheiden beim Entscheiden behinderten Gelehrten"[1] – lehrte und handelte. Als Querdenker stellte er sich gegen den Trend der Zeit und auch gegen den Trend innerhalb der Kirche. So rief er 1973 kopfschüttelndes Unverständnis und lautstarke Proteste unter den anwesenden lutherischen Pfarrern hervor, als er am Studienseminar der VELKD in Pullach zum Thema „Theologie des Gottesdienstes" referierte und sich gegen die Reduzierung Gottes auf zwischenmenschliche Beziehung wendete. Er verwahrte sich davor, den Gottesdienst als emotionale Selbstvergewisserung zum gesellschaftspolitischen Engagement zu missbrauchen.[2] Ebenso war er strikt gegen die Frauenordination (obwohl eine seiner Töchter Pfarrerin wurde). Sein Lebensabend war von Schwermut und Verbitterung wegen der Entwicklungen in Gesellschaft und Kirche gekennzeichnet. Denn er hielt daran fest, dass das Evangelium ärgerlich ist, weil es keine Kompromisse oder gar Konsense mit dem Zeitgeist zulässt. So hatte er „mitunter den Kontakt zur Realität verloren"[3]. Am 25. Mai 1981 starb Peter Brunner und wurde in Neckargemünd, wo er viele Jahre gelebt hatte, beigesetzt.

1.2 Bibliografisches

Peter Brunners Lehre zum Gottesdienst wurde in der bedeutenden Reihe *Leiturgia* veröffentlicht. Sie gilt als sein Hauptwerk: „Zur Lehre vom Gottesdienst der im Namen Jesu versammelten Gemeinde"[4].

Brunner hat sich schon zuvor und auch danach immer wieder mit dem Thema Gottesdienst befasst und Entsprechendes publiziert, wie z.B. über die Ordnung des Gottesdienstes an Sonn- und Feiertagen, die Sonntage im Jahr der Kirche und über die Schriftlesung im Gottesdienst an Sonn- und Feiertagen.[5] Zur selben Zeit wie Brunners Gottesdienstlehre erscheint seine Untersuchung zur Wormser deutschen Messe;[6] dem Buch ist ein Faksimile der Messe beigelegt. Als Kurzfassung seiner Gottesdienstlehre kann Brunners Vortrag von 1952 „Das Wesen des kirchlichen Gottesdienstes" angesehen werden,[7] auch mit der neueren gottesdienstlichen Entwicklung setzt er sich auseinander: Theolo-

[1] Vgl. Hans Georg PÖHLMANN, *Peter Brunner in memoriam (1900–1981). Versuch einer Würdigung seiner Theologie – unter besonderer Berücksichtigung der Rechts-, Ordnungs- und Verfassungsfragen*, in: ZevKR 32. 1987, 1–18. Biografische und bibliografische Daten sind auch zu entnehmen bei Albrecht PETERS – Jens THOBÖLL, *In memoriam Peter Brunner*, in: LuJ 50. 1983, 10–12; Albrecht PETERS, *Ringen um die einigende Wahrheit*, in: KuD 29. 1983, 197–224; Konrad FISCHER, *Ein eisenharter Lutheraner*, in: LM 34. 1995, Heft 6, 23–25; Werner FÜHRER, *Brunner, Peter*, in: BBKL 14. 1998, 834–837.

[2] Vgl. Albrecht PETERS, *Ringen um die einigende Wahrheit*, in: KuD 29. 1983, 197–224, hier 202.

[3] PETERS, *Ringen um die einigende Wahrheit* (wie Anm. 2) 18.

[4] In: Leit. 1. 1954, 83–361. Sie ist noch einmal nachgedruckt worden in der Reihe *Leiturgia. Neue Folge*, Bd. 2, hg. v. Joachim STALMANN. Hannover 1993.

[5] In: Joachim BECKMANN u.a., *Der Gottesdienst an Sonn- und Feiertagen. Untersuchungen zur Kirchenagende I, 1.* Gütersloh 1949, 7–204.

[6] In: *Kosmos und Ekklesia. Festschrift für Wilhelm Stählin zu seinem 70. Geburtstag.* Hg. v. Heinz-Dietrich WENDLAND. Kassel 1953, 106–162.

[7] In: Peter BRUNNER, *Pro Ecclesia. Gesammelte Aufsätze zur dogmatischen Theologie.* Bd. 1. Berlin – Hamburg 1962, 129–137.

gische Grundlagen finden sich in „Gottesdienst in neuer Gestalt"[8] und „Theologie des Gottesdienstes".[9] Brunner hat sich intensiv mit Kirchen-, Amts- und Ökumenefragen befasst, wovon die Aufsatzbände „Pro Ecclesia"[10] und „Bemühungen um die einigende Wahrheit"[11] zeugen. In diesen Bänden sind auch einige liturgiewissenschaftlich relevante Aufsätze abgedruckt: „Der Segen als dogmatisches und liturgisches Problem"[12] und „Die Bedeutung des Altars für den Gottesdienst der christlichen Kirche"[13].

Auch seine Untersuchung „Nikolaus von Amsdorf als Bischof von Naumburg"[14] ist in liturgiewissenschaftlicher Hinsicht hervorzuheben. Zur Amtsfrage in Bezug auf die Gemeinde, Kirche und das Pfarramt hat Brunner sich ebenfalls geäußert. Er nahm an den Gesprächen teil, die zu den Arnoldshainer Abendmahlsthesen führten, er gehörte dem Ökumenischen Arbeitskreis evangelischer und katholischer Theologen an, wovon der zweite Band der Reihe, „Dialog der Kirchen. Evangelium – Sakramente – Amt und die Einheit der Kirche. Die ökumenische Tragweite der Confessio Augustana", zeugt.[15] Brunners Bibliografie findet man im ersten Band „Pro Ecclesia".[16]

2. Gottesdienstlehre
2.1 Überblick

Peter Brunners „Lehre vom Gottesdienst der im Namen Jesu versammelten Gemeinde" ist das „alles verbindende und ineinanderfügende Zentrum"[17] seiner Theologie. Deshalb soll sie aus der Zahl seiner liturgiewissenschaftlich relevanten Beiträge in den Vordergrund gerückt werden, zunächst mit einer knappen überblicksartigen Zusammenfassung, um sie dann – so weit das hier möglich ist – darzulegen.

[8] In: *Kerygma und Melos.* Christhard Mahrenholz 70. Jahre. 11. August 1970. Hg. v. Walter BLANKENBURG [u.a.]. Kassel [u.a.] 1970, 103–114.

[9] In: Peter BRUNNER, *Bemühungen um die einigende Wahrheit. Aufsätze.* Göttingen 1977, 163–188.

[10] *Gesammelte Aufsätze zur dogmatischen Theologie.* 2 Bde. Berlin – Hamburg 1962/1966.

[11] *Aufsätze.* Göttingen 1977.

[12] In: *Pro Ecclesia* (wie Anm. 7) Bd. 2, 339–351.

[13] In: *Bemühungen um die einigende Wahrheit* (wie Anm. 9) 189–215.

[14] *Eine Untersuchung zur Gestalt des evangelischen Bischofsamtes in der Reformationszeit.* Gütersloh 1961 (SVRG 179).

[15] Hg. v. Karl LEHMANN – Edmund SCHLINK. Göttingen 1982.

[16] Vgl. BRUNNER, *Pro Ecclesia* (wie Anm. 7) Bd. 1, 389–399; in seiner Festschrift (das Frontispiz enthält ein Bild von ihm): *Zur Auferbauung des Leibes Christi. Festgabe für Peter Brunner zum 65. Geburtstag am 25. April 1965.* Hg. v. Edmund SCHLINK – Albrecht PETERS. Kassel 1965, 295–304; dann fortgeführt von Albrecht PETERS, *Fortsetzung der Bibliographie Peter Brunner,* in: ThLZ 96. 1971, 238–240; DERS., *Ringen um die einigende Wahrheit. Zum Gedenken an Professor D. Peter Brunner,* in: KuD 29. 1983, 197–224. In den vergangenen Jahren sind einige Arbeiten zu seiner Theologie erschienen, z.B.: Konrad FISCHER, *Prota, Eschata, Existenz. Bemerkungen zur Theologie Peter Brunners.* Hildesheim [u.a.] 1994 (Theologische Texte und Studien 5); Tobias EISSLER, *Pro ecclesia. Die dogmatische Theologie Peter Brunners.* Neukirchen-Vluyn 2001 (Neukirchener theologische Dissertationen und Habilitationen 30). Im letztgenannten Buch ist auch ein Verzeichnis der Lehrveranstaltungen Peter Brunners aufgeführt (ebd. 452–456).

[17] PETERS, *Ringen um die einigende Wahrheit* (wie Anm. 2) 199.

Die Perspektive von Brunners Gottesdienstlehre ist trinitarisch-heilsökono-
misch. Der christliche Gottesdienst ist grundgelegt in Jesu Kreuz und Auferstehung und wird eröffnet durch die Sendung des Heiligen Geistes an Pfingsten.
Damit bricht die Zeit der letzten Dinge an, denn der Gottesdienst steht zwischen Jesu Himmelfahrt und Wiederkunft, zwischen Taufe und Sterben, zwischen Lobpreis der himmlischen und Harren der irdischen Kreatur. So erfolgt
ein dreifacher Transitus der Gottesdienstfeier vom Vergehen der Welt zum
Hindurchdringen zur Herrlichkeit des anbrechenden Gottesreiches, vom ange-
fochtenen und gerechtfertigten Sünder zur bleibenden Christusgemeinschaft,
die versklavte Kreatur sehnt sich nach der Freiheit des neuen Himmels und der
neuen Erde. Nur weil Gott mit dem Gottesdienst den Menschen dient, kann
der Mensch auch Gott dienen, so dass für den Vollzug des Gottesdienstes die
sakramentale Seite und die sakrifizielle Seite nicht in einzelne Vollzüge aufzu-
gliedern, wohl aber dogmatisch sorgfältig zu unterscheiden sind.

Nicht zuletzt deshalb ist für Brunner der Gottesdienst das alles verbindende Zentrum, weil die Theologie in der Kirche ihren Sitz im Leben hat. Die Kirche lebt von den Gnadenmitteln, die Gott vorrangig im Gottesdienst austeilt,
wenn gepredigt, getauft, Absolution erteilt und Abendmahl gefeiert wird. Insofern hat Theologie – zumal dogmatische Theologie – die Aufgabe, das Evangelium, das in Wort und Sakrament im Vollzug des Gottesdienstes mitgeteilt
wird, stets zur Geltung zu bringen und die Kirche in ihrem Bemühen und in
ihrer eigentlichen Aufgabe zu unterstützen, damit die Heilsbotschaft Gottes in
Verkündigung und Sakramentsverwaltung rein und unverkürzt den Menschen
übermittelt wird. Ganz diesem Sinn entsprechend ist Brunners Gottesdienstlehre aufgebaut.

2.2 Aufbau und Absicht der Gottesdienstlehre

Brunner schickt seiner Gottesdienstlehre einen mit Kommentaren verse-
hen Literaturbericht voraus und folgt damit dem Aufbau, den alle Autoren
des Sammelwerkes „Leiturgia" verwenden. Er bestimmt (A) Gegenstand und
Aufgabe seiner Untersuchung zur Lehre vom Gottesdienst. Die eigentliche
Gottesdienstlehre legt er in drei Schritten dar: der dreifach bestimmte Ort des
Gottesdienstes wird beschrieben (B), das Heilsgeschehen des Gottesdienstes
(C) und die Gestalt des Gottesdienstes dargelegt (D). Schon durch die Anord-
nung der Themen (B bis D) wird ersichtlich, wie die dogmatische Erkenntnis
diese Lehre bestimmt und nach Brunners Auffassung auch bestimmen soll.
Denn nachdem er den dreifachen Ort des Gottesdienstes als dogmatisch bzw.
heilsökonomisch, anthropologisch und kosmologisch festgelegt hat, lässt er die
Erörterung des Heilsgeschehens im Gottesdienst, wie es mit der Feier vollzogen wird, folgen, um dann die Frage nach seiner Gestalt aufzugreifen. Brunner
hätte ja auch – was sich durch das Vorausschicken des kommentierten Litera-
turberichtes nahelegen würde, der eine Auswahl der Literatur zum Thema
Gottesdienst aus dem gesamten Gebiet der Theologie und Religionsgeschichte
berücksichtigt – mit den Problemen der Gestaltung von Gottesdiensten beginnen können, um dann nach ihrer kritischen Sichtung das Heilsgeschehen im
Gottesdienst aufzuzeigen, damit anschließend der dogmatische, anthropolo-

gische und als Höhepunkt der kosmologische Ort des Gottesdienstes beschrieben werden kann.

Dass Brunner diesen Weg nicht geht, liegt nicht nur daran, dass er Systematischer Theologe ist. Es wird zum einen dadurch erklärbar, wie er die Literatur sichtet und bewertet, und zum anderen, wie er den Gegenstand und die Aufgabe seiner Untersuchung zur Lehre vom Gottesdienst der im Namen Jesu versammelten Gemeinde bestimmt. Denn Brunner legt dar, dass die exegetischen und biblisch-theologischen Untersuchungen zum Alten und Neuen Testament die Basis für eine dogmatische Lehre vom Gottesdienst sind; daran schließt sich die Berücksichtigung der dogmen- und theologiegeschichtlichen Entwicklung der Lehre vom Gottesdienst an, weil sich an ihr schriftgemäßes Bekenntnis erheben lässt. Auch die zeitgenössischen Lehren über den Gottesdienst sind zu beachten. Aber nicht nur aus diesen Gründen legt Brunner einen Literaturbericht vor, sondern auch deshalb, weil er keine problemgeschichtliche Einführung in die Lehre vom Gottesdienst geben will, so nötig sie auch sein mag. Brunner will stattdessen eine dogmatische Lehre vom Gottesdienst bieten, wie sie der Heiligen Schrift und dem Bekenntnis der evangelisch-lutherischen Kirche gemäß ist.

2.3 Gegenstand und Ort der Gottesdienstlehre

So bestimmt Brunner zunächst den Gegenstand (A) und gerät sofort in ein Dilemma, da nach dem Alten und Neuen Testament der Begriff „Gottesdienst" nicht ohne weiteres als sachgemäße Bezeichnung für den hier zu untersuchenden und darzulegenden Gegenstand herangezogen werden kann. Denn *latreia, threskeia, sebesthai,* auch *leiturgia* vermögen nicht das auszudrücken, was gemeint ist, wenn Christen sich zum Gottesdienst versammeln. Was dort geschieht, ist etwas völlig Neues und vom heidnischen Kult und vom Gottesdienst Israels völlig Verschiedenes. Es ist eine Zusammenkunft, die für das Denken, Tun und Lassen der Christen des Neuen Testaments von zentraler Bedeutung gewesen ist. Dafür verwendet das Neue Testament die Begriffe „Im Namen Jesu versammelt sein" bzw. „In der Ekklesia versammelt sein", sodass *synaxis* die Bezeichnung ist, die dem Befund im Neuen Testament am nächsten kommt. Auch der Begriff „Brotbrechen" beschreibt dieses Geschehen sehr deutlich, aber alle diese Begriffe setzen sich in der Geschichte nicht durch. In der Ostkirche wird synaxis durch leiturgia ersetzt, in der Westkirche durch *cultus, munus, officium, servitium dei* etc. So muss es nach Brunner bei dem Begriff Gottesdienst – auch im Sinne und in der Tradition Luthers – bleiben, auch wenn dieser Begriff nicht präzise genug fasst, was geschieht, wenn Christen sich als Ekklesia im Namen Jesu versammeln. Entsprechend hat Brunner seine Ausführungen benannt: „Zur Lehre vom Gottesdienst der im Namen Jesu versammelten Gemeinde".

Die Aufgabe ist folglich zu lehren, was sich in der Versammlung ereignet. Für Brunner ist es klar, dass die Lehre für den äußeren und inneren Vollzug des Gottesdienstes ausschlaggebend ist, da er sie bedingungslos der geschehenen Offenbarung Gottes, dem Wort Gottes, unterstellt. Darum ist Brunners Lehre nicht an dem interessiert, was gegenwärtig in Gottesdiensten geschieht oder was Christen im Gottesdienst erfahren: Ist sie ganz am Wort Gottes orientiert, so kann sie nur dogmatische Lehre sein. Diese dogmatische Lehre ist dann für den Gottesdienstvollzug von Gottesdienst normativ. „Unsere Aufgabe ist also jetzt so zu formulieren: Was geschieht kraft göttlicher Stiftung nach Ausweis des Offenbarungswortes in jenen Versammlungen der Christen, und was soll daher von uns heute in diesen Versammlungen getan werden?"[18]

2.3.1 Der heilsökonomische Ort

Gemäß diesen Prolegomena fragt Brunner die Schrift und erhält eine heilsökonomische Auskunft: Gott hat das Heil für die Menschen bestimmt vor Grundlegung der Schöpfung und verwirklicht es in der Geschichte bis zur Wiederkunft Christi und darüber hinaus bis zur vollendeten Ewigkeit durch „Veranstaltungen, Stiftungen, Eingriffe, Erwählungen und Zeichengebungen"[19], die sich im Schnittpunkt der als Ekklesia zum Gottesdienst versammelten Gemeinde zeigen. Der Gottesdienst zeigt sich schon bei den Ersterschaffenen, denn sie konnten sich nur als Menschen, als Gottes Ebenbilder verstehen, da sie von Gott angesprochen wurden und weil sie als ihrer selbst bewusste Menschen mit Lob und Dank auf seine Anrede antworten konnten. Erst der Sündenfall hat den natürlichen Gottesdienst für die Menschen zerstört, die pneumatische Realität der Gottebenbildlichkeit ist verloren. Damit „beginnt im höchsten Himmelsthron der Opferdienst Jesu Christi, der jetzt der eine wahrhaftige Gottesdienst ist. Seit dem Sündenfall vollzieht der Sohn Gottes als der kommende zweite und letzte Adam an unserer Statt diesen Gottesdienst, indem er den Weg ins Fleisch und den Weg ans Kreuz auf sich nimmt."[20] Von dieser Bestimmung her ist der Gottesdienst der Heiden ein Gottesdienst, in dem sich Gott zwar aufgrund seiner Schöpfung zu erkennen gibt, ihm aber die notwendige Anerkenntnis und der notwendige Dank durch die Menschen versagt bleibt. Der Gottesdienst des Alten Bundes als Opferdienst ist von Gott gestiftet worden und dient der Versöhnung von Gott und Mensch, aber bleibt doch in einem eigentümlichen Zwielicht, da er kultisch immer zu wiederholen ist und die Sünde doch nicht endgültig beseitigen kann. Diesem Gottesdienst ist das „Noch-nicht" eigen, weil er auf den wahren und endgültigen Gottesdienst verweist. Der Gottesdienst des Neuen Bundes schließt nun nicht unmittelbar an den des Alten Bundes an, vielmehr wird durch Jesu Selbstopfer im Kreuzestod und in seiner Auferstehung innerhalb der Heilsökonomie der Zugang zum immerwährenden himmlischen Gottesdienst vor Gottes Thron eröffnet, den Christus seit dem Sündenfall vollzieht. So beginnt der bei der Erschaffung von Gott gestiftete Gottesdienst jetzt im Gottesdienst der Kirche aufzuleuchten. Der Gottesdienst der Kirche auf Erden ereignet sich pneumatisch, weil die Kirche der auf Erden erscheinende Leib Christi ist. „Der Gottesdienst der Kirche ist daher eine Anteilhabe an dem einen die Welt erlösenden, nie abreißenden Got-

---

[18] BRUNNER, *Zur Lehre vom Gottesdienst der im Namen Jesu versammelten Gemeinde* (wie Anm. 4) 113.

[19] BRUNNER, *Zur Lehre vom Gottesdienst der im Namen Jesu versammelten Gemeinde* (wie Anm. 4) 116.

[20] BRUNNER, *Zur Lehre vom Gottesdienst der im Namen Jesu versammelten Gemeinde* (wie Anm. 4) 127.

tesdienst des Gekreuzigt-Erhöhten vor Gottes Thron.“[21] Und doch steht auch dieser irdische Gottesdienst gleichermaßen unter dem den Alten Bund kennzeichnenden „Noch-nicht“, da die Kirche zwischen Christi Himmelfahrt und seiner Wiederkunft Gottesdienst in der Hoffnung auf die Vollendung im Reich Gottes feiert. Der irdische Gottesdienst hat am himmlischen Gottesdienst Anteil, ist aber „noch nicht“ mit ihm identisch.

2.3.2 Der anthropologische Ort
Dementsprechend bestimmt Brunner den anthropologischen Ort des Gottesdienstes als Bußglaube und Taufe. Denn die Taufe ermöglicht den Zugang zum Gottesdienst und – über die Konfirmation – zum Abendmahl, da der alte Mensch täglich in den Tod gegeben und der neue Mensch täglich erweckt wird durch Sündenvergebung. „Austeilung der Sündenvergebung durch Evangelium und Abendmahl ist die uns am nächsten stehende Wirklichkeitsseite des Gottesdienstes.“[22]

2.3.3 Der kosmologische Ort
Dem irdischen Gottesdienst nahe steht jener Gottesdienst, der von den Engeln und der außermenschlichen, irdischen Kreatur vollzogen wird – damit bestimmt Brunner seinen kosmologischen Ort. Das Lob der Engel und das der außermenschlichen Kreatur ist wie eine Wand, von der das Echo der Taten Gottes widerhallt, wobei dem Lob der außermenschlichen, irdischen Kreatur keine eigene Entscheidung für dieses Lob zugrunde liegt, sondern das Widerhallen ereignet sich entsprechend ihrem Wesensgesetz. Engel hatten im Gegensatz dazu die Möglichkeit zu einer Entscheidung, und wenn sie Engel und nicht Dämonen geworden sind, so leben sie nach dieser Entscheidung und singen unverbrüchlich ihr Lob. Der menschliche Gottesdienst steht zwischen diesen beiden Arten, da jeder Mensch an der irdischen Natur teilhat, sich aber durch sein Lob, das auf seine positive Entscheidung zurückgeht, und zwar immer wieder aufs Neue mit dem Lob der Engel im Sanctus verbindet. Nur der Mensch hat die Möglichkeit, seine Entscheidung für oder gegen Gott jederzeit zu revidieren. Erst wenn im Eschaton aller Jubel vereint sein wird, werden auch die personale Freiheit und die wesensmäßige Notwendigkeit zu einer Einheit vereint sein, die einem vollkommenen Jubilus eigentümlich ist.

2.4 Das Heilsgeschehen im Gottesdienst
Nachdem Brunner den Ort des Gottesdienstes dreifach bestimmt hat, folgt die Beschreibung des Heilsgeschehens im Gottesdienst (C). Er fragt zunächst, ob nicht ein Gottesdienst, in dem Heilsgeschehen stattfindet, überflüssig ist. Hat nicht der Christ durch die Verkündigung des Evangeliums, durch seine Annahme im Glauben und durch das Getauftsein alles, was er zum Heil benötigt – was kann oder muss dem noch hinzugefügt werden durch das sich im Gottesdienst ereignende Heilsgeschehen? Brunner gibt darauf eine klare Antwort: Hinzuge-

---

[21] BRUNNER, *Zur Lehre vom Gottesdienst der im Namen Jesu versammelten Gemeinde* (wie Anm. 4) 157.

[22] BRUNNER, *Zur Lehre vom Gottesdienst der im Namen Jesu versammelten Gemeinde* (wie Anm. 4) 167.

fügt werden kann dem nichts, aber das empfangene Heil muss bewahrt werden, denn es ist durchaus möglich, dass es verloren geht. Deshalb ist es notwendig, dass die Glaubenden im Wort Gottes bleiben. Aber darin erschöpft sich der Sinn des Gottesdienstes nicht, sondern er greift als Heilsgeschehen darüber hinaus, denn Gott will seine Verherrlichung durch den Gottesdienst erreichen, indem er in Gemeinschaft mit den Sündern ist und sie ihn als Gerettete loben und preisen. Diese beiden Seiten des Gottesdienstes verdeutlicht Brunner an der Apologie Melanchthons zu CA 24 „Von der Messe". Melanchthon hatte ausgeführt, dass ein doppeltes Opferverständnis vorausgesetzt werden muss: Opfer kann als sacramentum, z.b. als Versöhnungsopfer (Sacrificium propitiatorium) aufgefasst werden, mit dem Gott den Menschen die Heilsgabe schenkt. Der Mensch antwortet darauf mit dem Lob- und Dankopfer (Sacrificium eucharisticum). Dabei können, so betont Brunner, die beiden Opferarten nicht verschiedenen liturgischen Rubriken zugeordnet werden. In gleicher Weise hatte auch schon Melanchthon z.b. die Predigt des Evangeliums als Lobopfer bezeichnen können. Das gilt natürlich auch für das Abendmahl, das Melanchthon hervorgehoben behandelt hat. Brunner stellt fest, dass der Gottesdienst ein zwiefältiges pneumatisches Geschehen ist. So durchdringen sich bei allen Elementen des Gottesdienstes Gottes Wort und des Menschen Antwort. Brunner betont, dass jede Predigt und Abendmahlsfeier immer schon Antwort der Menschen auf das zuvor ergangene Wort Gottes ist, das sie im Gehorsam gegenüber dem Auftrag Gottes verkündigen und das Sakrament verwalten. Darum ist die grundlegende Dimension des Gottesdienstes das Gebet.

2.4.1 Der Dienst Gottes an der Gemeinde

Die nächsten beiden Abschnitte widmet Brunner dem pneumatischen Geschehen, wobei zunächst der Gottesdienst als Dienst Gottes an der Gemeinde in den Blick kommt. Grundlegend ist das Wort Gottes, das zum Glauben ruft. Zugleich ist es auch auferbauendes Wort innerhalb der Ekklesia, das sich aber nicht inhaltlich, sondern nur funktional unterscheidet. Brunner untersucht die Formen der Wortverkündigung: Schriftlesung, Predigt, Absolution, Gruß und Segen, biblischer Psalm und Psalmlied der Ekklesia, auch indirekte Formen wie z.B. Kirchenlieder, Credo, Hymnen, Gebete etc. Das Heilsgeschehen der Wortverkündigung ist gegründet in der Wortvollmacht, die auf Christi Befehl zurückgeht und mit der Wortverkündigung als Christusanamnese geschieht. Mit der Christusanamnese ist das Heilsgeschehen geistgewirkte Gegenwart und nicht bloße Erinnerung, denn durch die Wortverkündigung wird die Heilsgabe Gottes ausgeteilt, so dass sich die Rettung des Sünders und sein neues ewiges Leben ereignen. Das ist ein eschatologisches Mysterium, weil Gott unter menschlicher Wortverkündigung die rettende Geistgegenwart Jesu schenkt. Deshalb nennt Brunner die Wortverkündigung des Evangeliums ein sacramentum der Endzeit.[23] Es herrscht auch schon jetzt endzeitliche Krisis, weil die Verkündigung endzeitliches Heilsgeschehen ist, denn es wird um ewiges Leben oder ewigen Tod gerungen. So ist die Wortverkündigung letztlich Verherrlichung des dreieinigen Gottes.

---

[23]   Vgl. BRUNNER, *Zur Lehre vom Gottesdienst der im Namen Jesu versammelten Gemeinde* (wie Anm. 4) 217.

Den selben Gedankengang führt Brunner auch am Abendmahl durch. Das Heilsgeschehen des Abendmahls ereignet sich für die Gemeinde Jesu, die nun unter sich ist, denn die „Türen zur Welt hin, die in der Wortverkündigung grundsätzlich offen blieben, sind jetzt geschlossen."[24] Brunner fragt, wie schon bei der Wortverkündigung, was bei der Abendmahlsfeier geschieht, und gibt darauf methodisch dieselbe Antwort: Es geschieht das, was die biblischen Schriften darüber berichten. Das Abendmahl der Kirche heute ist deshalb ein Heilsgeschehen, weil Jesus damals wie heute das Herrenmahl stiftet und es wirkmächtig macht. So ist das Abendmahl Verkündigung als Christusanamnese, wobei Brunner betont, dass die Christusanamnese mit Wort und Tat, nämlich Essen und Trinken, vollzogen wird. Diese Anamnese bedingt, dass das Abendmahl repraesentatio von Jesu Tod und Auferstehung und zugleich anticipatio des noch ausstehenden Heilsereignisses der Wiederkunft Jesu Christi ist. So gesehen erklärt Brunner die Realpräsenz als Identitätsverknüpfung von Jesus Christus mit Brot und Wein. Folgerichtig sagt er zur Konsekration, dass Brot und Wein dann konsekriert sind, wenn „der Herr selbst auch heute durch seinen Diener mit messianischer Vollzugsgewalt diese Wunderworte"[25] ausspricht: Das ist mein Leib, das ist mein Bundesblut. Brunner spricht hier von einer unio, die zwischen Jesus Christus und Brot und Wein hergestellt ist. Auch zur Nachkonsekration äußert er sich: Die reale Gegenwart des Herrn in Brot und Wein hält bis zum Ende der Feier an. Die besondere Gabe des Abendmahls – zunächst ist das Abendmahl wie die Wortverkündigung die Übereignung des rettenden Heils – ist die Leibhaftigkeit der Gemeinschaft mit Christus, also die Gemeinschaft auch mit dem irdischen Leib Jesu. Darüber hinaus werden die Kommunizierenden in den Opferleib Christi eingeleibt und zusammengefügt, es ist ein die Ekklesia konstituierendes Geschehen. Das Eigentümlichste des Mahles ist die Sündenvergebung: „Darum ist die umfassende Heilsgabe des Abendmahles Jesu sühnender Opfertod, der uns in seinem real gegenwärtigen Opferleib und in seinem real gegenwärtigen Opferblut unmittelbar ergreift und in die Versöhnungstat Gottes hineinnimmt."[26] Aufgrund der Versöhnungstat ist das Mahl ein Freudenmahl, das das zukünftige Mahl antizipiert, so dass eine kultisch-liturgische Freude entsteht, die nicht von dieser Welt ist. Als Freudenmahl verstanden, ist dem Mahl ein endzeitliches Geheimnis inne, das – so Brunner – mit seinem irdischen Vollzug eine Reich-Gottes-Bewegung in Gottes Herzen auszulösen vermag.[27] Folglich ist es naheliegend, dass die Abendmahlsfeier den Kommunizierenden in eine endzeitliche Krise führt. Zwar ist durch das Annehmen des Wortes und durch die Taufe in gewisser Weise die endzeitliche Entscheidung für das Reich Gottes gefallen, aber noch nicht endgültig. Denn aus der Entscheidung für den Glauben ist der Christ niemals entlassen

---

[24] BRUNNER, *Zur Lehre vom Gottesdienst der im Namen Jesu versammelten Gemeinde* (wie Anm. 4) 220.

[25] BRUNNER, *Zur Lehre vom Gottesdienst der im Namen Jesu versammelten Gemeinde* (wie Anm. 4) 240.

[26] BRUNNER, *Zur Lehre vom Gottesdienst der im Namen Jesu versammelten Gemeinde* (wie Anm. 4) 245.

[27] Vgl. BRUNNER, *Zur Lehre vom Gottesdienst der im Namen Jesu versammelten Gemeinde* (wie Anm. 4) 250.

und so ergeht immer wieder die Forderung an ihn, mit rechtem Glauben zur Kommunion zu kommen. Tut er das, dann wird die Herrlichkeit des dreieinigen Gottes verwirklicht, da „seine Liebesmacht und Liebesherrlichkeit an der *ekklesia* als dem Opferleibe seines Sohnes aufstrahlt und uns selbst in diesem Opferleibe mit dem Lichte des himmlischen Glanzes überschüttet"[28].

2.4.2 Der Dienst der Gemeinde vor Gott

Zunächst hat Brunner also das pneumatische Geschehen des Gottesdienstes als Dienst Gottes an der Gemeinde zur Sprache gebracht. Jetzt folgt die Betrachtung des Dienstes der Gemeinde vor Gott, wobei Brunner betont, dass Gott selbst das Dienen schenkt und dass es darum ein fröhliches Dürfen ist. Der Gottesdienst ist ein pneumatisches Geschehen, er ist zu allererst Gebet und die Gemeinde hat vermittelt durch Bittgebet, Reichsgebet, Dankgebet oder Lobgebet ein besonderes Vorrecht, an Gottes Herz zu rühren. Der Gottesdienst ist auch Bekenntnis, und zwar das öffentliche Bekenntnis vor Menschen. Allerdings nicht nur als Credo, sondern auch als Schuldbekenntnis. Das öffentliche Bekenntnis wird vor Gott ausgesprochen – und bleibt umfangen vom Gebet als direkte Anrede an Gott – und hat daher eine gewisse Nähe zur Wortverkündigung und zum Lobpreis. Auf diese Weise ist es ein Lob- und Dankopfer. Im Dienst der Gemeinde vor Gott bricht die ewige Verherrlichung des dreieinigen Gottes an, sie äußert sich insbesondere mit der Akklamation, dem Hymnus und der Proskynese, dem sich Verneigen, dem Hinsinken vor Gottes Thron.

2.5 Gestalt des Gottesdienstes

2.5.1 Elemente der Gestaltung

Brunner kommt zum letzten großen Teil seiner Gottesdienstlehre (D), der Gestalt des Gottesdienstes. Es steht ganz außer Frage, dass auch die Gestalt des Gottesdienstes dogmatisch bestimmt wird. Es soll nicht die konkrete Gestalt bestimmt werden, sondern es gilt die Grenzen abzustecken, an die sich die Gestaltung halten muss, wenn nicht die Reinheit des Evangeliums verletzt werden soll. Eine geordnete Gestalt muss der Gottesdienst haben, weil wir Menschen ihn trotz seines pneumatischen Charakters doch leibhaft vollziehen und in Gemeinschaft feiern. Sie darf allerdings nicht gesetzlich-rituell missverstanden werden, Brunner zitiert CA VII. Es gibt Formen, die von Christus gestiftet und daher für den Gottesdienst der Kirche bindend sind: die Wortverkündigung als das Zeugnis von Jesus Christus nach den prophetischen und apostolischen Schriften der Bibel, das Abendmahl gemäß der Stiftung Christi, beide – Wort und Sakrament – müssen in einer Versammlung geschehen, die im Namen Jesu, also unter Anrufung des dreieinigen Gottes stattfindet. Brunner unterscheidet diese Formen von der Mannigfaltigkeit der Gestalten, mit denen sie leibhaft werden können. Daraus entwickelt sich die pneumatische Einheit von Bindung und Freiheit, die sich in der Zeichenhaftigkeit der Gestalt zu erkennen gibt. Die durch die Geschichte überlieferte Gestalt ist zwar zu achten, aber sie ist kein letztgültiger Maßstab. Für die gegenwärtige Gestalt des Gottesdienstes muss (1) auf die ökumenische Verpflichtung geachtet werden, die die Wei-

---

[28] BRUNNER, *Zur Lehre vom Gottesdienst der im Namen Jesu versammelten Gemeinde* (wie Anm. 4) 253.

te der Gestaltungen aufweist, aber auch auf ihre Grundgestalt hinweist, muss
(2) die besondere Überlieferung der Konfessionskirche berücksichtigt werden,
ist es (3) nur von der jetzt ausgeübten Gestalt des Gottesdienstes möglich, einen nächsten Schritt zu tun, ist (4) auf den Geist Gottes zu achten, der jetzt
neu formen will, damit die endzeitliche Gestalt des Gottesdienstes verwirklicht
wird, in der die Kirche als geschmückte Braut ihrem Haupt entgegengehen
soll. All diese Faktoren sind aber der Liebe zu unterwerfen, denn die geistlichen Schäden, die der gottesdienstlichen Gestalt zugefügt worden sind, können nur durch die Liebe behoben werden und nicht durch Zwang; Anwendung
von Zwang würde wiederum geistlichen Schaden verursachen.

Für die im Gottesdienstvollzug verwirklichten Gestalten ist eine Uniformie-
rung abzulehnen. Die Geschichte des Gottesdienstes weist aber auf die Form
der Messe hin, die auch die Wittenberger Reformation übernommen hat, so
dass Wortverkündigung und Abendmahl eine Einheit darstellen und Hauptgottesdienst der Gemeinde sind. Daneben stehen der Predigtgottesdienst und das
Stundengebet. Die Kasualgottesdienste sind Gottesdienste ganz anderer Natur
und stehen in keinem direkten Verhältnis zum Hauptgottesdienst. Der gestal-
tende Faktor des Gottesdienstes ist das gegenseitige, wechselseitige Zusprechen
des Wortes Christi. Dabei wird es zu einem Gegenüber von Amtsträger und Gemeinde kommen, bei dem es aber nicht bleiben darf. Auch die Gemeinde und
einzelne ihrer Glieder treten in ein wechselseitiges Verkündigen ein, z.B. wenn
ein Chor singt oder ein Gemeindeglied eine Lesung vorträgt. Andere Bewegungen finden sich ebenfalls im Gottesdienst: zwischen Schlichtheit und Reichtum
des Ausdrucks, zwischen feststehenden und wechselnden Stücken. Brunner
setzt sich ausführlich mit dem Thema Gottesdienst und Kunst auseinander,
weil Kunst unabweisbar mit der Gestaltfrage erörtert werden muss. Allerdings
schickt er seinen Ausführungen die Bemerkung voraus, dass sie das Merkmal
eines Versuchs tragen. Denn es liegt weder eine Philosophie der Kunst vor,
von der aus ein theologischer Erkenntnisweg zu beschreiten wäre, noch gibt es
grundlegende theologische Schriften, die „die Wirklichkeit der Kunst und in
ihr die Möglichkeit des Kunstwerkes im Lichte des geoffenbarten Wortes Gottes zu sehen"[29] vermögen. Brunner beginnt – wie schon bei der Erörterung des
Gottesdienstes als Heilsgeschehen überhaupt – mit der Schöpfungstat Gottes:
Durch Gottes Wort wurde Gestalt und zugleich das Kunstwerk geboren, das
Güte, Wahrheit und Schönheit als Einheit auszeichnet. Nach dem Sündenfall
ist das Kunstwerk des Menschen immer als ein Suchen nach dem Wort Gottes
zu verstehen, denn das Kunstwerk stammt nicht von Gott, sondern vom gefallenen Menschen. Zwar fehlt jedem menschlichen Kunstwerk die paradiesische
Erfüllung, aber es ist doch ein Barmherzigkeitserweis Gottes. Denn im freien
Raum von Spiel und Schmuck entsteht eine Kunst, die das Sehnen nach Erlösung von allen Verderbensmächten zum Ausdruck zu bringen vermag. So
„trägt auch die Kunst dazu bei, das Dasein des Menschen als ein menschliches
zu erhalten, sein dunkles Verwahrnis mit einem wohltätigen Dämmerlicht zu
erfüllen, auf daß er sich notdürftig orientieren und mitten unter seinen Müh-
salen, Schmerzen, Rätseln und Dunkelheiten wenigstens atmen kann und da

---

[29] BRUNNER, *Zur Lehre vom Gottesdienst der im Namen Jesu versammelten Gemeinde* (wie Anm.
4) 292.

und dort auch aufatmen darf"[30]. In diesem Sinne dient die Kunst auch dem Gottesdienst, weil mit ihr der transitus von „Noch-nicht" zum „Doch-schon" der anhebenden eschatologischen Neuschöpfung erfahrbar wird. Brunner setzt sich zunächst mit dem Bilderverbot und dem Bild Jesu Christi als Gottes Wort auseinander, um sich dann mit den Kunstformen des Wortes als Predigt, Gebet und Dichtung, den Kunstformen der Musik, Architektur und bildenden Kunst, der liturgischen Geräte und Bilder zu befassen.

2.5.2 Die Einheit von Wort- und Sakramentsgottesdienst

Brunner fügt einen weiteren entscheidenden Themenverbund für die Verwirklichung der Gestalt des Gottesdienstes an: die Einheit von Wort- und Sakramentsgottesdienst. Dass diese Einheit – auch zur Zeit Brunners – selten Wirklichkeit wurde, weil die Abendmahlsfeiern an den Gottesdienst angehängt oder nur einige Male im Jahr als Gemeindegottesdienst gefeiert wurden, ist für ihn kein Grund für eine ausführliche Erörterung. Er sieht darin vielmehr – kurz und bündig – einen Missstand in evangelischen Kirchen, der mit dem biblischen Zeugnis behoben werden kann. Vielmehr ist zu fragen, warum und wie die Verkündigung des Evangeliums durch Lesung und Auslegung und die Abendmahlsfeier so aufeinander bezogen sind, dass sie eine dogmatisch begründete Einheit ergeben. Grundlegend für diese Einheit ist die Christusanamnese, die Brunner als Bewegung, als Prozess begreift: Sie beginnt missionarisch und katechetisch mit Lesung und Auslegung und setzt sich dann fort als Herrenmahl, zu dem allerdings nur Konfirmierte zugelassen sind. Das Herrenmahl ist Mahl der Glaubenden, während der Wortteil des Gottesdienstes sich an alle Menschen, auch an Ungetaufte und noch nicht Konfirmierte, richtet und die Abendmahlsfeier zum Ziel hat. So ist der Hauptgottesdienst als Einheit aus Wort- und Sakramentsteil eigentlich immer Abendmahlsgottesdienst – das liegt an der der Christusanamnese eigentümlichen Dynamik, die vom missionarisch-katechetischen Wort zum Mahl führt. Als entscheidenden Hinderungsgrund für die Einheit sieht Brunner die Beichte an, wenn sie zwischen Wort- und Mahlteil platziert ist. Diese Platzierung der Beichte ist damit zu erklären, dass sie nötig ist, wenn selten kommuniziert wird. Wird die Kommunion dagegen regelmäßig vollzogen und die Beichte aus dem Hauptgottesdienst genommen, dann erhält die Beichte ihr Recht zurück, ein eigenständiger Gottesdienst zu sein. Eine notwendige Bezogenheit von Beichte und Abendmahl lehnt Brunner ab.

2.5.3 Repraesentatio – Anticipatio – Eulogie

Unter der Teilüberschrift „Formula missae" nimmt Brunner die agendarische Form des Gottesdienstes in den Blick, die auf die Entscheidung der Kirche zurückgeht. „Die Agende ist die Konkretisierung der dogmatischen Lehre vom Gottesdienst."[31] Der dogmatischen Lehre kommt dabei die Aufgabe zu, als formende Entelechie bei der Aufstellung der Agende wirksam zu werden. Das

---

[30]   BRUNNER, *Zur Lehre vom Gottesdienst der im Namen Jesu versammelten Gemeinde* (wie Anm. 4) 302.

[31]   BRUNNER, *Zur Lehre vom Gottesdienst der im Namen Jesu versammelten Gemeinde* (wie Anm. 4) 340.

macht Brunner an der agendarischen Form der Abendmahlsfeier deutlich. Er zeigt auf, dass der biblische Einsetzungsbericht in seiner Interpretation über Augustin, Paschasius Radbertus, Thomas von Aquin und in letzter Konsequenz Martin Luther zu verstehen ist als Christi eigene Worte, die konsekratorisch aufgefasst werden. Gleichwohl sind die Worte Christi umgeben von Worten des Dankens und Lobens, die die Kirche in eigener Person spricht, im Gegensatz zu den Einsetzungsworten, die sie in der Person Christi spricht. Brunner fragt, ob diese Form, die sich am stärksten in Luthers „Deutscher Messe" zeigt, heute angemessen ist. Es sind zwei Gründe, die ihn eine andere Entscheidung fällen lassen: Zum einen die ökumenische Verpflichtung, die jede Kirche trägt. Brunner findet das ökumenische Anliegen eher in Luthers „Formula missae" wieder als in der „Deutschen Messe". Zum anderen bezweifelt er, ob die Form der „Deutschen Messe" wirklich in unüberbietbarer Weise die Form des von Christus gestifteten Mahles trifft. Brunner weist auf, dass es die beraka ist – die er Eulogie nennt –, die nach dem Zeugnis des Neuen Testaments notwendig zur Abendmahlsfeier gehört. Mit derselben Fragestellung wendet Brunner sich der eucharistischen Epiklese zu. Sie weist zwei Inhalte auf: zum einen wird um die Herabkunft des Heiligen Geistes auf Brot und Wein gebeten, „damit er die Speise heilige und zu Leib und Blut Christi mache"[32], und zum anderen um einen heilbringenden Empfang der Gnadengaben. Die letzte Bitte bereitet Brunner keine dogmatischen Schwierigkeiten, aber er führt aus, dass die erste Bitte, wenn sie exklusiv als konsekratorisch verstanden wird, in Konkurrenz zum Wort Christi in den Einsetzungsworten steht und deshalb zu verwerfen ist. Brunner möchte das dogmatische Problem der Epiklese in der Weise lösen, dass die von ihm beschriebene Funktion der Einsetzungsworte nicht bestritten wird, die Epiklese aber als Entfaltung des konsekratorischen Geschehens begriffen werden kann. Deshalb setzt er sich nicht nur mit der altkirchlichen Entwicklung der Epiklese auseinander, sondern zieht auch drei reformatorische Abendmahlsgebete – Kantz 1522, Pfalz-Neuburg 1543, Kasseler Agende 1896 – heran, die vor den Einsetzungsworten Konsekrationsbitten aufweisen. Brunner führt aus, dass die Kirche, auch wenn sie sich dessen nicht bewusst ist, unter der Not leidet, die Lehre vom Heiligen Geist verkümmern zu lassen. Das Neue Testament macht dagegen deutlich, dass der Heilige Geist unbedingt für die Realpräsenz Christi mitbedacht werden muss – auch wenn das die reformatorischen Ordnungen vernachlässigen. Brunner kommt zu dem Ergebnis, dass eine Konsekrationsepiklese nur vor den Einsetzungsworten gesprochen werden kann. Allerdings gilt seiner Meinung nach, dass eigentlich beide – Epiklese und Einsetzungsworte – zugleich gesprochen werden müssten, da „beides, das erflehte Werk des Geistes und die Selbstvergegenwärtigung Christi, in e i -n e m pneumatischen ‚Jetzt' geschieht"[33]. Dass Eulogie eine Christusanamnese ist, hält Brunner für unbestreitbar. So spricht die Kirche vor Gott aus, dass sie in Christi Kreuz, Auferstehung und Himmelfahrt hineingenommen ist; dabei muss aber – so Brunner – gewährleistet sein, dass jeder Anklang an die Vorstel-

---

[32] BRUNNER, *Zur Lehre vom Gottesdienst der im Namen Jesu versammelten Gemeinde* (wie Anm. 4) 348.

[33] BRUNNER, *Zur Lehre vom Gottesdienst der im Namen Jesu versammelten Gemeinde* (wie Anm. 4) 356 (auch im Original gesperrt gedruckt).

lung vermieden wird, die Gemeinde bringe ihrerseits das im Abendmahl gegenwärtige Kreuzesopfer Gott dar oder es sei von einer Selbstaufopferung der Gemeinde an Gott die Rede. Hier grenzt Brunner sich von den Gebetstexten ab, die Friedrich Heiler und Karl Bernhard Ritter herausgegeben hatten. Denn er sieht dort die Gefahr, dass die Anamnese des Opfers Christi nicht mehr unvermischt bleibt neben der Darbringung des eigenen Opfers. Im Gegenteil: „Wo die Selbstvergegenwärtigung des Opfers Christi Ereignis wird, darf die Selbstbezeugung unseres Opferwillens schweigen."[34]

Zum Abschluss seiner Lehre vom Gottesdienst bietet Brunner einen Text für eine Eulogie, die nach Präfation und Sanctus einsetzt. Er beginnt mit einem Textteil bis zu den Einsetzungsworten, der trinitarischen Aufbau aufweist. Darin wird Gott als Schöpfer gelobt, dann an das Heilswerk Christi für die Menschen erinnert, um daraufhin um den Heiligen Geist zu bitten, damit er die Gaben heilige und segne. Es folgen die Einsetzungsworte. Danach setzt eine Anamnese des Leidens, Sterbens, Auferstehens und der Himmelfahrt Christi ein, die verbunden ist mit dem Dank für die vielfältigen Gnadengaben Gottes für die Glaubenden. Es schließt sich eine weitere Epiklese an, die um Heiligung an Leib und Seele bittet sowie um einen gesegneten Empfang des Leibes und Blutes Christi. Als Nächstes folgt ein eschatologischer Ausblick auf das Hochzeitsmahl des Lammes im Reich Gottes. Die Eulogie geht in das Vaterunser über, das der Liturg zunächst – wie schon die ganze Eulogie – allein spricht, bis die Gemeinde mit dem Amen in die Doxologie einstimmt, die das Vaterunser beschließt.

3. Reaktionen auf Brunners Gottesdienstlehre

Peter Brunners Gottesdienstlehre hat ein lebhaftes und – wie wohl nicht anders zu erwarten war – auch kontroverses Echo ausgelöst. Karl Barth hat sie eine „durch ihre Weiträumigkeit wie durch ihren Tiefsinn gleich ausgezeichnete Arbeit"[35] genannt. Joachim Beckmann geht davon aus, dass diese Grundlegung evangelischer Liturgik aller Achtung bei Theologen – und nicht bei den so genannten Liturgikern – Wert ist.[36] Gerd Otto dagegen fordert dazu auf, „dogmatische Verkrustungen, wie sie sich in der Lehre vom Gottesdienst herausgebildet haben"[37] zu überwinden, um die Feier- und Festqualität von Gottesdiensten wiederzugewinnen, und Joachim Stalmann äußert gar sein Befremden, seine Verlegenheit über den hier vorgelegten lutherischen Byzantinismus.[38]

---

[34] BRUNNER, *Zur Lehre vom Gottesdienst der im Namen Jesu versammelten Gemeinde* (wie Anm. 4) 358.

[35] Karl BARTH, *Die kirchliche Dogmatik. Bd. 4. Teil 2. Die Lehre von der Versöhnung.* Zürich 1955, 722.

[36] Vgl. Joachim BECKMANN, *Rezension des gesamten ersten Bandes der Reihe Leiturgia*, in: ThLZ 79. 1954, 689.

[37] Gerd OTTO, *Praktische Theologie. Bd. 2. Handlungsfelder der praktischen Theologie.* München 1988, 320.

[38] Vgl. Joachim STALMANN, in: Peter BRUNNER, *Zur Lehre vom Gottesdienst der im Namen Jesu versammelten Gemeinde. Neudr. mit einem Vorw. von Joachim Stalmann.* Hannover 1993 (Leit. NF 2), VIII; XXI.

Solche beispielhaften kritischen Äußerungen nehmen Gottesdienste in neuer Gestalt in den Blick. Denn kaum dass die umfangreichen Bände der Reihe *Leiturgia* und die Nachkriegsagenden erschienen waren, wurde der Vorwurf der Restauration laut: So könne man in einer modernen Welt kaum noch Gottesdienst feiern – Gottesdienst in neuer Gestalt sei notwendig. Brunner hat sich mit diesen Versuchen sehr kritisch auseinandergesetzt – und sie letztlich verworfen. Dabei lehnt er nicht den Gestaltwandel ab, denn dass es Gestaltveränderungen immer wieder gegeben hat, zeigt die Liturgiegeschichte als ein selbstverständliches Phänomen auf. Aber er wirft den Gottesdiensten in neuer Gestalt eine Wesensverwandlung des Gottesdienstes selbst vor, die darauf hinausläuft, dass Gott nicht mehr der Welt gegenübersteht, sondern als ein Element in sie eingegangen ist. Solche Gottesdienste sind nur noch innerweltlich orientiert und weisen keinen Transzendenzbezug mehr auf.[39] Unter christologischem Gesichtspunkt fallen sie sogar in das 19. Jahrhundert zurück, so dass nur noch von Jesuologien die Rede sein kann. Einer Kirche, die diesem Ansinnen folgt, bescheinigt Brunner, dass in ihr ein „christlicher Gottesdienst nicht mehr möglich"[40] ist. Denn wenn die Kirchen sich darauf einlassen, verspielen sie ihr reformatorisches Erbe. Gerade die Bekennende Kirche hat sich gegen die Umgestaltungsversuche der Deutschen Christen auf die reformatorischen Ordnungen berufen. Die Alpirsbacher und Berneuchener Kreise haben darüber hinaus das ökumenische Erbe fruchtbar gemacht, ohne das die Agenden- und Gesangbuchreform nach dem Zweiten Weltkrieg nicht denkbar gewesen wäre. Das nun als Restauration zu verurteilen, hält Brunner für verfehlt: „Alle wahrhaft geistliche *renovatio* ist eine *restauratio* von ursprünglich Gegebenem in einer neuen Situation."[41] So hält er seine eigene Tätigkeit als Systematischer Theologe und als Mitglied in Agendenausschüssen für zukunftsweisend für den kirchlichen Gottesdienst, nicht aber die Versuche um eine neue Gestalt; er warnt die Kirche: „Statt zu einer in seinem Wesen begründeten Erneuerung und Reform des christlichen Gottesdienstes beizutragen, würden sie durch einen solchen Schritt seine Deformation fördern und an seiner Zerstörung selbst mitarbeiten."[42]

Dietrich Rössler würdigt in seinem „Grundriß der Praktischen Theologie" die Gottesdienstlehre Brunners. Er anerkennt, dass Brunner „die Liturgie zum einzigartigen und unvergleichlichen Ort der Gegenwart aller Heilswirklichkeit"[43] macht, auch wenn sein Gottesdienstbild einer bestimmten Frömmigkeit, die auch elitäre Züge trägt, zuzuordnen ist.

Neben diesen Auseinandersetzungen zum Gottesdienst und Brunners Lehre im Ganzen hat sich auch eine Kontroverse um die Abendmahlslehre, insbesondere um die Vorstellung der repraesentatio entwickelt, die bis in die Gegenwart immer wieder Anlass zu Diskussionen gibt. Ernst Bizer[44] und Ott-

39 Vgl. BRUNNER, *Theologische Grundlagen von „Gottesdienst in neuer Gestalt"* (wie Anm. 8) 108.

40 BRUNNER, *Theologie des Gottesdienstes* (wie Anm. 9) 170.

41 BRUNNER, *Theologische Grundlagen von „Gottesdienst in neuer Gestalt"* (wie Anm. 8) 105.

42 BRUNNER, *Theologische Grundlagen von „Gottesdienst in neuer Gestalt"* (wie Anm. 8) 114.

43 Dietrich RÖSSLER, *Grundriß der Praktischen Theologie*. Berlin [u.a.] ²1994, 447.

44 Vgl. Ernst BIZER, *Lutherische Abendmahlslehre?*, in: EvTh 16. 1956, 1–18.

fried Koch[45] haben Brunners ökumenisch aufgefasste Weiterführung der reformatorischen Abendmahlslehre als unlutherisch verworfen. Dabei geht es
immer wieder um die Bedeutung der Einsetzungsworte: Dürfen sie in ein eucharistisches Gebet eingegliedert werden, wodurch sie dann selbst die Gebetsform annehmen, oder müssen sie dem Lob- und Dankgebet der Gemeinde als
Verkündigung Christi gegenübergestellt werden? Daran schließt sich die Frage
an, ob die Gemeinde mit der Gottesdienstfeier in das Opfer Christi hineingezogen wird oder ob ihr die durch das Opfer Christi erwirkten Gnadengaben zugesprochen werden – und letztlich geht es auch um die Frage, ob das überhaupt
als Alternative gesehen werden muss.[46] Auch Tobias Eißler, der sich umfassend
mit dem theologischen Werk Brunners auseinandergesetzt hat, schließt sich
der Kritik an: „Ob man bei der Beschreibung dieses gottesdienstlichen Heilsgeschehens so weit gehen sollte, nicht nur von der durch das Wort Gottes ermöglichten Gegenwart Christi und der Gegenwart seines Heilswerkes, sondern
auch von der durch den sakrifiziellen Gottesdienstvollzug ermöglichten realen
Gegenwärtigsetzung des Heilsweges und der Heilstaten Christi zu sprechen, ist
in dieser Untersuchung in Frage gestellt worden."[47]

Auch auf römisch-katholischer Seite wurde Brunners Lehre gewürdigt. Michael Seemann hebt ihre ökumenische Bedeutung in der Opferfrage, insbesondere der repraesentatio hervor, auch wenn er Brunners Position letztlich nicht
teilt, denn Seemann hält daran fest, dass die Kirche im Opferakt sich auch
selbst aufopfert und damit dem Kreuzesopfer einen Sühnewert hinzufügt.[48] In
seiner umfänglichen und positiv würdigenden Rezension hält Burkhard Neunheuser fest, „wie weit die getrennten Kirchen hier auf dem Boden ihres heiligsten Gottesdienstes sich nähergekommen sind"[49].

Neben allen Einzelfragen und auch grundsätzlichen Anfragen darf als Gesamteindruck zur Lehre von der repraesentatio nicht übersehen werden, was
Dietrich Rössler formuliert und was auch für die Gegenwart Geltung beanspruchen darf: Es ist die Frage nach dem Religiösen, nach der Transzendenz,
die die Menschen zunehmend bewegt. „Freilich wird in der bei Brunner leitenden Idee der Repräsentation (einer höheren Wirklichkeit in der Liturgie)
eine Erfahrung zur Geltung gebracht, die nicht einfach übergangen werden
darf: die Erfahrung nämlich, daß unsere Wirklichkeit im ganzen nicht in ihren rationalen Bestimmungen aufgeht und nicht identisch ist mit den Grenzen unserer Verfügungsgewalt. Diese Erfahrung gehört mit Recht und guten
Gründen zu den Themen, die im Gottesdienst ihre symbolische Darstellung

45   Vgl. Ottfried KOCH, *Gegenwart oder Vergegenwärtigung im Abendmahl? Zum Problem der Repraesentatio in der Theologie der Gegenwart.* München 1965.
46   Vgl. Jörg NEIJENHUIS, *Das Eucharistiegebet – Struktur und Opferverständnis. Untersucht
     am Beispiel des Projekts der Erneuerten Agende.* Leipzig 1999 (APrTh 15), 166–176; DERS.,
     Gottesdienst mit einem neuen Buch, in: BThZ 17. 2000, 194–216, bes. 215; DERS., *Luthers
     Deutsche Messe als Ermöglichung des Eucharistiegebetes. Eine Auseinandersetzung mit Dorothea
     Wendebourgs Beitrag: Den falschen Weg nach Rom gegangen?,* in: JLH 38. 1999, 9–39.
47   EISSLER, *Pro ecclesia* (wie Anm. 16) 427.
48   Vgl. Michael SEEMANN, *Heilsgeschehen und Gottesdienst. Die Lehre Peter Brunners in katholischer Sicht.* Paderborn 1966 (KKTS 16), 151f.
49   Vgl. die Rezension von Burkhard NEUNHEUSER in: ALw 4/2. 1956, 463–467, hier 467.

finden sollen."[50] Wie dies aber geschehen kann, ohne dass der Gottesdienst nur für elitäre Zirkel verständlich und feierbar ist und doch den dogmatischen Ansprüchen und auch Zumutungen gerecht wird, ist nicht allein eine Frage an die Systematische oder Praktische Theologie, sondern eine Frage, die insbesondere die Liturgiewissenschaft zu beantworten versuchen muss. Dass Peter Brunner dazu bedeutende Beiträge vorgelegt hat, steht aus liturgiewissenschaftlicher Sicht außer Zweifel.

Auswahlbibliografie

Die Ordnung des Gottesdienstes an Sonn- und Feiertagen, in: Joachim BECKMANN – Hans KULP – Peter BRUNNER – Walter REINDELL, *Der Gottesdienst an Sonn- und Feiertagen. Untersuchungen zur Kirchenagende I, 1.* Gütersloh 1949, 9–78.

Die Wormser Deutsche Messe, in: *Kosmos und Ekklesia. Festschrift für Wilhelm Stählin zu seinem 70. Geburtstag, 24. September 1953.* Hg. v. Heinz-Dietrich WENDLAND. Kassel 1953, 106–162.

Zur Lehre vom Gottesdienst der im Namen Jesu versammelten Gemeinde, in: Leit. 1. 1954, 83–361.

Auf dem Wege zu einer Theologie des Gottesdienstes, in: ELKZ 8. 1954, 107–108.

Vom Wesen des kirchlichen Gottesdienstes (1952), in: Peter BRUNNER, *Pro Ecclesia. Gesammelte Aufsätze zur dogmatischen Theologie 1.* Berlin 1962, 129–137.

Theologische Grundlagen von „Gottesdienste in neuer Gestalt", in: *Kerygma und Melos. Christhard Mahrenholz 70 Jahre, 11. August 1970.* Hg. v. Walter BLANKENBURG. Kassel [u.a.] 1970, 103–114.

Theologie des Gottesdienstes (1973), in: Peter BRUNNER, *Bemühungen um die einigende Wahrheit. Aufsätze.* Göttingen 1977, 163–188.

[50] RÖSSLER, *Grundriß der Praktischen Theologie* (wie Anm. 43) 447.

Odo Casel OSB (1886–1948)

Angelus A. Häußling OSB

Mit Odo Casel, Benediktiner der Abtei Maria Laach, ist derjenige Liturgiewissenschaftler benannt, der nicht nur, wie es etwa Romano Guardini einforderte, Liturgiewissenschaft als eigentliche Theologie formulierte,[1] sondern diese Sicht und diesen Anspruch in einer weit ausholenden wissenschaftlich-theologischen Arbeit auch einholte.

1. Biografie[2]

Johannes Casel, Sohn eines Eisenbahners und einer echt rheinländischen Mutter, wurde am 27. September 1886 in Koblenz-Lützel geboren. Nach dem Abitur begann er an der Universität Bonn ein Studium der Altphilologie, trat aber schon 1905 in die Benediktinerabtei Maria Laach ein, wo er zu Beginn des Noviziates den Ordensnamen Odo erhielt. Seine theologischen Studien absolvierte er am Benediktinerkolleg von Sant'Anselmo in Rom, wo er 1912 mit einer Dissertation über die Eucharistielehre des Justinus Martyr promovierte. 1911 Priester geworden, nahm er das Studium der Altphilologie in Bonn wieder auf. Auch dieses schloss er mit der Promotion ab, deren Dissertation „das mystische Schweigen der griechischen Philosophen" traktierte. Beide Dissertationen weisen schon auf die Schwerpunkte seiner Lebensarbeit hin. Diese vollbrachte er die längste Zeit neben dem geistlichen Dienst als „Spiritual" in der Benediktinerinnenabtei zum Heiligen Kreuz in Herstelle an der Weser, wo ihm günstige äußere Bedingungen zu intensiver wissenschaftlicher Arbeit von 1922 bis zu seinem unerwarteten Tod 1948 geboten waren. Ihm war „sein" Tod gegeben: Zu Beginn der Liturgie der Ostervigil, nach dem Ruf des „Lumen Christi", traf ihn ein Schlaganfall, an dessen Folgen er am Ostersonntagmorgen (28. März 1948) starb.

2. Das theologisch-wissenschaftliche Werk

2.1 Theologie als Sakramententheologie

Was geschieht, wenn wir Liturgie feiern – das sei, so wird berichtet, die einfache, aber von der zeitgenössischen Theologie nicht befriedigend beantwortete Frage gewesen, die den Benediktinermönch, als Kantor intensiv im

---

[1]   Vgl. Romano Guardini, *Über die systematische Methode in der Liturgiewissenschaft*, in: JLw 1. 1921, 97–108. Nochmals abgedruckt in Romano Guardini, *Auf dem Wege. Versuche.* Mainz 1923, 95–111.

[2]   Vgl. Burkhard Neunheuser, *Casel, Odo*, in: TRE 7. 1981, 643–647. Vgl. auch als Einführung: Angelus A. Häussling OSB, *Odo Casel – noch von Aktualität? Eine Rückschau in eigener Sache aus Anlaß des hundertsten Geburtstages des ersten Herausgebers*, in: ALw 28. 1986, 357–387.

Gottesdienst engagiert, aus dem liturgischen Feiern selbst heraus umtrieb. Die nachtridentinische katholische Theologie stellte einerseits den Gottesdienst als eine ethisch hochwertige, auch geschuldete Ehrung Gottes dar, des Menschen Schöpfers und Erlösers, anderseits hat sie die liturgische Feier zur Gelegenheit der Spendung und den Empfang der Sakramente als von Gott durch Christus verdiente und durch die Kirche verwaltete Mittel ausgelegt, Gnaden von Gottes barmherziger Allmacht zu erlangen. Kundig in der Theologie der Kirchenväter wusste Casel, dass dies doch nicht die einzige und nicht die gemäße Möglichkeit sein und bleiben konnte, über die Gegenwart des Heilswerkes Gottes zu sprechen. Das Gedenken der Werke Gottes in Jesus dem Christus zugunsten der Menschen, die Nähe des erhöhten Herrn im Heiligen Geist, ist, wenn nur ein bloßes Erinnern an Geschehnisse der Vergangenheit, vielleicht ein betroffenes, aber auch dann ein leeres Tun der Menschen. Das Gedenken muss das Handeln Gottes selbst als eine Gegenwart berühren, wenn es der Wirklichkeit Gottes gemäß und würdig sein soll. Casel griff auf das antike Symbolverständnis zurück, wie es vor allem von Plato entwickelt und von den Kirchenvätern aufgegriffen worden war. Er war der Überzeugung, damit eine theologische Einsicht der Alten Kirche wieder aufzugreifen, als er formulierte, dass unter dem Schleier der in der Liturgie der Kirche gebrauchten und von den Gebeten der Kirche kraft des Heiligen Geistes „eucharistierten" (so nach Justin) Dingen der Welt Gottes Heilstaten dieser gedenkenden Kirche je und je wahrhafte Gegenwart werden, und zwar nicht in der zeithaften Wirklichkeit dieser Welt, sondern in der gotteigenen, zeitjenseitigen Wirklichkeit Gottes. Oder, in einer moderneren Sprache formuliert: Die hörend-glaubende, ihre Liturgie feiernde Gemeinde ist je und je Zeitgenosse der im Gedenken verkündeten Heilstaten Gottes. Odo Casel griff für diese Wirklichkeit den biblisch-altkirchlichen Begriff „mysterium", „sacramentum" auf. Er fand für dieses Interpretament ein – im theologischen Sinn – „Vorbild" in den Mysterien antiker Religionen, was freilich seiner „Mysterien-Theologie" manche Missverständnisse einbrachte. Aber in einer solchen Sicht hat die Theologie der Kirche die Aufgabe, ein „Kommentar", eine Mystagogie zur Liturgie der Kirche zu sein. Theologie ist Sakramententheologie, Liturgiewissenschaft eigentliche Theologie. Das „Mysterium" ist die Mitte von Gottes Handeln und dem Leben der Kirche.

2.2 Das Pascha-Mysterium als Mitte des Christentums
Wenn so die Heilstaten Gottes in der liturgischen Feier, dem höchstrangigen Handeln der Kirche, eine sakramental-reale Gegenwart gewinnen, gilt dies am dichtesten im Gedächtnis von Tod und Auferstehung Jesu und seiner Erhöhung zum Christus sowie seiner Selbst-Gabe an die in der Kirche Glaubenden als Heiliger Geist. Das „Pascha-Mysterium" (wie dies das Zweite Vatikanische Konzil vielfach knapp bezeichnet)[3] ist die Mitte des christlichen Glaubens und des Lebens des Christen. Hier hat Odo Casel die Bedeutung, die in der Alten Kirche die Osterfeier mit den Sakramenten der Initiation und der Eucharistie selbstverständlich innehatte, der Kirche des 20. Jahrhunderts wirksam vermittelt. Vor allem sein Aufsatz über „Art und Sinn der ältesten christlichen Osterfeier"[4] hat lang

---

[3]   Vgl. in der Liturgiekonstitution des II. Vatikanum: SC 5, 6, 61, 104, 106, 107.
[4]   In: JLw 14. 1934 [erschienen 1938], 1–78.

und ausholend nachgewirkt. Die Aussagen des Zweiten Vatikanischen Konzils wären ohne die stille, aber intensive theologische Arbeit des Benediktiners sicher nicht möglich geworden – auch wenn es, umständehalber, eher nicht-deutsche Theologen waren, die sie für die Konzilstexte bereitstellten.

Vom „Pascha-Mysterium" her gewinnen auch die anderen liturgischen Feiern und überhaupt das Sein und Leben der Kirche und der Christen in ihr eine neue Tiefe. Vielleicht wird eine spätere Zeit Odo Casel als den Theologen benennen, der als Erster die Aufgabe erkannte und wahrnahm, in einer im Glauben an den einen Gott der Offenbarung schwach gewordenen Kirche die Reduktion des Glaubensverständnisses auf einen zentralen Vorgang oder einen einzigen Begriff zu verdichten. Auch wenn seine Sprache die eines historisch-philologisch arbeitenden Fachtheologen war, die heute manche Sperren des Verstehens zeitigt, ist die Modernität des Zieles seines theologischen Sprechens faszinierend.

2.3 Die Akzeptanz seiner Mysterientheologie
Innerhalb der katholischen Kirche war zu Lebzeiten Odo Casels die neuscholastische Theologie unangefochten; sie war die Instanz, die Sachgerechtigkeit theologischer Aussagen (und gar noch die Rechtgläubigkeit eines Theologen) zu beurteilen. Aber sie konnte für die erneuerte Sicht Odo Casels wenig Verständnis aufbringen. Geschichte, Sprache, Zeichen waren, wie schon für die Hochscholastik, dort unerhebliche Realien, fern der Logik, in der allein Wahrheit und Wahrheitsaussagen sich zu bewähren hatten. Es waren nur wenige Theologen von Rang, welche die neuen Dimensionen wahrnahmen, die sich hier auftaten. Zu nennen sind etwa der Dogmatiker Michael Schmaus (1897–1993) und der Fundamentaltheologe Gottlieb Söhngen (1892–1971). Das von Odo Casel beigezogene Modell der „Mysterien" in spätaniken Religionen, in sich schon strittig, gab manchen den Anlass, das ganze Konzept zu verdächtigen.[5] Ernsthafter ist, dass Odo Casel, hierin für die Theologie zeittypisch, um eine biblische Begründung, v.a. aus dem Alten Testament (wo Gedenken und Gegenwart der Heilstaten Gottes doch nicht ohne Belang bleiben), nicht intensiv bemüht war, richtiger wohl: vom Stand der Exegese innerhalb der zeitgenössischen katholischen Theologie nicht bemüht sein konnte.

Einzelne evangelische Theologen – wir nennen Peter Brunner, Wilhelm Stählin, auch Hans Lietzmann – erkannten die Chancen, welche die Mysterientheologie bot, konfessionelle Streitfragen zu entschärfen, etwa die Frage nach dem Mess„opfer" der Kirche angesichts der Einmaligkeit des Kreuzesopfers Jesu. Markus Barth lehnt die Mysterientheologie (wie jede ei-

---

[5] Beispielshalber ist hier zu nennen der Innsbrucker Theologieprofessor Baptist Umberg, Jesuit, der in einer Reihe von Aufsätzen (vgl. dazu Burkhard NEUNHEUSER, Casel, Odo, in: TRE 7. 1981, 643–647, hier 644) aufwändig gegen Casel Stellung bezog; dieser stellte, etwa (u.a.) in Odo CASEL, *Mysteriengegenwart*, in: JLw 8. 1928, 1945–224, hier 147f, eine Reihe von Behauptungen richtig, rückte falsche Interpretationen von Quellentexten zurecht und hob das eigentliche Anlegen heraus, nämlich Vertiefung der Glaubenserfahrung und Frömmigkeit in Rückgriff auf die Zeugnisse der frühkirchlichen Liturgie und der Kirchenväter. Diese Phase der theologischen Auseinandersetzung ist freilich inzwischen schon längst überholt, spätestens durch die liturgietheologischen Aussagen des Zweiten Vatikanischen Konzils in der Konstitution über die Heilige Liturgie „Sacrosanctum Concilium", promulgiert am 4.12.1963.

gentliche Sakramententheologie) zwar ab, sieht aber eine Linie Tertullian-Augustin-Luther-Calvin und schließlich Casel und ordnet dessen Theologie in einen interessanten Zusammenhang ein: Es besteht „wahrscheinlich in Sachen Sakramentstheologie kein letzter, großer und unüberbrückbarer Gegensatz zwischen Rom, Wittenberg und Genf der Reformationszeit und zwischen dem Heidelberg, Oxford, Maria Laach und München der Gegenwart".[6] Und schließlich darf noch Joseph Ratzinger genannt werden, der 1966 die Mysterientheologie als „die vielleicht fruchtbarste theologische Idee unseres [des 20.] Jahrhunderts" beurteilte.[7] Er folgt darin wohl seinem theologischen Lehrer Gottlieb Söhngen.

Umso mehr muss auffallen, dass der Name von Odo Casel in aktuellen theologischen und mystagogischen Publikationen kaum mehr auftaucht. Vielleicht deshalb, weil Grundgedanken, die er äußerte, schon allgemein geworden sind. Die theologische Bedeutung von „Gedächtnis" („Anamnese") ist nicht mehr bestritten, die Sakramente als bloße Gnadenmittel anzusehen ist überholt, die Wirkung der Heilstaten Gottes in Jesus dem Christus nicht mehr nur subjektive Betroffenheit. Der Vergleich ist gewiss hochgegriffen, aber kann zeigen, was gemeint ist: Origenes, wahrscheinlich der größte Theologe der Alten Kirche, widerfuhr das unverdiente Geschick, totgeschwiegen zu werden, und doch ist er durch die ganze Geschichte der Theologie präsent. Ähnlich – gewiss nicht gleich – auch Odo Casel (und er selbst wäre damit nicht unzufrieden): Das Heil der Menschen durch Gottes Handeln und der Dienst der Kirche vor Gott ist wichtig, nicht, wer Werkzeug sein darf, dass dies tiefer erkannt wird.

3. Casel und die Liturgiewissenschaft
3.1 Das „Jahrbuch für Liturgiewissenschaft"
Mit Odo Casel verbindet sich aber ein Werk, mittels dessen er in der Liturgiewissenschaft nicht vergessen werden kann. Denn wer ernsthaft sich dieser Wissenschaft widmet, muss irgendwann einmal die Bände des „Jahrbuch für Liturgiewissenschaft" hernehmen.[8] Von der Abtei Maria Laach mittels des „Vereins für Liturgiewissenschaft e.V., Sitz: Maria Laach" organisiert, war Odo Casel über die zwei Jahrzehnte hin der Herausgeber und faktisch zugleich auch rühriger Schriftleiter dieses Periodikums, über das der evangelische Kirchenhistoriker Hans Lietzmann 1941 (!) gutachterlich urteilte: „Das Jahrbuch für Liturgiewissenschaft gehört zu den wertvollsten wissenschaftlichen Publikationen der deutschen kulturhistorischen Forschung. Es hat sich in den 15 Jahren seines Bestehens für fast alle Gebiete der Geistesgeschichte durch die Reichhaltigkeit und Mannigfaltigkeit seines Inhaltes, die Sorgfalt und Sachlichkeit seiner Berichterstattung als unentbehrliches Hilfsmittel erwiesen und nimmt auch in

6   Markus BARTH, *Die Taufe – ein Sakrament? Ein exegetischer Beitrag zum Gespräch über die kirchliche Taufe.* Zollikon-Zürich 1951, 212.
7   Joseph RATZINGER, *Die sakramentale Begründung christlicher Existenz,* in: DERS., *Theologie der Liturgie. Die sakramentale Begründung christlicher Existenz.* Freiburg/Br. [u.a.] 2008 (Gesammelte Schriften 11), 197–214, hier 197.
8   Vgl. dazu *Jahrbuch für Liturgiewissenschaft. Herausgegeben von Odo Casel OSB. Register zu allen von 1921 bis 1941 erschienenen 15 Bänden.* Bearb. v. Photina RECH OSB unter Mitarb. von Sophronia FELDHOHN OSB. Hg. v. Angelus A. HÄUSSLING OSB. Münster 1982.

der Achtung der außerdeutschen Gelehrtenwelt einen hohen Rang ein."[9] Das Urteil muss zwar, zeitbedingt, die theologische und kirchliche Komponente verschweigen, übertreibt in seinem Lob aber nicht. Der erste Mitarbeiter, vor allem an den ausführlichen Literaturberichten, war aber Odo Casel selbst.[10] Fleiß, Sachkenntnis, Urteilsvermögen, universale Bildung waren die persönlichen Voraussetzungen, die er für seine Arbeit mitbrachte. Das umfassende Gesamtregister, das 41 Jahre nach Erscheinen des letzten Bandes herausgebracht wurde, demonstriert, wie interessant hier Liturgiewissenschaft betrieben wird.

3.2 Einzelne Schwerpunkte liturgiewissenschaftlicher Forschung

Odo Casel hat neben seinen besonderen theologischen Schwerpunkten aber auch Beiträge zur liturgiewissenschaftlichen Forschung im Einzelnen erbracht. Seinen großen, einen bleibenden Akzent setzenden Aufsatz über die Osterfeier der Alten Kirche nannten wir schon. Zwei im Umfang geringe, aber inhaltlich gefüllte Beiträge gelten der „Epiklese", der besonderen Gebetsweise, der die Alte Kirche (und heute noch die Ostkirchen) kraft der vom Geist selbst getragenen Anrufung der Macht des Geistes Gottes wesensverändernde, wir sagen: „konsekrierende" Wirksamkeit zuschreibt; „Epiklese" ist seitdem ein theologisches Thema. Ebenso auch der Sinn der liturgischen Festfeier. Wichtig sind auch seine Untersuchungen zu Schlüsselworten der Liturgiesprache und überhaupt zur religiösen Sprache. Auch die Kunst ist ihm ein theologisches Thema. In den beiden Aufsätzen „Die Mönchsweihe"[11] und „Prophetie und Eucharistie"[12] stellt er, wie er es nannte, „pneumatische" Wirklichkeiten und Vollmachten in der Kirche heraus; diese ist nicht allein eine hierarchische Organisation. In vielen Themen wirkte der vielseitig interessierte und rundum gebildete Mann anregend.

4. Die Persönlichkeit

Nach dem Zeugnis aller war Odo Casel ein durchaus religiös bestimmter, gläubiger Christ. Der tägliche Spazierweg, so wird berichtet, führte ihn an einem Wegkreuz vorbei; wie von Kind auf gewohnt, betete Odo Casel einen Moment lang still vor dem Bild des Herrn. Der nächste Satz zu seinem Begleiter war – es war die Zeit des „Dritten Reiches" – ebenso schon vorprogrammiert: „An dem werden sie zugrunde gehen": „sie", nämlich Hitler und die Seinen. Er war aber auch eine schwierige Persönlichkeit, gewiss menschenfreundlich, aber auch sensibel auf Störungen reagierend, etwa auf Lärm jeder Art – Musik ausgenommen –, auch sensibel unter religiösen Defizienzen leidend und sich an Grenzen zeitüblicher Frömmigkeit stoßend – einfach weil aus intensivem Mitleben der altkirchlichen Spiritualität ihm wehtat, was am Rande des einen Wichtigen lag. Täglich die Eucharistie zu feiern, überforderte seine so sensible Psyche, und ebenso konnte er es nicht mehr ertragen, dass die Liturgie-Rubrizisten es verlangten, dass die Ostervigil schon am Karsamstagmorgen stattzufinden hatte.

---

[9]   *Glanz und Niedergang der deutschen Universität. 50 Jahre deutsche Wissenschaftsgeschichte in Briefen an und von Hans Lietzmann (1892–1942).* Mit einer einführenden Darstellung hg. v. Kurt ALAND. Berlin 1979, 1032 bei Brief Nr. 1197.
[10]   Vgl. dazu das in Anm. 8 genannte Register.
[11]   In: JLw 5. 1925 [erschienen 1926], 1–47.
[12]   In: JLw 9. 1929 [erschienen 1930], 1–19.

Er ignorierte diese Verfügung und feierte (mit stillschweigendem Einverständnis der kirchlichen Obern) die Osternacht zeitgerecht, etwa schon zwei Jahrzehnte, ehe sie 1951 endlich wieder allgemein zur richtigen Zeit ermöglicht wurde. Wir sagten schon, dass diese Feier 1948 für ihn zur Stunde des Hinüberganges zu Gott wurde. Odo Casel zeigt, dass jene, welche die Erneuerung der Kirche aus der Liturgie ersehnten und sich mit aller Kraft dafür einsetzten, keine Ideologen, keine Sektierer, keine eitlen Besserwisser waren. Wie hätten sie sonst auch so viel an freudigerem Glauben und an vertieftem Frieden mit Gott in der Kirche bewirken können?

Auswahlbibliografie

Die Bibliografie Odo Casels wurde in drei Reihen vorgelegt:

(1) Osvaldo D. SANTAGADA, *Dom Odo Casel. Contributo monografico per una Bibliografia generale delle sue opere, degli studi sulla sua dottrina e della sua influenza nella teologia contemporanea*, in: ALw 10,1. 1967, 7–77.

(2) Angelus A. HÄUSSLING, *Bibliographie Odo Casel OSB 1967–1985. Mit einzelnen Nachträgen aus den früheren Jahren*, in: ALw 28. 1986, 26–42.

(3) Angelus A. HÄUSSLING, *Bibliographie Odo Casel 1986*, in: ALw 29. 1987, 189–198.

Diese Bibliografieserie umfasst die Publikationen Odo Casels wie auch die Sekundärliteratur zu ihm und zur sog. „Mysterientheologie".

Die Eucharistielehre des hl. Justinus Martyr, in: Der Katholik 4. 1914, Halbbd. 1, 153–176, 243–263, 331–355, 414–436.

De philosophorum Graecorum silentio mystico. Giessen 1919 (Religionsgeschichtliche Versuche und Vorarbeiten 16,2). – Auch: Unveränderter photomechanischer Nachdruck Berlin 1967.

Jahrbuch für Liturgiewissenschaft. Hg. von Odo CASEL. Münster. 1.1921–15.1941. Dazu: 2., durchgesehene Auflage. 1.1973– 15.1979. Dazu ferner das in Anm. 8 genannte Register. Nachfolger des „Jahrbuches" ist, seit 1951, das „Archiv für Liturgiewissenschaft".

Zur Epiklese, in: JLw 3. 1923, 100–102.

Zur Idee der liturgischen Festfeier, in: JLw 3. 1923, 93–99.

Neue Beiträge zur Epiklesenfrage, in: JLw 4. 1924, 169–178.

Die Mönchsweihe, in: JLw 5. 1925, 1–47.

Prophetie und Eucharistie, in: JLw 9. 1929, 1–19.

Das christliche Kultmysterium. Regensburg 1932. – Zuletzt: 4., durchges. u. erw. Aufl. hg. v. Burkhard NEUNHEUSER. In sechs Sprachen übersetzt, u.a. Japanisch; zuletzt 2. englische Übersetzung 1999. – Außer dem ersten Beitrag nur schon erschienene Aufsätze.

Art und Sinn der ältesten christlichen Osterfeier, in: JLw 14. 1934, 1–78.

Vom christlichen Mysterium. Gesammelte Arbeiten zum Gedächtnis von Odo Casel. Hg. v. Anton MAYER [u.a.]. Düsseldorf 1951.

Mysterientheologie. Ansatz und Gestalt. Hg. v. Abt-Herwegen-Institut der Abtei Maria Laach. Ausgew. u. eingel. v. Arno SCHILSON. Regensburg 1986.

Gegenwart des Christus-Mysteriums. Ausgewählte Texte zum Kirchenjahr. In Verbindung mit dem Abt-Herwegen-Institut der Abtei Maria Laach hg. u. eingel. v. Arno SCHILSON. Mainz 1986.

„Auf daß alle eins seien": Joh 17,21. Ausgewählte Texte aus Schriften von Odo Casel. Die Mysterienlehre und der Dialog mit der Ostkirche. Hg. von Maria Judith KRAHE OSB. Mit einem Vorw. von Wilhelm NYSSEN. Würzburg 1988.

Otto Dietz (1898–1993)

Peter Poscharsky

Otto Dietz wurde am 16.10.1898 als Sohn eines konservativen, religiös liberalen Hauptlehrers in Würzburg, also in der Diaspora, geboren. Dort besuchte er das humanistische Gymnasium. Mit vierzehn Jahren war er Vollwaise. Er schloss sich dem „Wandervogel" an und wurde dadurch stark geprägt. Entgegen seinem nachdenklichen, vom Naturell her eher angepassten Temperament (er plante stets sehr genau und konnte sich mit allem Spontanem nicht leicht anfreunden) übernahm er die Leitideen des Wandervogels wie Freiheit, Zivilcourage, Besinnen auf die Wurzeln, Eintreten für die eigene Überzeugung, Suche nach neuen Wegen. Sein Wissensdurst, seine Aufgeschlossenheit und Jugendlichkeit rühren aus diesen Jahren. Auch die damals geschlossenen Freundschaften hielten lebenslang.

Etwa zum Beginn des Ersten Weltkrieges lernte er Dorothea Hecker kennen, beide als Stadtführer einer Wandervogelgruppe. In ihrem Elternhaus (der spätere Schwiegervater Johann Heinrich Hecker war selbständiger Buchbindermeister und Inhaber einer Papierwarenhandlung) begegnete er einem besonders engagierten und aufgeschlossenen Protestantismus.

1916 meldete er sich wie seine Mitschüler freiwillig an die Front. Bei alsbaldigem Einsatz in Flandern war er vier Tage lang verschüttet; die Front rollte zweimal über ihn hinweg. Er behielt davon ein leichtes Zittern. Dieses Schlüsselerlebnis ließ bei ihm den Entschluss reifen, Pfarrer zu werden. Wegen seiner schlechten wirtschaftlichen Situation, belastet durch dauernde Stipendienprüfungen, absolvierte er sein Theologiestudium in acht Semestern in Erlangen mit großer Zielstrebigkeit und Fleiß, Eigenschaften, die ihn bis zuletzt auszeichneten. Besonders geprägt hat ihn Karl Barth, den er oft zitierte.

Nach dem Examen trat er – unter Verzicht auf das Predigerseminar – sofort sein Vikariat an, erst in Emskirchen (Dekanat Kitzingen), dann in seiner Heimatstadt Würzburg. 1925 heiratete er Dorothea Hecker. Aus der Ehe gingen ein Sohn, Johannes (Pfarrer), und eine Tochter, Eva Maria (Lehrerin)[1] hervor. 1926 erschien am Ende seiner Vikariatszeit seine erste Publikation über Matthias Claudius[2].

Vom damaligen Würzburger Dekan Sodeur gefördert und unterstützt, erhielt er 1927 die dritte Pfarrstelle an St. Lorenz in Nürnberg. Nürnberg war damals noch stark beeinflusst vom Wirken Christian Geyers und Friedrich Rittelmeyers, die nicht nur selbst eine starke Abneigung gegen die traditionelle Liturgie hatten, sondern dies auch ihren Gemeinden vermittelt hatten. In den ersten beiden Amtsjahren besuchte Otto Dietz alle Gemeindeglieder seines Sprengels. Zeichen seiner intensiven theologischen Arbeit war es, dass er

---

[1]   Frau Dietz danke ich für mehrere intensive Gespräche und Korrekturen.
[2]   Vgl. Otto DIETZ, *Matthias Claudius. Der Mensch und seine Welt*. Schlüchtern 1926.

trotz seiner Tätigkeit als Sprengelpfarrer 1928 ein Buch über Angelus Silesius schrieb.[3] Schon in diesen ersten Amtsjahren sah er das Zentrum seiner Arbeit in den „schönen Gottesdiensten des Herrn". Dabei bemühte er sich immer um eine Position, die weder liberal noch rationalistisch noch einseitig vom Gefühl her bestimmt war. Das schlug sich auch in der Auswahl der von ihm bevorzugten Lieder nieder. Dietz war allerdings, wohl durch den Wandervogel, mit der Liturgischen Bewegung in Verbindung gekommen, deren Bemühungen um den Gottesdienst er aufnahm, skeptisch gegenüber subjektiven Versuchen. Er forderte, „unbedingten Ernst" zu machen „mit dem obersten Grundsatz aller evangelischen kultischen Gestaltung des Gottesdienstes überhaupt, der verlangt, daß das Zentrale aller evangelischen Liturgie die Wortverkündigung sein muß"[4], wobei er dies aber nicht auf die Predigt verengt, sondern mit Luther „alles Verkündigung des Worts" ist, „der Dienst des Priesters am Altar und auf der Kanzel, am Krankenbett und auf dem Friedhof, das Lied der Gläubigen und das Gebet der frommen Schar, der Unterricht der Kinder und die Vermahnung der Erwachsenen".[5] Auf der Suche nach einer tragfähigen Grundlage dieser Sicht hat er die Werke Luthers durchforscht und daraus eine „Lutheragende" verfasst, die 1928[6] erschien und sowohl den Gottesdienst wie alle Kasualien umfasste und aus deren Vorwort die obigen Zitate stammen. Seine Einstellung zur Tradition hat er viel später so formuliert: „Die Kirche lebt nicht in geschichtslosen Gefilden; es gibt nach einer fast 2000jährigen Tradition keine christliche Kirche ohne Tradition; sie lebt nicht von der Tradition, aber sie lebt in der Tradition."[7] Der Ansatz, Luther für die Liturgische Bewegung fruchtbar und praktisch verwendbar zu machen, führte bei Dietz zu zahlreichen weiteren Veröffentlichungen.[8]

So aktiv Dietz auch an den Bemühungen um die Liturgie mitwirkte und so vielfältig seine persönlichen Kontakte (besonders zu Karl Bernhard Rit-

---

[3]   Vgl. Otto DIETZ, *Angelus Silesius. Vom Mystiker zum Ketzerrichter.* Kassel 1928.

[4]   Otto DIETZ, *Luther-Agende. Ein Kirchenbuch aus Luthers Schrifttum. Zusammengestellt und zum Gebrauch der Gegenwart herausgegeben.* Bearbeitung des musikalischen Teils von Konrad AMELN. Kassel 1928, Vorwort (unpag.).

[5]   DIETZ, *Luther-Agende* (wie Anm. 4); auch Otto DIETZ, *Die Bändigung der Liturgie duch das Wort.* München 1937 (BeKi 47).

[6]   Vgl. Dietz, *Luther-Agende* (wie Anm. 4).

[7]   Otto DIETZ, *Tätigkeitsbericht 9.6.54–11.7.55,* in: KuK 33. 1955, 31.

[8]   Vgl. Martin LUTHER, *Sermone vom heiligen Abendmahl.* Hg. v. Otto DIETZ. München 1928; DERS., *Die Liturgischen Bewegungen der Gegenwart im Lichte der Theologie Luthers. Vortrag auf der Bayerischen Pastoralkonferenz in Nürnberg und vor der Theologischen Fachschaft der Universität Erlangen 1931.* Göttingen 1932 (MGKK, HeFo 11); *Sermone Luthers von 1519: Von der Betrachtung des heiligen Leidens Christi. Von der Bereitung zum Sterben. Von dem hochwürdigen Sakrament der Taufe. Von dem Hochwürdigen Sakrament des heiligen wahren Leichnams Christi. Von den Bruderschaften,* in: Martin LUTHER, *Ausgewählte Werke.* Bearb. v. Otto DIETZ. Hg. v. Hans H. BORCHERDT – Georg MERZ. München 1938 [2. Auflage München 1940], Bd. 1, 339–397, 520–584; *Luthers Schriften zur Neuordnung des Gottesdienstes.* Bearb. von Otto DIETZ, in: Martin LUTHER, Ausgewählte Werke. Hg. v. Hans H. BORCHERDT – Georg MERZ. München 1940 [2. Auflage München 1950], Bd. 3, 235–284, 579–663; *Die geistlichen Lieder Luthers.* Bearb. v. Otto DIETZ, in: Martin LUTHER, *Ausgewählte Werke.* Hg. v. Hans H. BORCHERDT – Georg MERZ. München 1940 [2. Auflage München1950], Bd. 3, 473–527, 663–750.

ter, Joachim Heubach und Wilhelm Stählin) auch waren, so lehnte er doch die eigene Mitgliedschaft im Berneuchener Dienst, in der Michaelsbruderschaft oder in der Hochkirchlichen Bewegung ab. 1931 charakterisiert er diese verschiedenen Strömungen. Er sieht als Ziel der „älteren liturgischen Bewegung" von Smend und Spitta bis Niebergall das rational-idealistische Bemühen um die schöne Feier auf dem Hintergrund Schleiermacherscher Theologie und kulturprotestantischer Frömmigkeit. Die „jüngere liturgische Bewegung" von Rudolf Otto erstrebe den in schweigendem Dienst gipfelnden Anbetungsgottesdienst, während die Hochkirchliche Vereinigung nach Dietz vom Unionsgedanken geleitet, den evangelischen Gottesdienst zum eucharistischen Hochamt umgestalten und das verlorene Zeremoniale wiedergewinnen möchte. Den Berneuchenern geht es nach Dietz um die Erneuerung des Formwillens, sie fordern und versuchen die Symbolgestaltung und die Weihe des irdischen Lebens durch liturgische Form. Dietz zieht folgendes Fazit: „Die Unsicherheit der Liturgischen Bewegung im Zentralen fordert von den einzelnen Landeskirchen die Aufnahme einer an ihrem Bekenntnis normierten liturgischen Arbeit für einen Gottesdienst evangelischer Zentralität und Konsequenz."[9]

Besonders wichtig war Dietz das Gebet.[10] Auch hier hat er Schätze früherer Zeiten gehoben, wie die „Evangelienkollekten" des Veit Dietrich[11], Veit Dietrichs „Gebetsunterricht"[12], „Bezzel-Gebete"[13] und „Gebete der Kirche"[14] und auch eigene Gebete formuliert[15]. Es ging Dietz nicht nur um das Reden über Gott, sondern um den Dialog mit Gott.

Mit der dritten Pfarrstelle von St. Lorenz war die Verpflichtung zum Religionsunterricht an der Zeltnerschule verbunden, einer privaten Mädchenoberschule der Neuendettelsauer Diakonissen. Dietz wurde rasch in den Vorstand der Neuendettelsauer Diakonissenanstalt berufen und lernte dort nicht nur die

---

[9]   Vgl. DIETZ, *Die liturgischen Bewegungen der Gegenwart im Lichte der Theologie Luthers* (wie Anm. 8).

[10]   Vgl. Otto DIETZ, *Das allgemeine Kirchengebet*, in: Leit. 2. 1955, 417–453.

[11]   Vgl. Otto DIETZ, *Die Evangelien-Kollekten des Veit Dietrich*. Leipzig 1927 (Gebete der Väter 1.1).

[12]   Vgl. Veit DIETRICH, *Gebetsunterricht. Bd. 1: Einfältiger Unterricht, wie man das Vaterunser beten soll, 1543; Bd. 2: Wie man zum Gebete sich recht schicken soll, 1543*. Hg. v. Otto DIETZ. Stuttgart 1932.

[13]   Vgl. *Bezzel-Gebete. Gebete Hermann Bezzels*. Ges. u. hg. v. Otto DIETZ. Nürnberg 1933 [2. Aufl. Nürnberg 1934; 3., rev. u. erg. Aufl. Neuendettelsau 1937].

[14]   Vgl. *Gebete der Kirche. Bd. 1. Gebete für die Gottesdienste der Kirche*. Im Auftr. des bayerischen Pfarrvereins ges. u. hg. v. Otto DIETZ. Nürnberg 1935. [2., neu bearb. Aufl. München 1952]; *Gebete der Kirche. Bd. 2. Gebete für die kirchlichen Handlungen. Teil 1. Die Bestattungen*. Im Auftr. des bayerischen Pfarrvereins ges. u. hg. v. Otto DIETZ. Nürnberg 1941.

[15]   Vgl. *Gebete der Kirche im Kriege*. Im Auftrag des Evangelisch-Lutherischen Landeskirchenrates bearb. u. hg. v. Otto DIETZ. München 1939 [2. neu bearbeitete und ergänzte Auflage München 1940]; *Gebetsanhang zum Evangelischen Kirchengesangbuch*. 1955; *Gebete zum Evangelischen Kirchengesangbuch*. Ausgabe für die Evangelisch-Lutherische Kirche in Bayern. München 1958; *Kollektengebete*. Bd. 1. Berlin [u.a.] 1970 (RGD 2); *Kollektengebete*. Bd. 2. Berlin [u.a.] 1971 (RGD 3).

geistige Welt von Wilhelm Löhe und Hermann Bezzel kennen, sondern auch die dort seit Löhe praktizierte, reiche Liturgie.

Wohl aus dem Religionsunterricht erwuchs 1929 der Auftrag des Landeskirchenrates der Evangelisch-Lutherischen Kirche in Bayern, eine „Biblische Geschichte" zu verfassen,[16] die reich bebildert war. Es ist typisch für Dietz, dass er das Honorar für das Buch für eine (seine erste) Reise ins klassische Griechenland verwendete.

1934, zu Beginn des Kirchenkampfes, wechselte Otto Dietz von der dritten auf die erste Pfarrstelle. Es war die Zeit überfüllter Bekenntnisgottesdienste mit ständiger Beobachtung durch die Gestapo und zahlreichen Durchsuchungen von Pfarrhaus und Pfarramt. Diese Situation führte zu einer der Grundeinstellung von Dietz konformen Konzentration auf die Liturgie und die unverfänglicheren Gebete früherer Zeiten sowie zur Einführung rein liturgischer Gottesdienstformen, die sich z.B. in einem „Matutin- und Vesperbüchlein"[17] und den schon genannten „Gebeten der Kirche" niederschlugen. Nach den ersten schweren Luftangriffen schlug am 10.8.1943 eine Luftmine in den Chor der Lorenzkirche ein und führte zu einer Teilsperrung der Kirche. In dieser Zeit waren besonders viele Gebetsandachten[18] wichtig, die wie die Gottesdienste in der Sakristei, dem letzten baulich sicheren Teil der Kirche stattfanden. Die Bausubstanz der Lorenzkirche musste bis Kriegsende mehrmals durch mühsam besorgte Notdächer gesichert werden.

Am 1. Mai 1946 wurde Otto Dietz zum Dekan und ersten Pfarrer an St. Stephan in Bamberg ernannt und kehrte somit in die ihm von seiner Jugend her vertraute Diasporasituation zurück. Als erster lutherischer Dekan von Bamberg machte er dem damaligen Erzbischof Joseph Otto Kolb einen Antrittsbesuch und signalisierte somit die Bereitschaft zu ökumenischer Zusammenarbeit, die sich in der Aufbruchsstimmung der ersten Nachkriegsjahre unter anderem in großen gemeinsamen Veranstaltungen der katholischen und evangelischen Jugend in Bamberg zeigte. Dietz pflegte ökumenische Verbindungen in der Stadt, hielt engen Kontakt zu mehreren Teilnehmern des Zweiten Vatikanischen Konzils und besuchte mehrmals Benediktinerklöster (u.a. Münsterschwarzach und Paray-le-Monial).

Die Gemeindearbeit war in den Jahren nach 1945 von der großen Zahl evangelischer Flüchtlinge geprägt, die in die nahezu unversehrte Stadt Bamberg kamen und die Zahl der Evangelischen verdoppelten, so dass auch eine umfangreiche Bautätigkeit nötig wurde. Vor allem aber bemühte sich Dietz, die ihm wichtigen und in St. Lorenz in Nürnberg lange Jahre praktizierten liturgischen Gottesdienstformen und -ordnungen einzuführen: die Christmette,

---

[16] Otto DIETZ, *Die biblische Geschichte. Mit den Worten der Heiligen Schrift erzählt.* Mit Holzschnitten von Annemarie NAEGELSBACH. Hg. vom Landeskirchenrat der Evangelisch-Lutherischen Landeskirche in Bayern. München 1932; Rezension der Bilder in: KuK 17. 1932, 25–32. Dietz beschäftigte sich auch weiterhin mit dem Religionsunterricht. Daraus erwuchs Otto DIETZ, *Das Kirchenjahr*, in: *Die kirchliche Unterweisung an der Volksschule* 4. Hg. v. Kurt FRÖR. 5., neu bearb. Aufl. München 1967, 353–368; DERS., *Die Bibel*, in: ebd. 369–372; DERS., *Das Gesangbuch*, in: ebd. 372–376.

[17] Neuendettelsau 1936 [2. Aufl. 1939; 3. neu bearb. u. erg. Aufl. 1949].

[18] Vgl. Otto DIETZ, *Gebetsgottesdienste für die Kriegszeit. Zehn liturgische Entwürfe.* Nürnberg 1939.

246 Otto Dietz (1898–1993)

die Osternacht, regelmäßige Sakramentsgottesdienste, die Feier des Gründonnerstags, die Matutin zum Wochenanfang und die Vesper am Samstagabend. Dem unterschwelligen Vorwurf, er wolle die Gemeinde katholisch machen, begegnete er mit sorgfältig vorbereiteten Predigten, die er druckreif formulierte, stets auswendig vortrug und der Gemeinde auch schriftlich anbot. Von ihnen ist eine größere Zahl auch in Buchveröffentlichungen enthalten.[19] Das lange Zeit verbreitete Vorurteil, die Liturgische Bewegung sei katholisierend, äußert sich übrigens auch darin, dass manche Ältere bis heute von Otto „Maria" Dietz sprechen, obwohl er durch seine Herkunft aus der Diaspora sehr bewusst lutherisch war, andererseits auch durch die überkonfessionelle Ausrichtung des Wandervogels keine Berührungsängste im Blick auf die katholische Kirche hatte.

Neben seiner Tätigkeit als erster Pfarrer und als Dekan arbeitete Dietz in zahlreichen liturgischen Gremien mit. Schon 1932 hatte er die Bayerische Lutherische Liturgische Konferenz gegründet, der er bis 1972 vorstand. Von 1936 bis 1942 war er Mitglied des Liturgischen Ausschusses der in der Zeit des Kirchenkampfes zusammenarbeitenden sogenannten Lutherischen Paktkirchen (Bayern, Württemberg und Hannover). Ab 1943 wirkte Dietz als Generalsekretär der Lutherischen Liturgischen Konferenz Deutschlands, deren Vorstand er ab 1945 angehörte und deren Ausschuss für Paramentik er leitete.[20] Seit 1950 war er Mitglied des Liturgischen Ausschusses der VELKD, 1955 bis 1970 Mitglied des Liturgischen Beirates des Evangelisch-Lutherischen Landeskirchenrates in München. In diesen Funktionen war er intensiv an der Agendenarbeit beteiligt[21] sowie am Evangelischen Kirchengesangbuch von 1958, hier besonders am Gebetsteil. Als Mitglied der Arbeitsgemeinschaft für gemeinsame liturgische Texte der katholischen und evangelischen Kirche (ALT) wirkte er an den ökumenischen Fassungen des Glaubensbekenntnisses und Vaterun-

---

[19] In: *Pastoralblätter*. Hg. v. Erich STANGE, 1928ff. *„Das Reich muss uns doch bleiben".* Ein *Jahrgang Evangelien-Predigten von Geistlichen der bayerischen Landeskirche.* Hg. v. Friedrich BOECKH. Ansbach ²1931; *Daß Christus verkündigt wird. Lutherische Zeugnisse aus der bayerischen Landeskirche.* Hg. v. Karl ALT. Ansbach 1934; *Trost und Freude. Ein Jahrgang Predigten.* Hg. v. Georg MERZ – Wilhelm GRIESSBACH. München 1940; *Das Zeugnis der Kirche in der Gegenwart.* Hg. v. Wilhelm HERBST. Nürnberg 1953.

[20] Dietz arbeitete noch mit an der Veröffentlichung der Lutherischen Liturgischen Konferenz: *Liturgische Kleidung im evangelischen Gottesdienst.* Bearb. u. hg. v. der Lutherischen Liturgischen Konferenz Deutschlands. Hannover 1991.

[21] Vgl. *Kollektengebete für die Sonn- und Festtage des Kirchenjahres.* Berlin 1951; *Fünf Erläuterungsbände zum Entwurf von Agende I der VELKD.* 1951–1954; *Agende I–IV für evangelisch-lutherische Kirchen und Gemeinden.* Berlin 1955; *Lektionar für evangelisch-lutherische Kirchen und Gemeinden.* Berlin 1953; *Ordnung der Predigttexte.* Hg. v. der Lutherischen Liturgischen Konferenz Deutschlands. Berlin 1958; *Begleitwort zu den Ordnungen der Beichte (Nr. 9 und 10 der Agende) und zu der Handreichung zur Einzelbeichte (Handreichung für den seelsorgerlichen Dienst).* Bearb. v. der Lutherischen Liturgischen Konferenz Deutschlands. Hannover 1957; *Perikopen-Buch zur Ordnung der Predigttexte.* Bearb. u. hg. v. der Lutherischen Liturgischen Konferenz Deutschlands. Berlin 1966; *Abendmahlsordinarien.* Hamburg 1972 (RGD 4); *Neue Lesungen für den Gottesdienst.* Hg. v. der Lutherischen Liturgischen Konferenz Deutschlands. Vorw. Joachim HEUBACH. Hamburg 1972.

sers mit.[22] Dabei war er stets bemüht, die Ergebnisse dieser Arbeit allgemein verständlich zu erklären, vor allem durch sein „Hilfsbuch zum lutherischen Hauptgottesdienst für die Hand der Gemeinde", wie der Untertitel seines Buches „Unser Gottesdienst"[23] treffend lautet. Das Buch war rasch vergriffen. In der Einleitung der zweiten Auflage betont er, dass „keine Gottesdienstordnung verabsolutiert, d.h. für die einzig richtige erklärt werden" darf und zeigt sich „für andere als die bisher gewohnten gottesdienstlichen Formen offen", mahnt aber mit einem Lutherzitat: „Die uns evangelischen Christen von Gott geschenkte Freiheit in liturgischen Riten hat ihre Grenze an der uns von ihm gebotenen Liebe zu unseren Brüdern und Schwestern in seiner Gemeinde." Mit Gottesdiensten in neuer Gestalt hat er sich kritisch auseinandergesetzt, indem er sie nach ihrer theologischen Intention und den sich daraus ergebenden liturgischen Konsequenzen für die Praxis untersuchte.[24] Er selbst entwarf eine Agende für die Hauseucharistie.[25]

Außer seinem Bemühen, der Gemeinde reichere Gottesdienstformen nahezubringen, hatte er den Auftrag, die künftigen Pfarrer an den Predigerseminaren in Nürnberg und Bayreuth im Fach Liturgik zu unterrichten, für sehr wichtig gehalten und über einschlägige Fragen unermüdlich vor Pfarrkonferenzen gesprochen.

Seine ausgesprochene Sympathie für die „Kalokagathia", die Liebe zu allem Schönen und Guten, seine große Liebe zu Kunst und Musik vor allem im sakralen Raum, lässt sich zum Teil aus seiner humanistischen Bildung, aber auch durch die Prägung in den Wandervogeljahren erklären. Er hat zahlreiche Reisen zu Kunstzentren unternommen und liebte besonders die Romanik. So nimmt es nicht wunder, dass Dietz seit seiner Vikarszeit Mitglied im Verein für Christliche Kunst in der Evangelisch-Lutherischen Kirche in Bayern e.V. und von 1927 bis 1951 Redakteur der Vereinszeitschrift „Kirche und Kunst" war. Anschließend war er von 1952 bis 1957 erster Vorsitzender des Vereins, danach Ehrenvorsitzender bis zum Lebensende. Die Zeitschrift wurde als Beilage des Korrespondenzblattes allen bayerischen lutherischen Pfarrern zugestellt und bemühte sich, wie es in der Vereinssatzung heißt, „den Sinn für christliche Kunst zu fördern" und die Pfarrer zu informieren, denen der Verein auch in allen Fragen praktische Hilfe und Beratung anbot, zumal ein eigenes Baureferat im Landeskirchenamt erst nach dem Zweiten Weltkrieg eingerichtet wurde. Dietz hat als Schriftleiter nur wenige Artikel selbst verfasst, aber für eine breitgefächerte Darstellung und kritische Bewertung des gesamten Spektrums gesorgt, das von Kirchenneubauten, Kirchenerneuerungen, Malerei in Kirchen, Werken von Bildhauern, Vasa sacra, Interpretation von Kunstwerken, Grabmä-

---

[22] Vgl. Otto DIETZ, *Das ökumenische Vaterunser für den deutschen Sprachraum*, in: GDKM 1967, 254–261; DERS., *Oekumenische Neuübersetzung gottesdienstlicher Texte*, in: GDKM 1972, 87–97; 127–131.

[23] Vgl. Otto DIETZ, *Unser Gottesdienst. Ein Hilfsbuch zum lutherischen Hauptgottesdienst für die Hand der Gemeinde*. München 1959 [2. neu bearb. Aufl. München 1983].

[24] Vgl. Otto DIETZ, *Leiturgia im „Umbruch". Eine theologisch-kritische Untersuchung*, in: *Kerygma und Melos. Christhard Mahrenholz 70. Jahre. 11. August 1970*. Hg. v. Walter BLANKENBURG [u.a.]. Kassel [u.a.] 1970, 123–138.

[25] Vgl. Otto DIETZ, *Hauseucharistie mit dem Hintergrund „Paschamahl"*, in: *Hauseucharistie. Gedanken und Modelle*. Hg. v. Hermann REIFENBERG. München 1973.

lern und dem Pfarrhaus bis zu neuen Bilderbibeln, den Konfirmationsscheinen und Bildern für den Kindergottesdienst reichte. Durch die Zeitschrift und seine Redaktionstätigkeit hat Dietz in alle bayerischen Pfarrhäuser gewirkt und einen in seiner Wirkung kaum einschätzbaren Beitrag zum Bau der Kirchen und ihrer Ausstattung in der großen Bauphase nach dem Zweiten Weltkrieg geleistet.

Dietz, der lange Jahre auch Spiritual der Johannitersubkommende Nürnberg war, wurde zu seinem fünfundsiebzigsten Geburtstag von der Theologischen Fakultät Erlangen in Würdigung seiner wissenschaftlichen Arbeit und vielfältigen Verdienste der Ehrendoktor der Theologie verliehen.

Otto Dietz war trotz seiner im Alter zunehmenden Beschwerden ein stets froh wirkender Mensch, der offen und freundlich auf Menschen zuging und ihnen zuhörte. Mit klarer Stimme, großem Sachverstand und Gedankenschärfe formulierte er stets treffend. Bis zuletzt arbeitete er aktiv und suchte Halt in intensivem Gebet. Seine Spuren sind bis heute, vor allem in der bayerischen Kirche, lebendig und wirksam. Er starb am 17. Mai 1993 in Bamberg.

Auswahlbibliografie
I: Selbständige Veröffentlichungen

Matthias Claudius. Der Mensch und seine Welt. Schlüchtern 1926.

Luther-Agende. Ein Kirchenbuch aus Luthers Schrifttum. Zusammengestellt und zum Gebrauch der Gegenwart herausgegeben. Bearbeitung des musikalischen Teils von Konrad AMELN. Kassel 1928.

Angelus Silesius. Vom Mystiker zum Ketzerrichter. Kassel 1928.

Martin LUTHER, *Sermone vom heiligen Abendmahl.* Ausgew. u. hg. v. Otto DIETZ. München 1929.

Die Evangelienkollekten des Veit Dietrich. Leipzig 1930.

Die Biblische Geschichte. Mit den Worten der Heiligen Schrift erzählt. Mit Holzschnitten von Annemarie NAEGELSBACH. Hg. vom Landeskirchenrat der Evangelisch-Lutherischen Landeskirche in Bayern. München 1932.

Die liturgische Bewegung der Gegenwart im Lichte der Theologie Martin Luthers. Vortrag auf der Bayerischen Pastoralkonferenz in Nürnberg und vor der Theologischen Fachschaft der Universität Erlangen 1931. Göttingen 1932 (MGKK, HeFo 11).

Unsere Liturgie. Eine Gabe der Volksmission. Neuendettelsau 1931 (Freimund-Hefte 5).

Veit DIETRICH, *Gebetsunterricht. Bd. 1: Einfältiger Unterricht, wie man das Vaterunser beten soll, 1543; Bd. 2: Wie man zum Gebete sich recht schicken soll, 1543.* Hg. v. Otto DIETZ. Stuttgart 1932.

Bezzel-Gebete. Gebete Hermann Bezzels. Ges. u. hg. v. Otto DIETZ. Nürnberg 1933 [2. Aufl. Nürnberg 1934; 3., rev. u. erg. Aufl. Neuendettelsau 1937].

Lorenzer Orgelbüchlein. Aus Anlaß der Einweihung des neuen Orgelwerkes in der St. Lorenzkirche zu Nürnberg. In Gemeinschaft mit Johannes G. MEHL und Walther KÖRNER hg. v. Otto DIETZ. Kassel 1937.

Gebete der Kirche. Bd. 1. Gebete für die Gottesdienste der Kirche. Im Auftr. des bayerischen Pfarrvereins ges. und hg. v. Otto DIETZ. Nürnberg 1935 [2., neu bearb. Aufl. München 1952].

Matutin- und Vesperbüchlein. Im Auftr. des Amtes für Volksmission in der Evangelisch-Lutherischen Kirche in Bayern hg. v. Otto DIETZ. Neuendettelsau 1936 [2., neu bearb. u. erg. Aufl. 1939; 3., neu bearb. u. erg. Aufl. 1949].

Die Bändigung der Liturgie durch das Wort. München 1937 (BeKi 47).

Eine Begräbnisliturgie der lutherischen Kirche. München 1938 (BeKi 61).

Sermone Luthers von 1519: Von der Betrachtung des heiligen Leidens Christi. Von der Bereitung zum Sterben. Von dem hochwürdigen Sakrament der Taufe. Von dem Hochwürdigen Sakrament des heiligen wahren Leichnams Christi. Von den Bruderschaften, in: Martin LUTHER, *Ausgewählte Werke.* Bearb. v. Otto DIETZ. Hg. v. Hans H. BORCHERDT – Georg MERZ. München 1938 [2. Auflage München 1940], Bd. 1, 339–397, 520–584.

Gebete der Kirche im Kriege. Im Auftrag des Evangelisch-Lutherischen Landeskirchenrates bearb. u. hg. v. Otto DIETZ. München 1939 [2., neu bearb. u. erg. Aufl. 1940].

Gebetsgottesdienste für die Kriegszeit. Zehn liturgische Entwürfe. Nürnberg 1939.

Die geistlichen Lieder Luthers. Bearb. v. Otto DIETZ, in: Martin LUTHER, *Ausgewählte Werke.* Hg. v. Hans H. BORCHERDT – Georg MERZ. München 1940 [2. Auflage München 1950], Bd. 3, 473–527, 663–750.

Luthers Schriften zur Neuordnung des Gottesdienstes. Bearb. von Otto DIETZ, in: Martin LUTHER, *Ausgewählte Werke.* Hg. v. Hans H. BORCHERDT – Georg MERZ. München 1940 [2. Auflage München 1950], Bd. 3, 235–284, 579–663.

Gebete der Kirche. Bd. 2. Gebete für die kirchlichen Handlungen. Teil 1. Die Bestattungen. Im Auftr. des bayerischen Pfarrvereins ges. und hg. v. Otto DIETZ. Nürnberg 1941.

Die St. Lorenzkirche in Nürnberg. Eine Deutung. Nürnberg 1941.

Das Allgemeine Kirchengebet, in: Leit. 2. 1955, 417–452.

Gebetsanhang zum Evangelischen Kirchengesangbuch. 1955.

Gebetsanhang zum Evangelischen Kirchengesangbuch. Ausgabe für die Evangelisch-Lutherische Kirche in Bayern. München 1958.

Unser Gottesdienst. Ein Hilfsbuch zum lutherischen Hauptgottesdienst für die Hand der Gemeinde. München 1959 [2., neu bearb. Aufl. 1983].

Das Kirchenjahr, in: *Die kirchliche Unterweisung an der Volksschule 4.* Hg. v. Kurt FRÖR. 5., neu bearb. Aufl. München 1967, 353–368.

Die Bibel, in: Ebd., 369–372.

Das Gesangbuch, in: Ebd., 372–376.

Das ökumenische Vaterunser für den deutschen Sprachraum, in: GDKM 1967, 254–261.

Es lohnt sich, alt zu werden. Neuendettelsau 1968 [2. Aufl. 1970].

Kollektengebete. Bd. 1. Berlin [u.a.] 1970 (RGD 2).

Leiturgia im „Umbruch". Eine theologisch-kritische Untersuchung, in: *Kerygma und Melos. Christhard Mahrenholz 70. Jahre. 11. August 1970.* Hg. v. Walter BLANKENBURG [u. a.]. Kassel [u.a.] 1970, 123–138.

Biblische Notizen über das Jagdwesen im alten Israel, in: *Et multum et multa. Beiträge zur Literatur, Geschichte und Kultur der Jagd. Festgabe für Kurt Lindner zum 27. November 1971.* Hg. v. Sigrid SCHWENK. Berlin [u.a.] 1971.

Kollektengebete. Bd. 2. Berlin [u.a.] 1971 (RGD 3).

Oekumenische Neuübersetzung gottesdienstlicher Texte, in: GDKM 1972, 87–97; 127–131.

Hauseucharistie. Gedanken und Modelle. Hg. v. Hermann REIFENBERG. München 1973.

II. Mitarbeit an Veröffentlichungen der Lutherischen Liturgischen Konferenzen

Kollektengebete für die Sonn- und Festtage des Kirchenjahres. Berlin 1951.

Fünf Erläuterungsbände zum Entwurf von Agende I der VELKD. Berlin 1951–1954.

Lektionar für evangelisch-lutherische Kirchen und Gemeinden. Berlin 1953.

Agende I – IV für evangelisch-lutherische Kirchen und Gemeinden. Berlin 1955.

Handreichung für den seelsorgerlichen Dienst. Berlin 1957 [²1967].

Ordnung der Predigttexte. Hg. v. der Lutherischen Liturgischen Konferenz Deutschlands. Berlin 1958.

Perikopen-Buch zur Ordnung der Predigttexte. Bearb. u. hg. v. der Lutherischen Liturgischen Konferenz Deutschlands. Berlin 1966.

Abendmahlsordinarien. Hamburg 1972 (RGD 4).

Neue Lesungen für den Gottesdienst. Hg. v. der Lutherischen Liturgischen Konferenz Deutschlands. Vorw. Joachim Heubach. Hamburg 1972.

Alban Dold OSB (1882–1960)

Angelus A. Häußling OSB

An zwei Orten, so ist einmal geschickt formuliert worden, konnten im 20. Jahrhundert noch neue Texte aus der Frühzeit der Liturgie der Kirche auftauchen: aus dem trockenen Wüstensand Ägyptens und aus der Beuroner Klosterzelle des Palimpsestforscher Alban Dold im stillen Tal der oberen Donau. Tatsächlich waren Alban Dold und das Palimpsestinstitut in Beuron ein fester Begriff bei allen Wissenschaftlern, deren Studien die alten Liturgietexte und überhaupt alte Texte der Westkirche betrafen.

1. Biografie

Villingen am Rand des badischen Schwarzwaldes war seine Heimat; dort ist er am 7. Juli 1882 geboren. Das Gymnasium absolvierte er in der Schule der Beuroner Benediktiner in Seckau in der Steiermark – eine Folge des Bismarckschen „Kulturkampfes", der auch die Benediktiner aus Beuron (von 1872 bis 1883) vertrieben hatte, die dann in Österreich Aufnahme gefunden hatten. In Beuron als Novize aufgenommen, legte er 1903 die monastische Profess ab und wurde fünf Jahre später Priester. Das Kloster stellte ihm auch die Aufgabe seines langen Lebens, die Erforschung von sog. Palimpsesten. Palimpseste sind Pergamente als Schriftträger, deren Erstbeschriftung aber überholt und uninteressant geworden und die nun, um das teure Pergament aufs Neue sinnvoll zu verwenden, mit einem neuen Text beschrieben worden sind. Aber spätere Zeiten interessiert nun, aus unterschiedlichen Gründen, gerade wieder die Erstbeschriftung. Dold gewann über der Arbeit, Palimpseste zu entziffern, ein weitreichendes und singuläres Ansehen. Ehrungen blieben nicht aus. Den Ehrendoktor der Philosophischen Fakultät der Universität Freiburg im Breisgau erhielt er nicht, weil das nationalsozialistische Ministerium in Karlsruhe Einspruch erhob, dafür dann die Ehrenpromotion der Theologischen Fakultät der Universität Freiburg in der Schweiz und 1948 die gleiche Ehrung durch die Theologische Fakultät der Universität Tübingen. Namhaften Gelehrten war es eine Selbst-Ehrung, sich an der Festschrift „Colligere fragmenta"[1] aus Anlass seines 70. Geburtstages zu beteiligen. Seine Heimatstadt Villingen erhob ihn zum Ehrenbürger, die Bundesrepublik Deutschland verlieh ihm das Große Bundesverdienstkreuz. Am 27. September 1960 verstarb er in Beuron, fast achtzigjährig, schon längere Zeit mit Beschwerden seines Körpers belastet, doch so lang als nur irgend möglich über seine Pergamente gebeugt.[2]

---

[1] Vgl. *Colligere fragmenta. Festschrift Alban Dold zum 70. Geburtstag am 7.7.1952.* Hg. v. Bonifatius FISCHER – Virgil FIALA. Beuron 1952 (TAB.B 2).

[2] Vgl. über Dold: Walter DÜRIG, *Liturgiegeschichtliche Erkenntnisse aus wenig geachteten Zeitschriftenaufsätzen. Ein Forschungsbericht aus Anlaß des goldenen Profeßjubiläums von P. DDr.*

2. Das Kloster Beuron und die Entzifferung von Palimpsesten

Der bayrische Priester Joseph Denk (1849–1927) hatte ein Programm entwickelt, auf breiter Quellenbasis den lateinischen Bibeltext vor Hieronymus zu rekonstruieren. Das schon vielfältig gesammelte Material ging schließlich testamentarisch an das Kloster Beuron über, wo bereits eine Werkstätte eingerichtet worden war, in der mittels einer besonderen photographischen Technik unter ultraviolettem Licht die Erstschriften auf später abgeschabtem und neu beschriebenem („Palimpsest"-)Pergament mehr oder weniger, je nach Qualität der Vorlage, wieder sichtbar gemacht und festgehalten wurden. (Unter dem besonderen Licht leuchtet Eisen auf, als Spurenelement im Tierblut enthalten, das bei der Herstellung von Tinte verwendet wurde, und die sich so abhebenden Schriftzeichen können photographisch festgehalten werden.) Schon in der Spätantike wurden Bibelhandschriften mit dem nach Übernahme der Vulgata veralteten Text auf diese Weise neu verwendet. Die nun neu gelesenen alten Texte traten als weitere Quelle neben die Bibelzitate der Kirchenväter, wenn es galt, die Textgeschichte der lateinischen Bibel zu erforschen. Aber nicht nur Handschriften der Bibel wurden, wenn überholt, neu beschrieben, sondern auch solche anderen Textgutes, vornan der Liturgie, die bekanntlich auch schon in der Spätantike und im frühen Mittelalter Reformen kannte, die bis dato gebrauchte Codices veralten ließen.

Die Erzabtei Beuron sah in der Rekonstruktion des vorhieronymanischen lateinischen Bibeltextes (früher gern vereinfacht „Itala" genannt, jetzt korrekter „[Versio] Vetus Latina") eine sinnvolle Aufgabe; es war doch der Bibeltext, den auch Benedikt von Nursia gebrauchte. Das von Joseph Denk auf Zetteln gesammelte Quellenmaterial (hausintern: „Denk-Apparat") wurde systematisch vermehrt, nicht zuletzt durch das Entziffern von Palimpsesten. Seit 1949 erscheinen nun die einzelnen Bücher der Bibel unter dem Titel „Vetus latina. Die Reste der altlateinischen Bibel, herausgegeben von der Erzabtei Beuron".[3]

3. Das Lebenswerk Alban Dolds

Alban Dold wurde der anerkannte Meister im Entziffern von Palimpsesten, von solchen der Bibel – damit fing es in Beuron an –, aber auch mit den Texten von Kirchenvätern und der Liturgie, und über den letzteren hat Alban Dold sich für immer in die Geschichte der Erforschung der Liturgiegeschichte eingeschrieben.

Der Interessentenkreis für diese wissenschaftliche Arbeit ist naturgemäß klein. Großes Aufsehen erregt solche Arbeit nur in seltensten Fällen und wird dann meist noch missverständlich in die Öffentlichkeit kolportiert. Gewiss waren Bibliothekare froh, wenn sie in Alban Dold einen Helfer wussten, der ihre Handschriften in einer neuen Dimension erschloss. Aber weil die Publikationen der Ergebnisse, die Alban Dold in mühsamer, geduldiger Arbeit gefunden hatte, in der von Beuron herausgegebenen Reihe „Text und Arbeiten" (und dort meist sogar von Alban Dold persönlich im Handsatz gesetzt) und in Aufsätzen an allen möglichen Stellen erfolgte, blieben die Früchte seiner Arbeit oft

---

Alban Dold, Beuron, in: ThRv 50. 1954, 43–49; Friedrich Wilhelm Bautz, *Dold, Alban*, in: BBKL 1. 1990, 1351–1353.

[3]   Die Bände werden in Freiburg/Br., Verlag Herder, verlegt.

eher versteckt als dass sie an eine weitere Öffentlichkeit gelangten. Es war eine verdienstvolle Tat des Freiburger, später Münchner Liturgiewissenschaftlers Walter Dürig, 1954 in einem Aufsatz „Liturgiegeschichtliche Erkenntnisse aus [den] wenig beachteten Zeitschriftenaufsätzen" Alban Dolds zusammenzustellen und die Wissenschaft auf diese Quelle hinzuweisen.

Es gehörte allerdings auch zum Stil Alban Dolds, die einzelnen Funde jeweils isoliert vorzulegen; erst dank späterer Neufunde konnte er gelegentlich früher Entdecktes in neue Zusammenhänge einfügen. Und es gehört auch zur Eigenart dieses Forschers – ist aber auch von dem Objekt der Forschung selbst bedingt –, dass er kein Systematiker war oder es nicht sein konnte. Das traf auch für den Kurs „Einführung in die Paläographie" zu, den er über lange Jahre hin am Theologischen Studium in Beuron hielt (und den auch der Verfasser belegt hatte): Eine interessante Abfolge von Erlebtem, Entdecktem, ein Aufleuchten von Arbeit längst verstorbener Schreiber, ihrer Eigenheiten und die Mühsal, diese zu enträtseln, und schließlich die letzte Mühsal, die entzifferten Texte nun einem Autor zuzuordnen, in einen schon anderswoher bekannten Kontext zu stellen – oder eben tatsächlich die Freude zu erleben, einen alten Text wieder dem Gedächtnis der Menschen neu zurückzugeben. Das mitzuerleben war für die Hörer interessant und schuf eine Begegnung mit einer eindrucksvollen Persönlichkeit. Eine eigentliche Einführung in Paläographie war es allerdings nicht.

Eine solche Arbeit entzieht sich also der Systematik. Ein solcher Forscher bildet auch keine „Schule". Er gewinnt vielleicht Interessenten, in Einzelfällen auch mal Helfer, und dann sicher die ehrliche Dankbarkeit derer, denen neue Quellen erschlossen werden. Doch diese Arbeit braucht Erfahrung, auch Glück, und, wie einer es paradox formulierte, in Einheit „schöpferische Geduld" und „exakte Phantasie". Beides ineinander verbunden stand schließlich, aus langer Einübung, Alban Dold einzigartig zur Verfügung. Man sah es ihm nach, dass er auch mal mit naiv-selbstironischem Stolz damit kokettierte.

Von der Erforschung der Liturgiegeschichte her fand er in Klaus Gamber (1919–1989) den wohl einzigen Gesprächpartner. Die Rekonstruktion der beiden hochmittelalterlichen Sakramentare von Salzburg und Monza ist ihr gemeinsames Werk. Dold – dafür ist der Verfasser Ohrenzeuge – war von der Fähigkeit Gambers fasziniert, in Textfragmenten Zusammenhänge zu erkennen und Zuordnungen zu treffen, ohne lange Prüfung, ob diese auch als überzeugend zu erklären seien und damit auch tatsächlich die Wissenschaft bereicherten (die sich zu vielem so Erschlossenen skeptisch verhielt). Dold selbst blieb eher beim einzelnen Text, den er, selbstlos, den anderen Gelehrten zur Interpretation und Einordnung übergab.

In einer Publikation indes überschritt Dold die Zurückhaltung des einsamen Forschers. Unter dem Titel „Sursum corda" legte er 120 „Hochgebete aus alten lateinischen Liturgien" vor (genauer: Präfationen, also die laut vorgetragenen Priestergebete vor dem Trishagion nach Jesaja 6 im ansonsten still geflüsterten Canon romanus).[4] Es war ein Buch mit Texten, die er selbst direkt aus den Handschriften erhoben hatte und nun den interessierten Christen zur

---

[4]   Vgl. Alban Dold, *Sursum corda. Hochgebete aus alten lateinischen Liturgien.* Salzburg 1954 (RWA 9).

Förderung ihrer Spiritualität darbot. Die Kommentierung allerdings, die Dold mitgab, konnte enttäuschen; sie verblieb bei einer Frömmigkeit, die eher dem 19. Jahrhundert zugehörte als der Entstehungszeit der Texte in der alten und frühmittelalterlichen Kirche. „Bisweilen gehen diese Erklärungen allzusehr auf Denkweisen und Vorstellungen neuzeitlichen Frömmigkeitslebens ein, die dem Vollsinn der Liturgie und ihrer Texte kaum gerecht werden", konstatiert, mit Beispielen belegt, ein leicht irritierter Rezensent.[5] Aber das Buch hatte (zusammen mit einer erstmals 1940, erneut 1952 von Josef A. Jungmann angeregten, von Josef Strangfeld besorgten Präfationen-Sammlung)[6] eine gewisse Wirkung: Es überzeugte jeden an der Messfeier Interessierten, dass die Beschränkung des römischen Missale auf (1570: elf, seit 1928 schließlich:) fünfzehn Präfationen eine schier unerträgliche Verarmung darstellte, so dass die Ausweitung des Präfationen-Bestandes im Missale nach dem Zweiten Vatikanischen Konzil auf fast einhundert Texte als längst überfällig erachtet wurde.

Im Gesamtwerk tritt thematisch zurück und muss deshalb in unserem Zusammenhang noch eigens genannt werden die Studie über die aus den Quellen erhobene Geschichte der Konstanzer Ritualientexte, 1923 erschienen, eine frühe Untersuchung zur Liturgiegeschichte der deutschen Ortskirchen,[7] hier gleich für die größte Diözese des alten Reiches, ein Thema, das erst 2005[8] wieder für die Initiationssakramente der 1827 von Rom aufgehobenen Kirche aufgenommen worden ist.

Was bleibt? Spektakulär scheint es nicht, was Alban Dold ein langes Leben hindurch zur Liturgiewissenschaft beisteuerte. Wäre nicht Wichtigeres zu tun gewesen? Zugegeben: Es fehlt eine Analyse seiner Publikationen, die jene von Walter Dürig besorgte nach Fragestellung und derzeitigem Forschungsstand weiterführt. Aber auch wenn es einmal, was hilfreich wäre und wünschenswert bleibt, eine solche gibt, bleibt unserem gewöhnlichen Empfinden ein Restvorbehalt, ein solches Lebenswerk als in sich selbst schlüssig und sinnvoll anzuerkennen, gemessen an der Sache selbst, um die es in der Liturgie doch geht: das Handeln Gottes am ihn suchenden Menschen. Aber ein solches Urteil verbliebe dann doch im Vorläufigen, welthaftet Gewöhnlichen. Alban Dold, nach dem Berufskriterium der Benediktregel ein „Gott wahrhaft suchender" Mönch (vgl. Benediktregel 58,7), hat, nicht ohne den ihm eigenen Schalk, der ehrliche Frömmigkeit eher ahnen lässt als enthüllt, er hat also sein Lebenswerk so gesehen: Es sei etwa das, was die Moabiterin Rut nach dem Bericht des ihr gewidmeten biblischen Buches tat: Nachlese auf den Feldern um Betlehem, und darüber zieht sie die Aufmerksamkeit des Boas auf sich und wird schließlich so zur Ahnfrau Christi, unseres Herrn. „Palimpsest- und Fragmentforschung

[5]   Vgl. Ildefons REINHARD, in: ALw 5,2. 1958, 483f.
[6]   Vgl. *Das Dankgebet der Kirche. Lateinische Präfationen des christlichen Altertums.* Übers. v. Josef STRANGFELD. Mit einer Einleitung v. Josef Andreas JUNGMANN. Freiburg/Br. 1940 (Zeugen des Wortes 24).
[7]   Vgl. Alban DOLD, *Die Konstanzer Ritualientexte in ihrer Entwicklung von 1482–1721.* Münster 1923 (LQ 5/6).
[8]   Vgl. Klaus Peter DANNECKER, *Taufe, Firmung und Erstkommunion in der ehemaligen Diözese Konstanz. Eine liturgiegeschichtliche Untersuchung der Initiationssakramente.* Münster 2005 (LQF 92).

[ist] ebenfalls eine solche Ährenlese – colligite fragmenta ne pereant, sammelt die Reste, damit sie nicht verlorengehen, wie es im Evangelium einmal heißt" [Joh 6,12], mit dem möglichen Lohn am Ende aller Erdentage.[9] So sah er sein Lebenswerk, von ihm selbst im Dankeswort formuliert, als ihm das Große Bundesverdienstkreuz übergeben wurde, und was er da sagte, ist stimmig für einen Benediktiner, der „per ducatum euangelii" „vom Evangelium geführt" (Benediktregel, Prolog 21), seine Tage bis zu einem guten Ende zu leben sich vorgenommen hat und in dieser Biografie, gleichsam nebenbei, damit auch einen lang wirkenden Beitrag zu einer ernsthaften, die Quellen beachtenden Liturgiewissenschaft leistete.

Auswahlbibliografie
Eine Bibliografie der Publikationen von Alban Dold ist abgedruckt in:

Colligere fragmenta. Festschrift Alban Dold zum 70.Geburtstag am 7.7.1952. Hg. v. Bonifatius Fischer – Virgil Fiala. Beuron 1952 (TAB.B 2), IX–XX.
Ergänzungen findet man bei:
Klaus Gamber, *Sakramentartypen.* Beuron 1958 (TAB 49/50), VIII–X (auch: EL 75. 1961, 244f).
Suso Meyer, *Beuroner Bibliographie. Schriftsteller und Künstler während der ersten hundert Jahre des Benediktinerklosters Beuron 1863–1963.* Beuron 1963, 38–50.
Friedrich Wilhelm Bautz, *Dold, Alban,* in: BBKL 1. 1990, 1351–1353.

Die Konstanzer Ritualientexte in ihrer Entwicklung von 1482–1721. Münster 1923 (LQ 5/6).
Sursum corda. Hochgebete aus alten lateinischen Liturgien. Salzburg 1954 (RWA 9).

---

[9]   Vgl. Paulus Gordan, *P. Alban Dold zum Gedächtnis († am 27. September 1960),* in: EuA 36. 1960, 467–470 (dort [469] das hier abschließend zitierte Selbsturteil von Alban Dold).

256

Franz Joseph Dölger (1879–1940)

Achim Budde

Unter Studierenden wird manchmal gerne etwas despektierlich von Denzinger-Theologie gesprochen. Dieser Ausdruck richtet sich weder gegen den Gelehrten selbst, noch gegen seine berühmte Sammlung kirchlicher Lehrentscheidungen als solche. Er richtet sich gegen eine bestimmte Art, Theologie zu treiben: gegen eine theologische Wissenschaft, die ihren zentralen Auftrag darin sieht, vorgegebene Anschauungen und Formulierungen nachträglich mit Beweisen zu untermauern, und die zu diesem Zweck bereit ist, es mit der argumentativen Stringenz oder der Darstellung historischer Vorgänge nicht so genau zu nehmen.

Zu einer Zeit, da diese Vorgehensweise noch geradezu amtlich vorgeschrieben war, hat Franz Joseph Dölger das genaue Gegenteil getan. Er hat unzählige Beobachtungen gesammelt und zu einem Kenntnisstand summiert, an dem auch die kirchliche Lehre auf lange Sicht nicht vorbeikommen konnte. Diese Art, Theologie zu treiben, könnte man Dölger-Theologie nennen. Denn Franz Joseph Dölger hat vor hundert Jahren methodische Entscheidungen gefällt, die sich bis in die Gegenwart auswirken, und damit ein Forschungsprogramm aufgestellt, das noch immer nicht abgeschlossen ist. Beides – Arbeitsweise und einzelne Ergebnisse – betreffen nachhaltig auch die Liturgiewissenschaft.

1. Lebensdaten

Geboren wurde Franz Joseph Dölger[1] am 18. Oktober 1879 als fünftes von insgesamt acht Kindern seiner Eltern Adam Dölger und Elisabeth, geb. Reis. Seine Kindheit verbrachte er in seinem Geburtsort Sulzbach am Main, wo die Eltern den Gasthof ‚Zur Rose' betrieben. Ab 1891 besuchte er das ‚Neue Gymnasium' in Würzburg; er sollte rund siebzehn Jahre in der Stadt bleiben. Bereits vor seinem Abitur stand für Dölger fest, dass er Theologie studieren und Geistlicher werden wollte. Zum Wintersemester 1898 nahm er an der Universität Würzburg das Studium auf, das vor allem durch die beiden Professoren Herman Schell und Sebastian Merkle geprägt wurde. Im August 1902 empfing Dölger in der Michaelskirche die Priesterweihe und trat seinen Dienst als Kaplan an. Ins Jahr 1904 fiel seine Promotion zum Doktor der Theologie; Arbeit wie mündliche Prüfung wurden mit der Note ‚summa cum laude' ausgezeichnet. Aus demsel-

[1] Zum folgenden Abschnitt vgl. Theodor KLAUSER, *Franz Joseph Dölger 1879–1940. Sein Leben und sein Forschungsprogramm „Antike und Christentum".* Münster 1980 (JAC.E 7), 3–13, eine insgesamt vorzügliche Biografie, die der Dölger-Schüler 40 Jahre nach dessen Tod verfasste; außerdem seine früheren Äußerungen in Theodor KLAUSER, *Franz Joseph Dölger. Leben und Werk.* Münster 1956, 5–10; Norbert M. BORENGÄSSER, *Die Vertretung der Kirchengeschichte in der Katholisch-Theologischen Fakultät der Universität Bonn 1929 bis 1962 bzw. 1965,* in: AHVNRh 203. 2000, 155–181.

ben Jahr berichtet Dölger später von einem Besuch bei dem von ihm verehrten Kirchenhistoriker Albert Ehrhard in Straßburg, in dessen Rahmen er zum ersten Mal die ‚Auseinandersetzung von Antike und Christentum' als sein großes Forschungsthema formulierte.[2] Bereits 1906 wurde er aufgrund seiner Arbeit über den Taufexorzismus habilitiert. 1908 folgte er einer Einladung Anton de Waals in das Collegio del Campo Santo Teutonico in Rom. Dort widmete er sich dem intensiven Studium der antiken Denkmäler und publizierte erste materialreiche Arbeiten, die seinen internationalen Ruhm begründen sollten. Im Jahr 1912 wurde Dölger an die Theologische Fakultät der Universität Münster berufen.[3] Er zog in den Haushalt von Maria Frey ein, die nach dem Tod ihrer Eltern eine solche Aufgabe gesucht und ihm diese Wohngemeinschaft angeboten hatte. Sie blieb ihm bis zu seinem Tod ein „treubesorgtes Hausmütterchen"[4] und eine unermüdliche Hilfe auch bei der Erstellung seiner Manuskripte[5] und zählt somit zu den zahlreichen Frauen, die durch stilles Wirken im Hintergrund wissenschaftliche Karrieren großer Männer möglich gemacht haben. Im Jahr 1927 ging Dölger nach Breslau, zwei Jahre später wechselte er als Nachfolger von Albert Ehrhard an die Universität Bonn, wo er bis zu seinem Ende blieb. Er starb am 17. Oktober 1940, einen Tag vor seinem 61. Geburtstag, in einem Schweinfurter Krankenhaus und wurde in Sulzbach beigesetzt.

2. Doktorarbeit über die Firmung

Dölgers wissenschaftliches Debut war eine Auftragsarbeit. Die Würzburger Fakultät hatte eine Preisaufgabe ausgeschrieben, die von ihrem Dogmatiker (übrigens einem Schüler Heinrich Denzingers) formuliert worden war:[6] „Das Sakrament der Firmung" sollte „historisch-dogmatisch dargestellt", und das hieß konkret: gegen die Angriffe des protestantischen Theologen Adolf von Harnack verteidigt werden. Aufgrund der engen Verflechtung der beiden Initiationsakte Taufe und Firmung hatte Harnack der Firmung den Charakter eines von Anfang an eigenständigen Sakramentes kurzerhand abgesprochen.[7]

Wie ging der junge Dölger damit um, dass das Ergebnis der Untersuchung gewissermaßen vom Auftraggeber vorgegeben war? Zunächst fällt auf, wie offensiv er dieses Problem bereits im Vorwort transparent macht. Er zitiert dort Harnacks Urteil über die Aussage des Konzils von Trient,[8] dort werde die Entwicklungsgeschichte der Firmung ignoriert, bzw. „die Geschichte ... durch das

---

[2]   Vgl. Franz Joseph DÖLGER, in: Antike und Christentum 1. 1929, V, und KLAUSER, Dölger (1980) (wie Anm. 1) 16–18.

[3]   Sein Lehrauftrag lautete zunächst ‚Allgemeine Religionsgeschichte und vergleichende Religionswissenschaft', seit 1918 ‚Alte Kirchengeschichte, Christliche Archäologie und Allgemeine Religionsgeschichte'; vgl. KLAUSER, Dölger (1980) (wie Anm. 1) 53–57.

[4]   So formulierte es Dölger selbst im Vorwort des Maria Frey gewidmeten 2. Bandes von „Antike und Christentum".

[5]   Vgl. KLAUSER, Dölger (1980) (wie Anm. 1) 50f.

[6]   Vgl. KLAUSER, Dölger (1980) (wie Anm. 1) 12.

[7]   Vgl. Adolf VON HARNACK, Lehrbuch der Dogmengeschichte. Band 2. Tübingen ⁴1909 [Nachdruck Darmstadt 1964] 445f; Dölger zitiert eine ältere Auflage.

[8]   Vgl. DH 1628: „Si quis dixerit, confirmationem baptizatorum otiosam caeremoniam esse et non potius verum et proprium sacramentum ... anathema sit."

Dogma überwunden".[9] Dölger gibt unumwunden zu: Wenn die Firmung historisch zunächst tatsächlich nichts anderes war als eine Zeremonie des Taufritus,
dann habe Harnack wohl Recht; solle der Konzilsbeschluss hingegen verteidigt
werden, „dann muß er in der Geschichte seine Begründung haben".[10] Dölger
machte sich daran, diese Begründung zu liefern.

Der Freimut, mit dem heute auch katholische Wissenschaftler die Abson-
derung der Firmung aus dem Kontext der Initiation problematisieren und
bedauern,[11] war vor hundert Jahren unvorstellbar. Damals galt gemeinhin, dass
die katholische Antwort auf kritische Anfragen im Nachweis der Apostolizität der
geltenden Regelungen bestehen müsse. Dölger folgt dieser Aufforderung, wenn
er in den zentralen Fragen tatsächlich den Aufweis ungebrochener Überlieferung unternimmt.[12] Nach heutigen Maßstäben sind manche seiner Argumenta-
tionsketten wertlos. Man darf Dölger allerdings zugute halten, dass er durchaus
Nuancierungen in der argumentativen Dringlichkeit kennt. Über die apostolische Zeit formuliert er zurückhaltend,[13] manchmal gar zitiert er kommentarlos
Thesen anderer und vermeidet dabei konsequent eine eigene Aussage.[14]

Ganz im Gegensatz zu dieser Zurückhaltung steht Dölgers Urteilsfreude,
wenn es um die Schriften der Kirchenväter geht. Schonungslos legt er dar,
dass sich die einzelnen Akte der Initiation in der Frühzeit weder rituell noch
auch nur terminologisch klar voneinander trennen lassen[15] – und gesteht eine
gewisse Plausibilität der Thesen Harnacks deswegen durchaus ein. Dölger begründet die Eigenständigkeit der Firmung dann durch die der Handauflegung
bzw. der Salbung eigene Wirkung der Geistverleihung, die bei den Kirchen-

9   Vgl. Adolf von HARNACK, *Lehrbuch der Dogmengeschichte.* Band 3. Tübingen ⁴1910
    [Nachdruck Darmstadt 1964] 702; Dölger zitiert eine ältere Auflage.
10 Vgl. Franz Joseph DÖLGER, *Das Sakrament der Firmung historisch-dogmatisch dargestellt.*
    Wien 1906 (ThSLG 15), VII.
11 Es seien nur zwei Standardwerke genannt: Michael KUNZLER, *Die Liturgie der Kirche.* Pa-
    derborn 1995 (AMATECA 10), 397f; Reinhard MESSNER, *Einführung in die Liturgiewis-
    senschaft.* Paderborn u.a. 2001 (UTB 2173), 136–140.
12 Vgl. etwa DÖLGER, *Das Sakrament der Firmung* (wie Anm. 10) 4–6 zum Ritus der Sal-
    bung, 7–9 zur Handauflegung, ebd. 52f zur Existenz des Firmsakraments insgesamt
    und ebd. 71 zur Firmformel. Ebd. 199f wird auch die Vielfalt der Formen rückgebun-
    den: „Durch die Verschiedenheit der Form in den einzelnen Kirchen ... ist wohl hin-
    länglich dargetan, daß Christus eine sakramentale Form für unser Sakrament nicht
    angeordnet hat. Denn, wer hätte sich dann getrauen dürfen, irgendwie die von Chris-
    tus überkommene Form zu ändern?"
13 Z.B. DÖLGER, *Das Sakrament der Firmung* (wie Anm. 10) 9 zu Handauflegung und Sal-
    bung: „Die reiche Ausstattung des Taufritus mit diesen beiden ‚Zeremonien' wäre
    also auf die Apostel selbst zurückzuführen."
14 Z.B. DÖLGER, *Das Sakrament der Firmung* (wie Anm. 10) 71: „Einen sehr interessanten
    Versuch, die im apostolischen Zeitalter bei der Handauflegung üblichen Worte zu be-
    stimmen, bietet uns Alfred Seeberg ..."
15 Vgl. bereits die Klarstellung im Vorwort; DÖLGER, *Das Sakrament der Firmung* (wie
    Anm. 10) VIII: „Da tatsächlich Taufe und Firmung in der alten Kirche auf das engste
    dem äußeren Ritus nach miteinander verbunden waren, so mußte naturgemäß der
    Hauptbeweis der Sakramentalität der Firmung der Beweis der inneren Selbständig-
    keit sein auf Grund der den beiden (Sakramenten) zugeschriebenen Wirkungen"
    oder z.B. ebd. 55; zur Terminologie z.B. ebd. 3f, 9.

vätern vonder sündentilgenden Wirkung der Taufe im engeren Sinn, der Immersion, unterschieden wird.[16] Diese Selbständigkeit aber wirft ein ernsthaftes theologisches Problem auf: Wenn die Gnade der Geistmitteilung ausdrücklich einem eigenen Sakrament der Firmung als Proprium zugesprochen wird, dann fehlt sie der Taufe. Dieser Analyse Harnacks[17] stimmt Dölger ausdrücklich zu und verweist zur Lösung des Problems etwas hilflos auf die „tiefsten Mysterien" des katholischen Glaubens.[18] Sein eigener Versuch, das Problem zu lösen, wirkt denn auch eher bemüht.[19]

Methodisch ist bedeutsam, dass Dölger neben der breiten Aufarbeitung der christlich-antiken Literatur auch einen Vergleich mit den unterschiedlichen liturgischen Riten der Gegenwart anstellt[20] und zudem archäologische Denkmäler berücksichtigt.[21] Er schlägt damit eine Richtung ein, die für sein Lebenswerk bestimmend werden sollte. Es ist außerdem bemerkenswert, dass Dölger seinen Befund auch auf Konsequenzen für die Liturgie der Gegenwart befragt. Offen beklagt er die verbreitete Praxis, die Firmung erst nach der Erstkommunion zu vollziehen, und lobt Ansätze, die ursprüngliche und theologisch sinnvolle Reihenfolge wiederherzustellen.[22]

Franz Joseph Dölger hat den Preis gewonnen und konnte deshalb die Arbeit an seiner Fakultät als Doktorarbeit einreichen.[23]

3. Konflikt und Forschungsprogramm

Heute steht der Name Dölgers nicht für Aufsehen erregende Thesen, sondern für die solide und nüchterne Kärrnerarbeit der Erfassung und Aufarbeitung antiker Quellen. Jedenfalls haftet ihm nicht das Image eines Revolutionärs an.

[16]   Vgl. z.B. DÖLGER, *Das Sakrament der Firmung* (wie Anm. 10) 12 zu Tertullian oder 16f zu Kyrill von Jerusalem. Die schon früh mögliche räumliche und zeitliche Trennung der Riten wertet er als Bestätigung der inneren Selbständigkeit; vgl. DÖLGER, *Das Sakrament der Firmung* (wie Anm. 10) 26–28.

[17]   HARNACK, *Lehrbuch* 3 (wie Anm. 9) 571 stellt klar, dass die Wirkung der Firmung „neben der Taufe entweder nicht sicher ausgedrückt werden kann, oder die Bedeutung der Gnadmittheilung in dieser beschränkt".

[18]   Vgl. DÖLGER, *Das Sakrament der Firmung* (wie Anm. 10) 160f unter Bezugnahme auf ein Zitat von Augustus Theodore Wirgman.

[19]   Da eine Taufe ohne Geistmitteilung nicht in Frage kommt, sucht er das Besondere der Firmung im *„Zweck* der Geistmitteilung": In der Taufe werde der Heilige Geist zur Herstellung der übernatürlichen Gottebenbildlichkeit in der Menschenseele verliehen; die neue Geistmitteilung in der Firmung hingegen verleihe die Fähigkeit, „mit einer gewissen Leichtigkeit und Beweglichkeit das in der Taufe grundgelegte übernatürliche Leben in selbständigem, freiem Handeln und Wirken zu betätigen"; vgl. DÖLGER, *Das Sakrament der Firmung* (wie Anm. 10) 163. Vgl. ebd. 174: „Der Firmcharakter faßt mit seiner Verpflichtung den Menschen in seiner sozialen Stellung ins Auge."

[20]   Vgl. DÖLGER, *Das Sakrament der Firmung* (wie Anm. 10) 42–53.

[21]   Vorab publiziert; vgl. Franz Joseph DÖLGER, *Die Firmung in den Denkmälern des christlichen Altertums*, in: RQ 19. 1905, 1–41.

[22]   Vgl. DÖLGER, *Das Sakrament der Firmung* (wie Anm. 10) 153. Ebd. 203, 217f zeigt er sich bemüht, Wege zum Vollzug der Firmung durch Priester zu eröffnen, ohne freilich die Festlegung der Kirche auf den Bischof als Spender in Frage zu stellen.

[23]   Vgl. KLAUSER, *Dölger* (1980) (wie Anm. 1) 12.

Da erstaunt es, dass Dölgers geistige Heimat doch tatsächlich in jenem kirchlichen Milieu zu suchen ist, das seinerzeit als ‚Reformkatholizismus' bezeichnet und dann unter dem problematischen Sammelbegriff des ‚Modernismus' von Rom bekämpft wurde.[24] Es ist die vielleicht interessanteste Frage in Dölgers Biografie, warum man seinen Schriften auf den ersten Blick so wenig davon anmerkt – und warum es auf den zweiten Blick doch für die Gesamtheit seines Schaffens einen passenden Verständnisschlüssel bietet.

Just in jenen Jahren, als Dölger die Schule abschloss und sich daran machte, Theologie zu studieren, hatte einer seiner künftigen Professoren, Herman Schell, in zwei Schriften sein Konzept eines kirchlichen Aggiornamento dargelegt und war damit bei vielen Lesern, zu denen auch Dölger zählte, auf Zustimmung gestoßen.[25] Im Kern ging es um die Frage, ob die Kirche gegenüber dem damals als elektrisierend empfundenen Fortschritt in vielen Bereichen des gesellschaftlichen Lebens positiv oder negativ eingestellt sein solle. Dölger gehörte zu jenen, die sich vom kulturellen Fortschritt echte Verbesserungen der Verhältnisse erhofften.[26] Angewandt auf die theologische Wissenschaft äußerte sich dies in dem Verlangen, den teils rasanten Erkenntnisfortschritt gutzuheißen und für ein tieferes Verständnis des christlichen Glaubens fruchtbar zu machen – ja mehr noch: die Geschichte dieses Glaubens insgesamt als legitime, fortschreitende Entwicklung aufzufassen, statt sich an die wissenschaftlich unhaltbare These von der Unveränderlichkeit aller dogmatischen Aussagen seit der Zeit der Apostel zu klammern.[27] Eine katholische Dogmengeschichte, die die Entwicklung der Lehre und aller Ausdrucksformen des Glaubens als notwendige Inkulturation der göttlichen Botschaft in ihren jeweiligen kulturhistorischen und gesellschaftlichen Kontext auffasst – das war das Programm, das Dölger in den Jahren der akademischen Ausbildung als seine Lebensaufgabe annahm.[28] Die dringlichste Arbeit erkannte er deshalb in der akribischen Aufarbeitung jener Auseinandersetzung des antiken Christentums mit seiner heidnischen Umwelt, die sowohl zu schroffer Ablehnung, aber auch zu bewusster oder unbewusster Übernahme heidnisch-antiker Denk- und Redeweise führen konnte.[29]

Dass sein Ansatz der herrschenden Meinung von der Unveränderlichkeit kirchlicher Lehre zuwiderlief, war ihm zwar bewusst; offenbar hatte er aber darauf vertraut, dass sich dieser Methodenstreit auf wissenschaftlicher Ebene,

---

[24] Vgl. Norbert Trippen, *Theologie und Lehramt im Konflikt. Die kirchlichen Maßnahmen gegen den Modernismus im Jahre 1907 und ihre Auswirkungen in Deutschland.* Freiburg/Br. 1977, 17–32.

[25] Vgl. Klauser, *Dölger* (1980) (wie Anm. 1) 10; Georg Schöllgen, *Franz Joseph Dölger und die Entstehung seines Forschungsprogramms „Antike und Christentum",* in: JAC 36. 1993, 7–23, hier 10. Schells Schrift „Der Katholicismus als Princip des Fortschritts" erschien 1897, „Die neue Zeit und der alte Glaube" 1898.

[26] Vgl. Schöllgen, *Franz Joseph Dölger* (wie Anm. 25) 10: „hochfliegendes, manchmal naives Pathos".

[27] Nach dem Antimodernisteneid wurde die „Glaubenslehre von den Aposteln durch die rechtgläubigen Väter in demselben Sinn und in immer derselben Bedeutung bis auf uns überliefert" (DH 3541).

[28] Vgl. Schöllgen, *Franz Joseph Dölger* (wie Anm. 25) 12.

[29] Von Dölger selbst formuliert im Vorwort zu: Antike und Christentum 1. 1929, Vf.

also durch Argumente lösen lasse.[30] Die Jahre zwischen der Abgabe und der Publikation seiner Habilitationsschrift belehrten ihn eines Besseren. Bereits im Lauf seines ersten Studiensemesters an der Würzburger Fakultät hatte Dölger erleben müssen, dass von ihm geschätzte Schriften Schells indiziert wurden und einige Mitglieder der Fakultät dies zum Anlass für Intrige und Denunziation ihrer Kollegen nahmen.[31] Nun, da Dölger seinen eigenen Standort in der Welt der universitären Theologie finden musste, war der Kampf gegen die ‚Modernisten' voll entbrannt: Das Dekret ‚Lamentabili' (DH 3401–3466) und die Enzyklika ‚Pascendi dominici gregis' (DH 3475–3500) markierten 1907 die strenge Verpflichtung der Hochschulen auf die scholastische Theologie.[32] Dölger selbst, dessen Sympathien für die verurteilte geistige Bewegung kein Geheimnis waren, sah sich nun Verdächtigungen und Anschuldigungen ausgesetzt.[33] Sogar Spitzel wurden eigens in seine Veranstaltungen geschickt, um ihn häretischer Äußerungen überführen zu können; und mehrfach zitierte sein Bischof ihn zu sich und stellte ihn zur Rede.[34] Wie tief ihn dieser Kampf verletzt hat und welche Genugtuung es ihm im Nachhinein war, ihn überstanden zu haben, zeigt am besten die Anekdote, dass er das Diktum Michael Faulhabers, des späteren Kardinals und Erzbischofs von München: „Solange ich Einfluß habe, wird Dölger niemals Professor werden" nach seiner Berufung als Schmuck in seinem Eichenschrank anbringen ließ.[35]

Dölger reagierte auf sein feindlich gesonnenes Umfeld in zweierlei Weise: In der Sache blieb er unbeirrt, mit seinen Äußerungen hielt er sich zurück. Für seine Beharrlichkeit sind drei Zitate bezeichnend, die für ihn biografisch wichtig wurden. Das erste stammt von seinem Vater und lautet: „Wenn man Recht hat, muß man sein Recht auch verteidigen."[36] Das zweite ist von Tertullian: „Über nichts wird die Wahrheit rot, außer darüber, daß man sie verstecken möchte"[37]. Das dritte Zitat ist die Selbsteinschätzung Immanuel Kants, „Ich bin mit meinen Schriften um ein Jahrhundert zu früh gekommen", mit der Dölger seine private Sammlung bissig kommentierter Zeitungsberichte über den Modernismusstreit beschloss und in dem er wohl seine eigene Situation wiederfand.[38] Dieses Jahrhundert ist inzwischen abgelaufen.

4. Habilitation über den Taufexorzismus

Die Publikation der Habilitationsschrift Dölgers geriet mitten in den Strudel der Auseinandersetzung.[39] Eingereicht hatte er eine groß angelegte Studie mit

---

[30] Vgl. SCHÖLLGEN, *Franz Joseph Dölger* (wie Anm. 25) 15.
[31] Vgl. KLAUSER, *Dölger* (1980) (wie Anm. 1) 10f.
[32] Vgl. TRIPPEN, *Theologie und Lehramt im Konflikt* (wie Anm. 24) 28–30.
[33] Vgl. KLAUSER, *Dölger* (1980) (wie Anm. 1) 11, 32.
[34] Vgl. SCHÖLLGEN, *Franz Joseph Dölger* (wie Anm. 25) 17f; Dölgers Gedächtnisprotokolle dieser Gespräche liegen im Franz-Joseph-Dölger-Institut in Bonn und wurden von Schöllgen, ebd. 18–21 aufgearbeitet.
[35] Vgl. KLAUSER, *Dölger* (1980) (wie Anm. 1) 30.
[36] Zitiert bei KLAUSER, *Dölger* (1980) (wie Anm. 1) 4.
[37] Tert. adv. Val. 3, 2 (SC 280, 84, 7f Fredouille); zitiert bei KLAUSER, *Dölger* (1980) (wie Anm. 1) 30.
[38] Vgl. SCHÖLLGEN, *Franz Joseph Dölger* (wie Anm. 25) 17.
[39] Vgl. KLAUSER, *Dölger* (1980) (wie Anm. 1) 21–23, 43.

dem Untertitel „Ein Beitrag zur Dogmen- und Kulturgeschichte des christlichen Altertums". Die Fakultät legte ihm nahe, 1906 zunächst nur einen Teildruck zu publizieren, aus dessen Titel der dogmengeschichtliche Anspruch gestrichen war. Eine ‚vollständige' Publikation erfolgte erst 1909 und zwar in einer stark überarbeiteten Fassung, aus der alle Formulierungen, die hätten Anstoß erregen können, getilgt waren. Das ursprüngliche Manuskript ist nicht erhalten.

Was war nun der Befund, der Dölgers Fakultät so gefährlich erschien bzw. was hat Dölger bei der Publikation davon übrig gelassen? Das Phänomen der Dämonologie wird bis heute gerne unterbewertet, entweder voreilig spiritualisiert oder als Volksglaube abgetan. Dölgers Streifzug durch die Quellen förderte da ein ganz anderes Bild zutage, das freilich heute in vielen, auch wichtigen Zügen neu gezeichnet werden müsste:[40] In den Quellen der ersten drei Jahrhunderte fand Dölger „eine derb realistische Vorstellung von dem Wohnen Satans im sündigen Menschen", die „als Grundlage für eine ‚wirkliche' Dämonenaustreibung im Taufexorzismus" diente.[41] Das Herz des Menschen sei in dieser Weltsicht eine Wohnung, die entweder – bei Heiden – vom Teufel bzw. einem bösen Geist oder aber – bei Christen – vom Heiligen Geist bewohnt wird. Durch die Taufe werde der Mensch von den unreinen Geistern befreit und mit dem Heiligen Geist erfüllt.[42] Aus einer schmuddeligen Absteige, in der sich allerlei Dämonen herumtreiben, werde dadurch ein Tempel des Heiligen Geistes, wohingegen ein Rückfall in die Sünde umgekehrt den Auszug des Heiligen Geistes und die erneute Inbesitznahme durch Dämonen zur Folge habe. Und dass selbst Origenes, ein ausgewiesener Freund allegorischer Erklärungen, sich Dämonen in ganz realistischer Weise vorstellte, zeigt laut Dölger, wie fest dies im allgemeinen Bewusstsein der Kirche verankert war.[43]

Problematisch war dieser Befund vor allem mit Blick auf den noch immer in Übung befindlichen Tauf-Exorzismus. Form und Wortlaut dieses Ritus erklärt Dölger konsequent aus dem Denkhintergrund der Dämonologie: „Da nun der Taufexorzismus die Aufgabe hatte, den Teufel auszutreiben, so war er ein wirklicher Exorzismus. Es ist nunmehr sehr leicht begreiflich, wie der Taufexorzismus seine Zeremonien und Exorzismusgebete vollständig vom Exorzismus der leiblich Besessenen entlehnen konnte."[44] Eine solche Deutung aber „kennt die heutige kirchliche Auffassung nicht"[45].

Bedeutsamer als Dölgers Quellenbefund, der inzwischen deutlich zu präzisieren wäre, ist seine Art, mit diesem Problem umzugehen. Er zitiert zunächst seitenlang Beschwichtigungen aus damaligen theologischen Standardwerken,

---

[40]   Grundlegend Klaus THRAEDE, Exorzismus, in: RAC 7.1969, bes. 76–85; Carsten COLPE u.a., Geister (Dämonen), in: RAC 9. 1976, 546–797.

[41]   Franz Joseph DÖLGER, Der Exorzismus im altchristlichen Taufritual. Eine religionsgeschichtliche Studie. Paderborn 1909 (SGKA 3), 32f. Zum Folgenden ebd. 5–31.

[42]   Besonders anschaulich in Syr. Didask. 26 (140f Achelis – Flemming). Für den Hinweis auf diese wenig beachtete, für die Volksfrömmigkeit jedoch bedeutsame Stelle danke ich Georg Schöllgen, Bonn.

[43]   Vgl. DÖLGER, Der Exorzismus im altchristlichen Taufritual (wie Anm. 41) 35–37.

[44]   DÖLGER, Der Exorzismus im altchristlichen Taufritual (wie Anm. 41) 72; anders THRAEDE, Exorzismus (wie Anm. 40) 76.

[45]   DÖLGER, Der Exorzismus im altchristlichen Taufritual (wie Anm. 41) 63.

die versuchen, im Taufexorzismus einen „der modernen Anschauung entsprechenden Sinn zu finden: Allein der Auffassung in der patristischen Literatur sowie dem genauen Wortlaut des Rituals werden sie nicht gerecht: Darüber helfen auch nicht Kraftausdrücke wie ‚alberne Meinung‘, ‚häretische Hartnäckigkeit‘ usw. hinweg. Der Taufexorzismus entstammt mit den Grundzügen seines Textes dem christlichen Altertum und will demnach aus jener Kulturperiode heraus erklärt sein".[46] Unabhängig von der Frage, wie man aus einer gläubigen Haltung heraus zu der Sachlage Stellung beziehen möchte, verlangt Dölger „eine exakte, den Quellen entsprechende geschichtliche Darstellung"[47]. Ausdrücklich wendet er sich gegen jede Vereinnahmung der historischen Zeugnisse durch Vorgaben der späteren kirchlichen Lehre: „Ein Versuch, jetzt herrschende Anschauungen über den Taufexorzismus um jeden Preis im christlichen Altertum finden zu wollen, muß von vornherein abgewiesen werden."[48]

Für Dölger ist dies nicht nur ein Gebot der wissenschaftlichen Redlichkeit; es entspricht auch seiner Überzeugung, dass die Kirche vor dem Projekt einer Dogmengeschichte, die auf religionsgeschichtlichen Vorarbeiten fußt, keine Angst haben muss.[49] Er will den Sinn christlicher Riten und Formulierungen durch minutiösen Vergleich mit der heidnisch-antiken Umwelt erheben, und sieht darin dann keine Gefahr für das Christentum, „wenn jede Parallele im Zusammenhang ihres eigenen Religionssystems beurteilt wird"[50]. Das ist für Dölger die angemessene Antwort auf die Anfragen und Angriffe jener Zeit: eine selbstbewusste, umfassende und vor allem unvoreingenommene Erforschung der Ursprünge des Christentums in seinem kulturellen Kontext. Es ist forschungsgeschichtlich überaus bedauerlich, dass Dölger nun, da er sich über sein theologisches Anliegen und seinen wissenschaftlichen Anspruch deutlich klarer war als zuvor, sich zugleich gezwungen sah, die vermutlich spektakulärsten Ergebnisse seiner Arbeit dauerhaft der Veröffentlichung zu entziehen.

So kann man in der Zeit zwischen Dölgers beiden ersten Hauptwerken eine doppelte Entwicklung beobachten: Auf der einen Seite vollzog er eine *geistige Emanzipierung* von den Vorgaben der zeitgenössischen neuscholastischen Theologie. Auf der anderen Seite unterlag er spürbar einer *kirchlichen Disziplinierung*, die ihn zutiefst gekränkt und verängstigt haben muss. Das Ergebnis dieses Prozesses ist die „Konzentration auf die kleinteilige Forschung und die Absage an die großen und sensiblen Themen"[51]. Er wandte sich nun Gegenständen zu, die er methodisch sauber bearbeiten konnte, ohne anzuecken.

---

[46]　Dölger, *Der Exorzismus im altchristlichen Taufritual* (wie Anm. 41) 65f.
[47]　Dölger, *Der Exorzismus im altchristlichen Taufritual* (wie Anm. 41) VII.
[48]　Dölger, *Der Exorzismus im altchristlichen Taufritual* (wie Anm. 41) 66.
[49]　Zu Dölgers Vorstellungen einer katholischen Dogmengeschichte vgl. Schöllgen, *Franz Joseph Dölger* (wie Anm. 25) 10–12; zu seinem Verständnis von Religionsgeschichte vgl. Klauser, *Dölger* (1980) (wie Anm. 1) 53.
[50]　Dölger, *Der Exorzismus im altchristlichen Taufritual* (wie Anm. 41) Vf.
[51]　Schöllgen, *Franz Joseph Dölger* (wie Anm. 25) 22.

5. Weitere liturgiegeschichtliche Forschung

Als das Exorzismusbuch 1909 endlich erschien, hatte Dölger seine ungemütliche Stellung an der Würzburger Fakultät bereits verlassen und stürzte sich in Rom in die Arbeit und auf die Zeugnisse der heidnischen und christlichen Antike.[52] Sein Interesse galt dabei immer der einzelnen, konkreten Beobachtung, die er aus den Blickwinkeln unterschiedlicher Disziplinen beleuchtete. In seinem ersten Buch, das nach diesem Prinzip entstanden ist, erklärt er: „Es schien mir eben besser, einem einzigen Problem bis auf den Grund zu gehen, als eine Reihe von Problemen nur skizzenhaft zu behandeln"[53]. So kommt es, dass sein opulentes Werk mit dem Titel ΙΧΘΥΣ nicht nur aus der christlichen und paganen Literatur die Entstehung dieser Kurzformel für Jesus Christus inklusive ihrer einzelnen Bestandteile, sondern auch die Fischhaltung und -verehrung in der paganen Kultur behandelt und beinahe alle erreichbaren archäologischen Denkmäler mit Fischdarstellungen aus unterschiedlichen Kontexten präsentiert und aufarbeitet. Dölgers Interesse, die religiöse Ausdrucksform in all ihren Facetten und Implikationen zu verstehen, kennt keine Fächergrenzen und ist auch nicht nach den Zuständigkeiten der Disziplinen sortiert. Freimütig verweist er Mediziner, Archäologen oder Theologen an das Register, um „zu finden, was ihren Zwecken entspricht"[54]. Liturgiewissenschaftler finden auf diese Weise Informationen zur Taufe und zum Totenkult, besonders aber umfangreiche Erläuterungen zum Fisch als Symbol für die Eucharistie.[55]

Ein explizit liturgiehistorisches Interesse verfolgt Dölgers Abhandlung zum Thema „Sphragis"[56], das sich als Vorarbeit zu einer umfassenden Geschichte der christlichen Taufe versteht. Allerdings zeigt sich hier wiederum, dass Dölger sich niemals auf die Fragen beschränkt hätte, die heute in die Zuständigkeit des Faches Liturgiewissenschaft fallen. Um zu verstehen, was hinter der Bezeichnung der Taufe als ‚Siegel' inhaltlich steht, setzt er zunächst bei der Realie und ihrer Benutzung im profanen Leben an, um sich dann der religiösen Bedeutung des Begriffs zuzuwenden. Erst vor dem Hintergrund solcher Rechts- und Kultbräuche wird die christliche Terminologie verständlich, und kann auch ihr spezifischer Gehalt oder ihre Verbindung mit dem Kreuzzeichen geklärt werden.

Durch seine zahlreichen liturgiegeschichtlichen Erträge waren die Benediktiner von Maria Laach auf Dölger aufmerksam geworden und gewannen ihn 1918 neben Kunibert Mohlberg und Adolf Rücker für die Herausgabe der

---

[52]   Vgl. Karl Baus, Franz Joseph Dölger †, in: RQ 47. 1939 [1942], 1–8, hier 3f.

[53]   Franz Joseph Dölger, ΙΧΘΥΣ 1. Das Fisch-Symbol in frühchristlicher Zeit. Religionsgeschichtliche und epigraphische Untersuchungen. Zugleich ein Beitrag zur ältesten Christologie und Sakramentenlehre. Rom 1910 [2., durch neue Funde verm. Aufl. Münster 1928; Nachdruck Duisburg 1999], VII.

[54]   Franz Joseph Dölger, ΙΧΘΥΣ 2. Der heilige Fisch in den antiken Religionen und im Christentum. Textband. Münster 1922 [Nachdruck Duisburg 1999], XII.

[55]   Vgl. Dölger, ΙΧΘΥΣ 2 (wie Anm. 54) §14. 28–37. Die letzten zehn Paragraphen erschienen auch gesondert unter dem Titel: Die Eucharistie nach Inschriften frühchristlicher Zeit (Münster 1922).

[56]   Vgl. Franz Joseph Dölger, Sphragis. Eine altchristliche Taufbezeichnung in ihren Beziehungen zur profanen und religiösen Kultur des Altertums. Paderborn 1911 (SGKA 5, 3/4).

„Liturgiegeschichtlichen Forschungen", die er bis 1927 ausübte.[57] In dieser Zeit und in dieser Reihe erschien dann auch Dölgers ,Doppelwerk' „Die Sonne der Gerechtigkeit und der Schwarze" und „Sol salutis", dessen beide Teile dem übergeordneten Themenkomplex „Sonnenkult und Christentum" angehören.[58] Der erste behandelt die Hintergründe der im Rahmen der Taufe vollzogenen Riten der Absage an den Teufel und des Gelöbnisses an Christus. Der zweite ist die bis heute grundlegende[59] Aufarbeitung des Phänomens der Gebetsostung, die in diesem Zusammenhang auch Themen wie das Maranatha (§ 12) oder das Sursum corda (§ 18) behandelt.

Die beiden letztgenannten Werke wirken bereits ein wenig wie thematisch ausgerichtete Aufsatzsammlungen; sie präsentieren ihre ein, zwei Dutzend Paragraphen ohne übergreifende Einleitungen, Kapiteleinteilungen oder Zusammenfassungen und widmen sich immer wieder auch Einzelheiten jenseits des großen gedanklichen Bogens. Sichtlich entstand ihr Programm nicht aus einer systematischen Überlegung, welche Aspekte zu behandeln seien, um ein Thema erschöpfend aufzuarbeiten; sondern sie summieren und ordnen die Fülle des von Dölger aufgehäuften Materials.[60] Ende der zwanziger Jahre erfand Dölger eine Publikationsform, die seiner Arbeitsweise ganz und gar entsprach und die es ihm ermöglichen sollte, weite Teile seiner Beobachtungen der Öffentlichkeit zu präsentieren, obwohl er die Zeit für große zusammenfassende Werke noch nicht für gekommen hielt: 1929 erschien der erste Band seiner persönlichen Zeitschrift „Antike und Christentum", die „vom Herausgeber allein bestritten wird. Die Zusendung von Manuskripten ist daher zwecklos"[61]. In den insgesamt sechs Bänden, deren letzter erst nach Dölgers Tod fertiggestellt werden konnte, publizierte er fast 250 Aufsätze, Miszellen und Notizen, „die fast alle Gebiete des antiken Lebens berühren und der gesamten Altertumswissenschaft eine Überfülle neuer Erkenntnisse zuführten"[62]. Die schon in Dölgers früheren Werken nicht ganz einfache Orientierung für solche Leser, die gezielt nach Informationen zu einem bestimmten Thema suchen, ist freilich durch die neue Form der Präsentation nicht leichter geworden. Sie wird erst ermöglicht durch die thematische Übersicht, in der Theodor Klauser die Einzeltitel nach Themen wie ,Gott', ,Jesus Christus', ,Christliche Lebensform' oder ,Mar-

[57] Vgl. KLAUSER, Dölger (1980) (wie Anm. 1) 69, 78.
[58] So Franz Joseph DÖLGER im Vorwort zu: Sol salutis. Gebet und Gesang im christlichen Altertum mit besonderer Rücksicht auf die Ostung in Gebet und Liturgie. Münster 1920 (LF 4/5) [2., umgearbeitete und vermehrte Auflage. Münster 1925; 3., um Hinweise vermehrte Auflage (Münster 1972)].
[59] So Martin WALLRAFF, Christus verus sol. Sonnenverehrung und Christentum in der Spätantike. Münster 2001 (JAC.E 32) 11, der sein eigenes Werk auch als Weiterführung von Dölgers Studien versteht.
[60] Vgl. das durch KLAUSER, Dölger (1956) (wie Anm. 1) 9f; DERS., Dölger (1980) (wie Anm. 1) 110 berühmt gemachte Diktum von Michael Rostovtzeff: „Dölger ist kein Historiker, er ist ein Antiquar." Klauser sieht aber doch Dölgers Augenmerk dennoch „letzten Endes stets auf den großen welthistorischen Vorgang gerichtet".
[61] So die Verlagsinformation auf der Rückseite des Deckblatts von Antike und Christentum 1. 1929.
[62] KLAUSER, Dölger (1956) (wie Anm. 1) 8.

tyrium' gruppiert.[63] Zu den liturgischen Themen ‚Taufe', ‚Eucharistie', ‚Priesterweihe' und ‚Gotteshaus und Gottesdienst' finden sich immerhin über 80 Einträge, die auch heute noch liturgiewissenschaftliche Untersuchungen bereichern können.

6. Bedeutung

Bedeutung und Nachwirkung Franz Joseph Dölgers zeigen sich auf unterschiedlichen Ebenen. Da ist zunächst die persönliche Prägung zahlreicher Schüler zu nennen, die bei ihm lernten oder ihre Promotionen unter seiner Obhut verfassten. Genannt seien hier nur Theodor Klauser, der „Die Cathedra im Totenkult der heidnischen und christlichen Antike"[64] und „Das römische Capitulare evangeliorum"[65], also die Entwicklung des römischen Festkalenders, untersuchte; Johannes Quasten mit Arbeiten über „Musik und Gesang in den Kulturen der heidnischen Antike und christlichen Frühzeit"[66] und über den Guten Hirten in Totenliturgie und Grabkunst[67]; schließlich Heinrich Selhorst, der „Die Platzordnung im Gläubigenraum der altchristlichen Kirche" behandelte,[68] und Eduard Stommel mit seinen „Studien zur Epiklese der römischen Taufwasserweihe"[69].

Nur den wenigsten Forschern ist es vergönnt, dass ihr Werk auch eine institutionelle Fortsetzung erfährt: So erschien dank der Mühe vor allem Theodor Klausers im Jahr nach Dölgers Tod das erste Faszikel des Reallexikons für Antike und Christentum,[70] das das Forschungsprogramm Dölgers in enzyklopädischer Breite durchführen soll. 1955 wurde das Bonner Franz-Joseph-Dölger-Institut gegründet, um die Herausgabe des Lexikons für die Zukunft zu sichern. Es ist 1976 in die Obhut der Rheinisch-Westfälischen Akademie der Wissenschaften übergegangen. Seine bislang fast 24 Bände zu zwölf Buchstaben bieten auch zahllose liturgiewissenschaftliche Informationen, die eine breite Wahrnehmung durch die Fachwelt verdienen.

Dass sich Dölgers Lebenswerk weit über seine eigene Schaffenskraft hinaus seit nunmehr rund 100 Jahren behauptet, hat seinen Grund aber vor allem in Dölgers theologischer Grundeinsicht, die sich als zukunftsweisend herausstellte: dass der Sinn christlicher Riten, Symbole oder auch Lehrsätze sich nur vor dem Hintergrund der gesamten spätantiken Kultur verstehen lässt.

[63] Vgl. KLAUSER, *Dölger* (1980) (wie Anm. 1) 115–125.
[64] Vgl. Theodor KLAUSER, *Die Cathedra im Totenkult der heidnischen und christlichen Antike.* Münster 1927 (LF 9) [2., erw. Aufl., Fotomechan. Nachdr. mit Erg. d. Verf. Münster 1971 (LQF 21); ³1979].
[65] Vgl. Theodor KLAUSER, *Das römische Capitulare evangeliorum. Texte und Untersuchungen zu seiner ältesten Geschichte 1. Typen.* Münster 1935 (LQF 28) [2., um Verbesserungen u. Erg. verm. Aufl. 1972].
[66] Vgl. Johannes QUASTEN, *Musik und Gesang in den Kulten der heidnischen Antike und christlichen Frühzeit.* Münster 1930 (LQF 25) [Nachdruck 1973].
[67] Die Arbeit blieb unpubliziert.
[68] Vgl. Heinrich SELHORST, *Die Platzordnung im Gläubigenraum der altchristlichen Kirche.* Münster 1931.
[69] Vgl. Eduard STOMMEL, *Studien zur Epiklese der römischen Taufwasserweihe.* Bonn 1950 (Theoph. 5).
[70] Vgl. Ernst DASSMANN, *Theodor Klauser 1894–1984*, in: JAC 27/28. 1984/85, 11.

Die Liturgie hat Dölger im Zusammenspiel der Disziplinen als wichtigen Aspekt gegenüber anderen Quellen erkannt und aufgewertet: „Mir scheint es notwendig, den tatsächlichen Kultgebrauch bei der philologischen Erklärung stärker zur Geltung zu bringen"[71]. Am Anspruch des heutigen Kompetenzenspektrums der Liturgiewissenschaft gemessen, bewegte sich Dölger gewiss nur in *einem* der großen Bereiche, dem historischen. Zuweilen weist er zwar immerhin auch auf Defizite der aktuell praktizierten Form der Liturgie hin;[72] eine kreative und verantwortungsvolle Reform, wie sie die zeitgleich anhebende Liturgische Bewegung unternahm, lag jedoch außerhalb seines Gesichtsfeldes.[73] Dennoch sind sein Werk und sein Ansatz auch für eine praktisch orientierte Liturgiewissenschaft nicht ohne Bedeutung. Denn die schwierige Frage, welche Gestalt die überlieferte Liturgie im heutigen Kontext haben kann und muss, leitet sich zu einem großen Teil davon ab, was im kulturellen Kontext ihrer Entstehung mit den verschiedenen Ausdrucksformen ausgesagt werden sollte. Die theologische *Bedeutung* des christlichen, oft liturgischen Vokabulars, um die es Dölger in seinen Vergleichsstudien ja immer ging,[74] muss zunächst verstanden werden. Erst dann kann der Transfer in unsere heutige Kultur – oder auch der bewusste Abschied überkommener Formen – sinnvoll gestaltet werden.

Eine unerlässliche Voraussetzung dafür ist die präzise und unbestechliche Erfassung der historischen Vorgänge. Dieser Aufgabe widmete Franz Joseph Dölger sein Leben. Und dass eine Kirche, die sich der Wahrheit verpflichtet weiß, ein solches Unternehmen zu behindern suchte, muss ihn in seiner wissenschaftlichen und priesterlichen Existenz tief getroffen haben. In einer Kladde mit privaten Aufzeichnungen aus der Zeit seiner Kontroverse mit der Kirchenleitung schrieb Dölger im Jahr 1907: „Das ist ja das Traurige, daß man nicht einmal das ‚Es war einmal' sagen darf, ohne als Modernist verketzert zu werden."[75] Rund 20 Jahre später konnte er in seinem bedeutsamen Beitrag über das Lumen Christi folgende souveräne Selbsteinschätzung bieten: „Die Beispiele, in denen eine antike Formel durch eine christliche mit Absicht ersetzt wurde, sind durch meine Nachweise allmählich so zahlreich geworden, daß man gegen die Entstehung des φῶς ἱλαρόν in der angedeuteten Art keine Bedenken mehr zu haben braucht."[76]

So hat er manche Frucht seiner Arbeit schon selbst aufgehen sehen. Andere Erkenntnisse haben vermutlich nur deshalb nach der Modernismus-Krise nicht mehr zu Schwierigkeiten mit der Kirchenleitung geführt, weil er auf die theologischen Konsequenzen seines Gesamtprogramms nicht mehr so offensiv

---

[71] Vgl. Franz Joseph Dölger, in: Antike und Christentum 1. 1929, 319.

[72] Vgl. z.B. Dölger, *Der Exorzismus im altchristlichen Taufritual* (wie Anm. 41) 1: „der Gedanke aber von einem Begrabenwerden mit Christus, wie ihn der Apostel Paulus zur Darstellung bringt, liegt uns ferner, weil der Täufling mit dem Aufhören der Immersionstaufe das Symbol des Begräbnisses nicht mehr an sich erfährt." Vgl. auch oben zu Anm. 22.

[73] Laut Baus, *Dölger* (wie Anm. 52) 8 war er „als Priester untadelig"; seine tägliche Messe soll er während der Bonner Jahre in St. Remigius gelesen haben.

[74] Dies unterscheidet ihn von manchen seiner Zeitgenossen aus der Schule Anton Baumstarks.

[75] Vgl. Schöllgen, *Franz Joseph Dölger* (wie Anm. 25) 16f.

[76] Vgl. Franz Joseph Dölger, in: Antike und Christentum 5. 1936, 25f.

hingewiesen hat.[77] Er machte sich gewissermaßen an die Erdarbeiten oder goss Fundamente, ohne über den Bauplan viele Worte zu verlieren.[78] Durch sein unaufdringliches, aber doch zugleich unbeirrbares „So ist es aber nun einmal gewesen" schuf er ein Fundament, das seine Konsequenzen schon von selbst zeitigen würde. In dieser Arbeit sein Lebenswerk zu erkennen, dazu bedarf es großer Demut und der inneren Gewissheit, dass eine Theologie, die den historischen Befund verdecken möchte, am Ende selbst – um das Diktum Harnacks umzuwenden – von der Geschichte überwunden wird. Auch wenn es schon einmal hundert Jahre dauern mag.

Auswahlbibliografie

Antike und Christentum 1. Münster 1929.

Antike und Christentum 2. Münster 1930.

Antike und Christentum 3. Münster 1932.

Antike und Christentum 4. Münster 1934.

Antike und Christentum 5. Münster 1936.

Antike und Christentum 6. Münster 1950.

Der Exorzismus im altchristlichen Taufritual. Eine religionsgeschichtliche Studie. Paderborn 1909 (SGKA 3).

ΙΧΘΥΣ *1. Das Fisch-Symbol in frühchristlicher Zeit. Religionsgeschichtliche und epigraphische Untersuchungen. Zugleich ein Beitrag zur ältesten Christologie und Sakramentenlehre.* Rom 1910 [2., durch neue Funde verm. Aufl. Münster 1928; Nachdruck Duisburg 1999].

ΙΧΘΥΣ *2. Der heilige Fisch in den antiken Religionen und im Christentum.* Textband. Münster 1922 [Nachdruck Duisburg 1999].

ΙΧΘΥΣ *3. Der Heilige Fisch in den antiken Religionen und im Christentum. Tafeln.* Münster 1922 [Nachdruck Duisburg 1999].

ΙΧΘΥΣ *4. Die Fisch-Denkmäler in der frühchristlichen Plastik, Malerei und Kleinkunst. Tafeln.* Münster 1927 [Nachdruck Duisburg 1999].

ΙΧΘΥΣ *5. Die Fisch-Denkmäler in der frühchristlichen Plastik, Malerei und Kleinkunst.* Münster 1943 [Nachdruck 1957 und Duisburg 1999].

Das Sakrament der Firmung historisch-dogmatisch dargestellt. Wien 1906 (ThSLG 15).

Sol salutis. Gebet und Gesang im christlichen Altertum mit besonderer Rücksicht auf die Ostung in Gebet und Liturgie. Münster 1920 (LF 4/5) [2., umgearbeitete und vermehrte Auflage. Münster 1925; 3., um Hinweise vermehrte Auflage (Münster 1972)].

Die Sonne der Gerechtigkeit und der Schwarze. Eine religionsgeschichtliche Studie zum Taufgelöbnis. Münster 1918 (LF 2) [vermehrt um hinterlassene Nachträge des Autors nachgedruckt. Münster 1971 (LQF 14) Münster 1971].

Sphragis. Eine altchristliche Taufbezeichnung in ihren Beziehungen zur profanen und religiösen Kultur des Altertums. Paderborn 1911 (SGKA 5, 3/4).

---

[77] Vgl. Schöllgen, *Franz Joseph Dölger* (wie Anm. 25) 22f.
[78] Vgl. die Diktion bei Hugo Rahner, *Neue Wege der antiken Missionsgeschichte. Zum Andenken an Franz Joseph Dölger (1879–1940)*, in: NZM 1. 1945, 12–23, hier 15f.

Walter Dürig (1913–1992)

Hansjakob Becker – Otto Mittermeier

1. Leben

In Breslau am 17. März 1913 als Sohn des Telegrapheninspektors Paul Dürig und seiner Ehefrau Elisabeth, geb. Hentschel, geboren, studierte Walter Dürig nach Ablegung der Reifeprüfung am Zwinger-Gymnasium zu Breslau ab 1932 an der Universität Breslau Theologie, Philosophie, Germanistik, Geschichte und Volkskunde.[1] 1937 wurde er zum Priester geweiht und trat seine erste Stelle als Kaplan in Freiburg (Schlesien) an. 1939 kam der junge Seelsorger als Repetitor und Präfekt an das Erzbischöfliche Theologenkonvikt in Breslau. 1941  erwarb Dürig den philosophischen Doktorgrad mit einer Arbeit über „Johann Michael Sailer, Jean Paul, Friedrich Heinrich Jakobi. Ein Beitrag zur Quellenanalyse der Sailer'schen Menschenauffassung"[2] und 1944 den theologischen Doktorgrad mit einer Dissertation bei Franz-Xaver Seppelt über „Johannes Scheffler als Kontroverstheologe und Seelsorger"[3]. Nach der Vertreibung aus Breslau 1946 war Dürig zunächst als Seelsorger für Heimatvertriebene im Bistum Hildesheim tätig.

Seine wissenschaftliche Arbeit fand 1947 ihre Fortsetzung an der Katholisch-Theologischen Fakultät der Universität München. Er habilitierte sich dort 1949 bei Joseph Pascher mit der Arbeit „Imago. Ein Beitrag zur Terminologie und Theologie der römischen Liturgie"[4]. Nach zweijähriger Tätigkeit als Privatdozent an der Universität München führte ihn sein Weg 1951 als akademischer Lehrer zunächst nach Regensburg, wo er an der Philosophisch-Theologischen Hochschule eine (zunächst außerordentliche) Professur für Kirchengeschichte mit Lehrauftrag für Liturgiewissenschaft übernahm, dann 1957 nach Freiburg im Breisgau, wo er den Lehrstuhl für Pastoraltheologie, Liturgiewissenschaft und Homiletik innehatte, und 1960 schließlich wieder zurück nach München auf den Lehrstuhl für Liturgiewissenschaft und Pastoraltheologie. Nachdem im Jahr 1966 ein eigener Lehrstuhl für Pastoraltheologie eingerichtet worden war, konnte Walter Dürig bis zu seiner Emeritierung seine ganze Kraft dem Fach Liturgiewissenschaft zuwenden, dem nach der Veröffentlichung der Liturgiekonstitution des 2. Vatikanums und durch die anschließende Liturgiereform wichtige neue Aufgaben zugewachsen waren. Seit 1964 war er Consultor des „Consilium ad exsequendam Constitutionem de sacra Liturgia". Von 1951 bis 1953 gab Dürig die Münchener Theologische Zeitschrift mit heraus; seit 1969 war er Mitherausgeber der Münchener Theologischen Studien.

[1] Vgl. Lebenslauf im Anhang zur theologischen Dissertation: Walter DÜRIG, *Johannes Scheffler als Kontroverstheologe und Seelsorger*. Breslau 1944 (maschinenschriftliches Manuskript im Archiv des Herzoglichen Georgianums, München).

[2] Breslau 1941.

[3] DÜRIG, *Johannes Scheffler* (wie Anm. 1).

[4] München 1952 (MThS.S 5).

Walter Dürig war nicht nur in der wissenschaftlichen Ausbildung der Theologen, sondern gleichzeitig auch in der geistlichen der Priesteramtskandidaten tätig: So bereits von 1939 bis Kriegsende als Präfekt des Breslauer Theologenkonvikts Marianum und von 1950 bis 1951 als Subregens des Herzoglichen Georgianums, bevor er mit der Berufung auf den Münchener Lehrstuhl für zwei Jahrzehnte die Leitung dieses überdiözesanen Priesterseminars (von 1960 bis 1980) übernahm. Nicht zuletzt aufgrund der Verdienste um die Erziehung künftiger Priester und somit um die stiftungsgemäße Erhaltung des seit 1494 bestehenden Georgianums wurde Dürig im Jahr 1966 zum Päpstlichen Ehrenprälaten ernannt und 1975 mit dem Bayerischen Verdienstorden ausgezeichnet.

Auch nach seiner Emeritierung als Professor für Liturgiewissenschaft 1979 führte er seine wissenschaftliche Tätigkeit weiter. So konnte er u.a. 1983 die Herausgabe von „J. Pascher, Die Orationen des Missale Romanum Pauls VI." in insgesamt 4 Bänden abschließen.[5] Anlässlich der Feier seines 70. Geburtstages im Jahr 1983 im Georgianum in München wurde dem Jubilar eine Festschrift überreicht. Das zweibändige Werk stand am Beginn der neuen Reihe interdisziplinärer Beiträge zur Liturgiewissenschaft „Pietas Liturgica"[6]. Die von Hansjakob Becker herausgegebene Reihe verdankt ihren Titel Dürigs gleichnamigem Werk.[7]

Am 1. Oktober 1992 verstarb Walter Dürig nach schwerer Krankheit im 80. Lebensjahr in München.

2. Werk

Im liturgiewissenschaftlichen Forschen Walter Dürigs sind zwei Brennpunkte zu erkennen, die sich als seine Antwortversuche auf die aktuellen Fragen der liturgischen Bewegung und Erneuerung seiner Zeit (Enzyklika Mediator Dei Pius' XII. 1947 – Liturgiekonstitution des 2. Vatikanums 1963 – Missale Romanum Pauls VI. 1969/70 – Deutsches Messbuch 1974) einordnen lassen. Als erster Brennpunkt lässt sich die historisch-philologische Erschließung des liturgischen Erbes festmachen. Dürig erkennt die Bedeutung terminologisch-philologischer Vorarbeit für die sachgerechte Erfassung des liturgietheologischen Bereichs der christlichen Sakralsprache und für deren Übersetzung. Er veröffentlicht 1949 eine Studie über den Begriff ‚pignus' in der römischen Liturgie.[8] In einem zusammenfassenden Bericht über den damaligen Stand der liturgietheologischen Philologie 1951 weist er auf die Mühsal solcher Untersuchungen hin und sieht schon seine eigene Aufgabe, wenn er feststellt: „... wer aber andererseits die Reichhaltigkeit und Vieldeutigkeit des abendländischen

---

5   Vgl. Joseph PASCHER, *Die Orationen des Missale Romanum Pauls VI. Bd. 1: Advents- und Weihnachtszeit.* St. Ottilien 1981; *Bd. 2: Fastenzeit und Karwoche.* St. Ottilien 1982; *Bd. 3: Österliche Zeit.* St. Ottilien 1982; *Bd. 4: Im Jahreskreis.* St. Ottilien 1983.

6   Titel der Festschrift: *Liturgie und Dichtung. Ein interdisziplinäres Kompendium.* Hg. v. Hansjakob BECKER – Reiner KACZYNSKI. St. Ottilien 1983 (PiLi 1/2). Für seine Bemühungen um das Zustandekommen der Reihe „Pietas Liturgica" ist besonders P. Bernhard Sirch OSB zu danken.

7   Vgl. Walter DÜRIG, *Pietas Liturgica. Studien zum Frömmigkeitsbegriff und zur Gottesvorstellung der abendländischen Liturgie.* Regensburg 1958.

8   Vgl. Walter DÜRIG, *Der Begriff pignus in der Liturgie,* in: TThQ 129. 1949, 385–398.

liturgischen Sprachschatzes überschaut, kann in gleicher Weise beurteilen, wie berechtigt es ist, den gegenwärtigen Stand der Forschung als ein Anfangsstadium zu bezeichnen"[9]. Bereits 1952 legt er mit seiner Habilitationsschrift „Imago. Ein Beitrag zur Terminologie und Theologie der römischen Liturgie"[10] und seiner Studie zu „Disciplina. Eine Studie zum Bedeutungsumfang des Wortes in der Sprache der Liturgie und der Väter"[11] zwei weitere Untersuchungen zur lateinischen Sakralsprache vor. Von den in „Imago" aufgezeigten sechs „Bedeutungsgleichungen"[12] des Begriffs nennt er (neben ‚Bildterminus im schlichtesten Wortverstand', ‚Aussage für das Kreuzzeichen', ‚Bildwirklichkeitsaussage im Kultmysterium', ‚Aussage für die Gleichgestaltung mit Christus im Erlösungsmysterium', ‚Bezeichnung für die Gottesgleichbildlichkeit des Logos') als weitaus am häufigsten begegnende Verwendung von ‚imago' die ‚Aussage der Gottesebenbildlichkeit des Menschen'. Sie schließt sich, so Dürigs Untersuchungsergebnis, sprachlich und sachlich in allen Textschichten dem biblischen Bildbegriff an, „wonach der Mensch eine Repräsentation, eine Manifestation, ein Abglanz Gottes ist"[13]. Die Imago-Dei-Texte der Liturgie befassen sich vornehmlich mit der Erneuerung und Vollendung dieser Gottesebenbildlichkeit des Menschen durch Christus. So sieht Dürig schon zur Fortführung dieser Arbeit zu ‚imago' die notwendige Erforschung der Termini „reparatio, ‚restauratio, restitutio, reformatio, renovatio und verwandter Begriffe"[14]. Noch bevor „Imago" veröffentlicht wird, zeigt Dürig in „Disciplina", dass das Wort in der Sakralsprache neben der Bedeutung von ‚Erziehung', ‚Lehre' und ‚Züchtigung, Strafe' am häufigsten in der von ‚Zucht' vorkommt unterschieden nach ‚disciplina domestica', ‚disciplina regularis', ‚disciplina spiritalium castrorum' und ‚disciplina ecclesiastica'[15].

Sieben Jahre später erscheint das Buch, in dem er sich mit dem im Deutschen nicht mit einem einzigen Wort wiederzugebenden Begriff der ‚pietas' ausführlich beschäftigt: „Pietas liturgica"[16]. Er unterteilt sein Werk in drei Abschnitte entsprechend der dreifachen Bedeutung des Wortes ‚pietas' in der

[9] Walter DÜRIG, *Die Erforschung der lateinisch-christlichen Sakralsprache*, in: LJ 1. 1951, 32–47, hier 47.

[10] DÜRIG, *Imago* (wie Anm. 4); vgl. Rezensionen hierzu (in Auswahl), in: MThZ 3. 1952, 95–97; ThLZ 78. 1952, 560f; EL 67. 1953, 72–74; RSR 45. 1954, 614–616; Anima 12. 1957, 279f; ALw 5. 1954, 499f. Eine Sammlung der Rezensionen zu Dürigs Werken findet sich im Archiv des Herzoglichen Georgianums, Professor-Huber-Platz 1, 80539 München.

[11] Vgl. Walter DÜRIG, *Disciplina. Eine Studie zum Bedeutungsumfang des Wortes in der Sprache der Liturgie und der Väter*, in: SE 4. 1952, 245–297; vgl. Rezensionen hierzu (in Auswahl), in: EL 65. 1951, 137; BenM 29. 1953, 324f; ThRv 49. 1953, 26.

[12] Vgl. DÜRIG, *Imago* (wie Anm. 4) 178.

[13] DÜRIG, *Imago* (wie Anm. 4) 179.

[14] DÜRIG, *Imago* (wie Anm. 4) 180.

[15] Vgl. Rezension, in: EL 65. 1951, 137.

[16] Vgl. DÜRIG, *Pietas Liturgica* (wie Anm. 7); dieser Abschnitt übernimmt im Wesentlichen die Ausführungen zu Dürigs „Pietas liturgica" von Reiner KACZYNSKI, *In Memoriam. Homilie im Trauergottesdienst der Kath.-Theol. Fakultät für Professor DDr. Walter Dürig*, in: MThZ 44. 1993, 257–261, hier 258; vgl. die Rezensionen zu „Pietas liturgica" (in Auswahl), in: Anima 13. 1958, 292; ThLZ 95. 1959, 210–212; EL 73. 1959, 374–376; QLP 50. 1959, 147; ZKTh 83. 1959, 258f; ThRv 57. 1961, 130f.

Liturgiesprache: als Verhaltensweise des Menschen Gott gegenüber, als ‚pietas
erga Deum', als Verhaltensweise des Menschen zum Mitmenschen, als ‚pietas
erga hominem', und als Eigenschaft Gottes in seiner Beziehung zum Menschen, als ‚pietas Dei'. In jedem Abschnitt untersucht er den Begriff zunächst
im außerchristlichen Bereich und danach in den römischen Sakramentaren.
Die drei Abschnitte des Buches finden jeweils dort ihren Höhepunkt, wo der
Begriff der ‚pietas' in seiner unmittelbaren Beziehung zur Eucharistie deutlich wird: wo die Messfeier als Quellgrund und Mittelpunkt jeglicher ‚pietas
erga Deum' erscheint,[17] wo die Bitte einer Postcommunio um das Wachstum
der Gläubigen in der gegenseitigen ‚pietas' vom Begriff des ‚sacramentum
pietatis' her gedeutet wird, den Augustinus in seinem Kommentar zur vorhin
gehörten Eucharistierede des Johannes-Evangeliums prägt,[18] und wo schließlich festzustellen ist, dass von der ‚pietas' Gottes und Jesu Christi vielfach in
den Texten im Bereich des Kommunionteils der Messe die Rede ist, etwa im
Kommuniongesang der Totenmesse: „Das ewige Licht leuchte ihnen, o Herr,
bei deinen Heiligen in Ewigkeit, ‚quia pius es'"[19]. „Denn du bist unser Vater"
überträgt das deutsche Messbuch. So wird verständlich, dass Walter Dürig
manchen Übersetzungen der deutschen liturgischen Bücher sehr kritisch ge-
genüberstand und dann, wenn er selbst die Eucharistie feierte, manche Gebete
weiterhin in lateinischer Sprache betete; denn er wusste natürlich, dass etwa im
Gebet des Priesters zur Vorbereitung auf den Eucharistieempfang – „Der Empfang deines Leibes und Blutes bringe mir nicht Gericht und Verdammnis, sondern Segen und Heil" – die Wendung „pro tua pietate" nicht übersetzt ist.

Sowohl in „Imago" mit dem Hinweis auf die grundsätzliche Bildhaftigkeit
der Liturgie, deren Aussagen zur Gottesebenbildlichkeit des Menschen und
der darin implizierten Inkarnationstheologie, wie auch in „Pietas liturgica" mit
der darin deutlich gewordenen Problematik der deutschen Übersetzung der lateinischen Sakralsprache und der Verpflichtung zur gegenseitigen ‚pietas', die
sich aus dem Empfang der Eucharistie herleitet, zeigt sich der zweite Brennpunkt des liturgischen Forschens Walter Dürigs: In der Zeit der liturgischen Reform des 2. Vatikanums ist es die Erschließung des liturgisches Erbes und die
zeitgemäße Umsetzung dieser Reform.

In der Heiligen Woche 1962, kurz nachdem am 1. Februar die vorbereitende Kommission das Schema zur Liturgiekonstitution an die Zentralkommissi-
on zur Vorbereitung des 2. Vatikanischen Konzils weitergegeben hatte,[20] stellt
Walter Dürig seine Überlegungen zur Weiterführung der Liturgiereform in
seinem Buch „Die Zukunft der liturgischen Erneuerung"[21] zur Diskussion. Das
Buch trägt mit „Zur liturgietheologischen und pastoralliturgischen Bedeutung

---

[17] Vgl. DÜRIG, *Pietas Liturgica* (wie Anm. 7) 94–97.

[18] Vgl. DÜRIG, *Pietas Liturgica* (wie Anm. 7) 123f; hierzu vgl. Augustinus, Tract. in Joh
      26,13: CCSL 36, 266.

[19] Vgl. DÜRIG, *Pietas Liturgica* (wie Anm. 7) 179–182, 210–212.

[20] Vgl. Josef Andreas JUNGMANN, *Konstitution über die Heilige Liturgie*, in: LThK.E Bd.1,
      9–109, hier 12.

[21] Vgl. Walter DÜRIG, *Die Zukunft der liturgischen Erneuerung. Zur liturgietheologischen und
      pastoralliturgischen Bedeutung der ‚Liebe'.* Mainz 1962; vgl. Rezensionen hierzu (in Aus-
      wahl), in: BiLi 36. 1962, 133f; AnzKG 71. 1962, 510; MThZ 14. 1963, 219; WuW 19.
      1964, 640–642; LebZeug 53/2. 1963, 101; ALw 15. 1964, 153f.

der ‚Liebe'" einen Untertitel, dessen zunächst sich nicht unmittelbar erschlie-
ßender Zusammenhang mit der Liturgiereform wohl bei nicht wenigen Lesern
das Interesse an der Abhandlung geweckt hat. Dürig nimmt die Festakademie
in Mecheln 1959 anlässlich „50 Jahre Liturgische Bewegung" zum Ausgangspunkt seiner Ausführungen.[22] „Mit scharfem Blick unterscheidet hier Dürig Wesentliches und Unwesentliches treffende Reformwünsche."[23] Dürigs deutlicher
Verweis darauf, dass der heutige Mensch sowohl zur Kultsprache des Latein
als auch zur Bildhaftigkeit der Liturgie überhaupt oft keinen unmittelbaren
Zugang mehr hat,[24] wird in den Beurteilungen seines Werkes weitgehend zustimmend aufgenommen, wenn auch kritische Stimmen zu einzelnen Punkten
nicht fehlen.[25] Sein durch den Untertitel der Abhandlung schon angezeigtes
Hauptanliegen, dass nur in einer von der Bruderliebe gekennzeichneten lebendigen Gemeinde letztlich auch der Gemeinschaftscharakter der Liturgie
wirklich zum Tragen kommen kann, wird als zentrale Erkenntnis des Buches
besonders herausgestellt.[26] Mit seinem Hinweis auf den fehlenden emotionalen Zugang des heutigen Menschen zu Zeichen und Symbolen der Liturgie hat
Dürig die Notwendigkeit der Schaffung eines solchen Zugangs durch liturgische Bildung auf der Grundlage einer ‚theologia cordis' klar gesehen und in
einer vielleicht erst heute wieder erkannten Tiefe und Tragweite schon damals
– noch vor der Liturgiekonstitution des 2. Vatikanums – seinen Lesern deutlich
vor Augen gestellt. „Wenn der ‚filmische' Mensch von heute nicht zur Bildhaftigkeit hingeführt wird, und zugleich eine Theologie des Herzens nicht lebendige Bruderliebe als Äußerung kirchlichen Gemeinschaftslebens weckt, kann
u. E. keine weitere Entfaltung liturgischen Lebens im Kirchenvolk erwartet
werden."[27]

Den Gedanken, dass Liturgie im kirchlichen Gemeinschaftsleben, näherhin in der lebendigen Pfarrgemeinde verwurzelt sein muss, greift Walter Dürig 1975 nochmals auf in seiner Schrift „Das christliche Fest und seine Feier"[28].
„Das bleibende und unveränderliche Wesen des christlichen Festes besteht
in seinem ‚Gedächtnischarakter', was Dürig in einem Rückbezug aller christlichen Feste auf das Wochen- und Jahrespascha verdeutlicht."[29] Unter den
Grundanliegen Dürigs ist besonders zu erwähnen: „Die Gestaltung unserer

[22]   Vgl. DÜRIG, *Die Zukunft der liturgischen Erneuerung* (wie Anm. 21) 11–17.
[23]   So der Rezensent (N.H.) in: BiLi 36. 1962, 133.
[24]   Vgl. DÜRIG, *Die Zukunft der liturgischen Erneuerung* (wie Anm. 21) 39–41; 56–60.
[25]   Vgl. Rezension, in: ALw 15. 1964, 154.
[26]   Vgl. das Urteil mehrerer Rezensenten, so in: MThZ 14. 1963, 219; BiLi 36. 1962, 133f;
       AnzKG 71. 1962, 510; hierzu DÜRIG, *Die Zukunft der liturgischen Erneuerung* (wie Anm.
       21) 158–175.
[27]   So der Rezensent (ohne Namensangabe) in: LebZeug 53/2. 1963, 101; vgl. auch
       Franz A. HOYER, *Aus der christlichen Welt. Walter Dürig: Die Zukunft der liturgischen Erneue-
       rung* (Manuskript der Sendung im Kirchenfunk des SWF am 10.02.1963, im Archiv
       des Herzoglichen Georgianums, München, s. o. Anm. 10), 2.
[28]   St. Ottilien 1975 (³1986); vgl. Rezensionen hierzu (in Auswahl), in: Gottesdienst 9.
       1976, 58f; EL 91. 1977, 94; Christ in der Gegenwart 27. 1975, 111.
[29]   So der Rezensent (Theodor MAAS-EWERD) in: Gottesdienst 9. 1976, 58f.

Festfeiern ist richtig, wenn sie ein Erfahren und Erleben der Glaubensgemeinschaft in Gemeinde und Kirche vermittelt."[30] Die Themen Fest, Gemeinschaft, Symbolik (Bildhaftigkeit) und Leibhaftigkeit durchziehen weithin Walter Dürigs Abhandlungen zur Pastoralliturgik und zur Volksfrömmigkeit. Schon 1954 erregt seine Schrift „Geburtstag und Namenstag"[31] nicht nur in theologischen Kreisen Aufsehen. In traditionell katholischen Gegenden war und ist es zum Teil heute noch der Brauch, die Feier des Namenstages der des Geburtstages vorzuziehen. Damit verbunden war auch die Vorstellung, die Geburtstagsfeier sei mehr eine spezifisch protestantische oder gar nichtchristliche Angelegenheit. In „Geburtstag und Namenstag" hinterfragt Dürig durchaus kritisch die katholische Praxis und ist sich wohl bewusst, damit auch an Emotionen zu rühren. Die frömmigkeitsgeschichtliche und pastoralliturgische Abhandlung Dürigs findet ein ausführliches Echo.[32] Den ‚dies natalis‘ zu feiern, zeigt im Unterschied zu anderen Tendenzen in der christlichen Frömmigkeit eine „leibbejahende" Haltung auf.[33] Für die damalige Zeit klingt die Auffassung Dürigs, es sei religiös fruchtbarer, wenn an die Stelle der Namenstagsfeier die Feier des Geburtstages und des Tauftages tritt, durchaus provokativ, obgleich seine Schrift nicht als Polemik gegen den Namenstag aufgefasst wird.[34] Mit Fragen der liturgischen Erneuerung und der Liturgiereform beschäftigt sich Dürig u.a. in seiner liturgiegeschichtlichen und liturgietheologischen Schrift zur Karwochenreform,[35] weiterhin in einer Abhandlung zur theologischen Bedeutung der Liturgiekonstitution,[36] zur Bedeutung der Liturgie im Gesamtzusammenhang der kirchlichen Reform in der Folge des 2. Vatikanums[37] und zur neuen römischen „Meßordnung im Widerstreit"[38]. Die liturgische Bildung der Gläubigen und des Klerus sieht Dürig als bleibende Hauptvoraussetzung für das Gelingen jeglicher liturgischer Reform,[39] Weitere

[30] (Theodor MAAS-EWERD) in: Gottesdienst 9. 1976, 59; vgl. DÜRIG, *Das christliche Fest* (wie Anm. 28) 49.

[31] Vgl. Walter DÜRIG, *Geburtstag und Namenstag. Eine liturgiegeschichtliche Studie*. München 1954.

[32] Vgl. Hubert VON LASSAULX, *Geburtstag oder Namenstag?*, in: Der christliche Sonntag 6. 1954, Nr. 21, 162; Otto BETZ, *Rehabilitierung des Geburtstages*, in: KatBl 80. 1955, 121–131.

[33] Vgl. BETZ, *Rehabilitierung des Geburtstages* (wie Anm. 32) 129; *Rezension zu „Geburtstag oder Namenstag"*, in: JLH 2. 1956, 289.

[34] Vgl. BETZ, *Rehabilitierung des Geburtstages* (wie Anm. 32) 131.

[35] Vgl. Walter DÜRIG, *Die liturgiegeschichtliche und liturgietheologische Bedeutung der Karwochenreform*, in: Anima 11. 1956, 388–395.

[36] Vgl. Walter DÜRIG, *Die theologische Bedeutung der Liturgiekonstitution*, in: MThZ 15. 1964, 251–258.

[37] Vgl. Walter DÜRIG. *Die Bedeutung der Liturgie im Gesamtzusammenhang der kirchlichen Reform*, in: DERS., *Liturgiereform im Streit der Meinungen*. München 1968 (SBKAB 42), 15–39.

[38] Vgl. Walter DÜRIG, *Die neue römische Meßordnung im Widerstreit*, in: KlBl 51. 1971, 264–266.

[39] Vgl. *Bibliografie* (in Auswahl) Walter DÜRIG, *Liturgiereform und liturgische Bildung des Klerus*, in: MThZ 13. 1962, 47–51; DERS., *Die Verkündigungsaufgabe der Lehrer der Liturgiewissenschaft*, in: LJ 17. 1967, 183–185; DERS., *Erfolge und Aufgaben der liturgischen Erneuerungsbewegung. Antwort auf eine Umfrage*, in: BiLi 50. 1976, 307–308.

Schwerpunkte seines wissenschaftlichen Werkes ergeben sich aus seinen Lebensräumen Schlesien und Bayern[40] und aus der Bearbeitung klassischer liturgischer Themen wie Kirchenjahr und Sakramente.[41] Aus Quellentexten der

[40] Vgl. *Bibliografie* (zu Schlesien, in Auswahl) Walter Dürig, *Das Sequentiar des Breslauer Inkunabelmissales. Ein Beitrag zur schlesischen Kultur- und Liturgiegeschichte.* Sigmaringen 1990; DERS., *Schlesiens Anteil an der liturgiewissenschaftlichen Forschung und an der liturgischen Erneuerung im deutschen Katholizismus,* in: ASKG 9. 1952, 206–216; DERS., *Der Laienkelch im Bistum Breslau,* in: *Sapienter ordinare. Festgabe für Erich Kleineidam.* Hg. v. Fritz HOFFMANN [u.a.]. Leipzig 1969 (EThSt 24), 205–218; DERS., *Die Hedwigssequenz des vortridentinischen Breslauer Missales,* in: *Proprium Wratislaviense pro anno Domini 1979.* Hg. v. Apostolischen Visitator für die Priester und Gläubigen des Erzbistums Breslau. Köln 1978, 21–24; DERS., *Die Vesper-Antiphonen im Hedwigsoffizium des mittelalterlichen Breslauer Breviers,* in: *Proprium Wratislaviense pro anno Domini 1984.* Hg. v. Apostolischen Visitator für die Priester und Gläubigen des Erzbistums Breslau. Köln 1983, 21–24; DERS., *Die Hedwigssequenz der Brieger Schloßkirche,* in: *Proprium Wratislaviense pro anno Domini 1987.* Hg. v. Apostolischen Visitator für die Priester und Gläubigen des Erzbistums Breslau. Köln 1986, 22–23; (zu Angelus Silesius, in Auswahl) Walter Dürig, *Angelus Silesius. Das Gedankengut des schlesischen Gottsuchers als lebendiges Erbe.* Hildesheim 1977; DERS., *Zur Frömmigkeit des Angelus Silesius. Versuch einer religiös-seelengeschichtlichen Persönlichkeitsdeutung,* in: *Amt und Sendung. Beiträge zu religiösen und seelsorglichen Fragen der Gegenwart.* Hg. v. Otto KUSS – Erich KLEINEIDAM. Freiburg/Br. 1950, 461–481; DERS., *Johannes Scheffler als Streittheologe. Marginalien zu der gleichnamigen Veröffentlichung von Ernst Otto Reichert,* in: ASKG 28. 1970, 78–92; (zu Bayern, in Auswahl) Walter Dürig, *Liturgische Beziehungen zwischen Mailand und Regensburg im 12. Jahrhundert,* in: ALw 4,1. 1955, 81–89; DERS., *Die Heimat des Codex latinus Monacensis 100,* in: *Bavaria Christiana. Zur Frühgeschichte des Christentums in Bayern. Festschrift Adolf Wilhelm Ziegler.* Hg. v. Wilhelm GESSEL – Peter STOCKMEIER. München 1973 (BABKG 27), 151–160; DERS., *Das Ordal der Psalterprobe im Codex Latinus Monacensis 100. Ihr liturgietheologischer und volkskundlicher Hintergrund,* in: MThZ 24. 1973, 266–278; DERS., *Gottesurteile im Bereich des Benediktinerklosters Weihenstephan (Freising) unter Abt Erchanger (1082–1096),* in: ALw 15. 1973, 101–107; DERS., *Zur Geschichte der Augsburger Domliturgie im Mittelalter,* in: JVABG 22. 1988, 32–46.

[41] Vgl. *Bibliografie* (zum Kirchenjahr, in Auswahl) Walter Dürig, *Pfingsten,* in: *Pfingstsonntag.* Hg. v. Odo HAGGENMÜLLER. Stuttgart 1965 (ATW 3), 5–10; DERS., *Epiphanie,* in: *Fest der Erscheinung des Herrn.* Hg. v. Odo HAGGENMÜLLER. Stuttgart 1965 (ATW 7), 7–14; DERS., *Die Ostervigil,* in: *Die heilige Osternacht.* Stuttgart 1967 (ATW 16), 7–28; DERS., *Die Liturgie des Festes Christi Himmelfahrt,* in: *Christi Himmelfahrt. Liturgie, Lesungen, Verkündigung.* Stuttgart 1972 (ATW 121), 7–14; DERS., *Die Liturgie des Karfreitags,* in: *Karfreitag. Liturgie, Lesungen, Verkündigung.* Hg. von Klemens JOCKWIG – Willi MASSA. Stuttgart 1978 (ATW 164), 5–14; (zur Eucharistie und den anderen Sakramenten, in Auswahl) Walter *Dürig, Die Eucharistie als Sinn-Bild der Consecratio Mundi,* in: MThZ 10. 1959, 283–288; DERS., *Das Sintflutgebet in Luthers Taufbüchlein,* in: *Wahrheit und Verkündigung. Michael Schmaus zum 70. Geburtstag.* Hg. v. Leo SCHEFFCZYK. Bd. 2. Paderborn 1967, 1035–1047; DERS., *Der Entlassungssegen in der Meßfeier. Anregungen zu einer Reform,* in: LJ 19. 1969, 205–218; DERS., *Eine Bearbeitung des Leisentritschen Taufrituals in einer Handschrift der Breslauer Dombibliothek,* in: *Beiträge zur Schlesischen Kirchengeschichte. Gedenkschrift für Kurt Engelbert.* Hg. v. Bernhard STAIEWSKI. Köln 1969, 266–274; DERS., *Die Consecratio als theologische Grundidee der Eucharistie,* in: MThZ 22. 1971, 252–263; DERS., *Das sonntägliche Taufgedächtnis im Missale Pauls VI.,* in: KlBl 55. 1975, 247–248; DERS., *Das Vaterunser in der Messe,* in: *Gemeinde im Herrenmahl. Zur Praxis der Meßfeier.* [FS Emil Joseph Lengeling]. Hg. v. Theodor MAAS-EWERD – Klemens RICHTER. Freiburg/Br. 1976 (PLR-GD), 323–330.

Liturgie und der Kirchenväter belegt er den Marientitel „Mutter der Kirche"[42].
Seine Beschäftigung mit der lateinischen Sakralsprache umfasst auch die ausführliche Erforschung einzelner liturgischer Quellen mit entsprechenden
Beiträgen zur Liturgiegeschichte.[43] Den Darlegungen von „Imago" und „Pietas
liturgica" folgen Abhandlungen zur Anthropologie und Theologie der Liturgie
und zur christlichen Spritualität.[44]

3. Würdigung

Mit seiner liturgiewissenschaftlichen Forschungstätigkeit weist Walter Dürig
grundsätzlich darauf hin, dass die Arbeit an der volkssprachlichen Übersetzzung liturgischer Texte ohne eine ausführliche Beschäftigung mit der Sakralsprache nicht möglich ist. Neuere Bestimmungen zur weiteren Durchführung
der Liturgiereform und Anfragen an die Reform und deren Fortführung heute[45] lassen Dürigs Werk wieder aktueller als vielleicht noch vor einigen Jahren
erscheinen.[46] „Über-Setzung" – nicht bloß im sprachlichen Sinn verstanden –
kann nur geschehen im Wissen um die Geschichte: „Denn nur wer seine Wurzeln kennt, weiß, was ihn prägt. Wer die Vergangenheit nicht kennt, den kann

[42] Vgl. Walter Dürig, *Maria – Mutter der Kirche. Zur Geschichte und Theologie des neuen liturgischen Marientitels.* St. Ottilien ³1988; DERS., *Ist die Inschrift des Magus-Epitaphs die früheste Bezeugung des neuen liturgischen Marientitels „Mutter der Kirche"?*, in: MThZ 27. 1976, 376–384.

[43] Vgl. (in Auswahl) Walter Dürig, *Die Stellung und Bedeutung des Prager Sakramentars innerhalb der abendländischen Liturgiegeschichte*, in: EL 63. 1949, 402–406; DERS., *Bruchstücke einer Sammlung von Benedictiones Gallicanae in Clm 29163ᵐ*, in: RBen 64. 1954, 168–175; DERS., *Liturgische Beziehungen zwischen Mailand und Regensburg im 12. Jahrhundert*, in: ALw 4,1. 1955, 81–89; DERS., *Die neue Adventspräfation*, in: LJ 15. 1965, 155–163; DERS., *Die Kirchweihpräfation*, in: LJ 16. 1966, 99–107; DERS., *Die mailändische Sakramentartradition*, in: MThZ 28. 1977, 181–187; DERS., *Die liturgischen Texte des Pontifikale Gundekarianum*, in: *Kommentarband zur Faksimile-Ausgabe des Codex B 4 im Diözesan-Archiv Eichstätt.* Hg. v. Andreas Bauch – Ernst Reiter. Wiesbaden 1987, 88–103.

[44] Vgl. *Bibliografie* (in Auswahl): Walter Dürig, *Gottesebenbildlichkeit und Ehe*, in: Anima 13. 1958, 359–365 (Wiederabdruck in: ORPB 60. 1959, 85–90); DERS., *Familienliturgie*, in: Anima 14. 1959, 259–267; DERS., *Die Bedeutung der Bruderliebe für das Werden und Wachsen der Kultgemeinde. Vortrag auf der Jahresversammlung 1960 des Zentralkomitees der deutschen Katholiken*, in: *Arbeitstagung Ettal.* Paderborn 1960, 192–202; DERS., *Liturgische Frömmigkeit*, in: LuM 27. 1960, 31–40; DERS., *Das Verhältnis von Liturgie und persönlicher Frömmigkeit nach der Lehre des II. Vatikanums*, in: ThPQ 113. 1965, 113–119; DERS., *Zur Interpretation des Axioms Legem crecendi lex statuat supplicandi*, in: *Veritati catholicae. Festschrift für Leo Scheffczyk.* Hg. v. Anton Ziegenaus [u.a.]. Aschaffenburg 1985, 226–236; DERS., *Zur Mysterienlehre Odo Casels*, in: ThG 30. 1987, 134–137.

[45] Vgl. Kongregation für den Gottesdienst und die Sakramentenordnung, *Der Gebrauch der Volkssprache bei der Herausgabe der Bücher der römischen Liturgie. Liturgiam authenticam. Fünfte Instruktion zur ordnungsgemäßen Ausführung der Konstitution des Zweiten Vatikanischen Konzils über die heilige Liturgie" (zu Art. 36 der Konstitution).* Hg. v. Sekretariat der deutschen Bischofskonferenz. Bonn 2001 (VApS 154), Nr. 19–33; Winfried Haunerland, *Authentische Liturgie. Der Gottesdienst der Kirche zwischen Universalität und Individualität*, in: LJ 52. 2002, 135–157, hier 150–157; Joseph Ratzinger, *40 Jahre Konstitution über die Heilige Liturgie. Rückblick und Vorblick*, in: LJ 53. 2003, 209–221, hier 216–218.

[46] Vgl. Kaczynski, *In Memoriam* (wie Anm. 16) 259.

es die Zukunft kosten."[47] Dürig hat die Fragestellung der liturgischen Bewegung und Erneuerung: ‚Wo muss die Liturgie auf den Menschen Rücksicht nehmen und wo ist umgekehrt die liturgische Bildung des Menschen gefordert?' konsequent aufgenommen und führt hierzu in „Die Zukunft der liturgischen Erneuerung" die (neue) Kategorie der ‚Bruderliebe' ein. Er zeigt damit – auch in Fortführung seiner Forschungsergebnisse über die ‚pietas liturgica'– auf, dass Liturgie nicht allein im akademischen Bereich zu haben ist, sondern noch mehr im spirituellen und emotionalen Bereich der gemeindlichen Versammlung und des Einzelnen ihren Platz hat.

Dass Walter Dürigs erste wissenschaftliche Arbeit dem großen bayerischen Jugenderzieher Johann Michael Sailer gewidmet ist,[48] ist bezeichnend für die Jahre seines unermüdlichen Dienstes an den Priesteramtskandidaten der bayerischen Diözesen. Seinen Ausführungen zur (nicht allein liturgischen) Bildung des Klerus und über die ‚Bruderliebe' entsprach seine menschliche Haltung, da er die Priesterausbildung im Herzoglichen Georgianum im Verhältnis zu seiner wissenschaftlichen Tätigkeit gleichrangig sehen und diese deswegen auch zurückstellen konnte.[49] Die Studenten des Georgianums erlebten den Direktor Walter Dürig als „Vater im Glauben"[50] mit seinen Sorgen und Freuden und mit seinen Stärken und Schwächen. Seine seelsorgerliche Tätigkeit in der Priesterausbildung war davon geprägt, den künftigen Seelsorgern im Blick auf die Eucharistiefeier als die Mitte des priesterlichen Dienstes die Bewegungsfähigkeit in den vielfältigen Bereichen des geistigen, kulturellen und sozialen Lebens zu eröffnen und zu erhalten.

Auswahlbibliografie

Johann Michael Sailer, Jean Paul, Fr. H. Jacobi. Ein Beitrag zur Quellenanalyse der Sailerschen Menschauffassung. Breslau 1941 – ein Teil dieser Arbeit ist erschienen in: WiWei 9. 1944, 109–125.

Johann Michael Sailers Verhältnis zur Philosophia et Theologia cordis, in: WiWei 9. 1944, 109–125. – Abdruck von WiWei aus: *Johann Michael Sailer, Jean Paul, Fr. H. Jacobi. Ein Beitrag zur Quellenanalyse der Sailerschen Menschauffassung.* Breslau 1941.

---

[47]   Franz KAMPHAUS, *175 Jahre Bistum Limburg. Grußwort,* in: *Faltblatt für Kreuzwoche und Kreuzfest des Bistums Limburg vom 7. bis 15. September 2002 (Bischöfliches Ordinariat).* Limburg 2002.

[48]   Vgl. Bibliografie in: DÜRIG, *Johann Michael Sailer* (wie Anm. 2).

[49]   Vgl. Dürigs mündliche Aussage: „Wissen Sie, ich habe mir halt gesagt: Da schreibe ich eben ein paar Bücher weniger und nehme das Georgianum" – Zitat in: KACZYNSKI, *In Memoriam* (wie Anm. 16) 259.

[50]   Engelbert SIEBLER, *„Pastores dabo vobis". Ansprache beim Requiem für Prof. DDr. Walter Dürig in St. Ludwig, München, am 7.10.1992,* in: Epistula (Hauszeitschrift des Herzoglichen Georgianums) 41. 1992, 6–7, hier 6.

*

Die Verfasser danken für die Unterstützung bei der Arbeit im Nachlass Walter Dürigs im Archiv des Herzoglichen Georgianums, München, Frau Traudl Dobkowitz, Prof. Dr. Reiner Kaczynski und Herrn Gerald Ach, für die Mitarbeit bei der Aktualisierung der Bibliografie Frau Anke Heinz, Mainz.

278 Walter Dürig (1913–1992)

Johannes Scheffler als Kontroverstheologe und Seelsorger. Breslau 1944 (maschinenschriftliches Manuskript im Archiv des Herzoglichen Georgianums, München – Kopie im Besitz von Hansjakob Becker, Südring 279, 55128 Mainz).

Die Stellung und Bedeutung des Prager Sakramentars innerhalb der abendländischen Liturgiegeschichte, in: EL 63. 1949, 402–406.

Der Begriff pignus in der Liturgie, in: TThQ 129. 1949, 385–398.

Zur Frömmigkeit des Angelus Silesius. Versuch einer religiös-seelengeschichtlichen Persönlichkeitsdeutung, in: *Amt und Sendung. Beiträge zu religiösen und seelsorglichen Fragen der Gegenwart.* Hg. v. Otto KUSS – Erich KLEINEIDAM. Freiburg/Br. 1950, 461–481.

Die Fremdsprachigkeit der gottesdienstlichen Schriftlesung im Lichte der Perikopenforschung, in: MThZ 1. 1950, 66–77.

Die Erforschung der lateinisch-christlichen Sakralsprache, in: LJ 1. 1951, 32–47.

Schlesiens Anteil an der liturgiewissenschaftlichen Forschung und an der liturgischen Erneuerung im deutschen Katholizismus, in: ASKG 9. 1952, 206–216.

Disciplina. Eine Studie zum Bedeutungsumfang des Wortes in der Sprache der Liturgie und der Väter, in: SE 4. 1952, 245–297.

Imago. Ein Beitrag zur Terminologie und Theologie der römischen Liturgie. München 1952 (MThS.S 5).

Die Geburtstagsmesse des cod. Vat. Reg. 316, in: MThZ 4. 1953, 46–64.

Studien zur historischen Theologie. Festgabe für Franz Xaver Seppelt. Hg. v. Walter DÜRIG – Bernhard PANZRAM. München 1953 (MThZ 4. 1953, H. 1/2).

Geburtstag und Namenstag. Eine liturgiegeschichtliche Studie. München 1954.

Liturgiegeschichtliche Erkenntnisse aus wenig beachteten Zeitschriftenaufsätzen, in: ThRv 50. 1954, 41–50.

Die „Salbung" der Martyrer im Altgelasianum, in: SE 5. 1954, 14–47.

Bruchstücke einer Sammlung von Benedictiones Gallicanae in Clm 29163ᵐ, in: RBen 64. 1954, 168–175.

Liturgische Beziehungen zwischen Mailand und Regensburg im 12. Jahrhundert, in: ALw 4,1. 1955, 81–89.

Das Benedictionale Frisingense Vetus (Clm 6430 fol. 1–14), in: ALw 4,2. 1956, 223–244.

Die bogen-bayerische Fehde im Lichte eines zeitgenössischen liturgischen Gebetes, in: HJ 75. 1956, 167–173.

Die liturgiegeschichtliche und liturgietheologische Bedeutung der Karwochenreform, in: Anima 11. 1956, 388–395 (Wiederabdruck in: *Die Feier der vierzig und fünfzig Tage. Ein Werkbuch.* Hg. v. Hugo AUFDERBECK. Leipzig 1958, 37–45).

Die pastorale und verkündigungstheologische Bedeutung der Karwochenreform, in: ORPB 58. 1957, 142–150 (Wiederabdruck als Beilage zum kirchlichen Amtsblatt für die Diözese Osnabrück 73. 1957, Nr. 8, 18–28).

Der theologische Ausgangspunkt der mittelalterlichen liturgischen Auffassung vom Herrscher als Vicarius Dei, in: HJ 77. 1958, 174–187.

Gottesebenbildlichkeit und Ehe, in: Anima 13. 1958, 359–365 (Wiederabdruck in: ORPB 60. 1959, 85–90; ebenso in: *Der Mensch als Bild Gottes.* Hg. v. Leo SCHEFFCZYK, Darmstadt 1969, 491–498).

Pietas Liturgica. Studien zum Frömmigkeitsbegriff und zur Gottesvorstellung der abendländischen Liturgie. Regensburg 1958.

Katholischer Geheimbund für volksnahen Gottesdienst, in: ORPB 60. 1959, 218–223.

Familienliturgie, in: Anima 14. 1959, 259–267.

Die Typologie der Osterwoche im jüngeren Freisinger Benediktionale, in: *Paschatis Sollemnia. Studien zu Osterfeier und Osterfrömmigkeit* [FS Josef Andreas Jungmann]. Hg. v. Balthasar Fischer – Johannes Wagner. Freiburg/Br. [u.a.] 1959, 176–184.

Die Eucharistie als Sinn-Bild der Consecratio Mundi, in: MThZ 10. 1959, 283–288 (Wiederabdruck in: *Materialmappe der Erzdiözese Freiburg zur Vorbereitung des Eucharistischen Weltkongresses. Consecratio mundi – Omnia instaurare in Christo.* Freiburg/Br. 1959, 1–7. Übers.: *The Eucharist as Symbol of the Consecration of the World*, in: *The Christian and the World.* New York 1965, 120–129).

Die Bedeutung der Bruderliebe für das Werden und Wachsen der Kultgemeinde. Vortrag auf der Jahresversammlung 1960 des Zentralkomitees der deutschen Katholiken, in: *Arbeitstagung Ettal.* Paderborn 1960, 192–202 (Wiederabdruck in: *Caritas* 1960, 223–226).

Liturgische Frömmigkeit, in: LuM 27. 1960, 31–40 (Übers.: *Piedad liturgica*, in: *Piedad.* Hg. v. Theodor Bogler – Andrés Sánchez Pascual. Madrid 1963, 57–74).

Liturgiereform und liturgische Bildung des Klerus, in: MThZ 13. 1962, 47–51.

Die Zukunft der liturgischen Erneuerung. Zur liturgietheologischen und pastoralliturgischen Bedeutung der ‚Liebe‘. Mainz 1962.

Liturgie. Gestalt und Vollzug [FS Joseph Pascher]. Hg. v. Walter Dürig. München 1963.

Die Meßformulare des Gelasianum Vetus für die Feier des Geburtstages der hl. Agnes und der hl. Soteris, in: *Liturgie. Gestalt und Vollzug* [FS Joseph Pascher]. Hg. v. Walter Dürig. München 1963, 70–81.

Der gottesdienstliche Gebrauch der Volkssprache im Bistum Breslau, in: SPJ III/IV. 1964, 6–25.

Die theologische Bedeutung der Liturgiekonstitution, in: MThZ 15. 1964, 251–258 (Übers.: *La Constitución sobre la Sagrada Liturgia*, in: Seminarios 12. 1966, 241–252).

Das Verhältnis von Liturgie und persönlicher Frömmigkeit nach der Lehre des II. Vatikanums, in: ThPQ 113. 1965, 113–119.

Pfingsten, in: *Pfingstsonntag.* Hg. v. Odo Haggenmüller. Stuttgart 1965 (ATW 3), 5–10.

Die neue Adventspräfation, in: LJ 15. 1965, 155–163.

Epiphanie, in: *Fest der Erscheinung des Herrn.* Hg. v. Odo Haggenmüller. Stuttgart 1965 (ATW 7), 7–14.

Die Kirchweihpräfation, in: LJ 16. 1966, 99–107.

Das neue Selbstverständnis der Kirche nach der Liturgiereform, in: *Kirchenbau und Liturgiereform.* Hg. v. Otto Bechtold – Walter Dürig. Karlsruhe 1966 (VKAEF 3), 13–25.

Die Ostervigil, in: *Die heilige Osternacht.* Stuttgart 1967 (ATW 16), 7–28.

Das Sintflutgebet in Luthers Taufbüchlein, in: *Wahrheit und Verkündigung. Michael Schmaus zum 70. Geburtstag.* Hg. v. Leo Scheffczyk. Bd. 2. Paderborn 1967, 1035–1047.

Die Verkündigungsaufgabe der Lehrer der Liturgiewissenschaft, in: LJ 17. 1967, 183–185.

Karl Kastner, in: *Schlesische Priesterbilder V.* Aalen 1967, 164–166.

Die Bedeutung der Liturgie im Gesamtzusammenhang der kirchlichen Reform, in: *Liturgiereform im Streit der Meinungen.* München 1968 (SBKAB 42), 15–39.

Die Deutung der Brotbitte des Vaterunsers bei den lateinischen Vätern bis Hieronymus, in: LJ 18. 1968, 72–86.

Der Laienkelch im Bistum Breslau, in: *Sapienter ordinare. Festgabe für Erich Kleineidam.* Hg. v. Fritz Hoffmann [u.a.]. Leipzig 1969 (EThSt 24), 205–218.

Der Entlassungssegen in der Meßfeier. Anregungen zu einer Reform, in: LJ 19. 1969, 205–218.

Eine Bearbeitung des Leisentritschen Taufrituals in einer Handschrift der Breslauer Dombibliothek, in: *Beiträge zur Schlesischen Kirchengeschichte. Gedenkschrift für Kurt Engelbert.* Hg. v. Bernhard Stasiewski. Köln 1969, 266–274.

Das Meßformular des Ostersonntags, in: *Der Ostersonntag. Liturgie, Lesungen, Verkündigung.* Hg. v. Klemens JOCKWIG – Willi MASSA. Stuttgart 1970 (ATW 103), 9–15.

Johannes Scheffler als Streittheologe. Marginalien zu der gleichnamigen Veröffentlichung von Ernst Otto Reichert, in: ASKG 28. 1970, 78–92.

Die Scholastiker und die Communio sub una specie, in: *Kyriakon. Festschrift Johannes Quasten.* Hg. v. Patrick GRANFIELD. Münster 1970, Bd. 2, 864–875.

Die Kritik der Vita Altmanns an der Meßliturgie des Passauer Klerus, in: ALw 12. 1970, 255–260.

Zur Liturgie der Fronleichnamsfeier, in: *Fronleichnam. Liturgie, Lesungen, Verkündigung.* Hg. v. Klemens JOCKWIG – Willi MASSA. Stuttgart 1971 (ATW 113),10–17 (Wiederabdruck in: KlBl 51. 1971, 121–123).

Die neue römische Meßordnung im Widerstreit, in: KlBl 51. 1971, 264–266.

Die Consecratio als theologische Grundidee der Eucharistie, in: MThZ 22. 1971, 252–263 (Übers.: *Centrality of the Consecration*, in: ThD 21. 1973, 122–125).

Anton Frenzels Breslauer Preisschrift über die Unauflöslichkeit der Ehe, in: *Ius et salus animarum. Festschrift für Bernhard Panzram.* Hg. v. Ulrich MOSIEK – Hartmut ZAPP. Freiburg/Br. 1972 (Sammlung Rombach 15), 39–51.

Die Exegese der vierten Vaterunser-Bitte bei Augustinus, in: LJ 22. 1972, 49–61.

Die Liturgie des Festes Christi Himmelfahrt, in: *Christi Himmelfahrt. Liturgie, Lesungen, Verkündigung.* Stuttgart 1972 (ATW 121), 7–14.

Die Heimat des Codex latinus Monacensis 100, in: *Bavaria Christiana. Zur Frühgeschichte des Christentums in Bayern. Festschrift Adolf Wilhelm Ziegler.* Hg. v. Wilhelm GESSEL – Peter STOCKMEIER. München 1973 (BABKG 27), 151–160.

Wegbereiter der Liturgischen Erneuerung. Joseph Pascher zum 80. Geburtstag, in: Gottesdienst 7. 1973, 157–158.

Das Ordal der Psalterprobe im Codex Latinus Monacensis 100. Ihr liturgietheologischer und volkskundlicher Hintergrund, in: MThZ 24. 1973, 266–278.

Gottesurteile im Bereich des Benediktinerklosters Weihenstephan (Freising) unter Abt Erchanger (1082–1096), in: ALw 15. 1973, 101–107.

Zerstörung und Wiederaufbau der Bibliothek des Herzoglichen Georgianums in den letzten Jahrzehnten des 18. Jahrhunderts. Eine archivalische Dokumentation, in: BABKG 32. 1974, 145–158.

Das christliche Fest und seine Feier. St. Ottilien 1975 (³1986).

Die Münchener Heiligjahrwallfahrt vor 400 Jahren (nach Cod. Germ. Mon. 1280), in: KlBl 55. 1975, 34–36.

Das Hochfest Mariä Aufnahme in den Himmel, in: *Mariä Aufnahme in den Himmel: Liturgie, Lesungen, Verkündigung.* Hg. v. Klemens JOCKWIG – Willi MASSA. Stuttgart 1975 (ATW 152), 12–18.

Ferdinand Probst, in: *Katholische Theologen Deutschlands im 19. Jahrhundert.* Bd. III. Hg. von Heinrich FRIES – Georg SCHWAIGER. München 1975, 87–105.

Valentin Thalhofer, in: *Katholische Theologen Deutschlands im 19. Jahrhundert.* Bd. III. Hg. von Heinrich FRIES – Georg SCHWAIGER. München 1975, 106–124.

Das sonntägliche Taufgedächtnis im Missale Pauls VI., in: KlBl 55. 1975, 247–248.

Die Einheit von Theologie und Spiritualität im Werk J. A. Jungmann, in: *J. A. Jungmann. Ein Leben für Liturgie und Kerygma.* Hg. v. Balthasar FISCHER – Hans Bernhard MEYER. Innsbruck 1975, 43–45.

Die Verwendung des sog. Fluchpsalms 108 (109) im Volksglauben und in der Liturgie, in: MThZ 27. 1976, 71–84.

Das Vaterunser in der Messe, in: *Gemeinde im Herrenmahl. Zur Praxis der Meßfeier*. [FS Emil Joseph Lengeling]. Hg. v. Theodor MAAS-EWERD – Klemens RICHTER, Freiburg/Br. 1976 (PLR-GD), 323–330.

Zwei bisher unbekannte Briefe des Angelus Silesius, in: ASKG 34. 1976, 123–132.

Das Hochfest der Gottesmutter Maria, in: *Hochfest der Gottesmutter Maria. Oktavtag von Weihnachten 1. Januar. Liturgie, Lesungen, Verkündigung*. Hg. v. Klemens JOCKWIG – Willi MASSA. Stuttgart 1976 (ATW 160), 7–15.

Erfolge und Aufgaben der liturgischen Erneuerungsbewegung. Antwort auf eine Umfrage, in: BiLi 50. 1976, 307–308.

Ist die Inschrift des Magus-Epitaphs die früheste Bezeugung des neuen liturgischen Marientitels „Mutter der Kirche"?, in: MThZ 27. 1976, 376–384.

Sonntäglicher Gemeindegottesdienst ohne Priester, in: HlD 30. 1976, 139–147.

Angelus Silesius. Das Gedankengut des schlesischen Gottsuchers als lebendiges Erbe. Hildesheim 1977.

Leben und Werk des Angelus Silesius, in: Mitteilungen des Apostolischen Visitators für die Katholiken des Erzbistums Breslau 4. 1977, Nr. 1, 3–5.

Die mailändische Sakramentartradition, in: MThZ 28. 1977, 181–187.

Adolf Wilhelm Ziegler. Ein Leben im Dienst der historischen Theologie, in: KlBl 57. 1977, 152–153.

Die Liturgie des Karfreitags, in: *Karfreitag. Liturgie, Lesungen, Verkündigung*. Hg. von Klemens JOCKWIG – Willi MASSA. Stuttgart 1978 (ATW 164), 5–14.

Die Hedwigssequenz des vortridentinischen Breslauer Missales, in: *Proprium Wratislaviense pro anno Domini 1979*. Hg. v. Apostolischen Visitator für die Priester und Gläubigen des Erzbistums Breslau. Köln 1978, 21–24.

Pius Parsch und Stanislaus Stephan, in: *Mit sanfter Zähigkeit. Pius Parsch und die biblisch-liturgische Erneuerung*. Hg. v. Norbert HÖSLINGER – Theodor MAAS-EWERD. Klosterneuburg 1979 (SPPI 4), 264–272.

Die Erlösten. Zum 100. Geburtstag von Joseph Wittig, in: Christ in der Gegenwart 31. 1979, 25–26.

Die Verehrung des hl. Stanislaus in Schlesien, in: Mitteilungen des Apostolischen Visitators für die Katholiken des Erzbistums Breslau 6. 1979, Nr. 3, 5–7.

Joseph Pascher zum Gedächtnis. Nachruf beim Requiem der Kath.-Theol. Fakultät München, in: MThZ 30. 1979, 293–297.

Die Stanislaussequenz des vortridentinischen Breslauer Missales, in: *Proprium Wratislaviense pro anno Domini 1980*. Hg. v. Apostolischen Visitator für die Priester und Gläubigen des Erzbistums Breslau. Köln 1979, 20–25.

Das Lied „Großer Gott, wir loben Dich" und sein Dichter, der schlesische Pfarrer und Regens Ignaz Franz, in: ASKG 38. 1980, 175–194.

Von den Hymnen, in: *Gott feiern. Theologische Anregung und geistliche Vertiefung zur Feier von Messe und Stundengebet*. Hg. v. Josef G. PLÖGER. Freiburg/Br. 1980, 436–443.

Joseph Wittig – Ein verfemter Vorläufer des Konzils?, in: *Joseph Wittig. Historiker, Theologe, Dichter*. Hg. v. Joachim KÖHLER. München 1980 (Silesia 27), 23–29.

Magister Nikolaus von Jauer (Schlesien) und sein Kampf gegen den Aberglauben seiner Zeit, in: Schlesien 26. 1981, 7–12.

Die Feuerprobe der hl. Hildegund von Schönau im Augsburgischen Zusmarshausen, in: HlD 35. 1981, 134–141.

Litaniae de venerabili altaris sacramento. Übertragung der von Mozart verwendeten Fassung, in: Bayerischer Rundfunk. Programm des 7. Symphoniekonzerts. München 1982.

Unverkürzt vom „Priesterberuf" sprechen, in: Diakonia 13. 1982, 206.

Feier des neuen Lebens, in: *Auf dem Weg durch die Zeit. Predigten und Besinnungen zum Kirchenjahr.* Hg. v. Theodor MAAS-EWERD. Regensburg 1982, 37–38.

Urbild der Glaubenden, in: *Auf dem Weg durch die Zeit. Predigten und Besinnungen zum Kirchenjahr.* Hg. v. Theodor MAAS-EWERD. Regensburg 1982, 226–227.

Das große Zeichen, in: *Auf dem Weg durch die Zeit. Predigten und Besinnungen zum Kirchenjahr.* Hg. v. Theodor MAAS-EWERD. Regensburg 1982, 293–295.

Die Orationen des Missale Romanum Pauls VI. Bd. 1: *Advents- und Weihnachtszeit.* St. Ottilien 1981; Bd. 2: *Fastenzeit und Karwoche.* St. Ottilien 1982; Bd. 3: *Österliche Zeit.* St. Ottilien 1982; Bd. 4: *Im Jahreskreis.* St. Ottilien 1983.

Präfation des Hochfestes Mariä Aufnahme in den Himmel. Kommentar, in: *Weizenkorn* – Lesejahr C, Heft 6. 1983, 117–119.

Der Schlesier Niclas Horvek, ein Meister der spätgotischen Malerei, in: Schlesien 23. 1983, 1–5.

Die Vesper-Antiphonen im Hedwigsoffizium des mittelalterlichen Breslauer Breviers, in: *Proprium Wratislaviense pro anno Domini 1984.* Hg. v. Apostolischen Visitator für die Priester und Gläubigen des Erzbistums Breslau. Köln 1983, 21–24.

Das Herzogliche Georgianum in München, in: *Das Erzbistum München und Freising in der Zeit der nationalsozialistischen Herrschaft.* Bd. I. Hg. v. Georg SCHWAIGER. München 1984, 739–746.

Liturgiewissenschaft und Spiritualität, in: Rundbogen. Zeitschrift des Priesterseminars München, Heft 3. 1984, 4–5.

Der cherubinische Wandersmann. Hg. v. Walter DÜRIG. St. Ottilien ⁴1985.

Zur Interpretation des Axioms Legem crecendi lex statuat supplicandi, in: *Veritati catholicae. Festschrift für Leo Scheffczyk.* Hg. v. Anton ZIEGENAUS [u.a.]. Aschaffenburg 1985, 226–236.

Die Sequenz des Festes Christi Himmelfahrt im Breslauer Inkunabelmissale von 1483, in: *Proprium Wratislaviense pro anno Domini 1986.* Hg. v. Apostolischen Visitator für die Priester und Gläubigen des Erzbistums Breslau. Köln 1985, 23–28.

Die Hedwigssequenz der Brieger Schloßkirche, in: *Proprium Wratislaviense pro anno Domini 1987.* Hg. v. Apostolischen Visitator für die Priester und Gläubigen des Erzbistums Breslau. Köln 1986, 22–23.

Zur Mysterienlehre Odo Casels, in: ThG 30. 1987, 134–137.

Eduard Weigl (1869–1960), in: *Christenleben im Wandel der Zeit.* Hg. v. Georg SCHWAIGER. München 1987, Bd. II, 265–278.

Joseph Pascher (1893–1979), in: *Christenleben im Wandel der Zeit.* Hg. v. Georg SCHWAIGER. München 1987, Bd. II, 488–498.

Das Stundengebet in den östlichen und westlichen Liturgietraditionen. Bemerkungen zu der liturgievergleichenden Studie von R. Taft, The Liturgy of the Hours in East and West. The Origins of the Divine Office and its Meaning for today (1986), in: ZKG 3. 1987, 395–400.

Die O-Antiphonen des mittelalterlichen Breslauer Breviers, in: *Proprium Wratislaviense pro anno Domini 1988.* Hg. v. Apostolischen Visitator für die Priester und Gläubigen des Erzbistums Breslau. Köln 1987, 23–29.

Die liturgischen Texte des Pontifikale Gundekarianum, in: *Kommentarband zur Faksimile-Ausgabe des Codex B 4 im Diözesan-Archiv Eichstätt.* Hg. v. Andreas BAUCH – Ernst REITER. Wiesbaden 1987, 88–103.

Zur Geschichte der Augsburger Domliturgie im Mittelalter, in: JVABG 22. 1988, 32–46.

Judex ergo cum sedebit. Meditation über die Sequenz Dies irae, in: KlBl 68. 1988, 169–171.

Maria – Mutter der Kirche. Zur Geschichte und Theologie des neuen liturgischen Marientitels. St. Ottilien ³1988.

Meßtexte zum Gedenktag der Seligen Edith Stein, in: *Proprium Wratislaviense pro anno Domini 1989*. Hg. v. Apostolischen Visitator für die Priester und Gläubigen des Erzbistums Breslau. Köln 1988, 22–27.

Abt, das heißt Vater. Das charismatisch-pneumatische Christusvikariat des Abtes, in: *Beiträge zum Christsein in moderner Gesellschaft. Festschrift zum 25jährigen Abtsjubiläum des Abts von St. Bonifaz, München/Andechs Dr. Odilo Lechner OSB*. Hg. v. Michael LANGER – Anselm BILGRI. Regensburg 1989, Bd. 1, 63–76.

Der Heiligenkalender der vortridentinischen Breslauer Liturgie, in: *Proprium Wratislaviense pro anno Domini 1990*. Hg. v. Apostolischen Visitator für die Priester und Gläubigen des Erzbistums Breslau. Köln 1989, 24–28.

Das stellvertretende Beten des Priesters. Gedanken zum Stundengebet ohne Gemeinde. St. Ottilien ²1989.

Die Besonderheiten des mittelalterlichen Breslauer Diözesanmissales, in: *Proprium Wratislaviense pro anno Domini 1991*. Hg. v. Apostolischen Visitator für die Priester und Gläubigen des Erzbistums Breslau. Köln 1990, 23–30.

Das Sequentiar des Breslauer Inkunabelmissales. Ein Beitrag zur schlesischen Kultur- und Liturgiegeschichte. Sigmaringen 1990.

Die Lauretanische Litanei. Entstehung, Verfasser, Aufbau und mariologischer Inhalt. St. Ottilien 1990.

Christ ist erstanden. Gedanken zum christlichen Osterglauben. St. Ottilien 1991.

Marginalien eines Bischofs zur Seelsorge. Briefe des Augsburger Bischofs Pankratius von Dinkel (1811–1894) an Professor Valentin Thalhofer (1825–1891). Augsburg 1996.

Ludwig Eisenhofer (1871–1941)

Theodor Maas-Ewerd (†) – Bert Wendel

Mit dem Namen des Eichstätter Liturgiewissenschaftlers *Ludwig Eisenhofer* (1871–1941) untrennbar verbunden ist ein zweibändiges Werk, das im Todesjahr seines
Verfassers seine letzte Auflage erlebte: das „Handbuch
der katholischen Liturgik".[1] Dieses im Verlag Herder
erschienene Handbuch gilt mit Recht als Eisenhofers
Hauptwerk. In der ersten Hälfte des 20. Jahrhunderts ist
es im deutschsprachigen Raum ein „Standardwerk" gewesen. Doch seine Wurzeln reichen ins späte 19. Jahrhundert zurück, zu Eisenhofers Vorgänger *Valentin Thalhofer*
(1825–1891).  Wenn man Thalhofer den „Vater" dieses
Handbuchs nennen muss, so ist Eisenhofer mehr als ein Erbe; man kann ihn
als dessen „zweiten Vater" bezeichnen, denn sein Hauptwerk geht im Endergeb-
nis über eine bloße Neubearbeitung des von Thalhofer verfassten Handbuchs[2]
weit hinaus. Doch blicken wir zunächst auf Eisenhofers Lebenslauf, um seine
liturgiewissenschaftliche Position besser einordnen zu können.[3]

1. Ein Münchner in Eichstätt – Biografisches

Ludwig Karl August Eisenhofer wurde am 1. April 1871 in München geboren
und zwei Tage später in der Stadtpfarrkirche St. Anna getauft. Es waren jene
Monate, in denen der Deutsch-Französische Krieg (1870–1871) beendet wurde und das politisch geeinte Deutsche Reich entstand, dem auch Bayern unter
König Ludwig II. beitrat, wenngleich dieses Land eine gewisse Selbstständig-
keit bewahrte. Im Januar war König Wilhelm I. von Preußen in Versailles zum
Deutschen Kaiser proklamiert worden. Otto von Bismarck fungierte als Reichs-
kanzler. Das Verhältnis zwischen Staat und Katholischer Kirche war gespannt

---

[1] Vgl. Ludwig EISENHOFER, *Handbuch der katholischen Liturgik.* Bd. 1: *Allgemeine Liturgik.*
Bd. 2: *Spezielle Liturgik.* Freiburg/Br. 1932/1933, ²1941 (unveränderte Neuauflage).
Wir beziehen uns fortan auf die erste Auflage. Zur Person vgl. Ernst JERG, *Eisenhofer,
Ludwig Karl August,* in: LThK 3. 1959, 778; Theodor MAAS-EWERD, *Eisenhofer, Ludwig
Karl August,* in: LThK 3. 1995, 563f.

[2] Valentin THALHOFER, *Handbuch der katholischen Liturgik.* 2 Bde. Freiburg/Br. 1883 (Bd.
1) und 1890/1893 (Bd. 2; 2.–4. Abteilung 1893 hg. von Andreas SCHMID). Zur Person
vgl. Walter DÜRIG, *Thalhofer, Valentin,* in: LThK 10. 1965, 9f; Theodor MAAS-EWERD,
Thalhofer, Valentin, in: LThK 9. 2000, 1379f; Erich NAAB, *Thalhofer, Valentin,* in: BBKL
11. 1996, 766–769; umfassend: Reinhold MALCHEREK, *Liturgiewissenschaft im 19. Jahrhundert. Valentin Thalhofer (1825–1891) und sein „Handbuch der katholischen Liturgik".*
Münster 2001 (LQF 86).

[3] Die folgenden Ausführungen beruhen vor allem auf: Theodor MAAS-EWERD, *Schwerpunkt: Liturgie in ihrer Geschichte. Zum 120. Geburts- und 50. Todestag Ludwig Eisenhofers (1871–1941),* in: KlBl 71. 1991, 151–157. Der genannte Beitrag greift u.a. auf
Eisenhofers Nachlass im Eichstätter Priesterseminar zurück. Vgl. auch DERS., *Ludwig
Eisenhofer (1871–1941). Erinnerung an einen verdienstvollen Liturgiehistoriker,* in: HlD 46.
1992, 254–262.

(„Kulturkampf"), nachdem das (Erste) Vatikanische Konzil (1869–1870) das Dogma von der Päpstlichen Unfehlbarkeit verkündet hatte und Pius IX. (1846–1878) im Zuge der nationalen Einigung Italiens und der damit verbundenen Zerschlagung des Kirchenstaats politisch entmachtet worden war.[4]

In diese Zeit fiel die frühe Kindheit Ludwig Eisenhofers. Er war das vierte und letzte Kind und der zweite Sohn seiner Eltern Karl August und Maria Anna (geb. Bösl), die 1852 geheiratet hatten und 1871 schon über 40 Jahre alt waren. Sein Vater stand als „Hofoffiziant" im königlichen Dienst, seine Mutter stammte aus der Familie eines Bäckermeisters in Neuburg an der Donau. Durch den Tod des Vaters im Jahr 1874 wurde Ludwig Eisenhofer schon im dritten Lebensjahr Halbwaise. Elf Jahre später starb auch seine Mutter. Fortan kümmerte sich sein Onkel Anton Kolb um ihn, ein Schwager seines Vaters. Ludwig Eisenhofer war damals Gymnasiast in Freising, wohin er vom Münchener Ludwigs-Gymnasium gewechselt war.

1890 legte Eisenhofer mit glänzendem Erfolg das Abitur ab und blieb bis 1891 zum Philosophiestudium in Freising. 1891 bis 1894 setzte er seine theologischen Studien dann als „Georgianer" in München an der Ludwig-Maximilians-Universität fort. Gegen Ende dieses Studiums trat er hervor durch seine erfolgreiche Teilnahme an einem Wettbewerb der Fakultät; im Studienjahr 1893/94 verfasste er eine „Preisbewerbungsarbeit" mit dem Titel „Procopius von Gaza mit einer Würdigung seiner exegetischen Schriften". Mit einer sehr positiven Beurteilung dieser Abhandlung erkannte die Fakultät cand. theol. Eisenhofer den ausgeschriebenen Preis zu. Im Sommer 1897 nahm sie seine Preisarbeit in einer überarbeiteten Fassung als Dissertation an („De Procopio Gazensi eiusque operibus exegeticis"). Das Rigorosum bestand Eisenhofer mit dem Prädikat „Prorsus insigniter".

Zwischen Preisarbeit und Promotion liegt ein für Eisenhofers Lebensweg zentrales Ereignis – seine Weihe zum Priester durch Erzbischof *Antonius von Thoma* (1889–1897) am 29. Juni 1895 im Dom zu Freising. Nach seiner Ordination wirkte Eisenhofer zunächst als Coadjutor in Pasing, aber schon im Herbst wurde er Präfekt des Königlichen Erziehungsinstituts *Albertinum* in München. Am 1. August 1897, nach seiner Promotion, wechselte er als Präfekt und Stipendiat an das Erzbischöfliche Klerikalseminar in Freising. Dort ist er nur einige Monate geblieben, denn 1898 erreichte ihn ein Ruf aus Eichstätt. Dort war am 25. Februar 1898 im Alter von nur 36 Jahren der Patrologe und Liturgiker *Adalbert Ebner* (1861–1898) gestorben, der zweite Nachfolger Valentin Thalhofers.[5]

[4]   Zum geschichtlichen Hintergrund vgl. etwa: *Der Große Ploetz. Die Daten-Enzyklopädie der Weltgeschichte. Daten, Fakten, Zusammenhänge. Bearbeitet von 80 Fachwissenschaftlern.* Freiburg/Br. [32]1998.

[5]   Ebner war 1895–1897 Professor für Liturgik, zuvor (1894–1895) für Christliche Archäologie, daneben auch für Patrologie (1892–1897, bis 1894 als Dozent). Direkter Vorgänger Ebners als Liturgiker war *Jakob Behringer* (1847–1921), der dieses Fach von 1892 bis 1895 innehatte und dann als Moraltheologe nach Regensburg wechselte. Behringer war der unmittelbare Nachfolger Thalhofers; dieser war – nachdem er zuvor in Dillingen und München gewirkt hatte – von 1877 bis 1891 Professor für Liturgik in Eichstätt und dozierte 1890 (aushilfsweise) auch Homiletik. Vgl. *„Wer zur Lehre berufen ist, der lehre" (Röm 12,7). Die Professoren des Bischöflichen Lyzeums Eichstätt 1843–1918. Begleitheft zur Ausstellung.* Bearbeitet von Stephan KELLNER. Eichstätt 1998

Bischof *Dr. Franz Leopold Freiherr von Leonrod* (1867–1905) bemühte sich um eine Schließung der entstandenen Lücke. Durch den Freisinger Hochschulprofessor Joseph Schlecht wurde er auf Eisenhofer hingewiesen und schrieb diesem am 8. April 1898 einen Brief. Noch im selben Monat wurde Eisenhofer von seinem Erzbischof freigestellt, aus seinem Heimatbistum entlassen und in die Diözese Eichstätt inkardiniert, wo Bischof Leonrod ihn zum Domvikar und zum Dozenten für Patrologie und Liturgik (23. April 1898) ernannte. Zwei Jahre später, am 15. April 1900, wurde der Dozent ordentlicher Professor am Eichstätter Lyzeum[6], ab dem 14. Oktober übernahm er zusätzlich noch das Fach Kirchengeschichte. So blieb es bis zu seinem Tod.

Über Eisenhofers Tod berichtet dessen Eichstätter Kollege und Nachfolger *Joseph Lechner* (1893–1954)[7] in einem Nachruf, der 1941 im „Willibaldsboten" erschien: „Die ganze Größe seines priesterlichen Wandels zeigte E[isenhofer] auf seinem Sterbelager. Was es um die einzigartige Kraft und Ueberlegenheit christlichen Lebensbewußtseins ist, konnte man hier exemplarisch studieren. Die Art, wie E[isenhofer] dem Tode entgegenging, die übernatürliche Heiterkeit und Freudigkeit, die völlige Freiheit von Todesfurcht und allem Bangen vor dem Ende wird nur aus einer tief christlichen priesterlichen Opfergesinnung verständlich."[8]

(Schriften der Universitätsbibliothek Eichstätt 40), 31f und 43. Zu Thalhofer und Ebner vgl. Ludwig EISENHOFER, *Thalhofer, Valentin, Dompropst und Professor der Liturgik am Lyzeum zu Eichstätt (1825–1891)*, in: *Lebensläufe aus Franken.* Hg. im Auftrag der Gesellschaft für Fränkische Geschichte von Anton CHROUST. Bd. 2. Würzburg 1922, 445–449; DERS., *Ebner, Dr. Adalbert, Professor der Theologie am Lyzeum zu Eichstätt (1861–1898)*, in: ebd., Bd. 3. Würzburg 1927, 95–97.

6   Die Eichstätter Hochschule (seit 1980 Katholische Universität) geht auf das 1564 gegründete „Collegium Willibaldinum" zurück, benannt nach dem ersten Eichstätter Bischof, dem im Jahr 700 geborenen *hl. Willibald* (741–787). Bischof *Martin von Schaumberg* (1560–1590) gründete und organisierte dieses Priesterseminar nach den Vorgaben des Konzils von Trient (1545–1563). Es war das erste Seminar dieser Art nördlich der Alpen und das zweite überhaupt. In Folge der Säkularisation ging die Eichstätter Bildungsstätte 1807 unter. 1843 konnte sie unter Bischof *Karl August Graf von Reisach* (1836–1846) als Bischöfliches Lyzeum neu errichtet werden, 1924 wurde sie in „Philosophisch-Theologische Hochschule" umbenannt (heute Theologische Fakultät der Katholischen Universität Eichstätt-Ingolstadt). Vgl. Klaus KREITMEIR, *Die Bischöfe von Eichstätt.* Eichstätt 1992; *Die 150-Jahrfeier der Theologischen Fakultät der Katholischen Universität Eichstätt.* Dokumentation. Hg. v. Alfred GLÄSSER. Eichstätt 1994 (Extemporalia. Fragen der Theologie und Seelsorge 13); *Veritati et Vitae.* Bd. 1: *150 Jahre Theologische Fakultät Eichstätt.* Hg. v. Alfred GLÄSSER. Bd. 2: *Vom Bischöflichen Lyzeum zur Katholischen Universität.* Hg. v. Rainer A. MÜLLER. Regensburg 1993 (ESt N. F., Bd. 33.1/2).

7   Joseph Lechner ist von 1925–1941 Professor für Fundamentaltheologie gewesen, ab 1941 (bis zu seinem Tod im Jahr 1954) Professor für Liturgik; außerdem war er von 1926–1954 auch Professor für Kirchenrecht. Nach dem Zweiten Weltkrieg wurde Lechner als mutiger Verfasser eines kritischen „Offenen Briefes" bekannt, den er einige Jahre zuvor unter dem Pseudonym „Michael Germanikus" an Reichspropagandaminister Joseph Goebbels gerichtet hatte.

8   Joseph LECHNER, *Prälat Dr. Ludwig Eisenhofer †*, in: St. Willibalds-Bote. Kirchenblatt für das Bistum Eichstätt 8. 1941, Nr. 16, 88–91, hier 90.

Der Bischöfliche Geistliche Rat (seit 31. Dezember 1922) und Päpstliche Hausprälat (seit 29. Januar 1927) Eisenhofer war am 20. Januar 1941 durch einen Sturz aus seinem akademischen Wirken herausgerissen worden. Er hatte eine Schenkelhalsfraktur erlitten und musste ins Krankenhaus eingeliefert werden. Dort gewann ein schon seit Jahren latent vorhandenes Krebsleiden die Oberhand, so dass Eisenhofers Kräfte schnell verfielen. Am Vorabend des Passionssonntags, am 29. März 1941, ging der irdische Lebensweg des Priesters und Gelehrten zu Ende.[9] In seinem Testament vom 24. April 1937 hatte er darum gebeten, an seinem Grab von Reden und Nachrufen abzusehen; solche Ehrungen seien unnütz – sowohl im Hinblick auf die Ewigkeit, in der Gott allein Richter sei, als auch auf die Zeit, in der ein Mensch nach seinem Tod schnell vergessen werde. Eisenhofer bekräftigt seine letztgenannte Auffassung mit einigen Versen, die ihn als einen poetisch interessierten Menschen erscheinen lassen. Als er am 1. April 1941, an dem er 70 Jahre alt geworden wäre, auf dem Eichstätter Ostenfriedhof beerdigt wurde, ist seine Bitte nicht erfüllt worden. Professor *Johannes Ev. Stigler* (1884–1966), der damalige Regens des Seminars und Rektor der Hochschule – diese beiden Ämter waren in Eichstätt bis 1950 in Personalunion verbunden –, sah sich beim Begräbnis am Nachmittag zu einigen ehrenden Worten veranlasst, nachdem er am Morgen bereits in der Schutzengelkirche das Requiem zelebriert hatte.[10] Er sagte unter anderem: „Groß erschien uns Professor Eisenhofer, da er als gelehrter Forscher seine Liturgik dozierte und schrieb, die in fremde Sprachen übersetzt, den Weg in alle Welt gefunden hat, größer noch schien er uns zu sein als Priester, da er mit seltsamer, wundersamer Fröhlichkeit und Heiterkeit dem nahenden Tod ins Antlitz sah und mutig von ihm sprach, da er sterbend Zeugnis gab von der einen großen Wahrheit und Hoffnung: Christus ist der Sohn Gottes, er ist für uns geboren und am Kreuz gestorben, er ist begraben worden und wahrhaft auferstanden, er wird auch uns auferwecken am jüngsten Tag – des sind wir gewiß und froh."[11]

2. Ludwig Eisenhofer als Liturgiker

In Forschung und Lehre hat Ludwig Eisenhofer in der ersten Hälfte des 20. Jahrhunderts eine beachtliche Wirksamkeit entfaltet, sowohl durch seine Veröffentlichungen als auch durch seine Vorlesungen, mit denen er mehr als 40 Jahre hindurch die Priesterausbildung nicht nur im Bistum des hl. Willibald mitgestaltet hat; gerade in den Jahren der nationalsozialistischen Herrschaft studierten zunehmend auswärtige Priesteramtskandidaten an der nichtstaatlichen und daher noch funktionierenden Eichstätter Hochschule. Dennoch gibt es mittlerweile nicht mehr viele Zeitzeugen, die als Studenten Eisenhofers Vor-

---

[9] Noch vom gleichen Tag datiert der von Rektor Johannes Stigler unterzeichnete Totenbrief der Bischöflichen Philosophisch-Theologischen Hochschule, der Eisenhofer als „gelehrten Forscher" bezeichnet.

[10] Die Ansprache Stiglers am Grab Eisenhofers ist wiedergegeben im Nachruf von LECHNER, *Prälat Dr. Ludwig Eisenhofer* (wie Anm. 8) 90f.

[11] LECHNER, *Prälat Dr. Ludwig Eisenhofer* (wie Anm. 8) 90. Fotos, auf denen Ludwig Eisenhofer im Jahr 1901 (zusammen mit dem Professorenkollegium) und 1927 (als Prälat) zu sehen ist, findet man in: *„Wer zur Lehre berufen ist, der lehre"* (wie Anm. 5). Vgl. ebd. 81 (Abb. 7) und 83 (Abb. 9).

lesungen gehört haben oder sich noch gut daran erinnern können; die noch
lebenden sind jedenfalls deutlich über 80 Jahre alt.[12]

Wenngleich Eisenhofer von 1898 bis 1941 auch das Fach Patrologie und ab
1900 zusätzlich Kirchengeschichte anvertraut war, ist sein Hauptgebiet doch
die Liturgik gewesen. Dort hat er freilich geschichtliche und auch kanonistische Schwerpunkte gesetzt, wie man zumindest aus dem Großteil seiner Veröffentlichungen schließen kann.[13] Ein Blick in das Vorlesungsverzeichnis des
Studienjahres 1901/02 (aus dem Jahresbericht des Lyzeums) unterstreicht
exemplarisch die geschichtliche Orientierung des Gelehrten. Dort heißt es:
„Herr Domvikar Dr. Ludwig Eisenhofer, Professor der Kirchengeschichte,
Liturgik und Patrologie, trug vor im I. Semester: [...] Liturgik in 2 Wochenstunden: Das christliche Gotteshaus und seine Einrichtung. [...] Im II. Semester: [...] Liturgik: Geschichte [sic!] der Liturgie der hl. Messe und der
hl. Sakramente."[14]

Dass die Liturgiewissenschaft Eisenhofers Hauptgebiet gewesen ist, zeigt
auch die Tatsache, dass er für die erste Auflage des „Lexikons für Theologie
und Kirche" (1930–1938) zum Fachleiter für Liturgik bestellt worden ist. Er hat
für dieses Lexikon selbst acht Artikel verfasst, die – Jahre nach seinem Tod –
in die zweite Auflage (1957–1965) übernommen worden sind.[15] Aber nicht nur
durch seine Mitarbeit an diesem Lexikon und durch sein zweibändiges Handbuch ist Eisenhofer weit über das Bistum Eichstätt hinaus bekannt geworden.
Eine besondere Breitenwirkung, nicht zuletzt in studentischen Kreisen, erzielte
sein „Grundriß der katholischen Liturgik". Dieser Grundriss erschien im Verlag
Herder in Freiburg im Breisgau erstmals 1924 (noch unter dem Titel „Katholische Liturgik"), in verbesserter (zweiter und dritter) Auflage 1926, in vierter
(wiederum verbesserter) Auflage 1937 und dann posthum in fünfter, von Joseph Lechner neu bearbeiteter Auflage 1950 (als „Grundriß der Liturgik des
römischen Ritus"); eine sechste, veränderte Auflage kam 1953 unter Joseph
Lechners Namen und mit dem modifizierten Titel „Liturgik des römischen
Ritus" heraus. Eisenhofers Grundriss wirkte weit über den deutschsprachigen

12   Derartige persönliche Zeugnisse wären freilich trotz des großen Zeitabstands nicht
     uninteressant. Auf eine schriftliche Anfrage zu Ludwig Eisenhofer als Mensch und
     Liturgiker (vor allem in seinen Vorlesungen) bei einem Geistlichen, der als Student
     Eisenhofer noch „gehört" und erlebt hat, habe ich allerdings kein Echo erhalten.
13   Auf etliche Veröffentlichungen Eisenhofers (auch Aufsätze, Lexikon-Artikel, Rezen-
     sionen sowie Zeitungsbeiträge für „weitere Kreise") weist Joseph Lechner in seinem
     Nachruf hin (LECHNER, Prälat Dr. Ludwig Eisenhofer [wie Anm. 8] 89f).
14   Abgedruckt in: „Wer zur Lehre berufen ist, der lehre" (wie Anm. 5) 54. Das Verzeichnis
     für 1901/02 ist das einzige in jener Veröffentlichung wiedergegebene Vorlesungsver-
     zeichnis aus der Zeit Eisenhofers als Professor. Interessant wäre eine Auswertung der
     Originalquellen für den gesamten Zeitraum 1898–1941.
15   Es handelt sich um folgende Artikel: Altarprivileg, in: LThK 1. 1930, 297f = LThK 1.
     1957, 375f; Apostolos, in: LThK 1. 1930, 571 = LThK 1. 1957, 766; Aster. Asteriskos, in:
     LThK 1. 1930, 742 = LThK 1. 1957, 958; Concha, in: LThK 3. 1931, 28 = LThK 3. 1959,
     32; Diurnale, in: LThK 3. 1931, 351 = LThK 3. 1959, 429; Duranti, Jean-Étienne, in:
     LThK 3. 1931, 497 = LThK 3. 1959, 613; Egeling Becker, in: LThK 3. 1931, 546 = LThK
     3. 1959, 669; Hebdomadar, in: LThK 4. 1932, 852 = LThK 5. 1960, 43f. Die beiden Arti-
     kel „Apostolos" und „Aster" betreffen die östliche Liturgie.

Bereich hinaus, denn er wurde auch ins Italienische (Verlag Marietti) und Spanische (Verlag Herder, Barcelona) übersetzt und erlebte in diesen Übersetzungen („Compendio di liturgia" bzw. „Compendio de liturgia católica") ab 1940 ebenfalls mehrere Auflagen.[16]

Auch wenn der straffere „Grundriß" eine größere Verbreitung erlangt hat, so ist Eisenhofers Hauptwerk zweifellos sein zweibändiges „Handbuch der katholischen Liturgik". Dessen „Vorgänger" ist das gleichnamige Handbuch von Valentin Thalhofer,[17] das dieser in mehreren Schritten veröffentlicht hatte: 1883 erschien im Verlag Herder die erste, 1887 die zweite Abteilung des ersten Bandes, welcher die allgemeine Liturgik zum Gegenstand hatte; 1890 brachte Thalhofer die erste Abteilung des zweiten, der speziellen Liturgik gewidmeten Bandes heraus. Sie behandelte „Die Liturgie des heiligen Meßopfers" und damit „den wichtigsten Theil der speciellen Liturgik", wie der Verfasser in seinem Vorwort erklärt. Er fügt hinzu: „Sehnlichst hatte ich gewünscht, gleichzeitig auch die Erklärung der Liturgie des Stundengebetes, der Sacramente, der Sacramentalien und des Kirchenjahres zu veröffentlichen und so mein Handbuch der Liturgik zum Abschluß bringen zu können; allein drückende Nervenleiden, die seit längerer Zeit auf mir lasten, haben mir dies [...] unmöglich gemacht [...]. Doch hoffe ich, mit Gottes Hilfe in nicht allzu ferner Zeit auch die zweite Abtheilung des zweiten Bandes veröffentlichen und damit das ganze Werk vollenden zu können." Thalhofers Tod im Jahr 1891 – er starb am 17. September in seinem Heimatort Unterroth bei Ulm an einer Lungenentzündung – setzte der Arbeit am „Handbuch" ein Ende und ließ das Werk zunächst unvollständig bleiben.

1893 gab der Münchner Liturgik-Professor und Direktor des Herzoglichen Collegium Georgianum, *Andreas Schmid* (1840–1911),[18] die noch fehlende zweite bis vierte Abteilung heraus. In seinem Vorwort erklärt er, dass er von Thalhofer testamentarisch zum Erben seiner Handschriften eingesetzt worden sei. Der Verstorbene habe selbst „noch die Erklärung des kirchlichen Stundengebetes bis zum *Officium defunctorum* druckfertig" abfassen können. Zunächst – so bekundet Schmid seine Absicht – habe er posthum nur diesen Teil (als zweite Abteilung des zweiten Bandes) veröffentlichen wollen. Auf Wunsch des Verlags aber sei er darüber hinausgegangen. So habe er für den „Abriß" der „letzten Abschnitte"[19] auf Vorlesungsdiktate Thalhofers zurückgegriffen und diese nur „mit wenigen Zusätzen" ergänzt. Er habe „diesem Wunsche um so leichter nachkommen" können, „als der Herr Verfasser denselben Rath ertheilt hatte und in diesem Dictate noch unmittelbar, wenn auch in gedrängter Form, selbst zu

16 Auf diesen „Grundriß" – nicht auf das Handbuch – Eisenhofers spielt Johannes Stigler in der oben zitierten Passage an, wenn er von Eisenhofers „Liturgik" spricht, die „in fremde Sprachen übersetzt" worden sei.

17 Vgl. Anm. 2.

18 Zur Person vgl. Johannes ZELLINGER, *Andreas Schmid. Eine Lebensskizze*. Kempten und München 1912.

19 Gemeint ist die dritte Abteilung mit dem Titel „Liturgie der heiligen Sacramente und Sacramentalien" und die vierte Abteilung unter der Überschrift „Das Kirchenjahr". Dass es sich nur um einen „Abriß" handelt, wird auch deutlich durch den weitaus geringeren Umfang des zweiten Bandes (insgesamt 564 Seiten einschließlich Register) gegenüber dem ersten Band des Handbuchs (917 Seiten).

dem Leser redet". So sind Thalhofers Ausführungen zur sakramentlichen Liturgie und zum liturgischen Jahr – im Gegensatz zu seinen Darlegungen zur Tagzeitenliturgie – also ursprünglich nicht für dieses Handbuch entstanden. Der Rückgriff auf Vorlesungsdiktate bot sich jedoch als eine Art Notlösung an. Schmid stellt in seinem Vorwort daher auch in Aussicht: „Eine ausführlichere Behandlung dieser letzten Theile kann folgen, wenn Zeit und Gelegenheit sich ergibt." Dazu ist es jedoch nicht mehr gekommen.

Als nächster nahm sich Thalhofers zweiter Nachfolger Adalbert Ebner des „Handbuchs" an. Er begann seine Bearbeitung aber nicht mit dem unvollendet gebliebenen Teil, sondern mit dem ersten Teil des ersten Bandes (allgemeine Liturgik). 1894 – ein Jahr vor seiner Bestellung zum Professor für Liturgik – brachte er die zweite, von ihm bearbeitete Auflage dieses Halbbandes heraus. Doch Krankheit und früher Tod (1898) beendeten Ebners Arbeit an der Neuauflage.

Im Jahr 1906 wurde dann Ludwig Eisenhofer durch den Verlag mit der Neubearbeitung beauftragt. Sechs Jahre später, im Jahr 1912, konnte er beide Bände herausbringen: die „zweite, völlig umgearbeitete und vervollständigte Auflage" des „Handbuchs der katholischen Liturgik" von Valentin Thalhofer. Diese Auflage enthielt noch viele, teilweise aber gekürzte Textpassagen Thalhofers – neu waren vor allem die von Thalhofer selbst nicht mehr erarbeiteten Teile – und erschien daher auch noch unter dessen Namen. Zwanzig Jahre später aber hatte Eisenhofer das Werk so stark überarbeitet, dass er es konsequenterweise unter seinem eigenen Namen veröffentlichte; 1932 den ersten und 1933 den zweiten Band.[20] Im Vorwort (des ersten Bandes; im zweiten ist kein Vorwort enthalten) erklärt er rückblickend: „Beim Tode Thalhofers waren wichtige Partien, wie die Lehre vom Kirchenjahr, von den heiligen Sakramenten und Sakramentalien, nicht bearbeitet; weder Aufzeichnungen noch viel weniger ein Manuskript von der Hand Thalhofers lagen vor. Ich war darum genötigt, aus Eigenem das Fehlende zu ergänzen, so daß das Buch, welches [1912] unter Thalhofers Namen in die Welt ging, mehr als zur Hälfte meine eigene Arbeit darstellte." Und Eisenhofer fügt hinzu: „Im Jahre 1924 entschloß sich dann die Herdersche Verlagsbuchhandlung, das Handbuch aufs neue aufzulegen. Schon bei einer Besprechung meiner Arbeit (ThRev 12. 1913, 37) hatte der verstorbene Prälat Adolf Franz größere Kürzungen in den von Thalhofer übernommenen Teilen gewünscht; und je mehr ich mich in die Arbeit versenkte, um so mehr mußte ich die Berechtigung dieses Wunsches erkennen. Bald jedoch sah ich ein, daß es mit Kürzungen allein nicht getan sei, daß ich vielmehr, um dem Handbuch eine einheitliche Form zu geben, die noch in der zweiten Auflage von Thalhofer beibehaltenen Partien im neuen Werke durch meine eigene Arbeit ersetzen mußte. Damit war es aber unmöglich geworden, das Buch fortan unter Thalhofers Namen erscheinen zu lassen. Der Name Thalhofers schmückt

---

[20]   Vgl. Anm. 1. Auch typographisch zeigt sich mit der Abkehr von der Fraktur-Schrift eine deutliche Zäsur. Vom Umfang her wies der erste Band eine gegenüber Thalhofers Werk reduzierte Seitenzahl (607 Seiten), der zweite etwas mehr Seiten auf (588 Seiten einschließlich Register). Den Teil über das liturgische Jahr, den Andreas Schmid 1893 an das Ende des zweiten Bandes gestellt hatte, hat Eisenhofer dem ersten Band, also der allgemeinen Liturgik, zugeordnet.

darum nicht mehr den Titel des Buches. Mein eifrigstes Bestreben ist es jedoch gewesen – wie bei Ausarbeitung der zweiten Auflage –, den Inhalt im Geiste Thalhofers zu gestalten."[21]

Ist Eisenhofer dem von ihm selbst formulierten Desiderat gerecht geworden? Gerade die Beantwortung dieser Frage kann das „Profil" aufscheinen lassen, das Eisenhofer als Liturgiker eigen war. Es ist nämlich offenkundig, dass er sich in seinen Schwerpunkten doch stärker von Thalhofer unterschied, als das erwähnte Vorwort vermuten lassen könnte. Daher hat der Münchner Liturgiker *Walter Dürig* (1913–1992)[22] mit Recht festgestellt, dass Thalhofers Handbuch „trotz der Neubearbeitung durch L. Eisenhofer wegen der meisterhaften Anwendung der historisch-kritischen und der liturgietheologischen Methode [einen] eigenständigen Wert behielt"[23]. Ein detaillierter Vergleich beider Werke wäre ein aufwendiges Unterfangen. Bereits einige exemplarische Gegenüberstellungen erhellen jedoch Eisenhofers Akzentsetzungen. Sie zeigen, dass er seine drei Fächer – Liturgik, Patrologie und Kirchengeschichte – miteinander verbunden hat.

Breiteren Raum als bei Thalhofer nimmt in Eisenhofers Handbuch die geschichtliche Entwicklung der Liturgie ein, sowohl im Hinblick auf die Liturgie allgemein wie auf die verschiedenen liturgischen Feiern.[24] Drei Paragraphen (4–6) über die geschichtliche Entwicklung der Liturgie im Orient und im Abendland hat Eisenhofer am Beginn seines ersten Bandes eingefügt, die man bei Thalhofer noch nicht findet. Diese stärker geschichtliche Orientierung hat Eisenhofer in Fachkreisen Lob eingebracht.[25] Eisenhofers Ausführungen

[21] Der erwähnte schlesische Liturgiehistoriker *Adolf Franz* (1842–1916) starb wenige Jahre nach Erscheinen der von Eisenhofer bearbeiteten zweiten Auflage des „Handbuchs". Zur Person vgl. den entsprechenden Beitrag in diesem Buch.

[22] Zur Person vgl. den entsprechenden Beitrag in diesem Buch.

[23] Dürig, *Thalhofer* (wie Anm. 2) 9. „Thalhofer besaß außer großem liturgiehistorischem Wissen ein ursprüngliches Gespür für die Zusammenhänge im Heilswerk und dessen Vergegenwärtigung in der Liturgie. Seine Ausführungen über die Darstellung des Erlösungswerkes in der Messe und im Kirchenjahr, über die Verbindung von Messe und Jahresfeier, über Christus als die absolute Mitte der gesamten Liturgie sind Gemeingut der heutigen Liturgiewissenschaft geworden", urteilt Dürig in seinem 1965 erschienenen Artikel.

[24] Ein für das Handbuch werbendes Faltblatt des Herder-Verlags aus dem Jahr 1933 erklärt: „Eisenhofer sucht und findet überall ein festes historisches Fundament für seine Erklärungen, er führt diese geschichtliche Wesensbestimmung auch bei scheinbar untergeordneten liturgischen Dingen durch, woraus die theologische Ergiebigkeit des Werkes und zum großen Teil auch seine unspekulative Frömmigkeit und Tiefe herrühren [...]." Eisenhofers genetisch-diachrone Betrachtungsweise zeigt sich strukturell besonders deutlich bei seinen Ausführungen zur „Liturgie der Sakramente" im zweiten Band. Dort folgt den Darlegungen über Entstehung und Entwicklung einer sakramentalen Feier stets ein eigener Paragraph mit einer „Erklärung des jetzigen Ritus".

[25] In diesem Sinne äußerte sich *Richard Stapper* (1870–1939) in einer Rezension zu Eisenhofers zweibändigem Handbuch von 1932/33: Richard STAPPER, *Rez. zu L. Eisenhofer: Handbuch der katholischen Liturgik*, in: ThRv 32. 1933, 401–403. „Bereits in einer Besprechung der 1912 durch L. Eisenhofer besorgten 2. Auflage des alten ‚Thalhofer' [...] konnte der Unterzeichnete seiner Genugtuung darüber Ausdruck geben, daß die damals im Vordergrund des Interesses stehende liturgiegeschichtliche For-

292 Ludwig Eisenhofer (1871–1941)

zur Liturgik blicken ebenfalls vor allem auf deren Quellen und Geschichte als Wissenschaft[26] und gehen von einer weithin geschichtlichen Aufgabenstellung dieser Disziplin aus.[27]

Auch in theologischer Hinsicht kann man Unterschiede feststellen. Thalhofer formuliert eine Umschreibung der Liturgie, die bereits die Renaissance der altkirchlichen *Leib-Christi-Ekklesiologie* im 20. Jahrhundert vorwegnimmt: „Liturgie ist uns das *gottesdienstliche Thun* des durch sichtbare Stellvertreter repräsentirten *mittlerischen Hauptes* der Kirche für die Glieder seines mystischen Leibes *und in Vereinigung mit ihnen nach feststehenden Normen.* [...] In *erweitertem* Sprachgebrauch bezeichnet Liturgie *jeden nach feststehenden Normen sich vollziehenden öffentlichen Gottesdienst* [...].“[28] Eisenhofer kommt an anderer Stelle zwar auch auf die Kirche als mystischer Leib Christi zu sprechen,[29] definiert Liturgie aber so: „Die katholische Liturgie ist der äußere, öffentliche Kult, der in seiner Grundlage von Christus gegeben, in den Einzelheiten seiner Ausführung

---

schung durch E[isenhofer] gegenüber manchen mehr der Dogmatik angehörenden Ausführungen Thalhofers in gebührender Weise zur Geltung gebracht worden sei. Die heute nach 20 Jahren eifriger, mühevoller Kleinarbeit vorgelegten beiden Bände [...] haben glücklicherweise diesen Charakter gewahrt" (ebd. 401). Zu Richard Stapper vgl. den entsprechenden Beitrag in diesem Buch. Weitere Rezensionen zu Eisenhofers Veröffentlichungen (eine Bibliografie ist am Ende des vorliegenden Beitrags angefügt) findet man in ByZ 6. 1897, 457 (zu „Procopius von Gaza"); StML 53. 1897, 79–82 (von Joseph STIGLMAYR zu „Procopius von Gaza"); ByZ 13. 1904, 635 (zu „Das bischöfliche Rationale"); ThRv 12. 1913, 33–37 (von Adolf FRANZ zu „Handbuch der katholischen Liturgik"); JLw 2. 1922, 180 (von Alexander SCHNÜTGEN zu „Thalhofer, Valentin"); JLw 4. 1924, 216 (von Odo CASEL zu „Katholische Liturgik"); ThRv 24. 1925, 24–27 (von Odo CASEL zu „Katholische Liturgik"); JLw 6. 1927, 260 (von Odo CASEL zu „Grundriß der katholischen Liturgik"); JLw 10. 1932, 217 (von Odo CASEL zu „Die ausschließliche Konsekrationsgewalt der Priester"); JLw 13. 1935, 215–218 (von Odo CASEL zu „Handbuch der katholischen Liturgik").

[26] Vgl. EISENHOFER, *Handbuch* (wie Anm. 1) Bd. 1, 53–148. Man findet in diesem Abschnitt sechs Paragraphen (9–14) über die Quellen und vier (15–18) über die Geschichte der Liturgik.

[27] Eisenhofer stellt zutreffend fest, dass die Liturgie der Kirche „teils Produkt göttlicher Offenbarung, teils vielhundertjähriger, unter dem Einfluß des Heiligen Geistes und der ordnenden Hand der Kirche vollzogener geschichtlicher Entwicklung ist"; daher komme der Liturgik vor allem die Aufgabe zu, „die Liturgie in ihrer jetzigen Entwicklung darzustellen" und „die Reihenfolge der Gebete und Handlungen zu beschreiben". Die Liturgik müsse „1. die Vielheit der liturgischen Formen möglichst unter einheitlichen Gesichtspunkten gruppieren, 2. die historische Entwicklung der einzelnen Kultakte erforschen, 3. das Sinnenfällige im Kult als Ausdruck eines Geistigen erklären, indem sie Wort und Handlung als Ausdruck des von der Kirche mit den einzelnen Kultakten verfolgten Zweckes zu erweisen sucht" (EISENHOFER, *Handbuch* [wie Anm. 1] Bd. 1, 53). Eisenhofer rechnet die Liturgie „nicht zur praktischen Wissenschaft gleich der Pastoraltheologie" (ebd. 55), sondern räumt ihr eine vorwiegend theoretische Funktion ein, ohne aber die Möglichkeit praxisrelevanter Folgerungen zu leugnen. Thalhofer hingegen hatte die Liturgik als eine *„Zweigdisciplin* der Pastoraltheologie" (THALHOFER, *Handbuch* [wie Anm. 2] Bd. 1, 8) eingestuft, wobei anzumerken ist, dass er von 1863 bis 1876 in München auch dieses Fach innegehabt hatte.

[28] THALHOFER, *Handbuch* (wie Anm. 2) Bd. 1, 1.

[29] Vgl. EISENHOFER, *Handbuch* (wie Anm. 1) Bd. 1, 12f.

von der Kirche geregelt ist."[30] Der Eichstätter Liturgiker hat also vor allem die „äußere" Seite des „cultus publicus"[31] im Blick, wenngleich er andererseits einräumt, dass äußere Kultakte „nur in Verbindung mit den entsprechenden innern Akten zu wirklichen Akten des Kultes"[32] werden.

Eisenhofer betrachtet – wie viele andere Liturgiker seiner Zeit auch – den latreutischen Aspekt der Liturgie als primär und den soterischen als konsekutiv: „Wenn der Mensch sich im Kulte Gott nähert, so will er nicht bloß der Ehre Gottes die schuldige Anerkennung leisten, er will auch gnadenvolles Herablassen Gottes bewirken; sein Kult beschränkt sich nicht bloß auf das Geben an Gott, sondern umschließt auch das Empfangen von Gott."[33] Ist aber die heiligende, gnadenvermittelnde Wirksamkeit der Liturgie eine *Folge* des Gott geleisteten Kultes? Oder sind wir nicht zunächst von Gott beschenkte und erlöste Menschen, die erst als solche liebend Antwort geben können? Die Frage wird entschärft, wenn man bedenkt, dass Christus selbst „primäres Subjekt"[34] der Liturgie (in ihren beiden Dimensionen) ist, wie Eisenhofer darlegt. Eine solche christozentrische Sichtweise vertritt einige Jahre nach Eisenhofers Tod auch die umfangreiche Liturgie-Enzyklika „Mediator Dei"[35] Papst Pius' XII. (1939–1958) vom 20. November 1947. Sie geht aber sehr stark von der *Leib-Christi-Ekklesiologie* aus[36] und enthält bereits Ansätze zur Überwindung eines primär latreutischen Verständnisses der Liturgie.[37] Vollends korrigiert ist diese Auffassung dann in Artikel 7 der Liturgiekonstitution „Sacrosanctum Concilium" des Zweiten Vatikanischen Konzils. Dieser Artikel ist in seinen theologischen Aussagen in verschiedener Hinsicht bemerkenswert. So bekundet er etwa, dass Christus gegenwärtig ist, wenn in der Feier der Liturgie sein Wort verkündet wird. Zwar hat Eisenhofer auch darauf hingewiesen, dass „in der Verkündigung des Evangeliums [...] Christus selbst zu den Gläubigen spricht"[38]; Thalhofers Aussagen zu

---

30 Eisenhofer, *Handbuch* (wie Anm. 1) Bd. 1, 6.
31 Der Begriff „cultus publicus" findet sich (allerdings ohne die Einschränkung „externus") in Canon 1256 des „Codex Iuris Canonici" (CIC) von 1917, wurde aber von manchen Theologen auch schon zuvor gebraucht.
32 Eisenhofer, *Handbuch* (wie Anm. 1) Bd. 1, 2.
33 Eisenhofer, *Handbuch* (wie Anm. 1) Bd. 1, 21f. Vgl. ebd. 20–23. Mit dieser Auffassung steht Eisenhofer freilich in der Tradition seiner Zeit. „Die frühere Liturgiewissenschaft hat, sofern sie die Liturgie als öffentlichen Kult definierte, deren Heilshaftigkeit gewöhnlich als Folge des Kultes deklariert – in gefährlicher Nähe zu pelagianischen, wenn nicht magischen Anschauungen." So Emil Joseph Lengeling, *Liturgie als Grundvollzug christlichen Lebens*, in: *Kult in der säkularisierten Welt*. Hg. v. Balthasar Fischer [u.a.]. Regensburg 1974, 63–91, hier 70.
34 Eisenhofer, *Handbuch* (wie Anm. 1) Bd. 1, 11.
35 Pius PP. XII, *Litterae Encyclicae „Mediator Dei": De Sacra Liturgia*, in: AAS 39. 1947, 521–595. Index: 596–600.
36 Diese Ekklesiologie hatte Pius XII. bereits in seiner Enzyklika „Mystici Corporis" vom 29. Juni 1943 entfaltet. Pius PP. XII, *Litterae Encyclicae „Mystici Corporis": De Mystico Iesu Christi Corpore deque nostra in eo cum Christo coniunctione*, in: AAS 35. 1943, 193–248.
37 Vgl. dazu Kapitel 2 folgender Dissertation: Bert Wendel, *Die Liturgie-Enzyklika „Mediator Dei" vom 20. November 1947. Zur liturgisch-zeitgeschichtlichen und theologischen Bedeutung einer lehramtlichen Äußerung Papst Pius' XII. (1939–1958) über den Gottesdienst der Kirche*. Regensburg 2004 (Theorie und Forschung 814: Theologie 45).
38 Eisenhofer, *Handbuch* (wie Anm. 1) Bd. 2, 114.

diesem Thema (der pneumatischen Gegenwart Christi) sind jedoch umfangreicher und klingen in ihrem Kern erstaunlich modern.[39]

3. Versuch einer Synthese

Inwieweit ist Ludwig Eisenhofer als Liturgiker ein „Mann seiner Zeit" gewesen? Welche Position hat er neuen Strömungen gegenüber vertreten? Man kann sagen, dass Eisenhofer vor allem von der Zeit *vor* dem Ersten Weltkrieg geprägt worden ist. Dabei geht es nicht so sehr um seine innere Verbundenheit mit Bayern, mit München und mit der Monarchie der Wittelsbacher,[40] sondern um seine Theologie der Liturgie. „Ludwig Eisenhofer hat die Akzente *anders* gesetzt als sein großer Vorgänger Valentin Thalhofer. Für die zentralen liturgietheologischen und ekklesiologischen Fragen, die schon in den zwanziger und dreißiger Jahren einen neuen Aufbruch in Theologie und Kirche herbeiführen, zeigt Eisenhofer nicht allzu viel Verständnis."[41] Er steht der *Liturgischen Bewegung,* die sich in Deutschland besonders in der Zeit zwischen den beiden Weltkriegen verbreitet und ausgewirkt hat, eher reserviert gegenüber, zumindest in seinen letzten Lebensjahren. Diese Position ergibt sich aus seiner vorwiegend retrospektiv-historischen Orientierung. In den – von Einseitigkeiten, Übertreibungen und Irrtümern gewiss nicht immer frei gebliebenen – Bestrebungen der Liturgischen Bewegung erkennt er Gefahren wie einen übertriebenen, nur auf die ersten Jahrhunderte blickenden „Historismus" oder eine Imitation von Ansätzen aus der Zeit der Aufklärung.[42] Ähnliche Warnungen enthält 1947 auch die Enzyklika „Mediator Dei", aber im Prinzip steht dieses päpstliche Rundschreiben dem Grundanliegen der Liturgischen Bewegung eindeutig positiv gegenüber – dem Wunsch nach tätiger Teilnahme der Gläubigen an der Feier der Liturgie. Diesem – ekklesiologisch motivierten – Anliegen räumt Eisenho-

---

[39]   „Sofern [...] von jeher bei der eucharistischen Feier das Wort Gottes, sei es durch Schriftlesung allein, oder in Verbindung mit einem an sie anknüpfenden Lehrvortrag (Predigt), verkündet wird, kann man in Wahrheit sagen, *Christus lebe mittelst der eucharistischen Feier in seiner Kirche nicht bloß fort als Hohepriester, sondern auch als untrüglicher Lehrer und Prophet,* er lebe als Gnade spendend fort nicht bloß im Opfer und Opfermahl, sondern auch in der Verkündigung des untrüglichen Gotteswortes, das die Seelen der Gläubigen übernatürlich erleuchtet und stärkt, sie vorbereitet auf das Opfer und Opfermahl." THALHOFER, *Handbuch* (wie Anm. 2) Bd. 2, 87. Eisenhofer setzt den Akzent funktionaler, wenn er erklärt: „*Der wichtigste Grund,* warum die Kirche die Schriftlesung mit der Opferfeier verband, lag ohne Zweifel in der Notwendigkeit, den Gläubigen an der Hand der Heiligen Schrift *die Wahrheiten des Glaubens beständig in Erinnerung zu bringen* [...]. Dazu kam, daß in alter Zeit auch die *Katechumenen* durch das Anhören der Lesungen allmählich in den Inhalt der christlichen Lehre eingeführt werden sollten. Die Schriftlesung soll aber auch [...] dazu anleiten, an den einzelnen Tagen *eine besondere,* von der Zeit des Kirchenjahres oder durch die Festfeier *bestimmte Gnade* aus dem Schatz des Meßopfers zu erflehen. In der Schriftlesung wird der Same des göttlichen Wortes in die Seele gesenkt, durch die Opfergnade soll er zur reichen Frucht gestaltet werden." EISENHOFER, *Handbuch* (wie Anm. 1) Bd. 2, 98f.
[40]   Vgl. dazu MAAS-EWERD, *Schwerpunkt* (wie Anm. 3) 152.
[41]   MAAS-EWERD, *Schwerpunkt* (wie Anm. 3) 154.
[42]   Vgl. Ludwig EISENHOFER, *Rez. zu Waldemar Trapp: Vorgeschichte und Ursprung der liturgischen Bewegung vorwiegend in Hinsicht auf das deutsche Sprachgebiet.* Regensburg 1940, in: ThRv 38. 1940, 271–273.

fer in seinem Handbuch nicht viel Raum ein.[43] Das Stichwort „Gemeinschaftsmesse" findet man im Sachregister nicht, die Aussagen über den Volksgesang
in den liturgischen Feiern sind weniger umfangreich als in Thalhofers Handbuch.[44]

Die Mysterientheologie des Maria Laacher Benediktiners *Odo Casel* (1886–
1948),[45] die dieser besonders in den zwanziger Jahren entfaltet und als Wiederentdeckung altkirchlicher Theologie verstanden hatte, berücksichtigt
Eisenhofer in seinem Handbuch nicht.[46] Auch auf andere markante Protagonisten der Liturgischen Bewegung wie *Lambert Beauduin* (1873–1960)[47], *Bernard
Botte OSB* (1893–1980)[48], *Romano Guardini* (1885–1968), *Josef Andreas Jungmann SJ* (1889–1975) oder *Pius Parsch* (1884–1954)[49] nimmt Eisenhofer keinen
Bezug.[50] Aus alledem ergibt sich die Feststellung: Eisenhofer ist als Mensch und
Wissenschaftler vor allem von der Zeit vor dem Ersten Weltkrieg geprägt gewe-
sen und war an der Liturgischen Bewegung als einer pastoral ausgerichteten
Strömung weniger interessiert. Er hat in seinem Verständnis der Liturgiewissen-
schaft vor allem geschichtliche und kanonistische Schwerpunkte gesetzt; sein
Akzent liegt im Vergleich zu Thalhofer „weniger auf dem Theologischen und
Pastoralen"[51]. Zu diesem Schluss kann man auch kommen, wenn man der Frage
nachgeht, für welche Veröffentlichungen Eisenhofer durch Rezensionen sein
besonderes Fachinteresse bekundet hat.[52]

[43] Vgl. Eisenhofer, *Handbuch* (wie Anm. 1) Bd. 1, 17–20. Eisenhofer erklärt: „Von großem Belang ist auch die Frage, *welche Bedeutung* und welchen Wert die *Gegenwart und
Beteiligung der Gläubigen am liturgischen Gottesdienst* besitzt. Bei den *heiligen Sakramenten* ist von vornherein klar, daß diese *nicht ohne die Gegenwart der Gläubigen gespendet
werden können* und die zum Vernunftgebrauch gelangten Personen nicht ohne die
Intention, das Sakrament zu empfangen, zum Genusse der sakramentalen Gnade gelangen. *Anders geartet* ist das Verhältnis *beim Mittelpunkt der katholischen Liturgie,* beim
heiligen Meßopfer, welches der Priester als Stellvertreter Jesu Christi und im Namen
der Kirche darbringt" (ebd. 17f).

[44] Im ersten Band Thalhofers umfasst § 39 mit der Überschrift „Der gottesdienstliche
Volksgesang" deutlich mehr Seiten (566–583) als die vergleichbaren Ausführungen in
Eisenhofer, *Handbuch* (wie Anm. 1) Bd. 1; dort findet man unter § 26 („Die kirchliche Musik. Fortsetzung: Orgel. Instrumentalmusik. Kirchenmusikalische Gesetzge-
bung") einen Abschnitt (Nr. 3) mit dem Titel „Das kirchliche Volkslied" (241–245).

[45] Zur Person vgl. den entsprechenden Beitrag in diesem Buch. Zur Mysterientheologie
vgl. Arno Schilson, *Mysterientheologie,* in: LThK 7. 1998, 575f; ders., *Theologie als Sakramententheologie. Die Mysterientheologie Odo Casels.* Mainz 1982 (TTS 18).

[46] Der Name „Casel" erscheint zwar im Personenregister (Eisenhofer, *Handbuch* [wie
Anm. 1] Bd. 2), Eisenhofers Bezüge auf Casel betreffen aber patrologische und lin-
guistische Fragen.

[47] Vgl. Balthasar Fischer, *Beauduin, Lambert,* in: LThK 2. 1994, 110.

[48] Vgl. Bruno Steimer, *Botte, Bernard,* in: LThK 2. 1994, 614.

[49] Zu Romano Guardini, Josef Andreas Jungmann und Pius Parsch vgl. die entsprechenden Beiträge in diesem Buch.

[50] Diese Namen kommen im Personenregister nicht vor; Ausnahme: Pius Parsch wird
einmal genannt, wobei es sich aber um einen allgemeinen Hinweis auf dessen „Klosterneuburger Liturgiekalender" („Jahr des Heiles") handelt.

[51] Maas-Ewerd, *Schwerpunkt* (wie Anm. 3) 154.

[52] Rezensionen aus Eisenhofers Feder findet man in verschiedenen Zeitschriften. Im
Folgenden kurz einige Fundorte, meist mit Namen der von Eisenhofer rezensierten

Mit diesen Aussagen soll das wissenschaftliche Werk Eisenhofers aber nicht geschmälert werden. Es ist und bleibt beachtlich und zeugt von kirchlicher Gesinnung, von Gründlichkeit bis in Details, von enormem Arbeitseifer und von großem Fachwissen, insbesondere auf geschichtlichem Gebiet. Zumindest unter dieser Perspektive kann das „Handbuch" auch heute noch als eine „Fundgrube" gelten.

Auswahlbibliografie[53]

Procopius von Gaza. Eine literarhistorische Studie. Freiburg/Br. 1897.

Das bischöfliche Rationale. Seine Entstehung und Entwicklung. München 1904.

Die Bischofsweihe, in: Eichstätter Volkszeitung 28. 1905, Nr. 293, 2–4.

Liturgik, in: KHL 2. 1912, 684–686.

Handbuch der katholischen Liturgik. [Von] Valentin THALHOFER. [Bearb. von] Ludwig EISENHOFER. 2., völlig umgearbeitete und vervollständigte Auflage. 2 Bde. Freiburg/Br. 1912.

Autoren, Herausgeber oder Übersetzer (die bibliografische Zusammenstellung geht auf Theodor Maas-Ewerd zurück): ThRv 3. 1904, 497–502 (Ferdinandus CABROL, Henricus LECLERQ); 4. 1905, 376f (Antoine VILLIEN); 512–515 (Johannes NIEDERHUBER); 5. 1906, 547–549 (Karl KÜNSTLE); 6. 1907, 252–254 (F. CABROL); 490f (Richard STAPPER); 590f (Adalbert SCHULTE); 9. 1910, 620 (Richard ENGDAHL); 12. 1913, 332f (Remigius STORF); 334f (Georg RICHTER, Albert SCHÖNFELDER); 344 (Johannes ZELLINGER); 13. 1914, 83–86 (Paul CAGIN); 14. 1915, 224f (MAXIMILIANUS PRINCEPS SAXONIAE); 15. 1916, 462f (Bernhard SCHÄFER); 18. 1919, 450f (Kunibert MOHLBERG); 20. 1921, 351f (Ildefons HERWEGEN); 22. 1923, 66–68 (Odo CASEL: JLw); 23. 1924, 150 (Anton BAUMSTARK); 150f (Odo CASEL: JLw); 152 (Ambrosius STOCK); 268 (Hans ROSENBERG); 273 (Anselm SCHOTT, Martin SCHALLER); 313–315 (Leonhardt FENDT); 24. 1925, 265–267 (Odo CASEL: JLw); 26. 1927, 119f; 242f (Ildefons HERWEGEN); 392–394 (Odo CASEL: JLw); 27. 1928, 65 (Thomas MICHELS); 460–463 (Odo CASEL: JLw); 28. 1929, 399–401 (Odo CASEL: JLw); 29. 1930, 17f (Emil FREYSTADT); 334f (Albert VIERBACH); 31. 1932, 411f (Johannes BRINKTRINE); 34. 1935, 288–290 (Johannes BRINKTRINE); 35. 1936, 241f (Hugo LANG); 37. 1938, 411 (Leo HABERSTROH); 38. 1939, 229–231 (Peter BROWE); 39. 1940, 271–273 (Waldemar TRAPP); LitRdsch 29. 1903, 205–207 (Paul VIGNON); 339f (Peter A. KIRSCH); 30. 1904, 54–56 (Paul DREWS); 31. 1905, 250f (Antoine VILLIEN); 250f (Cyrille CHARON); ByZ 17. 1908, 189–195 (Joseph BRAUN). Literarische Beilage zum KlBl 1. 1925, 19; 19f (Joseph BRAUN); 109–111; 2. 1926, 208f (Michael GATTERER); 7. 1931, 66f (Rudolf FATTINGER); 68f (Ildefons SCHUSTER); 98f (Johann Peter KIRSCH); 8. 1932, 106f (Clemens BLUME); 9. 1933, 108f (Hugo DAUSEND); 109f (Aloisius M. DE CARPO, Aloisius MORETTI); 110 (Placidus DE MEESTER); 110f (Johannes BRINKTRINE); 141 (Simon WEISS); 141f (Naz. PETRELLI); 142 (Primus VANNUTELLI); 169 (Karl BIHLMEYER); 10. 1934, 19f (Johannes BRINKTRINE); 35f (Gerhard RAUSCHEN, Berthold ALTANER); 145f (Paul ARENDT); 146 (Ildefons SCHUSTER). KlBl 16. 1935, 483 (Franz SCHUBERT); 483 (Johannes BRINKTRINE); 483f (AUGUSTINUS, Anton MAYER); 506 (Johannes QUASTEN); 17. 1936, 17 (Karl BIHLMEYER); 348 (Hugo LANG); 18. 1937, 554 (Wilhelm LURZ); 19. 1938, 300 (Josephus DE SEBASTIANIS); 300 (Joseph KRAMP); 300 (Joseph SCHUSTER); 300 (Aloisius MORETTI).

[53]   Vgl. ergänzend (v. a. im Hinblick auf Zeitungsbeiträge oder auf Eisenhofers anonyme Mitarbeit am „Brockhaus") den Nachruf von LECHNER, *Prälat Dr. Ludwig Eisenhofer* (wie Anm. 8). Zu Eisenhofers Rezensionen vgl. die vorangehende Fußnote. Auf einige Rezensionen zu Eisenhofers Veröffentlichungen ist ebenfalls in einer Fußnote hingewiesen.

Augustinus in den Evangelien-Homilien Gregors des Großen. Ein Beitrag zur Erforschung der literarischen Quellen Gregors des Großen, in: Festgabe Alois Knöpfler. *Zur Vollendung des 70. Lebensjahres gewidmet von seinen Freunden und Schülern.* Hg. v. Heinrich M. GIETL [u.a.]. Freiburg/Br. 1917, 56–66.

Zur Erinnerung an den 29. August 1918 im Kloster St. Maria Stern in Augsburg. Als Manuskript gedruckt. Eichstätt 1918.

Die Braut Christi. Gedanken zur Jungfrauenweihe des römischen Pontifikale, in: Walburgis-Blätter 6. 1919, 113–116.

Zur Erinnerung an den 31. August 1919 im Kloster St. Maria Stern in Augsburg. Als Manuskript gedruckt. Eichstätt 1919.

Haec dies, quam fecit Dominus! Gedanken zu den Meßformularien der Osterwoche, in: BlKKl 1. 1920, 41f.

Zum heiligen Pfingstfeste! Bemerkungen zur liturgischen Dichtung des Festtages, in: BlKKl 2. 1921, 89.

Zum Gedächtnis der Toten, in: Walburgis-Blätter 9. 1921/22, 18–20.

Thalhofer, Valentin, Dompropst und Professor der Liturgik am Lyzeum zu Eichstätt (1825–1891), in: Lebensläufe aus Franken. Hg. im Auftrag der Gesellschaft für Fränkische Geschichte von Anton CHROUST. Bd. 2. Würzburg 1922, 445–449.

Veni creator Spiritus! Gedanken zum heiligen Pfingstfest, in: BlKKl 3. 1922, 165f.

Hedwig. Eine vergessene bayerische Heilige. Bemerkungen zu den Lesungen der zweiten Nokturn am 17. Oktober, in: BlKKl 3. 1922, 314f.

Katholische Liturgik. Freiburg/Br. 1924. *Grundriß der katholischen Liturgik.* Freiburg/Br. ²/³1926 (verbesserte Aufl.); ⁴1937 (verbesserte Aufl.). *Grundriß der Liturgik des römischen Ritus.* Neu bearbeitet von Joseph LECHNER. Freiburg/Br. ⁵1950. *Liturgik des römischen Ritus.* Von Joseph LECHNER. [Begr. von] Ludwig EISENHOFER. Freiburg/Br. ⁶1953.

Osterfriede und Osterfreude, in: KlBl 6. 1925, 113f.

Liturgische Anfragen. I. Wie ist mit der Kelchpurifikation zu verfahren, wenn drei Messen an einem Tage in verschiedenen Kirchen gelesen werden? II. Welcher Name ist in der Oration A cunctis unter N. einzusetzen?, in: KlBl 6. 1925, 339f.

Der christliche Altar, in: Literarische Beilage zum KlBl 1. 1925, 33–38, 69–79

Neuere populär-liturgische Literatur, in: Literarische Beilage zum KlBl 1. 1925, 321–326.

Die Neuerungen im Rituale Romanum von 1925, in: KlBl 7. 1926, 313–315, 325–327.

Römische Erinnerungen, in: Literarische Beilage zum KlBl 2. 1926, 97–102, 132–137.

Ebner, Dr. Adalbert, Professor der Theologie am Lyzeum zu Eichstätt (1861–1898), in: Lebensläufe aus Franken. Hg. im Auftrag der Gesellschaft für Fränkische Geschichte von Anton CHROUST. Bd. 3. Würzburg 1927, 95–97.

Neuere liturgische Literatur, in: KlBl 8. 1927, 231f.

Konnten jemals Laien die heilige Messe feiern?, in: KlBl 10. 1929, 541–543. Dazu Erklärung von Odo Casel: 660. Erwiderung: 660.

Liber Sacramentorum, in: Literarische Beilage zum KlBl 6. 1930, 153–156.

Altarprivileg, in: LThK 1. 1930, 297f = LThK 1. 1957, 375f.

Apostolos, in: LThK 1. 1930, 571 = LThK 1. 1957, 766.

Aster. Asteriskos, in: LThK 1. 1930, 742 = LThK 1. 1957, 958.

Concha, in: LThK 3. 1931, 28 = LThK 3. 1959, 32.

Diurnale, in: LThK 3. 1931, 351 = LThK 3. 1959, 429.

Duranti, Jean-Étienne, in: LThK 3. 1931, 497 = LThK 3. 1959, 613.

Egeling Becker, in: LThK 3. 1931, 546 = LThK 3. 1959, 669.

Die ausschließliche Konsekrationsgewalt der Priester, in: KlBl 12. 1931, 49–51.

Hebdomadar, in: LThK 4. 1932, 852 = LThK 5. 1960, 43f.

Handbuch der katholischen Liturgik. Bd. 1: *Allgemeine Liturgik.* Bd. 2: *Spezielle Liturgik.* Freiburg/Br. 1932/1933, ²1941.

Erinnerungen an P. Kaspar Stanggassinger C.SS.R, in: KlBl 16. 1935, 2f.

Compendio di liturgia. Torino u.a. 1940; ³1944 (ed. completamente rifusa).

Litúrgica católica. Friburgo de Brisgovia 1940. Compendio de liturgia católica. Barcelona ²1947; ³1956, 1963 (Neudruck).

The liturgy of the Roman rite. [Von] Joseph LECHNER. [Begr. von] Ludwig EISENHOFER. New York 1961 (2. impr.).

Leo Eizenhöfer OSB (1907–1981)

Angelus A. Häußling OSB

1. Biografie

Im Benediktinermönch der Abtei Neuburg im Neckartal vor Heidelberg (inzwischen der Stadt eingemeindet) tritt, man möchte fast sagen: noch einmal, ein letztes Mal, in der Reihe der in dieser Sammlung portraitierten Liturgiewissenschaftler der Typ des Gelehrtenmönchs entgegen, der stille Arbeit an Aufgaben und Themen leistet, deren Sinn erst später einmal erkennbar werden möchte – oder auch nicht, wenn dies in Gottes Plan so beschlossen ist. Die Rückschau erfüllt den Fachmann aber bald mit etwas Neid: Eine gefüllte, vor Gott und den Menschen gelungene Existenz, wie man sie von einem Mönch wohl auch erwartet und irgendwie auch für sich selbst wünscht, aber kaum erreicht.[1]

Er entstammte einer Familie in „einfachen Verhältnissen", wie man so sagt, aus dem Dorf Oberafferbach im Spessart, in der Nähe von Aschaffenburg. In seiner Biografie werden erst die vier Jahre Theologiestudium in Innsbruck greifbarer, welche ihm die lebenslang wirksame Bekanntschaft, ja fast Freundschaft mit seinem Professor Josef A. Jungmann einbrachten. Die Talente seiner Studenten fördernd, wie es der akademische Lehrer als selbstverständliche Aufgabe ansah, animierte dieser Eizenhöfer zu ersten Publikationen, in denen der Schüler es sich aber auch ohne weiteres erlauben konnte, eine andere Meinung als sein Professor kundzutun. Aber beiden ging es um die Sache, nicht um einen Kult akademischer Hierarchien. Der Bericht, den Eizenhöfer nach dem Tod Jungmanns über die Geschichte ihres Verhältnisses publizierte, gehört zu den sprechendsten Zeugnissen über den seine eigene Person so sehr zurückstellenden Jesuiten Jungmann.

1927 war Neuburg von Beuron wiederbesiedelt worden. Die alte, zunächst der Abtei Lorsch an der Bergstraße zugehörige Propstei, dann aber in einer wechselvollen Geschichte mehreren Herren und Zwecken dienend, wurde schon im Folgejahr auch zur Abtei erhoben. In diese Neugründung trat 1931 Alfons Eizenhöfer ein, erhielt mit der Aufnahme in das Noviziat den neuen Namen Leo, nach dem großen Papst des 5. Jahrhunderts, und brauchte wegen seiner Innsbrucker Studien nur noch ein Jahr am Beuroner Theologischen Studium zu verbringen (wo er aber Alban Dold kennenlernte, mit dem er später zusammenarbeitete). 1936 wurde er in Neuburg zum Priester geweiht. Von Neuburg aus machte er das Studium der Altphilologie im nahen Heidelberg, bei den namhaften Professoren Karl Meister, Hildebrecht Hommel, Karl Preisendanz. 1942 erfolgte die Promotion. Dazwischen liegt auch ein halbes Jahr Studienaufenthalt an der Benediktinerakademie in Maria Laach, in gemeinsamer Arbeit mit den Dozenten Abt Ildefons Herwegen, Odilo Heiming, Hieronymus Frank, die auch in der vorliegenden Sammlung portraitiert werden. Ein gütiges Geschick, von ihm selbst stets so empfunden, führte ihn über die Kriegsjahre an den Niederrhein. Sein Kloster besaß dort bei Kempen ein Gut,

[1] Vgl. auch Bonifacio Baroffio, *In memoriam Leo Eizenhöfer (1907–1981)*, in: RivLi 69. 1982, 287–292.

in dem er Präsenz zu zeigen hatte. Weil er zugleich auch als Rektor der zugehörigen öffentlichen Kapelle eingesetzt war, blieb ihm der Dienst in der Wehrmacht erspart. Es wurden, bis 1950, stille Jahre des intensiven Studiums der altkirchlichen Quellen, besonders jene der Liturgie, ein Rüstzeug, über das er fortan sicher verfügte. Danach war aber wieder nicht Neuburg sein Domizil, sondern seine Arbeitskraft wurde in Rom gebraucht. Denn der seinerzeitige Abt Primas der Konföderation der Benediktiner, der Schweizer Bernhard Kählin, hatte im Pontificio Ateneo Sant'Anselmo ein „Istituto liturgico" eröffnet, hauptsächlich, damit Kunibert Mohlberg eine Arbeitsstelle zur lang geplanten und vorbereiteten Neuedition der wichtigsten Liturgiebücher der lateinischen Kirche zur Verfügung stand. Zu diesem Dienst wurde zusammen mit Petrus Siffrin OSB auch Leo Eizenhöfer gerufen. Von 1950 bis 1956 arbeitete er dort mit, nicht als bloßer Handlanger, sondern selbständig bestimmte Aufgaben übernehmend. Wieder in Neuburg, wurde der Aufenthalt dort 1958 für ein halbes Jahr dank einer Einladung des Historikers Ernst H. Kantorowicz in die USA unterbrochen; in der Morgan Library in New York, in Princeton und in Baltimore studierte er liturgische Handschriften. Für die gleiche Arbeit gewann ihn der Leiter der Handschriftenabteilung der Hessischen Landes- und Hochschulbibliothek in Darmstadt, Hermann Knaus. Summa: Ein vielfältiges Gelehrtendasein, Zeugnis von Fleiß – im Dienste der Kirche, um deren Liturgie von der Geschichte her zu erhellen.

Nach dem Zeugnis aller war Leo Eizenhöfer aber kein sich abschottender Stubengelehrter. Er war in seiner Klostergemeinschaft als hilfsbereiter, offener, interessierter Mitbruder geschätzt und bei allen, die ihn kannten, ob seiner redlichen Humanität geachtet.

1978 erlitt einen Herzinfarkt, den er aber überwinden konnte; die Arbeit ging weiter. Ein zweiter Infarkt war schwerer. Er verließ das Heidelberger Krankenhaus nicht mehr als Lebender. Er verstarb am 25. Juli 1981 und wurde am 29. Juli in seinem geliebten Kloster begraben.

2. Der Liturgiewissenschaftler
2.1 Sakramentare und andere liturgische Handschriften
Das Hauptwerk Leo Eizenhöfers sind die Sakramentarausgaben. Auch wenn er an ihnen nur mitarbeitete, steht sein Name mit Recht auf dem Titelblatt der nun maßgebenden Editionen der ältesten lateinischen Sakramentare: des „Veronense" (früher „Leonianum" genannt)[2], der beiden altgallischen Sakramentare „Missale Francorum"[3] und „Missale Gallicanum vetus"[4], dann noch in der Titelei des wichtigen „Missale Sacramentarium Gelasianum vetus"

---

[2]	Vgl. *Sacramentarium Veronense. (Cod. Bibl. Capit. Veron. LXXXV [80]).* In Verb. mit Leo Eizenhöfer OSB u. Petrus Siffrin OSB hg. v. Leo Cunibert Mohlberg OSB. Roma 1956. (RED.F 1). – 2. Aufl. 1968; 3. Aufl., verbessert und ergänzt von Leo Eizenhöfer, 1978.

[3]	Vgl. *Missale Francorum. (Cod. Vat. Reg. lat. 257).* In Verb. mit Leo Eizenhöfer OSB u. Petrus Siffrin OSB hg. v. Leo Cunibert Mohlberg OSB. Roma 1957 (RED.F 2).

[4]	Vgl. *Missale Gallicanum vetus. (Cod. Vat. Palat. Lat. 493).* In Verb. mit Leo Eizenhöfer OSB u. Petrus Siffrin OSB hg. v. Leo Cunibert Mohlberg OSB. Roma 1958. (RED.F 3).

(„Altgelasianum")[5]. Diese Editionen gehören heute und sicher noch für lange Zeit zum Standard der Hilfsmittel, die der Liturgiewissenschafter – und andere – für historische Recherchen zur Hand nehmen. Zusammen mit Alban Dold edierte er das sog. Prager Sakramentar[6] und ein aus Palimpsesten der Bayerischen Staatsbibliothek entziffertes irisches Sakramentar[7]. Daneben fertigte er eine kritische Edition des Textes des Canon romanus an, mit Angabe verwandter Texte und möglicher Quellen, immer noch nützlich weil handlich und zuverlässig überdies.[8]

Eine weitere Tätigkeit an liturgischen Handschriften war seine Mitarbeit bei der Katalogisierung der Handschriften der bedeutenden Bibliothek in Darmstadt. Zwei Bände dieses Katalogwerkes nennen deshalb Eizenhöfer als Mitverfasser. Nur noch die Württembergische Landesbibliothek Stuttgart kann den Glücksfall aufweisen, dort in der Person des Beuroner Benediktiners Virgil Fiala, dass diese schwierige Handschriften-Sorte von kompetenten Fachleuten beschrieben wurde. Solche Werke verlangen neben Wissen unendliche Geduld ob der vielen Kleinarbeit, die mit der Erfassung der alten Dokumente verbunden ist. Der Effekt ist dann aber auch, dass eine Arbeit, wenn gelungen – und das ist die Arbeit von Eizenhöfer ohne Frage –, dass eine solche Arbeit dann auch auf unberechenbar lange Zeit in Geltung steht.

2.2 Studien

Leo Eizenhöfer publizierte auch eine stattliche Reihe von Aufsätzen, die fast durchgehend alten liturgischen Texten gewidmet sind. Sie scheinen oft kleinteilig, bis dahin, dass ein einziges Wort traktiert wird. Und doch haben sie eine Faszination. Nicht nur, weil sie eine Kenntnis der Quellen demonstrieren, um die man den Autor beneiden möchte. Sie decken immer einen Kontext auf, der ins Große verweist, auf das, um was es in der Liturgie geht: das Handeln Gottes an den Menschen und die betroffene Antwort des Menschen an Gott. Die Scholastik hätte ein solchen Verhalten zu Quellen eine „cognitio ex connaturalitate" genannt, eine stimmige Erkenntnis, weil der Erkennende unverbrüchlich im Vorgang des Erkennens sich vom Erkannten einbezogen weiß.

2.3 Ein exemplarischer Gelehrtenstreit

Für diese „konnaturale" Stimmigkeit sei nun doch ein Beispiel genannt, auch, weil der Schreiber dieses Biogramms gleich dreimal damit in Verbindung kam. In meiner Studienzeit fiel mir natürlich – wie unzähligen anderen auch schon

---

[5] Vgl. *Liber sacramentorum romanae aecclesiae ordinis anni circuli. (Cod. Vat. Reg. lat. 316/ Paris Bibl. Nat. 7193, 41/56) (Sacramentarium Gelasianum).* In Verb. mit Leo EIZENHÖFER OSB u. Petrus SIFFRIN OSB hg. v. Leo Cunibert MOHLBERG OSB. Roma 1960 (RED.F 4). – 2. Aufl. 1968; 3. Aufl., verbessert u. ergänzt von Leo EIZENHÖFER. 1981.

[6] Vgl. *Das Prager Sakramentar. (Cod. O.83 (Fol. 1–120) der Bibliothek des Metropolitankapitels).* 2: *Prolegomena und Textausgabe.* Hg. v. Alban DOLD in Verbindung mit Leo EIZENHÖFER. Beuron 1949 (TAB 1,38/42). – Teil 1 ist die Lichtbildausgabe, 1944.

[7] Vgl. *Das irische Palimpsestsakramentar in Clm 14429 der Staatsbibliothek München.* Entziffert u. hg. v. Alban DOLD und Leo EIZENHÖFER mit einem Beitrag von David H. WRIGHT. Beuron 1964 (TAB 1,53/54).

[8] Vgl. *Canon missae romanae. Quem illustravit Leo Eizenhöfer OSB.* 1: *Traditio textus.* Romae 1954; 2: *Textus propinqui.* Romae 1966 (RED.S 1 u. 6).

– auf, dass im Canon romanus die dritte „Strophe", beginnend mit „Communicantes", grammatikalisch isoliert ist; sie hat kein „verbum regens". Da hörte ich in einer Vorlesung bei dem schon genannten Virgil Fiala, gerade habe Leo Eizenhöfer einen Aufsatz publiziert, der wohl die Lösung bringe: Das „Communicantes" ist an die erste Canon-Strophe, beginnend mit „Te igitur" anzuschließen, und dann ergibt sich vom Schluss der Strophe her mit „una cum ... communicantes" ein grammatikalisch und sachlich stimmiger Satz.[9] Das überzeugte mich. Später sah ich dann, dass Josef A. Jungmann, in Innsbruck Eizenhöfers und mein Lehrer, in der 4. Auflage seines Standardwerkes der „genetischen Erklärung der römischen Messe", mit dem Titel „Missarum Sollemnia"[10], diese Studie seines Schülers zwar als höchst beachtenswert deklarierte, aber doch meinte, ihr nicht zustimmen zu können. Nun fügten es die Umstände, dass Jungmann mich bat, ihm bei der schwierigen Korrektur der 5. (und letzten) Auflage (1962) des genannten Werkes zu helfen. Dort fand ich zu meiner Überraschung die „historische Beweisführung" von Eizenhöfer zwar als „bestechend" charakterisiert, aber Jungmann lehnte sie doch ab und verwies auf seine Ausführungen in den Nachträgen der vorausgehenden Auflage[11]. Ich hielt aber dagegen; also zwei Schüler gegen den berühmten gemeinsamen Lehrer. Natürlich konnte ich Jungmann nicht überzeugen; er lächelte milde und machte in der Korrekturarbeit weiter. Und doch scheint mir heute noch Eizenhöfers „historische Beweisführung" nicht nur „bestechend", sondern von der Sache her einfach „konnaturaler", stimmiger. (Mein gewichtigstes Argument gegen Jungmanns Lösungsvorschlag fiel mir allerdings erst später auf.) Zum dritten Mal kam ich mit Eizenhöfers Konzept in Kontakt, als ich seinen Beitrag in dem Band gesammelter Erinnerungen an Jungmann fand, wo Eizenhöfer „Erinnerungen eines ‚adversarius'" darstellt.[12] Hier fallen, auf hohem Niveau gegenseitigen menschlichen Respektes und gemeinsamer Zuwendung zur wichtigen Sache im Dienst der Kirche, die Stichworte: Eizenhöfer stellt kritisch fest, „der Canon missae müsse statt von der Eucharistielehre der Scholastik her ‚von vorn her' erklärt werden, d.h. von dem Sprachgebrauch und der Theologie und Eucharistielehre der Alten Kirche und jener Väter her, die den Kanon formuliert haben", und Jungmann hält dagegen, er habe, „vom Mittelalter abgesehen, nur aufsammeln [können], was da ist", also er vermochte nicht aus einer „cognitio ex connaturalitate" zu agieren, sondern, in der Sprache unserer Umwelt formuliert, er konnte gewissermaßen nur „im Internet recherchieren". Und er fügt hinzu: „Spätere sollen auch noch etwas zu tun haben" – aber diese Späteren müssten ähnlich konzentriert arbeiten und, wie Leo Eizenhöfer, Liturgie über Jahre mitfeiern, um sich die nötige Kompetenz zu erwerben. Und

9   Vgl. Leo Eizenhöfer, *„Te igitur" und „Communicantes" im römischen Meßkanon*, in: SE 8. 1956, 14–75.

10   Vgl. Josef Andreas Jungmann, *Missarum Sollemnia. Eine genetische Erklärung der römischen Messe*. 2 Bde. 4., erg. Aufl. Freiburg/Br. [u.a.] 1958, Bd. 2, 212ff. Das Werk erschien erstmals 1948.

11   Vgl. Josef Andreas Jungmann, *Missarum Sollemnia. Eine genetische Erklärung der römischen Messe*. 2 Bde. 5., verb. Aufl. Wien [u.a.] 1962, Bd. 2, 213 mit Anm. 1.

12   Vgl. Leo Eizenhöfer, *Erinnerungen eines „adversarius"*, in: *J. A. Jungmann. Ein Leben für Liturgie und Kerygma*. Hg. v. Balthasar Fischer – Hans Bernhard Meyer. Innsbruck [u.a.] 1975, 46–48.

im Übrigen wissen wir heute: Jungmann hat sein großes Werk gar nicht anders anpacken können als er es im „Dritten Reich" aus Innsbruck – exiliert – durchführte, und sein Werk hat die Mission erfüllt, jedermann zu zeigen, dass auch die Messfeier nach Verständnis und Ritus eine Geschichte hat – also eine Vergangenheit und somit auch eine Zukunft, die ebenso wieder Neues bringen wird und bringen darf, und, wie wir nach dem letzten Konzil wissen, schon brachte.

3. Der Christ und Mönch

Damit sind wir schon beim Letzten, was anlässlich des Liturgiewissenschaftlers Leo Eizenhöfer zu sagen ist. Er widmete seine Arbeitskraft mit ganzer Hingabe einer Thematik, die heute fast nebensächlich, irgendwie unverständlich und sogar überholt erscheint. Was sollen noch die alten Texte, die kaum ohne Kommentar zu sprechen scheinen? Was sollen sie noch angesichts der Aufgabe, dass die Menschen unserer Gesellschaft in der Liturgie der Kirche „den Höhepunkt" finden können sollen, „dem ihr Tun als Christen zustrebt, und zugleich die Quelle, aus der alle die ihnen nötige und von Christus erworbene Kraft zuströmt" (vgl. SC 10). Für solche von einem Konzil skizzierte Spiritualität braucht es Beispiele, die überzeugen und mitreißen, die zeigen: Es ist möglich! Der Mönch Leo Eizenhöfer kann es, auf seine Weise, demonstrieren, zwar nicht einfach nachahmbar, aber für seine Person überzeugend. Als er in schwerer Krankheit auf den Tod darniederlag, besucht ihn sein Abt und liest ihm zum Mitbeten Psalmen vor. Der zum Sterben bereite Mönch sagt plötzlich: „Nehmen Sie jetzt den 26. Psalm!" Bei dem Vers „Quoniam pater meus et mater mea derelinquerunt me: Dominus autem assumpsit me", „Wenn auch Vater und Mutter mich verlassen, der Herr nimmt auf", hakt Leo Eizenhöfer ein: „Das hat die frühe Kirche sakramental gedeutet – von der Taufe."[13] Da ist aus und mit den Quellen lebende Liturgiewissenschaft das Fundament des Lebens aus dem Glauben geworden. Solche Wissenschaft überzeugt: Bei diesem Menschen ist's gelungen – warum nicht auch noch und wieder hier und jetzt?

Auswahlbibliografie

Eine Bibliografie der Publikationen Leo Eizenhöfers bis 1975 liegt vor in:

Klaus GAMBER – Sieghild REHLE, *Manuale Casinense (Cod. Ottob. Lat. 145)*. Regensburg 1977 (TPL 13), 166–168.

Sie wurde fortgeführt bis 1981 in der Hauszeitschrift der Abtei Neuburg:

„Wort in die Zeit", Nr. 124. 1982, 26f (52 Nummern); ebd. 5–8 auch eine (anonyme) biografische Skizze; ebd. 9ff *Mönch und Gelehrter*, die Rede von Ewald M. VETTER bei der Feier des 70. Geburtstages; ebd. 12–15 *Nachruf von Abt Maurus Berve beim Requiem am 29. Juli 1981*. Aus diesen Beiträgen wurden Angaben für diesen Beitrag entnommen und verschiedentlich zitiert. –

Eine überarbeitete und gelegentlich auch kommentierte Bibliografie an einem leichter zugänglichen Ort ist wünschenswert. Diskutabel ist auch eine Samm

---

[13] Ps 26 (hier mit den liturgischen Quellen nach der Septuaginta gezählt) ist in der Gottesdienstordnung der Benediktregel in den Vigilien des Sonntagmorgens angesetzt.

304   Leo Eizenhöfer OSB (1907–1981)

lung von Aufsätzen des Gelehrten. Vieles ist darin immer noch nicht überholt, aber, weil verstreut publiziert, schlecht erreichbar.

Die Prosodie des Carmen ad Flavium Felicem De resurrectione mortuorum et de iudicio Domini. Heidelberg 1942 (maschinenschriftl. Diss.).

Das Prager Sakramentar. (Cod. O.83 [Fol. 1–120] der Bibliothek des Metropolitankapitels). 2: Prolegomena und Textausgabe. Hg. v. Alban DOLD in Verbindung mit Leo EIZENHÖFER. Beuron 1949 (TAB 1,38/42). – Teil 1 ist die Lichtbildausgabe, 1944.

Sacramentarium Veronense. (Cod. Bibl. Capit. Veron. LXXXV [80]). In Verb. mit Leo EIZENHÖFER OSB u. Petrus SIFFRIN OSB hg. v. Leo Cunibert MOHLBERG OSB. Roma 1956 (RED.F 1). – 2. Aufl. 1968; 3. Aufl., verbessert und ergänzt von Leo EIZENHÖFER, 1978.

Missale Francorum. (Cod. Vat. Reg. lat. 257). In Verb. mit Leo EIZENHÖFER OSB u. Petrus SIFFRIN OSB hg. v. Leo Cunibert MOHLBERG OSB. Roma 1957 (RED.F 2).

Missale Gallicanum vetus. (Cod. Vat. Palat. Lat. 493). In Verb. mit Leo EIZENHÖFER OSB u. Petrus SIFFRIN OSB hg. v. Leo Cunibert MOHLBERG OSB. Roma 1958 (RED.F 3).

Liber sacramentorum romanae aecclesiae ordinis anni circuli. (Cod. Vat. Reg. lat. 316 / Paris Bibl. Nat. 7193, 41/56) (Sacramentarium Gelasianum). In Verb. mit Leo EIZENHÖFER OSB u. Petrus SIFFRIN OSB hg. v. Leo Cunibert MOHLBERG OSB. Roma 1960 (RED.F 4). – 2. Aufl. 1968; 3. Aufl., verbessert u. ergänzt v. Leo EIZENHÖFER. 1981.

Das irische Palimpsestsakramentar in Clm 14429 der Staatsbibliothek München. Entziffert u. hg. v. Alban DOLD und Leo EIZENHÖFER mit einem Beitrag v. David H. WRIGHT. Beuron 1964 (TAB 1,53/54).

Zu dem irischen Palimpsestsakramentar im CLm 14429, in: SE 17. 1966, 355–364.

Canon missae romanae. Quem illustravit Leo Eizenhöfer OSB. 1: Traditio textus. Romae 1954; 2: *Textus propinqui.* Romae 1966 (RED.S1 u. 6).

Die liturgischen Handschriften der Hessischen Landes- und Hochschulbibliothek Darmstadt. Beschrieben von Leo EIZENHÖFER und Hermann KNAUS. Wiesbaden 1968 (Die Handschriften der Hessischen Landes- und Hochschulbibliothek Darmstadt 2).

Die lateinischen Gebetbuchhandschriften der Hessischen Landes- und Hochschulbibliothek Darmstadt. Beschrieben von Gerard ACHTEN, Leo EIZENHÖFER und Hermann KNAUS. Wiesbaden 1972 (Die Handschriften der Hessischen Landes- und Hochschulbibliothek Darmstadt 3).

Zur dritten Auflage des „Sacramentarium Veronense", in: ALw 20/21. 1978/1979, 115f.

Johannes Heinrich Emminghaus (1916–1989)

Andreas Redtenbacher

1. Biografischer Ausgangspunkt

Johannes Heinrich Emminghaus kam am 1. März 1916 in Bochum als Sohn von Heinrich Emminghaus und seiner Ehefrau Maria, geborene Hoffmann, zur Welt.[1] Der Vater übte den Beruf eines Bildhauers aus. Auf dessen Einfluss und die mit auf den Weg gegebene Prägung durch die Profession des Vaters dürfte auch das ausgesprochen künstlerische Sensorium und eine naturhafte Neigung zum Bild und zum Symbolischen zurückzuführen sein, die ihn zeit seines Lebens auszeichnete. Johannes H. Emminghaus besuchte die Volksschule und das Gymnasium in Bochum und schloss dort im März 1935 mit dem Abitur ab.

1936 nahm er das Studium der katholischen Theologie in Paderborn auf, wurde jedoch bereits im Sommersemester 1938 durch den Reichsarbeitsdienst ein erstes Mal zur Unterbrechung gezwungen. In Freiburg im Breisgau konnte er dann sein Studium fortsetzen, bis er es im April 1940 abermals wegen der Einberufung zur deutschen Wehrmacht sistieren musste. Für den jungen Theologen waren die folgenden Kriegsjahre eine einschneidend prägende Lebensschule. Zur Infanterie eingezogen, wurde er Reserveoffizier und stieg zuletzt zum Bataillonsführer auf, nicht ohne sich zahlreiche Tapferkeitsauszeichnungen erworben zu haben[2]. Schließlich geriet er in englische Kriegsgefangenschaft, aus der er im April 1946 frei kam. Johannes H. Emminghaus konnte seinen Ausbildungsweg zum Priestertum von Mai 1946 bis März 1947 im Paderborner Priesterseminar fortsetzen und wurde am 22. März 1947 in Paderborn ordiniert. Zeit seines Lebens blieb er in dieser Diözese inkardiniert – und war auch stolz darauf.

Vom April 1947 bis September 1950 wirkte er als Kaplan in Dortmund-Hörde. Zugleich arbeitete er an einer kunstgeschichtlichen Dissertation und war Hörer der beiden Fächer Kunstgeschichte und Theologie in Münster.[3] Am 12. Dezember 1949 wurde er mit der Arbeit: „Die westfälischen Hungertücher aus mittelalterlicher Zeit und ihre liturgische Herkunft" zum Doktor der Philosophie aus dem Fach Kunstgeschichte promoviert.[4] Seinen ausgeprägten Begabungen und Neigungen entsprechend, die bereits hier sichtbar geworden

[1]   Zum Folgenden vergleiche auch: Jürgen BÄRSCH, *Johannes H. Emminghaus (1916–1989). Ein Leben für die Kirche und ihren Gottesdienst*, in: *Christen an der Ruhr* 3. Hg. v. Reimund HAAS – Jürgen BÄRSCH. Münster 2006, 242–262.

[2]   Eisernes Kreuz, Nahkampfabzeichen, Verwundetenabzeichen, etc.

[3]   Vgl. Heribert LEHENHOFER, *Johannes H. Emminghaus – sein Wirken und Werk*, in: BiLi 54. 1981, 2–16, hier 2.

[4]   Publiziert 2004 als Band 28 der „Mitteilungen des Zittauer Geschichts- und Museumsvereins", hg. von R. SUNTRUP und Volker HONEMANN.

waren, erhielt er von der Deutschen Bundesregierung ein zweijähriges Romstipendium und wurde von Oktober 1950 bis September 1952 von der Seelsorge freigestellt. Diese Zeit nutzte er für eine ausgedehnte Forschungsreise, die ihn im Winter 1951/52 nach Ägypten, Libanon, Jordanien, Syrien und in die Südtürkei führte, um vor Ort systematisch und umfassend altchristliche Taufstätten untersuchen zu können.[5] Aus dieser Forschung entstand dann eine zweite Dissertation in katholischer Theologie bei Professor Bernhard Kötting: „Frühchristliche Taufstätten in Syrien und Palästina". Am 28. Juli 1954 erfolgte die theologische Promotion in Münster.

Nach der Rückkehr übertrug man ihm mehrere qualifizierte seelsorgliche Aufgaben. So war er von Oktober 1952 bis Dezember 1955 Präfekt am Theologenkonvikt „Kollegium Leoninum" in Paderborn und zugleich Rektor der Paderborner Blindenanstalt sowie Diözesanblindenseelsorger. Und von Jänner 1956 bis April 1960 wirkte er als Direktor der „Josefsfürsorge, der Heimschule für Körperbehinderte in Rhöndorf am Rhein".

Der entscheidende Durchbruch für seine zukünftige wissenschaftliche Laufbahn war jedoch erst gegeben,[6] als er im April 1960 zum Rektor der Katholischen Akademie des Bistums Essen, der „Wolfsburg in Mülheim an der Ruhr", ernannt und ab 1962 zum Professor für Sakramententheologie und -pastoral am Priesterseminar Essen-Werden bestellt wurde. In dieser Zeit konnte er sich – wieder in Münster bei Professor Bernhard Kötting – mit der Studie „Die aramäische Basilika. Ihre Eigenart und Herkunft" habilitieren und wurde in der Folge im Juli 1965 zum Privatdozenten an der dortigen Fakultät ernannt. Im Wintersemester 1966/67 erhielt er an der Ruhr-Universität Bochum einen Lehrauftrag für Liturgiewissenschaft und wurde schließlich am 1. April 1967 zum Ordinarius für Liturgiewissenschaft und Sakramententheologie an die Katholisch–Theologische Fakultät der Universität Wien berufen.

2. Johannes H. Emminghaus – Gründungsordinarius des Wiener Instituts

Diese Berufung nach Wien war aus mehreren Gründen bemerkenswert. Denn für die Wiener Fakultät galt es zunächst einmal, dem Beschluss des Zweiten Vatikanischen Konzils in der Liturgiekonstitution „Sacrosanctum Concilium" nachzukommen, die im Artikel 16 festlegt: „Das Lehrfach Liturgiewissenschaft ist in den Seminarien und den Studienhäusern der Orden zu den notwendigen und wichtigen Fächern und an den Theologischen Fakultäten zu den Hauptfächern zu rechnen. Es ist sowohl unter theologischen und historischen wie auch unter geistlichem, seelsorglichem und rechtlichem Gesichtspunkt zu behandeln. Darüber hinaus mögen die Dozenten der übrigen Fächer [...] das Mysterium Christi und die Heilsgeschichte so herausarbeiten, daß von da aus

---

[5] Darüber existiert aus dem Nachlass Emminghaus das wohl weltweit umfassendste Lichtbildarchiv, das er selbst in diesen Jahren angelegt hatte. Ein zweijähriger eigenständiger Forschungsauftrag, den Mag. theol. Georg Radlmair am Institut für Liturgiewissenschaft und Sakramententheologie der Kath.-theol. Fakultät der Universität Wien beginnend im WS 1995/96 wahrnahm, war für die Aufarbeitung notwendig, um das Archiv neu zu sichten. Es ist im Lichtbildarchiv der Fakultät zur weiteren wissenschaftlichen Verwendung aufbewahrt.

[6] Laut persönlicher Mitteilung an den Verfasser in den frühen 1980er Jahren.

der Zusammenhang mit der Liturgie und die Einheit der priesterlichen Ausbildung deutlich aufleuchten." Bisher war auch in Wien Liturgie von anderen
Fächern in Nebenvorlesungen unter verschiedenen Einzelaspekten und eher
unsystematisch wahrgenommen worden[7], und die liturgiepraktische Seite überließ man der Ausbildung im Priesterseminar bzw. in den Ordenshäusern[8]. Die
Neuschaffung eines eigenständigen liturgiewissenschaftlichen Lehrstuhls an
der Universität wurde im Kontext der Verwirklichung der Konzilsbeschlüsse
seitens der Fakultät und seitens des für die Sache sehr engagierten Erzbischofs
von Wien, Kardinal Franz König,[9] damals wie selbstverständlich betrieben.
Dazu sah man sich auch angesichts des weltkirchlichen Beitrages Österreichs
zur vorkonziliaren Liturgischen Bewegung[10] und insbesondere des Wirkens
des weltbekannten Liturgiereformers und Hochschulprofessors[11] aus dem Augustiner-Chorherrenstift Stift Klosterneuburg, Pius Parsch und seines „Volksliturgischen Apostolates"[12], verpflichtet. Aber auch die historisch begründete,
traditionell starke Gewichtung der praktisch-theologischen Fächer an der Wiener Theologischen Fakultät[13] legte dies in besonderer Weise nahe. Das Wirken
Pius Parschs übte so auf dem Weg über die Rezeption seines Programmes in
der Liturgiekonstitution auf dieser Ebene nochmals auf Wien und Österreich
verstärkend Einfluss aus. Dessen blieb sich Emminghaus übrigens Zeit seiner
Tätigkeit in Wien bewusst und bezog sich sowohl in Lehrveranstaltungen als

---

[7] Näheres in: *Die Katholisch-Theologische Fakultät der Universität Wien 1884–1984* [FS zum
     600-Jahr-Jubiläum]. Hg. v. Ernst Christoph SUTTNER. Berlin 1984.

[8] Die sich zumeist auf eine reine Rubrikenkunde und die zugehörigen Übungen be-
     schränkte.

[9] Erzbischof von Wien 1956–1985, führender Konzilsteilnehmer am II. Vaticanum;
     weitere Lebensdaten in: *Personalstand der Erzdiözese Wien* 2002ff, 63; vgl. auch Andreas
     REDTENBACHER, *In memoriam Franz Kardinal König (1905–2004)*, in: HlD 58. 2004, 2f;
     entgegen dem Konzilsbeschluss gab es in jüngerer Zeit an einigen Fakultäten bedau-
     erliche und unverantwortliche Rücknahmetendenzen; vgl. dazu u.a. Hans-Jürgen
     FEULNER, *40 Jahre Liturgiekonstitution – was braucht die Liturgie heute und morgen?*, in: *Die
     Zukunft der Liturgie. Gottesdienst 40 Jahre nach dem Konzil.* Hg. v. Andreas REDTENBACHER.
     Innsbruck 2004, 119–131, hier 128.

[10] Mit den wichtigen Zentren und Namen: Salzburg, Seckau, Klosterneuburg, Wien;
     Josef Andreas Jungmann SJ, Pius Parsch CanReg, Abt Benedikt Reetz OSB, Bischof
     Franz Sal. Zauner u.a.

[11] Das Augustiner-Chorherrenstift Klosterneuburg ist seit 1796 Rechtsträger einer Philo-
     sophisch-Theologischen Hochschule (früher: „Hauslehranstalt").

[12] Zu Parsch vgl.: *Mit sanfter Zähigkeit. Pius Parsch und die biblisch-liturgische Erneuerung.* Hg.
     v. Norbert HÖSLINGER – Theodor MAAS-EWERD. Klosterneuburg 1979 (SPPI 4); HlD
     58. 2004, H. 2: Themenheft *Pius Parsch. Pionier Liturgischer Erneuerung; Pius Parsch in
     der liturgiewissenschaftlichen Rezeption. Dokumentation des Symposions 2004.* Hg. v. Andreas
     REDTENBACHER. Würzburg 2005 (PPSt 3); sein Hauptwerk: *Pius Parsch, Volksliturgie. Ihr
     Sinn und Umfang.* Neuausgabe der 2. Auflage 1952. Hg. von Andreas REDTENBACHER.
     Würzburg 2004 (PPSt 1).

[13] Traditionell hatte und hat die Pastoraltheologie mit ihren Teilgebieten in Wien seit
     josephinischer Zeit und der „Rautenstrauch'schen Reform" einen besonders hohen
     Stellenwert, vgl.: Alois SCHWARZ, *Pastoraltheologie und Kerygmatik*, in: *Die Katholisch-Theo-
     logische Fakultät* (wie Anm. 7) 248–272 (Lit.), hier 248.

auch in Publikationen immer wieder auf den großen Pionier der Liturgischen Bewegung.[14]

Bemerkenswert war die Berufung auf den neugeschaffenen Lehrstuhl aber auch noch deshalb, weil mit ihm als Erstem die Wiener Fakultät einen für ihre Weiterentwicklung bedeutsamen Sprung über den eigenen „Tellerrand" hinaus wagte. Bisher waren Professoren fast ausschließlich aus dem eigenen österreichischen bzw. Wiener Umfeld gekommen. Der bekannte damalige Pastoraltheologe Ferdinand Klostermann[15] war nicht nur ein klarer Verfechter der Eigenständigkeit der Liturgiewissenschaft als genuines Fach, das sich aus der Pastoraltheologie heraus emanzipieren müsse.[16] Er trat auch vehement dafür ein, die Wiener Fakultät den Gegenwartserfordernissen entsprechend international zu öffnen und bei Lehrstuhlbesetzungen auf international qualifizierte Kräfte zurückzugreifen. Im Fall der Liturgiewissenschaft wurde nun nicht nur eine eigenständige Lehrkanzel mit einem eigenen Ordentlichen Universitätsprofessor besetzt, sondern es erfolgte eine vollständige Zurüstung, wie sie einem Institut entspricht.[17] Nicht nur die notwendigen Diensträume wurden gewährt, es wurden auch die Dienststellen einer vollbeschäftigten Sekretärin sowie eines vollbeschäftigten Universitätsassistenten zugeteilt, die Emminghaus stets mit zwei halbbeschäftigten Vertragsassistenten besetzte. Diese Voraussetzungen garantierten für die Gründungsphase und den Start des neuen Ordinarius einen guten Ausgangspunkt.

3. Das Konzept der Liturgiewissenschaft bei Johannes H. Emminghaus

Emminghaus hat uns in einem gründlichen Aufsatz seine Theorie zur Verortung des Faches der Liturgiewissenschaft im Kontext theologischer Disziplinen hinterlassen.[18] In den vielfältigen Suchbewegungen zur Selbstvergewisserung des Faches stellen seine diesbezüglichen Äußerungen eine bemerkenswerte Markierung aus den frühen 1980er Jahren dar. Der Aufsatz kann zu seinen wichtigeren Publikationen gezählt werden und ist auch für den gegenwärtigen theologischen Diskurs um das Fach immer noch von Interesse. Darin setzt er die Umschreibung der Liturgiewissenschaft als eines selbständigen Fachs innerhalb der Theologie mit dem II. Vaticanum an,[19] wobei nach seinem Urteil

[14] Vgl. dazu Kap. 5.2 *Augustiner Chorherrenstift Klosterneuburg* und die *Auswahlbibliografie.* Die Wiener Fakultät ist sich dessen auch heute bewusst.

[15] Ordinarius für Pastoraltheologie 1962–1977, vgl. SCHWARZ, *Pastoraltheologie und Kerygmatik* (wie Anm. 13) 262 und 268.

[16] Er trat auch für eine Herauslösung der Religionspädagogik aus seinem Fach Pastoraltheologie ein; beide Tendenzen hatten sich schon im Lauf der letzten Jahrzehnte abgezeichnet – nicht zuletzt auch wegen der Eigenständigkeit der Methoden, aber auch der Überforderung eines einzelnen Vertreters für alle drei sich spürbar entwickelnden Fachbereiche.

[17] Errichtung durch das Bundesministerium für Unterricht mit Wirksamkeit vom 1. April 1967; vgl. Universitätsarchiv, Akten des Kath.-Theol. Dekanats 1966/67.

[18] Johannes H. EMMINGHAUS, *Liturgiewissenschaft*, in: *Die Katholisch-Theologische Fakultät* (wie Anm. 7) 273–292. Die folgenden Ausführungen stützen sich vor allem auf diesen Beitrag.

[19] Vgl. die Ausführungen oben Kap. 2: „Johannes H. Emminghaus – Gründungsordinarius des Wiener Instituts".

die Methode des Faches ganz offensichtlich nicht einheitlich ist, sondern verschiedene Weisen wissenschaftlichen Arbeitens voraussetzt: die systematische, indem sie spekulativ in das Heilsmysterium einzudringen versucht, das sich in Koinonia – Kerygma – Leiturgia darbietet; die historisch-kritische, um die Liturgie als „gewordene Liturgie" vorzustellen[20]; die geistlich-spirituelle und vor allem die pastorale, die die Mystagogie und die lebendige Feier der Mysterien zum Ziel hat, anderseits aber auch auf die Vorgegebenheiten in den konkreten Gemeinden eingeht; schließlich die liturgie-rechtliche, die einerseits die Liturgie vor Auswucherungen und Willkürlichkeiten bewahrt, ohne sie anderseits durch unsachliche und geisttötende Reglementierung nach Art der früheren Rubriken einzuschnüren. Er nennt besonders auch den Bezug der Liturgiewissenschaft zur Bibelwissenschaft, weil in der Bibel vornehmlich im Neuen Testament sich die norma normans für die Grundgestalt der Sakramente findet. Keine geschichtliche Ausformung, weder die Gregors I. oder VII. noch die des Tridentinums, bedeutet nach Emminghaus das Ideal der Liturgie schlechthin, sondern jede Reform muss sich auf die Ursprünge zurückbesinnen, ohne freilich die Tradition mit ihrem Auf und Ab zu übersehen.[21] Dazu bedarf es auch einer grundsätzlichen theologischen Reflexion, weshalb er zunächst begrüßte, dass er am Wiener Institut nicht nur Liturgiewissenschaft im eigentlichen und engeren Sinn[22], sondern auch die dogmatische Sakramentenlehre als integrative Mitte des Gesamtspektrums liturgiewissenschaftlicher Betrachtungsweisen zu betreuen hatte. Diese Einstellung modifizierte er jedoch im Lauf der Jahre und fokussierte sie zuletzt auf die Betrachtung der Liturgie als „locus theologicus" im Sinne des Melchior Cano[23]. In diesem Sinne wendet er sich allerdings auch an die Adresse der Dogmatik. Denn – so fügt er hinzu – „jüngste theologische Konsensgespräche [...] beweisen die Notwendigkeit und den Erfolg dieser Forderung einer Aufwertung der Liturgie für die Dogmatik"[24]. Der Grund für seine modifizierte Sicht lag einerseits ganz nüchtern im beschränkten liturgiewissenschaftlichen Stundenkontingent im Rahmen der gängigen Studienpläne und damit in einer zeitmäßigen Überforderung des akademischen Lehrers, alle Inhalte in begrenzter Zeit adäquat unterzubringen, anderseits in der hohen Bedeutung der Sakramententheologie als wichtiges Kernstück der dogmatischen Theologie selbst, das ihr nach seinem Urteil nicht entzogen werden sollte. Jedenfalls regt er noch in den 80er Jahren des 20. Jahrhunderts eine grundsätzliche Diskussion zu diesem Thema an.[25]

Dieser Erkenntnis ungeachtet bestimmt noch ein ganz anderes Grunddatum das liturgiewissenschaftliche Konzept von Emminghaus: die klare Einsicht

---

[20]   Hier knüpft er explizit an Josef A. Jungmann an: EMMINGHAUS, *Liturgiewissenschaft* (wie Anm. 18), 281.

[21]   EMMINGHAUS, *Liturgiewissenschaft* (wie Anm. 18) 273f.

[22]   Die korrekte Lehrstuhl- bzw. Institutsbezeichnung lautet: „Liturgiewissenschaft und Sakramententheologie".

[23]   Melchior Cano OP (1509–1560) selbst berücksichtigt merkwürdigerweise Liturgie als „locus theologicus" nicht.

[24]   EMMINGHAUS, *Liturgiewissenschaft* (wie Anm. 18) 275.

[25]   Sie verliefe heute unter anderen Vorzeichen, berücksichtigt man, was unter den Stichworten „Liturgische Theologie" oder auch „Theologie der Liturgie" sich zwischenzeitlich vertiefend weiterentwickelt hat.

über die Herkunft der Liturgiewissenschaft aus der Mitte der Liturgischen Bewegung des 19. und 20. Jahrhunderts. Für ihn ist die Liturgische Bewegung die Voraussetzung schlechthin für die Etablierung eines selbständigen Faches Liturgiewissenschaft; zu einem hohen Grad hat sie daher auch die Aufgaben der Liturgischen Bewegung für die Zukunft mit zu übernehmen. Das bedeutet umgekehrt: Die Liturgiewissenschaft muss wie die Bewegung selbst letztendlich wesentlich pastoralliturgisch orientiert sein – eine beachtliche und fast überraschende Festlegung, wenn man bedenkt, dass Emminghaus mit einem akzentuiert historischen Zugang in die Liturgiewissenschaft eingestiegen war. Der historische Zugang selbst lehrte ihn offenbar, dass – insbesondere angesichts des österreichischen Beitrags zur Liturgischen Bewegung und ihres vorkonziliaren Rezeptionsverlaufes, der in Österreich ausgeglichener und unkomplizierter verlief als in Deutschland[26] und hierorts insgesamt pastoraler orientiert war als anderswo – die Neuschaffung eines selbständigen Faches Liturgiewissenschaft und dessen Verortung im theologischen Fächerkanon vor allem auch ein pastorales Erfordernis für die Entwicklung der Liturgie und für die Ausbildung ist:[27] „Natürlich soll man nicht Wertvolles vergeuden, Schätze zum Fenster hinauswerfen. Aber den Primat hat das Leben. – Ich bin mit Bewusstsein Historiker, Archäologe, liebe die Vergangenheit und möchte auch das Erbe hüten [...] Doch muss man der Gegenwart und ihren unabweisbaren Forderungen gerecht werden. Und dazu den Forderungen des Konzils."[28]

Der Spannungsbogen, aber auch seine Synthese blieben für seine Tätigkeit kennzeichnend: Solide historisch erhobene Forschungsergebnisse wurden mit dogmengeschichtlicher und theologischer Kenntnis und Reflexion verbunden und pastoral fruchtbar gemacht. Stellt man dazu noch seine reichen kunsthistorischen Kenntnisse in Rechnung, ergibt sich ein beachtlich universaler und weiter Rahmen seines Forschens und Lehrens, der für viele große Fragen der unmittelbaren nachkonziliaren Epoche richtungweisende Antworten bereitzustellen oder zumindest anzudenken imstande war.[29] Dieser umfassende und

[26]   Emminghaus ist in Auseinandersetzung mit Theodor MAAS-EWERD, *Die Krise der Liturgiewischen Bewegung in Deutschland und in Österreich*. Regensburg 1981 (StPaLi 3), der klaren Auffassung, dass es – trotz mancher Querelen – in Österreich anders als in Deutschland zu keiner wirklichen „Krise der Liturgischen Bewegung" gekommen war; EMMINGHAUS, *Liturgiewissenschaft* (wie Anm. 18) 280.

[27]   Auch an dieser Stelle ist an die pastoraltheologische Schwerpunktsetzung der Wiener Fakultät zu erinnern. Unmittelbar vor Emminghaus hatten es bereits die Pastoraltheologen Michael Pfliegler und Ferdinand Klostermann unternommen, intensiver als anderswo „Liturgik" im Rahmen der Pastoraltheologie anzubieten, wobei vor allem Michael Pfliegler vorwiegend auf Pius Parsch rekurrierte. Auch diese „Wiener Vorgeschichte" wurde von Emminghaus mitbeachtet und wirkte sich in seinem Konzept aus; vgl. EMMINGHAUS, *Liturgiewissenschaft* (wie Anm. 18) 282–289.

[28]   Johannes H. EMMINGHAUS, *Gottesdienst in der Sprache des Volkes. Muttersprachlichkeit als Prinzip der Liturgiereform und die Grenzen einer übersetzten Liturgie*, in: Gottesdienst 4. 1970, 89f, 100f, hier 90 und 100.

[29]   Vgl. REDTENBACHER, *In memoriam* (wie Anm. 9) 72f; DERS., *Richtungweisende Worte für manche großen Fragen. Liturgiewissenschaftler Prof. Emminghaus verstorben*, in: Wiener Kirchenzeitung Nr. 37 vom 17. September 1989, 8; vgl. auch Norbert HÖSLINGER – Rudolf PACIK, *Johannes H. Emminghaus. Vorwort zur Festnummer für Johannes H. Emminghaus zum 65. Geburtstag*, in: BiLi 54. 1981, 1.

letztlich geglückte Ansatz macht es umgekehrt jedoch wissenschaftstheoretisch nicht ganz leicht, das so verstandene Fach[30] mit den gängigen Kriterien endgültig entweder unter historischen oder systematischen oder praktischen Disziplinen zu verorten. Manches muss hier dem weiteren wissenschaftlichen Diskurs offen bleiben.

4. Forschungsschwerpunkte / Assistenten und Dissertanten am Wiener Institut
Die bedeutenderen Forschungsschwerpunkte von Emminghaus korrespondieren stark mit den Arbeitsbereichen und Studienthematiken seiner Mitarbeiter und Dissertanten. Dem ist nun nachzugehen.

a) Erster Vertragsassistent war Emmerich Talós, der jedoch nach kurzer Zeit bereits zur Politologie überwechselte.[31] Damit ging er zwar der Liturgiewissenschaft verloren, ist aber aufgrund seiner weiteren Laufbahn ein Beweis für wissenschaftliche Seriosität und solide methodische Grundausbildung, die der Professor seinen Schülern und Mitarbeitern bot und zugleich auch abverlangte. Darüber hinaus zeigt eine solche wissenschaftliche Karriere die Offenheit theologischen Arbeitens bei Emminghaus, die sich auch in anderen Kontexten bewährte. Zweiter Vertragsassistent war Heribert Lehenhofer[32], der mit der Dissertation *Panis noster cottidianus. Brot und Brotgenuß in der Antike im Einfluß auf die eucharistische Speise in der Alten Kirche* promovierte. Ab 1974 zugleich Professor für Liturgiewissenschaft an der Religionspädagogischen Akademie Wien publizierte er auf Anregung von Emminghaus in der Zeitschrift „Bibel und Liturgie"[33] und wurde Mitglied des „Pius-Parsch-Instituts". Aus seiner Feder stammt eine Bibliografie über Emminghaus[34]. Das historisch und symbolorientierte Thema seiner Dissertation sowie seine Nähe zum Werk Pius Parschs waren wichtige Forschungsfelder am Institut. Nach Talós folgte Ferdinand Pratzner SSS[35]. Er brachte ein Doktorat von San Anselmo ein, das er mit der Studie *Messe und Kreuzesopfer. Die Krise der sakramentalen Idee bei Luther und in der mittelalterlichen Scholastik*[36] erworben hatte. Ab 1970 Spiritual am Priesterse-

---

[30] Emminghaus vertraute dem Verfasser 1981 mündlich seine persönliche liturgiewissenschaftliche Positionseinschätzung so an: „Ich zähle mich nicht zu den Großen einer bestimmten liturgiewissenschaftlichen Richtung, aber mein Fach beherrsche ich."

[31] Assistent der Liturgiewissenschaft: 1968–1971; in der Politologie konnte er dann seine wissenschaftliche Laufbahn bis zum Ordentlichen Universitätsprofessor vorantreiben.

[32] 1968–1977; Absolvent der Kath.-Theol. Fakultät Innsbruck (Mag. phil. fac. theol.), seit 1966 Priester der Erzdiözese Wien, bis zur Promotion 1972 Kaplan in Wien, dann Laientheologenseelsorger, 1983 Ernennung zum Abteilungsvorstand, dann zum Direktor der Religionspädagogischen Akademie Wien.

[33] Hg. vom „Pius-Parsch-Institut" und dem „Österreichischen Katholischen Bibelwerk" in Klosterneuburg.

[34] Verzeichnis bis inklusive 1980 anlässlich des 65. Geburtstages (wie Anm. 3). Vgl. jetzt die vollständige Bibliografie in: Johannes H. EMMINGHAUS, *... Aber den Vorrang hat das Leben. Beiträge zur Liturgiewissenschaft aus fünf Jahrzehnten. Zum 20. Todestag am 2. September 2009* hg. v. Rudolf PACIK – Andreas REDTENBACHER. Würzburg 2009, 423–462.

[35] 1971–1981; Lizenziat an der Gregoriana; erster Seelsorgsposten als Kaplan in Wien.

[36] Veröffentlicht unter demselben Titel als: WBTh 29, Wien 1970.

minar, dann Eucharistinerprovinzial[37], wurde er bewusst von Emminghaus ans Institut geholt, um vermehrt spirituelle Gesichtspunkte in die Liturgiewissenschaft einzubringen. Er steht auf der für Emminghaus typischen Linie für eine offene kirchliche und spirituelle Profilierung der Liturgiewissenschaft. Gottfried Pinter[38] aus dem österreichischen Burgenland folgte auf Lehenhofer. Er hatte ein liturgiewissenschaftliches Magisterium mit dem Thema *Der ständige Diakonat* erworben und steht für das amtstheologische Interesse von Emminghaus. Mit Nachdruck forcierte der Institutsvorstand auch wissenschaftliche Exkursionen zu neuen Kirchenbauten Wiens und anderer Großstädte, später auch zu archäologischen Stätten frühchristlicher Liturgieräume[39]: hier entwickelte auch sein Assistent Pinter eine beachtliche Kompetenz. Dieser Themenbereich blieb in weiterer Folge ein wichtiger Forschungsschwerpunkt, der auch unter dem Lehrstuhlnachfolger Hansjörg Auf der Maur beibehalten wurde. Unter der Anleitung von Emminghaus forschte Pinter aber auch für sein Dissertationsprojekt *Franz X. Schmid – Wegbereiter der liturgischen Erneuerung im 19. Jahrhundert* und vertrat das Institut auch in der Schriftleitung der Zeitschrift „Gottesdienst"[40]. 1981 gewann Emminghaus für die durch Pratzner freigewordene Stelle Andreas Redtenbacher CanReg[41]. Mit einem Wiener Magisterium, dem Lizenziat und der Dissertation an der Gregoriana führte er mit Emminghaus die Institutsschwerpunkte Kirchenbau/Altarraum, vor allem aber die Fragen der konziliaren Liturgiereform weiter. Er wurde Redaktionsmitglied bei „Heiliger Dienst"[42], korrespondierend bei „Bibel und Liturgie", Mitglied des Pius-Parsch-Institutes und Mitarbeiter diözesaner Gremien[43]: Querverbindungen, die der Institutsvorstand im Sinne qualifizierten Wissenschaftstransfers bis zuletzt sehr unterstützte[44]. Mit dem Emeritus Emminghaus und später selbständig konnte er weiterhin Lehrveranstaltungen zum Schwerpunkt Kirchenbau/Altarraum anbieten. Über Parsch und Klosterneuburg, über historische, liturgietheologische und spirituelle Themen, über den Wissenschaftstransfer und pastoralliturgische Mitarbeit, über die Themen zahlreicher Lehraufträge und Publikationen hat er wichtige liturgiewissenschaftliche Anliegen von Emminghaus weitergeführt und ist mit Rudolf Pacik einer der beiden Schüler, die auch heute im Fach tätig sind.

---

[37]   Vom Papst zum Generalsekretär des ständigen Komitees der Eucharistischen Kongresse ernannt 1982.

[38]   1977–1984; zugleich Provisor in Wien, später Pfarrer und Dechant in Neudörfl.

[39]   Binnennorikum, Friaul und Kärnten (Globasnitz, St. Peter im Holz, Hemmaberg).

[40]   Hg. von den Liturgischen Instituten Deutschlands, Österreichs und der Schweiz mit Redaktionssitz Trier.

[41]   1981–1984; Religionsprofessor und Studentenseelsorger, dann Pfarrer, Freistellung zur Habilitation in Trier (*Der Liturgiebegriff in der Theologie des 20. Jahrhunderts*).

[42]   Hg. vom Österreichischen Liturgischen Institut an der Erzabtei St. Peter in Salzburg.

[43]   Unter Kardinal König in der Liturgiekommission der ED Wien und im Pastoralrat des Vikariats Wien-Stadt, wo ihm der Bischofsvikar das Liturgiereferat für die Großstadt Wien anvertraute; seit 1998 Vorsitzender der Österreichischen Liturgiereferentenkonferenz am ÖLI, dann habilitierter Professor in Klosterneuburg und Vallendar.

[44]   Emeritierung 1984. Redtenbacher verblieb als einziger Fachvertreter am Institut; als Assistent bei Hansjörg Auf der Maur nahm er zahlreiche selbständige Lehraufträge als Univ.-Lektor für Liturgiewissenschaft wahr.

b) Weitere Dissertationen bei Emminghaus waren: Alois Hadwiger (1971) mit der ersten von Emminghaus betreuten Arbeit *Die Auslegungsprinzipien der Katechese an Höheren Schulen. Auftrag, Begründung und Kriterien des Religionsunterrichtes*. Zwar behandelte sie kein explizit liturgiewissenschaftliches Thema, steht jedoch für den pastoralen Grundstil des Lehrstuhlinhabers. 1974 wurde Rudolf Pacik[45] mit der wichtigen Arbeit *Der Kirchengesang in der liturgischen Erneuerung Pius Parschs. Ein Beitrag zum Problem des Volksgesanges in der Meßfeier*[46] promoviert. Dieses Thema gehörte zu den Kerninteressen des Institutsvorstandes: Fragen der Liturgischen Bewegung, Pius Parsch sowie Kirchenmusik. 1975 folgte Lambert Nouwens mit *Grundlagen heutiger Kinderliturgie*, ein Thema mit hoher pastoralliturgischer Relevanz für die nachkonziliare Liturgiereform, der sich Emminghaus ja dezidiert verpflichtet wusste. 1976 folgte Johann Hisch mit der Studie *Die liturgischen Bestimmungen der Basler Statuta für den Benediktinerorden aus zwei Salzburger Handschriften* und bewies damit einmal mehr das liturgiehistorische Interesse auch seines Doktorvaters.[47] Dieser kurze Überblick zeigt fokussiert die Forschungsschwerpunkte bei Emminghaus. Sie stehen auch in einer Linie mit seinem Vorlesungsprogramm[48], der Bibliografie, besonders der Befassung mit der Konzilsreform und kirchlichen Herausforderungen, denen er sich stellte. Dem ist im Folgenden noch näher nachzugehen.

5. Liturgiewissenschaft im kirchlichen Zeitkontext

Bei der umfassenden Vorbildung, die Emminghaus für das Fach Liturgiewissenschaft einbrachte und mit den Schwerpunkten Archäologie, Kunstgeschichte, Geschichte, Liturgische Bewegung, Pius Parsch, Konzilsreform und Pastoralliturgie konnte sich die Relevanz des Faches letztlich nur als Wissenschaft im Dienst der Kirche bewähren. Obgleich sein Fragehorizont erstaunlich universal und offen war, war sein Denken zugleich tief verankert im Mysterium der Liturgie und der Kirche. Ohne offenes Gespräch mit und in den kirchlichen Handlungsräumen ist seine akademische Tätigkeit als Liturgiewissenschaftler nicht verstehbar. Dies verifiziert sich in vielfältigen Querverbindungen:

---

[45] 1975–1995 Assistent in Innsbruck, 1993 Mag. art. (Musikhochschule), 1995 Habilitation mit der für den Druck überarbeiteten Studie *„Last des Tages" oder „geistliche Nahrung"? Das Stundengebet im Werk Josef Andreas Jungmanns und in den offiziellen Reformen von Pius XII. bis zum II. Vaticanum*. Regensburg 1997 (StPaLi 12); 1997: Außerordentlicher Universitätsprofessor in Innsbruck, seit 2004: Ordentlicher Universitätsprofessor für Liturgiewissenschaft, in Salzburg seit 2004.

[46] Überarbeitet in: Rudolf PACIK, *Volksgesang im Gottesdienst. Der Gesang bei der Messe in der Liturgischen Bewegung von Klosterneuburg*. Klosterneuburg 1977 (SPPI 2).

[47] Hisch wurde Direktor des Religionspädagogischen Institutes der Erzdiözese Wien und ist um die liturgiewissenschaftliche Bildung der Religionslehrer bemüht.

[48] Vgl. Vorlesungsverzeichnis der Universität Wien, ab WS 1967/68ff sowie die entsprechenden Jahrgänge der „Lehrveranstaltungsführer" der Fachschaft Katholische (später mit Evangelischer) Theologie.

5.1 Erzdiözese Wien und österreichische Kirche

Kardinal Franz König hatte als Wiener Erzbischof nach einem lange währenden Vorbereitungsprozess[49], der auch die Ebene der Pfarrgemeinden und Dekanate mit einbezogen hatte, für 1969 bis 1971 eine Wiener Diözesansynode einberufen, um die Beschlüsse des II. Vaticanums auf die Ebene der Ortskirche zu „transponieren"[50]. Johannes H. Emminghaus wurde wie selbstverständlich zum Synodalmitglied ernannt, ging es doch wesentlich darum, die epochemachende Liturgiekonstitution des Konzils umzusetzen, woran König als einer der führenden Konzilsväter sich sehr interessiert zeigte[51]. Vieles in der Debatte zu den Kapiteln „Theologischer Grundtext"[52], „Grundfunktionen im christlichen Gemeindeleben"[53] (hier besonders: Das Wort Gottes in der Liturgie; Homilie als Schriftauslegung; Wortgottesdienste; Die Predigt; der ausführliche Abschnitt: Liturgie – inkl. Kunst im kirchlichen Bereich); „Die Träger der kirchlichen Dienste"[54]; „Die Begegnung der Kirche mit Nichtkatholiken, Juden und Nichtchristen" (Ökumene)[55] verdankte sich seiner Mitarbeit. Emminghaus war zu dieser Zeit ein in liturgicis nicht wegzudenkender theologischer Gesprächspartner, meldete sich aber auch bei anderen Fragen zu Wort[56].

Als erster Ordinarius für Liturgiewissenschaft war er rasch bekannt geworden und wurde bereits im Studienjahr 1969/70 als Dekan der Katholisch-Theologischen Fakultät der Universität Wien eine wichtige Signalgestalt für die konzilsorientierte Ausrichtung der Fakultät in der theologischen Erneuerung. Die Synodalarbeit schuf ihm einen noch weiteren Bekanntheitsgrad und wertvolle Kontakte für die Zukunft. Es verwundert nicht, dass er als bald als Mitglied in drei diözesane Gremien berufen wurde, deren Arbeitsgebiete seinen wissenschaftlichen Hauptgebieten nahelagen. So war er Mitglied der Diözesankommission für Liturgie, des Kunstrats der Erzdiözese Wien und der Diözesankommission für ökumenische Fragen. Während seine Mitarbeit im

---

[49]   Beginn am 26. Mai 1966 mit der ersten Sitzung des Vorbereitungsgremiums unter Vorsitz des von Kardinal König ernannten Synodenpräsidenten Erzbischof-Koadjutor Dr. Franz Jachym; vgl. *Leben und Wirken der Kirche von Wien. Handbuch der Synode 1969–1971.* Hg. v. Erzbischöflichen Ordinariat. Wien o. J., 5.

[50]   Vorwort des Erzbischofs von Wien Kardinal Dr. Franz König, in: *Leben und Wirken der Kirche* (wie Anm. 49) 3.

[51]   Und stand zeit seines Lebens deutlich auf Seiten der Liturgiereform; siehe dazu: *Kardinal Franz König im Gespräch. Interview anlässlich des 40. Jahrestages der Promulgation der Liturgiekonstitution des Zweiten Vatikanischen Konzils am 4. Dezember 1963*, in: HlD 57. 2003, 163–170. Auch in: *Kardinal Franz König. Wie es zur Liturgiekonstitution kam – aus der Sicht eines Zeitzeugen und Konzilsteilnehmers*, in: *Die Zukunft der Liturgie* (wie Anm. 9) 14–24.

[52]   Vgl. Synodalakten der Wiener Diözesansynode 1969–1971/Archiv der Erzdiözese Wien, und: *Leben und Wirken* (wie Anm. 49) 11–27.

[53]   *Leben und Wirken* (wie Anm. 49) 73–134.

[54]   *Leben und Wirken* (wie Anm. 49) 238–274.

[55]   *Leben und Wirken* (wie Anm. 49) 233–237.

[56]   Aufsehen erregte beispielsweise sein Plädoyer gegen die Auflösung der Phil.-Theol. Hochschulen der Orden und Diözesen zugunsten der staatlichen Fakultäten; siehe: Synodalakten (wie Anm. 52) sowie mündliche Mitteilung an den Verfasser durch den Synodalen Abtprimas Gebhard Koberger (†) von 1989, dem Todesjahr von Johannes Emminghaus.

Kunstrat und in der Liturgiekommission nicht überraschen, ist sein Ökumene-engagement jedoch bemerkenswert. Aufgrund der Kenntnis der Liturgie-, aber auch der Dogmengeschichte wurden die gemeinsamen historischen Grundlagen der getrennten christlichen Kirchen für ihn immer wichtiger: Von der Liturgie ausgehend konnte er die sich nach den Trennungen auseinanderentfaltenden Denominationen im theologischen Reflex in ihren Wurzeln schlüssig zusammensehen und dies auch weitervermitteln. So wurde Ökumene ein weiterer wissenschaftlicher Schwerpunkt, den er als Mitglied des Wissenschaftlichen Beirats der von Kardinal König gegründeten ökumenischen Stiftung „Pro Oriente" wirksam einbrachte. Eine Ernennung zum Mitglied der „Österreichischen Theologischen Kommission" durch die Bischofskonferenz konnte da nicht mehr ausbleiben. Wie alle liturgiewissenschaftlichen Ordinarien der Österreichischen Fakultäten war auch er engagiertes Mitglied der LKÖ und wirkte an der Arbeit der IAG zur Erstellung des neuen deutschen Messbuchs mit. Allein dafür lieferte er insgesamt 315 Übersetzungseinheiten.[57] Dies war Ausdruck seiner Bereitschaft, sich den wichtigen Fragen der konkreten Liturgiereform auch in pastoralliturgischer Hinsicht zu widmen. Neben der Erneuerung von Liturgie- und Altarräumen und dem modernen Kirchenbau waren Muttersprachlichkeit, Liturgiefähigkeit des modernen Menschen, die Messreform[58], Fragen des Amtes und der Ordination, sowie actuosa participatio zu wichtigen Forschungs- und Lehrthemen geworden.

5.2 Augustiner Chorherrenstift Klosterneuburg

Seine Verbindungen nach Klosterneuburg waren vielfältig, betreffend sowohl den persönlichen Hintergrund[59] als auch sein wissenschaftliches Arbeiten. Sein Hauptwerk *Die Messe* widmete er nicht nur „in dankbarem Gedenken" dem Klosterneuburger Chorherren Pius Parsch,[60] sondern er zeigt sich im Vorwort von ihm lebensgeschichtlich und liturgiewissenschaftlich inspiriert. Explizit nennt er als Ziel des Werkes die Wiederaufnahme der Absichten Parschs unter geänderten Bedingungen.[61] Da Emminghaus am Zenit seiner akademischen Karriere in Wien stets „mit Leib und Seele" Priester blieb, wirkte er auch in seiner von Chorherren betreuten Klosterneuburger Wohnsitzpfarre[62] als Subsidiar in der Seelsorge mit. Dadurch, und über das pastorale und liturgiewissenschaftliche

[57]   Hier insbesondere bei der Erstellung und Übersetzung von Orationen, vgl. Archiv des Deutschen Liturgischen Instituts Trier, sowie: „Aus dem Nachlass Johannes H. Emminghaus", in: Privatarchiv Andreas Redtenbacher.

[58]   Sein Hauptwerk mit größter Verbreitung: *Die Messe. Wesen – Gestalt – Vollzug.* Klosterneuburg 1976 u.ö. (SPPI 1).

[59]   Emminghaus sprach von Klosterneuburg als seiner „Wahlheimat – schön zwischen Donau und Wienerwald gelegen", der er bis zum Lebensende treu blieb; vgl. Theodor MAAS-EWERD, *Erinnerung an einen Westfalen in Wien. Über Prälat Prof. DDr. Johannes H. Emminghaus (1916–1989), den Verfasser dieses Buches*, in: Johannes H. EMMINGHAUS, *Die Messe. Wesen – Gestalt – Vollzug.* Klosterneuburg ⁵1992 (SPPI 1) 303–308, hier 304.

[60]   EMMINGHAUS, *Die Messe* (wie Anm. 58) 4.

[61]   EMMINGHAUS, *Die Messe* (wie Anm. 58) 13.

[62]   Pfarre St. Martin. Hier mietete er auf Lebenszeit ein Haus der Bäckerfamilie Wurbs, Schredtgasse 12, an.

Erbe Parschs, kam er rasch mit dem Stift in engen Kontakt und „lebte und litt mit ihm"[63]. Die Beschäftigung mit der Liturgischen Bewegung und Parsch führte zu zahlreichen Arbeitskontakten mit der Schriftleitung von „Bibel und Liturgie", der er auch als Redaktionsmitglied angehörte. Ab April 1972 war er als stellvertretender Vorsitzender des „Pius-Parsch-Instituts" gemeinsam mit dem Direktor des Österreichischen Katholischen Bibelwerkes, Norbert Höslinger, Herausgeber der Reihe „Schriften des Pius-Parsch-Instituts". So verstand er es, die akademisch-liturgiewissenschaftliche Tätigkeit an der Wiener Fakultät mit einer der bedeutendsten Stätten der Liturgischen Bewegung in einem fruchtbaren Austausch zu verbinden. Folgerichtig wurde er im Jahr seiner Emeritierung 1984 zum „Canonicus honorarius"[64] des Klosterneuburger Stiftskapitels ernannt und fand schließlich nach seinem Tod am 2. September 1989 in der Chorherrengruft auch seine letzte Ruhestätte.[65]

Auswahlbibliografie

Die westfälischen Hungertücher aus nachmittelalterlicher Zeit und ihre liturgische Herkunft. Münster 1949 (maschinenschriftl. phil. Diss.), 2004 veröffentlicht als Band 28 der „Mitteilungen des Zittauer Geschichts- und Museumsvereins", hg. von R. SUNTRUP und Volker HONEMAN.

Frühchristliche Taufstätten in Syrien und Palästina. Münster 1954 (maschinschriftl. theol. Diss.).

Adamspforte, in: LThK 1. 1957, 135.

Adyton, in: LThK 1. 1957, 264.

Africa: Bibl. Archäologie, in: LThK 1. 1957, 276.

Amphitheater, in: LThK 1. 1957, 449f.

Apsis, in: LThK 1. 1957, 776f.

Atrium, in: LThK 1. 1957, 1015.

Bäder, in: LThK 1. 1957, 184.

Baptisterium, in: LThK 1. 1957, 1232.

Beweinung Christi, in: LThK 2. 1958, 327.

Brotvermehrung, in: LThK 2. 1958, 710.

Brunnen, in: LThK 2. 1958, 728.

Caesarea in Mauretanien, in: LThK 2. 1958, 963.

Cella, in: LThK 2. 1958, 989.

Cimitile/Campanien, in: LThK 2. 1958, 1204.

Columbarium, in: LThK 3. 1959, 13.

[63]　So die Formulierung auf seinem von Maria Emminghaus, Pfarre St. Martin, Propst und Kapitel des Stiftes Klosterneuburg gezeichneten Totenbrief. Er war im Stift ein gern gesehener Gast, wirkte auch an der theologischen und geistlichen Weiterbildung der Chorherren mit und war mit dem Konzilsvater, Abtprimas und Propst des Stiftes Klosterneuburg, Gebhard Koberger, freundschaftlich verbunden.

[64]　Ehrenchorherr. Im gleichen Jahr erfolgte die Ernennung zum Päpstlichen Ehrenprälaten.

[65]　Beerdigung: 9. September 1989 (Eucharistiekonzelebration: Abtprimas Gebhard Koberger, Weihbischof Helmut Krätzl, Prädekan Karl Reikersdorfer; Begräbnis: Kardinal Franz König). Vgl. auch die Würdigung von MAAS-EWERD, *Erinnerung an einen Westfalen* (wie Anm. 59).

Colymbion, in: LThK 3. 1959, 14.

Consignatorium, in: LThK 3. 1959, 46.

Constantine, in: LThK 3. 1959, 47.

Derbe, in: LThK 3. 1959, 241.

Engelsburg, in: LThK 3. 1959, 880.

Enkolpion, in: LThK 3. 1959, 892.

Ephesos: Altchristl. Denkmäler, in: LThK 3. 1959, 920.

Evangelisten: Darstellungen und Ikonographie, in: LThK 3. 1959, 1254.

Fenestella confessionis, in: LThK 4. 1960, 76.

Fisch, in: LThK 4. 1960, 173.

Gemmen, in: LThK 4. 1960, 659.

Gnadenpforte, in: LThK 4. 1960, 1002.

Die Gruppe der frühchristlichen Dorfbaptisterien Zentralsyriens, in: RQ 55. 1960, 85–100.

Heiligenattribute in der abendl. Kunst, in: LThK 5. 1960, 96.

Heiliges Grab in der Kunst, in: LThK 5. 1960, 123.

Hungertuch, in: LThK 5. 1960, 538.

Imago clipeata, in: LThK 5. 1960, 628.

Johannes Apostel: IV Ikonographie, in: LThK 5. 1960, 1005.

Judas Iskarioth: Ikonographie, in: LThK 5. 1960, 1154.

Kanzel, in: LThK 5. 1960, 1310.

Karthago, in: LThK 6. 1961, 2.

Kommunionbank, in: LThK 6. 1961, 412.

Lanze, Heilige, in: LThK 6. 1961, 773.

Leptis Magna, in: LThK 6. 1961, 973.

Lukas: III. Ikonographie, in: LThK 6. 1961, 1205.

Marienbild, in: LThK 7. 1962, 58.

Marokko, in: LThK 7. 1962, 100.

Massys, Quentin, in: LThK 7. 1962, 159.

Matifou, in: LThK 7. 1962, 170.

Medaille, Medaillon, in: LThK 7. 1962, 227.

Mensa, in: LThK 7. 1962, 276.

Moderne Kunst: II. Christliche, in: LThK 7. 1962, 511.

Nimbus, in: LThK 7. 1962, 1004.

Orpheus in der christlichen Kunst, in: LThK 7. 1962, 1239.

Die Taufanlage ad sellam Petri Confessionis [FS E. Kirschbaum], in: RQ 57. 1962, 78–103.

Pavimentum, in: LThK 8. 1963, 237.

Piscina, in: LThK 8. 1963, 523.

Rehabilitation, in: LThK 8. 1963, 1106.

Satorformel, in: LThK 9. 1964, 343f.

Sohag / Weißes und Rotes Kloster, in: LThK 9. 1964, 848f.

Strzygowski, in: LThK 9. 1964, 1115f.

Symbol: III. bildhaftes, in: LThK 9. 1964, 1208ff.

Syrische Kunst, in: LThK 9. 1964, 1254ff.

Die aramäische Basilika. Ihre Eigenart und Herkunft. Münster 1965 (maschinenschriftl. theol. Habilitation).

Thabraca, in: LThK 10. 1965, 6.

Thelepte, in: LThK 10. 1965, 20.

Tiara, in: LThK 10. 1965, 177.

Timgad, in: LThK 10. 1965, 197.

Tipasa, in: LThK 10. 1965, 202.

Transenna, in: LThK 10. 1965, 306.

Triumphbogen: antike und christliche Architektur, in: LThK 10. 1965, 367.

Tur Abdin, in: LThK 10. 1965, 405.

Venedig: Kirchen und kirchliche Kunst, in: LThK 10. 1965, 661–664.

Veronika: Legende und Bilder, in: LThK 10. 1965, 728.

Vogel: Symbol, in: LThK 10. 1965, 832.

Votive: Votivbilder, in: LThK 10. 1965, 896.

Zahlé, in: LThK 10. 1965, 1303.

Ziborium [Altarziborium], in: LThK 10. 1965, 1363.

Grundgestalt und Wandel der Messfeier. Essen 1966.

Das Taufhaus in Kal'at Sem'ân in Zentralsyrien. Baubeschreibung und -interpretation, in: RQ.S 30. 1966 [FS J. Kollwitz], 82–109.

Grundgestalt und Struktur der Messe. Überlegungen anläßlich der Liturgiereform, in: ThPQ 114. 1966, 14–27, 309–320.

Überlegungen und Anmerkungen zur Übersetzung der lateinischen Orationen, in: Alfred SCHILLING, *Orationen der Messe in Auswahl. Ein Beitrag zum Problem ihrer Übertragung in unsere Zeit*. Essen 1967, 9–36.

Vollzug liturgischer Formen heute, in: ThPQ 116. 1968, 131–142.

Die Adyta der römisch-syrischen Tempel, Synagogen und Basiliken, in: *Akten des VII. internationalen Kongresses für christliche Archäologie in Trier 1965*. Città del Vaticano 1969, 499–508 (und Tafeln).

Die Vollziehbarkeit des Kults. Überlegungen zur Liturgiefähigkeit des heutigen Menschen, in: ThPQ 117. 1969, 198–217.

Hausmessen, in: ThPQ 117. 1969, 315–326.

Das Wort Gottes in der Welt von heute. Einführungsreferat bei der Konstituierung der II. Session der Wiener Diözesansynode am 9. Mai 1970, in: *Synode Wien. Information/Dokumente/Berichte*, Heft 6, Wien 1970, 4–7.

Ökumenische Kontakte zwischen den Altorientalen und der lateinischen Kirche. Bericht des Konsultationsgesprächs in Wien vom 6.–12. September 1971, in: Catholica Unio. Ostkirchliche Zeitschrift, Luzern 39. 1971, 85–87.

Verehrung der Eucharistie außerhalb der Messe, in: BiLi 45. 1972, 207–233.

Liturgie als Verkündigung. Festvortrag zur Eröffnung des Pius-Parsch-Instituts am 12. April 1972, in: BiLi 45. 1972, 149–160.

Liturgische Spiritualität, in: HlD 28. 1974, 22–32.

Gestaltung des Altarraums. Überlegungen auf Grund der Verordnungen des neuen Messbuchs, in: BiLi 48. 1975, I. *Der Altar*, 5–21, II. *Der Ort der Verkündigung*, 85–101, III. *Der Vorstehersitz*, 142–152, *Das Tabernakel*, 233–250.

Amt und Amtsverleihung im Judentum und Neuen Testament, in: *Konziliarität und Kollegialität*. Hg. von der Ökumenischen Stiftung Pro Oriente. Innsbruck [u.a.] 1975, 129f.

Zur Theologie und Spiritualität der Sakramente, in: *Zeichen des Heils. Pastoraltagung 1975*. Hg. vom Österreichischen Pastoralinstitut. Wien 1975, 53–71.

Gemeinsam mit Hans HOLLERWEGER, *Ehrfurcht beim Kommunionempfang*. Salzburg 1976 (Texte der LKÖ 3).

Gabenbereitung – Opferbereitung, in: ThPQ 124. 1976, 349–359.

Das Kirchengebäude als Ort der Meßfeier, in: *Gemeinde im Herrenmahl. Zur Praxis der Meßfeier* [FS Emil J. Lengeling]. Hg. v. Theodor MAAS-EWERD – Klemens RICHTER. Einsiedeln u.a. 1976 (PLR-GD), 360–369.

Die Messe. Wesen – Gestalt –Vollzug. Klosterneuburg 1976 (SPPI 1). – 1. Auflage April 1976; 2. Auflage September 1976; ab der 5. Auflage 1992: durchgesehen und überarbeitet von Theodor MAAS -EWERD. Engl. Übersetzung: Minnesota 1978.

Die neue Wotruba-Kirche in Wien-Mauer, in: BiLi 50. 1977, 55–63.

Amtsverständnis und Amtsübertragung im Judentum und in der frühen Kirche des 1. Jh., in: BiLi 50. 1977, 174–186.

Gestaltung des Altarraumes. Leipzig 1977 (Pastoral-katechetische Hefte 57).

Wortgottesdienst und Kommunionspendung. Anregungen und Hilfen, in: BiLi 51. 1978, 23–32.

Die Reform des Meßbuchs in ökumenischer Sicht, in: *Theologia scientia eminens practica. Festschrift für Fritz Zerbst zum 70. Geburtstag.* Hg. v. Hans Christoph SCHMIDT-LAUBER. Wien [u.a.] 1979, 116–132.

Rom as „Pietätszentrum" of the early Church, in: *Wort und Wahrheit. Revue for Religion and Culture.* Suppl. IV: *IV. Ecumenical Consultation of Orient.-orth. and Rom.-cath. Churches.* Wien 1978, 40–59.

Grenzen und Chancen der Liturgie innerhalb der Gemeindepastoral, in: *Leiturgia – Koinonia – Diakonia. Festschrift für Kardinal Franz König zum 75. Geburtstag.* Hg. v. Raphael SCHULTE. Wien [u.a.] 1980, 25–41.

Vom Empfangen und Geben, in: *Gott feiern. Theologische Anregung und geistliche Vertiefung zur Feier von Messe und Stundengebet* [FS Theodor Schnitzler]. Hg. v. Josef G. PLÖGER. Freiburg/Br. [u.a.] 1980, 170–182.

Liturgiewissenschaft, in: *Die Katholisch-Theologische Fakultät der Universität Wien 1884–1984* [FS zum 600-Jahr-Jubiläum]. Hg. v. Ernst Christoph SUTTNER. Berlin 1984, 273–292.

Gestaltung des Altarraumes. Neubearb. v. Rudolf PACIK. Salzburg 1985 (Texte der LKÖ 11).

Semiotik altchristlicher Taufhäuser. Abschiedsvorlesung am 15. Oktober 1984, in: ZKTh 107. 1985, 39–51.

Der gottesdienstliche Raum und seine Gestaltung, in: Rupert BERGER u.a., *Gestalt des Gottesdienstes. Sprachliche und nichtsprachliche Ausdrucksformen.* Regensburg 1987 (²1990) (GdK 3), 347–416.

Taufstätten. Kunstgeschichtlicher und liturgiewissenschaftlicher Überblick, in: Anselm GRÜN, *Taufstätten. Quellen des Lebens.* Würzburg 1988, 73–95.

Orte der Feier der Sakramente in der Kirche. Vortrag auf der XVIII. Kirchenbautagung in Fulda, in: Schwarz auf Weiß. Informationen und Berichte der Künstler-Union – Köln, 20. 1988, H. 1, 3–31.

... Aber den Vorrang hat das Leben. Beiträge zur Liturgiewissenschaft aus fünf Jahrzehnten. Zum 20. Todestag am 2. September 2009 hg. v. Rudolf PACIK – Andreas REDTENBACHER. Würzburg 2009.

Leonhard Fendt (1881–1957)

Karl-Friedrich Wiggermann

Gottesdienst ist Leben; deshalb kann die theologische Wissenschaft, die über den Gottesdienst handelt, nicht archäologische Grabung oder anatomische Sektion werden und sein. Der Gottesdienst ist auch nicht museale Petitesse. Erst die Erfahrung kontinuierlichen Gottesdienstes in der Gemeinde zeigt eine spirituelle Neugeburt des Menschen.

1. Wachsen im Gottesdienst: der Primat des Lebens

Leonhard Fendt[1] hat den katholischen Gottesdienst in seinem Heimatdorf Baiershofen im bayerischen Schwaben von Kindheit an gelebt und gefeiert. Er wurde am 2. Juni 1881 geboren und zwei Tage später getauft. In der Familie eines Kleinbauern war er der Erstgeborene unter zwölf Geschwistern. Seine Erziehung war ohne mentale Einwände katholisch. Fendt sprach später von seiner „theologisch weit über das gewöhnliche Maß hinaus unterrichteten Mutter". Die Spiritualität des Kindes richtete sich auf Maria: „Die milden Züge der Religion waren alle auf die Marienverehrung übergegangen, aber dieselbe war doch nicht fähig, den harten Ernst wahrhaft zu verklären, da mir Maria vor Augen gestellt wurde als Fürbitterin bei Gott, so blieb eben Gott der feste strenge Pol."[2]

Der begabte Knabe ging nach dem fünfeinhalbjährigen Besuch der einklassigen Volksschule in Baiershofen auf das Königliche Humanistische Gymnasium in Dillingen a.D. Er wohnte nicht in einem der beiden bischöflichen Knabenseminare, sondern wollte frei bleiben und wohnte privat. Neben Latein, Griechisch und Hebräisch lernte er Französisch, Englisch und Italienisch – immer mit großem Erfolg. Weder in seinem Heimatdorf noch auf dem Gymnasium kannte Fendt evangelische Christen. Kirche war für ihn römisch-katholische Kirche.

2. Katholischer Modernismus: die Zeichen der Zeit in Ritus und Predigt

Leonhard Fendt studierte Theologie nicht am Königlichen Lyzeum in Dillingen, der theologischen Ausbildungsstätte seiner Heimatdiözese Augsburg, sondern an der Universität München, wo er im Konvikt Georgianum wohnte. Das Studium in München brachte ihn dem katholischen Modernismus nahe – vor allem durch seinen Lehrer Joseph Schnitzer. Fendt studierte historisch-kritische Theologie und lernte den Protestantismus kennen – nicht in kirchlicher, sondern in theologischer Gestalt. Er durchlebte Zeiten der Anfechtung und des Zweifels, ohne in Verzweiflung zu geraten. Die Liturgie blieb auch in Krisen le-

---

[1] Zum Ganzen vgl. Bernhard KLAUS, *Fendt, Leonhard (1881–1957)*, in: TRE 11. 1983, 78–81; Karl-Friedrich WIGGERMANN, *Fendt, Leonhard*, in: RGG³ 3. 2000, 76.

[2] Karl-Friedrich WIGGERMANN, *Evangelische Katholizität. Leonhard Fendt als Liturg und Liturgiewissenschaftler*, in: JLH 27. 1983, 16–38, hier 17.

bendig. Sie war Lebenselixier. Fendt freute sich z.b., in München jeden Sonntag zu levitieren.

Nach den Weihen in der Kapelle des Georgianums, zu denen Fendts Bischof Maximilian von Lingg nach München gekommen war, an denen aber die Eltern aus Geldmangel nicht teilnehmen konnten, wurde der junge Priester Stadtkaplan in der Kleinstadt Krumbach, die bürgerlich geprägt war und auch liberale Züge hatte. Hier übernahm er die Dienste in Gemeinde und Schule, auch in Klöstern. Fendt bereitete vor allem die Predigten gründlich vor. Viele sind ausgeführt vorhanden. Das Kerygma vertiefte den Ritus. Fendt zelebrierte, wie es kirchlich vorgeschrieben war, und er predigte, wie er es theologisch verantworten konnte. Er verurteilte einen öden Ritualismus, jede bloße Passivität. Der gottesvergessliche Mensch wird – immer neu! – vor die Gottesfrage gestellt, die ihre Zuspitzung im Gottesdienst hat. Ganz eindeutig an die Suchenden in der Gemeinde gerichtet ist eine Nietzsche-Predigt. Fendt konnte seine Kirche kritisch betrachten: „Die offizielle Christenheit ist ein träger, morscher Koloß, der nur deswegen bestehen bleibt, weil er zu faul ist umzufallen. Aber das weiß ich, daß unser Herr Jesus Christus trotz allem noch triumphieren wird, schon rührt es und regt es sich an allen Enden der Welt."[3]

Inzwischen begann Fendt eine theologische und kirchliche Karriere. Im Jahr 1910 wurde er in Straßburg bei dem Kirchenhistoriker Albert Ehrhard, den viele als Modernisten bezeichneten, mit einer dogmenhistorischen Arbeit zum Dr. theol. promoviert: „Die Christologie des Nestorius". Bischof von Lingg förderte den jungen Theologen, der den modernen Fragen nicht auswich, aber – dennoch! – den Antimodernisteneid im Jahr 1910 schwor. Nicht zuletzt unter dem Einfluss Ehrhards!

Im Jahr 1911 wurde er Subregens am Priesterseminar in Dillingen. Er war u.a. für die Liturgik zuständig, auch für die „ideal-schöne Rubricistik"[4], die ihm zu aufwendig war. Im Priesterseminar erarbeitete sich Fendt wissenschaftlich das Gesamtgebiet der historischen, systematischen und praktischen Liturgik, in der er sein Leben lang tätig war und die er in einzigartiger Weise überblickte und weiterführte. Hinzuweisen ist auf einen kleinen allgemein verständlichen Aufsatz: „Augsburgische Liturgie zu Zeiten des heiligen Ulrich"[5].Vorbild war ihm Johann Michael Sailer, aber auch sein Doktorvater Albert Ehrhard, für den der Gottesdienst immer das Erste ist, „die Ergründung der Geheimnisse Gottes durch die theologische Wissenschaft und ihre Darstellung in der christlichen Kunst"[6] das Zweite. In einem Semester las Fendt mit den Alumnen Martin Luthers Schrift: „Von der Ordnung des Gottesdienstes". Angezeigt wurde das Thema als „kritische Lektüre".

Im Wintersemester 1914/15 ernannte Bischof von Lingg den Subregens – er war gerade 33 Jahre alt – zum außerordentlichen Professor für Dogmatik und Apologetik am Königlichen Lyzeum in Dillingen. Eine ehrenvolle Berufung in ein weiteres theologisches Fachgebiet, das sich Fendt nun zu erarbei-

---

3   Wiggermann, *Evangelische Katholizität* (wie Anm. 2) 18.
4   Wiggermann, *Evangelische Katholizität* (wie Anm. 2) 24.
5   In: *Augsburger Postzeitung. Literarische Beilage* 1912, 259–261.
6   Albert Erhard, *Das religiöse Leben in der katholischen Kirche in sieben Fastenpredigten dargestellt und gewürdigt.* Freiburg/Br. 1904, 211.

ten hatte. Schon als Subregens war er in theologische Fragen geraten, die ihm die katholische Kirche und Theologie nicht beantworten konnten. Er hatte zur Lektüre die – indizierte! – Dogmatik Herman Schells und evangelische Predigtwerke empfohlen. Fendt lehrte nicht thomistische Theologie wie sein Vorgänger Thomas Specht. Der junge Professor kam schließlich an eine dogmatische Grenze: die Ekklesiologie. Diese konnte er nicht vortragen, wie er sie verstand.

3. Evangelisches Pfarramt und Gottesdienst – die konfessionelle (Ent-)Scheidung
Im Laufe seiner letzten Semester am Lyzeum in Dillingen entwickelte sich eine Entscheidung, die eine Scheidung bedeutete: Fendt trat zur evangelischen Kirche über.[7] Damit verlor er natürlich seine Hochschulprofessur. Die evangelische Kirche war das Novum, die Theologie aber blieb das Kontinuierliche. Von den Kollegen am Lyzeum kamen warme Abschiedsworte, die Fendt erfreuten. Er wollte in der Theologie weiter arbeiten und sah sich nach verschiedenen Möglichkeiten um. Er arbeitete in der evangelischen Theologie; zeitweise wohnte er im Hause des evangelischen Dogmenhistorikers Friedrich Loofs in Halle/S. Fendt wählte bewusst die preußische Landeskirche, die in einiger Entfernung von Bayern lag. Am Gründonnerstag 1918 trat er mit dem Empfang des Heiligen Abendmahls zur evangelischen Kirche über. Wenige Wochen später fand ein Kolloquium im Konsistorium in Magdeburg statt, und am 30. Juni 1918 wurde er in Gommern, einer Kleinstadt in der Kirchenprovinz Sachsen, ordiniert. Hier wurde er Pfarrer; seinen ersten evangelischen Gottesdienst hielt er am 8. Juli 1918. Er klagte über einen schlechten Kirchenbesuch und schrieb an seinen Mentor Loofs: „Die kath. (sc. Kirche) speist zudem die Leute mit Latein, die evang. doch mit Geist vom Geiste?"[8] Fendt erfreute sich an der deutschen Gottesdienstsprache und bemerkte nach einer Beerdigung, wie schön es da sei, dass man den Trauernden mit einem deutschen Gebet direkt ins Herz greifen dürfe. Loofs hatte ihm geschrieben: „Wenn Sie zu predigen haben, lassen Sie ja den Professor an dem Nagel hängen, an dem er nun hängt. Denken Sie, wie Luther anweist, daran, wie nötig ‚das Volk' die Unterweisung hat, und bleiben Sie ja recht einfach und praktisch."[9]

In Gommern wurde Fendt Mitbegründer einer von Bürgerlichen, Sozialisten und Kommunisten getragenen Volkshochschule. Er verschloss sich nicht der Gesellschaft, aber wurde ihr nicht hörig. Fendt wechselte fünf Jahre später an die Gemeinde „Zum Heiligen Geist" in Magdeburg, drei weitere Jahre später an die Gemeinde „Zum Heilsbronnen" in Berlin. Mit zwei Pfarrern hatte die Gemeinde 28.000 Seelen. Fendt publizierte z.T. in weltlichen Zeitungen, aber auch in Gemeindeblättern. Hier konnte er gottesdienstliche Fragen elementarisieren. Die Gemeinde war vor Folklorisierung und Ästhetisierung, aber auch

7 Zu Fendts Theologie – auch in ihrem kirchlichen, theologischen, wissenschaftlichen und gesellschaftlichen Rahmen – vgl. Rudolf ROOSEN, *Reformatorische und historische Praktische Theologie: Leonhard Fendt*, in: *Geschichte der Praktischen Theologie. Dargestellt anhand ihrer Klassiker*. Hg. v. Christian GRETHLEIN – Michael MEYER-BLANCK. Leipzig 2000, 331–38.

8 ROOSEN, *Reformatorische und historische Praktische Theologie* (wie Anm. 7) 25.

9 Karl-Friedrich WIGGERMANN, *Leonhard Fendt. Leben und Werk*. Erlangen 1981 (maschinenschriftl. evang.-theol. Dissertation), 184.

vor billiger Popularisierung und Politisierung zu bewahren. Vor der letzteren Gefahr hütete er sich im Unterschied zu vielen evangelischen Pfarrern in der Weimarer Republik. In Dillingen war er weder zur Landtags- noch zur Reichstagswahl gegangen, um zu verhindern, dass man ihn als Zentrumsmann ansehen könne. Fendt arbeitete praktisch z.B. an liturgischen Gebeten. So konnte er den Gemeindegliedern „direkt ins Herz greifen". Aber er fragte: „Entschwindet dem Volke die Religion, sobald man sie zur Höhe ruhiger Wahrheit erhebt, hat das Volk nur dann Freude zur Religion, wenn alle primitiven, sinnigen, symbolischen, heidnischen, ‚katholischen' Instinkte irgendwie auf ihre Rechnung kommen? Ist Religion vielleicht auch insofern eine Einheit, als darin stets alle Entwicklungsschichten bleibende Berechtigung behalten müssen?"[10]

Es trifft Fendts theologische Lebensform, dass er solche Fragen auch im Pfarramt wissenschaftlich bearbeitete. Hier zeichnete sich bereits ab, dass Fendt nicht mehr in systematischer Theologie zu arbeiten gedachte, sondern dass er sich theologisch dem Bereich zuwandte, dem seine Liebe gehörte: dem Gottesdienst, damit der Praktischen Theologie. Es befruchteten sich kirchliche Praxis und Praktische Theologie, Liturgie und Liturgik.

4. Die Praktische Theologie in der „Weltmacht" der Wissenschaft: systematische Fragen

Leonhard Fendt habilitierte sich an der Friedrich-Wilhelms-Universität Berlin; am 24. Februar 1931 hielt er seine Antrittsvorlesung: „Die Stellung der praktischen Theologie im System der Theologischen Wissenschaft".[11] Der erste Leitsatz lautet: „Die Theologie ist die von der Wissenschaft überhaupt und von den Wissenschaftlichen innerhalb der Kirche verlangte wissenschaftliche Selbstbesinnung der Kirche."[12] Daraus folgt der zweite Leitsatz: „Gerade die Theologie als rationale Theologie, welche ihr theologisches Leben aus der fiduzialen Theologie hat, ist die wissenschaftliche Selbstbesinnung der Kirche."[13] Die Theologie muss im geistigen Ringen der Gegenwart wirken, ja kämpfen. Welchen Ort hat die Praktische Theologie im Ganzen der Theologie? Fendt konstatiert, die Gesamttheologie sei dadurch praktisch, um so gut als möglich theoretisch zu sein. Darin liegt ihre Aktualität. Hier regieren weder Willkür noch Zufall. „Dieses Aktuell-Werden und Aktuell-Sein der gesamten Theologie in allen ihren Sätzen und Teilen soll das ‚Eigengebiet' der Pr. Theologie sein!"[14] So können die Teildisziplinen sich entfalten – nicht in einer bloßen Praktikabilität. Die anderen theologischen Disziplinen klären das Denken. Nun kommt die Hauptfrage, wieweit alle diese Dinge für heute aktuell, Hilfe für Leben und Sterben seien. Fendt sagt, dass gegenwärtig alles praktisch sein möchte: „Dann wird die Substanz der Theologie nicht mehr vermehrt, und so muß auch die Pr.

---

[10]   WIGGERMANN, *Leonhard Fendt* (wie Anm. 9) 185.

[11]   Vgl. Leonhard FENDT, *Die Stellung der praktischen Theologie im System der theologischen Wissenschaft.* Göttingen 1932 (Der Dienst des Pfarrers. Beihefte zur Monatsschrift für Pastoraltheologie 1).

[12]   FENDT, *Die Stellung der praktischen Theologie* (wie Anm. 11) 7.

[13]   FENDT, *Die Stellung der praktischen Theologie* (wie Anm. 11) 10.

[14]   FENDT, *Die Stellung der praktischen Theologie* (wie Anm. 11) 23.

Theologie sterben. Wir können die Praktische Theologie ‚Fortsetzungs-Theologie' nennen. Fortsetzung zu der Praxis hin, Planzeichnung für die Praxis. Stirbt die rechte theoretische Substanz der theologischen Wissenschaften, dann wird die Pr. Theologie nur mehr eine Art Reste-Theologie sein – und es wäre dann besser, sie würde ganz weltliche Pädagogik, Psychologie usw. Die Theologie ist scientia practica, aber sie muß zuerst allen Ernstes scientia sein, wenn sie practica sein will."[15] Die Praktische Theologie erforscht das „Was" und „Wie", aber in der Kirche vollzieht sich die Ausführung. Fendt hat in beiden Bereichen vorbildlich gearbeitet: Er war Lehrer und Forscher in der Praktischen Theologie, *und* er war ein Vorbild in der Praxis der Kirche. Mit der Antrittsvorlesung hat er nicht diese Praxis verlassen. Er blieb vor allem Prediger und Liturg.

Auf dem oben genannten Programm baute der „Grundriß der Praktischen Theologie für Studenten und Kandidaten" auf, der in erster Auflage 1938/39, in zweiter Auflage 1949 erschien. Die Auflagen sind also kurz vor und kurz nach dem Zweiten Weltkrieg fertiggelegt worden. Fendt wollte die Gegenwart ernst nehmen, auch die bedrängende Gegenwart des Nationalsozialismus.[16] Das war er den Studenten und Kandidaten schuldig: theologische Gegenwartskunde. Es geht um „Einfluß, Berücksichtigung, Ernstnahme"[17] der weltanschaulichen Theorie. Ein kirchenpolitisches Kommando ist damit nicht gegeben, denn die Theologie ist nicht einem weltanschaulichen Kommando unterworfen. Weder Theologie noch Kirche bewegen sich auf einem Kasernenhof. Fendt will kein Ghetto, aber er fordert von denen, die sich von außerhalb mit der wissenschaftlichen Theologie beschäftigen, Anhängerschaft und Liebe. Damit ist alles gesagt.

Hier ist Gottes Wille in Jesus Christus entscheidend. *Er* ist das Kriterium, und Praktische Theologie ist damit immer auch Christologie, nicht im Sinne eines Biblizismus. Noch einmal gibt Fendt eine Definition: „Die Praktische Theologie ist die theologische Theorie, welche die im Neuen Testament vorausgesetzte kirchliche Praxis erforscht, darlegt und in die gegenwärtige Lage einzeichnet."[18]

Im Vorwort zur zweiten Auflage des „Grundrisses" sagt Fendt in aller Kürze: Diese Auflage „ist in vielen Stücken eine eingehende Umarbeitung; die immanente Auseinandersetzung mit den tödlichen Gefahren der vergangenen Epoche und die Wegweisung durch die Bedrohlichkeit jener Zeit konnte wegfallen, die rein theologische Absicht des Verfassers noch stärker herausgearbeitet werden."[19] Das ist Fendt – so muss man nach kritischer Lektüre sagen – gelungen. Fendt orientierte sich vornehmlich an Luther, dessen Theologie – wenn auch nicht expressis verbis – Praktische Theologie sei. Einer Ausführung stellen sich ganz andere Hindernisse in den Weg als der theoretischen Zeichnung.

---

[15]   FENDT, *Die Stellung der praktischen Theologie* (wie Anm. 11) 26.
[16]   Vgl. Vgl. Karl-Friedrich WIGGERMANN, *Leonhard Fendt als Lehrer der Praktischen Theologie in Berlin*, in: *Zwischen Volk und Bekenntnis. Praktische Theologie im Dritten Reich.* Hg. v. Klaus RASCHZOK. Leipzig 2000, 151–166.
[17]   Leonhard FENDT, *Grundriß der Praktischen Theologie für Studenten und Kandidaten.* 3. Bde. Tübingen 1938/39. 2. Aufl. 1949; hier zitiert nach: *Grundriß 1938/39*, Abt. 1, 3.
[18]   FENDT, *Grundriß* (wie Anm. 17) 1. Abt., 4.
[19]   FENDT, *Grundriß 1949* (wie Anm. 17) 1. Abt., III.

Hier kommt Fendt zu einem praktisch-theologischen *und* kirchlich-praktischen Spitzensatz, dessen Weite und Bedeutung neu zu bedenken ist: „Praktische Theologie ist leichter als – die Praxis selbst!"[20]

Am Kriegsende zog Fendt mit seiner Frau nach Bayern um, weil die Wohnung in Berlin ausgebombt war. Fendt blieb in Bayern, obwohl ihm die Fakultät in Berlin nach 1945 den Lehrstuhl offenhielt. Im Westen aber erhielt er keinen Lehrstuhl. In Erlangen übernahm er für ein Semester eine Lehrstuhlvertretung. Er lehrte dann am Missionsseminar in Bad Liebenzell. Am 9. Januar 1957 starb er in Augsburg.

5. *Liturgiewissenschaft als leitende praktisch-theologische Teildisziplin: historische Grundlegung*

In seiner katholischen Zeit hatte Fendt intensiv liturgiewissenschaftlich gearbeitet, und er war stets Praktiker. Wissenschaft und Praxis begleiteten als Neuanfang den evangelischen Fendt. Liturgische Konzepte sind z.T. aufbewahrt, homiletische aus der evangelischen Zeit nicht. Letztere hat Fendt nach dem Gottesdienst zerrissen.

Auch als evangelischer Gemeindepfarrer in Gommern hat Fendt intensiv geforscht. Schon im Jahr 1921 erschien das Buch: „Die religiösen Kräfte des katholischen Dogmas"[21]. Dazu rief Werner Elert erregt: „Konvertitentheologie innerhalb der evangelischen Kirche"[22]. Im Jahr 1922 erschien das Buch: „Gnostische Mysterien. Ein Beitrag zur Geschichte des christlichen Gottesdienstes"[23]. Es gelingt dem Autor, „wildwachsender Religiosität ins Herz zu schauen. In unserer Zeit, da der Frei- und Wildwuchs jedweder Art von Religiosität ein Ideal zu werden beginnt, eine lehrreiche Sache! Denn immerhin entstammen in unserer Zeit die Anhänger des Gedankens wildwachsender Religiosität hochgezüchteten Kirchen, hochgezüchteten Theologien, einer mit einem präzisen Christentum in evangelischer und katholischer Form oder dem Judentum ebenso präziser Art geladenen Kultur."[24] Ein gewichtiges Notabene, das von vielen evangelischen Theologen als zu radikal angesehen wurde.

In der Reformation, gerade in ihrer präzisierenden Reduktion der Zeremonien sah Fendt den Zenit christlicher Liturgie. Im Jahr 1923 (das Vorwort ist „November 1922" datiert) publizierte er eine weitere liturgiewissenschaftliche Arbeit: „Der lutherische Gottesdienst im 16. Jahrhundert. Sein Werden und Wachsen"[25]. „Werden" und „wachsen" sind Worte des Lebens. „Das sind nun allerdings hohe Worte für einen Gottesdienst, den die Katholiken ignorieren, die Evangelischen als Rudiment kritisieren, Künstler und Ästheten mit einer Träne im Auge konstatieren. Aber man wird sehen, daß diese Worte keineswegs

---

[20] FENDT, *Grundriß 1949* (wie Anm. 17) 1. Abt., 21.

[21] Vgl. Leonhard FENDT, *Die religiösen Kräfte des Dogmas*. München 1921 (Aus der Welt christlicher Frömmigkeit 2).

[22] Werner ELERT, *Konvertitentheologie innerhalb der evangelischen Kirche*, in: AELKZ 55. 1922, 121–123.

[23] Vgl. Leonhard FENDT, *Gnostische Mysterien. Ein Beitrag zur Geschichte des christlichen Gottesdienstes*. München 1922 (Nachdruck 1980).

[24] FENDT, *Gnostische Mysterien* (wie Anm. 23) 64.

[25] Vgl. Leonhard FENDT, *Der lutherische Gottesdienst des 16. Jahrhunderts. Sein Werden und sein Wachsen*. München 1923 (Aus der Welt christlicher Frömmigkeit 5).

zu hoch sind; nirgends strömt die Blutwelle der Reformation so heiß wie gerade in ihrem Gottesdienst – der Gottesdienst ist der Leib, in welchem der Geist Luthers unter das Volk trat."[26] Fendt arbeitete in exemplarischer Weise historisch, damit die Gründe des Gottesdienstes nicht vergessen werden.

Ihre Höhe erreicht die liturgiewissenschaftliche Arbeit Fendts in seinem „Grundriß". Die Predigt ist kein Vortrag, sondern ein *Teil* der Liturgie. Der Paragraph über die Liturgie enthält „drei Zweige": die historische, die systematische und die praktische Liturgik, in welcher er „das Amt der Kirche als Spende- und Feier-Amt" erörtert. Die historische Liturgik beginnt bei Jesus und der Urkirche. Es geht dann um die Entstehung und Entwicklung der katholischen, orthodoxen und evangelischen Liturgien. Die systematische Liturgik handelt über die Frage, welche Grundgesetze des Liturgischen sich aus dem Entstehen und Sichentwickeln der Liturgie ablesen lassen. Es geht um organisch gewachsenes Leben, das nicht aus der Dogmatik und Ethik gefiltert wird. Fendt legt – im Rahmen einer dialogischen Praktischen Theologie – eine vitale Liturgie vor, die sich weder in Idealisierung noch in Pädagogisierung erschöpft. In Kürze lassen sich die Grundgesetze wie folgt wiedergeben:

1. Versammlung der Jünger um Jesus und Versammlung der Gemeinde Jesu zum Empfangen des Anbruchs des Reiches Gottes;
2. tätige Versammlung im Namen Jesu als Antwort-Akte;
3. das Reichgotteshandeln Gottes als primärer Akt für den sekundären Akt menschlichen Handelns („*Ohne* die primären Akte Gottes wird die ‚Versammlung im Namen Jesu' ja zu einer Versammlung vor und außerhalb Christus, und ihre Akte bringen dann bloß eine Feierstunde, aber keine Liturgie zustande"[27]);
4. *gegenwärtige* Reichgotteswirksamkeit Gottes in Christus und im Heiligen Geist;
5. jetzige Reichgottesarbeit als das Erwartete, Erbetene und Bezweckte;
6. Wort und Sakrament als vehiculum des gegenwärtigen Reichgotteshandelns Gottes;
7. Liturgie nicht bloß als Ausdruck der Verheißungen, sondern ebenso als Empfangen des Handelns Gottes;
8. die beiden Säulen der Liturgie im Handeln Gottes und in unserem Antwort-Handeln;
9. „Liturgie als Ausdruck hat nur deshalb ein Recht, weil die Liturgie zutiefst Spendung und Empfang der Gottestat ist."[28]

In einem Anhang erörtert Fendt „die Gefahr der ‚liturgischen Klerikalisierung'". In der zweiten Auflage weggefallen sind Fragen, die das (Feier-)Umfeld des Nationalsozialismus betreffen.[29] Es war jetzt z.B. nicht mehr nötig, über Feiern in nationalsozialistischen Gliederungen zu informieren.

Fendt orientiert sich an Schleiermacher. Liturgie wird zum Bindeglied aller praktischen Arbeit in der Gemeinde, *und* Liturgik wird zur Leitdisziplin der praktisch-theologischen Teildisziplinen. Die Predigt geschieht in der Li-

---

[26] FENDT, *Der lutherische Gottesdienst des 16. Jahrhunderts* (wie Anm. 25) V.
[27] FENDT, *Grundriß 1949* (wie Anm. 17) 2. Abt., 64.
[28] FENDT, *Grundriß 1949* (wie Anm. 17) 2. Abt., 65.
[29] Vgl. dazu WIGGERMANN, *Leonhard Fendt als Lehrer* (wie Anm. 16).

turgie; es gibt keine Homiletik ohne Liturgik. In Christus wird die Kirche zur Festgemeinschaft, die sich ihre eigene christliche Festkultur schafft. Theologie sublimiert jede Kultur. Das Leben der Gemeinde erstarkt im Gottesdienstgeschehen. Fendt war sein Leben lang ein begnadeter Prediger. Der Berliner Theologe Martin Fischer schreibt über Fendt in Berlin: „Er setzte agnostisch angekränkeltes, skeptisches Berliner Publikum voraus, und diesem bot er in mitreißender, werbender Sprache die Gründe zum Glauben dar, führte zum Hören, kämpfte um Gehorchen, nahm Zweifel auf, und seine eigene Gewißheit riß wie Stromschnellen über Hindernisse hinweg und führte, wie wenn es sich von selbst verstünde, zum Gebet."[30]

6. Spiritualität und Gottesdienst: die „liturgische Wahrheit"

Fendts spirituelle Verbindung zwischen Liturgiewissenschaft und kirchlicher Praxis zeigt sich an den beiden Bänden des Lietzmannschen Handbuchs, des damals und heute wichtigsten Kommentarwerks zum Neuen Testament, und in der „Einführung in die Liturgiewissenschaft". Hans Lietzmann war in Berlin Fendts Kollege und hatte diesen gebeten, die beiden praktischen Bände seines Handbuchs zum Neuen Testament zu verfassen.

In den Bänden über die alten und die neuen Perikopen folgt nach der Erläuterung über das Evangelium und die Epistel (bzw. im zweiten Band noch über die alttestamentliche Lesung) ein zumeist knapper, aber gehaltvoller Schlussabschnitt: „Die liturgische Einheit". Sie zeigt, dass die Predigt ein Teil der Liturgie ist, und verbindet kritische Arbeit und praktische Hilfe. Ein Beispiel: Zum 1. Advent legt Fendt die Verbindung der in der Naherwartung gestimmten Epistel Röm 15,11–14 zum Evangelium Mt 21,1–9 dar. Fendt konstatiert: „Die Parusie bleibt – das ‚Näher' aber ist das Denkmal einer Niederlage."[31] Aber das „Näher" ist „in einem anderen Sinn bedeutsam geblieben: es ist nämlich ‚liturgisch wahr'. Man wählte ja Rm 13,11–14 deshalb zur Epistel des 1. Advents, weil am 1. Advent nun Weihnachten näher ist, als die immer noch auf Trinitatis gerichtete Zeit vorher es gewesen."[32] Der Begriff „liturgisch wahr" wird liturgiegeschichtlich kurz erläutert, aber das liturgisch Wahre bleibt ein Grenzbegriff, gestattet jedenfalls nicht, mögliche „Einfälle" als „liturgisch wahr" zu bezeichnen. Bei Fendt kommt der Begriff vom nahenden Fest her, in dem der Geist des Festes dem Buchstaben eines Einzeltextes überlegen ist.

Fendts letztes großes Werk ist seine „Einführung in die Liturgiewissenschaft".[33] Der Autor konnte die Auslieferung nicht mehr erleben. Sein Schüler Bernhard Klaus hat die Drucklegung überwacht, die Register angefertigt und nach Fendts Tod eine kurze Einleitung geschrieben. Fendt selbst hatte sein Vorwort im Februar 1956 verfasst: „Das vorliegende Buch will in unserer Epoche der ‚liturgischen Erneuerung' den Blick auf die hinter dieser Erneuerung tätige Liturgiewissenschaft hinlenken, von welcher die Männer und

---

[30] Martin Fischer, *Unsere ersten Predigten*, in: WPKG 69. 1980, 263.
[31] Leonhard Fendt, *Die alten Perikopen für die theologische Praxis erläutert*. Tübingen 1931 (HNT 22), 14.
[32] Fendt, *Die alten Perikopen* (wie Anm. 31) 14f.
[33] Vgl. Leonhard Fendt, *Einführung in die Liturgiewissenschaft*. Berlin 1958 (STö.H 5).

Frauen dieser Erneuerung zehren."[34] Fendt fragt vorsichtig, ob diese „moderne liturgische Richtung der Theologen, die auf Vermehrung aus ist"[35], nach dem Urteil des evangelischen Kirchenvolkes des Guten zuviel tun könnte. Es dürfen also die liturgischen Gründe nicht vergessen werden. Das aber ist die Aufgabe der Liturgiewissenschaft. Fendt legt hier – in fein durchdachter theologischer Architektonik – den Theologinnen und Theologen noch einmal ein großes Werk zum Gesamtphänomen des Gottesdienstes vor. Er will theologisch den Blick schärfen, und er fordert eher Kompatibilität statt Harmonisierung in der Liturgik, damit der Gottesdienst nicht dem Beliebigen und Beliebten anheimgegeben wird.

Für die Liturgik leisten die anderen praktisch-theologischen Teildisziplinen Zubringerdienst. Wichtig ist die liturgische Erziehung. Im Rahmen der „kirchlichen Erziehung" schärft Fendt in der 2. Auflage des „Grundrisses" die Bedeutung des Liturgischen ein: „Tritt *erziehlich* das Dogma, das Bekenntnis an die erste Stelle, so erzieht man Theologen oder doch Diskussionsredner; tritt *erziehlich* das Ethos an die erste Stelle, so erzieht man Werkheilige; nur wenn die Liturgie an die erste Stelle tritt, wird die gesunde Ordnung des Evangeliums gewahrt, nach welcher zuerst der Baum kommt und dann die Früchte."[36]

Die praktisch-theologische Aufgabe vollzieht sich auch in der Spiritualität des Erfolges. Er hatte eine Festschrift zum 75. Geburtstag in zwei Heften der „Monatschrift für Pastoraltheologie"[37] erhalten. Fendt antwortete mit dem Aufsatz: „Der Erfolg in der kirchlichen Praxis". Das Normale, sagt Fendt, seien die Teilerfolge der Pfarrer. „Auf der hohen Ebene der Gnade Gottes gilt Gottes Alleinwirksamkeit, in welcher dennoch die Beauftragten Gottes nicht Nullen sind. Aber der Erfolg der Beauftragten steht nicht in einer für den Synergismus ausgesperrten Ecke, sondern mitten in der *Gratia sola*. Wie das sein kann, das begreift keine Anthropologie und keine Theologie – aber das Neue Testament als Ganzes predigt dieses Geheimnis. Und es ist ein früchtereiches Geheimnis Gottes, ein Geheimnis der ‚Ernte'."[38] In dieses Bild ist der Gottesdienst einzuzeichnen.

Auswahlbibliografie

Folgende Bibliografien liegen vor:

Bernhard KLAUS, *Bibliographie der wissenschaftlichen Publikationen von Leonhard Fendt*, in: ThLZ 76. 1951, 439–442.

Bernhard KLAUS, *Der literarische Nachlaß von Leonhard Fendt*, in: ThLZ 83. 1958, 75f.

Karl-Friedrich WIGGERMANN, *Leonhard Fendt. Leben und Werk. Bd. 2. Quellen – Literatur – Anmerkungen.* Erlangen 1981 (maschinenschriftl. evang.-theol. Diss.), 1–114.

---

[34]　FENDT, *Einführung in die Liturgiewissenschaft* (wie Anm. 33) VII.

[35]　FENDT, *Einführung in die Liturgiewissenschaft* (wie Anm. 33) 256.

[36]　FENDT, *Grundriß 1949* (wie Anm. 17) 2. Abt., 87.

[37]　MPTh 45. 1956, H. 6 und 7.

[38]　Leonhard FENDT, *Der Erfolg in der kirchlichen Praxis. Als Zeichen des Dankes für die Glückwünsche der Schüler und Freunde – und als Gruß der Verbundenheit mit der MPTh*, in: MPTh 45. 1956, 452–457, hier 457.

Gnostische Mysterien. Ein Beitrag zur Geschichte des christlichen Gottesdienstes. München 1922.

Der lutherische Gottesdienst des 16. Jahrhunderts. Sein Werden und sein Wachsen. München 1923 (Aus der Welt christlicher Frömmigkeit 5).

Die Bedeutung der Liturgie für die Persönlichkeit und Arbeit des Predigers. Vortrag auf der 3. Haupttagung der Liturgischen Konferenz Niedersachsens zu Hildesheim 1929. Göttingen 1930 (Liturgische Konferenz Niedersachsens 15).

Die alten Perikopen für die theologische Praxis erläutert. Tübingen 1931 (HNT 22).

Die Stellung der praktischen Theologie im System der theologischen Wissenschaft. Göttingen 1932 (Der Dienst des Pfarrers, in: Beihefte zur Monatsschrift für Pastoraltheologie 1). [Erweiterte Berliner Antrittsvorlesung vom 24. Februar 1931.]

Die Abendmahlsnot des Gegenwartsmenschen. Leipzig 1936.

Grundriß der Praktischen Theologie für Studenten und Kandidaten. Abt. 1. *Grundlegung, Lehre von der Kirche, vom Amt und von der Predigt.* Tübingen 1938. 2. Aufl. 1949; Abt. 2. *Lehre von der Feier (Liturgie), von der religiösen Erziehung (Pädagogik), vom kirchlichen Unterricht (Katechetik).* Tübingen 1938. 2. Aufl. 1949; Abt. 3. *Lehre von der Seelsorge, von der Inneren und Äußeren Mission, vom Kirchenrecht.* Tübingen 1939. 2. Aufl. 1949.

Die neuen Perikopen (der Eisenacher Kirchenkonferenz von 1896). Für die theologische Praxis erläutert. Tübingen 1941 (HNT 23).

Homiletik. Theologie und Technik der Predigt. Berlin 1949 (STö.H Reihe II 4); 2. Aufl. neu bearb. v. Bernhard KLAUS. Berlin 1970 (de Gruyter Lehrbuch).

Einführung in die Liturgiewissenschaft. Berlin 1958 (STö.H 5).

Balthasar Fischer (1912–2001)

Andreas Heinz

Am 2. August 2001 hätte Balthasar Fischer sein Eisernes Priesterjubiläum feiern und einen Monat später, am 3. September, sein 89. Lebensjahr vollenden können. Beide Ehrentage sollte er nicht mehr erleben. Er starb am 27. Juni 2001 in seiner Trierer Wohnung, von der er direkten Blickkontakt hatte zu zwei wichtigen Stätten seines Wirkens: dem Priesterseminar und dem Deutschen Liturgischen Institut.

Im Trierer Priesterseminar hatte Balthasar Fischer 1945 als junger Liturgikdozent seine ungemein fruchtbare akademische Lehrtätigkeit begonnen; das Liturgische Institut, das wenig später (1947) gegründet wurde und in Trier seinen Sitz erhielt,[1] sollte bald zu dem Ort werden, von wo aus der Trierer Liturgiewissenschaftler, in enger Zusammenarbeit mit dem langjährigen Institutsleiter, Prälat Johannes Wagner († 1999)[2], Einfluss nehmen konnte auf die weltweite liturgische Erneuerung vor, während und nach dem Zweiten Vatikanischen Konzil (1962–1965). Fischer zählt zu den Vätern der großen Liturgiereform, an deren Grundlegung in der Liturgiekonstitution „Sacrosanctum Concilium" er indirekt mitgewirkt und bei deren Durchführung er im deutschen Sprachgebiet und auf Weltebene maßgeblich beteiligt war. Dass seine diesbezüglichen Verdienste auch an höchster Stelle nicht vergessen waren, machte das persönliche Beileidstelegramm von Papst Johannes Paul II. deutlich. Der Seelsorger und Professor Balthasar Fischer, so hieß es darin, habe „in Treue und mit großem Eifer" zahlreiche Gläubige und Theologiestudenten zur bewussten und würdigen Feier der Eucharistie geführt und sei ein „geschätzter Berater in liturgischen Fragen" gewesen. Auch die römische Kongregation für den Gottesdienst und die Sakramentenordnung hatte durch ihren Sekretär, Erzbischof Francesco Pio Tamburrino, ihre Anteilnahme beim Tod ihres früheren Konsultors bekundet.[3]

---

[1] Vgl. Johannes WAGNER, *Liturgisches Referat – Liturgische Kommission – Liturgisches Institut*, in: LJ 1. 1951, 8–14; Andreas HEINZ, *Das Liturgische Institut in Trier und seine Bedeutung für die Rezeption der Liturgiekonstitution in Deutschland*, in: HlD 57. 2003, 234–243.

[2] Zu Leben und Werk vgl. Andreas HEINZ, *Johannes Wagner zum Gedenken mit der Bibliographie seiner Schriften*, in: LJ 50. 2000, 1–19; vgl. auch den Beitrag über Johannes Wagner in diesem Band.

[3] Vgl. den Bericht: *Er hinterlässt tiefe Spuren. Balthasar Fischer beerdigt / Würdigung durch den Papst*, in: Paulinus. Trierer Bistumsblatt v. 15.7.2001, 21. Vgl. ferner Albert GERHARDS, *Der österliche Kern. Zum Tode des Liturgiewissenschaftlers Balthasar Fischer*, in: Christ in der Gegenwart 53. 2001, 240; Eduard NAGEL, *Balthasar Fischer †*, in: Gottesdienst 35. 2001, 100; Andreas HEINZ, *Balthasar Fischer zum Gedächtnis mit der Bibliographie seiner Schriften aus den Jahren 1992–2001*, in: LJ 51. 2001, 121–137.

1. Kindheit und Studienjahre

Balthasar Fischer kam am 3. September 1912 in Bitburg zur Welt.[4] Er wurde in eine Lehrerfamilie hineingeboren. Das Lehren, das er später so meisterhaft verstand, war ihm als elterliche Mitgift sozusagen in die Wiege gelegt worden. In der damals noch eher dörflich geprägten Eifeler Kleinstadt wuchs Fischer in einer Welt selbstverständlicher Religiosität auf. Eine oft erzählte Kindheitserinnerung kennzeichnet dieses „katholische Milieu" treffend: Der Trierer Bischof Michael Felix Korum (1881–1921) war gestorben. Zu seinem Nachfolger hatte das Domkapitel den in Aachen residierenden Kölner Weihbischof Franz Rudolf Bornewasser gewählt. Der neue Bischof reiste mit der Bahn nach Trier, wo er am 18. Mai 1922 inthronisiert werden sollte. Aus der Kreisstadt Bitburg hatte Konrektor Fischer sämtliche Kinder der Volksschule, unter ihnen auch seinen neunjährigen Sohn Balthasar, zu dem 5 km entfernten Bahnhof Erdorf geführt. Die dort erlebte Begeisterung um den neuen Bischof gehörte zu den nie vergessenen Kindheitserlebnissen des späteren Professors. Der Lehrersohn konnte damals noch nicht ahnen, dass es 14 Jahre später dieser Bischof sein würde, der ihn im Dom zu Trier zum Priester weihen würde.

Geradlinig führte Fischers Weg zu diesem Ziel. Als Alumne des Bischöflichen Konvikts in Trier, das damals durchaus noch in etwa dem entsprach, was in den romanischen Ländern die „kleinen Seminare" sind, besuchte er das humanistische Friedrich-Wilhelm-Gymnasium. Unter seinen Lehrern schätzte er besonders den aufgeschlossenen, der Liturgischen Bewegung nahestehenden Religionslehrer Balduin Schmidt[5] und den angesehenen Geschichtsprofessor Dr. Joseph Steinhausen[6].

Nach dem Abitur im Jahre 1931 erfolgte der Eintritt ins Trierer Priesterseminar, von wo man den begabten Seminaristen schon bald zum Weiterstudium an die Jesuitenuniversität nach Innsbruck schickte. Diese Weichenstellung sollte sich als schicksalhaft erweisen. Denn in Innsbruck begegnete Fischer seinem bedeutendsten akademischen Lehrer: Josef Andreas Jungmann SJ († 1975).[7] Jungmann vor allem ist es zu verdanken, dass der Gottesdienst der Kirche das Lebensthema des zukünftigen Trierer Seminarprofessors wurde. Denn als solchen hatte die Bistumsleitung den ins Auswärtsstudium geschickten Priesteramtskandidaten spätestens zu dem Zeitpunkt ins Auge gefasst, als dieser zusammen mit 44 Alumnen des Trierer Priesterseminars am 2. August 1936 zum Priester geweiht wurde.

---

[4]　Für die Einzelbelege der folgenden Ausführungen vgl. die aus verschiedenen Anlässen erschienenen biografischen Skizzen und Würdigungen, bes. meine Beiträge: „Du sollst ein Segen sein". Zum 75. Geburtstag von Prof. Balthasar Fischer, in: AnzSS 96. 1987, 320–322; Im Dienste der Kirche und der Erneuerung ihres Gottesdienstes, in: Not. 28. 1992, 586–599 und Balthasar Fischer zum Gedächtnis (wie Anm. 3).

[5]　Vgl. Der Weltklerus des Bistums Trier seit 1800. Hg. v. Bischöflichen Generalvikariat. Trier 1941, 300.

[6]　Vgl. Jürgen MERTEN, Steinhausen, Josef, in: Trierer Biographisches Lexikon. Hg. v. Heinz MONZ. Trier 2000, 449f.

[7]　Vgl. Balthasar FISCHER, J. A. Jungmann als Lehrer, in: J. A. Jungmann. Ein Leben für Liturgie und Kerygma. Hg. v. Balthasar FISCHER – Hans-Bernhard MEYER. Innsbruck 1975, 56–59.

Entscheidend war in diesem Zusammenhang, dass wenige Monate zuvor Bischof Franz Rudolf Bornewasser (1922–1951) einen Mann zu seinem Generalvikar berufen hatte, der zu den damals noch seltenen Freunden und überzeugten Förderern der Liturgischen Bewegung in Deutschland gehörte: Heinrich von Meurers (1888–1953).[8] Auch er hatte in Innsbruck studiert. Während ihn die „unliturgischen" Gottesdienste der Jesuiten im dortigen „Canisianum" wenig angesprochen hatten, hatte er sich umso begeisterter in die Lektüre der pastoralliturgischen Veröffentlichungen der belgischen Benediktiner von Mont César/Kaisersberg (Löwen) und in liturgiegeschichtliche Werke vertieft. Sie erschlossen ihm die geistlichen Reichtümer der gewordenen Liturgie, ließen ihn aber auch deren Reformbedürftigkeit erkennen.

Zur pastoralliturgischen Strategie des neuen Trierer Generalvikars gehörte von Anfang an der damals noch ungewöhnliche Plan, das Professorenkollegium des Priesterseminars um einen eigenen Dozenten für Liturgiewissenschaft zu erweitern. Dazu hatte Heinrich von Meurers den Jungmann-Schüler Balthasar Fischer ausersehen, der nach der Priesterweihe noch einmal nach Innsbruck zurückgekehrt war, um dort das Promotionsstudium abzuschließen. Mit einer von J.A. Jungmann betreuten liturgiegeschichtlichen Arbeit über die „Niederen Weihen" erwarb der Trierer Neupriester am 23. Oktober 1937 dort den theologischen Doktorgrad.[9] Heinrich von Meurers war bekannt für seine raschen Entschlüsse. Er nahm, als Fischer 1937 in das Heimatbistum zurückkehrte, die Planung seiner weiteren Laufbahn fest in die Hand „mit dem Ziel der Berufung auf eine zu errichtende Professur für Liturgiewissenschaft am Priesterseminar in Trier"[10]. Die beiden wichtigsten Etappen auf diesem Weg waren nach Innsbruck Maria Laach und Bonn.

In der Abtei Maria Laach beherbergte das Bistum Trier ein weithin bekanntes liturgisches Zentrum in seinen Grenzen. Dort hatte Abt Ildefons Herwegen 1931 die „Benediktinerakademie für liturgische und monastische Studien" eingerichtet. Es lag nahe, den Trierer Bistumspriester, der als künftiger Liturgikprofessor vorgesehen war, zur Vervollständigung seiner „jesuitischen" Ausbil-

---

[8]   Vgl. Andreas HEINZ, *Heinrich von Meurers (1888–1953). An den Anfängen eines Lebens im Dienst der liturgischen Erneuerung*, in: TThZ 97. 1988, 298–312; Theodor MAAS- EWERD, *Erinnerung an Heinrich von Meurers. Zum 100. Geburtstag eines Förderers liturgischer Erneuerungsbemühungen in Deutschland*, in: LJ 38. 1988, 199–222; Andreas HEINZ, *Heinrich von Meurers (1888–1953). Ein Leben im Dienst der liturgischen Erneuerung*, in: LJ 43. 1993, 94–108; vgl. ferner den Beitrag über Heinrich von Meurers in diesem Band.

[9]   Vgl. Balthasar FISCHER, *Der Niedere Klerus bei Gregor dem Großen. Ein Beitrag zur Geschichte der Ordines Minores*, in: ZKTh 62. 1938, 37–75.

[10] Balthasar FISCHER, *Bistumspriester – Hörer der Laacher Benediktinischen Akademie 1939/ 40. Autobiographische Notizen*, in: *Ecclesia Lacensis. Beiträge aus Anlaß der Wiederbesiedlung der Abtei Maria Laach durch Benediktiner aus Beuron vor 100 Jahren am 25. November 1892 und der Gründung des Klosters durch Pfalzgraf Heinrich II. von Laach vor 900 Jahren*. Hg. v. Emmanuel VON SEVERUS. Münster 1993 (BGAM.S 6) 303–315, hier 303. Zu den folgenden Ausführungen vgl. auch Andreas HEINZ, *Der erste Lehrstuhl für Liturgiewissenschaft an einer deutschen Theologischen Fakultät (Trier 1950)*, in: TThZ 108. 1999, 291–304, bes. 298–304; Nachdruck in: DERS., *Liturgie und Frömmigkeit. Beiträge zur Gottesdienst- und Frömmigkeitsgeschichte des (Erz-)Bistums Trier und Luxemburgs zwischen Tridentinum und Vatikanum II*. Trier 2008, 429–441.

dung eine Zeit lang benediktinische Luft atmen zu lassen. Fischer hat selbst in autobiografischen Notizen darüber berichtet: „So fand ich mich", schreibt er, „einigermaßen klopfenden Herzens am Allerseelentag 1939 zu Füßen von Abt Ildefons Herwegen sitzen, der die etwa sechs Hörer des beginnenden Studienjahres begrüßte. Die Atmosphäre war wohltuend familienhaft, wozu nicht wenig die Herzlichkeit des noch lebenden Koordinators des Studienbetriebs, des damals noch nicht dozierenden späteren Rektors des Liturgischen Instituts von San Anselmo, P. Burkhard Neunheuser, beitrug."[11] In seinem Laacher Studienjahr 1939/40 hörte Fischer neben Abt Ildefons Vorlesungen von P. Hieronymus Frank (1901–1975), P. Hilarius Emonds (1905–1958), P. Odilo Heiming (1898–1988), P. Viktor Warnach (1909–1970) und dem späteren Laacher Abt P. Urbanus Bomm (1901–1982). Neben dem, was diese Gelehrten von Rang den Kursteilnehmern an gediegenem Wissen vermittelten, war es die mitgefeierte Liturgie der Mönchsgemeinschaft, die bleibende Eindrücke hinterließ.

Maria Laach war indes nur der Vorhof für das sich anschließende Habilitationsstudium im nahen Bonn. An der Theologischen Fakultät der dortigen Universität wurde Balthasar Fischer am 7. August 1946 mit der von Theodor Klauser betreuten Untersuchung „Das Psalmenverständnis der Alten Kirche bis Origenes" habilitiert. Da es damals in der deutschen akademischen Landschaft ein eigenständiges Fach „Liturgiewissenschaft" noch nicht gab, wurde die Venia legendi für Alte Kirchengeschichte erteilt, obwohl allen Beteiligten klar war, dass der Habilitierte fortan Liturgik dozieren würde. Mit Fischers viel beachteter Antrittsvorlesung über die „Psalmenfrömmigkeit der Märtyrerkirche" am 14. Dezember 1946 fand das Habilitationsverfahren seinen Abschluss.[12]

2. Dozent am Priesterseminar und erster Lehrstuhlinhaber *für Liturgiewissenschaft in Trier*

Zu diesem Zeitpunkt hatte Fischer bereits begonnen, die ersten Vorlesungen im Priesterseminar in Trier zu halten, das schon wenige Monate nach Kriegsende, im Herbst 1945, seine Tore wieder geöffnet hatte. Als Vorlesungssaal diente ein Flur in einem notdürftig hergerichteten Nebengebäude des kriegszerstörten Seminargeländes. Seine ersten, ihm etwa gleichaltrigen Hörer waren die Kriegsheimkehrer, die – wie Professor Fischer oft erzählte – einen unglaublichen Hunger nach Stille und Studium von der Front mitgebracht hatten. Sie waren die ersten einer ganzen Generation von Trierer Bistumspriestern, die in ihrer Seminarzeit das Glück hatten, von einem kompetenten und mit einer geradezu charismatischen Redekunst begabten Lehrer in den Gottesdienst der Kirche eingeführt zu werden. Bis Mitte der 50er Jahre rechnete das neue Fach „Liturgik" in Trier noch nicht zu den Prüfungsfächern. Doch signalisierte die am 20. Mai 1947 erfolgte Ernennung Fischers zum Professor für Liturgiewissen-

---

[11] Fischer, *Bistumspriester* (wie Anm. 10) 305.
[12] Veröffentlicht unter dem Titel: „Die Psalmenfrömmigkeit der Märtyrerkirche" als separater Faszikel bei Herder (Freiburg/Br. 1949). Leicht bearbeitete französische Fassung: *Le christ dans les psaumes. La dévotation aux Psaumes dans l'Église des Martyrs*, in: MD 27. 1951, 86–109; Nachdruck der deutschen Fassung: *Die Psalmenfrömmigkeit der Märtyrerkirche (1949)*, in: Balthasar Fischer, *Die Psalmen als Stimme der Kirche. Gesammelte Studien zur christlichen Psalmenfrömmigkeit*. Hg. v. Andreas Heinz. Trier 1982, 15–35.

schaft unmissverständlich, dass diese Disziplin in Zukunft auf Dauer zum Lehrangebot der Trierer Philosophisch-Theologischen Hochschule gehören sollte. Liturgik-Dozenturen gab es zu diesem Zeitpunkt auch schon an anderen deutschen Priesterseminaren. Die Vertreter des Faches trafen sich erstmals im April 1947 zu einem Gedankenaustausch, woraus sich – nicht zuletzt durch das Engagement von Balthasar Fischer – die Dauereinrichtung der Arbeitsgemeinschaft der katholischen Liturgikdozenten und -dozentinnen im deutschen Sprachraum entwickelt hat.[13] Dass die Liturgik-Dozentur am Trierer Prieterseminar wenig später in den Rang der ersten Professur für Liturgiewissenschaft an einer deutschen Theologischen Fakultät aufstieg, war keine bewusste hochschulpolitische Entscheidung. Diese bemerkenswerte Aufwertung, die mehr als ein Jahrzehnt vor dem Konzil einen diesbezüglichen Konzilsbeschluss schon erfüllte (vgl. SC 15 und 16), ergab sich mehr oder weniger zwangsläufig aus der Tatsache, dass die Trierer Hochschule im Jahre 1950 die römische Anerkennung als Theologische Fakultät erhielt.[14] Dass Balthasar Fischer an ihr den Lehrstuhl für Liturgiewissenschaft drei Jahrzehnte lang, bis zu seiner Emeritierung am Ende des Sommersemesters 1980, in den bewegten Jahren der umfassenden Gottesdienstreform innehatte, hat zum Ansehen des neuen Faches erheblich beigetragen.

3. Im Dienst der Erneuerung der Liturgie im Heimatbistum, im deutschen Sprachgebiet und auf Weltebene

Wenn nach Verdiensten Fischers um das gottesdienstliche Leben in seinem Heimatbistum gefragt wird, wird man an erster Stelle daran erinnern, dass der Trierer Liturgikprofessor seinen Teil beigetragen hat, als das Bistum Trier 1955 ein neues, aus dem Geist der Liturgischen Bewegung gestaltetes Gesangbuch erhielt. Von 1952–1954 war Fischer Mitglied der vom damaligen Trierer Weihbischof und späteren Diözesanbischof Bernhard Stein (1967–1980) präsidierten Kommission für die Neuausgabe des Trierer Diözesangesang- und -gebetbuches.[15]

Ein herausragendes Ereignis für die Trierer Ortskirche brachte das Jahr 1959. Für die Weltkirche war es das Jahr der Konzilsankündigung; das Bistum Trier stand in den Sommermonaten jenes Jahres im Zeichen der Christuswallfahrt zum „Heiligen Rock".[16] Papst Johannes XXIII. hatte, wovon der Trierer Bischof Matthias Wehr (1951–1966), als er zur Wallfahrt nach Trier einlud, noch nichts ahnen konnte, am 25. Januar 1959 die Welt mit der Ansage eines baldigen Ökumenischen Konzils überrascht. So wurde das kommende Konzil naturgemäß ein wichtiges Gebetsanliegen für die fast zwei Millionen Pilger der

[13] Vgl. Balthasar FISCHER, *Anfänge in Gemeinsamkeit. Erinnerungen eines Beteiligten an die Gründung der Arbeitsgemeinschaft der katholischen Liturgikdozenten (AKL) vor fünfzig Jahren,* in: TThZ 108. 1999. 305–312, bes. 310.

[14] Vgl. HEINZ, *Der erste Lehrstuhl* (wie Anm. 10) 303f.

[15] Vgl. Martin PERSCH, *Das Trierer Diözesangesangbuch von 1846 bis 1975. Ein Beitrag zur Geschichte der Trierer Bistumsliturgie.* Trier 1987 (TThSt 44), 328–362.

[16] Vgl. Martin PERSCH, *„Ein wochenlang hochgestimmtes Christusfest". Organisation und äußerer Ablauf der Wallfahrt zum Hl. Rock 1959,* in: *Der Heilige Rock zu Trier. Studien zu Geschichte und Verehrung der Tunika Christi.* Hg. v. Erich ARETZ [u.a.]. Trier 1995, 427–456.

Trierer Christuswallfahrt. Aber noch in anderer Weise hatte das Trierer Ereignis jenes Jahres schon das Konzil, und speziell dessen erhoffte Liturgiereform, im Visier: In Trier wurden in der Wallfahrtszeit mustergültige Gottesdienste gefeiert. Viele zukünftige Konzilsväter erlebten bei den Eucharistiefeiern im Freien, auf dem sogenannten Pontifikalplatz neben der Konstantin-Basilika, eindrucksvolle Volksgottesdienste. Die Vision vom „Volk Gottes um den Altar"[17], das Leitbild von der lebendig mitfeiernden, aktiv am liturgischen Geschehen teilnehmenden Gemeinde, war hier schon – soweit es die liturgierechtlichen Regeln damals zuließen – Wirklichkeit geworden.

Es war zudem von providentieller Bedeutung, dass das Ende der Trierer Wallfahrtszeit zusammenfiel mit der Internationalen Studienwoche „Mission und Liturgie" in Nijmegen, so dass eine ganze Reihe von Bischöfen aus der Dritten Welt auf dem Weg in die Niederlande in Trier Station machten und die hier empfangenen Eindrücke einer vorbildlichen, nach dem Grundsatz der *participatio actuosa* gestalteten Volksliturgie mitnahmen nach Nijmegen – und drei Jahre später zum Konzil.

Hinter den festlichen Gottesdiensten der Trierer Christuswallfahrt stand die Kompetenz von Fachleuten wie Johannes Wagner, Balthasar Fischer und Adolf Knauber. Von ihnen hat sich vor allem die Gestalt von Professor Fischer den Pilgern und Mitfeiernden eingeprägt. Er stand unter dem Zeltdach der Altarinsel am Mikrofon und erschloss – mit einer wahrhaft pfingstlichen Beredsamkeit mühelos vom Deutschen ins Französische oder Englische wechselnd – den Zwölf- oder Dreizehntausend auf den Rängen als Kommentator die Innenseite der Messe in einer so gewinnenden, auch den einfachsten Gläubigen verständlichen Art, dass man nicht müde wurde, ihm zuzuhören.

Der Kölner Prälat Theodor Schnitzler (1909–1982), wie Fischer einer der maßgeblichen Mitgestalter der liturgischen Erneuerung im Umkreis des Zweiten Vaticanums, sagte später im Rückblick auf die lebendige Volk-Gottes-Liturgie der Heilig-Rock-Wallfahrt 1959: „Das Konzil beginnt in Trier."[18]

Noch in anderer Weise war unbewusst in Trier dem kommenden Konzil vorgearbeitet worden. Das dortige Liturgische Institut pflegte seit seiner Gründung 1947 gute Kontakte zu dem französischen Partnerinstitut, dem Centre national de pastorale liturgique (CNPL; heute: SNPLS), in Paris. Die beiden Institutionen veranstalteten zwischen 1951 und 1960 gemeinsam an verschiedenen Tagungsorten Expertengespräche über zentrale Fragen einer zukünftigen Liturgiereform; Ordo Missae, Perikopenordnung, Konzelebration, Stundengebet, Initiationssakramente waren Gegenstand eingehender Erörterungen.[19] Die Organisation dieser internationalen liturgischen Studientreffen war zwar in erster Linie das Verdienst des damaligen Institutsleiters Johannes Wagner. Doch hatte er in Balthasar Fischer, der bis zu seiner Emeritierung im Jahre 1980 die Wissenschaftliche Abteilung des Deutschen Liturgischen Instituts leitete, einen

---

[17] Unter diesem Titel erschien 1960 erstmals in Leipzig und Trier Fischers Büchlein über die Volksakklamationen bei der Eucharistiefeier; 4., überarb. Aufl. Trier 1984.

[18] Vgl. Balthasar FISCHER, „*Das Konzil beginnt in Trier*" (Theodor Schnitzler) – Die Groß-Gottesdienste und Gebete bei der Bistumswallfahrt 1959, in: TThZ 103. 1994, 293–304.

[19] Vgl. Siegfried SCHMITT, *Die internationalen liturgischen Studientreffen 1951–1960. Zur Vorgeschichte der Liturgiekonstitution*. Trier 1992 (TThSt 53).

idealen Mitarbeiter. Beim Studientreffen über die Christliche Initiation (Monserrat 1958) wirkte dieser auch als Referent mit. Sein glänzender Vortrag über gemeinschaftliche und private Formen der Tauferinnerung im Abendland[20] dürfte mit ein Grund gewesen sein, dass ihm nach dem Konzil die Federführung bei der Erneuerung des Erwachsenen- und Kindertaufritus übertragen wurde.

Es waren nicht nur die auf jenen Tagungen behandelten Inhalte, die in ungeahnter Weise die liturgischen Reformimpulse des kommenden Konzils vorbereiteten. Mindestens genauso wichtig war die Tatsache, dass bei diesen Begegnungen persönliche Kontakte geknüpft wurden. Man kannte sich schon, war gewissermaßen schon ein eingearbeitetes Team, als es wenig später in Rom darum ging, die Konzilsväter zu beraten und in den nachkonziliaren Gremien die Reform durchzuführen.

Balthasar Fischer wurde kurz vor Konzilsbeginn, 1961, in die Vorbereitungskommission für die Ausarbeitung der Liturgiekonstitution berufen, als der Entwurf des Liturgieschemas schon weitgehend redigiert war.[21] Er war nicht unter den von Papst Johannes XXIII. berufenen Konzilstheologen. Doch als das Konzil im Herbst 1962 seine Beratungen mit Fragen der Liturgiereform begann, wurde Fischers Fachkompetenz und besonnener Rat dringend gebraucht. Der damalige Trierer Bischof Matthias Wehr ließ ihn als seinen persönlichen Peritus nach Rom kommen. Im vertrauten Kreis um J.A. Jungmann SJ und an der Seite von Johannes Wagner hat er im Hintergrund seinen Beitrag beim Zustandekommen der am 4. Dezember 1963 mit überwältigender Mehrheit verabschiedeten Liturgiekonstitution geleistet. Noch am gleichen Tag konnte den deutschsprachigen Bischöfen die allererste, in Windeseile von Fischer mitübersetzte deutsche Ausgabe von „Sacrosanctum Concilium" ausgehändigt werden.[22]

Noch war das Konzil nicht zu Ende, als schon die Arbeiten zur Umsetzung der Liturgiekonstitution begannen. Balthasar Fischer hatte maßgeblichen Anteil daran.[23] Er gehörte der 1964 eingerichteten Studiengruppe XVI der Ritenkongregation an. Sie hatte den Auftrag, einen Konzelebrationsritus

---

[20]   Erstveröffentlichung in zwei Teilen: *Formen gemeinschaftlicher Tauferinnerung im Abendland*, in: LJ 9. 1959, 87–94; *Formen privater Tauferinnerung im Abendland*, in: ebd. 157–166. Nachdruck der deutschen Fassung: *Formen gemeinschaftlicher Tauferinnerung im Abendland*, in: Balthasar FISCHER, *Redemptionis mysterium. Studien zur Osterfeier und zur christlichen Initiation*. Hg. v. Albert GERHARDS – Andreas HEINZ. Paderborn [u.a.] 1992, 141–160. Die französische Übersetzung unter dem Titel *Formes de la commémoration du baptême en Occident*, in: MD 58. 1959, 111–134.

[21]   Vgl. Annibale BUGNINI, *Die Liturgiereform 1948–1975. Zeugnis und Testament*. Deutsche Ausgabe hg. von Johannes WAGNER unter Mitarb. v. François RAAS. Freiburg/Br. 1988, 981.

[22]   Vgl. Emil SEILER, *Internationale liturgische Zusammenarbeit im deutschen Sprachgebiet*, in: LJ 40. 1990, 192–210, hier 195. In dem Dokument waren auch die von Fischer maßgeblich mitveranlassten Reformimpulse im Votum der Theologischen Fakultät Trier nicht ohne Echo geblieben; vgl. Andreas HEINZ, *Die liturgischen Reformvorschläge im Votum der Theologischen Fakultät Trier für das Vaticanum II und ihre Resonanz in der Liturgiekonstitution*, in: TThZ 91. 1982, 179–194.

[23]   Zum Folgenden vgl. BUGNINI, *Die Liturgiereform* (wie Anm. 21).

zu erarbeiten. Als Experte für christliche Psalmenfrömmigkeit[24] und durch seine Vorschläge für eine künftige „Brevierreform"[25] war der Trierer Liturgie-wissenschaftler prädestiniert, auch in der Studiengruppe III mitzuarbeiten. Ihre Aufgabe bestand darin, die Verteilung der Psalmen im Stundengebet neu zu regeln. Der Schwerpunkt seiner Mitarbeit aber lag im Bereich der Rituale-reform. Fischer übernahm 1964 als Relator die Leitung der Studiengruppe XXII mit dem Aufgabenbereich „Reform des Rituale Romanum I. Die Feier der Sakramente". Von Anfang an bestand eine enge Zusammenarbeit mit der Arbeitsgruppe XXIII (Sakramentalien), deren Relator P. Pierre-Marie Gy OP (Paris) war. Die Vielfalt der vom Rituale berücksichtigten Gottesdienstformen machte eine Aufteilung der Arbeit auf spezielle Untergruppen notwendig. In der Folge übernahm Balthasar Fischer die besondere Verantwortung für die Er-neuerung der Taufliturgie. Als Relator der Arbeitsgruppe für den vom Konzil verlangten neuen Ritus der Erwachseneninitiation (SC 64) bereitete er der Wie-derherstellung des gegliederten Katechumenats den Weg. Die Zuständigkeit für die weitere Arbeit trat er dann aber schon bald an einen auf diesem Sektor erfahreneren Franzosen ab. Seinen Platz übernahm P. Jacques Cellier, der mit Zustimmung von Kardinal Gerlier in Lyon bereits während der 1950er Jahre einen Erwachsenenkatechumenat auf diözesaner Ebene mit Erfolg eingerich-tet hatte.[26] Fischers Aufmerksamkeit galt in der Folgezeit der Erneuerung des Kindertaufritus. Die entsprechende römische Feierordnung, der „Ordo baptis-mi parvulorum" von 1969, trägt seine Handschrift, ebenso die für das deutsche Sprachgebiet angepasste „Feier der Kindertaufe" von 1971.

Als Balthasar Fischer 1986 sein Goldenes Priesterjubiläum feierte, brachte das Trierer Bistumsblatt „Paulinus" eine Würdigung mit dem Titel: „Professor mit dem Herzen eines Seelsorgers".[27] Der gelehrte Professor besaß in der Tat die bei Akademikern eher seltene Gabe, auch einfache Menschen anzuspre-chen. Er traf selbst im Umgang mit Kindern den richtigen Ton. Zu seinen schönsten Seelsorgserfahrungen gehörten die viele Jahre lang regelmäßig in der Trierer Pfarrei St. Agritius gefeierten Kindermessen.[28] Er brachte deshalb wie wenige andere nicht nur Fachwissen sondern auch Praxiserfahrung mit, als die Gottesdienstkongregation ihm die Funktion des Relators in der 1972 gebildeten Studiengruppe für die Ausarbeitung des „Direktoriums für Meßfei-

[24]　Vgl. die oben in Anm. 12 nachgewiesene Publikation.

[25]　Vgl. Balthasar FISCHER, *Litania ad Laudes et Vesperas. Ein Vorschlag zur Neugestaltung der Ferialpreces in Laudes und Vesper des Römischen Breviers*, in: LJ 1. 1951, 55–74.

[26]　Zu den Fragen um die Erneuerung der Erwachseneninitiation im Umkreis des Zwei-ten Vaticanums vgl. den von mir in einem Gastvortrag am Institut Supérieur de Li-turgie in Paris gegebenen Überblick: Andreas HEINZ, *Les apports de la science liturgique au renouvellement de l'initiation chrétienne*, in: Paul DE CLERCK, *La liturgie lieu théologique*. Paris 1999, 45–66.

[27]　Andreas HEINZ, *Professor mit dem Herzen eines Seelsorgers*, in: Paulinus. Trierer Bistums-blatt v. 3.8.1986, 14.

[28]　Eine der letzten Veröffentlichungen schöpft aus den Erinnerungen an die Kinder-predigten in Trier – St. Agritius; vgl. Balthasar FISCHER, *Kinder-Antworten und Kinder-Anliegen in den Schulgottesdiensten der Egbert-Grundschule aus den Jahren 1952–1976*, in: *Festschrift 50 Jahre Volksschule St. Agritius/Egbert-Grundschule Trier 1950–2000*. Trier 2000, 169–175.

ern mit Kindern" übertrug; kurz darauf wurde er in die Studiengruppe für die
Erarbeitung besonderer „Kinder-Hochgebete" berufen. Fischer durfte es als römische Anerkennung seiner Verdienste um die Liturgiereform betrachten, dass
er am 6. Dezember 1975 zum Konsultor der Kongregation für die Sakramente
und den Gottesdienst ernannt wurde.

In Deutschland war er schon seit 1949 ständiger Berater der bischöflichen
Liturgiekommission. Als 1967 die „Internationale Arbeitsgemeinschaft der Liturgischen Kommissionen im deutschen Sprachgebiet" (IAG) gegründet wurde, gehörte der Trierer Liturgiewissenschaftler von der ersten Stunde an dazu.
Das gilt auch für die ein Jahr später in der Diözese Trier errichtete „Bistums-
kommission für gottesdienstliche Fragen".

4. Verdienste in Forschung und Lehre

Voluminöse Hand- und Sachbücher hat Balthasar Fischer nicht hinterlassen.
Seine Innsbrucker Dissertation erschien 1938 in Form eines Zeitschriftenauf-
satzes.[29] Die an Pfingsten 1944 eingereichte Bonner Habilitationsschrift blieb
kriegsbedingt ungedruckt.[30] Wenn in den 35 Jahren der Trierer Lehrtätigkeit
eine größere Monografie nicht zustandekam, hing das zweifellos damit zusammen, dass die besten Jahre dieses Gelehrtenlebens zusammenfielen mit der
Arbeit an der umfassendsten Gottesdienstreform, die die römische Kirche in
ihrer nunmehr fast 2000-jährigen Geschichte erlebt hat. Diese Arbeit hatte
Priorität; sie hat die Kräfte der Tüchtigsten über Jahre hinweg voll beansprucht.
Fischer hat sich uneigennützig beanspruchen lassen und sich unter Verzicht
auf Forschungsprojekte und größere Publikationen ganz in den Dienst der Trierer Orts- und katholischen Weltkirche und der Erneuerung ihres Gottesdienstes gestellt.

Es lag aber wohl auch an Fischers Persönlichkeitsstruktur. Er war nicht
der Typ eines Stubengelehrten. Seine große Stärke war das gesprochene
Wort. Die pastoralliturgischen Bändchen aus seiner Feder „Was nicht im
Katechismus stand"[31], „Volk Gottes um den Altar"[32], „Von der Schale zum

---

[29] Vgl. oben Anm. 9.

[30] Wesentliche Teile erschienen anlässlich von Fischers 70. Geburtstag unter dem Titel
Studien zu ausgewählten Psalmen in dem von mir herausgegebenen Sammelband mit
Studien zur christlichen Psalmenfrömmigkeit; vgl. oben Anm. 12; ebd. 153–223.

[31] Vgl. Balthasar FISCHER, *Was nicht im Katechismus stand. Fünfzig Christenlehren über die Liturgie der Kirche*. Trier 1952; ⁸1961; japan. Übers.: Nagoya 1955; italien. Übers.: *Quel
che il Catechismo non dice. Conversazioni liturgiche*. Brescia 1956; Span. Übers.: *Lo que no
estaba en el Catecismo. 50 Lecciones sobre la Liturgia de la Iglesia*. Buenos Aires 1957; Engl.
Übers.: *Questions the Catechism didn't answer. 50 catechetical instructions on the liturgy of the
Church*. Collegeville 1958.

[32] Vgl. Balthasar FISCHER, *Volk Gottes um den Altar. Die Stimme der Gläubigen bei der eucharistischen Feier*. Leipzig 1960; Trier 1960; 3., völlig umgearb. Aufl., Trier 1970; 4. überarb.
Auflage, Trier 1984. Engl. Übers.: *God's People about the Altar. The Voice of the Faithful
at the Eucharistic Celebration*. Collegeville 1961; Franz. Übers.: *Le peuple de Dieu autour
de l'autel*. Paris 1963 (Esprit liturgique 20); Niederl. Übers.: *Het volk van God rond het
altaar. De stem van de gelovigen bij de eucharistische viering*. Antwerpen 1964; Span. Übers.:
El pueblo de Dios en torno al altar. La voz de los fieles en la celebración eucaristica. Estella 1965
(Coleccion Plebs Sancta 2); Ital. Übers.: *Il popolo di Dio attorno all'altare*. Brescia 1966
(Liturgia e Vita 1).

Kern"[33] und die Psalmenmeditationen „Ich will dich suchen von Tag zu Tag"[34] sind eines wie das andere geronnene Rede mit all der sympathischen Frische, die das lebendig gesprochene Wort auszeichnet. Sein rhetorisches Talent hat Professor Fischer nicht vergraben, sondern im biblischen Sinn damit „gewuchert". Die Studierenden und die zahlreichen Nachwuchswissenschaftler, die er zur Promotion (35) und Habilitation (4) geführt hat, haben ihn als begnadeten akademischen Lehrer erlebt. Er ist zu Vorträgen und Vorlesungsreihen nach Brüssel (Lumen vitae), Jerusalem und mehrfach in die Vereinigten Staaten eingeladen worden. Professor Fischer war ein begehrter Referent auf zahllosen Tagungen, Akademieveranstaltungen, Konferenzen und Kongressen.

Sein dankbarstes Auditorium hat er sich selbst geschaffen. Es waren dies die Hörerinnen und Hörer der von 1965–1975 veranstalteten liturgiewissenschaftlichen Studienkurse am Liturgischen Institut Trier.[35] Etwa 150 Studierende aus aller Welt haben den einjährigen Kurs absolviert. Es gingen von dieser Initiative Impulse der gottesdienstlichen Erneuerung aus, die durch die große Schar der Fischer-Schüler weiterwirken an allen Ecken und Enden der Welt.

Es ist aber keineswegs so, dass das nachgelassene literarische Werk nicht erwähnenswert wäre. Die Gesamtbibliografie umfasst immerhin nahezu 300 Titel.[36] Fischers wegweisende Studien zur Christologisierung des Psalters sind bis heute in der Diskussion um ein sachgerechtes, christliches Verständnis der Psalmen präsent. Nachdem die wichtigsten Beiträge zu diesem „Lebensthema" schon 1982 anlässlich des 70. Geburtstags in einem Sammelband erschienen waren,[37] haben seine Schüler zwei weitere, für das breitgefächerte wissenschaftliche Interesse ihres Lehrers charakteristische Aufsatzsammlungen herausgebracht: „Redemptionis mysterium. Studien zur Osterfeier und zur christlichen Initiation" (1992)[38] und „Frömmigkeit der Kirche. Gesammelte Studien zur christlichen Spiritualität" (2000).[39]

Auswahlbibliografie

Der Niedere Klerus bei Gregor dem Großen. Ein Beitrag zur Geschichte der Ordines Minores (Innsbrucker kath.-theol. Diss.), in: ZKTh 62. 1938, 37–75.

Die Psalmenfrömmigkeit der Märtyrerkirche. Freiburg/Br. 1949. Nachdr. in: ThJ 1960, 35–351. Franz. Übers. (leicht bearbeitet): *Le Christ dans les Psaumes. La dévotion aux Psaumes*

---

[33] Vgl. Balthasar FISCHER, *Von der Schale zum Kern. Kurzansprachen zu Zeichen und Worten der Liturgie.* Einsiedeln [u.a.] 1979; ³1981; Slowenische Übers.: *Od lupine k jedru.* Ljubljana 1982; Engl. Übers.: *Signs, words and gestures.* Collegeville 1990.

[34] Vgl. Balthasar FISCHER, *Dich will ich suchen von Tag zu Tag. Meditationen zu den Morgen- und Abendpsalmen des Stundenbuches.* Freiburg/Br. 1985; ³1990. Ein unveränderter Nachdruck erschien 2001.

[35] Vgl. Artur WAIBEL, *Die Studienkurse des Liturgischen Instituts Trier,* in: LJ 40. 1990, 211–227.

[36] Sie ist veröffentlicht in dem Sammelband *Redemptionis mysterium* (wie Anm. 20) 277–290. Die dort nicht erfassten Veröffentlichungen des letzten Jahrzehnts sind in HEINZ, *Balthasar Fischer zum Gedächtnis* (wie Anm. 3) 135–137 nachgewiesen.

[37] Vgl. Anm. 12.

[38] Vgl. Anm. 20.

[39] Hg. von Albert GERHARDS – Andreas HEINZ. Bonn 2000 (Hereditas 17).

dans l'Eglise des Martyrs: MD 27. 1951, 86–109. Engl. Zusammenfassung: *Christ in the Psalms, in:* Theology Digest 1 (St. Mary's, Kansas USA 1953) 53–57.

Das Rituale Romanum (1614–1964). Das Schicksal eines liturgischen Buches, in: TThZ 73. 1964, 257–271.

Die pastoralen Anliegen der Liturgie-Konstitution, in: LJ 15. 1965, 65–78. Franz. Übers.: *La porté pastorale de la Constitution sur la Liturgie,* in: LV 20. 1965, 245–258.

Die neuen römischen Riten der Erwachsenen- und Kindertaufe, in: *Taufe und Firmung.* Hg. im Auftrag der ökumenischen Kommission der deutschen Bischofskonferenz, Sektion Kirchen des Ostens, von Ernst C. SUTTNER. Regensburg 1971, 165–177.

Wissenschaft vom christlichen Gottesdienst. Zum Verhältnis der Liturgiewissenschaft zu ihren Nachbardisziplinen. Prof. Dr. Ignaz Backes zum 75. Geburtstag, in: TThZ 83. 1974, 246–251.

Feier unserer Erlösung. Gesammelte Beiträge zum Fragenkreis „Gottesdienst und Seelsorge". Hg. von Hugo AUFDERBECK – Martin FRITZ. Leipzig 1979 (Pastoralkatechetische Hefte 61).

Die Psalmen als Stimme der Kirche. Gesammelte Studien zur christlichen Psalmenfrömmigkeit. Hg. v. Andreas HEINZ. Trier 1982.

Volk Gottes um den Altar. 4., überarbeitete Aufl. Trier 1984.

Die Grundaussagen der Liturgie-Konstitution und ihre Rezeption in fünfundzwanzig Jahren, in: Korrespondenzblatt des Canisianums (Innsbruck) 122. 1988/89, 2–9; span. Fassung: *A los veinticinco años de la Constitucioón de Liturgia. La recepción de sus principios fundamentales,* in: Phase 170. 1989, 89–103; portugiesische Übersetzung in: Boletin de Pastoral Liturgica (Aveiro) 1989, 107–120; Wiederabdruck der deutschen Fassung in: *Gottesdienst – Kirche – Gesellschaft. Interdisziplinäre und ökumenische Standortbestimmungen nach 25 Jahren Liturgiereform.* Hg. v. Hansjakob BECKER – Bernd Jochen HILBERATH – Ulrich WILLERS. St. Ottilien 1991 (PiLi 5), 417–428.

Redemptionis mysterium. Studien zur Osterfeier und zur christlichen Initiation. Hg. v. Albert GERHARDS – Andreas HEINZ, Paderborn u.a. 1992.

Frömmigkeit der Kirche. Gesammelte Studien zur christlichen Spiritualität. Hg. v. Albert GERHARDS – Andreas HEINZ, Bonn 2000 (Hereditas 17).

Hieronymus Paul Frank OSB (1901–1975)

Stefan K. Langenbahn

1. Der autobiografische Rückblick „Aus meinem Leben"
Wer den im Archiv der Abtei Maria Laach aufbewahrten
Nachlass Hieronymus Franks einzusehen Gelegenheit
hat, wird über die bescheidene Zahl der Dokumente
erstaunt sein[1] und noch mehr über deren Unergiebig-
keit, wenn es um die Aufgabe geht, das Ineinander von
Lebensgeschichte und Werkentwicklung des Laacher
Mönchs und Liturgiewissenschaftlers nachzuzeichnen.
Allein ein unscheinbares Schulheft verspricht Hilfe; auf
seinem Deckblatt vermerkt eine nicht mehr feste Handschrift: „Aus meinem Leben".

Wahrscheinlich 1972 oder im darauf folgenden Jahr verfasste Hieronymus
Frank im Wissen um den voranschreitenden körperlichen Verfall diese auto-
biografische Skizze. Sie setzt ein mit den einfachen, vom Glauben getragenen
Worten: „Da der Tag nicht fern zu sein scheint, an dem mich Gott der Herr aus
diesem irdischen Leben in das ewige Leben abrufen wird, so sei aus meinem zu
Ende gehenden irdischen Leben Einiges erwähnt" [1].[2]

Die Aufzeichnungen, die in dem sonst unbeschriebenen Heft kaum über
zehn Seiten hinausreichen, stellen die wichtigste Quelle zur Biografie und zum
Selbstverständnis H. Franks dar und können einen Sonderrang gegenüber den
bislang nur spärlich publizierten Äußerungen zu seinem Leben und Schaffen
beanspruchen: Sämtlich nach seinem Tode veröffentlicht, sind dies im Wesentlichen eine Würdigung aus der Feder seines Mitbruders Emmanuel v. Severus,[3]
der anonyme Nachruf in der „Chronik aus Maria Laach"[4] sowie ein knapper Bericht des Trierer Liturgiewissenschaftlers Balthasar Fischer.[5]

[1] Dieser Nachlass, ungeordnet geblieben und in einer Kapsel mit der Aufschrift „R.P.
Hieronymus Frank. Briefe. Manuskripte" verwahrt, besteht in der Hauptsache aus
Vorlesungsmitschriften, Briefen und Franks Forschungen betreffenden Schriftstü-
cken. Im Folgenden wird auf einzelne Dokumente verwiesen. Ich danke dem Archivar der Abtei Maria Laach Basilius Sander OSB für die Möglichkeit, den Nachlass zu
sichten.

[2] Aus meinem Leben: Heft 20,5 cm x 16,5 cm, nachträglich paginiert. Die Zahlen in
eckigen Klammern verweisen auf diese Seitenzählung. Zur Datierung des Berichts
vgl. die Bemerkung: „Die Neugestaltung der Meßliturgie durch das 2. Vatik. Konzil
erlebte ich noch zum Teil, bis ich Anfang 1971 durch das für mich plötzlich auftretende Herzleiden auf seelsorgliche und liturgiewissenschaftliche Tätigkeit verzichten
mußte." [8].

[3] Emmanuel v. SEVERUS, *In memoriam P. Hieronymus Frank. † in Maria Laach am 15. März
1975*, in: SMGB 87. 1976, 452f; bis auf die einleitenden Sätze ist der Text identisch
mit der Einführung zur Bibliografie (vgl. Anm. 7).

[4] *Chronik aus Maria Laach 1975*. Maria Laach 1976, 3–5.

[5] Balthasar FISCHER, *Bistumspriester – Hörer der Laacher Benediktinischen Akademie 1939/40.
Autobiographische Notizen*, in: *Ecclesia Lacensis. Beiträge aus Anlaß der Wiederbesiedlung der
Abtei Maria Laach durch Benediktiner aus Beuron vor 100 Jahren am 25. November 1892 und*

Wie gleich der zweite Satz zeigt, hat Frank seine „Vita" wenigstens noch einmal überarbeitet: „Es war ein schönes, reiches Leben, für das ich Gott nun danke und immer wieder danken kann", schreibt er, wobei er im Korrekturgang – sich durch dunkle Tinte abhebend – das „kann" in ein „darf" abänderte, und das „darf" schließlich durch ein „muss" ersetzte. Mehr als die sich wandelnde Aussage selbst – als hinge von der Wahl des Modalverbs nicht eine ganze Theologie ab! –, erweisen ihn diese „Verbesserungen" als einen kleinteilig Arbeitenden und peinlich Worte Wägenden. Hier steht weder ein Heiligen- noch ein Heldenleben zu erwarten, und es hat zweifelsohne außerhalb der Vorstellungskraft Hieronymus Franks gelegen, dass seine Aufzeichnungen je einem größeren Leserkreis bekannt würden. Vielmehr dürfte ihm bei der Niederschrift jener Mitbruder vor Augen gestanden haben, der einmal sein Nachgelassenes ordnen sollte. In einer Klammer nämlich verbirgt er den Hinweis darauf, was in der Rückseite seines Schreibtisches und was in einer kleineren schwarzen Ledertasche zu finden ist. Dass diese Sorgfalt nicht umsonst war, belegen roten Anstreichungen dort, wo vom Aufbewahrungsort der Sonderdrucke, „meiner c. 28 Abhandlungen" [4] und „einer Bibliographie meiner Arbeit" [4][6] die Rede ist. Die Benutzerspuren können auf den bereits erwähnten Emmanuel v. Severus zurückgeführt werden, langjähriger Prior von Maria Laach und von 1937 bis zu seinem Tod 1993 Archivar der Abtei. Er wird die genannten Materialien für die Franksche Bibliografie beigezogen haben, die unter dem trefflichen Titel „Im Kleinen das Zeugnis des Großen suchen" 1978 publiziert wurde;[7] sie umfasst 50 bibliografische Einheiten.

Wie sehr Franks Aufzeichnungen auch dem Wunsch entsprungen sind, „der Nachwelt" etwas von seinem Lebensweg zu vermitteln, so zielt der Bericht dennoch nicht auf wissenschaftlichen Selbst- oder Nachruhm: Das war nicht die

---

der Gründung des Klosters durch Pfalzgraf Heinrich II. von Laach vor 900 Jahren 1093. Hg. von Emmanuel v. SEVERUS. Münster 1993 (BGAM.S 6), 303–315, hier 308f.

[6]   Die Liste findet sich heute in der Bibliothek der Abtei Maria Laach, in der die Sonderdrucke verwahrenden Kapsel mit der Aufschrift „Frank, Hieronymus, 1. Exemplar", darin auch das Kuvert mit dem „Verzeichnis der Untersuchungen von fr. Hieronymus"; „fr." steht für „frater" („Bruder"), nach Klosterbrauch bei Selbstbezeichnung verwendet (statt der sonst üblichen Anrede mit „Pater").

[7]   Vgl. Emmanuel v. SEVERUS, Im Kleinen das Zeugnis des Großen suchen. Bibliographie Dr. phil. Hieronymus Paul Frank OSB, in: ALw 19. 1978, 89–97; hier ist unterdessen eine Nummer nachzutragen (vgl. unten Anm. 68). Der gesamte Jahrgang 19 des ALw ist Hieronymus Frank gewidmet, wobei die Widmung als aufschlussreiche Kurzcharakterisierung Aufmerksamkeit verdient: „P. Dr. phil. Hieronymus P. Frank OSB (1901–1975) / Mitarbeiter am Jahrbuch und Archiv für Liturgiewissenschaft seit 1934 / Mitbegründer des Abt-Herwegen-Instituts / dem gewissenhaften und kritischen Forscher / dem verantwortungsbewussten Lehrer der Kirchengeschichte und Liturgiewissenschaft an der Laacher Benediktinerakademie und Ordenshochschule seit 1931 / dem gütigen Seelsorger und selbstlosen Freund in Dankbarkeit"; ebd. ungezählte S. 5. Auf diese Publikationsliste wird in den einschlägigen Repertorien verwiesen: Niels Krogh RASMUSSEN, Bibliographies of Liturgists: A Second Supplement, in: ALw 19. 1978, 134–139, hier 135, Nr. 105, und ebenso bei Anthony WARD – Cuthbert JOHNSON, Orbis liturgicus. Repertorium peritorum nostrae aetatis in re liturgica. Who's Who in Contemporary Liturgical Studies. Répertories des chercheurs contemporains en études liturgiques. Roma 1995 (BEL.S 82; Instrumenta Liturgica Quarreriensia 5), 650, Nr. 745.

Art Hieronymus Franks. Vielmehr eignet dem biografischen Resümee als Dokument „selektiver Erinnerung" und ohne literarischen Anspruch verfasst, ein hoher Grad an Ehrlichkeit und Authentizität und bildet daher einen willkommenen Leitfaden, Leben und Werk des Laacher Liturgiewissenschaftlers darzustellen.

2. Herkunft, Berufung, Studien

Der Anfang der „Apologia pro vita sua" Paul (so sein Taufname) Franks, am 23. September 1901 in Saarwellingen (damals Rheinprovinz, heute Saarland) geboren und „aus einem frommen Elternhause stammend",[8] gilt seiner Familie, Schulzeit und geistlichen Berufung. „Zwar ist mein Vater, Volksschullehrer Franz Frank, früh gestorben und die Mutter hatte es bei einer monatlichen Rente von 28 Reichsmark nicht leicht uns drei Kinder – außer mir meine Schwester Marianne und meinen Bruder Erich – großzuziehen. Sie hielt in Saarbrücken einen Mittagstisch. Ich durfte studieren und absolvierte 1920 das humanistische Ludwigs-Gymnasium in Saarbrücken. Reiche religiöse Anregung gab meinen Freunden und mir die ‚marianische Jünglingskongregation' der Pfarrei St. Joseph in Saarbrücken, die eine große Zahl theologischer Berufe weckte. Es war mir früh klar, daß ich Theologie studieren werde. Der Entschluß Benediktinermönch zu werden, war mir deshalb schwer, weil ich dann als Mönch nicht für meine Mutter sorgen könne. Doch entschloß ich mich für das Mönchsleben. Und Gottes Liebe fügte es, daß ich später die Mutter immer wieder unterstützen konnte, vor allem dank der großen Freigiebigkeit meines Abtes Ildefons Herwegen. Er besaß eine wahrhaft vornehme Art zu schenken. Jedes Mal, wenn meine Mutter sich bedankte, schickte Abt Ildefons einen freundlichen Gegengruß. Im 2. Weltkrieg vertrat ich 2½ Jahre den Pfarrer Josef Zilliken in Wassenach, der den Feldmarschal H. Göring nicht gegrüßt hatte und deshalb ins KZ Dachau kam, wo er 1942 70 Jahre alt starb. Ich durfte die Pfarrei Wassenach weiter verwalten und Mutter und Schwester, die in Saarbrücken ausgebombt worden waren, zu mir nehmen, daß sie mir den Pfarrhaushalt führten. Abt Ildefons begrüßte diese sowohl für Mutter und Schwester wie auch für mich günstige Lösung der Haushaltsfrage" [1f].[9]

Der letzte, von der Chronologie abschweifende Gedanke zeigt, wie sehr die Fürsorge um seine Mutter Anna Frank, geb. Riehtmüller, den Mönch beschäftigte. Von ihrer christlichen Gläubigkeit hatte „der junge Paul seine dauernde Prägung"[10] erhalten. Nach ihr geht sein Blick auf Abt Ildefons Herwegen, den „ehrwürdigen Vater", an den die meisten im Nachlass erhaltenen Briefe adressiert sind.[11] „Doch zurück zu der Zeit, da ich mich entschloß, Benediktiner-

---

[8]   v. SEVERUS, *Im Kleinen* (wie Anm. 7) 89.

[9]   Nur wenige Briefe der Mutter an ihren „lieben Hieronymus-Paul" werden im Nachlass verwahrt. Sie datieren aus den zwanziger Jahren des 20. Jahrhunderts. Auch an späterer Stelle wird Frank nochmals auf seine Mutter zu sprechen kommen [8].

[10] *Chronik aus Maria Laach 1975* (wie Anm. 4) 4. Die Chronik erwähnt, dass der Stipendiat des Saarbrücker Ludwigs-Gymnasiums „schon früh seinen Mann gegen die Angriffe andersdenkender Lehrer und Mitschüler" gestanden habe (vgl. ebd.).

[11] Wie stolz er auf seinen Abt war, mag die Auflistung der akademischen Titel Herwegens verraten, wo es lediglich um die von diesem herausgegebene Reihe geht, in der Franks Dissertation erschienen ist. Allerdings ist diese Verehrung nicht ohne Brüche

mönch zu werden. Ich glaubte, es sei Gottes Wille, und trat nach dem Abitur um Ostern 1920 in Laach ein. Auf das Postulat und sich anschließende Noviziat schaue ich mit Freude und Dank zurück. In P. Albert Hammenstede hatten wir einen weisen, lebenserfahrenen und gütigen Novizenmeister. Selbst Kölner verstand er es, seine Lehre mit ‚Kölschem Humor‘ zu würzen. Mir sagte er einmal: ‚Fragen Sie nicht zuviel die Oberen, sonst bekommen sie zuviele Antworten.‘ P. Albert und Abt Ildefons führten uns in das Verständnis der Liturgie und besonders das Leben an sich ein." [2]

Frank erwähnt nicht eigens, dass Vorträge der Laacher Benediktiner Albert Hammenstede (1876–1955) und Willibrord Ballmann (1875–1952) – 1919 in Trier gehalten – zur Wahl des Klosters beigetragen hatten.[12] Der 18-Jährige stand seitdem in Korrespondenz mit Hammenstede. Zu Franks Bericht sind noch die Daten nachzuliefern: Am 24. April 1920 eingetreten, begann er sein Noviziat am 24. Oktober 1920; am 6. Dezember 1921 legte er seine zeitliche Profess ab, auf die am 5. Oktober 1924 das feierliche Gelübde folgte. Als er in die Klostergemeinschaft aufgenommen wurde, hatte Ildefons Herwegen dieser seit etwa einem Jahrzehnt das Programm der „Liturgischen Erneuerung" vorgegeben, und Frank erlebte nun „das mächtige Aufblühen der Liturgiewissenschaft ebenso wie das von großem Idealismus getragene Apostolat im Dienste der liturgischen Erneuerung"[13]. Mit Burkhard Neunheuser (1903–2003), Emmanuel von Severus und Athanasius Wintersig (1909–1970) gehörte H. Frank zur zweiten, jüngeren Generation von Mönchen, die der Laacher Abt in seiner „Kloster-Akademie" und zugunsten des liturgischen Apostolats seiner Abtei ausbilden wird.[14]

Die im Lebensrückblick folgende Passage [2f] widmet Frank seinen Studien der Philosophie und Kirchengeschichte in Laach und ab Oktober 1923 der Theologie in Beuron und erinnert sich dabei – stets lobend – einiger Kommilitonen und Lehrer.[15] Nach der Priesterweihe ermöglichte Abt Ildefons auch ihm

---

gebliebenen. Er berichtet gegen Ende seines Biogramms von einem Vorfall, als er „das cholerische Temperament von Abt Ildefons Herwegen zu spüren bekam" [10].

[12]   Vgl. v. SEVERUS, *Im Kleinen* (wie Anm. 7) 89. *Chronik aus Maria Laach 1975* (wie Anm. 4) 4. Zu Hammenstede vgl. Albert HAMMENSTEDE, *Erinnerungen eines Laacher Mönches. Autobiographische Aufzeichnungen.* Bearbeitet von Radbert KOHLHAAS, hg. von Ambrosius LEIDINGER. Maria Laach 1996 (Weg, Wahrheit, Leben/Laacher Hefte 2).

[13]   v. SEVERUS, *Im Kleinen* (wie Anm. 7) 89.

[14]   Vgl. z.B. den Überblick bei Emmanuel v. SEVERUS – Detlef JANKOWSKI, *Laach, seit 1863 Maria Laach*, in: *Die Männer- und Frauenklöster der Benediktiner in Rheinland-Pfalz und Saarland.* In Verbindung mit Regina Elisabeth SCHWERDTFEGER bearbeitet von Friedhelm JÜRGENSMEIER. St. Ottilien 1999 (GermBen 9), 308–341 [Literatur!], hier bes. 317–322.

[15]   Von seinen Laacher Mitbrüdern erwähnt er P. Augustinus Böhmer (1885–1930), P. Justin Dhein (1900–1985) und (den späteren Laacher Organisten) P. Anselm Ross, die mit ihm das erste Gelübde abgelegt hatten; vgl. *Chronik von Maria Laach. Mariä Himmelfahrt bis Weihnachten. Maria Laach 1921*, 7. Unter den Laacher Dozenten hebt er einen namentlich hervor: „Mich beeindruckte in Laach besonders die Kirchengeschichte des Spätmittelalters, der Reformation und der neueren Zeit – P. Stephan Hilpisch lehrte sie." [3]; zu Hilpisch (1894–1971), ebenfalls Schüler Wilhelm Levisons in Bonn und – anders als Frank – ein Lehrer, der die Darstellung der großen Entwicklungslinien über das Detail stellte, vgl. Pius ENGELBERT, *Zwei bedeutende Laacher*

ein Zweitstudium; den Ausschlag dafür gaben Franks „beharrlicher Fleiß, sein lebendiges philologisches und historisches Interesse, das schon früh sich offenbarende ererbte pädagogische Talent"[16]: „Nach der am 22. Aug. 1926 in Maria Laach durch Bischof Bornewasser von Trier empfangenen Priesterweihe [...] wurde ich Ostern 1927 zum Studium der Geschichte an der Universität Bonn bestimmt – ich sollte später hier an der Laacher Hochschule Kirchengeschichte lehren. Prof. Wilhelm Levison regte mich zu einer Dissertation ‚Die Klosterbischöfe des Frankenreichs' an" [3].

In Bonn traf Frank namhafte Professoren, die seinen wissenschaftlichen Stil nachhaltig formten: Bei Fr. Oertel hörte er alte Geschichte, lateinische Philologie bei E. Bickel; bei F. J. Dölger belegte er Alte Kirchengeschichte und bei A. Baumstark Liturgiegeschichte. „Von W. Levison, der P. Hieronymus das Thema seiner Doktorarbeit stellte [...], gilt allerdings, daß er der Lehrer war, der auf ihn nicht nur den stärksten Einfluß ausübte, sondern geradezu für seine Veranlagung der besonders geschaffene und befähigte Lehrer war. [...] Er verdankte ihm die Überwindung einer gewissen Ängstlichkeit und die Neigung zu unermüdlicher kritischer Kleinarbeit."[17]

Am 11. November 1931 wurde er bei Levison (1876–1947) promoviert.[18] Seine ein Jahr später publizierte Dissertation[19] bildet die erste Nummer seiner Bibliografie; noch dreißig Jahre später verfasste er als *der* Fachmann das Lemma „Klosterbischöfe" im „Lexikon für Theologie und Kirche".[20] Im Nachlass befindet sich ein Kuvert, in dem Frank die Besprechungen seiner Doktorarbeit gesammelt hat:[21] Sie ist seine einzige Monografie geblieben.

Historiker: Paulus Volk und Stephan Hilpisch, in: *Ecclesia Lacensis* (wie Anm. 5) 347–360, hier 354–360. Von den Beuroner Dozenten erwähnt er gesondert P. Benedikt Baur (später Erzabt; 1877–1963), P. Anselm Manser (1876–1951) und Godehard Glocker. „P. Adalbert von Neipperg war unser guter, selbst noch jugendlicher Präfekt" [3]; vgl. zu Neipperg (1890–1948): Benedikt PAHL, *Abt Adalbert von Neipperg (1890–1948) und die Gründungs- und Entwicklungsgeschichte der Benediktinerabtei Neuburg bei Heidelberg bis 1949.* Münster 1997 (BGAM 45), bes. 45–50. Zwei Hefte im Nachlass von Hieronymus Frank dokumentieren die Vorlesungen, die er 1923 in „Kirchengeschichte" und 1923/24 in den Fächern Philosophie, „Liturgik" und Patrologie gehört hatte.

16 v. SEVERUS, *Im Kleinen* (wie Anm. 7) 89.

17 v. SEVERUS, *Im Kleinen* (wie Anm. 7) 89.

18 Vgl. auch „Das Verzeichnis der Dissertationen im Fach der Geschichte" bei Paul Egon HÜBINGER, *Das Historische Seminar der Rheinischen Friedrich-Wilhelms-Universität zu Bonn. Vorläufer – Gründung – Entwicklung. Ein Wegstück deutscher Universitätsgeschichte.* Bonn 1963 (BHF 20) 313–409, hier 372.

19 Vgl. Hieronymus FRANK, *Die Klosterbischöfe des Frankenreiches.* Münster 1932 (BGAM 17). 1934 lieferte er noch zwei Arbeiten nach, die eine zur Frage: *Hariolf, der Gründer der Abtei Ellwangen, ein Klosterbischof?*, in: SMGB 52. 1934, 252–254, die andere über: *Der hl. Korbinian ein Klosterbischof?*, in: Kleine Veröffentlichungen des Histor. Vereins Freising 1934, H. 2,1–4; vgl. dazu Lothar VOGEL, *Vom Werden eines Heiligen. Eine Untersuchung der Vita Corbiniani des Bischofs Arbeo von Freising.* Berlin – New York 2000 (AKG 77), 103f.

20 Vgl. Hieronymus FRANK, *Klosterbischöfe*, in: LThK 6. 1961, 346f. Noch in der dritten Auflage des LThK eröffnet seine Doktorarbeit die beigefügte Literaturliste: Georg JENAL, *Klosterbischöfe*, in: LThK 6. 1997, 144f.

21 In eckiger Klammer vermerkt er: „Eine Vergleichung der Rezensionen meiner Dissertation ist in mancher Hinsicht lehrreich" [4].

3. Der Liturgiewissenschaftler Frank

3.1 Der historisch-kritischen Methode und der Philologie verpflichtet

Nach der Rückkehr aus Bonn wurde Frank in seinem Heimatkloster in den für ihn vorgesehenen Aufgabenfeldern eingesetzt: „Schon 1933 begann ich hier in Maria Laach an der philosophischen Hochschule die Vorlesungstätigkeit unter Geschichte der alten Kirche und des frühen Mittelalters. Zu dem Fach kam dann um 1933 an der Laacher Akademie die Vorlesungstätigkeit in Liturgiegeschichte. Diese lag mir weit mehr als die Kirchengeschichte" [4].[22]

Der Trierer Liturgiewissenschaftler Balthasar Fischer, 1939/40 Hörer der Laacher Akademie, berichtet, wie sehr Frank von seinem Studium in Bonn geprägt worden war: „Man spürte die Bonner Schule, durch die unser Dozent gegangen war, und die er nicht genug zu rühmen wusste, vor allem seinen verehrten Lehrer und Doktorvater Wilhelm Levison"[23]. Nicht anders urteilte Emmanuel v. Severus, der Frank als Laacher Mitbruder und Bonner Mitstudent aus nächster Nähe kannte:

„Der von der klassischen Philologie herkommende Historiker Levison entwickelte in seinem Schüler den Sinn für peinliche Genauigkeit und die schließlich auch von P. Hieronymus erfolgreich gehandhabte Methode scharfsinniger, genauer und wohlfundierter Untersuchungen, die sich später mit Vorliebe Echtheitsfragen patristischer und liturgischer Texte und genetischen Problemen einzelner Riten zuwandten."[24]

Fischers wie v. Serverus' Beobachtungen werden durch Franks Nachlass anschaulich belegt: Wenn das im Laacher Klosterarchiv Aufbewahrte nur halbwegs repräsentiert, was der Mönch selbst für sich auf seiner Zelle für erhaltenswert erachtet hat, nehmen die Unterlagen aus seinen Bonner Jahren breiten Raum ein: von Vorlesungsmitschriften[25] angefangen bis zu Fotografien, die zeigen, wie in Ermangelung anderer Möglichkeiten der Vervielfältigung damals in den philologischen Seminarübungen gearbeitet wurde.

Frank verstand sich demnach zuerst als Forscher, der die in Bonn erlernten Methoden der Philologie und Geschichtswissenschaften auf „seine" Arbeitsfelder anwendete. Diese verdankten sich seinem klösterlichen Lebensumfeld. In der (immer noch anhaltenden) Diskussion um die vor- oder nachbenediktini-

---

[22]   Zur Philosophischen Hochschule: Burkhard Neunheuser, *Die Philosophische Hochschule der Abtei Maria Laach 1894/95–1965/66*, in: *Ecclesia Lacensis* (wie Anm. 5) 240–263, zu Frank als Schüler und Dozent: 260f. Zur Benediktinerakademie für liturgische und monastische Studien (1931–1941) vgl. Fischer, *Bistumspriester* (wie Anm. 5). Eine Anmerkung zur Kirchengeschichtsvorlesung Franks verdankt sich dem Montserrater Benediktiner Alexander Olivar, *Warum ich mein erstes Buch der Laacher Klostergemeinde gewidmet habe*, in: *Ecclesia Lacensis* (wie Anm. 5) 264–271, hier 269: „Besonders die Ausführungen des Pater Hieronymus Frank [...] über die Geschichte der alten Kirche erregten meine Aufmerksamkeit."

[23]   Fischer, *Bistumspriester* (wie Anm. 5) 309.

[24]   v. Severus, *Im Kleinen* (wie Anm. 7) 89.

[25]   Im Nachlass haben sich einige von H. Franks Vorlesungsmitschriften erhalten, so zu „Einleitung in das Studium der Geschichte" und zu „Geschichte der deutschen Kaiserzeit" bei Prof. Levison sowie zur „Kirchengeschichte des Altertums" (Wintersemester 1929/30) bei Prof. Dölger; erwähnt seien nur noch die Aufzeichnungen zu einem Seminar bei Prof. Baumstark im Sommersemester 1928.

sche Einordnung der Regula Magistri bezog er klar Stellung: „Die Benediktsregel als Quelle".[26] Mehrfach befasste er sich mit den Fragen um Todesjahr und -tag des hl. Benedikt.[27] Das Projekt des „Corpus Consuetudinum Monasticum" zählte ihn zu seinen Mitarbeitern.[28] Angeführt sei noch sein „Beitrag zur Ehrenrettung Erzbischof Lanfranks von Canterbury".[29]

Der Übergang von diesen monastisch-benediktinischen Themen zu Fragen der monastischen Liturgie ist fließend. Seit 1934 Mitarbeiter am „Jahrbuch für Liturgiewissenschaft", verfasste er für die drei letzten Jahrgänge des Periodikums den Literaturbericht „Monastische Liturgie".[30] 1951 legte er eine Studie zur Geschichte der Professliturgie im frühen Mittelalter vor.[31]

3.2 Liturgiehistoriker und Heortologe

Frank selbst verstand sich als Liturgiehistoriker, mit Schwerpunkt auf der „abendländische[n] Liturgie vom 4. Jahrhundert bis 1000"[32].

„Fast alle meine Publikationen sind der Liturgiegeschichte gewidmet. Genannt seien verschiedene Untersuchungen über die Geschichte von Weihnachten und Epiphanie, über die Antiphon Hodie caelesti sponso iuncta est

---

[26] Vgl. Hieronymus FRANK, *Die Regula Benedicti als Quelle der Regula Magistri*, in: *Vir Dei Benedictus. Eine Festgabe zum 1400. Todestag des heiligen Benedikt.* Hg. von Raphael MOLITOR OSB. Münster 1947, 189–195.

[27] Vgl. Hieronymus FRANK, *Die Frage nach dem Todesjahr des hl. Benedikt*, in: SMGB 56. 1938, 77–88; DERS., *Das Todesjahr des hl. Benedikt in der Chronik des Leo von Ostia*, in: SMGB 57. 1939, 51–54; DERS., *Die ältesten Zeugnisse für das Fest des hl. Benedikt am 21. März*, in: *Vir Dei Benedictus* (wie Anm. 26) 333–339.

[28] Vgl. Hieronymus FRANK [u.a.], *Institutio sancti Angilberti abbatis de diversitate officiorum (800–811)*, in: CCMon 1. 1963, 283–303; DERS., *Capitula in auuam directa (817–821)*, ebd. 329–336; DERS., *Capitula notitiarum (post 817)*, ebd. 337–345; DERS., *Capitula qualiter (post 821)*, ebd. 347–354.

[29] Vgl. Hieronymus FRANK, *Zwei Fälschungen auf den Namen Gregors d. Gr. und Bonifatius' IV. Ein Beitrag zur Ehrenrettung Erzbischof Lanfranks von Canterbury*, in: SMGB 55. 1937, 19–47.

[30] Vgl. Hieronymus FRANK, *Monastische Liturgie*, in: JLw 13. 1933, 343–347; DERS., *Monastische Liturgie*, in: JLw 14. 1934, 431–442; DERS., *Monastische Liturgie*, in: JLw 15. 1935, 457–463.

[31] Vgl. Hieronymus FRANK, *Untersuchungen zur Geschichte der benediktinischen Professliturgie im Frühen Mittelalter*, in: SMGB 63. 1951, 93–139. Unter der grundlegenden Literatur zur Theologie und Geschichte der Ordensprofess angeführt von Emmanuel v. SEVERUS, *Feiern geistlicher Gemeinschaften*, in: Bruno KLEINHEYER [u.a.], *Sakramentliche Feiern II*. Regensburg 1984 (GdK 8), 157–189, hier 176. Im Nachlass finden sich reichlich Materialien zum Professritus, wohl zum Teil Unterlagen für die (noch unerforschte) Erarbeitung eines neuen Ritus in der Beuroner Kongregation. Guido MUFF, *Der Entwurf eines „Rituale Monasticum" der Schweizer Benediktinerkongregation am Vorabend des zweiten Vatikanischen Konzils. Ephrem Omlin OSB (Engelberg) im Dienst der Liturgischen Erneuerung*, in: ALw 38/39. 1996/97, 305–315, erwähnt 314, Anm. 41, dass Emmanuel v. Severus und Hieronymus Frank ihren Engelberger Mitbruder Omlin „zur Fortsetzung seiner Arbeit und deren Veröffentlichung ermutigt" haben.

[32] Den Titel seines 1953 publizierten Literaturberichts aufgreifend (*Entwicklung der abendländischen Liturgie vom 4. Jahrhundert bis 1000*, in: ALw 2. 1952, 133–197), der einzige Bericht dieser Art, den er für das Laacher „Archiv für Liturgiewissenschaft" verfasste.

ecclesia, über das mailändische Kirchenjahr, Stundengebet, in den Werken des hl. Ambrosius, über den ältesten erhaltenen römischen Ordo defunctorum" [4].

Außer in dem hier zuletzt genannten Beitrag[33] beschäftigte er sich noch zweimal mit der „Agenda mortuorum".[34] Dabei verfolgte er u.a. den Trierer Beerdigungsritus bis in die karolingische Zeit zurück und legte in seinem Aufsatz über das älteste Laacher Sakramentar (Darmstadt, Hessische Landes- und Hochschulbibliothek, Cod. 891)[35] noch einen weiteren Beitrag zur Liturgiegeschichte *seiner* beiden Ortskirchen – Trier[36] und Maria Laach – vor. Von den Einzeluntersuchungen, etwa zur Geschichte des Meßkanons[37] oder den „Lesefrüchten" zum Wortfeld „λειτουργία – munus",[38] hebt sich eine die ganze liturgiewissenschaftliche Schaffenszeit durchziehende Folge von Beiträgen zur mailändischen Liturgie ab;[39] den Anstoß dazu wird man im Kontext des gleichzeitigen Laacher Einsatzes bei der Reform der Mailänder Liturgie zu suchen haben.[40]

---

[33]   Vgl. Hieronymus FRANK, *Der älteste erhaltene Ordo Defunctorum der römischen Liturgie und sein Fortleben in Totenagenden des frühen Mittelalters*, in: ALw 7,2. 1962, 360–415.

[34]   Vgl. Hieronymus FRANK, *Römische Herkunft der karolingischen Beerdigungsantiphonen*, in: *Mélanges en l'honneur de Monseigneur Michel Andrieu*. Strasbourg 1956 (RevSR), 161–171; DERS., *Geschichte des Trierer Beerdigungsritus*, in: ALw 4,2. 1956, 279–315.

[35]   Hieronymus FRANK, *Das älteste Laacher Sakramentar (Darmstadt, Hessische Landes- und Hochschulbibliothek, Cod. 891)*, in: Enkainia. Gesammelte Arbeiten zum 800jährigen Weihegedächtnis der Abteikirche Maria Laach am 24. August 1956. Hg. von Hilarius EMONDS. Düsseldorf 1956, 263–303.

[36]   Vgl. dazu auch den Beitrag über die Ostervigil des Trierer Missale: Hieronymus FRANK, *Die Ostervigil des Trierer Missale und ihre Quelle*, in: LiLe 4. 1938,154–162.

[37]   Vgl. Hieronymus FRANK, *Beobachtungen zur Geschichte des Meßkanons*, in: ALw 1. 1990, 107–119.

[38]   Vgl. Hieronymus FRANK, *Zu λειτουργία – munus*, in: JLw 13. 1933, 181–185. Diese Miszelle könnte ebensogut zu den unter Anm. 39 genannten Beiträgen verbucht werden, weil es um Wortgebrauch und Kultsprache des Ambrosius von Mailand geht.

[39]   Vgl. Hieronymus FRANK, *Zur Geschichte von Weihnachten und Epiphanie* (Teil 1), in: JLw 12. 1932, 145–155, sein einziger Beitrag, der in eine andere Sprache übersetzt wurde: vgl. DERS., *La celebrazione della festa „Natalis Salvatoris" e „Epifania" in Milano ai tempi di S. Ambrogio*, in: ScC 62. 1934, 683–695; fortgesetzt mit *Zur Geschichte von Weihnachten und Epiphanie* (Teil 2), in: JLw 13. 1933, 1–38; DERS., *Ambrosius und die Büßeraussöhnung in Mailand*, in: Heilige Überlieferung. Ausschnitte aus der Geschichte des Mönchtums und des heiligen Kultes dem hochwürdigsten Herrn Abte von Maria Laach ... Ildefons Herwegen ... dargeboten von Freunden, Verehrern, Schülern und in deren Auftrag gesammelt. Hg. von Odo CASEL. Münster 1938 (BGAM. S 1) 136–173; DERS., *Ein Beitrag zur ambrosianischen Herkunft der Predigten De sacramentis*, in: ThQ 121. 1940, 67–82; DERS., *Das mailändische Kirchenjahr in den Werken des hl. Ambrosius*, in: PastB 51. 1940, 40–48. 79–90. 120–127; PastB 52. 1941, 11–17; DERS., *Die Vorrangstellung der Taufe Jesu in der altmailändischen Epiphanieliturgie und die Frage nach dem Dichter des Ephiphaniehymnus Inluminans altissimus*, in: ALw 13. 1971, 115–132.

[40]   Vgl. Judith FREI, *„Corpus Ambrosiano-Liturgicum [...] mit Hilfe des Skriptoriums der Benediktinerinnenabtei Varensell untersucht und herausgegeben von Odilo Heiming".* Ein Rückblick, in: Ecclesia Lacensis (wie Anm. 5) 316–346; siehe auch Stefan K. LANGENBAHN, *„Et Seniores Venerare" (RB 4,70): Bibliographie Burkhard Neunheuser OSB 1973–2003*, in: ALw 45. 2003, 232–319, hier 246f mit Anm. 71f.

Der erste Beitrag aus dieser Serie, 1934 erschienen, bildet den Auftakt zu einem runden Dutzend von Beiträgen „Zur Geschichte von Weihnachten und Epiphanie".[41] Die beiden Weihnachtsfeste und ihre Geschichte markieren damit eindeutig den Forschungsschwerpunkt H. Franks und begründen dessen Ansehen als Liturgiewissenschaftler. Als ein heortologischen Fragestellungen verpflichteter Liturgiegeschichtler – natürlich auch die Osterfeier, außerdem Allerheiligen und Allerseelen bedenkend –,[42] zeigen seine Arbeiten, welch umfassendes historisches Hintergrundwissen erfordert ist, Datum und Inhalte christlicher Feste zu ergründen; künftige Heortologen lehrt er insbesondere mit seinen Studien über das „Hodie caelesti sponso iuncta est Ecclesia"[43] und das „Ecce advenit dominator Dominus"[44] stets die liturgischen Texte der Feste theologisch und geschichtlich im Blick zu behalten. Seinem Vortrag auf der Abt-Herwegen-Tagung von 1949[45] verdankt er, noch heute als exponierter Vertreter der sog. Religionsgeschichtlichen Hypothese zur Entstehungsgeschichte des Weihnachtsfestes am 25. Dezember zu gelten.[46]

---

[41]　Vgl. Frank, *Zur Geschichte von Weihnachten und Epiphanie* (wie Anm. 39); Ders., *Weihnachten I. Heortologie*, in: LThK 10. 1938, 776–780 (2. Aufl.: ebd. 1965, 984–988); Ders., Rez. zu Bernhard Botte, *Les origines de la Noël et de l'Épiphanie. Etude historique.* Louvain 1932, in: ByZ 39. 2939, 451f; Ders., *Das Alter der römischen Laudes- und Vesperantiphonen der Weihnachtsoktav und ihrer griechischen Originale*, in: OrChr 36. 1941, 14–18; Ders., *Hodie caelesti sponso iuncta est Ecclesia. Ein Beitrag zur Geschichte und Idee des Epiphaniefestes*, in: *Vom christlichen Mysterium. Gesammelte Arbeiten zum Gedächtnis von Odo Casel OSB.* Hg. von Anton Mayer – Johannes Quasten – Burkhard Neunheuser OSB. Düsseldorf 1951, 192–226; Ders., *Frühgeschichte und Ursprung des römischen Weihnachtsfestes im Lichte neuerer Forschung*, in: ALw 2. 1952, 1–24; Ders., *Patristisch-homiletische Quellen von Weihnachtstexten des römischen Stundengebetes*, in: SE 4. 1952, 193–216; Ders., *Epiphanie III. In der Liturgie*, in: LThK 3. 1959, 941–944; Ders., *O-Antiphonen*, in: LThK 7. 1962, 1075f; Ders., *Ecce advenit dominator Dominus. Alter und Wanderung eines römischen Ephphaniemotivs*, in: *Perennitas. Beiträge zur christlichen Archäologie und Kunst, zur Geschichte der Literatur, der Liturgie und des Mönchtums sowie zur Philosophie des Rechts und zur politischen Philosophie. P. Thomas Michels OSB zum 70. Geburtstag.* Hg. von Hugo Rahner SJ – Emmanuel v. Severus OSB. Münster 1963 (BGAM. S 2), 136–154; Ders., *Gründe für die Entstehung des römischen Weihnachtsfestes*, in: LuM 39. 1966, 36–49; Ders., *Die Vorrangstellung der Taufe Jesu* (wie Anm. 39).

[42]　Vgl. Frank, *Die Ostervigil* (wie Anm. 36); Ders., *Die Paschavigil als Ende der Quadragesima und ihr Festinhalt bei Augustinus*, in: ALw 9,1. 1965, 1–27; Ders., *Weihnachten* (wie Anm. 41) u. Ders., *Die Bezeugung eines Karsamstagsresponsoriums durch Beda Venerabilis*, in: ALw 16. 1974, 150–153; Ders., *Allerheiligenfest*, in: LThK 1. 1957, 348; Ders., *Allerseelentag*, ebd. 349.

[43]　1951 im Sammelband zum Gedächtnis für Odo Casel erschienen: *Hodie caelesti* (wie Anm. 41).

[44]　In der Festschrift für seinen Mitbruder Thomas Michels: *Ecce advenit* (wie Anm. 41).

[45]　Die umgearbeitete Fassung erschien, Josef A. Jungmann gewidmet, unter dem Titel: *Frühgeschichte* (wie Anm. 41); vgl. zur Tagung: Susan K. Roll, *The Debate on the Origins of Christmas*, in: ALw 40. 1998, 1–16, hier bes. 11–13; vgl. auch die erweiterte Version: Susan K. Roll, *The Origins of Christmas: The State of the Question*, in: *Between Memory and Hope. Readings on the Liturgical Year.* Ed. by Maxwell E. Johnson. Collegeville 2000, 273–290, hier 285f.

[46]　Vgl. Susan K. Roll, *Toward the Origins of Christmas.* Kampen 1995 (Liturgia condenda 5), 144–146.

3.3 Liturgiedozent

Anders als die anderen Laacher Liturgiewissenschaftler und Gelehrtenmönche des 20. Jahrhunderts kam Hieronymus Frank selten über seine saarländisch-rheinländische Heimat hinaus. Von seiner Dozententätigkeit in Maria Laach lässt sich dennoch nur weniges sagen. Immerhin hat sich ein Vorlesungsmanuskript über die hl. Messe erhalten, wohl aus den Jahren um 1936, zweigeteilt in „Die Entwicklung der Gesamtmessliturgie" und „Entwicklung der Einzelteile der Messliturgie".[47] Die Vorlesungen sind ritengenetisch angelegt.[48] Herausgehoben sei, dass er gleich eingangs „Bleibendes jüdisches Liturgiegut" [7] würdigte und – ein paar Jahre nach der Machtergreifung Hitlers – feststellte: „Ebensowenig wie die Kirche sich des Alten Testamentes schämt, schämt sich ihre Liturgie der Synagoge".[49]

Über die Vorlesungen Franks zur Tagzeitenliturgie liegt die persönliche Stellungnahme Balthasar Fischers vor: „Bei aller Sympathie, die wir dem Menschen und Mönch und vor allem dem gewissenhaften Gelehrten Hieronymus Frank entgegenbrachten, haben wir diese tägliche Vorlesung als mühsam empfunden. Das muß wesentlich mit dem Vortrag zusammengehangen haben; denn beim Wiederlesen der Niederschriften habe ich über die wissenschaftliche Gediegenheit und das didaktische Geschick dieses Traktats über das Stundengebet gestaunt, für den es ja kein Vorbild gab (und vorerst immer noch nicht gibt)."[50] Wurde die Benediktinerakademie schon 1941 geschlossen, war Frank noch bis 1963 als Dozent an der Laacher Philosophischen Hochschule tätig.[51] Andere liturgiewissenschaftliche Aktivitäten, wie seine Teilnahme am 1. liturgischen Studientreffen 12.–15. Juli 1951 in Maria Laach[52] oder sein Dozieren bei den Studienkursen des Liturgischen Instituts Trier (1965–1975),[53] kom-

---

[47] Vorlesungsmanuskript zur Messliturgie, masch., ohne Titel im Umschlag „Geschenkbücher für Priester und Ordensleute. Ausgabe 1936/1937", nicht datiert. Die auf S. 4 angeführte „Literatur" nennt als jüngsten Titel: „L. Eisenhofer, 1932".

[48] In der Einleitung der Vorlesung (S. 1) vergleicht er den komplexen Bau der hl. Messe mit einem Schloss: „Es ist nicht zu leugnen, dass die Form des Messopfers kraft dieser überzeitlichen Eigenart an einer gewissen Unübersichtlichkeit und Uneinheitlichkeit leidet, aber es ist mit ihr wie mit einem alten Schloss mit krummen Gängen und winkeligen Treppen; es ist zwar oft unpraktisch, aber es lebt doch viel Vornehmheit und Geistigkeit darin, Lebenserfahrung, Weisheit und Kraft [...]". Dies ist deshalb bemerkenswert, weil auch Josef Andreas JUNGMANN, *Missarum Sollemnia. Eine genetische Erklärung der römischen Messe* 1. Wien 1948, 2 (ebenso noch in der 5. Aufl. Wien [u.a.] 1962) diese Metapher benutzt: „Die Liturgie der Messe ist ein recht kompliziertes Gebilde geworden, in dessen Einzelheiten sich nicht jeder sofort zurechtfindet. Sie ist vergleichbar einem alten, tausendjährigen Schloß, das mit seinen krummen Gängen und schmalen Treppen [...] zunächst fremdartig anmutet. Man wohnt bequemer in einer modernen Villa. Aber es liegt etwas Adeliges in dem alten Bau [...]". Zitiert Jungmann an dieser Stelle Hieronymus Frank?

[49] S. 8 des Vorlesungsmanuskripts (wie Anm. 47).

[50] FISCHER, *Bistumspriester* (wie Anm. 5) 308f.

[51] *Laacher Chroniken* 1962–1964, 30.

[52] Vgl. dazu Siegfried SCHMITT, *Die internationalen liturgischen Studientreffen 1951–1960. Zur Vorgeschichte der Liturgiekonstitution.* Trier 1992 (TThSt 53), 75–95, bes. 80.

[53] Artur WAIBEL, *Die Studienkurse des Liturgischen Instituts Trier,* in: LJ 40. 1990, 211–227, hier 221.

men in der Rückschau Franks nicht in den Blick. Er agierte im Bannkreis seines Klosters und veröffentlichte mehrheitlich in benediktinischen Publikationen,[54] insbesondere in dem von Odo Casel herausgegebenen „Jahrbuch für Liturgiewissenschaft" und dessen Nachfolgeorgan „Archiv für Liturgiewissenschaft". Streicht v. Severus die Prägung Franks durch Herwegen und Casel heraus[55] und betont Burkhard Neunheuser, dass der Aufsatz über die „Frühgeschichte und Ursprung des römischen Weihnachtsfestes im Lichte neuerer Forschung"[56] „ganz im Sinne der von Casel geforderten religionsgeschichtlichen Sicht"[57] steht, empfand Balthasar Fischer, dass in Franks Vorlesungen mehr die „Bonner Schule" als die „pneumatische Sicht" Herwegens einwirkte.[58] Man möchte eher dem Letztgenannten zustimmen: Frank, gewiss auch für die Liturgietheologie seines Mitbruders eingenommen,[59] erweist sich von Odo Casel mehr in der Wahl als in der Durchführung des Themas bestimmt.[60] Der im Nachlass überlieferte Briefwechsel mit Abt Ildefons Herwegen dokumentiert, dass sich H. Frank mehrmals in der Benediktinerinnenabtei „Hl. Kreuz" in Herstelle, der Wirkungsstätte Casels, aufgehalten hat. Bemerkenswert scheint, dass der sonst so Zurückhaltende dabei auch einen kritisch-distanzierten Standpunkt gegenüber Casels interdisziplinärem Arbeiten einnehmen konnte.[61]

Emmanuel v. Severus nennt unter denen, die in den zwanziger Jahren des 20. Jahrhundert mit der Abtei Maria freundschaftlich verbunden und die also auch Frank wissenschaftlich beeindruckt hätten: „A. Baumstark, F. J. Dölger, R. Guardini, ganz abgesehen von den Mitbrüdern L. Gougaud, C. Lambot, G. Morin".[62] Doch finden sich im Nachlass nur noch Spuren von Kontakten mit

---

[54] Zu den beiden Arbeiten in „Oriens Christianus" vgl. *Oriens Christianus. Hefte für die Kunde des christlichen Ostens. Gesamtregister für die Bände 1 (1901) bis 70 (1986)*. Zusammengestellt und eingeleitet von Hubert KAUFHOLD. Wiesbaden 1989, 40 und 157.

[55] v. SEVERUS, *Im Kleinen* (wie Anm. 7) 89.

[56] Vgl. FRANK, *Frühgeschichte* (wie Anm. 41).

[57] Burkhard NEUNHEUSER, *Das Erbe Odo Casels in unserer Zeit. Die Fruchtbarkeit und das Fortleben seiner Anregungen*, in: VoxTh 24. 1954, 80–85, hier 81f.

[58] Vgl. FISCHER, *Bistumspriester* (wie Anm. 5) 309.

[59] Ob ein im Nachlass Frank aufbewahrter, maschinenschriftlich vorliegender „Brief an einen Freund der Mysterienlehre P. Odo Casels" (8 Seiten, keine Adresse und keine Unterschrift) von Frank stammt, muss hier nicht entschieden werden. Da der (fingierte?) Brief die Diskussion um die Mysterientheologie im Gefolge der Enzyklika „Mediator Dei" (20. November 1947) reflektiert, dürfte das Schreiben 1948 oder wenig später entstanden sein.

[60] Als Themengeber genannt etwa in: FRANK, *Untersuchungen* (wie Anm. 31) 93.

[61] Schreiben vom 4. Oktober 1935 an Abt Ildefons Herwegen: „P. Odo packt die Unmenge der Literatur immer weniger, zumal er den Radius dessen, was er zur Liturgiewissenschaft rechnet, immer weiter zieht. M.E. wird das Jb [= das Jahrbuch für Liturgiewissenschaft] mehr, als es gut ist, ein Mittel, zu Büchern zu kommen, die man sonst aus Geldmangel nicht bekäme. Dann muss natürlich irgend ein Ranken gefunden werden, der die Beziehung zur Liturgie herstellt. Ich befürchte, dass das neue Jb erst 1936 erscheint. Es wird allerdings wieder eine sehr gute Leistung sein, die einen für das späte Erscheinen entschädigt."

[62] v. SEVERUS, *Im Kleinen* (wie Anm. 7) 89.

der Fachfrau für altchristliches Latein Christine Mohrmann (1903–1988)[63] sowie mit Winfried Böhne (1926–1991).[64]

In seinem wissenschaftlichen, an den Laacher Gelehrten Odilo Heiming adressierten Testament kommt A. Baumstark auch auf einen für ihn hilfreichen Besuch Hieronymus Franks zu sprechen;[65] doch lenkt die Episode bereits den Blick auf den Seelsorger Frank. Dass der Wissenschaftler Frank ein überschaubares Werk hinterlassen hat, scheint seiner Mentalität entsprochen zu haben, stellten doch die, die ihn näher kannten, eine gewisse Ängstlichkeit, Unbeholfenheit, gar skrupulöse Züge fest.[66] Dass er – diesen „Hemmungen" zum Trotz – durch ihre Präzision überzeugende Forschungen vorlegte, die in ihren Ergebnissen bis heute wissenschaftlich bestehen können, gelang ihm mithilfe eines soliden historisch-philologischen Rüstzeugs, mit großen Lehrern im Rücken und getragen vom Vertrauen, das seine Oberen ihm schenkten.

4. Im Spannungsfeld von Wissenschaft, Mönchtum und Seelsorge
Hieronymus Frank hatte selbst ein Bewusstsein davon, dass „die Zahl seiner Arbeiten hinter der anderer Gelehrten des Klosters am Laacher See"

---

[63]   Auf Briefkontakt mit und Autorität von Christiane Mohrmann verweist er z.B. in: FRANK, *Untersuchungen* (wie Anm. 31) 137.

[64]   Zwischen Winfried Böhne und Hieronymus Frank bestand „eine herzliche Freundschaft, die [...] die liturgiewissenschaftlichen Interessen und Arbeiten Böhnes begleitete und in der kritischen Diskussion der Freunde befruchtete"; Angelus A. HÄUSSLING, *Bibliographie Winfried Böhne (1926–1991)*, in: ALw 33. 1991, 295–301, hier 295, Anm. 1.

[65]   Vgl. Reinhold BAUMSTARK – Hubert KAUFHOLD, *Anton Baumstarks wissenschaftliches Testament zu seinem 50. Todestag am 31. Mai 1988*, erstmals in: OrChr 82. 1998, 1–52, nochmals in: *Acts of the International Congress Comparative Liturgy fifty Years after Anton Baumstark (1872–1948)*. Rome, 25–29 September 1998. Ed. by Robert F. TAFT – Gabriele WINKLER. Roma 2001 (OCA 265), 61–117, hier 93: „Allem dem gegenüber steht in stolzer Einsamkeit endlosen Wartens auf eine Druckmöglichkeit die ‚Laus nocturna'. Über verschiedene, rasch immer wieder verblasste ‚Silberstreifen' einer Aussicht auf solche Möglichkeit berichtete ich soeben Herrn P. Hieronymus, dessen Besuch, (mich) als lange entbehrte persönliche Wiederberührung mit dem geliebten Maria Laach mich unendlich beglückend, die Fortsetzung dieses Briefungetüms unterbrach."

[66]   Zu Franks „Ängstlichkeit" vgl. v. SEVERUS, *Im Kleinen* (wie Anm. 7) 89. FISCHER, *Bistumspriester* (wie Anm. 5) 309: „Hier zeigte sich, daß dieser ein wenig umständliche, in seiner Akribie manchmal fast skrupulöse Gelehrte zugleich das Herz und die Herzlichkeit eines geborenen Seelsorgers hatte." Vgl. auch die Bemerkung des anonymen Chronisten: „P. Hieronymus hatte eine lauteres, argloses Gemüt, das ihn bei aller Geistesschärfe keiner Bosheit fähig sein ließ. Pointen und Bonmots konnte er nicht verstehen, eine Eigenschaft, die sich oft in ungewollt drolliger Weise kundtat und den Mitbrüdern Anlaß zur Erheiterung gab", in: *Chronik aus Maria Laach 1975* (wie Anm. 4) 5. Auch in Franks Lebensbericht [7f] findet sich ein Beispiel, wie schwer er sich damit getan hat, die Metaebene und Kontextualität von Aussagen zu begreifen und entsprechend zu reagieren: Auf die von ihm in der sonntäglichen Christenlehre zufällig gestellte Frage, warum der katholische Priester nicht verheiratet sein dürfe, gibt ihm ein Neunjähriger „eine Antwort, die verdient, in Erinnerung gehalten zu werden" [7]: „Weil der Priester sonst in der hl. Messe immer an seine Frau denken würde" [7f].

zurückblieb:[67] „Daß diese Zahl [= der Publikationen] nicht groß ist, liegt daran, daß ich außer in der Liturgiewissenschaft sehr gern in der Seelsorge arbeite. Im Laufe der Jahre übernahm ich viele Seelsorgsaushilfen, Vertretungen von Pfarrern, Sonntagsaushilfen und eine Reihe von Pfarrverwaltungen, so von Bell, Wehr und vor allem im Kriege 5 ½ Jahre lang die Verwaltung der Pfarrei Wassenach. Die Verwaltung dieser Pfarrei möchte ich einen besonders wichtigen Abschnitt meines Lebens nennen [...]. Nach dem Heimgang von Pfarrer Zilliken durfte ich für die Dauer des Krieges bis Ende Nov. 1945 die Pfarrei Wassenach verwalten. Alle Arbeiten der Seelsorge hielt ich, besonders auch den Religionsunterricht bei den Kindern, die Betreuung der Alten und Kranken. Ich schrieb stets zu Weihnachten jedem Soldaten von Wassenach im Feld. Diese Weihnachtsgrüße fanden ein dankbares Echo in den Rückantworten, die im Pfarrarchiv Wassenach aufbewahrt sind. Ich habe, da die Zahl der Gefallenen der Pfarrei besonders groß war, tiefes Leid miterlebt, aber auch gesehen, wieviel Trost unser christlicher Glaube den betroffenen Familien spendete. Ich predigte besonders gern [...]" [5f].

Josef Zilliken (1872–1942), der seit Januar 1938 Pfarrer von Wassenach war, und Johannes Schulz, Pfarrer des Nachbarortes Nickenich, hatten am 27. Mai 1940 Hermann Göring im Ausflugslokal „Waldfrieden", am Laacher See gelegen, den Hitlergruß versagt und waren deshalb noch gleichentags durch die Gestapo gefangengenommen und seit Dezember 1940 im KZ Dachau inhaftiert worden.[68] Seitdem übernahm Pater Hieronymus die Pastoral der Pfarrei Wassenach. Die sich an das letzte Zitat anschließenden Ausführungen sprechen davon, wie sehr Frank in der pastoralen Arbeit in Wassenach und in anderen Pfarreien im Umland seines Klosters aufgegangen ist:[69] Hier fühlte er sich weit mehr zu Hause als in der Wissenschaft. Details aus diesen „Nachträgen" zu seinem Lebensbericht herauszugreifen lohnen in diesem Kontext nicht; sie zeigen Hieronymus Frank im Spannungsfeld von Mönchtum und Seelsorge.[70]

---

[67] v. SEVERUS, *Im Kleinen* (wie Anm. 7) 90.

[68] Ein Auszug aus dem Pfarrarchiv Wassenach, in dem Hieronymus Frank, „Lebenslauf und Leidensweg" Josef Zilikens schildert, liegt gedruckt vor in: *850 Jahre Wassenach 1139–1989. Aus der Geschichte eines Dorfes.* Hg.: Gemeindeverwaltung Wassenach. Wassenach 1989, 218–222, ebd. 227 ein Portraitphoto von Hieronymus Frank und ebd. 193 ein Bild der Wassenacher Weihnachtskrippe, deren Bild „P. Hieronymus Frank an alle Soldaten im Kriege" schickte; nochmals publiziert: Hieronymus FRANK, *Josef Zilliken,* in: Prümer Landbote. Zeitschrift des Geschichtsvereins „Prümer Land" 34. 1992, 11–14; diese Veröffentlichungen wären in seiner Bibliografie (wie Anm. 7) nachzutragen. Zu Zilliken vgl. Martin PERSCH, *Dechant Josef Zilliken,* in: *Zeugen für Christus. Das deutsche Martyrologium des 20. Jahrhunderts.* Hg. von Helmut MOLL im Auftrag der Dt. Bischofskonferenz. 2., durchgesehene Aufl. Paderborn [u.a.] 2000,1, 584–587; ohne Hinweise auf den Wassenacher Pfarrverwalter Hieronymus Frank und dessen Zeugnis über Josef Zilliken.

[69] Die Trierer Bistumszeitung berichtet von neun Pfarrverwaltungen; vgl. *Goldene Profeß in Maria Laach. P. Hieronymus Frank und P. Justinus Dhein 50 Jahre Benediktiner,* in: Paulinus, Ausgabe vom 5. Dezember 1971.

[70] Er kommt etwa auf seine Predigten zu sprechen, ihre Länge und welcher Quellen er sich dafür bediente [6]; die im Nachlass erhaltene Ansprache über „Die Güte – [...] eine Tugend [...], die leicht zu kurz kommt, weil sie zurückhaltend ist, unauffällig,

5. Liturgie als Weise christlicher Existenz

Bei diesen Annäherungen an den Liturgiewissenschaftler H. Frank ist nicht zu übersehen, dass Liturgie für ihn vor allem eine Lebensform war. Zu seiner „Rückkehr" von der Wassenacher Seelsorgestelle zurück nach Laach notierte er: „Ich nahm das Mönchsleben froh wieder auf, das Opus Dei, die Vorlesungen in alter und mittelalterlicher Kirchengeschichte und meine liturgiegeschichtlichen Forschungen, dazu am Sonntag Aushilfe in der Seelsorge. Die Neugestaltung der Meßliturgie durch das 2. Vatikanische Konzil erlebte ich noch zum Teil, bis ich Anfang 1971 durch das für mich plötzlich auftretende Herzleiden auf seelsorgliche und liturgiewissenschaftliche Tätigkeit verzichten mußte. Das Interesse am alten Fachgebiet der römischen Liturgiegeschichte ist aber geblieben."

Das „Opus Dei" wiederaufnehmen, heißt der Benediktsregel entsprechend nichts anderes als sich in einen von der Tagzeitenliturgie geprägten Mönchsalltag hineinzubegeben.

Der letzte wissenschaftliche Beitrag Franks datiert ins Jahr 1974. Das Thema mag er selbst in Verbindung mit seiner eigenen Lebenssituation gesehen haben. Sie gilt einem Karsamstagsresponsorium,[71] näherhin der Verwendung des der Totenklage Davids über Saul und seinen Freund Jonathan entnommenen Textes „Montes Gelboe". Er erlebte die Veröffentlichung nicht mehr. Seit Dezember 1974 zeichnete sich sein Lebensende immer deutlicher ab. Er starb am 15. März 1975 in Maria Laach.[72] Den eigentlichen Schluss seiner autobiografischen Skizze bildet das Zitat eines liturgischen Textes:

„Ein Gebet des Sacramentarium Veronense begleitete mich stets: Laudent te, domine, ora nostra, laudet anima, laudet et vita; et quia tui muneris est quod sumus, tuum sit omne quod vivemus per Christum dominum nostrum (1329 Mohlberg, S. 170, 10)"[9].

Hieronymus Frank erweist sich am Ende seines Lebensrückblicks als wahrer Christ, der sich in der zweitausendjährigen Heimat christlicher Glaubensgeschichte frei bewegt und seine Lebenssumme ins Gebet zu bringen vermag: Er leiht sich Worte bei der betenden Kirche, greift – wie es einem katholischen Liturgiewissenschaftler gut ansteht – auf die euchologische Tradition der römischen Kirche zurück und führt zum Gipfelpunkt aller theologischen (Liturgie-) Wissenschaft: die Doxologie des weltüberlegenen, allerhabenen und dem lebendigen Menschen aufs und ins Äußerste lebendig zugeneigten Gottes:

„Es loben dich, Herr, unsere Gebete,
es lobt die Seele, auch das Leben lobt dich,
und weil, was wir sind, deine Gabe ist,

still [...]" wäre wie die weiteren Darlegungen von zwei Konflikten [9–11], die er in seinem Heft nachgetragen hat, für sein Psychogramm gewiss zu beachten.

[71]   Hieronymus FRANK, *Die Bezeugung eines Karsamstagsresponsoriums durch Beda Venerabilis*, in: ALw 16. 1974, 150–153.

[72]   Die *Chronik aus Maria Laach 1975* (wie Anm. 4) 3 spricht davon, dass Frank bei seinem Tod „bereits seit Jahren einen Verfall seiner Kräfte erduldet hatte, der ihn in seiner körperlichen und geistigen Beweglichkeit mehr und mehr behinderte".

sei alles, was wir leben, das Deine
durch Christus unseren Herrn."[73]

Auswahlbibliografie

Die Klosterbischöfe des Frankenreiches. Münster 1932 (BGAM 17).

Beobachtungen zur Geschichte des Meßkanons, in: ALw 1. 1950, 107–119.

Untersuchungen zur Geschichte der benediktinischen Profeßliturgie im frühen Mittelalter, in: SMGB 63. 1951, 93–139.

Hodie caelesti sponso iuncta est Ecclesia. Ein Beitrag zur Geschichte und Idee des Epiphaniefestes, in: *Vom christlichen Mysterium. Gesammelte Arbeiten zum Gedächtnis von Odo Casel.* Hg. von Anton MAYER – Johannes QUASTEN – Burkhard NEUNHEUSER OSB. Düsseldorf 1951, 192–226.

Frühgeschichte und Ursprung des römischen Weihnachtsfestes, in: ALw 2. 1952, 1–24.

Die Briefe des heiligen Bonifatius und das von ihm benutzte Sakramentar, in: *Sankt Bonifatius. Gedenkgabe zum zwölfhundertsten Todestag.* Hg. von der Stadt Fulda in Verbindung mit den Diözesen Fulda und Mainz. Fulda 1954, 58–88.

Das älteste Laacher Sakramentar (Darmstadt, Hessische Landes- und Hochschulbibliothek, Cod. 891), in: *Enkainia. Gesammelte Arbeiten zum 800jährigen Weihegedächtnis der Abteikirche Maria Laach am 24. August 1956.* Hg. von Hilarius EMONDS. Düsseldorf 1956, 263–303.

Geschichte des Trierer Beerdigungsritus, in: ALw 4,2. 1956, 279–315.

Der älteste erhaltene Ordo defunctorum der römischen Liturgie und sein Fortleben in Totenagenden des frühen Mittelalters, in: ALw 7,2. 1962, 360–415.

Ecce advenit dominator Dominus. Alter und Wanderung eines römischen Epiphaniemotivs, in: *Perennitas. Beiträge zur christlichen Archäologie und Kunst, zur Geschichte der Literatur, der Liturgie und des Mönchtums sowie zur Philosophie des Rechts und zur politischen Philosophie* (FS Thomas Michels). Hg. von Hugo RAHNER SJ – Emmanuel v. SEVERUS OSB. Münster 1963 (BGAM.S 2), 136–154.

Die Paschavigil als Ende der Quadragesima und ihr Festinhalt bei Augustinus, in: ALw 9,1. 1965, 1–27.

Die Vorrangstellung der Taufe Jesu in der altmailändischen Epiphanieliturgie und die Frage nach dem Dichter des Epiphaniehymnus „Inluminans altissimus", in: ALw 13. 1971, 115–132.

Die Bezeugung eines Karsamstagsresponsoriums durch Beda Venerabilis, in: ALw 16. 1974, 150–153.

---

[73] Gerne sei dem eigenen Übersetzungsversuch die von Angelus A. Häußling vorgeschlagene Fassung beigefügt, der beim „Gegenlesen" des Beitrags anregte, das „tui muneris" theologischer zu übersetzen: „[...] und weil du selbst die Gabe bist, die uns schon kraft des Geistes gegeben ist, soll auch dein all das sein, was wir jetzt noch zu leben haben, bis unser Herr wiederkommt: Jesus Christus, der mit dir lebt [...]".

Adolph Franz (1842–1916)

Ansgar Franz

Adolph Franz (21. Dezember 1842 bis 6. November 1916) gehört zu jenen imponierenden Talenten, die aufgrund persönlicher und politischer Zeitumstände gezwungen sind, Begabung und Arbeitskraft auf höchst unterschiedlichen Gebieten einzusetzen.  Durch innerkirchliche Grabenkämpfe um das Infallibilitätsdogma an der Universitätslaufbahn gehindert und sodann unmittelbar mit dem Verlauf und den Folgen des Kulturkampfes konfrontiert, war er entgegen schon früh erkennbarer wissenschaftlicher Neigungen die meiste Zeit als Journalist, Politiker und in der Diözesanverwaltung tätig. Erst in den beiden letzten Jahrzehnten seines Lebens konnte er sich, nicht zuletzt dank einer ungewöhnlich hohen Erbschaft, der kirchen- und liturgiegeschichtlichen Forschung widmen – und dies mit so großem Erfolg, dass er wohl als der bedeutendste deutschsprachige Vertreter seiner Generation im Bereich der historischen Liturgiewissenschaft angesehen werden kann.

1. Leben[1]

Geboren wird Adolph Franz am 21. Dezember 1842 in Langenbielau in Schlesien; sein Vater ist ein wohlsituierter Leinwandfabrikant. Nach dem Abschluss des Gymnasiums nimmt Franz im Herbst 1863 das Studium an der Universität Breslau auf; zunächst in Jura eingeschrieben, wechselt er nach einem halben Semester an die theologische Fakultät. Da hier die Lehrstühle nur lückenhaft besetzt sind, übersiedelt er im Herbst 1864 an die Universität Münster. Der Schwerpunkt seiner Studien liegt im Bereich der Kirchengeschichte. Im Januar 1867 beendet er das Studium mit einer (Lizentiats-)Promotion über Prosper von Aquitanien[2], kehrt bereits im Februar nach Breslau zurück, zieht in das dortige Klerusseminar und wird schon im Juni von Fürstbischof Heinrich Förster zum Priester geweiht. Nach einer dreijährigen Kaplanszeit, in der er seine

---

[1]   Vgl. über Franz: Andreas BIGLMAIR, *Adolph Franz †*, in: Historisch-politische Blätter für das katholische Deutschland 158. 1916/II, 860–866; Josef JUNGNITZ, *Prälat Adolph Franz. Ein Lebensbild.* Breslau 1917; Erich KÖNIG, *Adolph Franz †*, in: HJ 38. 1917, 210–212 [repr. 1988]; Ludwig Freiherr VON PASTOR, *Tagebücher – Briefe – Erinnerungen.* Hg. v. Wilhelm WÜHR. Heidelberg 1950 (passim); Walter DÜRIG, *Schlesiens Anteil an der liturgiewissenschaftlichen Forschung und an der liturgischen Erneuerung im deutschen Katholizismus,* in: ASKG 9. 1951, 206–216; Bernhard STASIEWSKI, *Adolf Franz,* in: NDB 5. 1961, 373f; Friedrich Wilhelm BAUTZ, *Adolf Franz,* in: BBKL 2. 1990, 111; Theodor MAAS-EWERD, *Adolph Franz,* in: LThK 4. 1995, 28f; Thomas MARSCHLER, *Ein unersetzbarer Klassiker der Liturgiegeschichte,* in: Deutsche Tagespost 24. Mai 2003, Nr. 61, 18 (zur Neuerscheinung von „Die Messe im deutschen Mittelalter").

[2]   Eine deutsche Fassung („Prosper von Aquitanien nach seinem Leben, seinem Wirken und seiner Lehre") der ursprünglich lateinischen Schrift wird 1869 in der ÖVKT (354–392, 481–524) veröffentlicht.

wissenschaftlichen Studien fortsetzt, kehrt Franz 1870 in das Breslauer Konvikt zurück und bereitet sich auf eine Universitätslaufbahn als Kirchenhistoriker vor. „Damit entsprach er den Wünschen seines Bischofs, der seinen Theologen das Hören korrekter kirchengeschichtlicher Vorlesungen ermöglichen wollte", so die Franz-Biografie von Josef Jungnitz, „da Professor Reinkens schon vor seinem formalen Abfall durch unkirchliche Gesinnung sich verdächtig machte"[3]. Die hier angedeutete Konkurrenz mit dem Breslauer Ordinarius für Kirchengeschichte wird zum offenen Konflikt, als Franz seine Habilitationsschrift über Cassiodor[4] einreichen will – seine bis dahin im flotten Laufschritt zielstrebig anvisierte Universitätskarriere wird abrupt ausgebremst. Joseph Hubert Reinkens (1821–1896), der Breslauer Kirchengeschichtler, ist bekennender Gegner des Unfehlbarkeitsdogmas. Schon 1870 suspendiert und 1872 dann exkommuniziert, ist sein Einfluss in der Fakultät trotzdem groß genug, die Habilitation des in dieser Frage eindeutig ‚infallibilistisch' positionierten Franz zu verhindern.[5] Dieser muss die Habilitationsschrift zurückziehen und sich darauf beschränken, im Konvikt kirchengeschichtliche Repetitorien abzuhalten. Doch gleichzeitig erschließt sich ihm ein neues Aufgabengebiet: Noch im Dezember 1872 übernimmt er für einige Monate die Redaktion der katholisch-ultramontanen ‚Schlesischen Volkszeitung', im Juni 1873 dann die Redaktion des ‚Schlesischen Kirchenblatts', eine Funktion, die er mit großem Engagement bis 1877 ausüben wird. Seine Aufgabe ist es, „die Interessen der katholischen Kirche zu verteidigen, die Katholiken Schlesiens über die kirchlichen Zeitfragen zu orientieren und den religiösen Sinn zu fördern"[6]. Von den innerkirchlichen Partisanenkämpfen um das Unfehlbarkeitsdogma wechselt Franz nahtlos an die vom preußischen Staat aufgebaute Front des Kulturkampfes. Titel und Ton seiner im Kirchenblatt publizierten Artikel sind deutlich: „Protestantische Annexionsgelüste" (1875), „Auflösung katholischer Parrochien in Schlesien" (1876), „Die Kirchenpolitik Friedrichs II. von Preußen" (1878, danach als Sonderdruck erschienen). Auch außerhalb seiner Zeitschrift publiziert er unermüdlich weiter: 1875 erscheint ein Lebensbild seines von ihm hochgeschätzten Bischofs Heinrich Förster, 1877 die Bearbeitung des 15. Bandes der „Universalgeschichte der katholischen Kirche" von René François Rohrbacher, die – fast wie ein Spiegel der ‚kulturkämpferischen' Gegenwart – den Konflikt zwischen Gregor VII. und Heinrich IV. behandelt, 1878 eine von der Görresgesellschaft herausgegebene, auf reichem Aktenmaterial beruhende Studie über „Die gemischten Ehen in Schlesien". Nach vier Jahren verlässt er das ‚Schlesische Kirchenblatt', um 1878 die Redaktion der ‚Germania' zu übernehmen, der Berliner Parteizeitschrift des Zentrums. Dieser erneute Wechsel legt sich nahe, da Franz sich zwischen-

---

[3]   Jungnitz, *Prälat Adolph Franz* (wie Anm. 1) 4.

[4]   1872 in Breslau veröffentlicht: Adolph Franz, *M. Aurelius Cassiodorus Senator. Ein Beitrag zur Geschichte der theologischen Literatur*. Breslau 1872.

[5]   1873 erscheint sein: *Johann Baptista Baltzer. Beitrag zur neusten Geschichte der Diöcese Breslau"* (Breslau), der die ‚papsttreue' Position verteidigt gegen Versuche, den 1871 verstorbenen Infallibilitätsgegner Baltzer als Märtyrer des katholischen Systems darzustellen.

[6]   Zitiert bei Jungnitz, *Prälat Adolph Franz* (wie Anm. 1) 6; es ist wohl mehr als ein bloßer Verschreiber, wenn Biglmair, *Adolph Franz* (wie Anm. 1) 861 denselben Passus zitiert mit „ ... den religiösen Sieg zu fördern".

zeitlich durch den Verlauf des Kulturkampfes neben seiner publizistischen und wissenschaftlichen Arbeit auf ein weiteres Betätigungsfeld gedrängt sieht: das der aktiven Politik. Von 1875 bis 1882 ist er Mitglied im preußischen Abgeordnetenhaus, von 1876 bis 1892 Mitglied des Reichstages. Nun zieht er durch seine Wahlkreise, spricht auf Parteiversammlungen, arbeitet in parlamentarischen Kommissionen. Mit dem führenden Kopf der Zentrumspartei Ludwig Windthorst (1812–1891) ist er freundschaftlich verbunden. Im Reichstag gilt er als gut informierter, klarer Redner. „Auch der Gegner wußte die Überzeugung, die Sachlichkeit, die Ruhe seiner Polemik zu schätzen.“[7] Diese Hochschätzung scheint ihn allerdings nicht vor staatlichen Zwangsmaßnahmen geschützt zu haben. „Freilich trug sein Kampfesmut ihm auch Strafen und selbst Gefängnis ein“, notiert lakonisch sein Biograf Jungnitz.[8] Näheres darüber ist bei ihm nicht zu erfahren. – Auch die politische Arbeit spiegelt sich in den Publikationen von Adolph Franz: „Die Preußischen Konservativen und die protestanischen Christlich-Sozialen“ (1973), „Das katholische Kirchenvermögen“ (1875).

1882 wechselt er wieder sein Tätigkeitsfeld: Im Jahr zuvor war der in den österreichischen Teil seiner Diözese exilierte Fürstbischof Förster verstorben. Der neu ernannte, nun wieder in Breslau residierende Nachfolger Robert Herzog beruft Franz als Kanonikus und Domprediger in die Bistumsverwaltung. Er soll die Reorganisation der durch den Kulturkampf gebeutelten Diözese leiten, wobei er als ‚rechte Hand‘ des gesundheitlich angeschlagenen Bischofs gilt. Wie sehr ihn diese Aufgabe in Anspruch nimmt, lässt sich schon daraus erahnen, dass aus dieser Zeit größere Publikationen fehlen. – Von den Biografen hochgerühmt ist das ungewöhnlich starke karitative Engagement von Adolph Franz. In umfangreichem Maße finanziert er Gründung oder Erhalt von Waisenhäusern, Kirchengebäuden und einer Anstalt für katholische Arbeiterinnen. „Großartiges hat er auf diesem Gebiete geschaffen.“[9] Dass er dazu in der Lage ist, verdankt er einer spektakulären Erbschaft, die ihm der im Mai 1888 verstorbene Geistliche Rat Franz Gyrdt hinterlässt. Dieser war seinerseits der Universalerbe der Witwe des Barons Julius von Dyherrn, eines Sprosses aus altem und vermögendem schlesischen Landadel. Hatte es schon 1866 eine Aufsehen erregende publizistische Polemik der testamentarisch übergangenen Seitenlinie der Familie Dyherrn gegen Pfarrer Gyrdt gegeben, so wiederholt sich diese nun, als Franz die Erbschaft antritt. Es bricht „eine unglaubliche Hetze los, an der sich nicht bloß die großen Tageszeitungen, sondern auch die kleineren Provinzblätter und vor allem der Evangelisch-kirchliche Anzeiger in Berlin“[10] beteiligen. Ein alt-katholischer Pfarrer fordert Franz öffentlich auf,

[7] BIGLMAIR, *Adolph Franz* (wie Anm. 1) 862; vgl. auch den Tagebucheintrag zum 17. Februar 1877 bei Ludwig von Pastor: „5 Stunden im Abgeordnetenhaus, sehr spannend. Windthorst ist doch einzig! Treffliche Rede von Dr. Adolph Franz. Falk mehr als schwach; selbst Virchow sagt, Falks Rederei sei unverständlich“ (PASTOR, *Tagebücher* [wie Anm. 1] 98). Adalbert Falk (1827–1900) ist ab 1872 preußischer Kultusminister und gilt als Schöpfer der Kulturkampfgesetze; der in seinem Urteil zitierte Rudolf Virchow (1821–1902) ist Mitbegründer der Fortschrittspartei.

[8] JUNGNITZ, *Adolph Franz* (wie Anm. 1) 12.

[9] BIGLMAIR, *Adolph Franz* (wie Anm. 1) 863.

[10] Karl ENGELBERT, *Die geschichtlichen Grundlagen des Romans ‚Das Priestererbe‘*, in: ASKG 9. 1951, 144–205, hier 144.

die Erbschaft der Familie Dyherrn zurückzugeben. Ein Mitglied dieser Familie bringt den Roman „Das Priestererbe" auf den Markt, der in Courths-Mahler-Manier die literarisch nur oberflächlich camouflierten Gyrdt und Franz der kriminellen Erbschleicherei bezichtigt. Es hat den Anschein, als ob die alten innerkatholischen und staatlich-konfessionellen Fronten aus den Tagen der Infallibilitätsstreitigkeiten und des Kulturkampfes wieder eröffnet werden sollten. Doch anders als 1872 geht Franz aus diesem Konflikt relativ unbeschädigt hervor. Er behält die Erbschaft – wie hoch diese gewesen ist, geht weder aus den bei Engelbert dokumentierten Akten noch aus dessen Darstellung hervor; gemessen an den gelegentlich angeführten Summen für karitative Zwecke, die zunächst Gyrdt und später Franz aufbrachten, muss sie enorm gewesen sein.

1893 scheidet Franz aus der Diözesanverwaltung aus und verzichtet auf das Kanonikat, um endlich wieder und nun ausschließlich seinen wissenschaftlichen Interessen nachgehen zu können. Mit seinem Bischof, Kardinal Georg Knopp, bleibt er weiterhin freundschaftlich verbunden und wird von diesem als Ratgeber geschätzt. Leo XIII. ernennt Franz aufgrund seiner bisherigen Verdienste zum päpstlichen Hausprälaten und apostolischen Protonotar. Die Energie des mittlerweile 51-jährigen Franz scheint ungebrochen. Charakteristisch sind von nun an seine häufigen Ortswechsel: Ab 1894 bewohnt er eine Villa bei Gmunden am Traunsee, von 1899 bis 1901 lebt er in Frankfurt am Main, dann wieder in Gmunden, 1904 zieht er nach München und 1910 schließlich, aus gesundheitlichen Gründen, nach Baden-Baden. Dazu kommen unzählige Forschungsreisen in größere und kleinere Bibliotheken sowie Erholungsreisen an die Schweizer und oberitalienischen Seen und an den Golf von Neapel. Die von der Erbschaft verbleibenden Mittel entheben ihn finanzieller Sorgen. „Überall war er anheimelnd eingerichtet. Sein Haus stand seinen vielen Freunden und Bekannten offen, und er übte an ihnen vornehme Gastfreundschaft; jüngere aufstrebende Talente fanden einen fördernden Mäzen."[11] Außer einer kurzen Honorarprofessur, die ihm 1907 von der Universität München aufgrund seiner liturgiegeschichtlichen Forschung übertragen wurde, bekleidet er keine akademische Stellung. Erhebliche Kosten und Mühen verwendet der Privatgelehrte darauf, sich eine Bibliothek aufzubauen; sie wird nach seinem Tode auf einen Wert von 70.000 Mark geschätzt. – Die Forschung, der Franz ab 1893 nachgehen kann, manifestiert sich in einer Fülle von Artikeln, kleineren Beiträgen und Rezensionen, die u.a. in der ‚Tübinger Theologischen Quartalschrift', in den ‚Historisch-politischen Blättern für das katholische Deutschland' und im ‚Katholik' erscheinen. Meist sind es kirchengeschichtliche Abhandlungen,

---

11 JUNGNITZ, *Adolph Franz* (wie Anm. 1) 15; vgl. auch KÖNIG, *Adolph Franz* (wie Anm. 1) 21f: „Der Görresgesellschaft hat F. seit ihrer Gründung i.J. 1876 angehört [...]. Um deren besonderen Zweck, der Pflege der Wissenschaft im katholischen Deutschland, hat er sich unvergängliche Verdienste erworben dadurch, daß er mit den reichen ihm zur Verfügung stehenden Geldmitteln nicht bloß kostenspielige Unternehmungen durch Druckzuschüsse unterstützte, sondern auch zahlreichen bedürftigen Studierenden die Fortsetzung und Vollendung ihrer wissenschaftlichen Ausbildung ermöglichte." Ähnlich auch eine Tagebuchnotiz von Ludwig von Pastor zum Tod von Adolph Franz: „Von seinen reichen Geldmitteln hat der Verewigte in hochherziger Weise Gebrauch gemacht und überall Wohltaten gespendet. Seine Werke folgen ihm nach." (PASTOR, *Tagebücher* [wie Anm. 1] 633).

360 Adolph Franz (1842–1916)

doch traktiert er auch sozialpolitische Tagesthemen.[12] Über die Beschäftigung mit dem spätmittelalterlichen Theologen Nikolaus de Jawor und dessen Werk „De superstitionibus" erwacht sein Interesse für die Kultur- und Liturgiegeschichte des Mittelalters. Nach jahrelangen Quellenstudien erscheint 1902 „Die Messe im deutschen Mittelalter", 1909 „Die kirchlichen Benediktionen im Mittelalter". Daneben stehen eine wissenschaftsgeschichtliche Reflexion („Über die Leistungen und Aufgaben der liturgischen Forschung in Deutschland") und Studien sowie Editionen zu verschiedenen Ritualien. – In den letzten Lebensjahren wendet er sich wieder der Zeitgeschichte zu. In einem Forschungsprojekt über die Auswirkungen des Kulturkampfes in den einzelnen deutschen Bistümern übernimmt er die Darstellung seiner Heimatdiözese Breslau. Einen kompetenteren Bearbeiter hätte man nicht finden können. Leider bleibt die Arbeit unvollendet. Im Sommer 1916 hofft Franz noch, den Beitrag bis Jahresende abschließen zu können, doch erleidet er am 7. Oktober einen Schlaganfall, an dessen Folgen er knapp einen Monat später, am 6. November 1916, verstirbt.

2. Liturgiewissenschaftliche Schriften

In dem 1908 in den ‚Historisch-politischen Blättern' erschienenen Artikel über „Die Leistungen und Aufgaben der liturgischen Forschung in Deutschland" antwortet Franz auf den „schweren Vorwurf der Rückständigkeit"[13], den Dom Cabrol ein Jahr zuvor in seiner „Introduction aux études liturgiques"[14] gegen die deutschen Theologen erhoben hatte: Diese hätten weit weniger Interesse an liturgischen Studien gezeigt, als man es aufgrund der besonderen Vorliebe der Deutschen für geschichtliche Forschung hätte erwarten dürfen. Grund dafür, so Cabrol weiter, sei wohl der Protestantismus, der mit der liturgischen Tradition scharf gebrochen habe. – In seiner Antwort gibt Franz zunächst einen Abriss der liturgischen Forschung in Deutschland von der Karolingerzeit (Amalar von Trier) bis zur ersten Hälfte des 19. Jahrhunderts (Valentin Thalhofer). Für die Gegenwart nennt er dann u.a. Probst, Funk, Baumstark, Bäumer, Braun und Beissel, die einen Vergleich mit französischen Forschern wie Duchesne, Chevalier, den Patres aus Solesmes oder dem Belgier Morin nicht zu scheuen bräuchten. „Es darf auch nicht verschwiegen werden, daß den protestantischen Theologen ein erheblicher Anteil an den neueren Resultaten der liturgischen Forschung gebührt."[15] Auf dem Gebiet der Hymnologie überrage die deutsche Forschung mit Daniels, Mone, Dreves und Blume sogar alle anderen Länder. „Dagegen muß man leider anerkennen, daß wir in der Publikation sonstiger liturgischer Quellen weit hinter den Franzosen, Engländern und selbst Italienern zurückstehen. Hat Dom Cabrol das im Auge gehabt, so wird man den Vorwurf reuevoll hinnehmen müssen."[16] Woher dieses geringe

---

12 Z.B. *Das preußische Zwangserziehungsgesetz vom 13. März 1878 und seine Reformbedürftigkeit*, in: Frankfurter zeitgemäße Broschüren, NF 15, H. 7, 1894.

13 Adolph FRANZ, *Die Leistungen und Aufgaben der liturgischen Forschung in Deutschland*, in: HPBl 141. 1908, 84–99, hier 84.

14 Paris 1907, 115.

15 FRANZ, *Die Leistungen und Aufgaben* (wie Anm. 13) 93.

16 FRANZ, *Die Leistungen und Aufgaben* (wie Anm. 13) 93.

Interesse am Quellenstudium, das doch notwendige Kenntnisse über die Entwicklung der Liturgie und überraschende Einblicke in das religiöse Leben der Vorfahren geben könnte? Für Franz scheint das in Deutschland vorherrschende „ultramontane Klima" der Grund: „Es gibt allerdings Leute, die darauf (d.i. die Erforschung der Liturgie) keinen Wert legen, und die mit dem Satze, daß in Deutschland immer die römische Liturgie geherrscht habe, Alles abgetan wähnen."[17] Dieser Haltung erteilt Franz eine klare Absage indem er anregt, die reichen Schätze liturgischer Handschriften deutscher Bibliotheken in einer ‚Monumenta Germaniae liturgica' zu sammeln. – Er selbst hatte bereits 1904 eine Edition des „Rituale von St. Florian" vorgelegt, eines in vielerlei Hinsicht typischen Exemplars der Rituale des 12. Jahrhunderts; dem wird 1912 eine kommentierte Edition des prachtvoll ausgestatteten, damals in der Breslauer Dombibliothek bewahrten Rituals Heinrichs von Breslau (14. Jh.) folgen. Mit beiden Editionen gibt Franz Beispiele dafür, wie er sich das Projekt der deutschen ‚Monumenta liturgica' vorstellt; gleichzeitig knüpfen die Ritual-Editionen an seinen 1899 erschienenen Beitrag „Zur Geschichte der Passauer Ritualien" an, in dem er die Entwicklung dieses Buchtyps in der Diözese Passau vom ersten 1490 gedruckten Exemplar bis in seine Gegenwart (1893) nachzeichnet. – Ebenfalls 1899 erscheint in Mainz mit den „Beiträge[n] zur Geschichte der Messe im deutschen Mittelalter" (eine Sammlung bereits zuvor in der Zeitschrift ‚Der Katholik' erschienener Artikel) gewissermaßen die Vorstudie zu seinem ersten Hauptwerk: „Die Messe im deutschen Mittelalter" (Freiburg 1902). Das Forschungsparadigma, dem Franz entsprechend seiner in den früheren Kulturkampf-Schriften entwickelten Perspektive folgt, ist ein sozial-kulturelles und frömmigkeitsgeschichtliches: Er will „einen tieferen Einblick in das religiöse Leben des Mittelalters", in die „religiös-sittlichen Zustände"[18] gewinnen. In einem ersten Teil möchte er darstellen, welche Bedeutung die Messe für das Denken und Handeln der Gläubigen hatte, welche Anschauungen mit ihr verbunden wurden und wie sich die Messpraxis gestaltete. Reiches Anschauungsmaterial findet er dazu im Phänomen der Votivmessen. Dabei leitet ihn ein durchaus aufklärerisches Interesse: „Die kirchliche Praxis wurde vielfach von irrigen und abergläubischen, im Klerus und Volke herrschenden Anschauungen beeinflußt. [...] Mein Bestreben ging vor allem darauf hin, die trüben Erscheinungen im religiösen Leben des Mittelalters in ihrer Entstehung zu erklären. Im übrigen habe ich mich bemüht, die Verantwortung gerecht zu verteilen; die letztere trifft vor allem die leitenden kirchlichen Stellen und zwar um so schwerer, je stärkeren Vorschub die Duldung der Mißbräuche im Kultus den Neuerern des 16. Jahrhunderts geleistet hat."[19] Der zweite Teil des Buches ist den Messerklärungen von der patristischen Zeit bis zum Ausgang des Mittelalters gewidmet. Den Schwerpunkt bilden diejenigen lateinischen und deutschsprachigen Schriften, die in den Grenzen des ehemaligen Deutschen Reichs entstanden waren. Auch hierzu ist reiches Quellenmaterial aus österreichischen, deutschen und Schweizer Bibliotheken herangezogen worden. Um die

---

[17]   Franz, *Die Leistungen und Aufgaben* (wie Anm. 13) 95.
[18]   Adolph Franz, *Die Messe im deutschen Mittelalter. Beiträge zur Geschichte der Liturgie und des religiösen Volkslebens.* Freiburg/Br. 1902, Vorwort IXf.
[19]   Franz, *Die Messe im deutschen Mittelalter* (wie Anm. 18) X.

Verbreitung der Messerklärungen im Bewusstsein der Gläubigen abschätzen zu können, untersucht Franz auch eingehend Predigtliteratur – ein Genre, dem er in den folgenden Jahren vermehrt Aufmerksamkeit schenken wird.[20] In den Anhang seines Buches stellt er verschiedene Quellen, darunter auch zwei staunenswerte Messparodien. – Sein zweites Hauptwerk „Die kirchlichen Benediktionen im Mittelalter", das nach jahrelangen Quellenstudien 1909 in zwei Bänden bei Herder in Freiburg erscheint, folgt ebenfalls einer kultur- und frömmigkeitsgeschichtlichen Perspektive: „In meinem Buch ‚Die Messe im deutschen Mittelalter' habe ich den Wert und die Bedeutung der Messe für das religiöse Leben unserer Vorfahren dargelegt. Fast noch augenfälliger und stärker äußert sich der Einfluß, welchen die kirchlichen Benediktionen auf das gesamte Leben des Volkes ausübten. Indem ich dies auf Grund eines reichen handschriftlichen und gedruckten Quellenmaterials nachzuweisen suche, kommt auch das religiöse Denken, Fühlen und Wünschen des Volkes zu eingehender Darstellung. Dabei durften die im Mittelalter herrschenden abergläubischen Anschauungen und Bräuche um so weniger unberücksichtigt bleiben, als sie vielfach mittelbar oder unmittelbar mit den kirchlichen Benediktionen zusammenhängen."[21] Das von ihm zusammengetragene überreiche Material[22] wird in 15 Abteilungen nach Realien oder Kasualien systematisiert (Weihwasser / Salz und Brot / Früchte und Kräuter bzw. Naturereignisse / In Gefahren / In Krankheiten usw.) und die einzelnen Benediktionen in ihrer Entstehung und Fortentwicklung beschrieben. „Dabei war es unerlässlich, sowohl die altkirchlichen Bräuche und Segensformeln zu behandeln, als auch die antiken religiösen Ideen und Bräuche sowie die nationalen Traditionen der germanischen Völker zu berücksichtigen. Zum Verständnis der Benediktionsformeln bedarf es weiterhin der Kenntnis der religiösen, sozialen und naturgeschichtlichen Anschauungen, unter deren Einfluß diese entstanden sind und sich fortentwickelt haben. Ich habe daher überall, wo es zweckdienlich erschien, auch das Milieu zu schildern gesucht, welches für den Inhalt und die Fassung vieler Benediktionen von Bedeutung war. Die vorliegende Arbeit trägt infolgedessen auch einen religions- und kulturgeschichtlichen Charakter."[23] – Tatsächlich ist das Werk nach seiner Veröffentlichung auch auf interdisziplinärem Gebiet ein großer Erfolg und wird von Theologen, Kultur- und Religionswissenschaftlern, Germanisten, Rechts- und Medizinhistorikern hoch geschätzt.

---

[20] Vgl. z.B. seine 1907 erschienene Schrift: *Drei deutsche Minoritenprediger aus dem 13. und 14. Jahrhundert.* Freiburg/Br. 1907.

[21] Adolph FRANZ, *Die kirchlichen Benediktionen im Mittelalter.* 2 Bde. Freiburg/Br. 1909, Vorwort VI.

[22] „Ich mußte daher, als ich mich zu der vorliegenden Arbeit entschloß, zunächst die liturgischen Handschriften und Wiegendrucke systematisch durchforschen und alsdann die gesamte mir zugängliche handschriftliche und gedruckte Literatur des Mittelalters, welche sich vom liturgischen oder allgemein theologischen Gesichtspunkte aus mit den Benediktionen befaßt, durcharbeiten. Daß ich dabei keine Mühe gescheut habe, wird mein Buch jedem Kundigen bezeugen" (FRANZ, *Die kirchlichen Benediktionen* [wie Anm. 21] Vorwort V).

[23] FRANZ, *Die kirchlichen Benediktionen* (wie Anm. 21) Vorwort VI.

Überblickt man die liturgiegeschichtlichen Publikationen von Adolph Franz, so sind mehrere Aspekte beachtlich: Ihr unbestreitbarer Wert liegt sicherlich darin, dass sie auf einer außergewöhnlich breiten Kenntnis und Verarbeitung mittelalterlicher Quellen beruhen. Der kulturgeschichtlichen Perspektive, unter der das Quellenmaterial in den Blick kommt, ist es u.a. zu verdanken, dass die Darstellungen auch knapp ein Jahrhundert nach ihrem Erscheinen trotz heute veränderter theologischer Fragestellungen nicht veraltet sind. Zu dieser Beständigkeit trägt auch nicht zuletzt die wissenschaftliche Redlichkeit des Autors bei: Obwohl an der kirchlich-konfessionellen Position von Adolph Franz, die er in den Auseinandersetzungen mit den Infallibilitätsgegnern ebenso wie mit dem preußisch-protestantischen Staat scharf markiert hat, keinerlei Zweifel bestehen kann, ist er doch kein Ultramontanist im herkömmlichen Sinn: Neben der von vielen Zeitgenossen als unveränderlich und uniform gedachten ‚römischen Liturgie‘ interessieren ihn vielmehr gerade die Entwicklungsphasen der Liturgie, und zwar speziell in ihrer ‚deutschen‘ Ausprägung; dabei ist ihm eine Apologie der vorreformatorisch ‚heilen Welt‘ des Katholizismus gänzlich fremd. Er zeigt eine über den Konfessionsgrenzen stehende Größe, wenn er auch die Leistungen der protestantischen Liturgieforschung gegen den Vorwurf Cabrols verteidigt. An dem alles beherrschenden Modethema seiner Zeit, der Herz-Jesu-Verehrung, scheint er zumindest wissenschaftlich kaum interessiert, die mit diesem Phänomen verbundenen konfessionellen und nationalen Engführungen finden sich bei ihm nicht. Vergleicht man Karl Richstätters Buch „Die Herz-Jesu-Verehrung des deutschen Mittelalters"[24], das die ‚deutschen Wurzeln‘ dieser vermeintlich ‚französischen‘ Andachtsform freilegen will, mit „Die Messe im deutschen Mittelalter" von Franz, so wird zwar da wie dort das Adjektiv ‚deutsch‘ im Titel verwendet, doch ist das Franzsche Buch fern jeder unterschwelligen Deutschtümelei und versteckter antifranzösischer Stimmung. All das sind ebenfalls Gründe dafür, dass die beiden Hauptwerke von Adolph Franz nicht bloß mehr oder weniger interessante Stationen der Wissenschaftsgeschichte eines Faches darstellen, sondern auch heute noch unverzichtbare Arbeitsinstrumentarien der Liturgiewissenschaft sind.

Auswahlbibliografie
Die zahlreichen, in verschiedenen Zeitungen und Zeitschriften publizierten Artikel von Adolph Franz sind bislang nicht systematisch erfasst worden. Im Folgenden werden seine Monografien und seine liturgiewissenschaftlichen Beiträge aufgeführt.

M. Aurelius Cassiodorus Senator. Ein Beitrag zur Geschichte der theologischen Literatur. Breslau 1872

Johannes Baptista Baltzer. Ein Beitrag zur neusten Geschichte der Diöcese Breslau. Breslau 1873

Heinrich Förster, Fürstbischof von Breslau. Neiße 1875.

Das katholische Kirchenvermögen. Ein Wort an die katholischen Kirchengemeinden. Breslau 1875.

Bearbeitung von: René François ROHRBACHER, *Universalgeschichte der katholischen Kirche 15.* Münster 1877.

---

[24]   Regensburg 1920; [2]1924.

Die Kirchenpolitik Friedrichs II. von Preußen. Breslau 1878 (Sonderdruck aus: SKBl 1878, Nr. 34–36).

Die gemischten Ehen in Schlesien. Breslau 1878.

Magister Nicolaus Magni de Jawor. Freiburg/Br. 1898.

Zur Geschichte der gedruckten Passauer Ritualien, in: Passauer Theologisch-praktische Monatsschrift 9. 1899, 75–80, 180–185, 288–299.

Die Messe im deutschen Mittelalter. Beiträge zur Geschichte der Liturgie und des religiösen Volkslebens. Freiburg/Br. 1902 (Nachdruck: Darmstadt 1963; Bonn 2003).

Das Rituale von St. Florian aus dem zwölften Jahrhundert. Freiburg/Br. 1904.

Drei deutsche Minoritenprediger aus dem 13. und 14. Jahrhundert. Freiburg/Br. 1907.

Die Leistungen und Aufgaben der liturgischen Forschung in Deutschland, in: HPBl Blätter 141. 1908, 84–99.

Die kirchlichen Benediktionen im Mittelalter. 2 Bde. Freiburg/Br. 1909 (Nachdruck: Bonn 2006).

Das Rituale des Bischofs Heinrich von Breslau. Mit Erläuterungen. Freiburg/Br. 1912.

Klaus Gamber (1919–1989)

Angelus A. Häußling OSB

Unter den katholischen Liturgiewissenschaftlern deutscher Sprache des 20. Jahrhunderts ist Klaus Gamber wohl derjenige, der das umfangreichste literarische Werk vorlegte. Keiner „Schule" zuzurechnen und über Jahre hin von anderen Diensten und Pflichten frei, mochte man ihn beneiden um die Möglichkeiten, seine Themen frei zu wählen. Aber er ist in der Zunft der Liturgiewissenschaftler wohl auch der umstrittenste. Ihn so zu würdigen, dass alle, die ihn kannten, ihn darin wiederfinden, und dass jene, die sich ein Bild von seiner Persönlichkeit machen möchten, objektiv belehrt werden, wird schlecht möglich sein. Der Autor versucht so zu schreiben, dass Gamber selbst, freundlich wie er war, ihm die Mühe bescheinigt, ihm gerecht werden zu wollen.

1. Leben

Die Geburtsheimat Gambers war Ludwigshafen am Rhein, die größte Stadt des damals bayerischen Bezirks Rheinpfalz, eine gegenüber dem badischen Mannheim erst im 19. Jahrhundert entstandene Siedlung, schnell gewachsen und geprägt von Industrie und Handel, entsprechend auch kulturarm. Dort wurde er am 23. April 1919, ein knappes halbes Jahr nach Ende des Ersten Weltkrieges, geboren. In der Familie war katholische Kirchlichkeit selbstverständlich. Der Umzug nach Regensburg, 1936, bedingt durch eine Versetzung des Vaters, brachte den Zugang zu einem viel reicheren kirchlichen Leben. Doch die weiteren Jahre waren, wie bei allen Menschen dieser Epoche, geprägt von dem das Leben weithin bestimmenden Zugriff der Diktatur Hitlers und von dem 1939 beginnenden Krieg. Dem Abitur am Humanistischen Gymnasium in Regensburg 1937 folgte das halbe Jahr „Reichsarbeitsdienst", den er gewiss wie viele andere „in denkbar schlechtester Erinnerung" (Joseph Ratzinger) behalten hat. Immerhin konnte er noch zwei Jahre an der Philosophisch-Theologischen Hochschule Regensburg das Studium beginnen, ehe er, wenige Tage nach Kriegsbeginn, zur Wehrmacht eingezogen wurde. Er hatte Glück: Er überlebte den Krieg, wenn auch gesundheitlich fortan angeschlagen, aber er ist davongekommen. Im Krieg hatte er offenkundig sogar Gelegenheiten, in Bibliotheken der verschiedenen Standorte ihn interessierende Studien zu betreiben.[1] Ein Jahr war er in Griechenland und erlebte dort die Orthodoxe Kirche und deren Liturgie. Auch Gefangenschaft bei Kriegsende scheint ihm erspart geblieben zu sein. Er konnte das unterbrochene Studium in Regensburg wieder aufnehmen und beschloss es mit der Priesterweihe 1948.

Die spärlichen Angaben, die wir im Lebensbericht von Christa Schaffer finden, geben hier gleich zwei Fragen auf: Es war offenkundig eine übliche, ordentliche Schultheologie, die Gamber in Regensburg mitbekam und die ihn später, zum Beispiel, instand setzte, den gelegentlich geäußerten Vorwurf, Odo Casel habe den Opfercharakter der Messfeier geleugnet, als ganz unberechtigt

---

[1] Vgl. Klaus GAMBER, *Das Erfurter Weihnachtsgloria. Ein Beitrag zur Geschichte des Kirchenliedes in der Liturgie*, in: MGKK 46. 1941, 70–74; DERS., *Missale volgare. Ein deutsches Volksmessbuch aus dem Mittelalter*, in: MuK 14. 1942, 121f.

zurückzuweisen; er konnte aus besserem Wissen Casel verteidigen[2] – obwohl er mit dessen Theologie doch wenig anzufangen vermochte und die Brisanz ihres Skopus, soweit festzustellen, nicht verstanden hatte. Offenbar wurden seinerzeit in Regensburg die Kandidaten des Priesteramtes nicht zu Theologen im alten Sinn des Wortes ausgebildet, sondern zu guten Handwerkern der gängigen Pastoral. Die dargebotene Theologie dürfte, wie vielfach üblich, in die einzelnen Unterabteilungen „zerfallen" sein, was dann die Hörer zwang, die einende Mitte ihres Selbstverständnisses als Christen, als Priester, sich selbst zu suchen und sie sich zu gestalten, meist in einer subjektiven Devotionalität, einen emotional abgesicherten Aspekt ins Zentrum setzend, der die Frömmigkeit sammelte (Herz Jesu, Maria, Messopfer, mit den entsprechenden Formen und Gebräuchen: Anbetung des eucharistischen „sacramentum in esse", Rosenkranz, Maiandacht, viele Messen) – mit all den Risiken der Selbsttäuschung und einer Wirklichkeitsferne. Die jungen Theologen zu einem einenden Zentrum der Theologie hinzuführen – wie es zu dieser Zeit etwa Odo Casel in dem freilegte, was er das „Mysterium" nannte und was einige Jahrzehnte später ein Konzil der Kirche mit „Pascha-Mysterium" den katholischen Christen vorgab, das scheint es in Regensburg nicht gegeben zu haben, gar nicht erst als Aufgabe gesehen worden zu sein. Und da ist nun ein junger Theologe, interessiert, fleißig, wach – und keiner der Professoren, so muss es scheinen, kommt seiner Pflicht nach, erkennt das lebendige Interesse, den von Eifer für die Sache bestimmten Fleiß und die Begabung des Studenten, fördert und führt ihn, setzt sich bei der Obrigkeit für ihn ein, damit ihm die Chancen einer Weiterbildung gegeben werden (für die in den Diözesen Bayerns doch das Studium an der Theologischen Fakultät München als Alumnus der Stiftung Herzogliches Georgianum angeboten ist) – das blieb Klaus Gamber offenkundig versagt, und dies sollte sich fatal auswirken. Die zweite Frage ist, was Klaus Gamber dazu verführte, sich sehr früh der Liturgie und deren Geschichte zuzuwenden. Was bringt ihn dazu, während des Krieges bei längeren Aufenthalten in den Bibliotheken der Garnisonsstädte Liturgica und deren geschichtliches Umfeld aufzuspüren, zu exzerpieren und nach vielen Jahren damit etwas publizistisch anzufangen?[3] Woher kommt dieser Anstoß? Woher diese Liebe zu den Ostkirchen und deren liturgischen Traditionen?[4] Ist für ihn Liturgie der Ort, wo er die schon genannte Notwendigkeit realisiert, sich selbst, unabhängig von der grauen Gleich-Gültigkeit des schultheologischen Unterrichtsbetriebes, die ideelle Mitte seiner christlichen Existenz aufzubauen? So weit bis jetzt biografische Quellen zugänglich sind, muss offen bleiben, was Gamber den Impetus gab, sich der lebenslang währenden Faszination der Liturgie zu öffnen und ihre Erforschung als Lebensaufgabe anzunehmen und ihre – wie er es sieht – rechte Schätzung einzufordern. Es bleibt aber, dass er sein Hauptthema, „Liturgie" der

---

[2]   Vgl. Klaus GAMBER, *Die Meßtheologie Odo Casels*, in: Deutsche Tagespost 38. 1985, Nr. 107, 9.

[3]   Vgl. u.a. Klaus GAMBER, *Ein „Schott' aus dem Mittelalter*, in: Der christliche Pilger 107. 1957, 418; DERS., *Das Sonntagsmeßbuch von Jena und die Neufassung der Sonntagsmessen durch Gregor d. Gr.*, in: EL 71. 1957, 268–279.

[4]   Vgl. schon Klaus GAMBER, *Feierliches Hochamt der Ostkirche*, in: Regensburger Bistumsblatt 12. 1938, H. 12, 12.

spätantiken und frühmittelalterlichen Kirche zwar hingegeben studierte, aber so gut wie nicht deren immanente Theologie zu erfassen scheint. Er bleibt der Schultheologie verhaftet.

Nach der Priesterweihe werden Gamber Dienste in der Seelsorge zugewiesen. Die Bitte um ein Spezialstudium wird mit dem Hinweis auf den Priestermangel in der Diözese abgelehnt. Er hat offenbar keine Fürsprecher bei denen, die das Sagen haben; denn das vorgebrachte Argument kann damals, angesichts der konkreten Lage in seiner Heimatdiözese, nichts anderes als eine das fehlende ernste Interesse verschleiernde Ausrede sein.

Vier Jahre ist er Kaplan, danach hat er fünf Jahre die selbständige Leitung einer Gemeinde. Für diese schafft er, neben anderen, sehr pragmatisch angepackte Hilfen (Kindergarten, Jugendheim, Pfarrkino) auch gute Hilfsmittel der Erschließung und der Mitfeier der Liturgie.

1956 darf er endlich in München ein Fachstudium beginnen, mit dem Ziel einer Promotion – aber er wird krank und muss dieses Vorhaben abbrechen. 1957 wird er wegen seiner Erkrankung von der Seelsorgsarbeit beurlaubt. Er widmet sich fortan der Liturgiewissenschaft, konkret: der liturgiegeschichtlichen Forschung, vor allem den handschriftlich erhaltenen Zeugnissen der Spätantike und des frühen und hohen Mittelalters. Daneben nimmt sein wacher Geist noch vieles andere auf: eine Fülle von Themen unterschiedlicher Art, wie die Bibliografie aufzeigt.

Über drei Jahrzehnte hin kann Gamber in dem selbstgestalteten und -verantworteten Regensburger Umfeld, „seinem" „Liturgiewissenschaftlichen Institut" (zunächst in Prüfening, dann Regensburg, mit Sitz in der Bischöflichen Zentralbibliothek) Liturgiewissenschaft, wie er sie sieht, betreiben.

Dank Polykarp Rádo OSB war er 1967 an der Päpstlichen Theologischen Fakultät in Budapest zum Doktor der Theologie promoviert worden. Im gleichen Jahr verleiht ihm die Freie Ukrainische Universität München die akademische Würde eines Ehrendoktors der Philosophie. Weitere Ehrungen sind 1987 die Bestellung zu einem Vizepräsident der Henry-Bradshaw-Society London, und 1989 verleiht ihm der Bundespräsident der Bundesrepublik Deutschland das Bundesverdienstkreuz am Band.

In seinem Regensburger Umfeld ereilt ihn auch, unerwartet, am Abend des 2. Juni 1989 der Tod.

2. Klaus Gamber und die Liturgiewissenschaft
2.1 Der Autodidakt

Klaus Gamber hatte keinen „Lehrer" und lässt sich nicht einer „Schule" zuordnen. Das muss nicht von vornherein ein Nachteil sein. Auch Josef Andreas Jungmann SJ (1889–1975) war liturgiewissenschaftlicher Autodidakt und gehörte auch nicht einer „Schule" an, auch wenn er einige Zeit bei Franz Joseph Dölger hospitierte. Aber der Vorteil eines „Lehrers" wiegt viel. Der Lehrer setzt, beispielgebend, einen Maßstab, an dem alle künftige Arbeit von selbst gemessen wird; sie muss vor ihm bestehen können. Vom Lehrer lernt der Adept, nicht gleich schnellen Entdeckungen zu vertrauen, sondern sie zunächst mal kritisch zu prüfen und sie im Dialog zu bewähren, damit sie sich nicht bald als bloße Einfälle entlarven. Überhaupt: Unter einem Lehrer zu arbeiten, lässt Wissenschaft, und Theologie vornan, als einen ständigen Prozess im Dialog erleben und ein Leben lang so fortführen. Die Schwäche des Autodidakten, und die des begeistert Fleißigen zumal, besteht dann vielfach in übersteigerter Selbstsicherheit, in der Unfähigkeit und auch Unwilligkeit zum prüfenden, klärenden, weiterführenden Dialog, dem gelassenen Erkennen und Zugeben von Selbsttäuschung und der oft überraschenden Freude daran, wie Fehler neue Erkenntnisse zeitigten. Der Autodidakt lebt in der Versuchung, Einfälle als sichere Fortschritte zu verteidigen, ebenso aber auch, wenn sie ins Leere führten, sie rasch wieder aufzugeben. Natürlich bringt das Faktum, einen „Lehrer" gehabt zu haben, nicht von selbst Sicherheit vor Selbsttäuschung und anderen Mängeln einer wissenschaftlichen Existenz. Aber wer keinen „Lehrer" hatte, tut sich im Allgemeinen schwerer. Und ein Glücksfall bleibt es allemal, wenn jemand mehr als nur einen „Lehrer", wenn er einen „Meister" erlebte. Ein solcher „Schüler", vermag dann meist mehr zu leisten als von ihm zunächst zu erwarten war.

Nun kann man lesen, Klaus Gamber habe in dem Beuroner Benediktinergelehrten Alban Dold (1882–1960) einen „Lehrer" gefunden. Keine Frage: In seinem Fachgebiet, der Entzifferung von Palimpsesten und der Einordnung der so neu oder wieder gewonnenen Texte war Alban Dold der zu Recht anerkannte Fachmann schlechthin. Aber ein eigentlicher „Lehrer" war er nicht. Der Verfasser war über vier Jahre hin Hausgenosse von Alban Dold; er absolvierte bei ihm an der Theologischen Hochschule der Erzabtei Beuron einen Kurs in Paläographie. Er glaubt also urteilen zu dürfen: Alban Dold war ein Gelehrter hohen Ranges, aber kein „Lehrer". Unter anderem war dafür ein Signal, dass er die Materie seiner Arbeit, die Texte der alten und mittelalterlichen Kirche, nicht in ein Ganzes zu integrieren in der Lage war. Seine thematisch schöne Sammlung von Präfationen der Alten Kirche zeigt: bewunderswert, begeisternd, die großartigen Texte, die er, vielfach von ihm selbst erst entdeckt, vorlegen konnte – doch fast schon peinlich, wie fern der theologischen Mentalität die Kommentierung des Herausgebers verbleibt.

Von Alban Dold hörte der Schreiber dieser Zeilen auch erstmals, um 1957, den Namen Klaus Gamber. Dold berichtete, geradezu verblüfft, von der Fähigkeit Gambers, die frühen Sakramentare (von denen Gamber und er gemeinsam eines, das „Sakramentar von Salzburg", rekonstruierten und herausgaben) einander zuzuordnen, eine Fähigkeit, vor der erstaunend kapitulierte: „Gamber ist tüchtiger als ich", so sein ehrlich gesprochenes Fazit. (Es ging um die 1958 in Beuron herausgebrachte Studie Gambers „Sakramentartypen".[5]) Es bleibt dabei, leider: Gamber hatte keinen Lehrer, der ihm dazu hätte verhelfen können, sein Lebenswerk besser abzusichern.

2.2 Die methodischen Schwächen

Die Fähigkeit Gambers, die Dold bewunderte, war aber auch seine methodische Schwäche: Das schnelle Erfassen möglicher Zusammenhänge und, ebenso schnell, die Konstruktion von Abhängigkeiten mit dem Schluss auf – in seiner Sicht – sichere Autorschaften oder, noch mehr, Nicht-Autorschaften. Wir neh-

---

[5]   Vgl. Klaus GAMBER, *Sakramentartypen. Versuch einer Gruppierung der Handschriften und Fragmente bis zur Jahrtausendwende.* Beuron 1958 (TAB 1; 49/50).

men ein Beispiel, das im Zusammenhang mit seinen Arbeiten am Werk des altchristlichen Schriftstellers Nicetas von Remesiana steht (worüber noch zu sprechen sein wird). Es ist der Aufsatz „Das ‚Te Deum' und sein Autor",[6] drei Druckseiten in der namhaften Zeitschrift „Revue bénédictine" (1964). Gamber stützt sich in vielen Aussagen auf die gute Studie von Ernst Kähler,[7] übernimmt von ihm allerdings die eigentlich theologischen Aussagen nicht, sondern nur textkritische Einzelheiten. Wir nehmen den zweiten Punkt der Aussagen heraus, die Zuordnung des Textes, nach Gambers Ansicht, in das kirchliche Milieu Nordafrikas. In dem Hymnus wird bekanntlich Jes 6 zitiert, das Trishagion des himmlischen Hofstaates vor dem Thron Jahwes. Nun ist aber – so Gamber – das Trishagion in der Kirche des Westens „erst zu Beginn des 5. Jahrhunderts" in das Hochgebet der Eucharistiefeier aufgenommen worden. Deshalb darf eine Stelle beim Nordafrikaner Tertullian (um 200), die ebenfalls Jes 6 zitiert, nicht mehr, wie meist geübt, auf das Hochgebet der Eucharistiefeier bezogen werden, sondern Gamber „vermutet" [!], es sei hier auf das Te Deum angespielt (von dem aus dieser Zeit überhaupt noch keine Zeugnisse vorliegen). Und da der Nordafrikaner Cyprian, eine Generation später, einige Zeilen niederschreibt, die an Formeln im Te deum anklingen, schließt daraus Gamber: „Wenn hier tatsächlich, wie anzunehmen [!] ist, eine Anspielung auf den Text des ‚Te Deum' vorliegt, dann könnte [!] auch die Tertullian-Stelle in diesem Sinn zu deuten sein". Und weiter: 200 Jahre später schreibt Arnobius, „wahrscheinlich [!] ein aus Nordafrika vor den Vandalen geflüchteter Mönch", einen Satz von acht Worten nieder, in dem vier Worte mit vier Worten des Te Deum übereinstimmen – Worte der allgemeinen Kirchen- und Bibelsprache –, und als dann, als ein weiterer Beleg, bei nordafrikanischen Vätern die immer wieder vorkommende Formel „ecclesia per orbem terrarum diffusa" sich findet („die etwas geändert auch in den römischen Canon eingegangen ist"), schließt sich der Beweiskreis. Aber diese Wendung ist doch nichts anderes als eine erklärende lateinische Wiedergabe des griechischen „kath'holon", „katholisch". Das alles soll ausreichen, die Heimat des Te deum in Nordafrika zu fixieren. Dieser Schluss ist weit entfernt von dem „Ausschließlichkeitspostulat", das bei solchen Verfahren anzuwenden ist: Mit dieser oder jener Formel kann der Autor nur diese Vorlage zitiert haben. Die Regel versagt, wenn eine Vorlage, wie das Te deum, so gut wie nur allgemeine Bibel- und Kirchensprache gebraucht.

Es kommt, gerade bei einem Text wie das Te deum einen darstellt, dass man sich Rechenschaft darüber geben muss, in welcher Entwicklungsstufe ein Text fixiert werden soll. Man weiß: Die Germanisten mussten lernen, dass bei manchen Gedichten etwa von Friedrich Hölderlin oder Georg Trakl eine authentische und somit gültige Textvariante, ein „Urtext" gewissermaßen, nicht gefunden werden kann, weil der Dichter selbst in verschiedenen Anläufen schließlich mehrere Varianten nebeneinander stehen ließ. Eine „kritische" Edition gewohnten Stils kann deshalb nicht erstellt werden; man muss die Texte synoptisch lesen. Welcher Text ist nun etwa beim Te deum „gültig"? Klaus Gamber befindet nun (hier übrigens zusammen mit Ernst Kähler), dass die drei

---

[6]　　Vgl. Klaus GAMBER, Das ‚Te Deum' und sein Autor, in: RBen 74. 1964, 318–321.

[7]　　Vgl. Ernst KÄHLER, Studien zum Te Deum und zur Geschichte des 24. Psalms in der Alten Kirche. Berlin 1958; auch Göttingen 1958 (VEGL 10).

letzten Zeilen der ersten Strophe des Hymnus: patrem immensae maiestatis –
venerandum tuum verum et unicum filium – sanctum quoque paraclitum spi-
ritum, nicht ursprünglich seien, sondern eine spätere Zufügung (ohne dass für
einen solchen Schluss irgendeine Handschrift oder Zitation einen Anhalt gibt).
Nehmen wir diesen Schluss einmal an, dann zeigt aber ein genaueres und ge-
duldigeres Hinsehen, dass diese drei Wortverbindungen genau, reziprok, den
ersten drei entsprechen, mit denen die erste Strophe des Hymnus einsetzt: te
deum laudamus – te dominum confitemur – te aeternum patrem omnis terra
veneratur. Diese drei Aussagen werden zwar durchgehend falsch übersetzt, weil
die zweiten Akkusative nicht als Prädikatsnomen erkannt werden (was eine typisch hymnisch-anakletische Sprachform darstellt, wie sie oft begegnet), aber
die zwei Drei-Worte stehen genau parallel am Anfang und Ende der Strophe,
fassen diese somit als Einheit zusammen und stellen in ihrer Wechselbeziehung
das Geschehen der Liturgie – Stiftung von „Kirche" – dar: Die ersten drei Zeilen bringen das bekennende Handeln der den Hymnus Singenden ins Wort
(„Wir loben dich als [den] Gott ..."), die drei letzten geben die Antwort des sich
selbst offenbarenden Gottes, wer er in Wahrheit ist: „Gott ewiger Majestät ..." In
der Sprache der Schultheologie: Das Sprachspiel dieser beiden Ternare zu Anfang und Schluss der Hymnusstrophe bringen den Vorgang des Glaubens ins
Wort, zuerst den „fides qua" nennend, den Anteil der glaubenden Menschen,
also das Bekennen, und die „fides quae", was Gott von sich selbst zu glauben
offenbart. Wenn dem so ist: Welcher ist dann der authentische Text? Der, nach
(Kähler und) Gamber „ursprüngliche" (Gamber hier: die „Urfassung", wie er
sie rekonstruiert zu haben meint), ohne die Ansage des „fides quae", oder der
angeblich erweiterte, spätere, geistvoll den Vorgang der Liturgie aus Glauben
im Bekenntnis aussagende? Man sieht: Da ist zu schnell, zu kurz hingeschaut
und eine Entscheidung gefällt worden. – Der Aufsatz enthält überdies auch einige erstaunliche Fehler. So lässt Gamber das gleiche Bibelzitat, welches den
Hymnus „Gloria in excelsis" eröffnet (Lk 2,14), auch dem Te deum im ältesten
Textzeugen, dem sog. Antiphonale von Bangor, vorangehen, was aber nicht
stimmt, denn dort steht vor dem Hymnus das Zitat von Ps 122,1. Die Funktion dieser eröffnenden Zitate ist nicht wahrgenommen; sie zitieren Situationen
der Heilsgeschichte, dadurch die Gegenwart der Glaubend-Bekennenden als
dieser einen Heilsgeschichte zugehörig identifizierend. Auch die Beurteilung
der „am Schluß beigefügten Bibelzitate" ist falsch; es handelt sich um die in der
Westkirche weithin bekannte Stilform der „capitella per psalmos", oft und oft
angewandt. Fazit: Der Aufsatz verlangt eine kritische Lektüre. Aber Gamber zitiert ihn in späteren Veröffentlichungen so, als habe er nicht selbst darin nur
Vermutungen ausgesprochen und Konjunktive gesetzt. Die Aussagen werden
unversehens zu Beweisen.

2.3 Das bleibende Werk: Codices liturgici latini antiquiores

Doch wird Gambers Name noch wenigstens auf einige Jahrzehnte hin mit einem Werk verbunden bleiben, das zu den wichtigen Hilfsmitteln der Liturgiegeschichtsforschung gehört: Seine systematische Erfassung der wichtigsten,
Liturgietexte tradierenden Handschriften der Westkirche des ersten Jahrtausends. Für ein solches Werk gilt zunächst fraglos das bekannte Diktum: „Ein

Buch kann jeder schreiben, eine Bibliographie nur ein Fleißiger." Aber Gamber hat mit dem Fleiß auch viel Sachkenntnis verbunden. Zwar mindern manche eigenwilligen Zueinanderordnungen der Handschriften eine verlässliche Benutzung des Werkes, und es stören auch immer wieder eigenwillige Urteile, für deren Begründung wieder nur auf die eigenen Publikationen verwiesen wird. Aber als Ganzes muss immer noch, wer ernsthaft abendländische Liturgiegeschichte an den frühen Quellen studieren will, dieses Werk hernehmen, und er wird es mit Gewinn nutzen. Der ersten, 1963 erschienenen und bald vergriffenen Auflage folgte 1968 die zweite, die Gamber selbst, leicht übertreibend, „eine völlige Neubearbeitung und Erweiterung" nennt. Zu dieser besorgte zwanzig Jahre später Anton Hänggi, der schon die vorausgehenden Ausgaben herausgeberisch betreut hatte, unter Verwendung der von Gamber selbst inzwischen weiter gesammelten Materialien und unter Mitarbeit von vier weiteren Fachgelehrten ein „Supplementum", das sich bescheiden „Ergänzungs- und Registerband" nennt, aber doch mehr darstellt. Aber nach fast wieder zwanzig Jahren müsste nun das Werk erneut revidiert werden, noch mehr: Es müsste neu verfasst werden. Aber man kennt niemanden, der sich das zutrauen kann oder, zutreffender, die Arbeit, die Gamber allein leistete, mit sicherem Urteil koordinieren kann. Gambers „CLLA" wird noch geraume Zeit sein Denkmal bleiben.

2.4 Gambers Publikationsreihen und die Arbeiten über Niceta von Remesiana
Eine Besonderheit des Autors Klaus Gamber sind die von ihm in Gang gebrachten, weithin auch auf sein eigenes Risiko verlegten Publikationsreihen. Sie beginnen, noch vor seiner Priesterweihe, mit der Reihe „Heiliges Leben", Heftchen zur verständigen Mitfeier der Liturgie; elf Hefte sind bibliografisch nachgewiesen. Das dritte Heft, „Die Feier des Herrenmahls als Gemeinschaftsgottesdienst der Pfarrgemeinde", verdient wegen seiner sachkundigen Hinführung zur Ordnung des Messrituals besondere Beachtung. Eigentlich liturgiewissenschaftlich orientiert sind die beiden Reihen „Textus patristici et liturgici" (15 Nummern) und „Studia patristica et liturgica" (22 Nummern), beide parallel von „Beiheften" begleitet (15 und 26 Nummern). Die meisten haben Gamber selbst als Autor oder Herausgeber der dargebotenen Texte, und wenn andere als (Mit-) Autoren genannt sind, hat meist Gamber selbst sie zum Schreiben animiert. Den Abschluss bildet die Reihe „Liturgie heute", in denen die oft harte Kritik an der Entwicklung der Liturgie in der katholischen Kirche ins Wort gebracht wird. Ein Vorzug dieser Reihen ist, dass Texte der Liturgiegeschichte leicht und billiger als in den großen Editionen bereitliegen, auch wenn die Textgestaltung nicht allen Anforderungen der Textkritik genügen mag. Und einmal mehr zeigen sie das weite Spektrum der Interessen des Gelehrten.

In diesen Reihen sind auch die Früchte einer Arbeit zu finden, die Gamber dem altkirchlichen Bischof und Schriftsteller Niceta von Remesiana (um 350 bis nach 414) über lange Jahre hin widmete. Er handelte sich damit einiges Aufsehen und manchen Streit ein, weil er bisher allgemein, seit Jahrhunderten schon, dem Ambrosius von Mailand zugeschriebene Traktate dem Nicetas zueignete. Gamber meint, Nicetas „– und nur er –" könne der Verfasser sein, aber er geht z.B., und typisch für Gamber, gar nicht auf ein von Otto Faller SJ vorgebrachtes Argument ein, dass die gesamte Tradition der handschriftlichen Überlieferung nie einen anderen Namen als Ambrosius nennt. Man hatte von Gamber eine kritische Gesamtausgabe der Niceta zugeschriebenen Schriften erwartet, doch war er damit offenbar überfordert. 1979 legte er einen „Rechenschafts- und Forschungsbericht" vor, in dem er Niceta allerlei Schriften zuspricht und abspricht, ihn neu als einen Hymnendichter einsetzt. Faszinierend ist der erste Abschnitt dieses Aufsatzes über „Person und Werk des Niceta vom Remesiana", wo Gamber aus den wenigen sicheren Nachrichten eine ganze Biografie niederzuschreiben weiß, die Motive für zwei Reisen nach Italien nicht ausgeschlossen, weil ein „vielleicht" als Verwandter von ihm vermuteter Decius Hlarianus Hilarius ein hoher Staatsbeamter in Rom geworden war – viel Raum für Spekulationen.

2.5 Das Erbe

Alles in allem listet die hauptsächlich von Christa Schaffer verantwortete Bibliografie der Publikationen Klaus Gambers das Werk dieses fleißigen Mannes in 842 Nummern auf. Davon ist freilich nur ein Teil, aber ein erheblicher und der hier thematisch interessierende, für die Liturgiewissenschaft relevant. An einigen Beispielen konnten wir zeigen, dass der Autor Gamber kritische Lektüre braucht. Die Frage ist heute: Was von Gambers immensem Schrifttum hat für die Liturgiewissenschaft eine Bedeutung, die den Tag überstehen wird und weiter Beachtung verdient, deshalb, weil die Wissenschaft Schaden nimmt, wenn diese Erkenntnisse Gambers unbeachtet bleiben? Wie mit seinem Erbe umgehen?

Von der zweifelsfreien Bedeutung seiner Beschreibung und Ordnung der „Codices liturgici latini antiquiores" sprachen wir schon. Für das übrige Schrifttum muss unterschieden werden. Jean Deshusses, kompetent als Editor historisch-liturgischer Texte, machte den Vorschlag, man solle die vielen von Gamber aufgefundenen, verstreut gesammelten und edierten patristischen und liturgischen Texte zusammenfassend herausgeben, natürlich nicht ohne genaue (und noch genauere, als Gamber sie lieferte) kodikologische Verweise, damit die Funde präsent bleiben und der weiteren Forschung offenliegen. Freilich, wer diese Arbeit unternehmen sollte, müsste dafür kompetent sein, und es wird schwierig sein, einen solchen zu finden, denn diese Arbeit bräuchte einige Zeit konzentrierter und ruhiger Arbeit. Ein anderes Postulat, wenn Gambers Erbe nutzbringend gemacht werden soll, wäre eine Art „Führer" durch seine liturgiewissenschaftlich relevanten Publikationen: Was ist darin originell, welche Aussagen und Schlussfolgerungen haben welchen Rang an Sicherheit, wo sind seine Aufstellungen diskutabel? Aber es bräuchte noch mehr als bei den editorischen Publikationen Sachkompetenz und dazu heroischen Fleiß, um diese Arbeit zu leisten. Im Ganzen, leider: Um das Erbe des Liturgiewissenschaftlers Klaus Gamber steht es schlecht.

3. Die Persönlichkeit: „Kirchenpolitisch" polarisierend, als Mensch gewinnend und überzeugend

Man möchte ob eines solchen Schlusses traurig werden. Gambers Fleiß und seine persönliche Lauterkeit, auch seine Liebe zur Liturgie und deren Erforschung, hätten Besseres verdient.

Dazu kommt noch ein anderes, was den Rückblick auf Klaus Gamber problematisch macht. Die Liturgie den Christen wieder nahezubringen, war ihm ein ehrliches Anliegen. Es führte seine Arbeit als Seelsorger. Sicher begrüßte er, dass das von Papst Johannes XXIII. unerwartet einberufene Konzil (1962–1965) sich als erstes Thema die Liturgie der Kirche vornahm. In seinem Buch „Liturgie übermorgen"[8] zeigt er sich einer Reform der Liturgie der Kirche prinzipiell aufgeschlossen – ohne dass er freilich zu erkennen scheint, dass die Liturgie einer Kirche nach der „anthropologischen Wende" der Religiosität, dies auch unter den kirchlich gebundenen Christen und der Theologie, ganz anderen Veränderungen unterliegen wird als die Geschichte der Liturgie bisher Modelle liefert und Horizonte bereithält. Das Konzil stellte Recht und Pflicht zu einer wirklichen, vollen, bewussten und betroffenen Teilnahme aller in der Kirche Glaubenden als eine aus den Sakramenten der Initiation mitgegebene Heilswirklichkeit dar. Das bedeutet: Es ist nicht abzusehen, wie die Erfahrungen der Menschen sein werden, die sie nun mit Gott und dem lebendigen, zeit- und menschennahen Glauben an Gott machen werden. Und der Liturgiewissenschaft sind damit auch Themen aufgegeben, von denen sie bis vor kurzem noch nichts wusste.

Es ist klar, dass es Krisen zeitigen muss, wenn – in vielem spät, oft zu spät für ein überlegtes, Erfahrungen sammelndes und dann erst definitives Vorgehen – das gewohnte Gefüge der Liturgie Änderungen unterzogen wird. Gamber war von der Reform der Liturgie, wie sie sich nach dem Konzil faktisch in den Gemeinden und in der veröffentlichten kirchlichen Meinung vollzog, tief beunruhigt. Das erste Thema der Liturgie war und blieb für ihn „Gott", aber – wir sagten es schon – wie schwierig es mit „Gott" in der Neuzeit, nach Aufklärung, nach Feuerbachs Kritik am gängigen Gottesbegriff, auch an dem der Theologen, wie schwierig es also damit steht, das hat er offenbar in seinem Werdegang als Theologe nicht mitbekommen. So musste ihn die Entwicklung in der nachkonziliaren Kirche irritieren. Für seine Person zog er den Schluss: Die Heimat seiner Frömmigkeit wurde die Ostkirche; so schrieb er es dem Verfasser. Anderseits sah er sich vor seinem Gewissen verpflichtet zu helfen, den vielen, die unsicher geworden waren, und der Kirche im Ganzen. Er warnte, er prangerte an, er wurde zum Kritiker der Liturgiereform und überhaupt der nachkonziliaren Entwicklung.[9] Und dies nicht einfach dumm, sondern mit dem Gerüst wissenschaftlichen Apparates, der ihm zur Verfügung stand und bei den Lesern Eindruck machte. Denn wer könnte schon die vielen Konjunktive entlarven, mittels derer er aus Quellenfragmenten stringent scheinende

---

[8]   Vgl. Klaus GAMBER, *Liturgie übermorgen. Gedanken über die Geschichte und Zukunft des Gottesdienstes.* Freiburg/Br. 1966.

[9]   Vgl. dazu auch John F. BALDOVIN, *Klaus Gamber and the Post-Vatican II Reform on the Roman Liturgy,* in: StLi 33. 2003, 223–239; Kevin W. IRWIN, *Critiquing recent liturgical critics,* in: Worship 74. 2000, 2–19.

Systeme zusammenbaute. Und er war offenkundig ja auch selbst nicht in der Lage wahrzunehmen, dass die früheren Epochen ebenso Ungleichzeitigkeiten nebeneinander in sich trugen wie die jüngste Vergangenheit und, noch mehr, die Gegenwart. So kam es, dass Klaus Gamber in der Kirche polarisierend wirkte. Er wurde zu einer Berufungsinstanz der Kritiker der nachkonziliaren Kirche. Er drängte auf eine „Reform der Reform"; ersteres war prinzipiell gemeint, das zweite blieb aber ohne konkrete Konturen, denn dass es nicht einfach zum Altgewohnten zurückgehen konnte, das wusste Gamber, geschichtskundig wie er war, selbst natürlich gut genug.

Höhepunkt dieser Entwicklung war das Urteil, das nach seinem Tod als Äußerung von Kardinal Joseph Ratzinger in Umlauf kam. Klaus Gamber, so Joseph Ratzinger, sei „der einzige [Liturgie-]Gelehrte, der einem Heer von Pseudoliturgikern gegenüber wirklich aus der gottesdienstlichen Mitte der Kirche denkt".[10] Der Leiter des Deutschen Liturgischen Instituts, Heinrich Rennings (1926–1994), und der Verfasser dieses Beitrages fragten beim Kardinal an, wie diese Äußerung zu verstehen sei, in der sie sich doch mitgemeint sehen mussten. Die Antwort des Kardinals[11] war teils abmildernd, teils bestätigend: Die Äußerung entstamme „aus einem persönlichen Brief, den ich in der Betroffenheit über den unerwarteten Tod niedergeschrieben und natürlich nicht zur Veröffentlichung bestimmt hatte. Die Formulierung, er sei ‚der einzige' gewesen, ist aus der Erschütterung des Augenblicks zu verstehen und so sicher nicht aufrecht zu erhalten". Er fährt aber fort: „Was aber das Heer der Pseudoliturgiker betrifft, so genügt es, die Publikationen der letzten 25 Jahre zum Thema Liturgie aufzuschlagen, um dieses zu identifizieren".[12] Es bleibt offen: 25 Jahre vor 1989, d.h. 1964 – am 3. Dezember 1963 verabschiedete das Zweite Vatikanische Konzil die Konstitution über die Heilige Liturgie „Sacrosanctum Concilium": Ist sie mitgemeint?

Aber dies braucht nicht das letzte Wort über den Liturgiewissenschaft Klaus Gamber zu sein. Denn alle, die ihn kannten und mit ihm zu tun hatten, erlebten ihn als einen hilfsbereiten, gütigen, die Menschen beachtenden und ihnen zugetanen Mann. Er hatte die besten Tugenden, die dem katholischen Priester der Restaurationsepoche des 19. Jahrhunderts (das, nach einem Diktum Friedrich Heers, bis 1950 dauerte) zugeschrieben werden durften: fromm, selbstlos, gütig, verlässlich nach besten Kräften hilfsbereit, ohne Rücksicht auf das vielleicht unsympathische Gegenüber, vom anderen immer das Beste annehmend, nicht nachtragend, im Urteil nie endgültig abrechnend und über allem vorbehaltlos der Kirche zugetan. Und auch wenn es hier „nur" einen Liturgiewissenschaftler und dessen Werk zu skizzieren gilt, darf man doch vermerken, dass am Jüngsten Tag nach genau diesen Tugenden gefragt und geurteilt wird.

---

[10] Vgl. den Beleg in: Theologisches 19. 1989, Nr. 7, Sp. 366.
[11] Brief an den Vf. vom 30. September 1989.
[12] Vgl. dazu die Nachricht vom Tode Gambers in ALw 31. 1989, 479f, hier 480.

Auswahlbibliografie

Die umfassende Bibliografie der Publikationen Klaus Gambers liegt vor in:

Klaus GAMBER, *Bibliographie seiner Veröffentlichungen*. Bearb. v. Christa SCHAFFER unter Mitarb. v. Helga KÖNIG u. Cordula SCHÜTZ-FISCHER. Trier 2002 (SUBE 53). – Enthält außer der Bibliografie: Hans-Joachim SCHULZ, *Zum Werk von Klaus Gamber* (XI–XVI); Christa SCHAFFER, *Klaus Gamber. Spuren seines Lebens* (XVII–XXI); *Klaus Gamber. Zeittafel* (XXIIIf).

Die Feier des Herrenmahls als Gemeinschaftsgottesdienst der Pfarrgemeinde. Hg. v. Klaus GAMBER. Regensburg 1946 (Heiliges Leben 3).

Das 'Te deum' und sein Autor, in: RBen 74. 1964, 318–321. – Bibliografie darin: 132.

Codices liturgici latini antiquiores. Freiburg/Schw. 1963 (SFS 1).

Codices liturgici latini antiquiores. 2a ed. aucta. Freiburg/Schw. 1968 (SFS 1,1; 1,2).

Codices liturgici latini antiquiores. Supplementum. Ergänzungs- und Registerband. Unter Mitarb. v. Bonifacio BAROFFIO [u.a.]. Freiburg/Schw. 1988 (SFS 1A).

Zur Meßtheologie Odo Casels, in: Deutsche Tagespost 38. 1985, Nr. 107, 9 (Leserbrief).

Niceta von Remesiana als Katechet und Hymnendichter. Ein Rechenschafts- und Forschungsbericht, in: *Spätantike und frühbyzantinische Kultur Bulgariens zwischen Orient und Okzident.* Hg. v. Renate PILLINGER. Wien 1986 (Schriften der Balkankommission; Österreichische Akademie der Wissenschaften, Philosophisch-Historische Klasse 16. Antiquarische Abteilung 16).

Simandron. Der Wachklopfer. Gedenkschrift für Klaus Gamber (1919–1989). Hg. v. Wilhelm NYSSEN. Köln 1989 (SZPSK 30).

Herbert Goltzen (1904–1979)

Michael Meyer-Blanck

Gehörten die ebenfalls in diesem Band behandelten Konrad Ameln, Karl Bernhard Ritter und Wilhelm Stählin 1931 zu den Gründungsmitgliedern der einflussreichen Evangelischen Michaelsbruderschaft[1], so kam Goltzen erst 1935 dazu, nachdem er bereits 1933 den Pfarrernotbund mitgegründet hatte[2] und 1934 in den Bruderrat der Bekenntnissynode Berlin-Brandenburg berufen worden war. Kirchenpolitisch radikaler[3] als (der 21 Jahre ältere) Stählin, wurde Goltzen (wie auch Ritter) in der NS-Zeit mehrfach verhaftet. Er verband das Engagement für die Bekennende Kirche mit demjenigen für die liturgische Tradition. Als Mitglied der „Lutherischen Liturgischen Konferenz" war er nach 1945 ein sorgfältig an den Quellen arbeitender Liturgiker, der zum Stundengebet und zum evangelisch-katholischen Gespräch über die Eucharistie publizierte.

1. Biografie

Herbert Julius Arthur Goltzen wird am 5.9.1904 in Berlin als Sohn eines Juristen geboren.[4] Nach dem Abitur in Berlin 1922 studiert er von 1923–1928 Evangelische Theologie in Tübingen, Marburg und Göttingen und legt 1928 in Marburg das Fakultätsexamen ab. Er schließt sich als Student dem „Bund deutscher Jugendvereine" (BDJ) an und begegnet hier Stählin und Ritter.

---

[1] Die vollständige Liste der 22 Namen vgl. bei Hans Carl VON HAEBLER, *Geschichte der evangelischen Michaelsbruderschaft von ihren Anfängen bis zum Gesamtkonvent 1967*. Marburg 1975, 151.

[2] Bei Klaus SCHOLDER, *Die Kirchen und das Dritte Reich, Bd. 1*. Frankfurt/M. – Berlin 1977, 613, ist nur die Rede von Eugen Weschke und Günter Jacob. Doch Goltzen war der dritte der Freunde aus dem Kirchenkreis Forst (Lausitz). Nach brieflicher Auskunft von Udo Schulze, Westerstede vom 3. März 2004, konnte Goltzen als Augenzeuge davon berichten, wie Günter Jacob die Verpflichtungserklärung des Pfarrernotbundes im Café Trumpf am Kurfürstendamm schrieb. Die fehlende Erwähnung Goltzens (betr. den Gründungstag des Pfarrernotbundes 11.9.1933) bei Scholder beruht offensichtlich auf einem Versehen (vgl. dazu HAEBLER, *Geschichte der evangelischen Michaelsbruderschaft* [wie Anm. 1] 49f).

[3] Über die Herrschaft von Ludwig Müller schreibt Goltzen im Juni 1934: „Das verweltlichte neuprotestantische Restgebilde schwindet an Selbstauflösung gerade durch die krampfhaften Organisationsversuche der Kirchenführung, dieser Kreuzung aus Papsttum und ‚Führertum'" (*Die Selbstauflösung der Evangelischen Kirche*, in: JK 2. 1934, 446–457, hier 455).

[4] Die meisten der folgenden Angaben nach dem Beitrag von Udo SCHULZE, *Johannes Wien und Herbert Goltzen – zwei Ostpfarrer in Oldenburg*, in: Oldenburger Jahrbuch 97. 1997, 181–211. Herrn Pfarrer Reinhard Rittner in Oldenburg danke ich, dass er mich auf diesen Aufsatz aufmerksam gemacht und mir darüber hinaus weitere Hinweise gegeben hat.

Von 1929–1931 ist Goltzen Jugendleiter beim BDJ in Solingen und Vikar im Rheinland, 1931 heiratet er Magdalene Dorothea Jepsen (1906–1986). Nach der Ordination (1931 in Düsseldorf) und Hilfspredigerzeit wird Goltzen am 01.05.1932 Pfarrer in Kohlo (Kirchenkreis Forst) in der brandenburgischen Niederlausitz, einer kleinen Landgemeinde mit 840 Gemeindegliedern (an der heutigen deutsch-polnischen Grenze). Von Anfang an feiert er dort die Deutsche Messe und wöchentlich das Abendmahl, 1944 auch die Osternacht. Goltzen und zwei Kollegen aus dem (von einem deutschchristlichen Superintendenten bestimmten) Kirchenkreis wollen eine Pfarrerbruderschaft gründen und wenden sich darum an Martin Niemöller und andere in Berlin, sodass am 21.09.1933 der „Pfarrernotbund" entsteht. Sarkastisch äußert sich Goltzen brieflich über Reinhold Krause von den „Deutschen Christen"[5] und er wird 1935 (wegen eines Aufrufes an die Gemeinden der preußischen Bekenntnissynode) und 1937 (wegen des Abführens von Kollekten an die Bekennende Kirche) kurzzeitig verhaftet. Während des Krieges ist er neben dem Pfarramt vertretungsweise Dozent für Hymnologie und Liturgik an der Kirchenmusikschule in Berlin-Spandau.

Mit seinen Gemeindegliedern aus Kohlo, mit denen er 1945 vertrieben wird, verbindet Goltzen auch nach 1945 ein reger Briefwechsel; sein Freund Karl Stechbart hat einiges davon aus dem Nachlass gesammelt und mit dem Untertitel „Erschütternde und wegweisende Erzählungen und Berichte über unser Land und seine Kirche" versehen. Nach einem kurzen Zwischenspiel in Lehnin (Brandenburg) folgt Goltzen im Januar 1946 dem Ruf nach Oldenburg und arbeitet dort an Stählins liturgischen Reformen mit: „Wir waren in Kohlo darin schon in manchem weiter, als hier", schreibt er alten Gemeindegliedern zu Pfingsten 1946[6]. Stählin und Goltzen verfassen „Handreichungen zur liturgischen Ordnung", die als Beilage zum Gesetz- und Verordnungsblatt erscheinen. In der Garnisonkirche in Oldenburg wird die Messe mit Predigt und Abendmahl eingeführt – eine Neuerung für die von der einfachen oberdeutschen Predigtgottesdienstform[6a] und bis 1925 von einem rationalistischen

---

[5] „Herr Krause, der Vertreter arischen Heldengeistes, der anstelle des semitischen Minderwertigkeitssymbols eines Gehängten auf den Altären das Bild eines heldischen Schimmelreiters forderte, sah in Natur so aus wie eine Karikatur aus dem ‚Stürmer': klein, dick, plattfüßig" (zit. nach HAEBLER, *Geschichte der evangelischen Michaelsbruderschaft* [wie Anm. 1] 50). Eindrücklich auch die Gefängnisszene (März 1935): „Der Vater von Günter Jacob, der Schulrat aus Forst, besuchte seinen ungeratenen Sohn. [...] Er sah die kahlen Zellenwände an und seinen Sohn mit den rutschenden Hosen auf der Pritsche – eine Welt von immer Treu und Redlichkeit, Gottesfurcht und Obrigkeit brach in ihm zusammen." (Herbert GOLTZEN, *Du hast unser Haupt unter Menschen gebeugt, aber Du hast uns geführt ins Weite. Erschütternde und wegweisende Erzählungen und Berichte über unser Land und seine Kirche.* Hg. v. Karl STECHBART. Lohne in Oldenburg 1987, 23). – G. Jacob (1906–1993) hatte nach 1945 kirchenleitende Ämter inne, u.a. war er 1963–1966 Verwalter des Bischofsamts im Ostteil der Berlin-Brandenburger Kirche.

[6] GOLTZEN, *Du hast unser Haupt* (wie Anm. 5) 39.

[6a] Einzelheiten bei SCHULZE, *Johannes Wien und Herbert Goltzen* (wie Anm. 4) 202, Anm. 121.

Gesangbuch[7] geprägte Landeskirche. Allein die liturgischen Melodien aus der Reformationszeit (statt derjenigen von D. Bortnjanskij, die seit 1901 in Oldenburg in Gebrauch sind) führen zum Vorwurf „katholisierender Neigungen" und zu Auseinandersetzungen im Kirchenvorstand. Udo Schulze beschreibt dies aus intimer Kenntnis ohne Umschweife so: „Im Unterschied zu Stählin setzt Goltzen sich auch über Vereinbarungen hinweg. Was er als richtig erkannt hat, möchte er auch schnell umsetzen. So hält er im Oktober 1946 einen Gottesdienst mit der Frauenhilfe in der Form der Evangelischen Messe. Stählin missbilligt ein solches übereiltes Vorgehen, auch wenn es sachlich berechtigt sei und macht einen Vermerk in der Personalakte."[8] Während Stählin den Blick auf das Lebendige richtet, wird Goltzen immer mehr zum Anwalt der überlieferten liturgischen Gestalt. Dabei macht sich sein Ansatz als Liturgiehistoriker bemerkbar. Stählin hingegen meinte, der Rückgriff auf anerkannte kirchliche Formen sei letztlich „ein resignierter Verzicht auf lebendige Formkraft"[9]. Damit ist der kritische Punkt in Goltzens liturgiewissenschaftlicher Arbeit, der Mangel an hermeneutischer Differenzierung, präzise angesprochen.

Nach dem Rücktritt Stählins vom Bischofsamt (1952) übernimmt Goltzen die gesamte liturgische Verantwortung der Landeskirche und mit Stählins Nachfolger Gerhard Jacobi (1891–1971, 1954–1967 Oldenburger Bischof) kommt es zu Auseinandersetzungen. 1954 tritt Goltzen ein Landpfarramt in Cappeln an, was er sich seit dem Abschied von Kohlo immer gewünscht hatte. Bis zum Ruhestand 1969 kann er dort seine liturgischen Vorstellungen verwirklichen. Noch einmal begibt er sich in den Streit – gegen das 1966 beschlossene Pastorinnengesetz und gegen die Übersetzung der Lutherbibel von 1975.[10] Die Pensionsjahre verlebt er bei Füssen im Allgäu. Goltzen bleibt tätig in der Luth. Liturgischen Konferenz und ist maßgeblich bei der Erarbeitung der Predigttextreihen beteiligt, die zum 1. Advent 1978 in Kraft treten. Er stirbt am 27.06.1979, kurz nach dem 18. Deutschen Evangelischen Kirchentag in Nürnberg, der mit dem „Forum Abendmahl" Geschichte machen sollte und bei dem er (wie bei den vorhergehenden Kirchentagen) wieder im Seelsorgeteam hatte mitwirken wollen.

2. Liturgiewissenschaftliches Werk
Seinen dauerhaften Platz in der Liturgiewissenschaft hat Goltzen durch den ausführlichen Beitrag „Der tägliche Gottesdienst" in dem großen Werk „Leitur-

---

7   Dazu s. Reinhard RITTNER, *Kirchengeschichte Niedersachsens im 20. Jahrhundert aus Oldenburger Perspektive*, Vortragsmskpt. 2003 und das Urteil von Leopold Zscharnack, das Oldenburger Gesangbuch von 1868 nehme in Deutschland „unstreitig die unterste Stelle" ein (*Kirchenlied* 1,3, in: RGG 3. 1912, 1294–1317, hier 1310). Einzelheiten s. bei Reinhard RITTNER, in: *Oldenburgische Kirchengeschichte*. Hg. v. Rolf SCHÄFER. Oldenburg 1999, 429–431 und 680–683.

8   SCHULZE, *Johannes Wien und Herbert Goltzen* (wie Anm. 4) 203.

9   Wilhelm STÄHLIN, *Via Vitae. Lebenserinnerungen*. Kassel 1968, 573.

10 Scharf heißt es etwa gegen die Ersetzung des Begriffes „Fleisch" durch 14 verschiedene Umschreibungen: „Mit diesem absurden Trick, den anstößigen Begriff einfach zu streichen und durch eine verwirrende Palette von Surrogatbegriffen zu paraphrasieren, steht das NT 75 bisher konkurrenzlos da" (Herbert GOLTZEN, *NT 75 – Lutherbibel oder Attrappe?*, in: WPKG 67. 1978, 378–397, hier 391).

gia", das den Prozess der Entstehung der „Agende I" und des „Evangelischen Kirchengesangbuches" begleitete und in aller Ambivalenz dokumentiert (die beiden Lesarten dieser Entwicklung sind bekanntlich „Erneuerung"[11] und „Restauration"[12]). Daneben hat Goltzen sich besonders um ökumenische Fragen, vor allem um die Eucharistie, gekümmert und die katholischen Neuentwicklungen nach dem II. Vatikanischen Konzil sorgfältig bewertet.

2.1 Tagzeitengebet

Goltzens Monografie in Leiturgia III[13], die bis heute grundlegend für die evangelische Forschung zum Thema bleibt, trägt nicht umsonst den Titel „Der tägliche Gottesdienst" und nicht „Das Stundengebet". Der Untertitel lautet: „Die Geschichte des Tagzeitengebets, seine Ordnung und seine Erneuerung in der Gegenwart". Dahinter steht ein klares Konzept: Zum einen geht es nicht darum, das monastische Stundengebet zu übernehmen, denn dieses ist an die klösterliche Lebensgemeinschaft gebunden. Zudem ist das Prinzip des auf die Woche verteilten Psalters, das „Pensum", in das evangelische Glaubensverständnis nicht zu integrieren.[14] Darum haben die Berneuchener immer vom „Tagzeitengebet" gesprochen. Denn bei diesem ist der Grundgedanke die geistliche Deutung des natürlichen Lebensrhythmus' (in Berneuchener Diktion: die „Heiligung der Zeit"), womit der Ursprung in der Jugendbewegung deutlich erkennbar ist.[15] Nicht acht Horen sind abzuhalten, sondern Morgen, Mittag, Abend und Nacht sollen liturgisch begangen werden.[16]

Die katholische Entwicklung nach dem Zweiten Vatikanum, vom Zyklus der acht Horen hin zu den vier Tagzeiten, hat Goltzen ausdrücklich begrüßt, weil damit „eine die schöpfungsgemäßen Wendepunkte des Tages heiligende Ordnung" entstand.[17] Doch die Struktur der nachkonziliaren Tagzeitengebete, die sämtlich nach dem Schema Hymnus – Psalmen – Lesung – Canticum – Gebet verlaufen (und sich so auch im „Gotteslob" von 1975 finden)[18], hat Goltzen als im Eingang zu „kopflastig" kritisiert.[19] Ihm lag daran, dass die Lesung mit dem

---

[11] So die 1945–1955 kirchenleitend verantwortlichen Liturgiker wie Beckmann, Mahrenholz und Stählin.

[12] So Peter CORNEHL, *Gottesdienst VIII. Evangelischer Gottesdienst von der Reformation bis zur Gegenwart*, in: TRE 14. 1985, 55–85, hier 77f.

[13] In einer Rezension sprach Joachim Beckmann von einer „umfassenden, mit großer Liebe zur Sache geschriebenen Arbeit" (in: ThLZ 83. 1958, 699).

[14] Herbert GOLTZEN, *Der tägliche Gottesdienst. Die Geschichte des Tagzeitengebets, seine Ordnung und seine Erneuerung in der Gegenwart*, in: Leit. 3. 1956, 99–296, hier 275.

[15] Stählin lehnte noch 1968 die Weiterentwicklung zum „Stundengebet" ab, weil er den Stil des Psalmensingens als „unfrei und unlebendig" empfand: STÄHLIN, *Via Vitae* (wie Anm. 9) 574.

[16] GOLTZEN, *Der tägliche Gottesdienst* (wie Anm. 14) 277; vgl. DERS., *Literaturbericht IV. Stundengebet*, in: JLH 12. 1967, 225–229, hier 227).

[17] Herbert GOLTZEN, *Reform des Stundengebets*, in: JLH 17. 1972, 174–184, hier 175.

[18] Gotteslob, Nr. 673–700; dazu kritisch dann Herbert GOLTZEN, *Das neue „Gotteslob"*, in: WPKG 66. 1977, 167–187, hier 179f. Das Gotteslob würdigt er jedoch insgesamt als „ein christliches Hausbuch und eine Gemeinde-Agende für die Sakramente" und als „mutiges Angebot neuer Ausdrucksformen" (ebd. 187).

[19] Herbert GOLTZEN, *Die Stellung des Hymnus im Tagzeitengebet*, in: *Kerygma und Melos. Christhard Mahrenholz 70 Jahre*. Hg. v. Walter BLANKENBURG [u.a.]. Kassel 1970, 71–86,

Hymnus das Zentrum der Hore bildet, während das Psalmodieren die monastische Vorstufe darstellt.[20] Auch die neuerdings gegebene identische Struktur von Gemeindehore (Morgen, Abend) und Mittagsgebet sah er als Nivellierung der Horenstruktur an.[21] Ebenso kritisch beurteilte er übrigens die neue dreijährige Leseordnung, weil diese „im Alleingang" die gemeinsame Perikopenordnung des Abendlandes abgeschafft habe.[22]

Beim Psalmbeten der evangelischen Gemeinde geht es nach Goltzen nicht um „ein philologisch getreues Bibelzitat", sondern um die situationsangemessene betende Aneignung.[23] Psalmen dürfen wie im Neuen Testament auch „kühn zurechtgebetet werden"[24]. Dieses klare Markieren der Standpunktgebundenheit könnte auch heute (angesichts der Bemühung um Korrektheit im Umgang mit Psalmen) sinnvoll sein. Weiterhin fordert Goltzen die musikalische Adaption des gregorianischen Chorals für die deutsche Sprache,[25] worum sich dann die Generation nach ihm mühen sollte.[26] Doch Goltzen ist auch selbst musikalisch schöpferisch: In dem (zusammen mit Stählin herausgegebenen) Buch „Psalmgebete" hat er 24 von den angebotenen 171 Antiphonen geschaffen.[27] Wichtig ist ihm in Berneuchener Tradition auch die Leiblichkeit: Jeder sollte sich mit dem Kreuz bezeichnen, denn beim Tagzeitengebet als Laiengebet „sollte die Segnung mit dem Kreuzeszeichen nicht dem Pastor überlassen werden"[28].

Ist das Tagzeitengebet aber beim gemeinsamen Leben auf Freizeiten („Geistlichen Wochen") wiederentdeckt worden, geht es Goltzen um den täglichen Gottesdienst der *Gemeinde.* Ja, für ihn ist die geprägte Form von Psalm, Hymnus, Lesung und Gebet sogar das Prinzip aller Gemeinde- und Gruppenveranstaltungen außerhalb des sonntäglichen Gottesdienstes. Die evangelische Kirche hat die Aufgabe der Wiedergewinnung des täglichen Gottesdienstes.[29] Goltzen hat sogar die Vorstellung, dass das Tagzeitengebet ausstrahlt „auf den Gemeindeaufbau und die Seelsorge"[30]. Hier erliegt Goltzen der Überschätzung der Möglichkeiten des Tagzeitengebetes und letztlich dem Schematismus: „Für *alle Zusammenkünfte der Gemeinde außer dem Hauptgottesdienst am Herrentag*

hier 82; DERS., *Reform des Stundengebets* (wie Anm. 17) 176.

[20] GOLTZEN, *Stellung des Hymnus* (wie Anm. 19) 82 unter Berufung auf J.A. Jungmann, der die Lesung als „caput et principale der Hore" gesehen hatte. In der Tat hat in dieser einfachen Sicht die Hore von der Grundstruktur her viel mit dem Sonntagsgottesdienst gemeinsam: Nach dem Ingressus nähert sich die Gemeinde durch das „Portal" der Psalmen dem Schriftwort und antwortet mit Lieddichtung (Hymnus) und Beten, bis sie sich wieder trennt (Segen).

[21] GOLTZEN, *Reform des Stundengebets* (wie Anm. 17) 184.

[22] GOLTZEN, *Reform des Stundengebets* (wie Anm. 17) 178f.

[23] GOLTZEN, *Der tägliche Gottesdienst* (wie Anm. 14) 282.

[24] GOLTZEN, *Der tägliche Gottesdienst* (wie Anm. 14) 283.

[25] GOLTZEN, *Der tägliche Gottesdienst* (wie Anm. 14) 285.

[26] Dazu vgl. Günther HINZ – Alexander VÖLKER, *Vom Singen der Psalmen. Ein Werkstattbericht,* in: JLH 33. 1990/91, 1–94.

[27] *Psalmgebete. Im Auftrag der Evangelischen Michaelsbruderschaft in Verbindung mit Herbert Goltzen und Horst Schuhmann.* Hg. v. Wilhelm STÄHLIN. 3., erw. Aufl. Kassel 1969, 145–194.

[28] GOLTZEN, *Der tägliche Gottesdienst* (wie Anm. 14) 287.

[29] GOLTZEN, *Der tägliche Gottesdienst* (wie Anm. 14) 272–288.

[30] GOLTZEN, *Der tägliche Gottesdienst* (wie Anm. 14) 288–296.

gelten die Ordnungen des Stundengebets. Die Einübung in diese Ordnung und ihre einfachen Elemente ist die wichtigste seelsorgerliche Hilfe und gehört zur grundlegenden christlichen Unterweisung"[31]. Die liturgische Ordnung regiert als gemeindliche Monokultur: Der Kindergottesdienst hat die Ordnung der Mette,[32] der Konfirmandenunterricht wird eröffnet mit Ingressus – Psalm – Wochenspruch und geschlossen mit Lied – Gebet – Benedicamus – Segen.[33] Hier wird man urteilen müssen: Form und Erfahrung durchdringen einander so nicht, sondern sie sind in ein Abhängigkeitsverhältnis gesetzt, das für Bildungsprozesse eher Räume verschließt als eröffnet. Gerade eine gemeindepädagogische Erschließung der Liturgie konnte von diesem Ansatz Goltzens nicht erwartet werden.

Daneben enthält seine Arbeit in der für „Leiturgia" kennzeichnenden Weise einen genauen historischen Abriss des Stundengebets,[34] der von den jüdischen Ursprüngen bis zur liturgischen Bewegung der Gegenwart reicht, sowie einen Kommentar zu Struktur und Bestandteilen der einzelnen Horen.[35] Die Darstellung folgt terminologisch und auch ausdrücklich dem Berneuchener Prinzip des Tagzeitengebets. Dennoch ist die Tendenz zur Tradition des Stundengebetes allein durch das Übergewicht des historischen Stoffes in der Darstellung deutlich. Dieser Eindruck verstärkt sich durch den Schlussabschnitt, der nicht von den geistlichen Fragen der Menschen zur Zeit des „Wirtschaftswunders" ausgeht, sondern von der Fiktion eines täglichen Gemeindegottesdienstes, der sich in der evangelischen Kirche (abgesehen von den Horen der Lateinschüler[36]) niemals durchgesetzt hatte. Goltzens Bedauern, dass der „Umgang mit der Heiligen Schrift zu einer privaten Angelegenheit geworden" ist,[37] überträgt die eigenen Erfahrungen in der Michaelsbruderschaft als Norm auf das evangelische Christsein, das nicht zu Unrecht jüngst gerade vom Prinzip der „Privatreligion" her beschrieben wurde.[38]

2.2 Eucharistie und evangelisch-katholische Ökumene

Wird schon beim Stundengebet, um das sich die Berneuchener und Michaelsbrüder mühten,[39] Goltzens ökumenisches Interesse erkennbar, so war er in seinen beiden letzten Lebensjahrzehnten ein sorgfältiger Beobachter und wohlwollender Kommentator der römisch-katholischen Diskussion nach dem Zweiten Vatikanischen Konzil. Im Vorfeld des Konzils hatte er die evangelische Diskussion im Gefolge der Liturgischen Bewegungen und der ökumenischen

---

[31] GOLTZEN, *Der tägliche Gottesdienst* (wie Anm. 14) 289 (dort hervorgehoben).

[32] GOLTZEN, *Der tägliche Gottesdienst* (wie Anm. 14) 290.

[33] GOLTZEN, *Der tägliche Gottesdienst* (wie Anm. 14) 291.

[34] GOLTZEN, *Der tägliche Gottesdienst* (wie Anm. 14) 116–223.

[35] GOLTZEN, *Der tägliche Gottesdienst* (wie Anm. 14) 224–271.

[36] GOLTZEN, *Der tägliche Gottesdienst* (wie Anm. 14) 198–214.

[37] GOLTZEN, *Der tägliche Gottesdienst* (wie Anm. 14) 273.

[38] Wolfgang STECK, *Praktische Theologie Bd. 1. Horizonte der Religion. Konturen des neuzeitlichen Christentums. Strukturen der religiösen Lebenswelt.* Stuttgart 2000, 241–602 unter der Überschrift *Die bürgerlich-protestantische Privatreligion als sozialkulturelles Paradigma des neuzeitlichen Christentums.*

[39] Dazu vgl. ausführlich meinen Beitrag über Wilhelm Stählin in diesem Band.

Diskussion um die Eucharistie zusammengefasst.[40] Die Bedeutung seiner Arbeit kommt auch darin zum Ausdruck, dass es sich um den längsten und historisch grundlegenden Beitrag in einem ökumenischen, von einem Benediktiner herausgegebenen Band über die Eucharistie handelt. Goltzen beschreibt fast monographisch die geschichtliche Entwicklung von der Urkirche bis zur Reformation und die evangelischen Bestrebungen über das 19. Jahrhundert bis zur Gegenwart (Hochkirche, Berneuchener, Lutherische Liturgische Konferenz, Agende I). Entstanden ist damit eine gut lesbare, zusammenfassende Liturgiegeschichte mit reichlicher Zitation von Quellen, die auch heute noch Studierenden empfohlen werden könnte. Sachlicher Ausgangspunkt ist für Goltzen das jüdische und altkirchliche Verständnis von זכר und ἀνάμνησις, das sich im Mittelalter verengt auf den Konsekrationsmoment, was zur „Zerstückelung der Eucharistie" führt.[41] In der Gegenwart aber sind die *verba testamenti* nicht als Vollzugsformel, aber auch nicht als historischer Bericht zu verstehen, sondern als Teil des gedenkenden und anbetend geschehenden Gegenwärtigwerdens Christi.[42] Dieser 1957 von Hans-Christoph Schmidt-Lauber[43] entfalteten These und ihren Konsequenzen gilt dann der nach vorne blickende Rest des umfangreichen Beitrages, in dem besonders die eucharistische „Form B" der (damals) neuen Agende I herausgestellt ist.[44]

Im Jahre 1965, nach dem Zweiten Vatikanum, bewertet Goltzen die Liturgiekonstitution *Sacrosanctum Concilium* von 1963 als Ergebnis der Liturgischen Bewegungen. Der Ansatz ist ihm „nicht nur Anlass zu kritischer Beobachtung, sondern zu brüderlicher Mitfreude".[45] Der Aufsatz „Constitutio de Sacra Liturgia" ist von großer Klarheit und Urteilssicherheit und lohnt auch heute im Ringen um die Interpretation des Dokuments noch die Lektüre. Zu Recht parallelisiert Goltzen SC 33 über die dialogische Grundstruktur der Liturgie mit Luthers Torgauer Formel[46] und nimmt die Wendung *Christus Ecclesiae suae semper adest* (SC 7) als Grundprinzip des Gesamttextes: „Christus ist hier das Subjekt, nicht die Kirche. Er ist der Autor des Verkündigens, der liturgischen actio, aber auch des Betens seiner Kirche."[47] Auch die Entgegenstellung einer „Kirche des Wortes" und einer „Kirche des Sakramentes" sei nicht mehr angemessen,

[40]   Vgl. Herbert GOLTZEN, *Eucharistie – Entfaltung, Fehlentwicklung, Wiedergewinnung des Eucharistischen Gebets im Mahl des Herrn*, in: *Die Eucharistie im Verständnis der Konfessionen*. Hg. v. Thomas SARTORY. Recklinghausen 1961, 21–143.

[41]   GOLTZEN, *Eucharistie* (wie Anm. 40) 81.

[42]   GOLTZEN, *Eucharistie* (wie Anm. 40) 62f.

[43]   Vgl. Hans-Christoph SCHMIDT-LAUBER, *Die Eucharistie als Entfaltung der verba testamenti. Eine formgeschichtlich-systematische Einführung in die Probleme des lutherischen Gottesdienstes und seiner Liturgie*. Kassel 1957.

[44]   Vgl. GOLTZEN, *Eucharistie* (wie Anm. 40) 122–127.

[45]   Herbert GOLTZEN, *Constitutio de Sacra Liturgia*, in: JLH 10. 1965, 95–115, hier 112.

[46]   Zu den Hintergründen von SC 33 in der Liturgietheologie von Cipriano Vagaggini vgl. Herbert GOLTZEN, *Gratias agere – Das Hochgebet im neuen Meßbuch*, in: JLH 20. 1976, 1–43, hier 5f.

[47]   GOLTZEN, *Constitutio* (wie Anm. 45) 99.

nachdem die urchristliche Einheit von Wort und Sakrament wiederhergestellt sei.[48]

Genau interpretiert Goltzen die Aussagen zum Messopfer in SC 47, wo weder von der Wiederholung, noch von der Repräsentation, sondern von der *Fortdauer* des Kreuzesopfers die Rede ist („perpetuaret") und stellt fest, dass die Aussage von der durch den Priester dargebrachten unbefleckten Opfergabe (SC 48) nach evangelischem Verständnis unmöglich bleibt.[49] Doch Goltzen bewertet die „Entklerikalisierung" der Liturgie durch die Konstitution im Ganzen positiv.[50] Seine kritischen Fragen haben sich seit 1963 in der Tat als berechtigt erwiesen. Dass die Ortsgemeinde nicht selbstständige Kirche, sondern nur Kirche des Bischofs ist, kann Goltzen ebenso wenig anerkennen wie die Beibehaltung des Messkanons, in dem das Subjektsein Christi nicht durchgehalten ist und auch der Begriff *perpetuare* schaffe neue Missverständnisse. Und schließlich fürchtet Goltzen zu Recht, dass mit der Hochschätzung des Wortes Unterschiedliches gemeint sein kann: „Hat der Gottesdienst seine Mitte im Wort Gottes, das Predigt und Abendmahl einschließt, oder im Messopfer?"[51] In der Tat sind bis heute die Akzente verschieden, wenn man in einem Artikel über die römische Liturgie noch jüngst lesen kann, dass die Aktivität Christi in der Predigt darin besteht, zur aktiven Teilhabe an der Eucharistie zu befähigen, also keinen soteriologisch zu qualifizierenden, sondern weiterhin einen nur vorbereitenden Charakter hat.[52]

Ein bedeutendes Werk Goltzens ist schließlich die Analyse der vier Hochgebete[53] nach dem Erscheinen des deutschen nachkonziliaren Messbuches von 1975. Es handelt sich dabei um einen reichhaltigen, sorgfältig an den Texten entlanggehenden Kommentar aus evangelischer Sicht, der die agendarische Öffnung nach dem Ende der tridentinischen Festschreibungen nachzeichnet. Das ökumenische Bemühen um die Wiedergewinnung der altkirchlichen Eucharistie wird dabei deutlich herausgearbeitet. Dieser Gedanke bestimmte nach Goltzen sowohl die Arbeit an der Gestalt des römischen Kanons (Hochgebet I) wie auch an der Überlieferung Hippolyts (Hochgebet II) sowie an der

[48] GOLTZEN, *Constitutio* (wie Anm. 45) 100. Schon früher hatte er formuliert: „Darum werden wir die sterile Kontroverse um ,Wort und Sakrament' oder gar ,Wort oder Sakrament' nicht fortsetzen." (GOLTZEN, *Eucharistie* [wie Anm. 40] 27).

[49] GOLTZEN, *Constitutio* (wie Anm. 45) 103. In derselben problematischen Linie – die in SC 48 immerhin von dem Gedanken der sich selbst darbringenden *Gemeinde* begleitet war – liegt die Aussage Johannes Pauls II. vom Gründonnerstag 2003 über die Amtsvollmacht des Priesters: „Dank der Gnade, die ihm durch das Sakrament der Priesterweihe verliehen wurde, kann er die Wandlung vollziehen." (Enzyklika *Ecclesia de Eucharistia*, 5; ähnlich schon die Enzyklika *Mysterium fidei* Pauls VI. von 1965, dazu kritisch GOLTZEN, *Gratias agere* [wie Anm. 46] 30).

[50] GOLTZEN, *Constitutio* (wie Anm. 45) 113.

[51] GOLTZEN, *Constitutio* (wie Anm. 45) 114.

[52] „Infatti questo tipo di presenza di azione del Cristo nella predicazione trova un suo momento privilegiato nell'omelia che ha la funzione pedagogica di guidare alla partecipazione attiva all'Eucaristia." (Enzo LODI, *Liturgia Romana*, in: *Dizionario di Omiletica*. Torino [u.a.] 2002. Hg. v. Manlio SODI – Achille Maria TRIACCA. Torino [u.a.] 2002, 856–859, hier 858).

[53] Vgl. GOLTZEN, *Gratias agere* (wie Anm. 46).

Neukonzeption in römischer und in ostkirchlicher Tradition (Hochgebete III und IV). Die schon 1965 vorgebrachte Kritik am *perpetuare* wird wiederholt, weil über den Konzilstext hinaus eine neue Betonung des Opfercharakters der Messe festzustellen sei.[54] Die Anamnese in Hochgebet I lege das Verständnis nahe, dass die Kirche als Subjekt „dem erhabenen Gott das reine, heilige und makellose Opfer" darbringe[55] und erst recht gelte dies für Hochgebet III.[56]

Insgesamt gehört Goltzen in die große Linie, die evangelischerseits von der liturgischen Bewegung über die Agende I zum „Evangelischen Gottesdienstbuch" von 1999 führt und in der man die kontroverstheologischen Fragen von Messopfer, Wandlung und Konsekrationsmoment durch das Verständnis des gesamten Gebetshandelns als performatives Gedenken der Christusrealität zu überwinden sucht. Einen frühen Konsens formulierten Goltzen, Ritter und Stählin in evangelisch-katholischen Gesprächen im Kloster Kirchberg schon 1961.[57] Der konfessionsübergreifenden Betrachtung liturgietheologischer Grundfragen entspricht auch die 1989 von dem Katholiken Hans Bernhard Meyer vorgebrachte Kritik an den Hochgebeten (insbesondere an Hochgebet I) im neuen Missale von 1970. Die Opferaussagen darin seien „nicht von der liturgischen Tradition, sondern von einer auf die Realpräsenz und auf den Konsekrationsmoment fixierten Eucharistielehre her konzipiert"[58]. Unter Zustimmung zu Goltzens Kritik[59] stellt Meyer fest, aus der Bitte der Kirche um die Teilhabe am Opfer Christi werde weiterhin „das Darbringen seines Leibes und Blutes durch die Kirche"[60]. Umgekehrt hat Goltzen – anders als z.B. Hans Küng[61] – die Einfügung von Interzessionen für Lebende und Verstorbene in das Hochgebet für sinnvoll erachtet[62] und seine Wertung der Hochgebete ist als „wohlwollend-kritisch" aufgenommen worden.[63] Goltzens ökumenisches Engagement geht aus dem folgenden Fazit hervor: „Gegenüber der landläufigen Sakraments-Verarmung, der Entstellung des Altarsakraments zu einem seltenen Anhängsel an einen rational entleerten Predigtgottesdienst [...] ist der Heim-

---

[54]   Vgl. Goltzen, *Gratias agere* (wie Anm. 46) 12, 16, 40.

[55]   Goltzen, *Gratias agere* (wie Anm. 46) 20.

[56]   Goltzen, *Gratias agere* (wie Anm. 46) 25.

[57]   Haebler, *Geschichte der evangelischen Michaelsbruderschaft* (wie Anm. 1) 126: Die Eucharistie besteht in der ganzen Messhandlung, „nicht in einzelnen Stücken, auch nicht nur in den Einsetzungsworten". – Stählin berichtet über eine evangelisch-katholische Begegnung in Wien im Jahre 1942, an der u.a. Goltzen, Ritter und Stählin teilnahmen und bei der Karl Rahner über „Glaube und Werke" sprach (Stählin, *Via Vitae* [wie Anm. 9] 249). In seiner letzten großen Arbeit formulierte Goltzen: „entscheidend ist, dass Westen und Osten zum altkirchlichen Verständnis einer ‚anaphorischen Ganzheit' der Eucharistie zurückfinden. Liturgiegeschichtlich und liturgiedogmatisch ist dies weithin erreicht." (Goltzen, *Gratias agere* [wie Anm. 46] 21, Anm. 50).

[58]   Hans Bernhard Meyer, *Eucharistie. Geschichte, Theologie, Pastoral*. Mit einem Beitrag von Irmgard Pahl. Regensburg 1989 (GdK 4), 351.

[59]   Vgl. Goltzen, *Gratias agere* (wie Anm. 46).

[60]   Meyer, *Eucharistie* (wie Anm. 58) weist klärend darauf hin, das Tun des Priesters sei anamnetisch und nicht mimetisch zu verstehen.

[61]   Einzelheiten vgl. bei Goltzen, *Gratias agere* (wie Anm. 46) 5, 19.

[62]   Goltzen, *Gratias agere* (wie Anm. 46) 10.

[63]   Meyer, *Eucharistie* (wie Anm. 58) 391f.

weg und der Durchbruch zur Eucharistie mindestens ebenso weit wie für Kreise eines Katholizismus, die noch der gegenreformatorischen Mentalität und einer vorkonziliaren latreutischen Frömmigkeit verhaftet sind."[64]
Ich schließe mit zwei kurzen Hinweisen auf die Entwicklung nach Goltzen im evangelischen Bereich. Die von ihm[65] sorgfältig historisch und liturgietheologisch analysierte Akklamation „Deinen Tod, o Herr, verkünden wir ..." im neuen Messbuch Pauls VI. von 1970 ist inzwischen auch (fakultativer) Bestandteil im Ev. Gottesdienstbuch (EGb) geworden.[66] Diese Akklamation wurde von Goltzen als Ausdruck der *actuosa participatio fidelium* in der nachkonziliaren Messe gewürdigt und fand nicht umsonst Eingang in mehrere evangelische Ordnungen.[67] Anders hingegen steht es mit dem von ihm am Schluss des großen Aufsatzes zu den nachkonziliaren Hochgebeten angebotenen Formular des Eucharistiegebetes in Anlehnung an Hippolyt.[68] Diese Form, die im Wesentlichen dem am meisten verbreiteten neuen Hochgebet II der römisch-katholischen Kirche entspricht,[69] führte zu lebhaften Auseinandersetzungen in der Schlussphase der Arbeit am EGb. Das im Vorentwurf im Vergleich zur katholischen Fassung schon sehr beschnittene Hippolytsche Formular ist in der schließlich verabschiedeten Form kaum mehr zu erkennen.[70]

3. Würdigung im Hinblick auf Zeitgeschichte, Liturgiewissenschaft und Praktische Theologie
Herbert Goltzen war einer der bedeutenden evangelischen Liturgiewissenschaftler, die im Pfarramt und nicht im universitären Lehramt standen und die

[64] GOLTZEN, *Gratias agere* (wie Anm. 46) 41.
[65] Vgl. Herbert GOLTZEN, *Acclamatio anamneseos. Die Gemeinde-Anamnese des eucharistischen Hochgebetes*, in: JLH 19. 1975, 187–195.
[66] In Liturgie I, Form I (*Evangelisches Gottesdienstbuch. Agende für die Evangelische Kirche der Union und für die Vereinigte Evangelisch-Lutherische Kirche Deutschlands*. Hg. v. der Kirchenleitung der Vereinigten Evangelisch-Lutherischen Kirche Deutschlands und im Auftrag des Rates von Kirchenkanzlei der Evangelischen Kirche der Union. Berlin 1999, 115).
[67] GOLTZEN, *Acclamatio anamneseos* (wie Anm. 65) 192.
[68] GOLTZEN, *Acclamatio anamneseos* (wie Anm. 65) 42f.
[69] Darum ist das Hochgebet II im katholischen Gebet- und Gesangbuch „Gotteslob" von 1975 auch zum Haupt-Eucharistiegebet geworden und findet sich innerhalb der Eucharistiefeier Nr. 359 als Nr. 360.
[70] Die Fassungen finden sich im Vorentwurf 1990, 619, und im EGb von 1999, 646; ausführlicher dazu mit einer Synopse der fraglichen Texte vgl. Michael MEYER-BLANCK, *Liturgie und Liturgik. Der evangelische Gottesdienst aus Quellentexten erklärt*. Göttingen ²2009, 29. Die Tragweite der Unterschiede ermisst man, wenn man zusätzlich die von Goltzen gebotene Form vergleicht, vgl. GOLTZEN, *Gratias agere* (wie Anm. 46) 42f. Zur Diskussion vgl. jetzt meine Thesen in: Michael MEYER-BLANCK, *Liturgiewissenschaft und Kirche. Eine ökumenische Verhältnisbestimmung in zehn Thesen*, in: *Liturgiewissenschaft und Kirche. Ökumenische Perspektiven*. Hg. v. Michael MEYER-BLANCK. Rheinbach 2003, 111–138. Auf die Auseinandersetzungen der neunziger Jahre weist Goltzens Formulierung: „Die Isolierung der Verba Testamenti als Konsekrationsformel ist bei Luther auf die Spitze getrieben" (GOLTZEN, *Gratias agere* [wie Anm. 46] 23, Anm. 55). Schon früher hatte er von der „Tragik" geschrieben, dass Luther das mittelalterliche „Zerstörungswerk" an der Eucharistie fortgesetzt habe (GOLTZEN, *Eucharistie* [wie Anm. 40] 89).

durch ihre akribische historische Arbeit hervortraten. Goltzens Werk gehört damit in die Reihe der großen historischen Leistungen von Paul Graff, Gerhard Kunze und Christhard Mahrenholz. Vielleicht resultieren bei Goltzen daraus die traditionalistische Tendenz und der Mangel an grundlegender liturgie-theologischer, vor allem fundamentaler hermeneutischer Reflexion, welcher die evangelische Liturgiewissenschaft insgesamt lange beherrschte.[71] Dies gilt allerdings auch für bedeutende Universitätslehrer – dazu denke man nur an Friedrich Heilers Vorliebe für die Alte Kirche als die „klassische" Zeit der Liturgie, an Romano Guardini, der das Mittelalter als die bedeutendste Epoche der Gottesdienstgeschichte ansah, und an die historische Gelehrsamkeit von Georg Rietschel und Leonhardt Fendt. Die theologie- und kirchengeschichtliche Entwicklung im 20. Jahrhundert, allem voran der Kirchenkampf, dürfte diese Linie verstärkt haben, so dass sich eine Tendenz der Liturgik herausbildete, geschichtlich Gewordenes normativ zu setzen.

Das 20. Jahrhundert, das rasante Modernisierungsprozesse und deren gleichzeitige Verdeckung durch politische Umwälzungen mit sich brachte, führte vielfach zu einem Rückgriff auf historisch gewachsene Formen, in denen man das religiöse Leben besser bewahrt sah als in den Versuchen von „moderner" Predigt (Friedrich Niebergall) und modernem Gottesdienst, wie sie zu Beginn des Jahrhunderts von der liberalen Praktischen Theologie propagiert worden waren. Vielleicht war es ein zusätzlicher Schaden von NS-Zeit und Zweitem Weltkrieg, dass dadurch die kulturelle und theologische Aufmerksamkeit von den gesellschaftlichen Veränderungen abgelenkt und noch einmal Zuflucht zu einem Bild umfassender Kirchlichkeit genommen wurde. Goltzen erwartete tatsächlich, dass die nächste Generation insgesamt wieder zum Tagzeitengebet finden werde.[72]

Innerhalb der liturgischen Ansätze der Michaelsbrüder gab es dabei jedoch verschiedene Akzente. Weil Stählin viel stärker unter dem Einfluss der Jugendbewegung und der alten liberalen Theologie stand, interessierte ihn der *Prozess lebendiger Formwerdung.* Demgegenüber legte Goltzen stärkeren Wert auf die *Kraft der überlieferten Form* selbst. Liegt das schlicht daran, dass er einer anderen Generation angehört als Stählin und Ritter? Er beginnt zu studieren, als sich die Wort-Gottes-Theologie durchzusetzen beginnt. In seinem ersten Studienjahr erscheint das erste Heft von „Zwischen den Zeiten", in seinem ersten Pfarramtsjahr beginnt der Kirchenkampf und damit sein mutiger Widerstand in einem deutschchristlichen Kirchenkreis in der Landeskirche Hossenfelders. Es wundert nicht, dass Goltzen bei so viel Ablösung tradierter Frömmigkeitsformen[73] durch deutschreligiöse Peinlichkeiten[74] nach 1945 traditionalistisch wird.

---

[71]   Vgl. meinen Aufsatz: *Zwischen Zeichen und Historie. Zu Rainer Volps Liturgik und den künftigen Aufgaben der Liturgiewissenschaft,* in: *Einheit und Kontext. Praktisch-theologische Theoriebildung und Lehre im gesellschaftlichen Umfeld. Festschrift für C. Bloth zum 65. Geburtstag.* Hg. v. Jürgen HENKYS – Birgit WEYEL. Würzburg 1996, 295–313.

[72]   GOLTZEN, *Der tägliche Gottesdienst* (wie Anm. 14) 293.

[73]   Nicht umsonst erschien auch Paul Graffs Hauptwerk unter dem Grundgedanken der Formauflösung in dieser Zeit (Bd. 1: 1921 [²1937], Bd. 2: 1939).

[74]   Dazu hat Goltzen anschaulich und mit Ironie seine Gottesdienste am 1. Mai 1933 geschildert, als er bei der „Weihe" einer „Adolf-Hitler-Eiche" zu sprechen hatte, aber es

Schon im Kirchenkampf hatte er beklagt, alles echt kirchliche Handeln erscheine vielen als „Privatliebhaberei" von „verschrobenen Spezialisten für Liturgie".[75] Den späteren Vorwurf der „Repristination historischer Formen" hat er durchaus gekannt.[76] Dennoch beschrieb er auch 1963 (anlässlich des 70. Geburtstages von Stählin) den richtigen Weg der Kirche als denjenigen „aus der Vereinzelung und Entfremdung, die wir in der zerfallenden Gesellschaft und in der verbürgerlichten und zersplitterten alten Kirche empfanden, zu neuem Gehorsam"[77]. Darin ist der Weg der Michaelsbruderschaft von der Neuschöpfung von Tradition hin zu deren Bewahrung deutlich zu erkennen. Dabei ist jedoch Goltzens Hinweis mitzuhören, dass Traditionen nur von der Selbsthingabe Jesu her richtig verstanden sind (als „tra-ditio"[78], in einer Betrachtung zu Gründonnerstag).

Auswahlbibliografie

Die Selbstauflösung der Evangelischen Kirche, in: JK 2. 1934, 446–457.

Die Autorität der Kirche, in: JK 3. 1935, 1051–1067.

Notrecht und Rechtshilfe bei Luther, in: JK 4. 1936, 930–940.

Die Bibellese der Kirche. Kohlo 1939 (Privatdruck).

Die Stimme der Geopferten. Kassel 1948.

Der tägliche Gottesdienst. Die Geschichte des Tagzeitengebets, seine Ordnung und seine Erneuerung in der Gegenwart, in: Leit. 3. 1956, 99–296.

Eucharistie – Entfaltung, Fehlentwicklung, Wiedergewinnung des Eucharistischen Gebets im Mahl des Herrn, in: *Die Eucharistie im Verständnis der Konfessionen*. Hg. v. Thomas SARTORY. Recklinghausen 1961, 21–143.

Beginnende römisch-katholische Liturgiereform, in: JLH 7. 1962, 96–98.

Constitutio de Sacra Liturgia, in: JLH 10. 1965, 95–115.

Literaturbericht IV. Stundengebet, in: JLH 12. 1967, 225–229.

Psalmgebete. Im Auftrag der Evangelischen Michaelsbruderschaft in Verbindung mit Herbert Goltzen und Horst Schuhmann. Hg. v. Wilhelm STÄHLIN. 3., erw. Aufl. Kassel 1969.

Die Stellung des Hymnus im Tagzeitengebet, in: *Kerygma und Melos. Christhard Mahrenholz 70 Jahre*. Hg. v. Walter BLANKENBURG [u.a.] 1970, 71–86.

Reform des Stundengebets, in: JLH 17. 1972, 174–184.

Acclamatio anamneseos. Die Gemeinde-Anamnese des eucharistischen Hochgebetes, in: JLH 19. 1975, 187–195.

Gratias agere – Das Hochgebet im neuen Meßbuch, in: JLH 20. 1976, 1–43.

Das neue „Gotteslob", in: WPKG 66. 1977, 167–187.

NT 75 – Lutherbibel oder Attrappe?, in: WPKG 67. 1978, 378–397.

Wilhelm GUNDERT–Herbert GOLTZEN, *Attrappe?*, in: WPKG 68. 1979, 370–382.

Du hast unser Haupt unter Menschen gebeugt, aber Du hast uns geführt ins Weite. Erschütternde und wegweisende Erzählungen und Berichte über unser Land und seine Kirche. Hg. v. Karl STECHBART. Lohne in Oldenburg 1987.

[75] zur Enttäuschung vieler vermied, „den ominösen Namen" zu nennen (*Du hast unser Haupt* [wie Anm. 5] 20).
[75] Herbert GOLTZEN, *Die Autorität der Kirche*, in: JK 3. 1935, 1051–1067, hier 1061.
[76] GOLTZEN, *Der tägliche Gottesdienst* (wie Anm. 14) 272.
[77] *Du hast unser Haupt* (wie Anm. 5) 70.
[78] *Du hast unser Haupt* (wie Anm. 5) 93.

Richard Gölz (1887–1975)

Konrad Klek

Kaum ein Liturgiker des 20. Jahrhunderts wird eine
so schwer zu fassende Biografie vorzuweisen haben
wie Richard Gölz (5. Februar 1887 bis 3. Mai 1975).
Er ist ein durch und durch schwäbischer Pfarrer
mit kirchenmusikalischer Zusatzqualifikation, der
von seiner Stellung als Tübinger Stiftsmusikdirek-
tor aus im Kontext von Kirchengesangvereinsarbeit,
Theologen- und Kirchenmusikerausbildung sowie
kirchlicher Synodalarbeit musikalisch und liturgisch
eine Führungsrolle in der Württembergischen Landeskirche übernimmt. Als Schriftleiter der *Monat-*
schrift für Gottesdienst und kirchliche Kunst (MGKK)

vergrößert sich ab 1930 sein Wirkungskreis erheblich. Älter als die Anhänger
der Jugendbewegung, aber eine volle Generation jünger als die Führer der
„älteren liturgischen Bewegung", bringt ihn der Kontakt mit Singbewegung,
Lutherrenaissance und dialektischer Theologie zu verschärfter Selbstprüfung
und einschlägiger Akzentuierung seiner Arbeit. Als Mitbegründer und Leiter
der *Kirchlichen Arbeit Alpirsbach* (seit 1933) schlägt er einen – im liturgischen
Kontext Württembergs – exponierten Sonderweg ein, gerät während der NS-
Herrschaft – seit Ende 1935 im Pfarramt in Wankheim tätig – als Mitglied der
Kirchlichen Sozietät in Konflikte mit der Kirchenleitung und kommt wegen Be-
herbergung von Juden im Dezember 1944 sogar ins KZ. Das nach Kriegsende
gestartete Projekt Evangelisches Kloster in Bebenhausen scheitert kläglich. Von
der Kirchenleitung 57-jährig in den Ruhestand versetzt, führt ihn ein persönlicher Kontakt zur Beschäftigung mit der Orthodoxie. Schließlich lässt er sich
1950 zum liturgischen Dienst als russisch-orthodoxer Protopriester rufen, zunächst in Hamburg, dann in Milwaukee/USA.

Joachim Conrad hat in seiner 1995 erschienenen Monografie unter der
Überschrift „Ein Leben für den Gottesdienst" über alle Brüche hinweg ein
geschlossenes persönliches Lebensbild von Richard Gölz zu zeichnen unternommen.[1] Dies kann hier nicht diskutiert werden. Publizierte Wortbeiträge
von Gölz, namentlich in der *Gottesdienstlichen Rundschau* der MGKK und seine
Schriftleitertätigkeit für dieses Organ von 1930–1936 bieten für die liturgiewissenschaftliche Betrachtung jedenfalls einzigartige Problemanzeigen im
zeitgenössischen Wahrnehmungskontext der 1920er und 1930er Jahre, was
im Folgenden vorgestellt wird. Weit mehr als mit Worten liturgiegeschichtlich

---

[1] Joachim Conrad, *Richard Gölz (1887–1975). Der Gottesdienst im Spiegel seines Lebens*,
Göttingen 1995. Das Schlusskapitel (ebd. 280–283) nennt in der Überschrift als „Er-
gebnis": „Richard Gölz – Ein Leben für den Gottesdienst". Zur Biografie siehe Teil
I, *Richard Gölz. Kirchenmusikdirektor – Pfarrer – Protopriester*, ebd. 17–129, in gekürzter
Fassung auch bei ders., *Liturgie als Kunst und Spiel. Die Kirchliche Arbeit Alpirsbach 1933–*
2003. Münster [u.a.] 2003 (Heidelberger Studien zur Praktischen Theologie 8), hier
Exkurs I *Richard Gölz – Pater Alpirsbacensis*, 50–104.

wirksam wurde Richard Gölz allerdings mit seinem 1934 erschienenen *Chorgesangbuch*, stilprägend in den Kirchenchören nach 1945, dessen Konzeption abschließend zu besprechen ist.

1. Richard Gölz als Meister der Gottesdienstlichen Rundschau

Vom Friedrich Spitta-Schüler Otto Michaelis übernimmt Gölz die Aufgabe, in der MGKK über die Publikationen und Bewegungen auf liturgischem Gebiet zu berichten. Die *Gottesdienstliche Rundschau*[2] ist 1926 dreimal und 1927 einmal, dann wieder 1930 in sechs und 1932 nochmals in drei Folgen aus der Feder von Gölz vertreten.[3] Die fachliche Substanz der Beiträge ist in methodischer wie inhaltlicher Hinsicht zu würdigen.

Gölz bemüht sich nicht nur um Vollständigkeit bei der Erfassung der aktuellen Publikationen, er will auch der Sache auf den Grund gehen, das Entscheidende in Anliegen und Argumentation der Schriften benennen und dies kritisieren von den theologischen Anforderungen der Zeit her. Das ist für die MGKK ein neuer Stil fern der zumeist wohlwollenden Würdigung bei den Vertretern der alten liberalen Schule.

Gleich zu Beginn des ersten Beitrags formuliert Gölz, was die Stunde geschlagen hat, nämlich „daß wir durch den Gang der Dinge immer mehr genötigt werden, die liturgischen Fragen in der Tiefe anzufassen. Mit zunehmender Entschiedenheit arbeitet ein wachsender Kreis von Männern an der Aufhellung der Zusammenhänge der Gottesdienstfrage mit den Zentralfragen evangelischen Glaubens und kirchlichen Handelns."[4] Auf Evidenz und Konsequenz dieser Zusammenhänge hin klopft er mit raschem und souveränem Urteil alles ab, was ihm unter die Finger kommt, zunächst die Diskussionen in der Monatschrift selbst in den zurückliegenden drei Jahren, dann separate Neuerscheinungen, schließlich die Fachbeiträge und liturgischen Entwürfe in den verschiedenen Organen der jüngeren liturgischen Bewegung (Hochkirchliche Vereinigung, Rudolf Otto und Gustav Mensching, Berneuchener). In der dritten Folge bespricht er die neue Agende in Mecklenburg.

Besonders gründlich widmet sich Gölz der ihrerseits Grundsätzlichkeit reklamierenden Schrift seines Landsmannes Karl Fezer, *Das Wort Gottes und die Predigt*. Hier wird deutlich, dass Gölz, geprägt vom württembergischen Predigtgottesdienst und stets am „Wort" als zentraler theologischer Kategorie orientiert, Liturgik-Fragen nicht losgelöst von „Besinnung über das Wesen der Predigt" behandeln kann.[5] Er unterstreicht das Anliegen Fezers, einen theozentrischen Predigtbegriff zu entwickeln, moniert aber sogleich, dass die

---

[2] Seit 1921 werden die aktuellen Entwicklungen in den einzelnen Fachbereichen bei der MGKK in der Form der *Rundschau* erfasst.

[3] MGKK 31. 1926, 83–93, 280–289, 329–338; 32. 1927, 268–291; 35. 1930, 1–6, 45–51, 69–76, 178–188, 237–248, 312–325; 37. 1932, 190–206, 226–242, 271–283.

[4] Richard Gölz, *Gottesdienstliche Rundschau*, in: MGKK 31. 1926, 83–93, hier 83.

[5] Die Besprechung der Fezer-Schrift in der *Gottesdienstlichen Rundschau*, in: MGKK 31. 1926, 87–89, das Zitat ebd. 87. Es sei darauf hingewiesen, dass auch für Julius Smend die Bestimmung der Predigt als „gottesdienstlicher Rede" zentraler Liturgik-Topos war. (Vgl. Konrad Klek, *Erlebnis Gottesdienst. Die liturgischen Reformbestrebungen um die Jahrhundertwende unter Führung von Friedrich Spitta und Julius Smend*. Göttingen 1996, 67–70.) Allerdings pflichtet Gölz der Kritik Fezers am zu wenig „scharf umrissenen

dem entsprechende Zentralstellung des Glaubens auf seiten der Gemeinde nicht deutlich genug artikuliert sei. Fezers Antithetik von pädagogischer und feiernder Predigt sieht Gölz als falschen Gegensatz: „Sobald wir nicht ‚unseren Besitz‘, sondern Gottes Gabe feiern, verträgt sich das Lehren und Ermahnen nicht bloß mit der Feier, sondern Feier ohne Erziehung gibt es nicht. Die durchschnittliche empirische Erziehungspredigt ist nur deshalb völlig unzulänglich, weil weder der Mann auf der Kanzel noch die Leute im Schiff wissen, was ‚Kirche‘ und ‚Gemeinde‘ ist; wenn nur ‚Menschen‘ erzogen werden und um ‚Seelen‘ geworben wird, dann wird die Sache mißlich und profan."[6] Fezers gegen den Aktivismus der Liturgiker gerichtetes Plädoyer für die absolute Vorrangstellung der Predigt weist Gölz entschieden zurück. Bei ihm tritt neben streng theologische, an Luther orientierte Kritik[7] stets auch das Kriterium der aktuellen Erfahrung. Entscheidend ist für ihn hier der Neuaufbruch im Singen bei der Jugendbewegung als Neuentdeckung des alten Liedes, des Lutherliedes in seinem ureigenen Profil als packendes Wortgeschehen. In solchem Singen ereignet sich Gemeinde. Wer solchem Singen dient, sorgt für die eigentliche liturgische Bewegung, weshalb er die diesbezüglich vorbildliche ältere liturgische Bewegung um Spitta und Smend für die „gemeindemäßigere", „am Ende für die gesündere" hält.[8] Die jüngeren Bestrebungen namentlich der Hochkirchler und des Kreises um Rudolf Otto betrachtet er sowohl theologisch als auch liturgiepraktisch sehr kritisch, die Berneuchener liturgischen Entwürfe nimmt er positiv auf, mit deren im *Berneuchener Buch* vorgelegten „Theorie" setzt er sich dann 1930 auseinander.[9]

In der ihm eigenen Konsequenz bringt Gölz im Jahre 1927 als *Gottesdienstliche Rundschau* ausschließlich eine ausführliche Würdigung der Singbewegung. Er bekennt, als traditionell geprägter Kirchenmusiker durch die Fühlung mit dieser Bewegung „in den letzten Jahren" „ganz neue Einblicke in musikalische Dinge" und „einen neuen Anstoß für seine gesamte Arbeit" erhalten zu haben.[10] In (württembergisch) pietistischer Terminologie wäre das als „Bekehrung" zu bezeichnen. Er sieht die Gefahr des Ablehnung provozierenden mis-

---

Predigtbegriff" bei Smend und Otto bei (in: *Gottesdienstliche Rundschau* [wie Anm. 4] 88).

6　Gölz, *Gottesdienstliche Rundschau* (wie Anm. 4) 87f. Auch diesbezüglich steht Gölz in Konnex mit der Liturgiker-Vorgängergeneration um Julius Smend und deren Zentralstellung des Gemeindebegriffs. Vgl. Klek, *Erlebnis Gottesdienst* (wie Anm. 5) 57–61: „Gemeinde feiert Gottesdienst".

7　Als Gewährsleute dafür nennt Gölz Adolf Schlatter und Paul Althaus.

8　Richard Gölz, *Gottesdienstliche Rundschau*, in: MGKK 31. 1926, 280–289, hier 285.

9　Conrad, *Richard Gölz* (wie Anm.1) hat (ebd. 180–198) die *Gottesdienstliche Rundschau* von Gölz ausgewertet. Er geht jedoch nicht chronologisch vor, behauptet (ebd. 180), die Auseinandersetzung mit der liturgischen Bewegung beginne erst mit der MGKK-Schriftleitertätigkeit, und setzt so mit der erst 1930 präsentierten dialektischen Theologie ein, deren „Kritik" er als Leitmaßstab bei Gölz sieht. Weiter vermischt Conrad bei der Besprechung der Berneuchener Gölzens Aussagen von 1926 und 1932 und schreibt ihm auch kritische Bemerkungen von anderen dialektischen Theologen zu (ebd. 194f). Alle positiven Äußerungen von Gölz zur liturgischen Bewegung, namentlich der älteren, vernachlässigt Conrad, um zu konstatieren, dass es Gölz schon immer wichtig gewesen sei, „zur liturgischen Bewegung Abstand zu halten" (ebd. 180).

10　Richard Gölz, *Gottesdienstliche Rundschau*, in: MGKK 32. 1927, 268–291, hier 269.

sionarischen Eifers, wie sie für Singbewegungsführer nicht untypisch ist, und bietet deshalb eine auch im Informationswert einzigartig umfassende Darstellung der Motive, Personen, Sing- und Veranstaltungsformen, damit den Lesern eine freie Urteilsbildung möglich wird. Gleichwohl lässt er stets spüren, dass er selbst Feuer und Flamme ist für das, was hier passiert, um gerade so zur Auseinandersetzung zu motivieren. In der Darstellung trennt er präzise zwischen dem Phänomen Singbewegung allgemein und ihrer Bedeutung speziell für die evangelische Kirche.[11] So bleibt auch der theologische Vorbehalt gegen enthusiastische Heilserfahrung im Singen als solchem stets im Blick. „Unserer Kirche wird ein neues Singen nur, wenn nicht verdunkelt wird, daß unsere Erlösung nicht aus den Kräften des Kosmos kommt ... daß unser Heil in Christus beschlossen ist, daß wir es im *Glauben* (im Sinne des N.T.) besitzen, daß unsere Gotteskindschaft bleibend in der Vergebung ruht ..., daß Gemeinschaft im Sinne des dritten Artikels etwas Himmlisches ist, wohl hereinwirkend in Menschenleben und -geschichte und doch nicht zu rasch zu identifizieren mit der ‚Gemeinschaft‘, wie man sie im Singkreis erlebt."[12] Gleichwohl stellt er über alle theologische Differenzierung sozusagen den faktischen Beweis des Geistes und der Kraft: „In die Kirche kommt das neue Singen nur dadurch, daß alle diese Wirklichkeiten, über die heute vielfach mehr geschwatzt wird, als daß sie ernst genommen werden, uns alle *neu erfüllen.*"[13] Da die Singbewegung für solches „Ernstnehmen"[14] einsteht, bedeutet sie die große spirituelle Chance für die Kirche.

Nach zwei Jahren Pause platziert Schriftleiter Smend im Jahr 1930 im Januar-Heft an erster Stelle wieder ein Stück *Gottesdienstliche Rundschau* von Gölz, wegen der Textfülle in Kleinstich wie schon bei den früheren Folgen. Die offensichtlich bereits klar konzipierte Abhandlung folgt zwei Fragestellungen: „Was will und was tat in den letzten Jahren der Kreis, der sich unter dem Namen Berneuchener Konferenz zusammengefunden hat? und: Was bedeutet die neue Wendung in der Theologie, was bedeutet das Aufkommen der sogenannten Barth'schen oder der dialektischen Theologie für unsre liturgische und kirchenmusikalische Arbeit?"[15] Im Februar-Heft erscheint der Abschnitt, in welchem Gölz ausführlich den Inhalt des *Berneuchener Buches* (1926) referiert. Anders als bei den Textreferaten zuvor verzichtet er hier auf Einwürfe. Ohne Berichterstatter-Distanz buchstabiert er sozusagen diesen „Weckruf" nach, vorwiegend in kurzen, prägnanten Sätzen komprimiert, manches dadurch schärfer akzentuiert, insgesamt predigtartig. Die (Zwischen-)Überschriften des Buches sind in den laufenden Text integriert und werden gesperrt gedruckt

[11]   Nur das letzte Drittel des großen Beitrags (*Gottesdienstliche Rundschau* [wie Anm. 10], hier ab 284) thematisiert die kirchliche Relevanz.

[12]   GÖLZ, *Gottesdienstliche Rundschau* (wie Anm. 10) 285f.

[13]   GÖLZ, *Gottesdienstliche Rundschau* (wie Anm. 10) 286.

[14]   Auch im fast zeitgleichen Hauptreferat von Wilhelm Stählin beim Nürnberger Deutschen Kirchengesangvereinstag (17.10.1927) *Die Bedeutung der Singbewegung für den evangelischen Kirchengesang* steht am Ende der Appell zum „rechten Ernstnehmen" (Denkschrift *Der dreißigste deutsche evangelische Kirchengesangvereinstag in Nürnberg.* Kassel 1928, 35–70, hier 69).

[15]   So GÖLZ im Einleitungsabsatz, *Gottesdienstliche Rundschau*, in: MGKK 35. 1930, 1–6, hier 1.

hervorgehoben.[16] Am Schluss heißt es: „Die Gemeinde bedarf der theologischen Führer, doch ist mit ihrem Monopol zu brechen und ein anderes Prinzip der Auslese zu suchen. Wie überhaupt neue Wege kirchlicher Arbeit not tun ...“[17]

Im März-Heft folgt ein nur kurzer Abschnitt zur seit 1926 laut gewordenen Kritik am *Berneuchener Buch*. „Der Verfasser der Rundschau möchte, was das Buch sagt, nicht gleich mit Bemerkungen darüber zerreden und zerredet wissen“, erklärt Gölz sein Vorgehen. Er benennt die Diskussionen um den Symbolbegriff und bringt dann stellvertretend ein längeres Zitat der Kritik aus einem Vortrag des Rostockers Renatus Hupfeld auf dem Kirchengesangvereinstag in Stettin 1926, welches „Gefahrenmomente“ aufzeigt beim Pathos des Zelebrierens, bei der Übernahme altkirchlicher Formulare aus dem Kontext einer „fremden Frömmigkeit“ und auch bei der theologischen Begründung des „Formwillens“.[18] Gölz sieht ernstzunehmende Kritik nur bei „Männern, die die Lage ähnlich sehen wie die Berneuchener und durchaus nicht bloß ein lautes Nein auf den Berneuchener Ruf haben“[19]. Im Folgenden bespricht er weitere Berneuchener-Publikationen und betont abschließend die Bedeutung des Kontaktes von Singbewegung und Berneuchener Führern, wie er in der personellen Zusammensetzung bei der Spandauer Tagung *Kirche und Musik* 1928 deutlich geworden sei. Ans Ende setzt er aber nochmals eine längere Kritik-Passage aus der Feder des (singbewegten) Chorleiters und späteren Philosophieprofessors Wilhelm Kamlah, der die Problematik der unreflektierten Vermischung von „evangelischer Haltung“ und Singbewegungs-Stil ziemlich scharf benennt.[20] Wenn Gölz später (1932) nach seinem Durchgang durch die dialektische Theologie noch einmal auf die Berneuchener zu sprechen kommt und sie da dann aus der Perspektive der Dialektiker ins Visier nimmt, lässt er wieder eine Reihe von Zitaten mit kritischen Einwänden sprechen. Charakteristisch für seine *Rundschau*-Methodik ab 1930 ist dieses profilierte Gegenüberstellen von These und Antithese, damit sich der Leser der verschärften Spannung stellen muss, unter welcher liturgisches Handeln steht. Gölz selber löst die Spannung nie in eine Richtung auf.[21] Entscheidend ist für ihn allerdings, dass etwas geschieht, dass wie seitens der Berneuchener liturgisch gehandelt wird im Ernstnehmen der aufgebrochenen Fragestellungen.

Im Juni-Heft 1930, das mit der Todesanzeige auf den am 7. Juni verstorbenen Schriftleiter Julius Smend eröffnet wird, kommt dann der erste Passus

---

[16] Diese rezeptionstheoretisch bemerkenswerte Relektüre des *Berneuchener Buches* wäre eine Detailuntersuchung wert.

[17] Richard Gölz, *Gottesdienstliche Rundschau*, in: MGKK 35. 1930, 45–51, hier 51.

[18] Der Passus aus dem Stettiner Tagungsbericht bei Richard Gölz, *Gottesdienstliche Rundschau*, in: MGKK 35. 1930, 69–76, hier 69f, die Zitate ebd. 70.

[19] Gölz, *Gottesdienstliche Rundschau* (wie Anm. 18) 69.

[20] Gölz, *Gottesdienstliche Rundschau* (wie Anm. 18) 76.

[21] Conrad, *Richard Gölz* (wie Anm. 1), wird in seinem Referat und in der Bewertung der Kritik von Gölz an der liturgischen Bewegung dem spezifischen Modus der Gölz'schen Darstellung nicht gerecht. Er vereinnahmt ihn vorschnell als „Kritiker“, namentlich im Passus über Gölzens Stellung zu den Berneuchenern (ebd. 191–195) und beim „zweiten Zwischenergebnis“ (ebd. 198).

zur dialektischen Theologie zum Abdruck.[22] In der Einleitung betont Gölz, er wolle „kein abschließendes Wort sagen, auch kein in sich fertiges. Es soll der Anstoß zu einer gemeinsamen Besinnung gegeben, eigentlich nur eine Frage aufgeworfen werden."[23] Allerdings verwahrt er sich gegen jene „Zersetzung unseres Denkens und Redens", welche im Interesse der eigenen Besitzstandswahrung neue Impulse stets nur kritisch prüfe und das eine oder andere als „zeitgemäß" berechtigt zu integrieren suche, um genau so das „heilsam Beunruhigende des Rufs" von sich fernzuhalten „und einem letzten Ernstnehmen" auszuweichen. „Man stelle sich die Dialektiker nicht als eine neue ‚Richtung' vor (und noch weniger den Verfasser dieser Rundschau als einen Schüler der neuen ‚Schule'). Es geht in der Kirche um eine *Sache*. Es könnte sein, daß diese Sache uns durch das Wort der jungen Theologengeneration neu wird. Dieses Wort soll uns Anlaß werden, uns an der Sache zu prüfen. Dazu tut not, daß wir es *hören*." Dann bereitet er die Leser auf die Konfrontation mit harter Kritik vor: „Wir wollen nicht gekränkt sein, wenn aus dem Mund des einen oder andern dieser Theologen ein scharf kritisches Wort fällt über unsere früheren oder heutigen Bemühungen um ‚Gottesdienst und kirchliche Kunst' ... Wir wollen gern mit unseren ‚Bestrebungen' gelegentlich als Zielscheibe dienen."[24] Gölz stellt sich also nicht selbstsicher auf die Seite der Kritiker, sondern sieht sich mit allen in Liturgik und Kirchenmusik tätigen durch diesen „Ruf" betroffen. Die vorwiegend auf dem Gebiet der Dogmatik agierenden dialektischen Theologen sagten Dinge, deren Konsequenz „jedenfalls starke Erschütterungen, Anlaß zu rücksichtsloser Besinnung" sei. Die Konkretionen von Liturgik und Kirchenmusikpraxis will er als „Zielscheiben" der theologischen Anfragen positionieren, holt dazu aber grundsätzlich weit aus. *„Welches ist das Anliegen der dialektischen Theologie? was ist sie überhaupt? was will sie?"*[25]

Über viele Seiten referiert Gölz nun über die zentralen Theologumena Gottesfrage, Offenbarung, Religion, dialektisch und – im August-Heft – besonders ausführlich über den Wort-Gottes-Begriff und die Sakramente. Anders als beim Referat des *Berneuchener Buches* tritt er hier als vermittelnder Lehrer auf, der das Ungeheuerliche der neuen Sichtweise immer wieder zu ergänzen und durch Referenzen zu bestätigen sucht, nicht um zu beweisen, dass Barth recht hat, sondern um das rechte „Hören" dessen zu ermöglichen, was dieser und seine Freunde zu sagen haben. Vor der Entfaltung des Predigt-Begriffs bemerkt Gölz: „Vielleicht verstehen wir etwas ganz anderes unter Predigt als er? Lassen wir das zunächst dahingestellt sein; versuchen wir, einfach Barth und seine Freunde zu hören!"[26] Das stets gebrauchte „Wir" suggeriert, dass diese neue Rede von Gott

[22] Vgl. die Referate dieser Auseinandersetzung mit der dialektischen Theologie bei CONRAD, *Richard Gölz* (wie Anm. 1) 180–188, und bei KLEK, *Erlebnis Gottesdienst* (wie Anm. 5) 262–267, hier zugespitzt auf die Kritik an Julius Smend.
[23] Richard GÖLZ, *Gottesdienstliche Rundschau*, in: MGKK 35. 1930, 178–188, hier 178.
[24] Alle Zitate ebd., Hervorhebungen im Text original.
[25] GÖLZ, *Gottesdienstliche Rundschau* (wie Anm. 23) 179, Hervorhebungen original.
[26] Richard GÖLZ, *Gottesdienstliche Rundschau*, in: MGKK 35. 1930, 237–248, hier 237.

– analog dem Wort Gottes bei der Predigt – für ihn selbst wie die gesamte Leserschaft der Monatschrift eine Herausforderung im Wortsinn darstellt.[27]

Erst bei der dritten Folge im November-Heft werden die Leser vor die entscheidende Konfrontation gestellt: „Wir wollen uns nun also von Karl Barth und anderen Männern, deren Theologie dialektisch genannt werden kann, fragen lassen, *was wir* denn *mit unsern liturgischen Bestrebungen wollen* und ob wirklich Grund zu der Hoffnung gegeben ist, daß wir der Kirche Jesu Christi damit dienen."[28] Nun präsentiert er tatsächlich als „Zielscheiben" anonym eingebrachte Zitate aus dem Schrifttum der liturgischen Bewegung, auch sehr prominente etwa von Julius Smend, welche von den Pfeilen der dialektischen Theologie sozusagen ins Herz getroffen werden. Als entscheidendes Monitum aller der Theologen, „die aus der Erkenntnis der Dialektik unsrer Existenz heraus reden wollen" formuliert Gölz: „Sie halten diese *direkte* Redeweise in der Kirche, die von der Offenbarung lebt, von der Sache her für unmöglich. Direkte Rede: das bedeutet, daß wir den bejahenden Satz (Gottesdienst = Verkehr mit Gott) haben wollen ohne den Nein-Satz (‚Bei den Menschen ist's unmöglich')."[29] Im Folgenden geht der Text unmerklich – ohne vermittelnde Zwischenbemerkungen – über in den Habitus strenger theologischer Kritik, nun aus dem Munde von Gölz selbst. „Luthers bekanntes Torgauer Wort wird unsäglich mißbraucht, indem man aus einem Wort, das *in actu* zu einer versammelten Gemeinde gesagt ist, die hören und beten soll, eine Theorie macht, die nun – direkt, undialektisch – ‚gelten' soll, aus der der Hörer aber die Bezogenheit auf den lebendigen Gott nicht heraushört. Was Luther in diesem Wort sagt, kann *von Gott her* Ereignis werden. Es will geglaubt werden. Aber Glaube ist kein Postulat, auch nicht ein Schemel, auf den wir uns am Sonntag um 10 Uhr einfach hinaufstellen könnten ..."[30]

Im Jahre 1926 hatte Gölz mit Althaus als Gewährsmann noch Vorbehalte gegenüber Barth geäußert: „Zweifellos müssen wir mit Barth uns gerade als Liturgen ernstlich auseinandersetzen; aber gottesdienstliches Handeln ist eben deshalb möglich, weil Barth an entscheidenden Punkten nicht Recht hat."[31] Solch „ernstliches Auseinandersetzen" hatte inzwischen stattgefunden und bei ihm zwar nicht zum Eintritt in die Barth-Schule geführt, aber zum dialektischen Erfassen der Sachverhalte in Barth'scher Konsequenz und Unerbittlichkeit.

In der zweiten Jahreshälfte 1932 nimmt Gölz den durch Übernahme des Schriftleiteramtes abgerissenen Faden wieder auf. Die inzwischen verstärkt diskutierte Frage der Praxisrelevanz der dialektischen Theologie nötigt Gölz nun zur Darlegung des Verhältnisses von Theologie und Kirche aus der Sicht der Dialektiker. „Die Theologie stellt immer wieder vor die Frage: Was ist die

---

[27] In solchem Ringen um das Erfassen der neuen Sichtweisen ist die Darstellung von Gölz historisch bemerkenswert und sachlich eine faszinierende Darstellung der dialektischen Theologie.

[28] Richard GÖLZ, *Gottesdienstliche Rundschau*, in: MGKK 35. 1930, 312–325, hier 312.

[29] GÖLZ, *Gottesdienstliche Rundschau* (wie Anm. 28) 323, Hervorhebung original Fettdruck.

[30] GÖLZ, *Gottesdienstliche Rundschau* (wie Anm. 28) 324, Hervorhebung original.

[31] GÖLZ, *Gottesdienstliche Rundschau* (wie Anm. 4) 93.

Aufgabe der Kirche?"[32] Im nächsten Schritt präzisiert er dies als „Frage an die liturgische Bewegung" und agiert nochmals mit der Zielscheibentechnik, um die Verwicklung der liturgischen Bewegung in „jenen bösen modernen *Religionsbegriff*" zu prüfen.[33] Nach dem Präsentieren von sechs einschlägigen Zitaten betont er zunächst, dass dieses Verfahren um der schon 1930 als Ziel benannten Konkretion willen gewählt sei und nicht, um bestimmte Auffassungen an den Pranger zu stellen. Gerade so sei nachzuweisen, „wo der *Krankheitskeim* so vieler Rede über Geschehnisse in der Kirche und über unsere christlichen Aufgaben sitzt: es wird unerlaubt-*direkt* und falsch-*sicher* über Dinge geredet, die letzte Geheimnisse sind."[34] Er expliziert dies dann an den in diesen Texten greifbaren Stichworten Gottesdienst als Erlebnis, Erhebung der Seele, Andacht, Erbauung, Anbetung, Innerlichkeit (Gefühl, Geist), Gottesdienst als Lebensäußerung der Kirche, Gottesdienst als Darstellung und Feier, Gegenwart Gottes im Gottesdienst/ Verkehr der Gemeinde mit Gott.

In der letzten Folge der *Gottesdienstlichen Rundschau* kommt Gölz auf die Frage zu sprechen, wie es von solcher Fundamentalkritik her überhaupt zu kirchlichem Handeln kommen kann. In umfangreichen Passagen lässt er zunächst Karl Barth sprechen mit Worten aus dessen Ethik-Vorlesung, erörtert dann spezieller das gottesdienstliche Wortgeschehen in Verkündigung und Ant-Wort, um abschließend im Bereich Kirchenbuch und Gesangbuch mögliche Gestaltungsimpulse der dialektischen Theologie aufzuzeigen. Hintergrund sind seine eigenen Erfahrungen bei der Erarbeitung des württembergischen Kirchenbuches, dessen 1930 vorgelegter Entwurf aufgrund massiven Protestes von jungen dialektischen Theologen schon vom Ansatz her revidiert wurde, was Gölz hier sozusagen als faktischen Beweis des Geistes und der Kraft präsentieren kann.

Mit dieser Abhandlung über die dialektische Theologie hat Richard Gölz weit mehr als „nur eine Frage aufgeworfen". Mit seiner MGKK-Schriftleitertätigkeit stellt er sich der Aufgabe, die gebotene „gemeinsame Besinnung" in liturgicis voranzutreiben.

2. *Richard Gölz als Schriftleiter der Monatschrift für Gottesdienst und kirchliche Kunst*

Es war der ausdrückliche Wunsch von Julius Smend, dass Richard Gölz, seit 1928 im Redaktionsteam der MGKK, ihn als Schriftleiter ablösen solle.[35] Die Todesanzeige für Julius Smend im Juni-Heft 1930, von Verlegern und Mitherausgebern, also auch von Richard Gölz unterzeichnet, schließt mit dem Gelöbnis: „So können wir, die der Heimgegangene zur engeren Mitarbeit an der Monatschrift gerufen hatte, gemeinsam mit den Verlegern an seinem offenen Grabe nur geloben, das Unsere zu tun, daß sein Werk in dankbarer Ehrfurcht gegen die Vergangenheit und im Gehorsam gegen die Forderung der Gegenwart

---

[32] Richard GÖLZ, *Gottesdienstliche Rundschau*, in: MGKK 37. 1932, 190–206, hier 191, Hervorhebung original.
[33] GÖLZ, *Gottesdienstliche Rundschau* (wie Anm. 32) 198–206, die Zitate 198, Hervorhebung im Original Fettdruck.
[34] GÖLZ, *Gottesdienstliche Rundschau* (wie Anm. 32) 201.
[35] Mitteilung der Verleger unter *Kleine Mitteilungen*, in: MGKK 35. 1930, 249.

weitergeführt werde."[36] Als Gölz im November-Heft die definitive Übernahme der Schriftleitung anzeigt, bekennt er sich dazu noch einmal ausdrücklich im Editorial, das er als redaktionelle Neuerung jeweils zu Beginn der *Kleinen Mitteilungen* platziert. Hier erlaubt er sich auch Kommentare zu den abgedruckten Beiträgen, die teilweise noch aus der Ära Smend stammen, benennt einerseits die Notwendigkeit kritischer Distanz, andererseits auch die Verpflichtung zum „Hören" solcher Aussagen: „Wir wollen uns nicht abhalten lassen, ihn aufmerksam zu hören."[37] Als im Dezember-Heft ein Künstler über das Glas im Dienste des Heiligen referiert, fordert Gölz zur „Gegenrede" heraus, warnt aber zugleich: „Wir Theologen dürfen nicht immer gleich als Besserwisser dreinfahren wollen."[38]

Signifikante redaktionelle Neuerung ist weiter, dass die Hefte zumeist mit einem alten, bis dato ungebräuchlichen Lied eingeleitet werden, das ansprechend präsentiert wird mit Melodie und Text, verbunden mit einem Kommentar des Berneucheners und Singbewegung-Pfarrers Wilhelm Thomas. Auch die Musikbeilagen bringen jetzt Singbewegungs-konform mehr alte Sätze. Gölz erklärt im November-Heft „die planmäßige Erschließung der alten Kirchenmusik" zur „wichtigen Aufgabe".[39] Er gibt sogar Tipps zum Einstudieren der stärker polyphonen Musik und fordert: „Ein *zartes Singen*, bei dem keine Stimme die andere übertönt, bei dem die *Worte* leicht und leise gesprochen werden, wird das richtige sein."[40]

Mit Wilhelm Gohl als Rezensenten und Wolfgang Metzger als Autor eines Beitrags hat Gölz schon 1930 zwei seiner Württemberger Theologenfreunde zum Zug gebracht. Im Juli-Heft des Folgejahres jubiliert er: „Ellwein, Gohl, Blankenburg, Ehmann, Buchholtz: wir freuen uns, daß in diesem Heft eine Reihe jugendlicher Mitarbeiter zu Wort kommt." Als signifikante captatio benevolentiae schließt sich an: „Wenn ihre Sprache und Denkweise den älteren treuen Lesern gelegentlich fremdartig vorkommt: lassen wir uns dadurch nicht beirren! Es ist von hoher Wichtigkeit, daß *in der Kirche* die Älteren und die Jungen auf einander hören."[41] Gölz gelingt der Generationensprung bei den Monatschrift-Autoren und er setzt sein Anliegen der grundsätzlichen Besinnung um. Jahrgang 1931 etwa startet mit umfangreichen Ausführungen *Grundsätzliches zur Gottesdienstgestaltung* von Waldemar Macholz[42] und Karl Bernhard Ritter wird als Berneuchener um „eine grundsätzliche Darlegung über kultisches

---

[36]   MGKK 35. 1930, zwischen 160 und 161 ohne Seitenangabe.

[37]   Richard Gölz, *Kleine Mitteilungen*, in: MGKK 35. 1930, 304, Bezug nehmend auf den theologisch nicht hinreichenden Beitrag des Architekten Winfried Wendland, *Vom Anspruch des Evangeliums an die Kunst*, in: MGKK 35. 1930, 287–293.

[38]   Richard Gölz, *Kleine Mitteilungen*, in: MGKK 35. 1930, 362.

[39]   Richard Gölz, *Kleine Mitteilungen*, in: MGKK 35. 1930, 304.

[40]   Richard Gölz, *Zur Notenbeigabe*, in: MGKK 35. 1930, 340, Hervorhebungen original. Bisher hatte bei den abgedruckten Chorsätzen durch überwiegend differenzierte und die Extreme einschließende, dynamische Einzeichnungen die klangliche Seite im Vordergrund gestanden.

[41]   Richard Gölz, *Zum Juli-Heft*, in: MGKK 36. 1931, 228.

[42]   Waldemar Macholz, *Grundsätzliches zur Gottesdienstgestaltung. Zur Einleitung der Agendenarbeit der Thüringer evangelischen Kirche*, in: MGKK 36. 1931, 3–25.

Handeln"[43] gebeten. Dasselbe Thema kommt in mehreren Pro- und Contra-Folgen unter der Fragestellung *Neuer kultischer Stil?*[44] Die Monatschrift wird wieder spannend und kultiviert Streitkultur wie in den Anfangszeiten unter Spitta und Smend. Bisweilen verschärft Gölz noch die Spannung mit längeren Kommentierungen, welche die Polaritäten profilieren.[45] Für Zündstoff sorgt er auch mit seinem als Fundamentalkritik an der Arbeit des Kirchengesangvereins vorgetragenen Bericht vom Dortmunder Kirchengesangstag, wo er scharf das Vermeiden der „Zentralfragen" moniert.[46] Im Editorial schiebt er als „großes Anliegen" nach, dass dieser Beitrag „nicht als ‚Kritik' im landläufigen Sinn, sondern als Appell (von appellere = jemand ansprechen)" aufgefasst werden solle und ermuntert zur Einrede.[47] Diese geschieht dann allerdings vereinsintern, nicht in diesem Organ.

Das Oktober-Heft ist ein Themenheft *Tod und Leben* in Zusammenarbeit mit dem Dresdener *Kunst-Dienst, Arbeitsgemeinschaft für evangelische Gestaltung*. Auf der ersten Seite gibt Gölz eine Erklärung zum Status des Heftes ab, welche in den grundsätzlichen Passus zur Arbeit der Monatschrift mündet: „Fast unübersehbar wird die Zahl der Einzelaufgaben. Ihre Einheit bekommt die Arbeit der Monatschrift dadurch, daß für sie als heilsame Unruhe hinter allem steht die *theo-logische* Frage, nicht die religiöse Frage im allgemeinen, sondern die Frage nach der Offenbarung Gottes in Jesus Christus, die Frage nach der Kirche."[48]

Im Jahrgang 1932, der aus Sparsamkeitsgründen weitgehend in Doppelheften erscheint und wohl zur Platzbeschränkung zwingt, profiliert sich Gölz mit den großen Beiträgen zur *Gottesdienstlichen Rundschau*. Die Bemerkungen im Editorial werden knapper. Bezeichnend ist aber folgender Vorgang. Der württembergische Pfarrer Heinrich Fausel (1900–1967), Mitbegründer der Kirchlich-theologischen Sozietät, unterzieht in Bezugnahme auf *Kirchengeschichtliche Feierstunden für die evangelische Gemeinde* von Otto Michaelis den hier greifbaren, besitzesstolzen Umgang mit Geschichte einer theologischen Generalkritik. Gölz kommentiert: „Nicht wenige unserer Leser werden sagen: Fausel schießt über das Ziel mit seiner Kritik! sie werden ihre Befürchtung einer neuen rabies theologorum bestätigt finden. Die theologischen Gesichtspunkte der

[43] Richard Gölz, *Zum September-Heft*, in: MGKK 36. 1931, 284, zum Beitrag von Karl Bernhard Ritter, *Die Kirche und ihr Kultus*, ebd. 254–271.

[44] Andreas Duhm, *Neuer kultischer Stil?*, in: MGKK 36. 1931, 172–181; Wilhelm Gohl, *Neuer kultischer Stil? Versuch einer theologischen Ergänzung zu dem gleichnamigen Aufsatz von Provatdozent Dr. Duhm in der letzten Nummer dieser Zeitschrift*, ebd. 199–207; Walter Buchholtz, *„Kultischer Stil" und theologische Sachlichkeit*, ebd. 360–370.

[45] Zum Beitrag des Tübinger Musikdirektors und Reger-Schülers Karl Hasse, *Evangelische Kirchenmusik und religiöse Persönlichkeit*, in: MGKK 36. 1931, 51–60, der sich gegen die Missachtung des Subjektiven in den neuen Strömungen wehrt, schreibt Gölz unter *Mitteilungen*, ebd. 63–65 einen Ja-aber-Kommentar. Auch der o.g. Beitrag von Duhm zum kultischen Stil erfährt im Editorial von Gölz, *Zum Juni-Heft*, ebd. 195f, eine längere Kommentierung mit einer Kette von Fragen.

[46] Richard Gölz, *32. Kirchengesangstag des Evang. Kirchengesangvereins für Deutschland in Dortmund 6. bis 8. Juni 1931*, in: MGKK 36. 1931, 272–279.

[47] Richard Gölz, *Zum September-Heft*, in: MGKK 36. 1931, 284.

[48] Richard Gölz, *Die Schriftleitung der Monatschrift*, in: MGKK 36. 1931, 285, Hervorhebung original.

Besprechung scheinen uns aber doch aller Beachtung und sachlichen Prüfung wert. Daß hier nicht nur gegen die Entwürfe unseres geschätzten Mitarbeiters Michaelis etwas gesagt ist, sondern gegen Vieles, was wir in der Monatschrift geschrieben haben und schreiben, wird Niemand von uns verborgen sein."[49] Im Jahrgangs-Schlusswort nennt Gölz „eine erhebliche Anzahl neuer Bezieher"[50] als Beleg für die Akzeptanz dieses neuen Stils. Inhaltlich prägt diesen Jahrgang die im Vorjahr begonnene, kritische Auseinandersetzung mit dem preußischen Agendenentwurf. Erwähnenswert ist auch die erste Kontroverse zum Thema Stundengebet[51] und das erstmalige Erscheinen einer *Liturgischen Beilage* mit Psalmtönen in deutscher Überlieferung. „Gebetsgottesdienste" werden nun stets thematisch präsent sein.

Im Jahrgang 1933 wagt Gölz eine höchst brisante Konfrontation. Der Kieler Alttestamentler Wilhelm Caspari hat, wie Gölz betont, bereits im Sommer 1932 einen Aufsatz eingereicht mit dem Titel *Über alttestamentliche Bezugnahmen im evangelischen Gesangbuch und ihre Beseitigung*[52], und eine Abdruck-Zusage erhalten. Die detaillierte Erörterung über Möglichkeiten solcher „Beseitigung" erscheint nun sozusagen als Sommerloch-Bombe im Juli 1933. Gölz sichert sich ab: „Der Herausgeber vermag den Änderungsvorschlägen keineswegs durchweg zuzustimmen."[53] Im Oktober-Heft bringt er eine Entgegnung aus der Feder des Marburgers Karl Budde, ebenfalls Alttestamentler und alter Monatschrift-Freund aus dem Straßburger Zirkel. Für dasselbe Heft hat Gölz eine Replik des Streitauslösers Caspari organisiert,[54] wohl um nicht den Verdacht der Parteinahme aufkommen zu lassen. Er kündigt eine weitere Entgegnung von Kirchenmusikerseite an, die dann im Dezember-Heft erscheint.[55] Buddes für den Schriftleiter Gölz peinliche Eröffnungspassage lautet: „Das Erscheinen von Wilhelm Casparis Aufsatz in unserer Zeitschrift muß ich aufs tiefste beklagen: das war wohl die letzte Stelle, wo man ihn hätte suchen sollen, die letzte, die man ihm hätte gönnen mögen. Jedenfalls darf er nicht ohne Antwort bleiben, und sie zu geben fühle ich mich, so sauer es mir wird, vor Anderen verpflichtet, weil ich einst in Straßburg neben den beiden Gründern der Monatschrift an deren Wiege gestanden habe."[56] Das Prinzip von Gölz, gegenteilige Meinungen vorzustellen und als solche stehen zu lassen, um sie „hören" zu können, kennt offensichtlich auch keine deutsch-christlichen Tabuzonen.

---

[49]   Richard Gölz, *Zum April-Heft*, in: MGKK 37. 1932, 112, zu Heinrich Fausel, *Am Quell heiliger Geschichte?*, ebd. 105–109.

[50]   Richard Gölz, *Schlußwort zum 37. Jahrgang*, in: MGKK 37. 1932, 351.

[51]   Ausgelöst durch die kritische Besprechung *Oskar Johannes Mehl: Evangelisches Brevier* von Karl Hanne in: MGKK 36. 1931, 373–376. Dazu gibt es drei Ergänzungen und Erwiderungen im Folgejahrgang.

[52]   Abgedruckt in: MGKK 38. 1933, 169–179.

[53]   Richard Gölz, *Zum Juli-Heft*, in: MGKK 38. 1933, 200.

[54]   Vgl. Karl Budde, *Das evangelische Gesangbuch und das Alte Testament. Ein Wort zu einem neuen Bildersturm*, in: MGKK 38. 1933, 263–268; Wilhelm Caspari, *Zu dem alttestamentlichen Sprachgute im christlichen Gottesdienst*, ebd. 268–270.

[55]   Julio Goslar, *Zu Prof. D. Casparis „Alttestamentlichen Bezugnahmen"*, in: MGKK 38. 1933, 334–336.

[56]   Budde, *Das evangelische Gesangbuch* (wie Anm. 54) 263.

Als Herausgeber-Kommentare zum Zeitgeschehen wird man in diesem Jahrgang die am Eingang der Hefte präsentierten Stücke dechiffrieren müssen. Im Mai-Heft ist es ein *Gebet für Regierung, Volk und Kirche* mit der ersten Bitte „Du hast uns Dein Wort gegeben, daß es uns leite in allen Dingen und uns im Glauben halte, wo unsere Schritte unsicher werden und unsere Gedanken kurz sind." Später: „Laß Dein Wort zu den Regierenden kommen und berühre Willen und Verstand mit Deinem Geist, daß sie nicht das Ihre suchen, sondern was unserem Volk zum Leben dient." Am Schluss steht die Bitte für die Kirche: „Schenke Deiner Kirche ein klares Zeugnis von Deiner Wahrheit ..." Es folgt ein Lied *Das Spiritus Sancti gratia deutsch* mit der Strophe „Wenn ihr gleich vor der Obrigkeit müßt stehn mit großer Fährlichkeit ..."[57] Die erste Seite des August/September-Heftes nimmt das *Gebet für Kirche und Volk*[58] ein, welches der Hannoveraner Landesbischof Marahrens seinen Pfarrern zur Verwendung im Gottesdienst empfohlen hat. Da heißt es in der letzten Bitte „für unser liebes deutsches Volk und Vaterland": „Du hast die Obrigkeit gesetzt, daß sie Deinen Willen erfülle. So gib unsern Führern rechten Rat, daß sie ihr Werk ausrichten zum Schaden des Bösen und zum Schutze des Guten und ihres Amtes walten in Deiner Furcht." Gölz selbst hat im Rahmen des großen Stuttgarter Kirchengesangstages beim „Volksabend" am 11. Juni vor Tausenden von Menschen seine Rede, ein „Appell" vom ersten bis zum letzten Wort, begonnen mit der Anrede „Deutsche Männer und Frauen! Evangelische Kirchengenossen!"[59]

Das Schlußwort des Jahrgangs 1933 beginnt mit einer Art Jubilus: „Was den Herausgeber am Schluß dieses Jahres zu besonderem Dank verpflichtet, ist dies: es sammelt sich ein Kreis jüngerer Menschen, als Mitarbeiter und als Leser, denen das Anliegen, dem unsere Monatschrift seit Jahren dient, in neuer Weise aufgeht. Wird nicht so etwas wie eine *gemeinsame Linie* sichtbar durch eine Reihe von Aufsätzen dieses Jahrgangs hindurch?" Im zweiten Absatz steht die wohl deutlichste Erklärung zu den Konsequenzen aus den politischen Geschehnissen: „Die Wendung im Leben unsres Volks und im Staat, sowie die Neuordnung der kirchlichen Dinge können für uns nur bedeuten, daß wir in Dingen liturgischen und künstlerischen Gestaltens unterscheiden lernen sollen, was Schwärmerei und was *kirchlich* ist, das heißt: daß wir nie versäumen, auf die Bibel und das Bekenntnis der Kirche zuhören."[60]

Nach zwiespältigen Erfahrungen mit den Luther-Feiern 1933 setzt Gölz im Jahrgang 1934 den Akzent auf die präzise Erschließung dessen, „was von

57   *Gebet für Regierung, Volk und Kirche*, in: MGKK 38. 1933, 105f. Gölz, *Zum Mai-Heft*, in: MGKK 38. 1936, 136, nennt als Autor einen „schwäbischen Pfarrer", wohl ein Freund aus der Kirchlich-Theologischen Sozietät.

58   MGKK 38. 1933, 201, den Hinweis auf die Autorschaft gibt Gölz *Zum August/September-Heft*, ebd. 248.

59   Zu dieser Gölz-Rede, abgedruckt in der Denkschrift *Der 33. deutsche evangelische Kirchengesangvereinstag in Stuttgart*. Kassel 1934, 44–47, siehe Konrad KLEK, *Württembergs Eifer für die Deutsche Einheit im Singen. Zur Bedeutung der Württemberger im Evangelischen Kirchengesangverein für Deutschland*, in: *Wort ist Klang. Klang ist Wort. Festschrift 125 Jahre Verband Evangelischer Kirchenmusik in Württemberg*. Hg. v. Elsie PFITZER. Stuttgart 2002, 79–97, hier 86–89.

60   Richard GÖLZ, *Schlußwort zum 38. Jahrgang*, in: MGKK 38. 1933, 347, Hervorhebungen original.

der *Reformation* auf uns, in unsre Gegenwart herein, zukommt"[61] und lanciert zahlreiche Artikel zur *Liturgik der Reformation*[62]. Die Prominenz des Jahrgangs-Eröffnungsartikels erhält aber Friedrich Buchholz, der im Sommer 1933 in Alpirsbach neu gefundene Freund, der – wiederum „grundsätzlich" und umfangreich – Laiengedanken zur liturgischen Reform[63] formuliert. Mit Buchholz, der als Kunsthistoriker eingeführt wird, hofft Gölz seinem mehrfach artikulierten Anliegen näherzukommen, dass „Künstler, Kunsthistoriker, Musiker und Theologen der jungen Generation gemeinsam besinnen, was das Wesen der evangelischen Kirche ist, was ihr mit den Künsten gegeben und heute als künstlerische Aufgabe gestellt ist"[64]. Neues Thema ist wohl in Folge von Alpirsbach „ob nicht doch die deutsche Messe die gegebene Form des Hauptgottesdienstes in der lutherischen Kirche ist"[65]. Als Herausforderung angenommen wird die Gestaltung von Gottesdiensten zu den im Reich neu angesetzten Feiertagen: „Die großen Volksfeiern, die der nationale Aufschwung uns geschenkt hat, rufen die Kirche zur Mitfeier. Es ist selbstverständlich, daß die Kirche ihren Dienst nicht weigert, sondern freudig darbringt – aber ebenso selbstverständlich, daß sie ihn im Auftrag ihres Herrn vollzieht."[66]

Die nun vom Gölz-Freund (und späteren Tübinger Nachfolger) Walter Kiefner betreute *Kirchenmusikalische Rundschau* heißt jetzt *Kirchenmusik im dritten Reich*. Der Autor mag zu Beginn „nur mit Bedauern auf diese Todeswehen des Zweiten Reiches zurückschauen" und setzt zur für ihn vordringlichen Frage des Gemeindegesanges emphatisch an bei den Realitäten, „heute, da die Straßen widerhallen vom Gesang marschierender Verbände, da wir uns immer wieder singend zum Dritten Reich bekennen, da ein neues Volkslied im Werden ist"[67]. Inwieweit die von Gölz benannte entscheidende Aufgabe des Unterscheidens von den einzelnen Autoren beherrscht und eingelöst wird, wäre im Einzelnen zu untersuchen. Das „freudige" Aufnehmen des „nationalen Aufschwungs" jedenfalls war Konsens.[68] In zugespitzter Form praktiziert solches Unterscheiden

---

[61]   GÖLZ, *Schlußwort* (wie Anm. 60) 347. Hervorhebungen original.

[62]   Vgl. grundsätzlich Herbert KRIMM, *Liturgik der Reformation*, in: MGKK 39. 1934, 209–218.

[63]   Friedrich BUCHHOLZ, *Laiengedanken zur liturgischen Reform*, in: MGKK 39. 1934, 1–11. Damit beginnt die 21 Titel umfassende, regelmäßige Mitarbeit von Buchholz bei der MGKK. Gölz bietet dem Freund so ein exklusives Publikationsforum. Nach der Abgabe der Schriftleitung durch Gölz erscheinen in der MGKK nur noch drei Rezensionen von Buchholz. Vgl. die Bibliografie in Friedrich BUCHHOLZ, *Liturgie und Gemeinde. Gesammelte Aufsätze*. Mit einem Nachwort von Richard WIDMANN hg. v. Joachim MEHLHAUSEN. München 1971, 266–272.

[64]   Richard GÖLZ, *Zum Januar-Heft*, in: MGKK 39. 1934, 32.

[65]   Richard GÖLZ, *Schlußwort zum 39. Jahrgang*, in: MGKK 39. 1934, 348, Bezug nehmend auf Hans SCHNIEBER, *Zum Wiederaufbau der Deutschen Messe in der Deutschen Evangelischen Kirche*, in: MGKK 39. 1934, 219f, und inhaltlich gegenpolig dazu Paul GIRKON, *Die Neugestaltung des deutsch-evangelischen Sonntagsgottesdienstes*, in: ebd. 260–280.

[66]   Paul GIRKON, *Kirchliche Gestaltung der Feiern der nationalen Arbeit, der Sommer-Sonnenwende und des Erntefestes*, in: MGKK 39. 1934, 103–107, hier 103.

[67]   Walter KIEFNER, *Kirchenmusikalische Rundschau. Kirchenmusik im Dritten Reich*, in: MGKK 39. 1934, 92–103, 341–346, die Zitate hier 92 und 94.

[68]   Die Gölz-Rede beim Stuttgarter Kirchengesangsfest 1933 ist ein Musterbeispiel solchen Anknüpfens an den „nationalen Aufschwung", um dann aber klarste „Unter-

ein Tübinger Stiftler, der *Das Gottesjahr 1934* theologisch förmlich zerpflückt und den Berneuchenern als Breitseite hinknallt: „Was sich uns hier für eine Welt auftut, ist, das entdeckt man mit Schrecken, nichts anderes als das, was in anderer Art bei den Deutschen Christen uns entgegentritt, nur in etwas schönerer, geistigerer und verfeinerter Form gegenüber der massiven Bluttheologie dort. Was bei den Deutschen Christen das Nationalistische ist, ist hier das Kosmisch-Naturhafte."[69] Gölz bekennt sich als Anstifter dieser Kritik, da er „gegenüber lehrhaften Aussagen von Mitarbeitern aus dem Berneuchener Kreis immer wieder Bedenken" gehabt habe und nun bei der Lektüre dieses Jahrbuches „über einzelne Beiträge geradezu entsetzt" gewesen sei. Damit aber war der Monatschrift-Burgfriede mit Wilhelm Stählin als Vertreter der Berneuchener im Herausgeberkreis ernsthaft gefährdet, wie dessen Replik im Folgejahr zeigt.[70] Im Schlusswort des Jahrgangs 1934 konstatiert Gölz weitgehende Einigkeit „in der Bekümmernis über vorhandene Nöte des evangelischen Gottesdienstes", aber verbreitete Ratlosigkeit über die Wege der Abhilfe und fährt nicht sehr zukunftssicher fort: „Seien wir dankbar, daß wir trotz den Wirrnissen in der Kirche der Sache und einander noch mit Aussprache und Besinnung dienen dürfen!"[71]

Das erste Heft der Jahres 1935 „mit einer Reihe so bedeutender Beiträge"[72] kommentiert Gölz zwar noch mit einigem Stolz, am Ende des Jahres scheint er

scheidungen" folgen zu lassen. (Vgl. oben Anm. 59.)

[69]   Werner Rau, *Das Gottesjahr 1934. Gedanken und Bedenken*, in: MGKK 39. 1934, 179–189, das Zitat 186.

[70]   Richard Gölz, *Zum Juli-August-Heft*, in: MGKK 39. 1934, 208. Gölz betont, dass dem Autor die Anliegen der Berneuchener nicht fremd seien und dass die Betroffenen die Überschrift „Gedanken und Bedenken" beachten mögen. Erst nach einem halben Jahr kommt die ausführliche und detaillierte Replik von Wilhelm Stählin, *Noch einmal: „Das Gottesjahr 1934". Zu der Kritik von Werner Rau*, in: MGKK 40. 1935, 99–106; hier 99 die Bemerkung „daß mir nie vorher in einer Zeitschrift vom Range unserer Monatschrift so etwas von unerhörter Leichtfertigkeit der Polemik vor Augen gekommen ist". Seinem Kritiker schreibt er abschließend (ebd. 106) ins Stammbuch, dass „diese Art der theologischen Begriffsbildung" sich selber absperre „gegen die Fülle und Weite der in der Bibel bezeugten Christus-Offenbarung. Sie hält eine bestimmte theologische Schulmeinung für das allein berechtigte Verständnis der Reformation und gestattet nur durch diese Brille die Heilige Schrift zu lesen." Der letzte Satz lautet: „Diese Art von Kritik ist menschlich unmöglich, theologisch schlecht und sachlich eine ernste Gefahr für unsere Kirche." Dazu erklärt sich Richard Gölz, *Zum März/April-Heft*, ebd. 116. Er bezeugt, dass ihm die harsche Kritik der Stiftler an seiner eigenen Tübinger Arbeit, die mit der der Berneuchener viele gemeinsame Züge habe, sehr wichtig sei, „weil auf die Sauberkeit und Reinheit der theologischen Grundlegung unsrer liturgischen Arbeit schlechterdings alles ankommt". Er bekräftigt, dass ihm diesbezüglich Vorbehalte gegenüber den Berneuchenern berechtigt erscheinen. Er gesteht aber auch das Versäumnis ein, den Beitrag von Rau dem Mitherausgeber Stählin nicht vor Abdruck vorgelegt zu haben.

[71]   Richard Gölz, *Schlußwort zum 39. Jahrgang*, in: MGKK 39. 1934, 347f.

[72]   Richard Gölz, *Zum Januar/Februar-Heft*, in: MGKK 40. 1935, 52. Einige Titel: Hans Asmussen, *Über die Liturgie* (ebd. 1–4), Hans Schnieber, *Zum Wiederaufbau der Deutschen Messe* (ebd. 4–15), Karl Bernhard Ritter, *Heldengedächtnis-Gottesdienst am Sonntag Reminiscere* (ebd. 15–18), Wilhelm Ehmann, *Das Schicksal der deutschen Reformationsmusik in der Geschichte der musikalischen Praxis und Forschung* (ebd. 18–45).

jedoch – modern gesprochen – ziemlich frustriert zu sein über „diese schwere Zeit, die für Liturgie und Liturgik noch wenig Sinn hat". Den Schlusspunkt
markiert sozusagen als Durchhalteparole eine Liedstrophe, deren letzte Worte lauten: „Ja lasset uns wirken mit Ernst und mit Fleiß, so lang noch der Tag
uns vergönnt ist!"[73] Die Themenfelder Hymnologie mit dem neuen Topos
„Einheitsgesangbuch", Kirchenmusik mit verschiedenen „grundsätzlichen"
Beiträgen und Baukunst sind nun breiter vertreten als das Gölz'sche Stecken-
pferd „Gottesdienst, Geschichtliches und Grundsätzliches". Die Orientierung
an der Reformation wird weiter gewichtet mit der überdimensionierten Arbeit
von Wilhelm Ehmann über die Rezeptionsgeschichte der Reformationsmusik[74]
und einer Folge von bereits im Vorjahr begonnenen Luther-Lied-Exegesen aus
der Feder von Christa Müller[75]. Diskrepanzen mit den Berneuchenern gibt es
jetzt auch bezüglich der Beurteilung von deren Denkschrift *Das Kirchenjahr*, was
Gölz nötigt, sein Bemühen um Ausgewogenheit zu zeigen.[76]

Der 41. Monatschrift-Jahrgang 1936 beginnt mit einer feinsinnigen Würdigung der 40-Jahres-Arbeit durch Gerhard Kunze. Dieser benennt als besondere
Leistung von Gölz die *Gottesdienstliche Rundschau* und die Einführung der dialektischen Theologie in die Monatschrift.[77] Im Blick auf die faktisch gegebene
Gefahr, „aus Mangel an Beziehern einzugehen" gibt auch er Durchhalteparolen
aus: „Aber der Kampf ist der Vater aller Dinge; die Weite Spittas und Smends
hat die MGkK groß gemacht, die freundlich-bestimmte Güte Gölz' wird sie
groß halten als den Raum, in dem das so bitter nötige Ringen um ein vertieftes
Verständnis der ‚schönen Gottesdienste des Herrn' geschehen kann!"[78]

Inhaltlich sind in diesem Jahrgang die im engeren Sinne liturgischen Fragestellungen wieder stärker gewichtet. Zum Thema Messe als Grundform des
Gottesdienstes referiert Gölz-Freund Buchholz ausführlich über die schwedi-

---

[73]   Richard GÖLZ, *Schlußwort zum 40. Jahrgang*, in: MGKK 40. 1935, 328.

[74]   Die zweite Folge des Ehmann-Beitrages (vgl. Anm. 72) steht in MGKK 40. 1935, 53–79.
       Richard GÖLZ, *Zum Januar/Februar-Heft*, in: ebd. 52 rechtfertigt die Überlänge: „Wir wol-
       len uns trotz der Unruhe dieser Monate die Zeit nehmen und auch den ausführlichen
       Beitrag von Dr. Ehmann genau lesen! Ist es nicht wahrhaft *erschütternd*, welches ‚Schick-
       sal' die Reformationsmusik gehabt hat? Die Einsichten, um die es hier geht, greifen tief
       ein in das gottesdienstliche Handeln der Kirche." (Hervorhebung original.)

[75]   Die Berlinerin Christa Müller ist mit Gölz von dessen Singwochenarbeit her persön-
       lich verbunden und eine „Freundin des Hauses". (Freundliche Mitteilung von Heiner
       Gölz, Reutlingen.)

[76]   Im Editorial *Zum September-Heft*, in: MGKK 40. 1935, 251, weist Gölz auf den Dissensus
       im Herausgeberkreis hin und verspricht, nach kritischen Bemerkungen im Beitrag
       von Hans SCHNIEBER, *Gottesdienstliche Wegweisung* (ebd. 224–228, zum Berneuchener
       Entwurf ebd. 227f), in einem der nächsten Hefte einen Text zu bringen, „der die
       Denkschrift freudig zustimmend bespricht", was aber unterbleibt.

[77]   „Das Meiste von dem, was er herausstellt, ist heute noch, nach fast zehn Jahren, in
       der liturgischen Arbeit ungenutzt und unbeachtet." Gerhard KUNZE, *Vierzig Jahre Mo-
       natschrift für Gottesdienst und kirchl. Kunst*, in: MGKK 41. 1936, 1–5, das Zitat ebd. 3.

[78]   Die Zitate in KUNZE, *Vierzig Jahre Monatschrift* (wie Anm. 77) 4, 5. Die Charakterisie-
       rung des Gölz-Stils mit „Güte" überrascht im Blick auf seine oft kantigen, schriftli-
       chen Äußerungen. Offensichtlich hat Gölz im persönlichen Verkehr so überzeugt,
       dass die Unerbittlichkeit seiner Kritik und seines Eifers alles andere als ausgrenzend
       wirkte.

sche Hochmesse. Zum Bereich Hymnologie liefert Christa Müller nun einige Folgen über das Bekenntnis im Kirchenlied und Eberhard Weismann, Mitarbeiter und Freund von Gölz als Stiftsmusikrepetent, einen großen Text über die Geschichte des Passionsliedes. Einen auch vom Umfang her gewichtigen Alpirsbacher Akzent zeigen Complet-Formulare für verschiedene Kirchenjahreszeiten. Den Erklärungsbedarf dazu befriedigt Gölz in seiner unnachahmlichen „Güte": „Die Bezieher unserer Monatschrift, die mit diesen Beilagen zunächst noch nichts anfangen können, mögen die Hefte einstweilen als Studienmaterial aufbewahren. Die Frage der Gebetsgottesdienste und gerade auch der liturgischen Singweise (Gregorianik) wird – das steht zu hoffen – Manchen unter uns in den kommenden Jahren noch wichtig werden."[79] Das Jahrgangs-Schlusswort ist diesmal Sache der Verleger. Sie teilen formlos die Übernahme der Schriftleitung durch Gerhard Kunze ab dem neuen Jahr aus „technischen Gründen" mit und bescheinigen Gölz mit ausdrücklichem Dank, die 1930 notwendige „innere Umstellung der Monatschrift" geleistet zu haben. Es wird unterstrichen, dass mit Kunze kein „Wechsel im Geiste" intendiert sei. „Pfarrer Gölz und seine Freunde werden ebenso weiter mitarbeiten wie auch die bisherigen Mitherausgeber D. Graff und D. Stählin zu unserer Freude bleiben."[80] Außer einem Beitrag von Wilhelm Gohl[81] zu Beginn des folgenden Jahrganges liest man aber von Gölz und seinen vorher so zahlreich vertretenen „Freunden" in der Monatschrift dann keine Silbe mehr. Eine 1940 in *Musik und Kirche*, dem Organ der kirchlichen Singbewegung, erscheinende Darstellung der Alpirsbacher Arbeit ist das letzte von Gölz publizierte Schriftstück.[82]

3. „Der Gölz" – das Chorgesangbuch

Im Auftrag des württembergischen Kirchengesangvereins zum Stuttgarter 50-Jahr-Jubiläum des gesamtdeutschen Verbandes 1933 projektiert, aber erst im Sommer 1934 fertiggestellt, wurde das von Richard Gölz im Bärenreiter-Verlag edierte *Chorgesangbuch* durch seine breite Rezeption weit über Württemberg hinaus zum Inbegriff des Namens Gölz.[83] „Der Gölz" wurde tatsächlich zum „Gesangbuch" der Chöre. Namentlich bei den zahlreichen nach 1945 neu gegründeten Kirchenchören, die noch keine Literaturbestände hatten,[84] stellte er das Grundrepertoire des Singens im Gottesdienst, bei mancher Familie auch im heimischen Kreis,[85] zugleich fungierte er als stilprägende Fibel in der

[79] Richard Gölz, *Zum Februar-März-Heft*, in: MGKK 41. 1936, 72.

[80] Vandenhoeck & Ruprecht, *Schlußwort zum 41. Jahrgang*, in: MGKK 41. 1936, 4+.

[81] Wilhelm Gohl, *Liturgie und Theologie*, in: MGKK 42. 1937, 60–68.

[82] Richard Gölz, *Die Kirchliche Arbeit Alpirsbach*, in: MuK 12. 1940, 62–66, 87–92.

[83] Dass Gölz sich hier in großem Umfang der Zuarbeit der beiden (Berneuchener) Experten Konrad Ameln und Wilhelm Thomas bediente und auf deren schon vorliegende Liedsammlungen zurückgriff, ging in der Rezeption des Chorbuches unter, obgleich im Geleitwort des Herausgebers ausdrücklich vermerkt und gewürdigt (Richard Gölz, *Chorgesangbuch. Geistliche Gesänge für 1 bis 5 Stimmen.* Kassel 1934, 235).

[84] Der vom Verf. in den 1970er Jahren geleitete Dorfkirchenchor von Balingen-Heselwangen, 1946 gegründet, hat sich seinen Grundbestand an *Chorgesangbüchern* in einer kühnen Schmuggelaktion über die Grenze der Besatzungszonen beschafft.

[85] Freundliche Auskunft von Altrektor Prof. Gotthard Jasper, Erlangen, an seinem 70. Geburtstag, 28. September 2004, im elterlichen Pfarrhaus in Bethel sei aus „dem

Ausbildung der Chorleiter, insbesondere der nebenamtlichen. Die Zentralstellung dieses Chorbuches ging erst um 1990 verloren, als das romantische Idiom durch einschlägige Notenpublikationen wieder hoffähig wurde[86] und kurz darauf in Verbindung mit dem Liedgut des Evangelischen Gesangbuches auch popmusikalische Stilistik Einzug hielt[87]. Die Erfolgsgeschichte „des Gölz" ist bemerkenswert[88], gerade weil Gölz in der Konzeption des Buches seine „Grundsätze" konsequent verfolgt hat ohne Rücksicht auf die herkömmliche Stilistik des Chorsingens oder das, was man heute Publikumsgeschmack nennt.

„Die Auswahl für dieses Buch beschränkte sich mit gutem Grund auf die Zeit von Martin Luther bis Sebastian Bach." Überwiegend sind es Sätze von der Reformationszeit bis zu den Paul-Gerhardt-Vertonungen Crügers und Ebelings. Zum Vorwurf der Kanonisierung einer Periode als „allein kirchlich" erklärt Gölz: „Nun: einerseits scheuen wir uns nicht zu sagen, daß die Musik der altevangelischen Kirche in der Tat für uns das Gewicht eines ‚Kanon', einer Richtschnur haben kann." Er stellt es andrerseits frei, auch Sätze aus dem 18. und 19. Jahrhundert zu singen oder in ein Chorbuch zu versammeln, betont aber, dass gerade sein Weg ad fontes „ein Stück Gemeinsamkeit für den Gottesdienst der evangelischen Gemeinden deutscher Zunge" herstelle.[89] Ungewöhnlich für ein Chorbuch ist die Präsentation von zahlreichen Liedern in der nackten, gesangbuchartig einstimmigen Fassung mit allen Strophen, ehe namentlich bei den zentralen Lutherliedern verschiedene Sätze mit zwei, drei, vier und fünf Stimmen folgen. Für Gölz ist entscheidend, dass die Lieder als solche gesungen werden, der Chorsatz ist nur das Gefäß des Liedes.[90] Neu ist weiter die starke

Gölz" gesungen worden.

[86]   Auch hier war der Württembergische Kirchenmusikverband Vorreiter mit dem von Siegfried Bauer edierten Chorheft *Geistliche Chormusik der Romantik*. Stuttgart 1990, das „den Gölz" zumindest in Württemberg fast wegfegte.

[87]   Vor allem die Chorhefte der Landesverbände zu den jeweiligen Gesangbuch-Regionalteilen brachten einen popmusikalischen Zug in die Chorarbeit.

[88]   Aus den Erträgen des Chorbuchverkaufs (6430 Exemplare) konnte der Württembergische Kirchenchorverband bereits im November 1934 einen PKW für die Dienstfahrten seines Landesobmanns Wilhelm Gohl erwerben. Gölz selbst nahm nur die Honorare aus den außerhalb Württembergs verkauften Büchern und finanzierte damit die Kirchenmusik an der Tübinger Stiftskirche „die erheblich Mittel braucht, weil dort Dinge gewagt und ausprobiert werden, die Geld kosten", mitgeteilt bei Elsie PFITZER, *125 Jahre Singen im Verband und im Land*, in: *Wort ist Klang* (wie Anm. 59) 20–78, hier 53.

[89]   Die Zitate aus dem Geleitwort von GÖLZ, *Chorgesangbuch* (wie Anm. 83) 233, 234. In der MGKK-Rezension des Chorbuches, im Status eines Hauptartikels, durch den Orgelbewegungs-Protagonisten Wilibald Gurlitt heißt es flankierend mit deutschtümelnder Schlagseite: „... wird auch deutsche evangelische Kirchenmusik nichts weniger und nichts mehr bedeuten, als wiedererwachende reformatorische Musikgesinnung". Rez. erhofft sich eine breite Rezeption des Chorbuches, „um daraus Hilfe und Anleitung zur Erneuerung des kirchlichen Chordienstes zu gewinnen und damit dem Neuaufbau eines der reformatorischen und deutschen Art gemäßen Glaubens und volksverbundenen Kantorentums zu dienen." (Wilibald GURLITT, *Das neue Chorgesangbuch der evangelischen Kirche*, in: MGKK 40. 1935, 131–135, die Zitate ebd. 132, 135.)

[90]   Vgl. die letzten Worte von Gölz beim Stuttgarter Fest-Appell 1933: „... daß wir singen und Lieder lernen" (Denkschrift *Der 33. deutsche evangelische Kirchengesangvereinstag* [wie Anm. 59] 47).

Gewichtung polyphoner Sätze und das Einbringen von Kanons als Vorschule zur Polyphonie.

Im Geleitwort gibt Gölz Hinweise zum Einstudieren und zur Wiedergabe der nur vermeintlich schweren Sätze. „Die Erfahrung der letzten Jahre lehrt, daß das polyphone Singen gerade für die Menschen etwas ist, die der Natur noch näherstehen, also für Kinder und Landleute." Aber auch der homophone Kantionalsatz ist zahlreich vertreten. „Wer einmal polyphon singen gelernt hat, wird dann vielleicht merken, daß das Schön-Singen der Simpliciter-Sätze, besonders der einfachen Prätoriussätze, für heutige Menschen eine besondere Kunst ist, die an unser Sprach- und rhythmisches Vermögen und an den Atem der Sänger hohe Anforderungen stellt"[91], erklärt Gölz in Singbewegungs-Diktion. Bei der Gestaltung des Notenbildes folgt er dem zeitgleich erscheinenden Quellenwerk *Handbuch der evangelischen Kirchenmusik*[92]. Das heißt Verzicht sowohl auf die herkömmliche schematische Taktierung als auch auf jegliche Dynamik-Eintragung.[93] Somit ist der Weg frei für eine am jeweiligen Rhythmus und Eigenklang der Worte orientierte Gestaltung der Einzelstimme, für Chorgesang als Sprechakt. Gleich zu Beginn des Geleitworts stellt Gölz klar: „Das Beste und Schönste an der alten Kirchenmusik sind die – Texte. Bei rechter Kirchenmusik ist die musica ein Kleid, dem ‚heiligen lebendigen Gotteswort angezogen, dasselb damit zu singen, zu loben und zu ehren' (Luther)."[94]

Mit diesem Buch will Gölz die Chöre sozusagen als liturgische pressure group in Position bringen: „Von besonderer Bedeutung für die Gestaltung dieses Chorgesangbuches war aber der gottesdienstliche Gesichtspunkt ... Das wichtigste Anliegen für die evangelische Chormusik von heute ist, daß sie dem Gottesdienst wieder ordentlich eingegliedert werde. Im Gottesdienst der deutschen evangelischen Kirche mögen hierfür zunächst noch manche Voraussetzungen fehlen. Das Chorgesangbuch möchte aber in seinem Teil dazu beitragen, daß zunächst einmal bei den Chören und ihren Leitern, aber auch bei den für die Gestaltung der Gottesdienste verantwortlichen Pfarrern das Verständnis für die heilsame Notwendigkeit liturgischer Einordnung des Chorgesangs gemehrt wird."[95] Die Inhaltsdisposition ist mustergültig, „ordentlich": Kirche/Wort und Sakrament – Ordnung des Gottesdienstes (nach den Ordinariumsstücken) – Das Jahr der Kirche – Jahr und Tag/Leben und Sterben – Psalmen/Lobgesänge/Gebete – Die hoffende Kirche/Der jüngste Tag. Chorgesang zeigt

---

[91] Beide Zitate Gölz, *Chorgesangbuch* (wie Anm. 83) 234.

[92] Auch bei dieser Notenpublikation, die im Vandenhoeck-Verlag (!) in Heftfolgen seit 1932 erscheint, fungieren Konrad Ameln und Wilhelm Thomas als Herausgeber – neben Christhard Mahrenholz.

[93] Bei den im Auftrag des württembergischen Chorverbandes zuvor edierten Chorheften hatte Gölz in die Sätze alter Meister noch dynamische Anweisungen und Taktstriche eingetragen.

[94] Gölz, *Chorgesangbuch* (wie Anm. 83) 233.

[95] Gölz, *Chorgesangbuch* (wie Anm. 83) 233. Vgl. die analoge Passage beim Kirchengesangstags-Appell 1933: „Evangelische Kirchengenossen! Lieder, wie wir sie heute singen, sind die rechten Kirchen- und Gottesdienstlieder. Ihr Kirchenchöre sollt sie in den Gottesdiensten singen. Ihr habt mit dafür zu sorgen, daß wir einen rechten Gottesdienst bekommen." (Denkschrift *Der 33. deutsche evangelische Kirchengesangvereinstag* [wie Anm. 59] 45.)

sich so als Sache der Kirche, hat seinen Ort im Gottesdienst, entfaltet das Kirchenjahr als tragenden Lebenszyklus. Charakteristisch sind die Formulierungen bei den Kirchenjahres-Rubriken: „Advent. Kommen des Reiches Gottes – Christfest. Die Geburt Jesu Christi – Epiphanias. Die Erscheinung der Herrlichkeit Jesu Christi". Das Kirchenjahr ist somit strikt als Christusjahr profiliert, nicht als Abfolge religiöser Stimmungen. „Weihnachten" gibt es nicht. Der Glaube ist auf das extra nos ausgerichtet, wie es Gölz im Juli 1933 den Chorsängern in Stuttgart deutlich gemacht hat: „Liebe Leute! Daß Euer Sprachgefühl sich an manchem Wort deutscher Lieder zunächst stößt, ist vielleicht gerade gut. Diese Lieder wollen ja nicht Gedanken aussprechen, die Ihr ohnehin habt, nicht Stimmungen zum Ausdruck bringen, die vorher in Eurem Herzen sind; sondern sie wollen Euch einen Stoß geben."[96]

Auswahlbibliografie

Schriftenverzeichnis bei: Joachim CONRAD, *Richard Gölz (1887–1975). Der Gottesdienst im Spiegel seines Lebens*, Göttingen 1995, 312–332.

„Ein neues Lied wir heben an". Ein Beitrag zum Aufbau der evangelischen Kirche. Berlin-Dahlem 1925.

Fragen und Aufgaben unseres gottesdienstlichen Lebens. Ein Wort an die evangelischen Gemeinden. Stuttgart 1926.

Gottesdienstliche Rundschau, in: MGKK 31. 1926, 83–93, 280–289, 329–338; 32. 1927, 268–291; 35. 1930, 1–6, 45–51, 69–76, 178–188, 237–248, 312–325; 37. 1932, 190–206, 226–242, 271–283.

Die gottesdienstliche Aufgabe unserer Zeit: Umdenken und Neulernen. Gedankengang eines Vortrags, in: MGKK 32. 1927, 221–223.

Die Bedeutung der Musica sacra für das kirchliche Gemeindeleben, in: MuK 1. 1929, 241–256.

Chorgesangbuch. Geistliche Gesänge zu ein bis fünf Stimmen. Hg. von Richard GÖLZ unter Mitarbeit von Konrad AMELN und Wilhelm THOMAS. Kassel – Basel 1934.

Die Kirchliche Arbeit in Alpirsbach, in: MuK 12. 1940, 62–66, 87–92.

---

[96] Denkschrift *Der 33. deutsche evangelische Kirchengesangvereinstag* (wie Anm. 59) 46.

Paul Graff (1878–1955)

Jochen Cornelius-Bundschuh

Es sind wenige, die sich in der evangelischen Theologie der ersten Hälfte des 20. Jahrhunderts wissenschaftlich mit Fragen der Gottesdiensttheorie
beschäftigen und den Gottesdienst zum Ausgangspunkt ihrer Überlegungen zum kirchlichen Handeln
machen. Paul Graff zeichnet sich unter ihnen nicht
durch einen besonders innovativen Ansatz oder den
konzisen Aufbau seiner Theorie aus, wohl aber durch
sein Interesse und seine Fähigkeit, über liturgischen
Einzelfragen nicht den Zusammenhang von kirchlichem und gottesdienstlichem Leben zu vergessen,
Theorie und Praxis zusammenzuhalten und unterschiedliche Traditionen und gegenwärtige Anliegen

in ihrem jeweiligen Recht wahr- und aufzunehmen. Vom kirchlichen Handeln
her den Gottesdienst, vom Gottesdienst her das Ganze des kirchlichen Handelns zu bedenken und zu erneuern, darum ging es dem hannoverschen Pastor
und Liturgiewissenschaftler.

Im Folgenden zeichne ich eine biografische Skizze von Paul Graff (1), er-
läutere, wie er seine Liturgik in einer religionswissenschaftlich überarbeiteten
Theorie des darstellenden Handelns begründet und dabei die Aspekte der
Zeit- und Gemeindegemäßheit betont (2) und gehe dann auf den Schwerpunkt
seiner wissenschaftlichen Tätigkeit ein, seine Beiträge zur Liturgiegeschichte
(3).

1. Pfarrer, Zeitgenosse und Liturgiewissenschaftler: ein biografischer Grundriss[1]

Paul Graff wird am 8.12.1878 in Fallersleben geboren. Sein Vater ist Pastor, seine Mutter stammt aus der hannoverschen Pastorenfamilie Althaus. Nach dem
Abitur studiert er Theologie in Tübingen, Greifswald und Göttingen; hier
kommt es zu einem regen Austausch u.a. über liturgische Fragen mit seinem
Onkel Paul Althaus. Im März 1901 legt Graff das Erste Theologische Examen
ab. Zunächst arbeitet er ein Jahr als Hauslehrer in Hannover. Dann wird er
‚Hospes' im Kloster Loccum. Im März 1904 besteht er sein Zweites Examen. Anschließend bleibt er weitere zwei Jahre als Bibliothekar in Loccum.

Nach der Ordination im Jahre 1906 wirkt er in verschiedenen Orten als
Hilfsprediger, bis er schließlich im März 1908 seine erste Pfarrstelle in Kleinfreden bei Alfeld übernimmt. Aufmerksam nimmt er gesellschaftliche Veränderungen wahr und beklagt die Auflösung von kommunalen, kirchlichen und
familiären Strukturen im Zuge der Industrialisierung. Obwohl seine Analyse

---

[1] Vgl. zur Biografie: Joachim STALMANN, *Liturgiegeschichte als praktische Theologie. Zum
100. Geburtstag von Paul Graff,* in: WPKG 69. 1980, 90–104; ausführlich: Jochen COR-
NELIUS-BUNDSCHUH, *Liturgik zwischen Tradition und Erneuerung. Probleme protestantischer
Liturgiewissenschaft in der ersten Hälfte des zwanzigsten Jahrhunderts dargestellt am Werk von
Paul Graff.* Göttingen 1991 (VEGL 23), hier 11–44.

von einer konservativen Kulturkritik geprägt ist, bleibt er nicht in der Klage stecken, sondern ringt um eine zeitgemäße Antwort auf Individualisierung und soziale Differenzierung. Im Laufe von zwanzig Jahren entwickelt er ein Konzept der ‚Gemeindeorganisation‘, das den veränderten gesellschaftlichen Bedingungen gerecht zu werden sucht, indem es insbesondere im Bereich Diakonie und Kinder- und Jugendarbeit neue Impulse setzt. Schon an dieser Stelle zeigt sich ein Charakteristikum seiner Arbeit, insofern er bemüht ist, diese neuen, funktional differenzierten Ansätze an liturgische Grundstrukturen und -vollzüge zurückzubinden. So bezieht er sich bei Hausbesuchen oder diakonischen Gemeindeaktivitäten auf die in der Perikopenordnung vorgegebenen biblischen Texte und bemüht sich andererseits in seinen liturgischen Handlungen den veränderten kulturellen Bedingungen gerecht zu werden, indem er individuelleren Formen liturgischen Handelns im Gottesdienst Raum gibt oder den Wunsch nach Gottesdiensten im Freien oder zu bestimmten sozialen oder politischen Anlässen aufnimmt.

Im Mai 1928 wechselt Graff auf eine neu eingerichtete Pfarrstelle an der Zionskirche (heute Erlöserkirche) in Hannover-Linden. Auch hier gestaltet er sein pastorales Handeln ausgehend von einer Analyse der vorfindlichen kirchlichen und sozialen Strukturen. Schon 1932 wird die Pfarrstelle wieder aufgelöst und Graff geht im November an die Michaeliskirche in Hannover-Ricklingen, in der die überkommenen kirchlichen Traditionen und die Strukturen eines alten Dorfes durch die Eingliederung in den Ballungsraum Hannover überformt werden. Wiederum spielt die Frage, welche liturgischen Formen der Gemeinde und der Zeit gemäß sind, eine besondere Rolle in seinen Überlegungen.

Im April 1951 wird er pensioniert, engagiert sich aber weiterhin in der Krankenhausseelsorge im Friederikenstift in Hannover und als Dozent in der dortigen Kirchenmusikschule. Paul Graff stirbt am 18.3.1955 in Hannover.

Mit Graff tritt ein in vielem für seine Zeit typischer hannoverscher Pastor vor Augen: ein milder Lutheraner mit Interesse an den liberalen, religionswissenschaftlich begründeten Neuorientierungen am Anfang des zwanzigsten Jahrhunderts; ein geschichtlich und kulturell gebildeter Zeitgenosse, dem neue missionarische Perspektiven ebenso wichtig sind wie die genaue Wahrnehmung seiner regionalen Umwelt mit Hilfe heimatgeschichtlicher und volkskundlicher Untersuchungen; ein über die Auflösung der gesellschaftlichen Ordnung besorgter Amtsträger mit einem Gespür für die Dynamik der ‚alternativen‘ Aufbrüche der Jugendbewegung; ein sozial und für die Bildung engagierter Protestant, der die kirchenfeindlichen Aktivitäten der Sozialdemokratie in seiner Gemeinde zurückdrängen will und seine gesellschaftliche Verantwortung als (Gesprächs-)Partner der Eliten seiner Parochie zu realisieren versucht.

Das Dritte Reich stellt Graffs pfarramtliches und publizistisches Wirken vor eine besondere Herausforderung. Von seiner Herkunft her ist er deutschnational gesinnt und seit dem Ersten Weltkrieg Mitglied der Deutschnationalen Volkspartei. Er ist fasziniert davon, dass der Nationalsozialismus in der Lage zu sein scheint, (wieder) Gemeinschaft zu stiften und die unsozialen Verhältnisse in Deutschland bis hinein in die Kirchengemeinden zu überwinden. Die Verfolgung und Vernichtung jüdischer und anderer vom Nationalsozialismus diskriminierter Menschen, die Unterdrückung Andersdenkender oder die

mörderische Realität des Krieges kommen in seinen Predigten und Visitations-
berichten nicht in den Blick; einen Zusammenhang zwischen gesellschaftlicher
Verantwortung und kirchlicher und liturgischer Wirklichkeit hat Graff anders
als etwa Dietrich Bonhoeffer[2] nicht gesehen. Kirchenpolitisch hat er sich jedoch klar auf die Seite seiner ‚intakten Landeskirche‘ gestellt und die Eigenständigkeit kirchlichen Lebens betont. Er lehnt jeden Übergriff des Staates auf
kirchliches Gebiet ab und weist die Übertragung von ideologischen Positionen
und Kriterien u.a. auf das Gebiet der Liturgie zurück, selbst wenn er sie im politischen Bereich unterstützt. Dies lässt sich beispielhaft an seinem Gutachten
zur Frage der ‚Zionismen im liturgischen Gebrauch‘ zeigen, in dem Graff festhält, dass das Christentum eine positive Religion ist, die „den historischen Boden seines Ursprungs" nicht verlassen darf, „will es sich nicht selbst aufheben"[3].
1945 ruft Paul Graff seine Gemeinde in der Predigt nicht zur Umkehr, sondern
sagt den Hörerinnen und Hörern, indem er die Intention des Bibelzitates geradezu umkehrt, dass sie sich nicht „schämen müssen in der ganzen Welt, [...]
bis sie sich gebessert hätten"[4]. Sie können sich auf die Gnade Gottes verlassen,
denn diese sei in den Schwachen mächtig, die nicht auf ihre (moralischen und
militärischen) Erfolge verweisen können.

Seit 1902 ist Paul Graff publizistisch tätig; das gesamte Verzeichnis seiner
Vorträge, Schriften und Rezensionen umfasst ca. 200 Titel, der weitaus größte
Teil davon widmet sich Fragen der Liturgik und der Liturgiegeschichte.[5] Da-
neben finden sich, insbesondere aus der Zeit vor dem Ersten Weltkrieg, Tex-
te zur Missionskunde, besonders in Indien, China und Japan, vor allem aber
Veröffentlichungen zur Geschichte. Neben zahlreichen kirchengeschichtlichen
Untersuchungen, die er im Rahmen seiner Mitarbeit in der Gesellschaft für
Niedersächsische Kirchengeschichte erstellt hat, ist vor allem auf die regio-
nalgeschichtlichen Arbeiten hinzuweisen, darunter besonders auf seine große
„Geschichte des Kreises Alfeld".[6]

Graff hat sich für die Kirchenmusik in der Hannoverschen Landeskirche
engagiert. Ab 1916 gehört er als Schriftleiter und Stellvertreter des Landesobmanns zum Vorstand des Niedersächsischen Kirchenchorverbandes. Von 1934
bis 1948 ist er an den Prüfungen für die Kirchenmusiker und Kirchenmusikerinnen der Hannoverschen Landeskirche beteiligt. Er wirkt mit an der Erarbeitung des Evangelischen Kirchengesangbuchs und unterrichtet nach seiner
Pensionierung als Dozent an der Kirchenmusikschule in Hannover.

Seit ihrer Gründung im Oktober 1925 gehört Paul Graff zum engeren Mit-
arbeiterkreis der ‚Liturgischen Konferenz Niedersachsens‘ und wirkt bis zu
ihrem vorläufigen Ende Anfang der vierziger Jahre in verschiedenen Kom-

---

2 Vgl. Eberhard BETHGE, *Dietrich Bonhoeffer. Eine Biographie.* München ³1970, 685.
3 Vgl. Generalakte des Landeskirchenamtes Hannover (B1): Nr. 5060 (Liturgische Arbeit Allgemeines) Aktenstück vom 5.4.1943: Paul GRAFF, *Zionismen im liturgischen Gebrauch,* 3.
4 Nachlass D. Paul GRAFF (Landeskirchliches Archiv Hannover N 29): Nr. 26, Predigt
   vom 12.8.1945.
5 Eine vollständige Bibliografie findet sich in CORNELIUS-BUNDSCHUH, *Liturgik* (wie
   Anm. 1) 222–229.
6 Vgl. Paul GRAFF, *Geschichte des Kreises Alfeld.* Hildesheim – Leipzig 1928.

missionen und als kooptiertes Mitglied im Vorstand mit. In Hannover ist er Mitglied der ‚Liturgischen Arbeitsgemeinschaft für Hannover‘; überregional arbeitet er von 1941 bis 1944 in der ‚Arbeitsgemeinschaft der Liturgischen Konferenz Niedersachsens, Westfalens und Rheinlands‘ mit, in der auch der liturgische Ausschuss in Oldenburg und die liturgische Arbeitsgruppe in Kurhessen vertreten sind. Nach der Gründung der Lutherischen Liturgischen Konferenz (LLK) 1947 wird Graff vom Kirchenamt der VELKD trotz seines Alters auch in dieses Gremium berufen, weil man auf seine umfassenden Kenntnisse nicht verzichten will.

In der Konferenz geht es nicht wie in der ‚Arbeitsgemeinschaft‘ in erster Linie um das Gespräch der vielfältigen theologischen und liturgischen Stimmen. Vielmehr will die LLK das Deutschland der Nachkriegszeit durch ein neues einheitliches Agendenwerk prägen. Dessen Grundtendenz lässt sich im Rückblick als „liturgische Restauration"[7] kennzeichnen, die auf der Fiktion der Möglichkeit einer Rückkehr zu geschlossenen Formen kirchlichen und gottesdienstlichen Lebens aufbaut. Paul Graff hat die Erarbeitung der Agende I noch begleitet und begrüßt; seine einprägsame Formulierung von der ‚Auflösung der alten gottesdienstlichen Formen‘ wird benutzt, um ihre Einführung als Überwindung einer Fehlentwicklung zu befördern. Sein eigenes liberales Erbe, das an einer offenen und zeitgemäßen Liturgik interessiert war, spielt in ihrer Konzeption keine Rolle mehr. Es macht einer Form gottesdienstlichen Handelns Platz, die schon bald von vielen Menschen als hermetisch gegenüber der veränderten gesellschaftlichen Wirklichkeit erlebt wird.

Für seine wissenschaftlichen Arbeiten zur Liturgik und insbesondere zur Liturgiegeschichte, aber auch für seine heimatgeschichtlichen und volkskundlichen Arbeiten und seine Förderung des gegenwärtigen liturgischen Lebens wird Graff 1930 die Ehrendoktorwürde der Theologischen Fakultät der Universität Göttingen verliehen.

2. Der Gottesdienst als darstellendes Handeln lebendiger Gemeinden

Ausgangspunkt für Graffs systematische und praktische Überlegungen zum Gottesdienst Anfang der zwanziger Jahre ist die (empirische) Wahrnehmung der Krise des gottesdienstlichen Lebens. Gemeinden wie Amtsträger sind nicht zufrieden mit der Situation. „Der Hauptgrund ist doch der: der Gottesdienst scheint nicht dem religiösen Gefühl zu entsprechen. Das religiöse Gefühl will sich irgendwie Ausdruck verschaffen. Es tut das im Gottesdienst. Es möchte das auch im lutherischen Gottesdienst tun. Es merkt, es kann es nicht."[8]

Graff knüpft mit diesen Überlegungen an das liberale Gottesdienstverständnis der älteren liturgischen Bewegung[9] an, die den Kultus im Gefolge Schleiermachers als darstellendes Handeln versteht. Im Gottesdienst findet das

---

7   Vgl. Peter CORNEHL, *Gottesdienst VIII. Evangelischer Gottesdienst von der Reformation bis zur Gegenwart*, in: TRE 14. 1985, 77f.

8   Paul GRAFF, *Wie können wir uns die Lehren der Vergangenheit für die erstrebte Neugestaltung des gottesdienstlichen Lebens in der lutherischen Kirche zu nutze machen?*, in: MGKK 26. 1921, 161–181, hier 174.

9   Vgl. ausführlich CORNELIUS-BUNDSCHUH, *Liturgik* (wie Anm. 1) 44–74, und Konrad KLEK, *Erlebnis Gottesdienst. Die liturgischen Reformbestrebungen um die Jahrhundertwende un-*

gegenwärtige religiöse Innenleben der Gemeinde seinen sozial, sprachlich und leiblich angemessenen Ausdruck. Weder spezifisch christliche Glaubenserfahrungen noch dogmatische Aussagen oder eine besondere liturgische Tradition bilden also die Grundlage für Graffs liturgiewissenschaftliche Überlegungen, sondern eine allgemeine Kulttheorie, die er im Anschluss an die Religionswissenschaft seiner Zeit, insbesondere die Völkerpsychologie Wilhelms Wundts weiterentwickelt: „Es gibt keine Religion, die nicht in Kultushandlungen nach außen tritt, weil jeder irgendwie lebendig das Bewußtsein ergreifende Trieb naturnotwendig in Handlungen sich äußert.‟[10] Der enge Zusammenhang von psychologischen Bedürfnissen, Religion und Kultus impliziert, dass jeder Kult, auch der christliche, die gleichen grundlegenden religiösen Bedürfnisse zum Ausdruck bringt und auf „dieselben Grundformen der Ausdrucksmittel‟[11] zurückgreift.

Die religiösen Bedürfnisse, die im Gottesdienst zur Darstellung kommen, findet Graff im Anschluss an W. Wundt und O. Spengler vor allem im Horizont der Eschatologie: es geht um den Tod, das ewige Leben und Erfahrungen von Seligkeit. Dem Gottesdienst eignet, gleichsam empirisch nachweisbar, ein eschatologischer Charakter, der ihm, in aller Vorläufigkeit, einen eigenen Raum sichert und der Welt enthebt. Er ist Feier, in der schon jetzt erfahrbar wird, was „einstmals seligste Wirklichkeit wird, Gott loben und preisen in alle Ewigkeit‟[12]. In ihm fühlt sich „der Mensch [...] wie aus einem unfreien Zustand erlöst, erhaben, verbunden und geeint mit dem Allererhabensten‟. Dass diese Erfahrung gegenwärtig noch „viel zu sehr Zukunft, viel zu wenig Gegenwart‟ ist, zeigt für Graff die Schwäche des Glaubens seiner Zeit.[13]

Die Eschatologie ist aber „nicht nur Ziel oder Inhalt unserer Gottesdienste‟, sondern „auch Anfang und Ausgangspunkt‟[14] jedes Kultes, insofern er mit Gebet, Opfer und Heiligungsritus auf eine Überwindung des Todes und eine Gemeinschaft mit dem Unendlichen zielt. Letztere ist durch drei Arten von „Empfindungen, die der Mensch gegenüber der Gottheit hat, und denen er im Kult Ausdruck verleiht‟[15], bestimmt: durch das Schuldgefühl, das Gefühl der Geborgenheit und die Erfahrung der Seligkeit. Diesen Arten der Empfindung entsprechen wiederum drei Grundformen des Gebets: das Bußgebet, das Bittgebet und das Lob- und Dankopfer. Im christlichen Gottesdienstes erreichen diese einzelnen Gebetsarten ihren Höhepunkt und verbinden sich in einer vierten, herausragenden Form: dem Lobpreis, der im evangelischen Gottesdienst seinen deutlichsten Ausdruck findet.

Wie der evangelische Gottesdienst die gleichen religiösen Bedürfnisse wie alle anderen Kulte zum Ausdruck bringt, so greift er auch auf die gleichen liturgischen Ausdrucksmittel zurück. Insbesondere die Religionspsychologie kann

ter Führung von Friedrich Spitta und Julius Smend. Göttingen 1997 (Veröffentlichungen zur Liturgik, Hymnologie und theologischen Kirchenmusikforschung 32).

[10] GRAFF, *Lehren der Vergangenheit* (wie Anm. 8) 173.

[11] GRAFF, *Lehren der Vergangenheit* (wie Anm. 8) 166.

[12] GRAFF, *Lehren der Vergangenheit* (wie Anm. 8) 172.

[13] GRAFF, *Lehren der Vergangenheit* (wie Anm. 8) 176.

[14] GRAFF, *Lehren der Vergangenheit* (wie Anm. 8) 178.

[15] GRAFF, *Lehren der Vergangenheit* (wie Anm. 8) 169.

erklären, dass bestimmte Formen sich zwar im Laufe der Zeit wandeln und zu Symbolen werden können, sodass ihr Inhalt sich vergeistigt. Die Grundstrukturen des Ablaufs und die sozialpsychologischen Wirkungen bleiben jedoch weitgehend gleich, wie der Vergleich mit antiken Kulten, aber auch mit neu entstehenden säkularen Feiern oder Festen zeigt.

Auf dem Hintergrund dieses theoretischen Zugangs erwartet Graff von der Modernisierung liturgischer Formen, von der sich z.b. noch die ältere liturgische Bewegung eine Erneuerung des gottesdienstlichen und kirchlichen Lebens erhofft hatte, keinen wirklichen Ausweg aus der Krise des gottesdienstlichen Lebens seiner Zeit. Nach dem Ende des Ersten Weltkriegs ist der Optimismus der liberalen Theologie verflogen; die Hoffnungen des Kulturprotestantismus, durch eine Modernisierung der Formen und Institutionen im Blick auf das religiöse Leben zu einer neuen Übereinstimmung von Innen und Außen zu kommen, sind gescheitert. Ins Zentrum der liturgischen Debatte rückt die Frage nach dem inneren Zustand der Kultusgemeinschaft. Gelingt es dieses religiöse Innenleben der (lokalen) Gemeinden zu intensivieren, wird sich „die so hochnötige Neugestaltung unseres gottesdienstlichen Lebens"[16] von selbst ergeben.

Dennoch bleibt die äußere, gemeinschaftliche Feier des Gottesdienstes für Graff unverzichtbar, da nur in ihr der Stand des religiösen Lebens sichtbar und für die einzelnen ihre Zugehörigkeit zur Kirche erkennbar wird. Sie befördert die Bindung der einzelnen Christinnen und Christen an die Kirche; in ihr gewinnt schon jetzt Gestalt, was einstmals selige Wirklichkeit sein wird: die Gemeinschaft der Gläubigen mit allen Heiligen vor Gott.

Alle Ansätze, die den Gottesdienst von der Pädagogik her und die feiernde Gemeinde als defizitär beschreiben, lösen die für einen rechten Gottesdienst unverzichtbare Einheit der Gemeinde als Gemeinschaft der Gläubigen auf. Die mündigen Gemeindeglieder treten den unmündigen gegenüber, der Pfarrer dem Volk. Ein Gegensatz zwischen Tätigen und Untätigen aber ist gerade dem evangelischen Gottesdienst unangemessen. Der Gottesdienst ist „nach allen seinen Teilen eine Tat der Gemeinde"[17]. Allerdings sieht auch Graff, dass „die wichtigste soziale Determinante des Ritualismus" „das Leben in einer geschlossenen Gruppe"[18] an Bedeutung verliert und die Auflösung kommunaler Lebenswelten, die er aus seinen Pfarrämtern in Kleinfreden und Hannover kennt, voranschreitet. Das Bedürfnis nach individuellen Formen, den eigenen Glauben zu fördern und ihm Ausdruck etwa in der Einsamkeit im Naturerleben zu verschaffen, wächst. Unter Verweis auf die positiven Ansätze bei R. Otto fordert Paul Graff, Elementen der „Dissoziation"[19] (wie z.B. der Stille) im gottesdienstlichen Geschehen mehr Raum zu gewähren.

---

[16] GRAFF, *Lehren der Vergangenheit* (wie Anm. 8) 181. Vgl. Christoph CONTI, *Abschied vom Bürgertum. Alternative Bewegungen in Deutschland 1890 bis heute.* Reinbek bei Hamburg 1984, bes. 194–206.

[17] Paul GRAFF, *Geschichte der Auflösung der alten gottesdienstlichen Formen in der evangelischen Kirche Deutschlands bis zum Eintritt der Aufklärung und des Rationalismus.* Göttingen 1921, 9.

[18] Mary DOUGLAS, *Ritual, Tabu und Körpersymbolik.* Frankfurt/M. 1981, hier 29.

[19] DOUGLAS, *Ritual* (wie Anm. 18) 100.

Ab 1927 hat Graff seine Feiertheorie, in deren Zentrum der lebendige
Glaube steht, „der in seiner gemeinschaftsbildenden Kraft die einzelnen zur
lebendigen Gemeinde vor Gott vereint"[20], angesichts der Anfragen der „theologischen Bewegung"[21] und des Vorwurfs des Anthropozentrismus überarbeitet.
Zum ‚Glauben' gehört zwar weiterhin im Anschluss an Leonhardt Fendt die
„freudige Besitzerstimmung".[22] Ebenso wichtig aber wird die Verbindung des
Begriffs ‚Glauben' mit dem der ‚Ehrfurcht', der in der Monatschrift für Gottesdienst und kirchliche Kunst seit 1917 im Zusammenhang einer Analyse des
‚Gotteserlebnisses im Krieg' und seiner Folgen für die Liturgik große Bedeutung erlangt hat: „Jetzt trat an die Stelle einer unbescheidenen Vertraulichkeit
[...] ein heilsames Erschauern und Erzittern."[23] Menschen erfahren: der „gegenwärtige heilige, ewige Gott"[24] ist in unserer Mitte gegenwärtig. Dies schließt
den Aspekt des Gerichtes ein, der zur Ehrfurcht gehört: „Herr, gehe von mir
aus! Ich bin ein sündiger Mensch!"[25] Als Besitz der Gemeinde stellt sich nun
gerade das Bewusstsein dieses Abstandes zwischen Gott und Mensch dar.

Im Kult erreicht die Ehrfurcht ihre höchste und intensivste Gestalt: „Der
Kult (ist) der reinste Ausdruck der Ehrfurcht. Ehrfurcht ist seine Wurzel, Ehrfurcht seine Triebkraft, Ehrfurcht sein Inhalt, Ehrfurcht sein Ziel."[26] Auch wenn
liturgische Abläufe, der gottesdienstliche Raum und die kirchliche Zeitord-
nung nicht an sich heilig sind, ist der Kultus doch der Ort, an dem „das Äußere
[...] jene [...] Schauer"[27] hervorrufen kann. Das Ganze wie auch jedes Teil des
Gottesdienstes ist dazu in der Lage, die Ehrfurcht zum Ausdruck zu bringen.
Dabei kommt Fragen der ästhetischen Gestaltung ein besonderes Gewicht zu,
wie sich etwa am Klang der Orgel und an der geheimnisvollen Gestaltung des
Chorraums zeigen lässt.

Im Blick auf die soziale Struktur der Kirche betont Graff, dass nur im Kult
die Gläubigen zu einem „Gemeinschaftsbewußtsein"[28] finden; nur hier ist die
Ehrfurcht nicht anderen Zwecken unterworfen; nur in ihm zeigt sich die lebendige Bewegtheit der Gemeinde als Maß ihres Glaubens; nur in der gemeinschaftlichen Darstellung wird das Glaubensleben gestärkt und den Gläubigen
immer wieder gewiss: Unser Glaube ist keine Täuschung.

Im Rückblick ist eine formale Nähe einer solchen Feierkonzeption zu Elementen und Strukturen des nationalsozialistischen Kultprogramms erkennbar,
das den „Kult des Nationalen"[29] modernisiert und das Leben der Einzelnen und

[20] Paul GRAFF, *Die Voraussetzungen für ein liturgisches Handeln der Gemeinde.* Vortrag, gehalten am 27. Mai 1926 auf der 1. Tagung der Liturgischen Konferenz Niedersachsens in
Lübeck, in: MGKK 32. 1927, 4–11, 51–54, hier 8.

[21] Paul ALTHAUS, *Das Wesen des evangelischen Gottesdienstes.* Gütersloh 1926, hier 5.

[22] Vgl. CORNELIUS-BUNDSCHUH, *Liturgik* (wie Anm. 1) 114.

[23] Gustav NAUMANN, *Das Gotteserlebnis im Kriege und unsere Gottesdienste,* in: MGKK 22.
1917, 340–345, hier 342.

[24] Paul GRAFF, *Kultus und Ehrfurcht,* in: *Gottesdienstliche Fragen der Gegenwart. Festschrift zu
Julius Smends 70. Geburtstag.* Hg. v. Johannes PLATH. Gütersloh 1927, 18–27, hier 26.

[25] GRAFF, *Kultus und Ehrfurcht* (wie Anm. 24) 25.

[26] GRAFF, *Kultus und Ehrfurcht* (wie Anm. 24) 20.

[27] GRAFF, *Kultus und Ehrfurcht* (wie Anm. 24) 24.

[28] GRAFF, *Die Voraussetzungen* (wie Anm. 20) 9.

[29] Vgl. CORNEHL, *Gottesdienst* (wie Anm. 7) Abschnitt 3.4.

der staatlichen Gemeinschaft in Raum und Zeit durch Symbole und Rituale als „Gesamtkunstwerk"[30] zu strukturieren versuchte. Beide Ansätze erwachsen aus einer Konstellation von kulturellen, ästhetischen und liturgischen Bewegungen und ‚etablierten' Konzepten, die den Anfang unseres Jahrhunderts geprägt haben[31], beiden geht es um eine Steigerung des „intensiven Erlebens"[32] und eine Überwindung des „omnipräsenten Relativismus"[33]. „Nur das Absolute, Unbedingte, Heilige verspricht, mit einem gewaltigen Sprung dem Strudel von Zweifel und Verzweiflung zu entkommen."[34] Beide sahen den Kult „als Erlebnisangebot"[35].

Es war die Stärke von Graffs Konzeption, Liturgien des Alltags und andere Formen kultischen Lebens in der Gesellschaft wahrzunehmen und die „Beziehungen des Gottesdienstes zur menschlichen Kultur"[36] zu fördern, da er dies für eine entscheidende Voraussetzung hielt, um zu einer Erneuerung des gottesdienstlichen Lebens zu kommen. Die Schwäche seines Ansatzes zeigte sich, wenn es um die Fähigkeit ging, innerhalb der verschiedenen ‚Erlebnisangebote' zu angemessenen, theologisch begründeten Unterscheidungen zu kommen.

Andere Ansätze haben von vorneherein jede Vergleichbarkeit geleugnet und sich damit der Konkurrenz entzogen. Die lutherischen Kirchen beschrieben seit Beginn der vierziger Jahre den lutherischen Gottesdienst nicht mehr als eine Ausprägung eines allgemeinen Kultes neben anderen, sondern als von Gott gegebene und nur sehr begrenzt wandelbare Tradition. An die Stelle einer großen Mannigfaltigkeit an liturgischen Formen in einer Landeskirche traten landeskirchlich einheitlich geordnete Agenden. Sie sicherten die Identität der evangelischen Kirche nach innen wie nach außen. Eine Verwechslung mit politischen Liturgien war ausgeschlossen, allerdings auch ein angemessener Bezug auf Erfahrungen, die viele Menschen in dieser Zeit mit kultischen Vollzügen machten.

Graff hat diesen Schritt am Ende des Zweiten Weltkriegs nachvollzogen und eine stabile gottesdienstliche Tradition als für die kirchliche Arbeit unabdingbare Voraussetzung benannt. Das Jahr 1952 und das Erscheinen der neuen Agendenwerke wird ihm insofern „Jahr der Erfüllung liturgischer Wünsche"[37]. Aus heutiger Sicht wissen wir um die Problematik diese Entscheidung der vier-

---

[30]   Gudrun BROCKHAUS, *Schauder und Idylle. Faschismus als Erlebnisangebot.* München 1997, hier 246. Vgl. zum Folgenden: Jochen CORNELIUS-BUNDSCHUH, *Kultus und Ehrfurcht. Paul Graffs Liturgik und der Kult des Nationalsozialismus*, in: *Zwischen Volk und Bekenntnis. Praktische Theologie im Dritten Reich.* Hg. v. Klaus RASCHZOK. Leipzig 2000, 111–126. Vgl. zum Ganzen auch CORNEHL, *Gottesdienst* (wie Anm. 7) bes. 4.2. mit einem Überblick über weitere Literatur.

[31]   Vgl. CONTI, *Abschied vom Bürgertum* (wie Anm. 16).

[32]   BROCKHAUS, *Schauder und Idylle* (wie Anm. 30) 58.

[33]   BROCKHAUS, *Schauder und Idylle* (wie Anm. 30) 249.

[34]   BROCKHAUS, *Schauder und Idylle* (wie Anm. 30) 218.

[35]   Vgl. den Titel von BROCKHAUS, *Schauder und Idylle* (wie Anm. 30).

[36]   Geoffrey WAINWRIGHT, *Gottesdienst IX. Systematisch-theologisch*, in: TRE 14. 1985, 85–93, hier 90.

[37]   Paul GRAFF, *Adolf Ludwig Petri als Liturg. Erinnerung an die vor 100 Jahren (1852) geschehene Herausgabe einer Agende der Hannoverschen Kirchenordnungen*, in: JGNKG 50. 1952, 105–113, hier 105.

ziger und fünfziger Jahre für die vermeintliche Objektivität der liturgischen Tradition der Reformationszeit und eine „verordnete Einheit"[38]: Sie führte in ein kulturelles und ästhetisches, aber auch lebensweltliches Abseits, bis schließlich die Neuansätze der 60er und 70er Jahre des 20. Jahrhunderts die Liturgik wieder an Elemente erinnert haben, die ursprünglich in Graffs Konzeption eine zentrale Bedeutung hatten: Gemeindegemäßheit, Lebendigkeit und Zeitgenossenschaft.

3. Liturgiewissenschaft als Liturgiegeschichte

Die Liturgik ist nach Graffs Überzeugung eine eminent praktische Wissenschaft, die zur Erneuerung des gegenwärtigen kirchlichen, insbesondere des gottesdienstlichen Lebens beitragen kann und soll. Sie tut das u.a. dadurch, dass sie den aktuellen Reformbestrebungen die „Lehren der Vergangenheit"[39] vor Augen stellt. Hierzu will Graff mit seinen Untersuchungen, insbesondere zur liturgischen Entwicklung seit der Reformationszeit beitragen. Sie belegen seine ausführliche Quellenarbeit und seine enormen Detailkenntnisse und zeigen ihn als einen der besten Kenner der evangelischen Liturgiegeschichte der damaligen Zeit. Dabei beschränkt sich seine historische Arbeit nicht darauf, die jeweiligen kirchengesetzlichen Regelungen und andere Quellen zur Liturgiegeschichte im engeren Sinn zu erschließen und zu systematisieren; vielmehr geht es ihm um eine umfassende Wahrnehmung der Entwicklung des ‚wirklichen' gottesdienstlichen Lebens. Eine solche ist nur möglich, wenn die Liturgik Erkenntnisse der Volkskunde, der Religionspsychologie und -geschichte und der Kulturgeschichte aufnimmt.

Mit seinen kulturhermeneutischen Rekonstruktionen liturgischer Entwicklungen will Graff allerdings erst in zweiter Linie spezifische Lösungen für aktuelle Probleme der gegenwärtigen Praxis erarbeiten. Denn wer die durch die historische Wissenschaft identifizierten überlieferten Formen zur Norm des liturgischen Handelns macht, übersieht das Recht der Lebenden eine ihrem Glauben angemessene Ausdrucksform zu suchen. Für ihn als liberalen Theologen und Historiker sind die entscheidenden Lehren, die aus den historischen Studien gezogen werden können, daher eher grundsätzlicher Art: Er treibt Liturgiegeschichte, weil geschichtliche Einblicke Gegensätze entschärfen, Kontroversen versachlichen, die Behauptung klarer liturgischer Normen und eindeutiger Traditionen relativieren und damit den Raum für Veränderungsmöglichkeiten öffnen. Die Freiheit, aber auch die Last, über den weiteren Weg der Entwicklung des gottesdienstlichen Lebens zu entscheiden, kann die historische Erkenntnis den gegenwärtigen Gemeinden nicht abnehmen.

Die bedeutendste und einflussreichste liturgiegeschichtliche Arbeit Graffs ist seine zweibändige ‚Geschichte der Auflösung der alten gottesdienstlichen Formen in der evangelischen Kirche Deutschlands'[40]. In ihr verarbeitet er eine Fülle von Quellen und Material und zeichnet daraus ein durchaus vielfältiges

---

[38] Vgl. zum Ganzen CORNEHL, *Gottesdienst* (wie Anm. 7) die Abschnitte 4.3., 5.1. und 5.2.

[39] Vgl. GRAFF, *Lehren der Vergangenheit* (wie Anm. 8).

[40] Vgl. GRAFF, *Geschichte der Auflösung* (wie Anm. 17); der erste Band erschien 1937 in 2., verm. und verb. Auflage wiederum bei Vandenhoeck und Ruprecht in Göttingen unter dem Titel: *Geschichte der Auflösung der alten gottesdienstlichen Formen in der evange-*

Bild der Geschichte des evangelischen Gottesdienstes von der Reformation bis in die späte deutsche Aufklärung. Schwerpunkte bilden das Verständnis des kirchlichen Raumes, der kirchlichen Zeit, der Gesamtstruktur und der einzelnen Teile des Hauptgottesdienstes, der Nebengottesdienste und der Kasualien. Bis heute stellt das Werk ein hilfreiches Nachschlagewerk für spezielle liturgiegeschichtliche Fragen dar.

In einer eigentümlichen Spannung zu dem Materialreichtum, der Vielfalt der historischen Fakten und der durchaus positiven Bewertung einzelner Entwicklungen und Impulse[41] steht Graffs Gesamturteil über den untersuchten Zeitraum. Dieses hat seinen Niederschlag in dem einprägsamen Titel des Werkes gefunden, der bis in die siebziger Jahre des zwanzigsten Jahrhunderts das liturgiegeschichtliche Urteil über die Aufklärungsliturgik als Verfallsepoche geprägt hat.

Im Vorwort des zweiten Bandes vertritt Graff die These, dass es mit dem Rationalismus zu einem Bruch der Tradition kommt. Diese Formulierung überrascht nach der Lektüre des Gesamtwerkes, denn der zweite Band stimmt in seiner Anlage weitgehend mit dem ersten überein und die Einzelergebnisse bestärken den Eindruck der Kontinuität. Die Liturgik der späten deutschen Aufklärung schreibt viele der Tendenzen fort, die sich in der Orthodoxie und im Pietismus, vielfach sogar schon in der Reformationszeit ankündigen und im Laufe der Jahre dann deutlicher ausprägen. Allerdings scheinen sich manche Entwicklungen zu beschleunigen, während andere an Bedeutung verlieren. Insgesamt hält Graff kritisch fest: Es kommt seit der Reformationszeit und insbesondere in der späten deutschen Aufklärung zu einer Erstarrung der lebendigen Formen; das gottesdienstliche Handeln wird pädagogisiert und moralisiert; jedes einzelne liturgische Stück muss sich dem Diktat der Zweckmäßigkeit, jede Formulierung dem Kriterium der Vernunftgemäßheit unterwerfen; die Beteiligung der Gemeinde wird zugunsten des Individualismus und Subjektivismus zurückgedrängt.

Auch wenn das im Titel prägnant formulierte Gesamturteil der historischen Darstellung weithin äußerlich bleibt und wohl eher in der Nähe Graffs zur konservativen Kulturkritik seiner Zeit gründet; auch die Neubewertung der Aufklärungspredigt und -liturgik, die unter den veränderten gesellschaftlichen Bedingungen im letzten Drittel des vergangenen Jahrhunderts möglich wurde,[42] da die Frage nach einer zeitgemäßen Liturgik und einer angemessenen Partizipation der Gemeinde wieder an Gewicht gewann, hat die Problematik einer zweckorientierten Liturgik zu bedenken, die „sich nahtlos in die bestehende gesellschaftliche Wirklichkeit einfügt"[43].

lischen Kirche Deutschlands. Bd. 1: Bis zum Eintritt der Aufklärung und des Rationalismus; 1939 folgte im gleichen Verlag Bd. 2: Die Zeit der Aufklärung und des Rationalismus.

[41] Vgl. CORNELIUS-BUNDSCHUH, Liturgik (wie Anm. 1) 177–180.

[42] Vgl. u.a. Alfred EHRENSPERGER, Die Theorie des Gottesdienstes in der späten deutschen Aufklärung (1770–1815). Zürich 1971 (SDGSTh 30); Detlef REICHERT, Der Weg protestantischer Liturgik zwischen Orthodoxie und Aufklärung (1700–1770). Münster 1975 (Diss.); Reinhard KRAUSE, Die Predigt der späten deutschen Aufklärung (1770–1805). Stuttgart 1965 (AzTh 5).

[43] CORNELIUS-BUNDSCHUH, Liturgik (wie Anm. 1) 213.

Schon ab Mitte der zwanziger Jahre stellen kritische Rückfragen aus der jüngeren liturgischen und der jungreformatorischen Bewegung Graffs weiten Ansatz in der liturgiewissenschaftlichen Arbeit in Frage. Zunehmend wird bezweifelt, dass die Wahrnehmung von „Religionsgeschichte und Religionspsychologie", der kulturellen Bedingungen liturgischen Handelns oder der „Bedürfnisse und Wünsche der Gemeinde, der Gebildeten, der Jugendbewegung", die „wohl gar mit Hilfe von Fragebögen" erhoben werden sollen, für die Arbeit am evangelischen Gottesdienst wichtig ist.[44] Im Gefolge dieser Anfragen reduziert Graff seine Bemühungen um eine umfassende liturgiewissenschaftliche Methodik und konzentriert sich auf liturgiegeschichtliche Arbeiten im engeren Sinn.

Nachdem in den dreißiger Jahren die Konkurrenz zwischen den Formen des evangelischen Gottesdienstes und den Riten der Nationalsozialisten immer deutlicher werden, gibt er alle Zugänge zur Liturgik auf, die von einem allgemeinen Kultbegriff ausgehen. Es ist eine der sehr wenigen grundsätzlichen Veränderungen, die er am ‚Lehrbuch der Liturgik' von Rietschel, an dessen Neuausgabe er seit Beginn der dreißiger Jahre arbeitet, vornimmt,[45] dass er alle Hinweise auf eine psychologische Grundlegung des Kultes tilgt.[46] Sein liberaler Ansatz scheint den Herausforderungen des Kirchenkampfes nicht gewachsen zu sein, so dass er sich auf den „Standpunkt des kühl registrierenden Historikers"[47] zurückzieht. Die Perspektive der Identität des evangelischen Gottesdienstes wird dadurch gestärkt, der liturgiewissenschaftliche Horizont insbesondere im Blick auf den öffentlichen Auftrag des Gottesdienstes und seine gesellschaftlichen Bezüge aber erheblich eingeschränkt.

Auswahlbibliografie

Beiträge zur Geschichte des Totenfestes. Monatsschrift für Pastoraltheologie 2. 1906, 62–68.

Geschichte der Auflösung der alten gottesdienstlichen Formen in der evangelischen Kirche Deutschlands. Bd. 1: *Bis zum Eintritt der Aufklärung und des Rationalismus.* Göttingen ¹1921, ²1937; Bd. 2: *Die Zeit der Aufklärung und des Rationalismus.* Göttingen 1939.

Wie können wir uns die Lehren der Vergangenheit für die erstrebte Neugestaltung des gottesdienstlichen Lebens in der lutherischen Kirche zu nutze machen?, in: Monatschrift für Gottesdienst und kirchliche Kunst 26. 1921, 161–181.

Kultus und Ehrfurcht, in: *Gottesdienstliche Fragen der Gegenwart. Festschrift für Julius Smend.* Hg. v. Johannes PLATH. Gütersloh 1927, 18–27.

Die Voraussetzungen für ein liturgisches Handeln der Gemeinde, in: Monatschrift für Gottesdienst und kirchliche Kunst 32. 1927, 4–11, 51–56.

Geschichte des Kreises Alfeld. Leipzig 1928.

Georg RIETSCHEL – Paul GRAFF, *Lehrbuch der Liturgik.* Bd. 1: *Die Lehre vom Gemeindegottesdienst.* 2., neu bearb. Aufl. Göttingen 1951; Bd. 2: *Die Kasualien.* 2. von P. Graff neu bearb. Aufl. Göttingen 1952.

---

[44] ALTHAUS, *Das Wesen* (wie Anm. 21) 5.

[45] Vgl. Georg RIETSCHEL – Paul GRAFF, *Lehrbuch der Liturgik.* Bd. 1: *Die Lehre vom Gemeindegottesdienst.* 2., neu bearb. Aufl. Göttingen 1951; Bd. 2: *Die Kasualien.* 2. neu bearb. Aufl. Göttingen 1952. Zu den Veränderungen gegenüber der ersten Auflage im Einzelnen: CORNELIUS-BUNDSCHUH, *Liturgik* (wie Anm. 1) 144–151 und 162.

[46] Zu den einzelnen Belegen vgl. CORNELIUS-BUNDSCHUH, *Liturgik* (wie Anm. 1) 162.

[47] STALMANN, *Liturgiegeschichte* (wie Anm. 1) 95.

Romano Guardini (1885–1968)

Gunda Brüske

1. „Kein Liturgiker"?

Ein ausgewiesener Kenner der Liturgischen Bewegung, Theodor Maas-Ewerd, konnte ganz schlicht
feststellen: „Romano Guardini [...] war – das ist
bekannt – kein Liturgiker." Wenn Guardini kein
Liturgiker, oder wie man heute sagt, kein Liturgiewissenschaftler war, mit welchem Recht sollte er hier
behandelt werden? Doch Maas-Ewerd fährt fort: „Er
war mehr: Einer der großen Förderer des liturgischen Lebens der Kirche im 20. Jahrhundert."[1] Man
wird dabei an die Zusammenführung von Jugendbewegung und liturgischer Bewegung im Quickborn[2]
denken, an auflagenstarke mystagogische Schriften

wie *Von heiligen Zeichen* ([1]1922), volksliturgische Modelle wie die *Gemeinschaftliche Andacht zur Feier der heiligen Messe* ([1]1920)[3] oder auch an Übersetzungen wie
den im Auftrag der deutschen Bischöfe erstellten, aber nicht unumstrittenen
Deutschen Psalter ([1]1950).[4] Wie sich dabei wissenschaftliche Theorie und Praxis
verhalten, zeigt die Formulierung des Mainzer Bischofs Albert Stohr: „*Anwalt
des liturgischen Anliegens*".[5] Stohr charakterisierte damit Guardinis Wirken in der
Krise der Liturgischen Bewegung zu Beginn der 40er Jahre des 20. Jahrhunderts. Ohne dem „Anwalt" Sachverstand abzusprechen, läge demnach seine
Bedeutung ganz eindeutig im praktischen Wirken. Zwei Beobachtungen stehen
einer zu schnellen Fixierung seiner zweifellos großen Verdienste auf die konkrete liturgische Erneuerung entgegen: Erstens die begründete Vermutung,
dass der Begriff „Liturgiewissenschaft"[6] (anstelle von Liturgik) Guardini zuzu-

[1] Theodor MAAS-EWERD, *„Anwalt des liturgischen Anliegens".* Guardini und die Liturgische Be-
    wegung, in: *„Christliche Weltanschauung". Wiederbegegnung mit Romano Guardini.* Hg. von
    Walter SEIDEL. Würzburg 1985, 163–183, hier 163.

[2] Vgl. Franz HENRICH, *Die Bünde katholischer Jugendbewegung. Ihre Bedeutung für die liturgi-
    sche und eucharistische Erneuerung.* München 1968, 56–138.

[3] Vgl. Theodor MAAS-EWERD, *Auf dem Weg zur „Gemeinschaftsmesse". Romano Guardinis
    „Meßandacht" aus dem Jahre 1920,* in: EuA 66. 1990, 450–468.

[4] Guardinis Übersetzungen liturgischer Texte sind meines Wissens bisher noch über-
    haupt nicht in die Erforschung seines liturgischen Wirkens einbezogen worden. Die-
    ses Desiderat kann hier nur angezeigt, jedoch nicht behoben werden.

[5] Vgl. dazu neben dem Anm. 1 genannten Aufsatz vor allem: Theodor MAAS-EWERD, *Die
    Krise der liturgischen Bewegung in Deutschland und Österreich. Zu den Auseinandersetzungen
    um die „liturgische Frage" in den Jahren 1939 bis 1944.* Regensburg 1981 (StPaLi 3), 130–
    149.

[6] So mit Berufung auf eine Laacher Haustradition. Angelus A. HÄUSSLING zu *Brief Nr.
    27 vom 13.12.1920,* in: *Romano Guardini. Briefe an den Laacher Abt Ildefons Herwegen aus
    den Jahren 1917 bis 1934.* Hg. v. Angelus A. HÄUSSLING, in: ALw 27. 1985, 205–262, hier
    239, Anm. 2; etwas vorsichtiger Benedikt KRANEMANN, *Liturgiewissenschaft,* in: LThK[3]
    6. 1997, 989–992, hier 990. Auch die Wendung „Liturgische Bildung" dürfte auf
    Guardini zurückgehen. Sie findet sich inzwischen als eigenes Lemma in einem Groß-

schreiben ist, zweitens die Tatsache, dass sich auch heute noch Liturgiewissen-schaftler auf Ansätze Guardinis berufen und ihn wie einen Klassiker zitierend anführen. In welcher Weise er als Liturgiewissenschaftler zu bezeichnen wäre und wie seine einschlägigen Schriften für das Fach zu gewichten sind, ist eine Frage, die unabhängig von seinen unbestrittenen Verdiensten um die liturgi-sche Erneuerung beantwortet werden muss.

Die Schwierigkeit einer angemessenen Situierung ist jedoch nicht – wie man meinen könnte – darin begründet, dass ein akademisches Fach Liturgie-wissenschaft noch nicht etabliert war, trifft das doch auch für andere in diesem Band vertretene Persönlichkeiten zu. Sie beruht meines Erachtens vielmehr darauf, dass Guardini eine eigene Ausrichtung des Fachs entworfen hat, die *systematische Liturgiewissenschaft*, jedoch nur einige wenige Bausteine innerhalb dieses umfangreichen Vorhabens selber vorlegte. Man wird darin weder eine Schwäche des Konzepts, noch seiner Fähigkeit zur Umsetzung vermuten dür-fen, wenn man sich erinnert, dass die Liturgie innerhalb seines Werks nur *ein* Themenfeld ist – neben Ekklesiologie, Christologie, Anthropologie, philoso-phisch-theologischer Gegenwartsdeutung, Literatur und anderem –, ganz abge-sehen von der Leitung eines Bundes der Jugendbewegung mit ihrem anfangs reichlich sanierungsbedürftigen Zentrum Burg Rothenfels oder zeitintensiver Studentenseelsorge.[7] Wenn ihm also nicht gegeben war, jene „Theologie der Liturgie"[8] zu erarbeiten, die ihm in jungen Jahren vorschwebte, dann darf man den entscheidenden Grund in einer nicht nur ein Gebiet umfassenden unge-heuren geistigen Schaffenskraft sehen, sowie in einer ganz enormen Bereit-schaft, suchenden Menschen Zeit zu schenken, um ihnen mit Rat zur Seite zu stehen. Zum Titel des Anwalts möchte ich deshalb ergänzend den des Mentors

lexikon, vgl. Hans J. LIMBURG, *Liturgische Bildung*, in: LThK³ 6. 1997, 994f, allerdings ohne Auskunft darüber, ob der Sachverhalt vor dem Buchtitel Guardinis von 1923 be-reits irgendwo unter diesem Stichwort behandelt wurde. Vgl. jetzt Stefan K. LANGEN-BAHN, *Fürs Archiv des „Archivs".* Die Vorgeschichte des Jahrbuch für Liturgiewissenschaft (1918–1921) – und zugleich eine Namensgeschichte des Archiv für Liturgiewissenschaft, in: ALw 50. 2008, 31–61, hier 52–54.

7   Vgl. zur Biografie Guardinis: Am 17. Februar 1885 in Verona geboren, wuchs er als Sohn italienischer Eltern in Mainz auf. Unschlüssig über die Berufswahl begann er das Studium der Chemie, dann der Nationalökonomie, entdeckte schließlich seine Berufung zum Priestertum und wurde 1910 in Mainz zum Priester geweiht. Es folg-ten Jahre als Kaplan, sowie die Promotion in Freiburg und die Habilitation in Bonn, bevor Guardini 1923 auf einen neu eingerichteten, außerfakultären Lehrstuhl für Religionsphilosophie und katholische (später: christliche) Weltanschauung in Berlin berufen wurde. 1939 erfolgte die Zwangspensionierung, unmittelbar nach dem Krieg erging aus Tübingen und 1948 aus München der Ruf mit der gleichen offenen Lehr-stuhlbezeichnung. Er lehrte bis 1963 in München, wo er am 1. Oktober 1968 starb. Große geistige Weite und eine künstlerische Sensibilität verbanden sich in seiner Per-son mit tiefem, aber durchaus angefochtenem Glauben, so dass er in großer Offen-heit das Gespräch zwischen Kirche und Kultur aufnahm, damit vielen, gerade jungen Menschen, aber auch evangelischen Christen neues Verstehen katholischen Christ-seins eröffnete, und so zu einem Wegbereiter des II. Vatikanums wurde. Vgl. Hanna-Barbara GERL, *Romano Guardini 1885–1968. Leben und Werk*. Mainz ¹1985; 4., erw. u. überarb. Auflage 1995.

8   Vgl. u. das Zitat in Anm. 11.

setzen, bringt er doch sowohl die Momente von Förderung oder Sorge, aber auch von Leitung oder geistiger Anregung zum Ausdruck. Darüber hinaus ist die Anwaltschaft mit der konkreten geschichtlichen Situation abgeschlossen, während das Mentorat durch die nicht unhinterfragte, aber dennoch nachhaltige Wirksamkeit seiner Schriften fortdauert. Gefordert wäre demnach, Romano Guardini als einen *Mentor von liturgischer Erneuerung und Liturgiewissenschaft* vorzustellen, was leicht ein ganzes Buch füllen würde.[9] Weil das nicht möglich ist, soll hier entsprechend der Intention der Herausgeber und komplementär zur Einschätzung Maas-Ewerds die im engeren Sinn liturgie*wissenschaftliche* Seite seines Wirkens fokussiert werden. Einschlägig ist hier sein Konzept einer systematischen Liturgiewissenschaft, das deshalb ins Zentrum gestellt wird (2.). Seine Schriften zur Liturgie lassen sich diesem Konzept zuordnen (3.). Auf diesem theoretischen Hintergrund dürfte schließlich auch seine Wirkung[10] und Bedeutung – auch im Verhältnis zu anderen Persönlichkeiten der damaligen Zeit –, sowie die bleibende fachliche Relevanz deutlich werden (4.).

2. Das Programm: „Über die systematische Methode in der Liturgiewissenschaft"

Als Guardini 1921 diesen programmatischen Aufsatz veröffentlichte, arbeitete er in Bonn an seiner Habilitation über Bonaventura im Fach Dogmatik. Das prägende Entdeckungserlebnis der Liturgie lag bereits viele Jahre zurück: Zu Beginn seines Theologiestudiums war er im Jahr 1907 zusammen mit seinem Freund, dem späteren Kanonisten Karl Neundörfer (1885–1926), in der Abtei Beuron zu Gast. Guardini hatte sich bereits mit der deutschen Mystik beschäftigt, vermisste dabei jedoch etwas, das ihm die Liturgie in Beuron zeigte: eine nicht nur subjektive, sondern objektive, weil kirchliche Mystik, die Liturgie als die kontemplative Seite kirchlichen Lebens. Mit dem Freund plante er eine diptychonartige Darstellung der Kirche: Dieser, so berichtet er in seinen autobiografischen Aufzeichnungen, „sollte es von der Seite des kanonistischen Rechtes her tun, in einem Buch von der Art wie Rudolf v. Iherings ‚Geist des römischen Rechts', ich von der Liturgie her, als Quelle und Gestalt kontemplativen Lebens. Daraus ist bei mir zwar nicht die geplante große ‚Theologie der Liturgie',

---

[9]   Sie müsste einerseits die Bezüge zwischen Liturgie und Ekklesiologie, Christologie, Zeitdeutung und anderen Bereichen des Werks Guardinis herausarbeiten, wie vor allem den Interdependenzen mit Theologen und Liturgiewissenschaftlern seiner Zeit nachgehen. Zur Einführung vgl. Frédéric DEBUYST, *L'entrée en liturgie: introduction à l'oeuvre liturique de Romano Guardini*. Paris 2008; Martin MARSCHALL, *In Wahrheit beten. Romano Guardini – Denker liturgischer Erneuerung*. St. Ottilien 1986 (PiLi 4); Arno SCHILSON, *Perspektiven theologischer Erneuerung. Studien zum Werk Romano Guardinis.* Düsseldorf 1986; Klemens RICHTER – Arno SCHILSON, *Den Glauben feiern. Wege liturgischer Erneuerung.* Mainz 1989. Weitere Aufsätze sind in den Fußnoten sowie in den am Ende des Beitrags genannten Bibliografien verzeichnet.

[10] Auch im Hinblick auf die Wirkungsgeschichte seiner Schriften zur Liturgie besteht Forschungsbedarf. Vgl. zur protestantischen Rezeption: Gunda BRÜSKE, *Liturgische Bewegung und Ökumene. Ein Beitrag zur Vorgeschichte des Ökumenischen Arbeitskreises evangelischer und katholischer Theologen*, in: *Kircheneinheit und Weltverantwortung.* FS Peter Neuner. Hg. v. Christoph BÖTTIGHEIMER – Hubert FILSER. Regensburg 2006, 555–575.

aber doch manche Schrift wie die ‚Vom Geist der Liturgie', die ‚Liturgische Bildung' und anderes mehr entstanden."[11] Guardinis Interesse an liturgischen Fragen ist also ein genuin theologisches, das ekklesiale Wirklichkeit und liturgische *actio* zusammensieht. Eine Methode zur Beschreibung, Darstellung und Interpretation des liturgischen Tuns im Hinblick auf eine Theologie der Liturgie gab es jedoch nicht.[12] Guardini sollte sie erst in seiner Funktion als Mitherausgeber[13] im ersten Jahrgang des von Laacher Benediktinern 1921 gegründeten *Jahrbuch für Liturgiewissenschaft* vorlegen. Doch ganz ohne anerkannte Publikationen und allein aufgrund seiner Freundschaft mit dem Laacher Benediktiner Kunibert Mohlberg wäre Guardini kaum zum Mitherausgeber des Jahrbuchs geworden: Bereits 1918 war *Vom Geist der Liturgie* erschienen, ein Klassiker der Liturgischen Bewegung, den ich im Kontext der systematischen Liturgiewissenschaft lesen möchte (vgl. u. 3). In das Jahr des erstmaligen Erscheinens des Jahrbuchs fallen auch die Bonner Vorträge mit dem Programmwort vom „Erwachen der Kirche in den Seelen",[14] das wiederum von der Liturgie nicht losgelöst werden darf: „Die Kirche erwacht in den Seelen, und damit hat sie Zukunft. Von diesem Vorgang ist die liturgische Bewegung ein Teil: Das Erwachen der Kirche im Gebetsleben. Das erste Durchbrechen der kirchlichen Bewegung spiegelt sich in der liturgi-

---

[11] Romano GUARDINI, *Berichte über mein Leben. Autobiographische Aufzeichnungen.* Aus dem Nachlass hg. v. Franz HENRICH. Düsseldorf ³1985 (SKAB 116), 88f. Der Titel von Guardinis berühmter Schrift *Vom Geist der Liturgie* verdankt sich also der Entsprechung zu einem rechtshistorischen Werk. Die Schriften Guardinis werden in den Fußnoten ohne Autorenname geführt. Die wichtigsten Schriften zur Liturgie finden sich am Ende des Beitrags (vgl. Auswahlbibliografie).

[12] Die bis dahin weder entwickelte, noch gar akademisch etablierte Methode dürfte ein entscheidender Grund dafür gewesen sein, dass er seine liturgischen Themenvorschläge weder bei der Promotion noch bei der Habilitation realisierte. So hatte er für die Promotion eine Untersuchung der Responsorien der Matutin „in Anlehnung an die Methoden der kunstwissenschaftlichen Analyse" vorgeschlagen, d.h. zu fragen, „nach welchen Gesetzen sie gebaut seien, wie sie zu den Lektionen und überhaupt im Gefüge der Matutin stünden, welche Gedanken in ihnen hervorträten usw." *Berichte über mein Leben* (wie Anm. 11) 23. Was Guardini damit um 1912 projektiert, ist in etwa eine Poetik der Liturgie mit Hilfe intertextueller Bezüge, also ein ungeheuer modernes Unternehmen, das man seinerzeit jedoch für „Belletristik" hielt. Den intertextuellen Ansatz wird Guardini aber in seinem Aufsatz über die systematische Methode wieder aufgreifen (s.u.).

[13] Guardini blieb nicht lange Mitherausgeber. Der Anlass war bekanntlich eine redaktionelle Notiz des Hauptherausgebers Odo Casel, der Grund aber dürfte eher in der mit der Übernahme des Berliner Lehrstuhls gestiegenen Arbeitsbelastung liegen. Vgl. hierzu die Briefedition: *Romano Guardini. Briefe an den Laacher Abt Ildefons Herwegen* (wie Anm. 6) u. *Romano Guardini. Um das „Jahrbuch für Liturgiewissenschaft".* Briefe an Odo Casel OSB 1920–1921. Hg. v. Angelus A. HÄUSSLING, in: ALw 28. 1986, 184–192, sowie Angelus A. HÄUSSLING, *Das „Jahrbuch für Liturgiewissenschaft",* in: *Jahrbuch für Liturgiewissenschaft. Register zu allen von 1921 bis 1941 erschienenen 15 Bänden.* Bearbeitet von Photina RECH OSB unter Mitarbeit von Sophronia FELDHOHN OSB, hg. v. Angelus A. HÄUSSLING OSB. Münster 1982, 1–17.

[14] Romano GUARDINI, *Vom Sinn der Kirche. Fünf Vorträge.* Mainz 1922, 1.

schen [...]"[15]. Auch diese Erfahrung steht hinter dem nun vorzustellenden Ansatz der systematischen Liturgiewissenschaft.[16]

Guardini geht davon aus, dass die Liturgie ein „Kulturgebilde" (97) ist, was aus heutiger Sicht die Liturgiewissenschaft in die Nähe der Kulturwissenschaft rücken würde. Ohne den Ansatz Guardinis zu schnell in diese Richtung pressen zu wollen – er enthält ohne Zweifel dem widersprechende Momente –, dürfte schon damit aber die Originalität des Ansatzes anklingen. Der Ansatz beim *Kultur*gebilde Liturgie begründet die methodische Differenzierung in historische und systematische Liturgiewissenschaft, insofern sie sich als kulturelles Gebilde historischer Entstehung und Entwicklung verdankt, sie aber gleichzeitig in ihrer aktuellen, verbindlichen Gestalt Geltung beansprucht. Die bis dahin und noch lange weiterhin dominante[17] historische Methode betrachtete die Liturgie diachron. Die aktuelle Gestalt, das was Liturgie jetzt ist und bedeutet, untersucht dagegen die von Guardini vorgestellte systematische Methode. Sie betrachtet ihren Gegenstand also synchron. Ihre Frage lautet: „Welcher gedankliche, formhafte, seelische Gehalt muss der aufnahmefähige Leser, Hörer, Beter den liturgischen Gebilden entnehmen? Welches Glaubensbewusstsein, welches religiöse Lebensgefühl, welche geistige Einstellung der Kirche offenbart sich heute im Einzelnen und Gesamten der liturgischen Worte, Gebräuche und Dinglichkeiten?" (101).

Die beiden Forschungsansätze verhalten sich dabei komplementär: Ohne Systematik droht die historische Forschung in der Flut positiver Fakten zu ertrinken; ohne Geschichte droht wiederum der systematischen Forschung Willkür. In der Vorgehensweise hat deshalb die historische Forschung Vorrang. Die

---

[15]   Romano GUARDINI, *Liturgische Bewegung und liturgisches Schrifttum*, in: Literarischer Handweiser 58. 1922, 49–58, hier 50.

[16]   Romano GUARDINI, *Über die systematische Methode in der Liturgiewissenschaft*, in: JLw 1. 1921, 97–108, im Folgenden mit Angabe der Seitenzahl im Haupttext zit. nach JLw. Ich stelle den Aufsatz relativ ausführlich dar, weil mir scheint, dass bislang vor allem zwei Aspekte Beachtung fanden – die grundlegende Zuordnung von historischer und systematischer Methode einerseits, die Kirche als Gegenstand systematischer Liturgiewissenschaft andererseits –, zahlreiche andere jedoch noch nicht hinreichend oder gar nicht wahrgenommen wurden. Trotz dieser Ausführlichkeit besteht weiterer Forschungsbedarf: einmal im Hinblick auf die hier außergewöhnlich intensive Auseinandersetzung Guardinis mit Sekundärliteratur. Diese Diskussion müsste nachgezeichnet werden. Ungewöhnlich mag ein zweites Desiderat erscheinen: eine Relecture des Aufsatzes vor dem Hintergrund der Krise des Historismus einerseits und neukantianischer Wissenschaftstheorie andererseits. Guardini verweist selber auf diesen Kontext, wenn er historische und systematische Liturgiewissenschaft mit historischer Rechtswissenschaft einerseits und vom Gelten positiver Rechtsordnungen ausgehender Rechtswissenschaft andererseits in ein Verhältnis setzt. Dieser Vergleich erscheint weniger verwunderlich, wenn man sich an die enge Denkgemeinschaft zwischen Guardini und dem promovierten Juristen Karl Neundörfer erinnert und auch einbezieht, dass Guardini vor seinem Theologie-Studium einige Semester Nationalökonomie studierte.

[17]   Das gilt auch dann, wenn einzelne Vertreter des 19. Jh. oder des frühen 20. Jh. ansatzweise bereits nach dem systematischen Ganzen der Liturgie fragten, vgl. Michael B. MERZ, *„Liturgie als Wissenschaft". Name und Sache über eineinhalb Jahrhunderte. Anlässlich einer Publikation von Franz Kohlschein*, in: ALw 27. 1985, 103–108.

synchrone Betrachtung setzt außerdem voraus, dass der historische Prozess nicht nur zu einer Ansammlung von beliebigen Einzelformen führte, sondern ein Gesamtgebilde entstanden ist. Der systematischen Liturgiewissenschaft ist damit eine Grenze gesetzt: Wo nur geschichtliche Überreste bleiben, wie ein *Oremus* ohne nachfolgendes Gebet, da versagt die Methode oder wird willkürlich. Sie setzt also eine gewisse Vollständigkeit der Gestalt voraus. Andernfalls, so ist zu folgern, gibt sie den abzulesenden Gehalt eben nicht frei. Im Hintergrund steht hier das Symbolverständnis, das Guardini bereits in *Vom Geist der Liturgie* entwickelt hatte, wonach die äußere Gestalt eines Symbols dessen inneren Gehalt offenbart.

Die systematische Methode setzt weiter voraus, dass das Kulturgebilde Liturgie von der ihr zugeordneten Gemeinschaft, der Kirche, mit Leben erfüllt wird. Liturgie ist also Ausdrucksgestalt kirchlichen Lebens und das ist kraft des Hl. Geistes übernatürliches Leben. Damit hat die Liturgie „in ihrer besonderen Eigenschaft als Kult [...] an [der] übernatürlichen Offenbarungsgeltung" teil, d.h. sie gehört zur Theologie. Da Guardini sowohl die normative Geltung wie die historischem Wandel unterliegende kulturelle Ausdrucksgestalt der Liturgie sieht, muss er die Frage nach dem Verhältnis des für alle Zeit Gültigen und des nur für bestimmte geschichtliche Konstellationen Gemäßen stellen. Er weist der Liturgiewissenschaft deshalb die Aufgabe zu, „diese *übernatürliche Bedeutung* zu erforschen, Tatsache, Grenzen, Abstufungen ihrer Verbindlichkeit festzustellen" (100), also so etwas wie eine *Hierarchie der Wahrheiten* für den in der Liturgie zum Ausdruck gebrachten Glauben der Kirche zu entwickeln – eine Aufgabe, die bisher noch nicht in Angriff genommen wurde, der man aber angesichts des geschichtlichen Wandels von Liturgie die Relevanz kaum absprechen wird.

Um nicht nur einen methodischen Ansatz, sondern ein operationales Forschungsinstrumentarium zu bieten, setzt Guardini im zweiten Abschnitt seines Aufsatzes noch einmal neu ein. Was ist Gegenstand der systematischen Liturgiewissenschaft? Es ist nicht einfach der Inhalt der liturgischen Bücher mit den dazugehörigen Normen sowie vergleichbaren Ordnungen anderer Riten oder gar nichtchristlicher Religionen. Gegenstand sind die Texte vielmehr nur „im Zusammenhang mit der lebendigen Übung, als Ausdruck und Regelung wirklicher Vorgänge" (104). Systematische Liturgiewissenschaft untersucht mithin Texte im Handlungszusammenhang, betrachtet die „Feiergestalt".[18] Weil ein Handlungssubjekt den Vollzug trägt, ist der Gegenstand ihrer Forschung nicht einfach die Liturgie, sondern die Kirche: „Gegenstand der systematischen Liturgieforschung ist also die lebendige, opfernde, betende, die Gnadengeheimnisse vollziehende Kirche, in ihrer tatsächlichen Kultübung und ihren auf diese bezüglichen, verbindlichen Äußerungen" (104). Ist der Gegenstand die Kirche, dann ist die Liturgiewissenschaft nicht nur Geschichtswissenschaft oder Pastoraltheologie, sondern – weil sie die *Kirche* ihrer kultisch-kontemplativen Seite nach betrachtet – Theologie.[19] Für Guardini ist damit auch der Un-

[18] Vgl. Hans Bernhard MEYER, *Eucharistie. Geschichte, Theologie, Pastoral.* Mit einem Beitrag von Irmgard PAHL. Regensburg 1989 (GdK 4), 441–460.
[19] Eine damals nicht eben verbreitete Zuweisung, der heute wohl die Mehrheit der Liturgiewissenschaftler zustimmen dürfte.

terschied gegeben zur „nicht-theologischen Religions- und Kulturwissenschaft, die sich ja auch mit der Liturgie beschäftigt" (104).

Wie soll der Forscher nach Guardinis Meinung konkret vorgehen? Er schlägt einen induktiven, nahezu empirischen Weg vor: Der gesamte Stoff zu einem in Frage stehenden Feld sei vollständig auszuheben und statistisch darzulegen. Dieser Arbeitsschritt müsse begleitet werden durch „die Beobachtung und methodische Aufnahme der wirklichen Vorgänge, ihrer sozialen wie individuellen Seite nach, durch äußere Erfahrung oder innere Selbstbeobachtung" (104f). Danach sei der Stoff zu sichten, zu ordnen und erst im letzten Schritt zu bewerten. Außerdem sei im Blick zu behalten, dass die Liturgie ein komplexes Gebilde darstellt, aus dem nicht Einzelnes zur Untersuchung herausgebrochen werden dürfe. Guardini fordert also, dass Texte konsequent in ihren Kontexten untersucht werden. Dass dabei Spannungen zwischen verschiedenen Texten auftreten, nennt er als Problem, dem der Liturgiewissenschaftler nicht ausweichen dürfe, indem einzelne Äußerungen gegeneinander ausgespielt werden. Das Gefüge von Einzelelementen der Liturgie und ihrem Gestaltganzen folge nicht den Gesetzen der Mathematik, sondern denen des Lebendigen und das ist gegensätzlich gebaut.[20] Guardini spricht sich hier für das aus, was man später als Intertextualität bezeichnete und lässt so ein hohes Maß an Sensibilität für literaturwissenschaftliche Fragen erkennen.

Dem ohnehin schon reichen Aufsatz fügt er noch zwei kurze Abschnitte hinzu: Der dritte Abschnitt gibt einen Aufriss einer systematischen Liturgiewissenschaft, orientiert an der verbreiteten Unterscheidung von allgemeiner und besonderer Liturgik, nun aber – und das ist bemerkenswert, weil es viel späteren Überlegungen in Sakramententheologie wie Liturgiewissenschaft[21] vorausgreift – seinem induktiven Ansatz entsprechend als erstes die besondere und nicht die allgemeine Liturgiewissenschaft nennt. Diese „geht von dem Gegebenen aus und erforscht seine Einzelstücke wie sein Ganzes" (107). Dabei könne sich die systematische Liturgiewissenschaft nun enger an die systematische Theologie, an die Philosophie oder an die Geisteswissenschaften und Naturforschung anschließen. Orientiert sie sich an der systematischen Theologie, so würde sie „nach den lehrhaften, oder sittlichen, oder kirchenrechtlich-rubrizistischen Gehalten des liturgischen Lebens suchen" (107). Entscheidet sich der Forschende für den philosophischen Geschichtspunkt, würde er „nach der Erkenntnislehre, Religionsphilosophie, Ästhetik der Liturgie fragen" (107). Optiert er für die geisteswissenschaftliche Perspektive, dann könnte er „eine Gesellschafts-, Erziehungs-, Kunstlehre, eine Psychologie usw. des Liturgischen aufzustellen suchen" (107). Wer heute von systematischer Methode in der Liturgiewissenschaft spricht, der denkt in der Regel an nur eine einzige dieser

---

[20]　Hier kommt jene Hermeneutik zur Anwendung, die er mit dem Freund Karl Neundörfer bereits seit der gemeinsamen Studienzeit durchdacht und 1925 in seinem philosophischen Hauptwerk vorlegte, vgl. Romano GUARDINI, *Der Gegensatz. Versuche zu einer Philosophie des Lebendig-Konkreten.* Mainz – Paderborn ⁴1998 (Werke).

[21]　Vgl. so Reinhard MESSNER, *Was ist systematische Liturgiewissenschaft? Ein Entwurf in sieben Thesen,* in: ALw 40. 1998, 257–274, hier 264; DERS., *Einführung in die Liturgiewissenschaft.* Paderborn 2001 (UTB 2173), 32, jedoch in beiden Fällen ohne Verweis auf Guardini.

vielen Fragehinsichten, nämlich an die im engsten Sinn dogmatisch-systematische, während Guardini eine offensichtlich stark interdisziplinäre und damit sehr breit angelegte systematische Liturgiewissenschaft vorschwebte. Auch die allgemeine systematische Liturgiewissenschaft, die den Begriff des Liturgischen thematisiert und das Verhältnis von Liturgie und Volksandacht, von Liturgie und Staat, Gesellschaft, Kunst, Erziehungswesen, Volksleben untersucht oder liturgischen Grunderscheinungen (Sakrament, Gebet, Symbol, Raum und Zeit[22]) nachgeht, ist interdisziplinär ausgerichtet.

Im letzten Abschnitt hebt Guardini nochmals hervor, dass die systematische Liturgiewissenschaft ein „eigener Forschungsbezirk" (108) und zwar als Theologie ist. Sie dürfe keineswegs „mit der Liturgik [sic!] als Teil der Pastoraltheologie verwechselt werden. [...] Diese Lehre von der praktischen seelsorgerlichen Bedeutung der Liturgie und von der Kunst ihrer sachgemäßen Pflege ist eine Anwendung der eigentlichen Liturgiewissenschaft" (108). Die pastoraltheologische Liturgik verhalte sich zur Liturgiewissenschaft wie praktische Gesundheitslehre zu Medizin als Wissenschaft. Man darf daraus schließen, dass ebenso wie die praktische Gesundheitslehre wissenschaftliche Forschung nur zum Schaden der Patienten vernachlässigt, auch die Pastoralliturgik nur zum Nachteil der Liturgie feiernden Kirche die Erkenntnisse der systematischen Liturgiewissenschaft ignorieren dürfte.

Die Bedeutung dieses kurzen programmatischen Aufsatzes liegt zunächst im eindeutigen und überzeugenden Nachweis der theologischen Dignität der Liturgiewissenschaft, dann aber sowohl in der klaren Verhältnisbestimmung von historischer und systematischer Methode wie der davon abhängigen Pastoralliturgik, vor allem jedoch in den weit vorausweisenden Ansätzen zur Hermeneutik liturgischer Texte (nämlich im Handlungsvollzug und im „Dialog der Texte"), dem induktiven Ansatz und der breiten Interdisziplinarität. Wäre dieser Aufsatz das einzige, das Guardini zum Fach beigetragen hätte, so würde dies beinahe ausreichen, um ihm den Titel eines Liturgiewissenschaftlers ehrenhalber zuzusprechen. Es dürfte nach der Vorstellung dieses Aufsatzes aber auch deutlich geworden sein, dass die systematische Liturgiewissenschaft weniger Programm für das Lebenswerk eines Einzelnen, denn das eines Faches ist.[23] Guardinis Schriften waren zwar breitenwirksam, was von akademischen Veröffentlichungen im Allgemeinen nicht gilt, sie lassen sich jedoch dem Konzept zuordnen, wenn man den eben genannten Aufriss der systematischen Liturgiewissenschaft zugrundelegt.

---

[22] Vgl. dazu die These von Meßner: „Die Frage aller Fragen der systematischen Liturgiewissenschaft ist die Frage nach der Zeit" (MESSNER, *Was ist systematische Liturgiewissenschaft?* [wie Anm. 21] 272).

[23] Unter den Zeitgenossen Guardinis war Odo Casel zweifellos derjenige, der am stärksten systematische Liturgiewissenschaft betrieben hat, aber auch Johannes Pinsk wird man hier nennen müssen, sowie für eine spätere Generation Burkhard Neunheuser, der selbst den Einfluss Guardinis nennt, vgl. Burkhard NEUNHEUSER, *Romano Guardini. Ein Rückblick*, in: EuA 44. 1968, 483–488, hier 485.

3. Elemente der Entfaltung

Erinnert man sich an die mit dem Erleben in Beuron verbundene Intuition Guardinis, dass die Liturgie das Tun der Kirche nach ihrer kontemplativen Seite darstellt, so ist nicht verwunderlich, wenn er sich trotz der beachtenswerten Vorordnung der speziellen vor der allgemeinen systematischen Liturgiewissenschaft doch weit stärker mit der allgemeinen beschäftigt und hier besonders mit der Frage, was denn Liturgie eigentlich ist. Guardini beantwortet die Frage in *Vom Geist der Liturgie* ([1]1918), so wie es der spätere Methodenaufsatz vorschlagen sollte, nicht deduktiv, indem er eine Definition zugrundelegt und daraus ableitet, sondern induktiv durch Ablesen des Wesens am phänomenalen Bestand der Liturgie. Fragt man, welche Nachbar-Wissenschaften er dafür herangezogen hat, so ist es hier, wie in den meisten seiner liturgischen Schriften – anders als bei Odo Casel – weniger die systematische Theologie, als Soziologie, Kulturtheorie und Philosophie. Das auch in anderen frühen Aufsätzen greifbare soziologische Interesse spiegelt sich in der Frage nach dem Verhältnis von Individuum und Gemeinschaft in der Liturgie. Kulturtheoretische und philosophische Reflexionen stehen hinter den Ausführungen über die symbolische Vollzugsgestalt und den Charakter als Kunst im Kontext des liturgischen Stils. Guardinis Entdeckung, dass Liturgie heiliges Spiel ist, sinnvoll aber zweckfrei, war für Zeitgenossen eine Offenbarung, aber auch Stein des Anstoßes. Er fügte in der 4./5. Auflage von 1920 deshalb ein Kapitel ein, das unter der Überschrift „Vom Ernst der Liturgie" den Verdacht ästhetizistischer Spielerei abweisen sollte, indem die Schönheit der Liturgie der in ihr zum Ausdruck kommenden Wahrheit nachgeordnet wird. Sachlich fand sich diese Vorordnung der Wahrheit aber schon in den frühen Auflagen im letzten Kapitel über den „Primat des Logos über das Ethos". Gemeint ist der Primat der Erkenntnis und des Seins vor dem Tun, was mit der Liturgie als Spiel konvergiert: Wenn die Liturgie zweckfreies Spiel ist, sinnvoll, weil der Mensch hier die erlöste Existenz vor Gott einübt, dann verbindet sich damit kein unmittelbarer Handlungszweck. Es schließt allerdings keineswegs aus, dass die in der Liturgie eingeübte Haltung nicht Wirkung im Leben zeigen sollte.

Guardini verbindet mit seiner Abhandlung außerdem den Versuch, gesellschaftliche wie anthropologische Schwierigkeiten gegenüber der Liturgie darzulegen und, durch entsprechende Einführung des Lesers, auch zu überwinden. Es handelt sich dabei nicht um Mystagogie im strengen Sinn,[24] also um eine Erschließung des Inhalts des gefeierten Mysteriums, sondern eher um Fundamentalliturgie als eine Rechenschaft über den der Liturgie zugrundeliegenden Akt. Das setzt voraus, was er in der *systematischen Methode* als Teilgebiet angibt, nämlich die Verhältnisbestimmung von Liturgie und Gesellschaft. Eine entsprechende Analyse steht schon hinter den frühen Schriften zur Liturgie und reicht bis zum berühmten Brief von 1964 über die Liturgiefähigkeit des

---

[24] Eine Untersuchung einschlägiger Predigten Guardinis im Zusammenhang mit seiner Vorstellung von Mystagogie (vgl. Romano GUARDINI, *Die mystagogische Predigt*, ursprünglich wohl 1943, jetzt in: *Wurzeln eines großen Lebenswerks. Aufsätze und kleine Schriften*. Bd. 3. Mainz – Paderborn 2002, 215–236 [Werke] sowie im Vergleich mit Pius Parsch, Aemiliana Löhr u.a. steht noch aus.

modernen Menschen:[25] Die liturgischen Schriften – besonders deutlich *Liturgische Bildung* (1923) – berühren sich mit seiner kulturgeschichtlichen These vom *Ende der Neuzeit*[26], insofern der Verlust der Fähigkeit zu symbolischem Handeln die Folge eines Zurückziehens des Subjekts in sich selbst, d.h. spiritualitätsgeschichtlich in eine rein innerliche Frömmigkeit darstellt. Das mit dem katholischen Aufbruch nach dem Ersten Weltkrieg einsetzende neue kirchliche Bewusstsein, die Entdeckung der lebendigen Wirklichkeit Kirche „in der Seele" und damit die Überwindung der Diastase von Innen und Außen, sowie das in der Jugendbewegung zurückgewonnene positive Verhältnis zur Leiblichkeit wecken Guardinis Zuversicht in die nun wieder mögliche symbolische Ausdrucksfähigkeit. Er war allerdings realistisch genug – und das spiegelt eben noch der Brief von 1964 –, um zu sehen, dass alle anthropologisch-naturalen wie kulturellen Vorgegebenheiten der Einübung bedürfen, denn: „Die Liturgie ist Selbstausdruck des Menschen, aber des Menschen, wie er sein soll"[27] – und noch nicht ist. Im Hintergrund steht die schon damals, aber bis in die Gegenwart immer wieder thematisierte Verhältnisbestimmung des Subjektiven und Objektiven in der Liturgie. Guardini versucht, entsprechend seiner Gegensatzphilosophie, das Gleichgewicht zwischen beiden Polen zu halten, wenn er feststellt: „Das ist die große Aufgabe, die hier gestellt ist: Ursprünglichkeit des Erlebens, Kraft der Persönlichkeit, Eigenheit des Gefühls mit Zucht und Gehorsam gegen das Gegenständliche zu verbinden."[28] Die Anthropologie der Liturgie führt deshalb notwendig zur Frage nach dem Zusammenhang von „Erziehungslehre" und Liturgie, ein Arbeitsbereich, den Guardini im Aufriss systematischer Liturgiewissenschaft eigens nennt. Die inhaltliche Nähe zwischen den Schriften *Vom Geist der Liturgie* und *Liturgische Bildung* hängt u.a. zusammen mit der zwischen Kulturanthropologie, die in der früheren Schrift überwiegt, und Pädagogik und Kulturkritik, die in der wenige Jahre späteren stärker ausgeprägt ist. Der Bezug zur Pädagogik darf jedoch nicht dazu verleiten, *Liturgische Bildung* für eine pastoralliturgische Schrift zu halten. Guardini gibt zwar am Ende einzelner Kapitel Hinweise zu Umsetzungsmöglichkeiten, u.a. auch mit Verweis auf die Montessori-Pädagogik, aber der theoretische Duktus überwiegt, so dass auch diese Schrift meines Erachtens unter den genannten Hinsichten der systematischen Liturgiewissenschaft zuzurechnen ist.

Einem Thema der allgemeinen systematischen Liturgiewissenschaft widmete sich Guardini besonders intensiv: In *Vom liturgischen Mysterium*[29] unternimmt er den Versuch einer theoretischen Durchdringung liturgischer Zeit. Er rezipiert Casels Überlegungen zur Mysteriengegenwart und fragt – wiederum spürt

[25] Vgl. Romano GUARDINI, *Der Kultakt und die gegenwärtige Aufgabe der liturgischen Bildung*, in: LJ 14. 1994, 3–8, dann in: DERS., *Liturgie und liturgische Bildung*. Würzburg 1966, 9–18, vgl. dazu Theodor MAAS-EWERD, *Romano Guardinis „Wort zur liturgischen Frage". Seine Bedeutung vor 50 Jahren und für die Gegenwart*, in: Klerusblatt 70. 1990, 201–210.

[26] Romano GUARDINI, *Briefe vom Comer See*. Mainz ¹1927; DERS., *Das Ende der Neuzeit. Ein Versuch zur Orientierung*. Basel ¹1950; DERS., *Die Macht*. Würzburg ¹1951.

[27] Vgl. Romano GUARDINI, *Liturgische Bildung. Versuche*. Rothenfels am Main ¹1923, hier zit. nach: DERS., *Liturgie und liturgische Bildung* (vgl. Anm. 25) 104.

[28] GUARDINI, *Liturgische Bildung* (wie Anm. 27) 102.

[29] Erstveröffentlichung in: Die Schildgenossen 5. 1925, 385–414; in leicht überarbeiteter Form dann in: GUARDINI, *Liturgie und liturgische Bildung* (vgl. Anm. 25) 127–177.

man den fundamentalliturgischen Impetus im oben genannten Sinn –, wie reale Vergegenwärtigung eines vergangenen Ereignisses möglich ist, wenn doch der Ernst menschlicher Zeit in ihrer geschichtlichen Einmaligkeit und damit in ihrem irreversiblen Charakter liegt. Seine Antwort setzt das Ende des historistischen Paradigmas und damit auch ein verändertes Erleben von Zeit und Geschichte voraus, wurzelt also wieder in kulturgeschichtlichen Beobachtungen, greift dann aber auf philosophische Erwägungen zur Ewigkeit Gottes und Gottes Verhältnisses zur menschlichen Zeit zurück, um die Möglichkeit – nicht das Faktum! – von realer Gegenwart des Vergangenen wie des Zukünftigen in der Liturgie verstehbar zu machen. Auch wenn Casel selbst keine philosophischen Betrachtungen dieser Art vorgelegt hat, sah er in Guardinis Versuch eine Bestätigung seines eigenen Anliegens.[30]

Unter Guardinis Schriften zur Liturgie ist eine, die in der bisherigen Forschung kaum beachtet wurde: *Besinnung vor der Feier der heiligen Messe* (1939). Das mag damit zusammenhängen, dass es sich wie bei *Von heiligen Zeichen* ursprünglich um Ansprachen handelte und dieser „Sitz im Leben" auch in der Veröffentlichung spürbar bleibt. Die zeitgenössische Theologie und Kirchenpolitik nahm die Veröffentlichung jedoch aufgrund eines Kapitels durchaus wahr: Guardini hatte ohne jede Leugnung des Opfercharakters die Mahlgestalt der Messe stark herausgearbeitet. Es kam darüber zu einem theologischen Gespräch zwischen Jungmann und Guardini und zu einem Briefwechsel zwischen Bischof Konrad Gröber und Guardini.[31] Will man das Buch dem Konzept der systematischen Liturgiewissenschaft zuordnen, so wird man den Sitz im Leben jedoch auch nicht verleugnen dürfen, die Schrift jedoch weniger der Pastoralliturgik als der Pädagogik zuordnen und somit als eine Fortsetzung von *Liturgische Bildung* ansehen dürfen.[32] Der Anteil systematischer Reflexion ist in den Ansprachen dabei ausgesprochen hoch, besonders wo es um heiligen Raum und heilige Zeit, um verschiedene Aspekte von Liturgie und Wort – u.a. mit einer knappen Skizze zur liturgischen Sprechhandlung[33] (schon 1939!) – und eben die Gestalt der Messe geht.

Unter den Aufsätzen Guardinis verdienen viele eine gesonderte Behandlung, was hier nicht möglich ist. Ein Thema spielt dabei eine besondere Rolle, das abschließend wenigstens kurz genannt werden soll: das Verhältnis von Liturgie und Volksfrömmigkeit,[34] auch dies eine Fragestellung, die er der all-

[30] Odo CASEL, Rez. zu: *R. Guardini. Vom liturgischen Mysterium*, in: JLw 6. 1926, 243–245.

[31] Vgl. MAAS-EWERD, *Krise der liturgischen Bewegung* (wie Anm. 5) 343–348 mit 613.

[32] Tatsächlich war eine zweite Folge von *Liturgische Bildung* geplant mit Kapiteln über Rhythmus, Mysterium, Liturgische Askese und Liturgismus, vgl. *Brief Nr. 42 vom 15.6.1924*, in: *Briefe an den Laacher Abt Ildefons Herwegen* (wie Anm. 6) 257. Rhythmus und Mysterium behandelt er in *Vom liturgischen Mysterium* (wie Anm. 30) ausführlicher, liturgische Askese in den ersten Kapiteln von Romano GUARDINI, *Besinnung vor der Feier der heiligen Messe*. 1. Teil. Mainz 1939, den Liturgismus in *Ein Wort zur liturgischen Frage* (Mainz 1940), dann in *Liturgie und liturgische Bildung* (wie Anm. 25) 193–213.

[33] GUARDINI, *Besinnung vor der Feier der heiligen Messe* (wie Anm. 32) 114–119.

[34] Vgl. dazu das erste Kap. Liturgisches Beten in: Romano GUARDINI, *Vom Geist der Liturgie. Mit einer Einführung von Ildefons Herwegen*. Freiburg/Br. ¹1918 (EcOra 1), sowie die Aufsätze: DERS., *Unmittelbares und gewußtes Beten* (1919), jetzt in: *Wurzeln eines gro-*

gemeinen systematischen Liturgiewissenschaft zugeordnet hatte. Anerkennt man, dass diese sich unter anderem mit Grundkategorien wie Gebet, Opfer, Sakrament beschäftigen sollte, dann stellt sich die Frage nach dem Verhältnis von liturgischem und nichtliturgischem Gebet in den Formen des privaten Gebets wie des gemeinschaftlichen in Form von Volksandachten u.a. Guardini anerkannte und bejahte den Vorrang des liturgischen Gebets vor nichtliturgischen Gebetsformen. Anders als Casel, aber ähnlich wie Jungmann sprach er den eher subjektiven Formen gemeinschaftlichen kirchlichen Betens dennoch die Berechtigung nicht ab, ja er legte selber einen *Kreuzweg*[85] und einen *Rosenkranz*[36] vor.

4. Wirkung und Bedeutung

Zusammenfassend kann man sagen, dass das Programm einer systematischen Liturgiewissenschaft gewiss nicht mit Guardinis vergleichsweise wenigen Schriften zur Liturgie erschöpft ist. Sie behandeln einige Aspekte der allgemeinen, nicht der speziellen systematischen Liturgiewissenschaft. So sehr man sich wünschen mag, Guardini hätte auch in diesem Feld gearbeitet, auf der von ihm vorgeschlagenen induktiven Basis und mit der notwendigen Absicherung durch historische Forschung, ist anzuerkennen, dass die Liturgie eben nur ein Thema in seinem Werk ist unter vielen anderen. Diese Schwäche ist gleichzeitig Stärke, insofern seine Schriften zur Liturgie durch eine interdisziplinäre Perspektive (besonders im Hinblick auf Anthropologie, Soziologie, Kulturwissenschaft und Philosophie) bereichert werden. Die eingangs genannte Förderung konkreten liturgischen Lebens lässt sich von diesem fächerübergreifenden Ansatz her verstehen: Guardini konnte aufgrund seiner Sensibilität für die geistesgeschichtlichen Veränderungen der Zeit nach dem Ersten Weltkrieg gerade durch den anthropologischen, soziologischen und kulturtheoretischen Zugang die Verständnisschwierigkeiten auffangen und eine Plausibilisierung kirchlich-liturgischen Handelns geben. Man könnte das, wie vorgeschlagen, die fundamentalliturgische Dimension seiner Schriften nennen, insofern es dazu beitrug, die kognitiven Dissonanzen zu überwinden, die dem liturgischen Mitvollzug entgegenwirkten. Damit war für zahlreiche liturgisch bewegte junge Menschen der Boden bereitet für eine im engeren Sinn mystagogische Erschließung (vgl. Pius Parsch, Aemiliana Löhr und auch Odo Casel) als notwendiger zweiter Schritt zu einer aktiven Teilnahme an den liturgischen Feiern. Karl Rahner hat Guardinis Wirken für die Liturgie bei der Feier zu seinem 80. Geburtstag eine deshalb geradezu epochale Bedeutung zugeschrieben: „Von da her wurde er der große Erwecker des Verständnisses für die Liturgie, ihr

---

ßen Lebenswerks. *Aufsätze und kleine Schriften*. Bd. 1. Mainz – Paderborn 2000 (Werke), 175–194, und: DERS., *Das Objektive im Gebetsleben. Zu P. M. Festugières „Liturgie catholique"* (1921), in: ebd. 418–429.

[35] Vgl. Romano GUARDINI, *Der Kreuzweg unseres Herrn und Heilandes*. Mainz ¹1919 (zuletzt 2001).

[36] Vgl. Romano GUARDINI, *Über das Rosenkranzgebet* (ursprünglich wohl 1944) jetzt in: *Wurzeln eines großen Lebenswerks*. Bd. 3 (wie Anm. 24) 237–252. Eine Besonderheit dieses Rosenkranzes besteht darin, dass Guardini hier einen christologischen Rosenkranz entwarf.

Wort, ihre Gebärden und Zeichen, ihr innerstes Mysterium im Abendmahl des Herrn. Gewiß hat es später auch andere Meister, besonders auf dem Gebiet der liturgiegeschichtlichen Forschung gegeben. Aber diese historische Arbeit wäre nicht entstanden oder tote Gelehrsamkeit geblieben, wäre nicht durch Guardini die Liturgie neu in den Seelen erwacht. In dieser Hinsicht hat er in den letzten Jahrzehnten keinen Gleichen neben sich gehabt, auch wenn in dieser Geschichte der liturgischen Bewegung viele große Namen wie Herwegen, [...], Casel, Pascher, Jungmann, Stohr, [...] genannt werden müssen. Wenn die deutsche Kirche neben der westeuropäischen Entscheidendes zu jenem Durchbruch zu lebendiger, neu wachsender Liturgie beigetragen hat [...], die auf dem Konzil die feierlich angenommene Aufgabe der hierarchischen Kirche in aller Welt wurde, dann verdankt die deutsche Kirche dies in erster und ursprünglichster Weise Romano Guardini. Selten, glaube ich, ist der Ursprung einer geistigen Bewegung von weltweiter Art und unermeßlicher Tiefe in Geist, Herz und in der religiösen Existenz fast eines einzelnen Menschen geschichtlich so deutlich greifbar wie in diesem Fall. Und das Erstaunliche dabei scheint mir dies zu sein: Guardini ist eigentlich dieser liturgischen Bewegung auch heute noch voraus."[37]

Dem Anlass entsprechend sind die Worte stark. Tatsächlich aber wird man sagen dürfen, dass das Erwachen der Liturgie in der Seele zunächst Guardini selbst widerfahren ist, dass er jenen geschichtlichen Augenblick ergriff, wo dieses Erleben auch für viele andere möglich wurde, weil die geistige und theologische Gemengelage sich zu ändern begann, indem er selber diese Veränderungen deutete und damit katalytisch wirkte. Wenn Rahner auf den Brief von 1964 anspielend sagt, dass Guardini der liturgischen Bewegung noch als 80-Jähriger voraus sei, so stellt sich inzwischen die Frage, ob er Jahrzehnte nach seinem Tod auch der Liturgiewissenschaft noch immer voraus sein könnte. Ich möchte die Frage bejahen und dabei erinnern an das hohe Maß an Interdisziplinarität, das mit der systematischen Methode projektiert ist, an die Intertextualität als einen hermeneutischen Schlüssel für liturgische Texte bei gleichzeitiger Berücksichtigung ihres Handlungscharakters sowie an die heute wohl kaum zu unterschätzende Notwendigkeit einer fundamentalliturgischen Plausibilisierung liturgischen Feierns. Als Mentor systematischer Liturgiewissenschaft könnte Guardini auch heute noch die Arbeit des Fachs mit fruchtbaren Impulsen begleiten.

Auswahlbibliografie

Bibliographie Romano Guardini (1885–1968). Guardinis Werke, Veröffentlichungen über Guardini, Rezensionen. Erarbeitet v. Hans MERCKER, hg. v. der Katholischen Akademie in Bayern. Paderborn 1978.

Orbis liturgicus. Repertorium peritorum nostrae aetatis in re liturgica. Hg. v. Anthony WARD – Cuthbert JOHNSON. Roma 1995 (BEL.S 82), 669–677.

Claudia CHRISTOFORETTI, Gli studi su Romano Guardini in Italia. Nota bibliografica, in: Tra coscienza e storia. Il problema dell'etica in Romano Guardini. Atti del convegno tenuto a Trento il

---

[37] Karl RAHNER, *Festvortrag*, in: *Akademische Feier zum 80. Geburtstag von Romano Guardini.* Würzburg 1965, 17–35, hier 20f.

15–16 dicembre 1998. A cura di Michele NICOLETTI – Silvano ZUCAL. Brescia 1999 (Religione e Cultura 12), 239–265.

Vom Geist der Liturgie. Mit einer Einführung von Ildefons Herwegen. Freiburg/Br. [1]1918 *(EcOra 1)* (zuletzt in: *Werke.* Ostfildern – Paderborn 2007).

Über die systematische Methode in der Liturgiewissenschaft, in: JLw 1. 1921, 97–108 (Nachdruck in: *Wurzeln eines großen Lebenswerks. Aufsätze und kleine Schriften.* Bd. 2. Mainz – Paderborn 2001 [Werke 29], 98–113).

Besinnung vor der Feier der Heiligen Messe. 1. Teil: *Die Haltung;* 2. Teil: *Die Messe als Ganzes.* Mainz [1]1939 (7. erweiterte Aufl. 1961).

Liturgie und liturgische Bildung. Würzburg 1966 (zuletzt in: *Werke.* Mainz – Paderborn 1992) (enthält *Liturgische Bildung* u. Aufsätze).

Josef Gülden (1907–1993)

Andreas Poschmann

Josef Gülden gehört zu denen, die geprägt von der Jugendbewegung am Beginn des 20. Jahrhunderts zu Trägern der Liturgischen Bewegung wurden. Er gehörte zur Gründergeneration des Leipziger Oratoriums[1] und trat durch pastoralliturgische Initiativen und Publikationen hervor. In der Nachkriegszeit blieb er in Leipzig in der sowjetischen Besatzungszone und hatte in der DDR entscheidenden Anteil am Aufbau des kirchlichen Verlagswesens. Als Berater des Bischofs von Meißen nahm er teil am Zweiten Vatikanischen Konzil, dessen Beschlüsse er durch seine publizistische Tätigkeit in der DDR bekannt machte. Auf diözesaner Ebene und im Bereich der Berliner Bischofskonferenz hatte er entscheidenden Anteil an der Umsetzung der Liturgiereform des Konzils. Rückblickend schrieb Gülden 1975: Unser Hauptanliegen war die „Bildung einer lebendigen Gemeinde, ein erneuerter Gottesdienst in einer erneuerten Gemeinde; also nicht nur äußere Teilnahme der Gläubigen, sondern Neubelebung des Kirchenbewußtseins, konkretisiert zum Gemeindebewußtsein, zur Realisierung der Kirche hier an diesem Ort"[2].

1. Geprägt von der Jugendbewegung und dem Oratorium in einer Arbeiterpfarrei
Geboren wurde Josef Gülden am 24. August 1907 in Mönchengladbach-Neuwerk. Seine Eltern hatten eine Bäckerei und eine kleine Landwirtschaft. Er wuchs auf in einem volkskirchlichen Milieu, das auch sein persönliches Leben ganz speziell prägte. Die Familie ging auf Wallfahrt nach Kevelaer, Trier und Kempen. Prägend für seine spätere Entwicklung war neben dem Elternhaus der Einfluss der Jugendbewegung. Gülden wurde 1920 Mitglied des Bundes „Neudeutschland", einer Gemeinschaft mit großen Idealen, die inmitten der Aufbruchsstimmung der Jugendbewegung stand. Bald wählte man ihn zum Gauleiter des nach Thomas von Kempen benannten Thomas-Gaues. Bei den Bundestreffen der Neudeutschen begegnete Gülden erstmals dem Wort vom geheimnisvollen Leib des Herrn, der Kirche, in der Christus lebt und wirkt. Anschaulich wurde diese neue Gemeinschaft auch in den „Liturgischen Messen", die Gülden Anfang der 1920er Jahre auf Burg Normannstein erleben konnte. Der sechste „Bundestag" im August 1924, an dem auch Gülden als Gau-

---

[1] Vgl. Hans-Friedrich FISCHER, *Gülden, Josef*, in: LThK 4. 1995, 1100; Andreas POSCH-MANN, *Das Leipziger Oratorium. Liturgie als Mitte einer lebendigen Gemeinde.* Leipzig 2001 (EThSt 81); zu Gülden bes. 40–49; Klemens RICHTER, *„...wie in den Urgemeinden." Eine Erinnerung anlässlich des 100. Geburtstags von Josef Gülden*, in: Gottesdienst 41. 2007, 166. Abb.: St. Benno Verlag GmbH, Leipzig.

[2] Josef GÜLDEN, *Ende oder Anfang der liturgischen Erneuerung?*, in: *Régi és új a liturgia világából. Prof. Rado Polikarp OSB (1899–1974) emlékének.* Hg. v. Andras SZENNAY. Budapest 1975, 39–47 (ungarisch), dt. Manuskript 12 S., 2f.

leiter teilnahm, stand unter dem Thema: „Neue Lebensgestaltung in Christus".
Den Höhepunkt der Tagung bildete eine gemeinsame „Liturgische Messe" der
über 500 Jungen mit Texten von Josef Kramp SJ, die unter dem Titel „Missa"
im Druck erschienen.[3] Für Josef Gülden war die Mitfeier dieser Gemeinschaftsmesse eines der wichtigsten Erlebnisse, die sein Interesse an der Liturgie wach-
riefen. Zum zentralen Thema seiner Arbeit sollten die Bemühungen um eine
Erneuerung der Liturgie aber erst später werden.

Als Mönchengladbacher wuchs Gülden auf in der unmittelbaren Nähe der
Zentrale des Volksvereins. Von frühester Jugend an war er sensibilisiert für die
soziale Frage, für die Haltung der Kirche gegenüber der Arbeiterschaft. Das
brachte Gülden zum Theologiestudium. 1926 ging er nach Innsbruck. Die vier
Semester, die Gülden in Innsbruck studierte, sollten sein ganzes späteres Leben
entscheidend beeinflussen. Hier traf er zusammen mit dem Kreis der künftigen Oratorianer.

Zunächst war es wohl die kritische Haltung gegenüber einer Kirche, die die
Arbeiterschaft nicht mehr erreichte, die Josef Gülden zum Innsbrucker Kreis
führte. Nicht die Gestalt eines Heiligen oder die Form der von ihm begründeten Lebensgemeinschaft stand im Mittelpunkt des Innsbrucker Freundeskreises,
sondern der gemeinsame Wunsch nach einer gemeinschaftlichen und somit zeitgemäßen Form der Seelsorge. Die Idee einer Vita communis, wie sie später in der
Form des Oratoriums gelebt wurde, war symptomatisch für eine Zeit, in der die
Kandidaten für den priesterlichen Dienst von Jugendbünden geprägt wurden, in
deren Zentrum das gemeinsame Leben und Erleben standen.

In Innsbruck organisierte Gülden ein „Soziales Seminar". Aus dieser Arbeit
erwuchsen verschiedene Aufsätze, die Gülden in der Bundesschrift der Neudeutschen „Kreuzfahrt" veröffentlichte. Er nahm Stellung „zur sozialen Krisis
der Gegenwart" und forderte, dass die Kirche das in der Gesellschaft spürba-
re Suchen nach einem Ausweg aufgreifen müsse, um ihre Glaubwürdigkeit besonders innerhalb des Proletariats zurückzuerlangen. Deshalb forderte er den
Einsatz der Christen für die soziale Frage. In einem Beitrag mit dem Titel „Der
Priester und die soziale Frage"[4] kündigten sich Ideen an, die man wenige Jahre
später in der Arbeitergemeinde in Leipzig-Lindenau umzusetzen suchte.

Der ostkirchlichen Liturgie begegnete Gülden erstmals in Innsbruck. Im
internationalen Jesuitenkolleg Canisianum studierten auch Kommilitonen,
die aus den mit Rom unierten Kirchen des Ostens kamen. Priester aus Polen
und Südosteuropa feierten in der Cyrill-und-Methodius-Kapelle des Hauses die
Johannes-Chrysostomus-Liturgie in altslawischer Sprache. Gülden ministrierte
bei der slawischen Liturgie. Er erlebte eine dialogische Liturgie, „in der immer
die Brücke von den Liturgen zur Gemeinde und zum Leben geschlagen wird"[5].

Nach vier Semestern musste er nach Bonn in das Priesterseminar seiner
Heimatdiözese zurückkehren. In den Ferien im Sommer 1928 lernte Gülden die
Gemeinde St. Marien des Mühlheimer Pfarrers Pastor Konrad Jakobs kennen.
Hier erlebte Gülden einen Pfarrer, der seine Gemeinde zurück zur Mitte des

[3]   Vgl. Josef KRAMP, *Missa für den gemeinsamen Gebrauch*. Regensburg 1924.

[4]   Josef GÜLDEN, *Der Priester und die soziale Frage*, in: Kreuzfahrt 3. 1927/28, 52–59.

[5]   Josef GÜLDEN, *Auf den Spuren des Jesusgebetes*, in: Jahr des Herrn 1975, 110–115, hier
      111.

christlichen Lebens führen wollte, der Gemeinde als mystischen Leib Christi verstand und in der Liturgie die Mitte und das Fundament der Seelsorge sah.[6]

Gemeinsam mit Walter Krawinkel ging Gülden im Winter 1928/29 in die Benediktinerabtei Beuron ins „Gastnoviziat". Dieser Aufenthalt hatte große Bedeutung für die volksliturgischen Bemühungen im Oratorium, denn Beuron kann geradezu als ein „Ursprungsort der deutschen Liturgischen Bewegung"[7] gelten. Hier war das Hochamt die eigentliche Form der liturgischen Feier und nicht die Stillmesse, nicht die private Zelebration am Seitenaltar, wo der Priester zugleich die Aufgaben von Diakon, Lektor, Schola und Volk übernahm, sondern die gemeinsame Feier einer gegliederten Gemeinschaft, in der jeder seine Aufgabe hatte.

Nach weiteren Studien in Bonn und im Kölner Priesterseminar zu Bensberg wurde Gülden am 30. Juli 1932 für das inzwischen neu entstandene Bistum Aachen zum Priester geweiht und kam als Kaplan nach Süchteln bei Krefeld. In das mit seinen Innsbrucker Kommilitonen gegründete und am 5. Januar 1930 vom Meißener Bischof Christian Schreiber errichtete Oratorium an der Liebfrauenkirche in Leipzig-Lindenau trat Gülden im September 1934 ein. Bis 1951 war er Kaplan in der Arbeiterpfarrei. Die sozialen Probleme, die hier besonders spürbar waren, stellten die Gemeinde vor neue pastorale und karitative Aufgaben. Bemerkenswert ist auch die extreme Diasporasituation. Am Beginn der dreißiger Jahre gab es knapp 5.000 Katholiken unter etwa 150.000 Einwohnern. 1935 bis 1945 war Gülden Oberschulreligionslehrer in Leipzig, 1944 bis 1946 Studentenseelsorger. Im Oratorium hatte er von 1938 bis 1954 die Aufgabe des Novizenmeisters inne, 1954 bis 1966 war er Präpositus des Leipziger Oratoriums.

Die Oratorianer wussten um die wechselseitige Abhängigkeit der Erneuerung der Gemeinde und der Erneuerung der Liturgie. Die lebendige Gemeinde, die in ihrer Aufgabe als Trägerin des Gottesdienstes nach Jahrhunderten der Verengung der Liturgie auf die Kleriker wieder ernst genommen wurde, war der Ausgangspunkt für eine mögliche Erneuerung der Liturgie. Und umgekehrt war es die Liturgie, in deren Wesen als Gottesdienst der Gemeinde alles apostolische Wirken der Laien seinen Grund hatte.

2. Chronist der Liturgischen Bewegung

Als Gülden nach Leipzig kam, erschien gerade die zweite Fassung der Messtexte der Oratorianer. Die Übersetzung sollte der Gemeinde als Verstehenshilfe und zur Mitfeier der lateinischen Messe dienen. Im Hinblick auf die Einführung einer einheitlichen Form der sogenannten Gemeinschaftsmesse gab es in Deutschland bereits verschiedene Initiativen[8] und verbreitete Vorlagen: die

---

[6] Vgl. Konrad JAKOBS, *Das Mysterium als Grundgedanke der Seelsorge*, in: BZThS 5. 1928, 364–371, zit. nach einem Sonderdruck, Düsseldorf ²1947, 23 S., hier 11f: „Wir müssen zurück zum Zentralen ... Ein Zurück zur Liturgie, zum Mysterium, bedeutet ein Zurück zur Quelle."

[7] Arno SCHILSON, *Die liturgische Bewegung. Anstöße – Geschichte – Hintergründe*, in: Klemens RICHTER – Arno SCHILSON, *Den Glauben feiern. Wege liturgischer Erneuerung*. Mainz 1989, 11–48, hier 31.

[8] Vgl. zu den verschiedenen Ansätzen: POSCHMANN, *Das Leipziger Oratorium* (wie Anm. 1) 109–131.

Gemeinschaftsmesse des Jungmännerverbandes, die Messandacht von Guardini, die Klosterneuburger Chormesse und „Die heilige Messe in gemeinsamer Feier" des Oratoriums. Die Texte der Oratorianer orientierten sich weitestgehend am Hochamt als Gestaltungsmaßstab für die Gemeinschaftsmesse. Man ging zunächst von der praktischen Frage aus, welche Teile der Messfeier bei der gemeinschaftlichen Feier von Vorbeter beziehungsweise Gemeinde laut zu sprechen seien. Bei Treffen von Vertretern verschiedener liturgischer Zentren in Maria Laach 1935 und in Düsseldorf 1936 und 1937, an denen Gülden teilnahm, einigte man sich schließlich auf die sogenannte „Hochamtsregel": Die Grundstruktur des Hochamts bildete das Schema der richtigen Aufgabenverteilung. Im „Laacher Protokoll" veröffentlichte Gülden die Erkenntnisse und verbreitete sie unter anderem über die Zeitschrift „Werkblätter" des Bundes Neudeutschland, deren Herausgeber und Hauptschriftleiter er 1936 bis zum Verbot 1939 war.[9] Mehr und mehr wuchs ein Verständnis für die Strukturen liturgischen Feierns überhaupt. Die Bedeutung und die unterschiedlichen Funktionen einzelner Elemente wurden gesehen und konnten entsprechend gestaltet werden. So führte ein sachgerechter Umgang mit den liturgischen Elementen nicht nur zur Vermeidung der Gefahr der Veräußerlichung und Geschäftigkeit, sondern zu einer bewussten und tätigen Teilnahme der Gemeinde, wie sie das Zweite Vatikanische Konzil Jahrzehnte später als Ziel formulieren konnte. Aber noch Ende der dreißiger Jahre warfen manche Bischöfe den jungen Priestern des Oratoriums „Wirrwarr und Subjektivismus" vor.[10]

Gemeinsam mit Heinrich Kahlefeld vertrat Gülden das Oratorium in den Kreisen, die Anfang der 1940er Jahre eine liturgische Arbeitsgemeinschaft bildeten, die wiederum das „Liturgische Referat" der Fuldaer Bischofskonferenz und schließlich die „Liturgische Kommission" initiierten.[11] Dies führte 1947 auch zur Gründung des Liturgischen Instituts in Trier. Gülden war als Mitglied des „E. V. Liturgisches Institut" von 1953 bis 1970 Mitherausgeber des „Liturgischen Jahrbuchs" des Instituts und von 1953 bis 1958 Mitarbeiter in der Schriftleitung.

Gülden war Herausgeber zweier bedeutender pastoralliturgischer Sammelbände: „Volksliturgie und Seelsorge" (1942) und „Parochia" (1943). Da er Publikationsverbot hatte, erschienen die Bände unter dem Namen des Freiburger Laientheologen Dr. Karl Borgmann.[12] In ihnen werden die Grundsätze und die in den dreißiger Jahren gesammelten Erfahrungen der Liturgiepastoral des Oratoriums dargestellt. Mit einer Vielzahl von praktischen Beispielen und Pre-

---

[9] Gülden widmete eine Doppelnummer des Jahrgangs 1937/38 (Heft 4/5) liturgischen Fragen. Dieses sogenannte erste volksliturgische Sonderheft der Werkblätter [*Volk Gottes feiert die Liturgie*, Werkblätter 10. 1937/38, 165–244] enthielt auch das „Laacher Protokoll": N.N. [GÜLDEN], *Gestaltung der Gemeinschaftsmesse in den Pfarrgemeinden* (179–187).

[10] Vgl. POSCHMANN, *Das Leipziger Oratorium* (wie Anm. 1) 161–164.

[11] Vgl. Johannes WAGNER, *Liturgisches Referat – Liturgische Kommission – Liturgisches Institut*, in: LJ 1. 1951, 8–14; vgl. POSCHMANN, *Das Leipziger Oratorium* (wie Anm. 1) 166–171.

[12] Vgl. *Volksliturgie und Seelsorge. Ein Werkbuch zur Gestaltung des Gottesdienstes in der Pfarrgemeinde*. Hg. v. Karl BORGMANN. Kolmar/Elsaß o. J. [1942]; *Parochia. Handreichungen für die Pfarrseelsorge*. Hg. v. Karl BORGMANN. Kolmar/Elsaß o. J. [1943]. Vgl. POSCHMANN, *Das Leipziger Oratorium* (wie Anm. 1) 84.

digtreihen zeigte der Band „Parochia", wie die Umsetzung der liturgischen Bildung in der Gemeinde aussehen kann. Die mehr grundsätzlichen Beiträge und Reflexionen der Praxis im Werkbuch „Volksliturgie und Seelsorge" trugen zur Zuspitzung der Krise der Liturgischen Bewegung bei und leisteten damit einen entscheidenden Beitrag zur gesamtkirchlichen Klärung der Frage, welche Bedeutung der Erneuerung der Liturgie zukomme.

Als Bischöflicher Sekretär für Sonderaufgaben (1942–1944) erarbeitete Gülden den Gebetsteil des Diözesangebetbuches „Laudate" für das Bistum Meißen von 1953. Auf dem Hintergrund dieser Erfahrungen war 1963 bis 1975 seine Mitarbeit in der Kommission für das EGB („Gotteslob") gefragt.

3. Publizist mit kirchenpolitischem Gespür und pastoralliturgischem Engagement

Gülden war maßgeblich am Aufbau des katholischen Verlagswesens in der DDR beteiligt. Unmittelbar nach dem Krieg gelang es ihm, von den zunächst amerikanischen Besatzern Leipzigs die Druckgenehmigung für gottesdienstliche Texte zu erwirken. Die ersten Aktenstücke, die sich in den Unterlagen zur Gründung eines katholischen Verlages in der sowjetischen Besatzungszone finden, sind römische Schreiben zu rechtlichen Fragen bei der Herausgabe von liturgischen Texten.[13] Der 1947 gegründete Benno-Verlag erhielt erst 1951 die notwendige staatliche Lizenz. Von Anfang an bis 1972 war Gülden Chefredakteur der katholischen Kirchenzeitung „Tag des Herrn" (Leipzig) und ebenfalls von 1951 bis 1976 Cheflektor im St.-Benno-Verlag (1952 Bischöflicher Rat für Verlags- und Pressewesen in der DDR, 1953–1955 Prokurist, 1955–1956 Geistlicher Geschäftsführer des St.-Benno-Verlages). Der Aufbruch des Konzils und die Erneuerung der Liturgie, die der Verlag durch die neuen liturgischen Bücher begleitete, führten zu keinem Bruch im Verlagsprogramm, denn Gülden, der regelmäßig im „Tag des Herrn" aus Rom berichtete, wo er als Konzilsberater des Meißner Bischofs mitten im Geschehen war, hatte „schon vor dem Konzil anders gedacht und gehandelt [...] als andere im kirchlichen Bereich. [...] Von daher ist der Verlag, durch seine geistige Haltung, viel selbstverständlicher mit dem Konzil umgegangen."[14]

In der bis heute fortgeführten Reihe „Jahr des Herrn. Katholisches Hausbuch", die von Gülden begründet und bis 1981 betreut wurde, informierte er über das kirchliche Leben in der DDR. Den Christen in der Diaspora, insbesondere denen, die durch Flucht und Vertreibung auf der Suche nach einem neuen Zuhause waren, vermittelte Gülden in Beiträgen zur langen Geschichte der katholischen Kirche zwischen Ostsee und Erzgebirge, zwischen Eichsfeld und Oder einen Zugang zu den christlichen Wurzeln ihrer neuen Heimat. Gülden erwies sich dabei nicht nur als Journalist und Publizist, der sein Handwerk verstand und sein Anliegen über ganz unterschiedliche Wege verfolgte. Im Hintergrund der Beiträge erkennt man den Seelsorger und Liturgiker: Immer wieder informiert das Hausbuch über Gottesdienstorte (auch eingezeichnet in Bistumskarten), Kirchenneubauten, historische Kirchenräume und Schätze, die von einem reichen liturgischen Leben früherer Generationen zeugen. Zugleich war es ein zentrales

---

[13]   Vgl. Elisabeth PREUSS, *Die Kanzel in der DDR. Die ungewöhnliche Geschichte des St. Benno-Verlages*. Leipzig o. J. [2006] (EThS 34) 36.

[14]   Hubertus STAUDACHER, zit. nach PREUSS, *Die Kanzel in der DDR* (wie Anm. 13) 179.

Anliegen Güldens, „über das katholische Leben" in der Diaspora zu berichten. Neben den Klerikern weisen die Beiträge hin auf die unverzichtbare Mitarbeit der Laien. In „Homestories" werden Küster, Kantoren und andere Mitarbeiterinnen und Mitarbeiter porträtiert. Und immer wieder stellt Gülden deren Anteil und Rolle bei der Liturgischen Bewegung und bei der nachkonziliaren Erneuerung des Gottesdienstes heraus. Das Hausbuch „Jahr des Herrn" war mit einer jährlichen Auflage von 60.000 Exemplaren das meistgedruckte Werk des Benno-Verlags. Ebenfalls bis heute erscheint der von Gülden 1952 begründete Liturgiekalender „Von Advent zu Advent" (Auflage 30.000 Exemplare).[15] Neben der großen Zahl pastoralliturgischer Publikationen ist auch hinzuweisen auf seine liturgiegeschichtliche Arbeit zum Schrifttum Johann Leisentrits (1527–1584), des Dekans des Kollegiatsstifts St. Peter in Bautzen.[16]

4. Konzilsperitus und Berater auf nationaler und internationaler Ebene

Als Berater des Bischofs von Meißen, Dr. Otto Spülbeck[17], nahm Gülden am Zweiten Vatikanischen Konzil teil. 1962 bis 1965 war er Mitglied der deutschsprachigen Abteilung des Konzilspresseamtes. Gemeinsam mit dem Erfurter Dogmatikprofessor Dr. Otfried Müller und seinem Leipziger Mitbruder, dem Oratorianer Dr. Werner Becker, der 1961 Konsultor im Sekretariat für die Einheit der Christen wurde, veröffentlichte Gülden das vielbeachtete Sammelwerk „Vaticanum secundum". Band I erschien bereits 1963.[18]

1966 bis 1968 war Gülden Mitglied der Subkommission für das „Allgemeine Kirchengebet" (Fürbitten) im Consilium ad exsequendam Constitutionem de Sacra Liturgia. Ein zentrales Anliegen der Liturgiepastoral der Oratorianer war die Verbindung von Liturgie und Diakonie. Der Opfergang der Gemeinde und das Fürbittgebet wurden aus den Zeit- und Lebensumständen der Gemeinde heraus als diakonische Elemente der Liturgie wiederentdeckt. Die Wiederbelebung des litaneiartigen Fürbittgebetes war insbesondere das Verdienst Güldens, der durch die Begegnung mit der Liturgie der Ostkirche diese Form des Allgemeinen Gebetes schätzen lernte. Josef Andreas Jungmann würdigte in seinem Standardwerk „Missarum Sollemnia" Güldens Bemühen um die Wiederbelebung des litaneiartigen Fürbittgebetes innerhalb der Messe.[19]

Auch in den Jahren nach dem Konzil war Gülden auf nationaler und internationaler Ebene in liturgischen Fragen der Vertreter für den Bereich der DDR. Von 1966 bis 1986 war er Mitglied der Internationalen Arbeitsgemeinschaft der Liturgischen Kommissionen des deutschen Sprachgebietes (IAG). An der Synode des Bistums Meißen zur Umsetzung der Konzilsbeschlüsse von

---

[15] Vgl. Renate HACKEL, *Katholische Publizistik in der DDR 1945–1984*. Mainz 1987 (VKZG.F 45), 127f.

[16] Vgl. Josef GÜLDEN, *Johann Leisentrits pastoralliturgische Schriften*. Leipzig 1963 (SKBK 4).

[17] Vgl. Josef PILVOUSEK, *Otto Spülbeck (1904–1970)*, in: *Zeitgeschichte in Lebensbildern aus dem deutschen Katholizismus des 19. und 20. Jahrhunderts*. Bd. 9. Hg. v. Jürgen ARETZ – Rudolf MORSEY – Anton RAUSCHER. Münster 1999, 151–167.

[18] Vgl. *Vaticanum secundum*. Bd. I–IV/1. Hg. v. Werner BECKER – Josef GÜLDEN – Otfried MÜLLER. Leipzig 1963–1968.

[19] Vgl. POSCHMANN, *Das Leipziger Oratorium* (wie Anm. 1) 98.

1969 bis 1971 nahm Gülden als Synodaler teil und leitete die Pressearbeit der Meißner Synode.[20]

Das Denken und Handeln Josef Güldens prägte die Erkenntnis, dass die Feier des Glaubens nicht isoliert werden kann vom Leben der Glaubenden, dass soziales Handeln und liturgisches Tun unlösbar miteinander verbunden sind und das Zentrum des christlichen Glaubens ausmachen. In Leipzig fand man dafür den Begriff der „Gemeindetheologie der Ellipse". Liturgie und Diakonie sind wie die beiden Brennpunkte der einen Ellipse notwendig aufeinander bezogen: „Viel Sekundäres darf und muß unter den Tisch fallen, nie aber: der *Gottesdienst* und der *Caritasdienst.*"[21]

Güldens Einsatz für die Liturgie wurde auf vielfache Weise gewürdigt. Im Jahr 1964 wurde ihm für seine Verdienste bei der Vorbereitung des Konzils die Ehrendoktorwürde der Katholisch-Theologischen Fakultät der Universität Mainz verliehen. Im Jahr 1990 wurde er mit dem Ehrenring des Deutschen Liturgischen Instituts, Trier, ausgezeichnet. Bis zu seinem Tod war Gülden in der Leipziger Liebfrauengemeinde. Er starb am 23. Januar 1993 in Leipzig.

Auswahlbibliografie

Grundsätze und Grundformen der Gemeinschaftsmesse in der Pfarrgemeinde, in: *Volksliturgie und Seelsorge. Ein Werkbuch zur Gestaltung des Gottesdienstes in der Pfarrgemeinde.* Hg. v. Karl BORGMANN. Kolmar o.J. (1942), 98–122.

Die Einführung der Pfarrgemeinde in die Liturgie, in: *Volksliturgie und Seelsorge* 123–137.

Seelsorge in Notzeiten, in: *Anruf und Zeugnis der Liebe. Beiträge zur Situation der Caritasarbeit.* Hg. v. Karl BORGMANN. Regensburg 1948, 78–101.

Vom Hören des Wortes Gottes. Beiträge zur Frage der Predigt. Hg. v. Josef GÜLDEN – Robert SCHERER. Freiburg/Br. 1949.

Vom Geist und Leben des Oratoriums vom heiligen Philipp Neri, in: *Priestergemeinschaften.* Hg. v. Norbert GREINACHER. Mainz 1960, 213–239.

Fürbittenbuch. Hg. v. Josef GÜLDEN – Werner MUSCHNICK. Leipzig 1962.

Feier der Liturgie und soziale Ordnung, in: LJ 13. 1963, 30–32.

Johann Leisentrits pastoralliturgische Schriften. Leipzig 1963 (SKBK 4).

Johann Leisentrits Bautzener Meßritus und Meßgesänge. Münster 1964 (Katholisches Leben und Kämpfen im Zeitalter der Glaubensspaltung 22).

Eins in der Wahrheit und der Freude. Bischof Otto Spülbeck von Meißen zum Gedächtnis. Hg. v. Josef GÜLDEN. Leipzig 1970.

In der „Krise der Liturgischen Bewegung" 1942–1944, in: *J. A. Jungmann, ein Leben für Liturgie und Kerygma.* Hg. v. Balthasar FISCHER – Hans Bernhard MEYER. Innsbruck [u.a.] 1975, 64–68.

Josef GÜLDEN – Gabriel POVALA, *Das Anliegen des Fürbittgebetes im Zeugnis der Zipser Fürbitten,* in: *Gemeinde im Herrenmahl. Zur Praxis der Messfeier.* Hg. v. Theodor MAAS-EWERD – Klemens RICHTER. Freiburg/Br. [u.a.] 1976 (Pastoralliturgische Reihe in Verbindung mit der Zeitschrift Gottesdienst 1), 257–263.

---

[20]   Vgl. Dieter GRANDE – Peter-Paul STRAUBE, *Die Synode des Bistums Meißen 1969 bis 1971. Die Antwort einer Ortskirche auf das Zweite Vatikanische Konzil.* Leipzig 2005.

[21]   Josef GÜLDEN, *Seelsorge in Notzeiten*, in: *Anruf und Zeugnis der Liebe. Beiträge zur Situation der Caritasarbeit.* Hg. v. Karl BORGMANN. Regensburg 1948, 78–101, hier 81.

Anton Hänggi (1917–1994)

Irmgard Pahl

1. Lebensdaten

Anton Hänggi[1] wurde am 15. Januar 1917 in Nunningen im schweizerischen Kanton Solothurn geboren. Als sechstes von zehn Kindern wuchs er in einem tief gläubigen christlichen Elternhaus auf. Sein Vater Urs Viktor Hänggi war Schreiner und Landwirt, seine Mutter Elise Hänggi – noch über die Sorge für den großen Haushalt hinaus – Arbeitslehrerin. Den Eltern lag viel an einer guten Ausbildung ihrer Kinder.

So besuchte Anton Hänggi nach der Primar- und der Bezirksschule das Kolleg Mariahilf in Schwyz, wo er 1936 die klassische altsprachliche Matura erwarb. Nach einem kurzen Sprach-Aufenthalt in Frankreich studierte er Philosophie und Theologie an der Theologischen Fakultät in Luzern (1936–1938) und am Angelicum in Rom (1938–1940), wo er sein Studium mit dem Lizentiat abschloss. Am 2. Juli 1941 wurde er in Solothurn zum Priester geweiht.

Von 1941 bis 1944 wirkte er als Vikar in der großen Diasporagemeinde St. Nikolaus in Brugg, Kanton Aargau, wurde dann aber zum Promotionsstudium im Fach Kirchengeschichte an der Universität Freiburg/Schw. freigestellt. 1947 wurde er mit einer Dissertation über den Kirchenhistoriker Natalis Alexander (1639–1724) zum Doctor theol. promoviert. Es folgten weitere sieben Jahre pastoraler Tätigkeit, zunächst als Pfarrvikar, später als Pfarrer in der Gemeinde St. Mauritius in Kriegstetten, Kanton Solothurn.

1954 erhielt Anton Hänggi von der Schweizerischen Bischofskonferenz den Auftrag, an der Theologischen Fakultät der Universität Freiburg die Errichtung eines Lehrstuhls für Liturgiewissenschaft vorzubereiten sowie ein Liturgisches Institut aufzubauen. Um sich hierfür zu rüsten, ging er zum Weiterstudium nach Rom, Trier, Maria Laach und Löwen und suchte die Begegnung mit bekannten Liturgiewissenschaftlern. 1956 begann er mit seiner Lehrtätigkeit in

---

[1] Als umfangreichste Darstellung und Würdigung des Lebens und des Wirkens von Anton Hänggi vgl. Bruno BÜRKI – Stephan LEIMGRUBER, *Anton Hänggi (1968–1982) – im Lichte des Zweiten Vatikanischen Konzils*, in: *Die Bischöfe von Basel 1794–1995*. Hg. v. Urban FINK [u.a.]. Freiburg/Schw. 1996 (Religion – Politik – Gesellschaft in der Schweiz 15), 303–336 (Lit.); vgl. ferner die meisten Beiträge der Festschrift „Miteinander" 1992 (wie Anm. 2). – Aus der Vielzahl der Nachrufe vgl.: Balthasar FISCHER, *Alt-Bischof Anton Hänggi †*, in: Gottesdienst 28. 1994, 108; DERS., *In memoriam Bischof Anton Hänggi (1917–1994)*, in: Not. 31. 1995, 82–84; Pascal LADNER, *Nekrologe – Nécrologie. Bischof Anton Hänggi (1917–1994)*, in: ZSKG 89. 1995, 123–126. – Vgl. auch: Johann B. VILLIGER, *Die Bischöfe von Basel*, in: HelvSac I,1. Bern 1972, 382–417 (Lit.), hier 416f; sowie die Lexikon-Artikel: Walter VON ARX, *Hänggi, Anton*, in: LThK 4. 1995, 1183f; Erwin GATZ, *Hänggi, Anton (1917–1994)*, in: *Die Bischöfe der deutschsprachigen Länder 1945–2001. Ein biographisches Lexikon*. Hg. v. Erwin GATZ. Berlin 2002, 77–79; Ekkart SAUSER, *Hänggi, Anton*, in: BBKL 21. 2003, 608–610.

Freiburg, wobei er die Hauptvorlesung in lateinischer Sprache hielt, die übrigen Lehrveranstaltungen in deutsch und französisch. 1963 konnte er in Freiburg das Liturgische Institut der Schweiz eröffnen, das er bis 1968 leitete. Zuvor hatte er die Gründung einer Liturgischen Kommission der Schweizer Diözesen mit in die Wege geleitet, deren erster Sekretär er dann wurde.

Am 4. Dezember 1967 wurde Anton Hänggi durch das Baseler Domkapitel unter Mitwirkung der Diözesanstände zum Bischof von Basel gewählt[2] und nach der am 20. Dezember erfolgten päpstlichen Bestätigung am 11. Februar 1968 durch seinen Vorgänger, Bischof Franz von Streng, in der Kathedrale zu Solothurn zum Bischof geweiht. Er hat seinen bischöflichen Dienst unter das Leitwort gestellt: „Ut unum sint". Fast fünfzehn Jahre lang leitete er das größte Bistum der Schweiz, bis er 1982 aus gesundheitlichen Gründen auf sein Amt verzichten musste. Im Ruhestand hat er sich dann wieder mehr der wissenschaftlichen Arbeit widmen können, hielt sich aber als „Bischof in Rufweite" bis zuletzt für pastorale Dienste bereit. Am 21. Juni 1994 ist Anton Hänggi im Alter von 77 Jahren an plötzlichem Herzversagen in Freiburg gestorben. Am 28. Juni wurde er in der Kathedrale zu Solothurn beigesetzt.

2. Anton Hänggi – Liturgiewissenschaftler und Wegbereiter der liturgischen Erneuerung

Als Anton Hänggi im Wintersemester 1956/57 den neu errichteten Lehrstuhl für Liturgiewissenschaft in Freiburg übernahm, hatte er schon, angeregt durch Cunibert Mohlberg in Rom, mit den Arbeiten zur textkritischen Edition des Rheinauer Liber Ordinarius, einer Züricher Handschrift aus dem 12. Jahrhundert, begonnen. Er konnte den Band bereits 1957 publizieren. Damit eröffnete er zugleich eine wissenschaftliche Reihe, die unter dem Titel „Spicilegium Friburgense" der Herausgabe schwer erreichbarer mittelalterlicher, vornehmlich liturgischer Quellen gewidmet sein sollte. Er hatte sie zusammen mit seinem Kollegen und Freund Gilles Gérard Meersseman OP ins Leben gerufen. Sie entwickelte sich zu einer höchsten Ansprüchen textkritischer Editionsarbeit entsprechenden, international anerkannten Publikationsreihe, später noch ergänzt um die Reihe „Spicilegii Friburgensis Subsidia".[3] Als Vorsitzender des Editionsrates hat Anton Hänggi diese Reihe bis an sein Lebensende intensivst betreut.[4] Die Werke, an denen er als Verfasser beteiligt war, zeugen von dem in-

[2]   „Auf der ganzen Welt", so betonte er, „existiert keine solche ganz freie Bischofswahl – ohne Kontaktnahme mit dem Heiligen Stuhl" (zit. nach *Anton Hänggi – Bischof in Rufweite. Leben und Wirken – Wegweisende Worte – Anekdoten*. Hg. v. Max Hofer. Freiburg/Schw. 1985, 42). Vgl. zum Baseler Bischofswahlverfahren auch Alfred Rötheli, *Die Entwicklung des Basler Bistumskonkordates von 1828 seit der Wahl von Bischof Dr. Anton Hänggi im Jahre 1967*, in: *Miteinander. Für die vielfältige Einheit der Kirche. Festschrift für Anton Hänggi*. Hg. v. Alois Schifferle. Basel [u.a.] 1992, 53–75, bes. 53–56, 73–75.

[3]   Vgl. Anton Hänggi, *Edition de Sources liturgiques. Spicilegium Friburgense – Spicilegii Friburgensis Subsidia*, in: *Liturgica Friburgensia. Schrift und Gebet. Ausstellung 17. August – 15. Oktober 1993*. Katalog. Bearbeitet v. Joseph Leisibach und Michel Dousse. Freiburg/Schw. 1993, 191–205 (französisch und deutsch).

[4]   Er hat sich damit „hohe Verdienste um die Liturgiewissenschaft erworben. Vorbildliche Editionen werden sorgen, dass sein Name unvergessen bleibt" (Fischer, *Alt-Bischof Anton Hänggi †* [wie Anm. 1] 108).

haltlichen Schwerpunkt seiner Forschung, der Eucharistiefeier: das Rheinauer Sakramentar, Prex Eucharistica und das Sacramentarium Basileense. Von diesen Werken hat vor allem der Band „Prex Eucharistica. Textus e variis liturgiis antiquioribus selecti" (1968) epochemachende Bedeutung erlangt. Er hat nicht nur der Liturgiewissenschaft weltweit einen unschätzbaren Dienst erwiesen, sondern darüber hinaus auch starke Impulse gegeben für die Öffnung dieser theologischen Wissenschaft im Hinblick auf ökumenische, auch die jüdischen Wurzeln miteinbeziehende Aspekte. Von Anfang an war die Eucharistiefeier in den reformatorischen Kirchen Teil des Editionsprojekts – und wohl niemand hat unter der Verzögerung der beiden, „Prex Eucharistica" fortsetzenden Bände „Coena Domini" mehr gelitten als Anton Hänggi. Außerdem sollte die Dokumentation der Eucharistischen Hochgebete in ihrer zuvor kaum wahrgenommenen großen Vielfalt einem wichtigen Reformziel in der Zeit der nachkonziliaren Erneuerungsbemühungen dienen: Sie sollte für die Schaffung weiterer Gebetsvorlagen über das offizielle römische Hochgebet hinaus Argumente aus der Tradition sowie Gestaltungsmuster bieten. Es zeigt sich hier exemplarisch die Verschränkung und gegenseitige Befruchtung von liturgiewissenschaftlicher Forschung und liturgischer Erneuerung im Schaffen von Anton Hänggi.

In die Zeit seiner Lehrtätigkeit an der Universität Freiburg fiel nämlich die Vorbereitung des Zweiten Vatikanischen Konzils. Anton Hänggi wurde aufgrund seiner profunden liturgiewissenschaftlichen Kenntnisse, deren Einsatz für die Erneuerung der Liturgie ihm Programm war[5], 1960 in die Vorbereitungskommission für die Liturgiekonstitution durch Papst Johannes XXIII. berufen. Er hat dieses am 4. Dezember 1963 als erstes verabschiedete Konzilsdokument entscheidend mitgeprägt. Dass auch die deutsche Fassung bereits am Tag seiner Promulgation im Druck erscheinen konnte, war wesentlich sein Werk. In der Zeit nach der Veröffentlichung war Anton Hänggi Konsultor und nach seiner Bischofswahl Mitglied des römischen „Consiliums", des Rates für die Ausführung der Liturgiekonstitution (1964–1969), später dann der Gottesdienstkongregation (1970–1975). Außerdem gehörte er auch der Kongregation für den Klerus an (1969–1971). Im „Consilium" war er Relator des Coetus 17 „Besondere Riten im liturgischen Jahr". Dem von Johannes Wagner als Relator geleiteten Coetus 10 „De Ordine Missae" gehörte er als Sekretär an. Ein wichtiger Schwerpunkt seiner Bemühungen im Rahmen dieses Gremiums war auch hier das Eucharistische Hochgebet.[6] Die Arbeit an der Textedition „Prex Eucharistica" lieferte ihm hierfür wichtige Voraussetzungen. Er drängte auf die Aufarbeitung der Quellen und die – zunächst nur als Manuskript für die Arbeit im Coetus gedachte – Bereitstellung der Texte. Um diesen Prozess zu beschleunigen, hatte er bei Johannes Wagner, dessen Assistentin am Deutschen Liturgischen Institut Trier die Verfasserin damals war, ihre Freistellung für die Editionsarbeit bewirkt. So konnte die Quellensammlung, kommentiert

---

[5] Vgl. Anton HÄNGGI, *Liturgische Erneuerung und Liturgiewissenschaft*, in: Akademia Friburgensis 15. 1957, 66–69.

[6] Vgl. FISCHER, *Alt-Bischof Anton Hänggi †* (wie Anm. 1) 108: „Auf dem Sektor ‚Hochgebet' hat er im Rat zur Ausführung der Liturgiekonstitution ... dem wichtigsten Anliegen der Liturgiereform unschätzbare Dienste geleistet."

durch namhafte Liturgiewissenschaftler, schließlich auch im Druck erscheinen (1968).

Als ausgewiesener Kirchenhistoriker und Liturgiewissenschaftler, der vor allem in der Liturgiegeschichte zuhause war, verfügte Anton Hänggi über eine sichere Basis für die dann mehr und mehr ihm zur Aufgabe gewordene Weiterentwicklung des geschichtlich Tradierten in Anpassung an die Gegebenheiten der Zeit.[7] Das Konzil mit seiner pastoralen Grundkonzeption hatte die Impulse zum „Aggiornamento" auch und vor allem im Bereich der Liturgie gegeben. Anton Hänggi wurde in der nachkonziliaren Phase zum Brückenbauer: Als Hochschullehrer und dann vor allem als Bischof gab er die Impulse des Konzils weiter. Sein Wirken war ganz und gar vom Geist des Konzils durchdrungen.[8] Daher setzte er sich entschieden für die Verbreitung und praktische Umsetzung seiner wichtigsten theologischen Anliegen ein: die zentrale Stellung des Paschamysteriums in der Liturgie;[9] das Verständnis der Kirche als Volk Gottes; die gleiche Würde aller Getauften in der Communio des einen, in verschiedenen Aufgaben und Diensten tätigen Gottesvolkes; entsprechend auch die Entwicklung neuer pastoraler Dienste; und nicht zuletzt die zielstrebige Förderung aller Bestrebungen zur Wiedergewinnung der kirchlichen Einheit bei gleichzeitiger Wertschätzung der unterschiedlichen Traditionen.

Ein besonders wichtiges Anliegen war ihm die liturgische Bildung, sowohl die Ausbildung an den Hochschulen und Seminaren als auch die Bildungsarbeit in den Gemeinden. Als Sekretär der Subkommission 8 „Liturgische Ausbildung" hat er den entsprechenden Teil der Liturgiekonstitution (SC 14–20) entscheidend mitgestaltet, der sich u.a. für die Liturgiewissenschaft als Hauptfach an den theologischen Fakultäten ausspricht, der aber auch die liturgische Bildung aller Gläubigen, der Kleriker wie der Laien, fordert. Zeitlebens und in allen beruflichen Positionen hat Anton Hänggi sich dafür engagiert eingesetzt.[10] Die dieser Aufgabe dienende Zeitschrift „Gottesdienst" hat er mit initiiert und begründet.

Anton Hänggi gehört auch zu den Mitbegründern der internationalen ökumenischen Vereinigung für liturgische Forschung und Erneuerung „Societas

---

[7] Er sagt selbst: „Ich war außerordentlich dankbar, dass ich ein solches wissenschaftliches Gepäck auf meinen bischöflichen Weg mitnehmen konnte" (Anton HÄNGGI, *Zwanzig Jahre danach. Rückblick eines Bischofs auf die Liturgiereform*, in: Gottesdienst 17. 1983, 177–179, 182, hier 177).

[8] Vgl. FISCHER, *In memoriam Bischof Anton Hänggi* (wie Anm. 1) 83.

[9] Vgl. Anton HÄNGGI, *Das Gedächtnis in der Liturgie – Neue Ansätze im Zweiten Vatikanischen Konzil*, in: *Gedächtnis, das Gemeinschaft stiftet*. Hg. v. Karl SCHMID. München – Zürich 1985, 108–124; DERS., *Einheit durch Gottesdienst?*, in: *Gottesdienst – Weg zur Einheit. Impulse für die Ökumene*. Hg. v. Karl SCHLEMMER. Freiburg/Br. [u.a.] 1989 (QD 122), 11–18, hier 17.

[10] Vgl. seinen Kommentar: *De cleri institutione liturgica*, in: EL 78. 1964, 247–250 (Kommentar zur Liturgiekonstitution Kap. 1, II) und: *Liturgiekonstitution und liturgische Ausbildung des Klerus*, in: SKZ 132. 1964, 35–37; sowie Walter VON ARX, *„Vom Geist und von der Kraft der Liturgie tief durchdrungen". Liturgische Bildung – eine bleibende Aufgabe*, in: *Miteinander* (wie Anm. 2) 87–102.

Liturgica", die er sehr gefördert hat.[11] Der letzte Kongress, den er erlebte, fand 1993 in Freiburg statt. Anton Hänggi war an seiner Vorbereitung beteiligt gewesen, insbesondere an der Ausstellung „Liturgica Friburgensia" der Kantons- und Universitätsbibliothek Freiburg[12].

Das wissenschaftliche Wirken Anton Hänggis, wie auch sein Wirken im Dienst der liturgischen Erneuerung und der Ökumene wurde zweimal durch die Verleihung des Ehrendoktorats gewürdigt: 1984 durch die Evangelisch-Theologische Fakultät der Universität Basel[13] und 1985 durch das Pontificio Istituto Liturgico der Universität San Anselmo in Rom[14], darüber hinaus auch durch Festschriften zu seinem sechzigsten[15] und zu seinem fünfundsiebzigsten[16] Geburtstag.

3. Anton Hänggi – Bischof in nachkonziliarer Zeit

Als Anton Hänggi 1968 zum Bischof geweiht wurde, traf die nachkonziliare Aufbruchstimmung mit dem gesellschaftlichen Umbruch in Westeuropa am Ende der 60er Jahre zusammen. Mit dem Aufbegehren der studentischen Generation gegen jegliche Machtstruktur verband sich auch die Kritik an den kirchlichen Institutionen. Sie wurde genährt durch den von vielen empfundenen restriktiven Kurs der römischen Instanzen und das Abblocken begonnener Experimente.[17]

Bereits im Ruhestand, erlebte Anton Hänggi Ende der 80er Jahre den Zusammenbruch der kommunistischen Ideologien und damit die Öffnung der Grenzen zwischen den Staaten in Ost und West. Es schien ihm dies ein Zeichen zu sein für den sehnlichst erwarteten Fall der Mauern zwischen den Konfessionen. Das Festhalten an der Kirchenspaltung hielt er nicht nur für „eine Sünde gegen den Heiligen Geist", sondern auch für „eine Sünde gegen die Integrati-

[11] Am Gründungstreffen in Driebergen 1967 konnte er zwar nicht teilnehmen. Er hatte sich aber bereits zwei Jahre zuvor in Grandchamp mit dafür ausgesprochen, dass eine solche Vereinigung gegründet wurde, und hat dann seit dem ersten Vorbereitungstreffen in Straßburg (31. Mai bis 1. Juni 1965) als Mitglied des „Provisional Council" die Vorbereitungen zur Gründung der Societas und die Planung ihres ersten Kongresses in Driebergen mitgetragen. Vgl. hierzu: *An International Ecumenical Meeting on Liturgy*, in: StLi 4. 1965, 61f; R. Stuart LOUDEN, *Recent Developments in Ecumenical Liturgical Studies*, ebd. 114–120, bes. 119f; William L. McCLELLAND, *The Societas Liturgica. From Grandchamp to Montserrat*, 1965–1973, in: StLi 10. 1974, 77–88.
[12] Vgl. den Ausstellungskatalog *Liturgica Friburgensia* (wie Anm. 3).
[13] Vgl. Vinzenz STEBLER, *Anton Hänggi, ein ökumenischer Bischof*, in: *Miteinander* (wie Anm. 2) 35–43, hier 42.
[14] Vgl. Magnus LÖHRER, *Notizen zur Verleihung des Ehrendoktorates an Bischof Anton Hänggi durch das Pontificio Istituto Liturgico di S. Anselmo, Rom*, in: *Miteinander* (wie Anm. 2) 179–184.
[15] *Festgabe Bischof Anton Hänggi zum 60. Geburtstag am 15. Januar 1977*. Hg. v. d. Vereinigung für Schweizerische Kirchengeschichte = ZSKG 71. 1977 (Bd. I–II). – *Liturgie als Verkündigung* [FS Anton Hänggi zum 60. Geburtstag]. Hg. v. der Theologischen Fakultät Luzern u. der Theologischen Hochschule Chur. Zürich [u.a.] 1977 (ThBer 6).
[16] Vgl. *Miteinander* (wie Anm. 2).
[17] Zur kirchlichen und gesamtgesellschaftlichen Situation speziell in der Schweiz vgl. Markus RIES, *Die Schweiz*, in: *Kirche und Katholizismus seit 1945*. Bd. 1. *Mittel-, West- und Nordeuropa*. Hg. v. Erwin GATZ. Paderborn [u.a.] 1998, 333–356.

Anton Hänggi (1917–1994)

on Europas"[18]. Die Spaltung zu überwinden gehörte zu den wichtigsten Bestrebungen seines bischöflichen Dienstes im Sinne seines Wahlspruchs „Ut unum sint".

Es entsprach seiner tiefen Überzeugung von der Kirche als einer ihrem Wesen nach den Menschen dienenden Kirche,[19] dass er auch sein Bischofsamt als Dienstamt verstand; und er lebte dies konsequent vor in seinem einfachen, bescheidenen Lebensstil und in seinem unermüdlichen, aufopfernden Einsatz als Bischof, der „nicht mehr so sehr der ‚Gnädige Herr‘, die ‚Excellenz‘" sein wollte als „vielmehr der (mit)dienende Bruder" aller.[20] Sein „menschlich gewinnendes Auftreten und sein stets freundlicher Umgang"[21], seine „spontane Hilfsbereitschaft", seine „Kontaktfreudigkeit, geistige Beweglichkeit und Zähigkeit, Intelligenz und ein unverwüstlicher Humor" (Otto Wüst)[22] kamen ihm dabei sehr zu statten.

In den innerkirchlichen Auseinandersetzungen wie auch im ökumenischen Ringen und im profan-politischen Bereich wirkte Bischof Hänggi durch sein gütiges, einfühlsames Wesen und seine integrative, immer auf breiten Konsens bedachte Art als ein Mann, der Vertrauen weckte, der widerstrebende Kräfte zusammenhielt und streitende Parteien versöhnte. Er warb für Toleranz, für Wohlwollen und gegenseitige Hochachtung. Unzählbar waren gerade im Bereich der Liturgie die Meinungsverschiedenheiten, die ihm ständig vorgetragen wurden. Der Bischof habe auch hier zu dienen, war seine Überzeugung; er habe „den nicht leichten und nicht immer dankbaren, aber nötigen Mittlerdienst zu leisten. Er steht mittendrin und wird fast zerrissen [...]. Aber Spannung muss sein. Sie ist Zeichen und Folge des Lebens."[23]

Das sicherlich bedeutsamste pastorale Ereignis seiner Amtszeit war die Vorbereitung und die Durchführung der Synode 72 (1972–1975).[24] Er sah sie als Weg, gemeinsam mit den Gläubigen die Reformansätze des Zweiten Vatikanums in seiner Diözese umzusetzen. Bei jeder ihrer Sitzungen während der vierjährigen Dauer war er anwesend. Er ermutigte das Kirchenvolk, seine Würde und seine Möglichkeiten, aber auch seine Verantwortung wahrzunehmen und die entsprechenden Reformen in Gang zu bringen. Die Synode wurde auch über die Schweiz hinaus mit Interesse verfolgt – vor allem im deutschsprachigen Raum – und gab vielfache Anstöße.

Hervorzuheben ist das Synodenhochgebet, später als „Hochgebet für die Kirche in der Schweiz" veröffentlicht (1974), das Bischof Hänggi maßgeblich geprägt hat und das auf seine Anregung hin als erstes teilkirchliches Hochgebet unter Berufung auf Nr. 6 der „Litterae circulares" vom 27. April 1973[25]

---

[18]   Zit. nach STEBLER, *Anton Hänggi, ein ökumenischer Bischof* (wie Anm. 13) 43.

[19]   Vgl. HÄNGGI, *Zwanzig Jahre danach* (wie Anm. 7) 178: „Die Kirche ist dienende Kirche – oder sie ist *nicht* Kirche."

[20]   HÄNGGI, *Zwanzig Jahre danach* (wie Anm. 7) 178.

[21]   *Anton Hänggi* (wie Anm. 2) 15f.

[22]   Zit. nach *Anton Hänggi* (wie Anm. 2) 16.

[23]   HÄNGGI, *Zwanzig Jahre danach* (wie Anm. 7) 179.

[24]   Vgl. BÜRKI – LEIMGRUBER, *Anton Hänggi* (wie Anm. 1) 313–317.

[25]   GOTTESDIENSTKONGREGATION, *Eucharistiae participationem. 27. April 1973*, in: Reiner KACZYNSKI, *Enchiridion documentorum instaurationis liturgiae I.* Torino 1976, 3037–3055, hier 3042.

beim Heiligen Stuhl eingereicht wurde und durch diesen bestätigt worden ist.[26] Es hat in seiner dreisprachigen Fassung auch über die Schweiz hinaus in vielen Ländern Bedeutung erlangt. Bei der Übertragung in weitere Sprachen gab es allerdings Probleme, was Rom dazu veranlasste, eine für alle Sprachgebiete verbindliche lateinische Fassung zu erstellen. Diese wurde im August 1991 veröffentlicht und schließlich in die Editio tertia des Missale Romanum übernommen (2002). Die dadurch nötig gewordene und unter großen Schwierigkeiten erarbeitete Neufassung des alten Schweizer Hochgebets in deutscher Sprache erschien 1994 unter dem Titel: „Hochgebet für Messen für besondere Anliegen"[27].

Bereits seit 1970 setzte sich Bischof Hänggi in besonderem Maße für die Errichtung neuer pastoraler Dienste (vor allem: Pastoralassistenten und Pastoralassistentinnen, ständige Diakone) ein, auch hierin in vielfacher Hinsicht wegweisend für die Entwicklung in der Kirche.[28] Andererseits engagierte er sich sehr für die laisierten Priester seiner Diözese und förderte – wenngleich nicht unangefochten – ihren weiteren Einsatz im kirchlichen Dienst. Zugleich warb er für die Erweiterung der Zugangswege zum Priestertum; er sprach sich aus für die Weihe bewährter, auch verheirateter Männer und ließ keinen Zweifel darüber aufkommen, „dass er hinter dem Votum für Viri probati stehe"[29]. Ebenso wollte er für Frauen die Weihe zu Diakoninnen wieder eingeführt sehen.[30] Und er war überzeugt, dass auch in Richtung Priesterweihe für Frauen der Weg einer „kirchenrechtlichen Öffnung [...] geklärt werde und weitergehen muss"[31]. Angesichts der Widerstände, die trotz des großen pastoralen Notstands sich verhärteten, mahnte er sich und andere zu ausdauernder Geduld – „pazienza!" – im Vertrauen auf das Wirken desselben Geistes, der schon am Anfang die Kirche durchwehte.

Das ausgleichende und dennoch mutige Auftreten Bischof Hänggis wurde über seine Diözese hinaus anerkannt. Er wurde Vizepräsident der Schweizerischen Bischofskonferenz, in der er besonders für kirchliche Dienste, Diakonie, Planung und Ausländerfragen zuständig war. 1975 und 1981 war er Vorsitzender der von ihm mit begründeten Deutsch-schweizerischen Ordinarienkonferenz.[32]

---

[26]   Vgl. Anton Hänggi, *Das Hochgebet „Synode '72" für die Kirche in der Schweiz*, in: Not. 27. 1991, 436–459.

[27]   Vgl. Eduard Nagel, *Gott führt die Kirche. Das Hochgebet für Messfeiern für besondere Anliegen (1)*, in: Gottesdienst 28. 1994, 17–19; ders., *Eine „biblisch-liturgische Sprache". Das Hochgebet für Messfeiern für besondere Anliegen (2)*, ebd. 28f.

[28]   Vgl. Leo Karrer, *Bischof Anton Hänggi und sein Weg mit den Frauen und Männern in den neuen pastoralen Diensten*, in: *Miteinander* (wie Anm. 2) 259–269; Rudolf Schmid, *Im gemeinsamen Dienst mit unterschiedlichem Auftrag. Gedanken zum Dienst der Pastoralassistentinnen und -assistenten*, ebd. 271–280; Xaver Pfister-Schölch, *Das eingefrorene Experiment. 20 Jahre Laientheologen im Bistum Basel*, ebd. 281–295; Bürki – Leimgruber, *Anton Hänggi* (wie Anm. 1) 324–327.

[29]   Karrer, *Bischof Anton Hänggi* (wie Anm. 28) 263.

[30]   Vgl. Anton Hänggi, *Zum Diakonat der Frau. Zusammenfassung des Diskussionsbeitrages*, in: Diaconia Christi 24. 1989, 105f.

[31]   Karrer, *Bischof Anton Hänggi* (wie Anm. 28) 267.

[32]   Vgl. Bürki – Leimgruber, *Anton Hänggi* (wie Anm. 1) 311.

Sein Engagement für die Ökumene betraf alle Bereiche seines bischöflichen Wirkens, so dass er zu Recht als „Bischof mit ökumenischem Profil"[33] angesehen war. Schon zur Feier seiner Bischofsweihe hatte er Vertreter aller Landeskirchen sowie des Schweizerischen Evangelischen Kirchenbundes eingeladen. Auch mit den Kirchen des christlichen Ostens suchte er den Dialog. Vor allem mit dem Ökumenischen Patriarchen Athenagoras von Konstantinopel verband ihn eine tiefe brüderliche Beziehung.[34] Wo immer möglich förderte Bischof Hänggi den Aufbau interkonfessioneller Gesprächskommissionen und Arbeitskreise. Sehr viel hat ihm auch die Anwesenheit evangelischer und christkatholischer Teilnehmerinnen und Teilnehmer auf der Synode 72 bedeutet, zumal diese sowohl bei den Vorbereitungen als auch – mit beratender Stimme – in den Sitzungen selbst mitgewirkt haben.

Bischof Hänggi trug als Mitbegründer der „Stiftung Kloster Beinwil" entscheidend zum Aufbau dieses ökumenischen Klosters im Lüsseltal, Kanton Solothurn, bei. Seiner Bestimmung nach ist es heute für viele ein „Ort der Stille und der ökumenischen Begegnung".[35]

In Anerkennung seines engagierten Einsatzes für ein vertrauensvolles, dialogbereites, kooperatives Miteinander der christlichen Kirchen im Bistum Basel lud ihn der evangelisch-reformierte Kirchenrat Basel-Stadt zur 450-Jahrfeier der Basler Reformation am 10. Februar 1979 ein. Bischof Hänggi durfte, noch dazu in seiner bischöflichen Amtskleidung, die Kanzel des Basler Münsters, der ehemaligen Kathedrale des Bistums Basel, betreten und ein Grußwort an die Versammelten[36] richten. Diese Geste hat ihn tief beeindruckt.

Schließlich sei noch das Wirken Bischof Hänggis im politischen, u.a. auch das Verhältnis von Staat und Kirche betreffenden Bereich erwähnt. Für sein Bistum war der Abschluss langjähriger Verhandlungen über eine Revision des Konkordates vom 26. März 1828 von großer Bedeutung. Kurz vor den Feierlichkeiten zum 150-jährigen Jubiläum des Bistums Basel am 6./7. Mai 1978 in Solothurn konnte in Bern eine Zusatzvereinbarung über die Organisation des Bistums Basel zwischen dem Heiligen Stuhl, der Eidgenossenschaft und den Diözesanständen unterzeichnet werden. Sie ermöglichte nach Inkrafttreten am 19. Juni 1978 den Beitritt der Kantone Basel-Stadt, Basel-Landschaft und Schaffhausen, später auch der Republik und des Kantons Jura zum Konkordat vom 1828 und damit die Eingliederung ihrer neuen Diözesanstände in das Territorium und die Organisation des Bistums Basel. Schwierige und z.T. spannungsvolle Verhandlungen waren damit zu einem guten Abschluss gekommen. Dank der Bemühungen von Bischof Hänggi, im Zusammenwirken mit Domka-

[33] Alois SCHIFFERLE, *Vorwort zur Festschrift „Miteinander"* (wie Anm. 2) 17.

[34] Vgl. STEBLER, *Anton Hänggi, ein ökumenischer Bischof* (wie Anm. 13) 38f.

[35] Vgl. STEBLER, *Anton Hänggi, ein ökumenischer Bischof* (wie Anm. 13) 42f; Christian HOMEY, *Kloster Beinwil. Ort der Stille und der ökumenischen Begegnung*, in: *Miteinander* (wie Anm. 2) 225–229.

[36] Anton HÄNGGI, *450-Jahr-Feier der Basler Reformation. Grußwort vom 10. Februar 1979*, in: *Anton Hänggi* (wie Anm. 2) 64–70. – Vgl. dazu auch Theophil SCHUBERT, *Bischof Anton Hänggi, ein Förderer der Ökumene*, in: *Miteinander* (wie Anm. 2) 213–224.

pitel, Bundesrat und Diözesanständen, konnte gegenüber römischen Einwänden die Wahlfreiheit des Domkapitels erhalten bleiben.[37]

Zu manchen gesellschaftspolitischen und sozialethischen Themen erhoben die christlichen Kirchen der Schweiz gemeinsam ihre Stimme. Grenzüberschreitend bezogen die katholischen Bischöfe der „Regio basileensis", die Bischöfe von Freiburg i. Br., Straßburg und Basel, Stellung im „Konflikt um die Kernenergie" und mahnten zur Selbstbeschränkung im Umgang mit der Schöpfung, um die Lebenschancen künftiger Generationen nicht zu gefährden (1982). Zur Schaffung menschenwürdiger Bedingungen für die Saisonarbeiter aus den südlichen Ländern trat Bischof Hänggi als Beauftragter der Schweizer Bischofskonferenz für Ausländerfragen mehrfach tatkräftig ein;[38] die italienische Regierung dankte ihm mit der Verleihung des „Großen Ehrenkreuzes der Republik" (1985).

So verwirklichte Bischof Hänggi seinen Wahlspruch „Ut unum sint" nicht nur im innerkirchlichen und im interkonfessionellen Bereich, sondern auch in seinem Einsatz für die Menschen verschiedener Sprachen und Nationen in seinem Land sowie für das partnerschaftliche Miteinander von Kirche und Staat.

Auswahlbibliografie

Der Kirchenhistoriker Natalis Alexander (1639–1724). Freiburg/Schw. 1955 (StudFri NF 11).

Der Rheinauer Liber Ordinarius (Zürich Rh 80, Anfang 12. Jh.). Hg. v. Anton HÄNGGI. Freiburg/Schw. 1957 (SpicFri 1).

Liturgische Erneuerung und Liturgiewissenschaft, in: Academia Friburgensis 15. 1957, 66–69.

Gottesdienst nach dem Konzil. Vorträge, Homilien und Podiumsgespräche des Dritten Liturgischen Kongresses. Hg. v. Anton HÄNGGI. Mainz 1964.

Prex Eucharistica. Textus e variis liturgiis antiquioribus selecti. Hg. v. Anton HÄNGGI zus. m. Irmgard PAHL. Freiburg/Schw. 1968, ³1998 (SpicFri 12).

Sacramentarium Rhenaugiense. Handschrift Rh 30 der Zentralbibliothek Zürich. Hg. v. Anton HÄNGGI zus. m. Alfons SCHÖNHERR. Freiburg/Schw. 1970 (SpicFri 15).

Zwanzig Jahre danach. Rückblick eines Bischofs auf die Liturgiereform, in: Gottesdienst 17. 1983, 177–179. 182.

Grundsätzliches zu bestimmten Zeitthemen, Worte zu besonderen Anlässen, Interviews, in: *Anton Hänggi – Bischof in Rufweite. Leben und Wirken – Wegweisende Worte – Anekdoten*. Hg. v. Max HOFER. Freiburg/Schw. 1985, 21–112.

Das Gedächtnis in der Liturgie – Neue Ansätze im Zweiten Vatikanischen Konzil, in: *Gedächtnis, das Gemeinschaft stiftet*. Hg. v. Karl SCHMID. München – Zürich 1985 (Schriftenreihe der Katholischen Akademie der Erzdiözese Freiburg), 108–124.

Einheit durch Gottesdienst?, in: *Gottesdienst – Weg zur Einheit. Impulse für die Ökumene*. Hg. v. Karl SCHLEMMER. Freiburg/Br. [u.a.] 1989 (QD 122), 11–18.

Das Hochgebet „Synode '72" für die Kirche in der Schweiz, in: Not. 27. 1991, 436–459.

Edition de Sources liturgiques. Spicilegium Friburgense – Spicilegii Friburgensis Subsidia, in: *Liturgica Friburgensia. Schrift und Gebet. Ausstellung 17. August – 15. Oktober 1993. Katalog*. Bearbeitet v. Joseph LEISIBACH und Michel DOUSSE. Freiburg/Schw. 1993, 191–205 (französisch und deutsch).

---

[37]   Vgl. RÖTHELI, *Die Entwicklung des Basler Bistumskonkordates* (wie Anm. 2) 53–75.

[38]   Vgl. BÜRKI – LEIMGRUBER, *Anton Hänggi* (wie Anm. 1) 328; dort auch weitere Beispiele für das Engagement Bischof Hänggis im gesellschaftlichen Bereich (327–329).

Liturgie und Konzil. Der Gottesdienst der Kirche auf den Allgemeinen Konzilien. Von Basel bis zum 2. Vaticanum (Vorlesung am 26. Mai 1993). Basel – Frankfurt/M. 1994 (Vorträge der Aeneas-Silvius-Stiftung an der Universität Basel 30).

Missale Basileense saec. XI (Codex Gressly). Hg. v. Anton HÄNGGI zus. m. Pascal LADNER. Freiburg/Schw. 1994 (SpicFri 35 A und B).

Friedrich Heiler (1892–1967)

Hanns Kerner

1. Einführung

Friedrich Heiler (30.01.1892 bis 28.04.1967) ist ein Grenzgänger. Er ist ein Grenzgänger zwischen christlichen Konfessionen, zwischen Religionswissenschaft und Theologie und er bindet dabei Theorie und Praxis zusammen. In seinen profunden wissenschaftlichen liturgischen Arbeiten spiegelt sich dies genauso wider wie in den von ihm geschaffenen liturgischen Büchern. Er schlägt Brücken zwischen Ost und West, zwischen katholischem, evangelischem (vor allem lutherischem) und orthodoxem Gottesdienst. Als einer der bedeutendsten Vertreter der so genannten jüngeren Liturgischen Bewegung gibt er in gleicher Weise

theoretische und praktische Impulse, deren Niederschläge bis in die neuesten evangelischen Agenden sichtbar werden. Auch auf die Liturgiereform des Zweiten Vatikanischen Konzils und dessen Umsetzung haben sie zumindest indirekten Einfluss genommen.

Zugleich schlägt Heiler Brücken zwischen den Religionen. Als einer der Hauptvertreter der „Vergleichenden Religionswissenschaft" in Deutschland verbindet er seine große Kenntnis über die Lehre der Religionen mit selbst erlebter Glaubenspraxis, vor allem im gemeinsamen Gebet mit anderen Religionsangehörigen. Hier setzt er, von der Liberalen Theologie geprägt, vor allem in der Auseinandersetzung mit der Dialektischen Theologie bis heute bedeutsame und weiterhin umstrittene Impulse für das interreligiöse Gebet.

2. Biografie und Werk

Friedrich Heiler, am 30. Januar 1892 als Sohn eines Lehrerehepaares in München geboren, erfuhr eine tiefgehende katholische Erziehung und hatte bald den Wunsch, Priester zu werden.[1] So schrieb er sich, nachdem er sich 1911 zuvor an der Philosophischen Fakultät immatrikuliert hatte, in seinem dritten Semester an der Katholischen Theologischen Fakultät ein. Da er dort mit dem Dogmatismus nicht zu Recht kam, studierte er vor allem privat protestantische Theologie. In seiner Frömmigkeit war er in der katholischen Kirche tief verwur-

---

[1] Zu Leben und Werk vgl. Günter LANCZKOWSKI, *Friedrich Heiler (1892–1967)*, in: TRE 14. 1985, 638–641; Friedrich Wilhelm BAUTZ, *Heiler, Friedrich*, in: BBKL 2. 1990, 660f; Annemarie SCHIMMEL, *Friedrich Heiler (1892–1967)*, in: HR 7. 1968, 269–272; ausführliche Bibliografien: Anne Marie HEILER, *Bibliographie Friedrich Heiler*, in: *Inter Confessiones. Beiträge zur Förderung des interkonfessionellen und interreligiösen Gesprächs. Friedrich Heiler aus Anlaß seines 80. Geburtstages am 30.1.1972*. Hg. v. Anne Marie HEILER. Marburg 1972, 154–196; Theodor SCHNEIDER – Gundelinde STOLTENBERG, *Bibliographie Friedrich Heiler auf der Basis der von Anne Marie Heiler und Gerd Muschinski zusammengetragenen Angaben erarbeitet*, in: Hans HARTOG, *Evangelische Katholizität. Weg und Vision Friedrich Heilers*. Mainz 1995, 247–290.

zelt, in seinem Denken stark von der evangelischen Theologie, vor allem liberaler Provenienz, wie der Adolf von Harnacks geprägt.

1918 wurde Heiler an der Philosophischen Fakultät mit einer religionsgeschichtlichen Dissertation über „Das Gebet" bei Aloys Fischer promoviert, die zu einem Standardwerk wurde und bereits 1923 in der fünften Auflage erschien. Ebenfalls noch 1918 habilitierte er sich mit einer Schrift über „Die buddhistische Versenkung" und lehrte daraufhin als Privatdozent für Religionswissenschaft an der Philosophischen Fakultät in München. Sein Lebensziel, Priester zu werden, hatte er aber trotz dieser steilen Karriere nicht aufgegeben. Das Haupthindernis für die Erfüllung seines Lebenstraums war ja doch, dass er sich nicht unter die römische Lehrautorität stellen wollte.

Bedeutsam für den Lebensweg Heilers war die Bekanntschaft mit dem schwedischen Erzbischof Nathan Söderblom, den er im Bereich der Religionswissenschaft als seinen eigentlichen Lehrer ansah und der auch sein Förderer und geistlicher Vater wurde. Bei einer Vortragsreise in Schweden trat Heiler, der vorher bereits mit einem Übertritt in die Altkatholische Kirche geliebäugelt hatte, 1919 in die Lutherische Kirche über.[2]

Rudolf Otto holte den inzwischen 28jährigen Gelehrten 1920 auf ein eigens für ihn geschaffenes Extraordinariat für vergleichende Religionsgeschichte und Religionsphilosophie an die Evangelisch-Theologische Fakultät nach Marburg. Dort befasste sich Heiler in seiner Marburger Anfangszeit vorwiegend mit konfessionskundlichen Themen. Besondere Beachtung fanden seine Monografien über den Katholizismus und über die orthodoxen Kirchen.[3]

1925 nahm Heiler an der ersten Weltkonferenz für Praktisches Christentum in Stockholm teil. Er brachte von dort nicht nur wichtige Gedanken zur Einheit der Kirche mit, sondern trug in der Folge wesentlich zur Verbreitung des ökumenischen Gedankens und der Förderung der Una-Sancta-Bewegung in Deutschland bei.

Ebenfalls 1925 kam Heiler in engere Berührung mit der Hochkirchlichen Vereinigung. Dort sah er die geeignete Gemeinschaft, um sein Programm einer Evangelischen Katholizität[4] zu praktizieren. Hier konnten sich seine vom katholischen Modernismus geprägten Anschauungen, seine mystische Eucha-

---

[2]   Vgl. Heilers aufschlussreiche Begründungen in *Friedrich von Hügel – Nathan Soderblöm – Friedrich Heiler. Briefwechsel 1909–1931*. Mit Einl. u. Kommentar hg. v. Paul MISNER. Paderborn 1981 (KKSMI 14), 90–102.

[3]   Vgl. Friedrich HEILER, *Der Katholizismus, seine Idee und seine Erscheinung. Völlige Neubearbeitung der schwedischen Vorträge über „Das Wesen des Katholizismus"*. München 1923. – Unveränderter Nachdruck. München – Basel 1970; DERS., *Die katholische Kirche des Ostens und Westens*, Bd. I: *Urkirche und Ostkirche*. München 1937; Bd. II,1: *Altkirchliche Autonomie und päpstlicher Zentralismus*. München 1941; DERS., *Die Ostkirchen. Völlige Neubearbeitung von „Urkirche und Ostkirche"*. München – Basel 1971.

[4]   Vgl. bes. HARTOG, *Evangelische Katholizität* (wie Anm. 1) 20–34. Die vier Ziele der Hochkirchlichen Vereinigung spiegeln dabei auch das Programm der Evangelischen Katholizität wieder: „Die entschlossene Rückkehr a zur völligen biblischen Wahrheit in Lehre und Verkündigung, b zum apostolischen Amt in der Kirche, c zu bekenntnismäßem, sakramentalen Leben und d zum Bewußtsein der ökumenischen Einheit (Entschließung des Hochkirchentages 1935)." Zit. nach Reinhard MUMM, *Hochkirchliche Bewegung II. Hochkirchliche Bewegung in Deutschland*, in: TRE 15. 1986, 420.

ristiefrömmigkeit, seine evangelische Bibelzentrierung und sein Rückgriff auf altkirchliche und orthodoxe Traditionen organisch zusammenfügen.

Da eine historisch verstandene apostolische Sukzession einer der Pfeiler seiner Leitidee einer Evangelischen Katholizität war, ließ er sich nicht – wie es einem Marburger Theologieprofessor angestanden hätte – in der Landeskirche ordinieren, sondern Anfang 1927 von dem hochkirchlichen reformierten Pfarrer Gustav Adolf Glinz zum Priester weihen. 1929 wurde er zum 1. Vorsitzenden der Hochkirchlichen Vereinigung gewählt, die er von nun an maßgeblich prägen sollte. 1930 empfing er von dem gallikanischen Bischof Pierre-Gaston Vigué die Bischofsweihe. So konnte er als Vorsteher der Evangelisch-Katholischen Eucharistischen Gemeinschaft, die er 1929 gegründet hatte[5] innerhalb der Hochkirchlichen Bewegung der Messfeier vorstehen und Pfarrer zu Priestern weihen, was teilweise zu erheblichen Auseinandersetzungen mit den Landeskirchen führte. Sein Engagement innerhalb der hochkirchlichen Gemeinschaft war auch der Ausgangspunkt für sein reiches liturgisches Schaffen.

Da Heiler für den Nationalsozialismus überhaupt nicht empfänglich war[6] und gegen die Durchsetzung des Arierparagrafen an seiner Fakultät eintrat, wurde er 1934 in die Philosophische Fakultät Greifswald und 1935 in die von Marburg strafversetzt. Erst nach dem Zweiten Weltkrieg konnte er 1947 wieder in die Marburger Theologische Fakultät zurückkehren. In der Nachkriegszeit entfaltete er ein breites Wirken für die Una sancta durch seinen steten Einsatz für die Ökumene. Daneben setzte er sich stark für eine Verständigung der Weltreligionen ein. Aus seinem umfangreichen wissenschaftlichen und publizistischen Wirken nach dem Krieg ragt das große religionsphänomenologische Werk „Erscheinungsformen und Wesen der Religion" heraus. Dieses brachte ihm allerdings innerhalb der Religionswissenschaften auch heftige Kritik ein, da er an seiner Grundüberzeugung festhielt, dass „alle Religionswissenschaft [...] letztlich Theologie" sei.[7] Hervorzuheben sind auch noch seine Forschungen über die Stellung der Frau in den Religionen und sein Einsatz für den vollen Zugang von Frauen zum geistlichen Amt. Nach seiner Emeritierung in Marburg las Heiler an der Münchner Philosophischen Fakultät Religionsgeschichte.

3. Der Liturgiker
3.1 Der Gottesdienst
Heilers Leitmotiv der Evangelischen Katholizität bestimmte seine liturgischen Vorschläge. Dabei suchte er nach einer gemeinsamen Ordnung, die das Zentrale aus den großen Konfessionsgemeinschaften zusammenführen sollte. Er

[5] Nach dem Verbot der Gemeinschaft wegen des Widerstandes gegen den Arierparagrafen im Dritten Reich trat sie 1947 als „Evangelische-Ökumenische St.-Johannes-Bruderschaft" wieder in Erscheinung.
[6] Vgl. z.B. Friedrich HEILER, Die Kirche und das Dritte Reich, in: Die Kirche und das Dritte Reich. Hg. v. Leopold KLOTZ, Gotha 1932, 38–43.
[7] Friedrich HEILER, Erscheinungsformen und Wesen der Religion. Stuttgart 1961 (RM 1), 17. Zur Kritik vgl. Michael PYE, Friedrich Heiler (1892–1967), in: Klassiker der Religionswissenschaft von Friedrich Schleiermacher bis Mircea Eliade. Hg. v. Axel MICHAELS. Darmstadt 1997, 277–289, hier 287.

sah unterschiedliche Charismen in den Gottesdiensten der Kirchen verwirklicht, die in einer gemeinsamen Liturgie allen zugute kommen sollten. „Der römische Gottesdienst war der Gottesdienst meiner Mutterkirche. Hier habe ich gelernt, die Größe und Herrlichkeit christlichen Gottesdienstes zu schauen." Als Herzstück sah er hier die Eucharistiefeier. Der Gottesdienst der Ostkirche „erschien mir wie ein Abglanz himmlischer Welten, wie ein Echo cherubischer Preisgesänge. [...] In der altkatholischen und katholisch-apostolischen Kirche ging mir die Idee des Gemeindegottesdienstes auf, und ich ahnte hier etwas von dem Geheimnis der altchristlichen Eucharistiefeier, die Mysterien- und Gemeindegottesdienst war. [...] Der lutherische Gottesdienst war mir eine Offenbarung. Eine neue Welt strahlte mir auf, als ich zum ersten Mal das Vaterunser in einer lutherischen Kirche beten hörte [...] als lebendigen Ausdruck der unerschütterlichen Heilsgewißheit, der freudigen Gotteskindschaft. [...] Und auf der Kanzel einer reformierten Kirche [...] ging mir die Erkenntnis auf, daß auch mitten im kahlsten Puritanismus Gottes Geist in einer Gemeinde lebendig werden kann. [...] Doch ich schaute nicht nur die Mannigfaltigkeit, sondern auch die übergreifende Einheit [...] sie liegt darin, daß alle christlichen Gottesdienstformen [...] getragen und beherrscht sind von dem Glauben an den lebendigen Christus."[8]

Die Liturgie sollte deshalb ökumenisch sein. Leitbilder waren altkirchliche und urchristliche Überlieferungen. Heiler folgte einem Verfallsmodell, in der die Liturgie des klassischen Altertums den Maßstab darstellte, im Mittelalter und in der Reformationszeit aber immer ärmer und karger geworden sei. Allerdings ging es ihm nicht um eine Restauration im Sinne einer Wiederherstellung altkirchlicher Ordnungen, sondern um eine Neuschöpfung im Geist der Liturgie der Alten Kirche, denn „die Liturgie ist aus dem Pneuma geboren"[9].

Methodisch ging Heiler so vor, dass er weitgehend der Grundordnung der römisch-katholischen Messe folgte, dort aber Traditionen aus anderen Konfessionen einfügte und einzelne Stücke austauschte. Dabei hielt er die Verbindung und Mischung von einzelnen Elementen verschiedener Liturgien für eines der Grundgesetze christlicher Liturgieentwicklung seit ihren Anfängen.

3.1.1 Die Messordnung der Evangelisch-katholischen Eucharistischen Gemeinschaft (1931)

Als Vorsteher der Liturgie für die „Evangelisch-katholische Eucharistische Gemeinschaft" schuf Heiler 1931 ein neues Gottesdienstformular, das die erst 1927 herausgegebene verbindliche Messordnung der Hochkirchlichen Vereinigung ablöste. Bereits mit der Betitelung „Eucharistiefeier", mit der er die auch in der katholischen Kirche damals noch unübliche Bezeichnung aus der Ostkirche übernahm, machte er sein Hauptanliegen deutlich. Er wollte das urchristliche Ostermysterium wieder in den evangelischen Gottesdienst hineinbringen[10] und zu einer regelmäßigen Feier des Abendmahls führen. Da er die

---

[8]   Friedrich HEILER, *Katholischer und evangelischer Gottesdienst*. 2., völlig neu bearb. Aufl. München 1925, 61f.

[9]   Friedrich HEILER, *Ein liturgischer Brückenschlag zwischen Ost und West*, in: EHK 21. 1939, 256.

[10] Vgl. HARTOG, *Evangelische Katholizität* (wie Anm. 1) 46.

lutherische Abendmahlsfeier als Steinbruch der römischen Messe empfand, dem wesentliche Elemente frühchristlicher Eucharistiefeier fehlten, wollte er diese auch zur angemessenen Feier zurückführen.

In seiner Gottesdienstordnung teilt Heiler die Feier nach dem Vorbild der Didache in eine „Vormesse (Katechumenenmesse)" (S. 1–6) und die „Gläubigenmesse" (S. 6–20) ein. Wie in der Alten Kirche sollten die noch Ungetauften und die Büßenden der Kommunion fernbleiben.

Besonderen Wert legt Heiler auf die aktive Beteiligung der Gemeinde. So werden in der „Vormesse" der Eingangspsalm, das Stufengebet, das Kyrie Eleison, das so genannte große Gloria und der Gradualpsalm abwechselnd gesprochen oder gesungen bzw. die Gemeinde respondiert. Auffällig sind der „Bußakt" und das „Allgemeine Fürbittengebet". Für das ausführliche Confiteor sind drei Alternativen vorgeschlagen, zwei davon mit Beichtgebeten Luthers. Das dritte stellt ein wechselseitiges Confiteor dar, in welchem Priester und Gemeinde wechselseitig ihre Sünden bekennen und um Vergebung bitten. Das „Allgemeine Fürbittengebet" in der Form der Chrysostomus-Ektenie folgt in seiner Stellung ungewöhnlich[11] direkt auf den Bußakt. Zu dieser Form des Fürbittengebets stellt Heiler das dreifache griechisch/deutsche Kyrie als Alternative zur Wahl.

Die „Gläubigenmesse" beginnt mit dem nicaenischen Glaubensbekenntnis. Nach ostkirchlichem Vorbild steht das Credo nicht vor der Predigt, sondern vor dem Eucharistiegebet, das filioque ist weggelassen. Das Credo wird von der ganzen Gemeinde gesprochen. Nach einer ausgiebigen Gabendarbringung, einem Weihrauchgebet und einem Gebet zur Handwaschung des Priesters[12] folgt die Präfation mit dem Sanctus und dem Benedictus, die Heiler als „Eucharistisches Hochgebet" überschreibt.[13] Insgesamt lehnt sich Heiler im folgenden Duktus des Eucharistieteils stark an das Missale Romanum an,[14] ergänzt diesen aber an vielen Stellen aus anderen Traditionen. Die Epiklese, die zugleich Personen- wie Gabenepiklese ist, formuliert er als ein auf die Gemeinde und die Gaben gerichtetes Weihegebet, das mit dem Deutewort „Geheimnis des Glaubens!"[15] zu den Einsetzungsworten führt. Diese sind um 1 Kor 11,26 erweitert. Die Anamnese wird mit dem Trishagion abgeschlossen. Einem ausführlichen Gedächtnis der Heiligen folgen die Fürbitten, die, westlicher Tradition

11 Vgl. Hans-Christoph SCHMIDT-LAUBER, *Friedrich Heilers Beitrag zur Liturgischen Bewegung*, in: Pastoraltheol. 83. 1994, 229–247, hier 235.

12 Vgl. Jan LANGFELDT, *Die hochkirchliche Bewegung in Deutschland und in der Evangelisch-katholischen Eucharistischen Gemeinschaft von 1931 unter besonderer Berücksichtigung der Offertoriums*, Norderstedt 2006, 19–33.

13 Anders als das bei HARTOG, *Evangelische Katholizität* (wie Anm. 1) 48, und SCHMIDT-LAUBER, *Heilers Beitrag* (wie Anm. 11) 235 dargestellt ist, versteht Heiler hier lediglich die Präfation als Eucharistisches Hochgebet, nicht den gesamten Gebetsakt im Abendmahlsteil; vgl. *Eucharistiefeier der Evangelisch-Katholischen Eucharistischen Gemeinschaft*, o.O. u. o.J., 10.

14 Vgl. Karl-Heinrich BIERITZ, *Liturgische Bewegungen im deutschen Protestantismus*, in: *Liturgiereformen. Historische Studien zu einem bleibenden Grundzug des christlichen Gottesdienstes. Bd. 2: Liturgiereformen seit der Mitte des 19. Jahrhunderts bis zur Gegenwart*. Hg. v. Martin KLÖCKENER – Benedikt KRANEMANN. Münster 2002 (LQF 88), 711–748, hier 729.

15 *Eucharistiefeier* (wie Anm. 13) 11.

entsprechend, nahe an der Konsekration stehen und dann – ganz evangelisch – in das Vaterunser münden. Dem gegenseitigen Friedensgruß und dem Agnus Dei folgt nach der fractio panis noch eine „Danksagung", die Gebete aus der Didache aufgreift (9, 2.4), eine „Vorbereitung auf die Kommunion" die „Cranmers [...] prayer of humble access [aufnimmt,] und das bereits in der Klementinischen Liturgie des 4. Jahrhunderts bezeugte sanctum sanctis (Das Heilige den Heiligen! Einer ist heilig [...])."[16]

Wie stark hier Heiler auf verschiedenste Traditionen zurückgreift, zeigt sich auch noch an der Entlassung der Kommunikanten mit einem Bibelwort.

Typisch für Heilers Ordnung sind auch die Handlungen, welche die Worte begleiten. So bezeichnet beispielsweise der Priester vor der Lesung des Evangeliums den Beginn des Textes wie auch seine Stirn mit einem Kreuzeszeichen, zudem beräuchert er das Evangelienbuch mit Weihrauch und küsst es. Dazu ist an mehreren Stellen des Gottesdienstes vorgesehen, dass sich die Gemeinde bekreuzigt, die Knie beugt oder niederkniet.

Mit der Übernahme von liturgischen Stücken und symbolischen Handlungen aus der Ökumene sind inhaltliche Anleihen verbunden. So nimmt er beispielsweise Ausformungen der Marien- und Heiligenverehrung aus der Orthodoxie oder der römisch-katholischen Kirche auf.[17]

Damit schuf Heiler eine für die liturgische Diskussion der 30er Jahre wichtige Ordnung, die – auch wenn sie ursprünglich für die hochkirchliche Bewegung geschaffen war – der Gemeinde eine stete aktive Mitfeier zuschrieb; außerhalb dieser Bewegung hatte dieses in seinem langen Atem ostkirchlich anmutende Formular allerdings in der Praxis keine Bedeutung.

3.1.2 Die Deutsche Messe 1939

Eine fruchtbare Auseinandersetzung mit der Berneuchener „Ordnung der deutschen Messe"[18] führte Heiler zu seiner 1939 erschienenen „Deutschen Messe"[19]. Sein Ziel war es, anders als 1931, eine Ordnung zu schaffen, die nicht nur bei den Hochkirchlichen Messfeiern, sondern auch bei evangelischen Gemeindegottesdiensten Verwendung finden sollte. Um die liturgischen Erneuerungsbestrebungen im evangelischen Bereich nicht völlig auseinanderlaufen zu lassen, folgte er deshalb wie die Berneuchener Ordnung stärker der lutherischen Abendmahlsordnung. Zudem knüpfte er „vor allem in der got-

---

[16] Schmidt-Lauber, *Heilers Beitrag* (wie Anm. 11) 234.

[17] Vgl. z.B. *Eucharistiefeier* (wie Anm. 13) 4.

[18] Vgl. Friedrich Heiler, *Berneuchener Liturgie*, in: EHK 20. 1938, 52–58.

[19] Vgl. *Die Deutsche Messe*. Hg. v. d. Hochkirchlichen Vereinigung des Augsburgischen Bekenntnisses E.V. München 1939; *Deutsche Messe oder Feier des Herrenmahls nach altkirchlicher Ordnung*. Im Auftrag der Evangelisch-ökumenischen Vereinigung des Augsburgischen Bekenntnisses hg. von Friedrich Heiler. 2., verb. u. verm. Aufl. München 1948; unver. Nachdruck im Auftr. der Hochkirchlichen St. Johannesbruderschaft. Bochum 1987; Heiler erläutert die Deutsche Messe ausführlich in: *Ein liturgischer Brückenschlag zwischen Ost und West*, in: Evangelisch-Katholische Erneuerung. Schriftenreihe der Hochkirchlichen Vereinigung des Augsburgischen Bekenntnisses e.V., Heft 1 (Sonderdruck aus EHK 21). 1939, 249–256; Verlauf und Analyse finden sich zutreffend beschrieben bei Hartog, *Evangelische Katholizität* (wie Anm. 1) 105–113, und Schmidt-Lauber, *Heilers Beitrag* (wie Anm. 11) 236–239.

tesdienstlichen Sprache, welche im Wesentlichen die der Lutherbibel und der lutherischen Agenden ist, ferner in den Melodien des Altargesangs und der Responsorien wie im Gebrauch des Kirchenliedes"[20] an diese Tradition an. Um die Rezipierbarkeit im Protestantismus zu erleichtern, nahm er die ostkirchlichen Anleihen gegenüber der Ordnung von 1931 erheblich zurück. Dafür griff er auf andere außerrömische Liturgien zurück, nämlich die spanisch-westgotische, die gallisch-fränkische und die keltische. Außerdem bemühte er sich im Verhältnis zur Ordnung von 1931 nach eigener Aussage um Einfachheit und Kürze. Wichtig war ihm auch, in dieser Ordnung zu verdeutlichen, was in CA 24 festgehalten ist: „die Messe wird bei uns beibehalten und mit höchster Ehrfurcht gefeiert. Auch fast alle gewohnten Zeremonien werden bewahrt."[21]

In der Darstellung erscheint der Gottesdienst nun als Einheit und ist nicht mehr in „Vormesse" und „Gläubigenmesse" unterteilt. An Heilers Verständnis dieser beiden Teile hat sich allerdings nichts geändert.[22] Im Wortteil betreffen die hauptsächlichen Veränderungen die Stellung des Introitus und den Wegfall des ersten Fürbittengebetes mit dem Kyrie als sich wiederholendem Responsorium. Der Introitus, der bisher den Einzug begleitet hat, tritt hinter das wechselseitige Confiteor, das als einzige Form des Bußaktes geblieben ist. Das dreiteilige griechisch/deutsche Kyrie erhält wie in den lutherischen Agenden seine Stellung zwischen Introitus und Gloria.

Der Abendmahlsteil wird gegenüber der Ordnung von 1931 erheblich gestrafft. Er beginnt mit dem Friedensgruß, der vorher in Anlehnung an das Missale Romanum dem Konsekrationsakt gefolgt war. Die Chrysostomosektenie, die als großes Fürbittengebet vorgeschlagen wird, ist durch ein Mariengedächtnis ergänzt. Das Glaubensbekenntnis findet jetzt der Chrysostomusliturgie folgend nach dem Opferakt seinen Ort. Die Präfation mit Sanctus wird als „große Danksagung" bezeichnet. Die verba testamenti werden nach dem Vorbild Luthers durch den Neueinsatz „Unser Herr Jesus Christus, in der Nacht [...]" besonders herausgehoben.[23] „Mit der Anamnese und der ihr folgenden Epiklese wird die trinitarische Grundstruktur des altkirchlichen Eucharistiegebets wieder sichtbar."[24] Die fractio panis ist nun nach dem Vorbild des irischen Stowe-Missales gestaltet und enthält Worte aus Lukas 24,35 und 1 Kor 10,16 sowie Zitate aus Did 9,4 und 10,6.[25] Das Ende der deutschen Messe entspricht mit Salutation, Benedicamus und Aaronitischem Segen mit dreifachem Amen der Gemeinde dem lutherischen Gottesdienst. Auch die die Handlung begleiten-

[20] HEILER, *Ein liturgischer Brückenschlag* (wie Anm. 19) 2.
[21] In der 2. Auflage der Deutschen Messe Heilers war CA 24, 3 über dem Impressum als Leitsatz abgedruckt.
[22] So unterscheidet er in *Ein liturgischer Brückenschlag* (wie Anm. 19) 4, zwischen „Vorgottesdienst" und der „eigentliche[n] Mysterienfeier", die für ihn nach der Predigt beginnt. Schmidt-Laubers Fragestellung, wo der Übergang von Wort- und Sakramentsteil zu markieren sei (SCHMIDT-LAUBER, *Heilers Beitrag* [wie Anm. 11] 237) wird mit Heiler (*Ein liturgischer Brückenschlag* [wie Anm. 19]) und HARTOG (*Evangelische Katholizität* [wie Anm. 1] 106) so zu beantworten sein, dass der Sakramentsteil mit dem Friedensgruß und dem folgenden großen Fürbittengebet beginnt.
[23] Vgl. SCHMIDT-LAUBER, *Heilers Beitrag* (wie Anm. 11) 236f.
[24] SCHMIDT-LAUBER, *Heilers Beitrag* (wie Anm. 11) 237.
[25] HEILER, *Ein liturgischer Brückenschlag* (wie Anm. 19) 6.

den Gesten und Zeichen wie das Brotbrechen oder die Elevation der Hostie sind in dieser Ordnung wieder genau vorgeschrieben.

Kennzeichnend für Heilers Ordnung ist nicht nur eine durchaus organische Kompilierung aus verschiedenen christlichen Traditionen, sondern auch die dezidiert liturgische Sprache. Anders als die Berneuchener `Ordnung, die sich an Neuformulierungen herangewagt hatte, übernahm Heiler die geprägten Formulierungen, da ihm ein Herumformulieren an alten Texten als „Ehrfurchtslosigkeit"[26] erschien. Ein Experimentieren mit uralten liturgischen Formeln führt nach seinen Analysen schnell zu „subjektivistische[n] Lyrismen", zu „Ausgeburt[en] eines fortwirkenden Rationalismus" und zu „liturgische[n] Entgleisung[en]".

Im Gegensatz zu der Ordnung von 1931 sind in der Deutschen Messe einige Stücke mit Noten unterlegt und zum Singen vorgesehen. Dies sind zum einen responsoriale Stücke, liturgische Gesänge der Gemeinde sowie einige vom Priester gesungene Elemente. Bei letzteren dient der Gesang als Mittel der besonderen Hervorhebung. Zum anderen sind es beim Fürbittengebet das Gedenken an die Entschlafenen und das der „preiswürdigen Gottesmutter und allzeit reinen Magd Maria samt allen Heiligen",[27] die nach Kirchen- und Heiligenjahr wechselnde Präfation, die Einsetzungsworte, das Vaterunser und der Segen. Musikalisch lehnt sich Heiler an lutherische Traditionen an.[28]

Auch in dieser Gottesdienstordnung wird wieder deutlich, dass für Heiler „das enge Zusammenwirken des allgemeinen Priestertums aller Gläubigen mit dem Amtspriestertum"[29] konstitutiv ist.

3.2 Stundengebet und Andachten

Ende 1932 erschien das „Evangelisch-katholische Brevier"[30], das Heiler für die Hochkirchliche Vereinigung geschaffen hat. Anders als das weit verbreitete „Gebet der Tagzeiten" der Berneuchener oder als der zeitgleich erschienene Vorschlag von Oskar Mehl entschied sich Heiler im Wesentlichen für die Übernahme des altkirchlichen Stundengebets, das er in benediktinischen Tagzeitengebeten vorbildlich bewahrt sah. Heiler wählte diesen Weg, weil für ihn das liturgische Gebet keine literarische Schöpfung eines Einzelnen sein konnte. Es ging ihm also auch hier um ein überindividuelles Gebet, „in der das Ewige und Heilige hineingebannt [ist] in die dahinfließende Zeit. Im Ablauf des Tages,

---

[26] HEILER, *Berneuchener Liturgie* (wie Anm. 18) 56. Heiler geht davon aus, dass der „Priester am Altar, ja, der Christ überhaupt ... nicht als individueller Mensch [betet], sondern als Träger des göttlichen Geistes, der in ihm betet. Das Gebet ist nicht menschliche Schöpfung, Erfindung oder Leistung, sondern göttliche Inspiration, himmlisches Gnadengeschenk" (ebd.).

[27] HEILER, *Deutsche Messe oder Feier des Herrenmahls nach altkirchlicher Ordnung* (wie Anm. 19) 16.

[28] Vgl. HARTOG, *Evangelische Katholizität* (wie Anm. 1) 107.

[29] HEILER, *Ein liturgischer Brückenschlag* (wie Anm. 19) 5.

[30] *Evangelisch-katholisches Brevier*. Hg. im Auftrag der Brevierkommission der Hochkirchlichen Vereinigung von Friedrich HEILER, in: HKi 14. 1932, Heft 12. Vgl. dazu HARTOG, *Evangelische Katholizität* (wie Anm. 1) 51–55.

der Woche, des Jahres spiegelt sich unaufhörlich das große heilsgeschichtliche Drama ab, das seinen Gipfel hat im Auferstehungsgeheimnis."[31]

Das hochkirchliche Brevier enthält acht Tagzeitengebete: die Mette, die Laudes, die Prim, die Terz, die Sext, die Non, die Vesper sowie die Komplet. Nach einem Heiligenkalender, der mit großen evangelischen Glaubenszeugen angereichert ist, folgen ein ausführliches Ordinarium, ein Psalterium[32], ein Lektionarium sowie ein Hymnarium. Der evangelischen Tradition folgend ist die Schriftlesung ausführlich und hervorgehoben. Die altkirchlichen Hymnen werden zumeist durch ein evangelisches Kirchenlied ersetzt. Die Zahl der Psalmen ist gekürzt, und die Racheabschnitte werden in den ausgewählten Psalmen weggelassen.

Da Heiler wusste, dass sein Brevier in der für ihn typischen Fülle und Ausführlichkeit in evangelischen Gemeinden nur wenig Chancen auf Verwendung hatte, fasste er andere Zielgruppen für dieses Brevier ins Auge: die entstehenden evangelischen Ordensgemeinschaften, die hochkirchlichen Pfarrer und die Menschen, die zu liturgischen Exerzitien kommen.[33]

Im Bereich der Andachten wollte Heiler in den evangelischen Kirchen verschüttete Frömmigkeitstraditionen neu beleben. Dabei rückte er seiner Marienverehrung entsprechend die Gottesmutter besonders ins Blickfeld.[34]

3.3 Kasualien

Für die Hochkirchliche Vereinigung schuf Heiler auch Ordnungen für die Taufe, die Trauung und die Bestattung.[35] Durchgängig werden hier seine liturgischen Grundentscheidungen noch einmal sichtbar. Zum einen greift er verschiedene Riten und Traditionen aus der Alten Kirche und den verschiedenen Konfessionen auf, zum anderen hat die biblische Verkündigung einen so hohen Stellenwert, dass seine Formulare sehr wortreich sind. Sprachlich übernimmt er dabei zumeist Formulierungen aus der Tradition bzw. der Lutherbibel.

Am Beispiel der Taufe ist das besonders gut zu veranschaulichen. Er verwendet in seiner Taufliturgie allein zwanzig biblische Zitate als Lesungen, Gebete, Voten oder Segensformeln. Vor der Taufe führt er eine signatio crucis auf Stirn und Brust durch, außerdem vollzieht er den Effata-Ritus und sieht nach der Verlesung des Taufbefehls eine Wasserweihe vor. Nach dem Taufakt vollzieht er eine postbaptismale Chrisamsalbung und überreicht eine Taufkerze. Worte und Zeichen spielen so ineinander.

Dieser kompilatorische Umgang mit den verschiedenen Traditionen, mit der er seine Vorstellung einer Evangelischen Katholizität umsetzt, findet sich

---

[31]   *Evangelisch-katholisches Brevier* (wie Anm. 30) 91.
[32]   Zum Singen der Psalmen empfiehlt Heiler die Vertonungen des Hommel'schen Psalters (ebd. 95; *Liturgie lutherischer Gemeindegottesdienste*. Hg. v. Friederich HOMMEL. Nördlingen 1851).
[33]   Vgl. HARTOG, *Evangelische Katholizität* (wie Anm. 1) 54f, dem zuzustimmen ist, dass Heilers Brevier „ein nur mit Mühe brauchbarer Torso" (ebd. 55) ist.
[34]   Vgl. z.B. Friedrich HEILER, *Evangelische Marienandachten im Advent*, in: HKi 14. 1932, 343–349.
[35]   Vgl. Friedrich HEILER, *Evangelisch-ökumenische Ordnung für Taufe, Trauung, Beerdigung und Feuerbestattung* [maschinenschriftl. München ca. 1945].

auch in der Ordnung der Trauung, wenn nacheinander ein Gebet aus ortho-
doxer Tradition, die Ringweihe in römisch-katholischer Tradition und ein
Gebet aus Luthers Traubüchlein zu stehen kommen. In dieser Ordnung wird
auch deutlich, dass die Ehe für Heiler sakramentalen Charakter hat. Sie ist
„ein symbolisches Abbild der Einigung von Seele und Christus, von Kirche und
Christus"[36].

Bei der Bestattung, bei der Heiler ein Formular für eine Erd- und eines für
eine Feuerbestattung bietet, ist wieder neben dem reichen Gebrauch der Heiligen Schrift vor allem das ausführliche Gebet für den Verstorbenen bzw. die
Verstorbene kennzeichnend. Wie in der ostkirchlichen Tradition hat für Heiler auch die Bestattung sakramentalen Charakter. Sie ist zudem ganz von der
Auferstehungshoffnung geprägt.[37] Für ihn ist die Gebetsgemeinschaft zwischen
Lebenden und Toten in dem einen Leib Christi unauflöslich. Dies bringt er
beispielsweise durch das Einstimmen der Trauergemeinde in den Lobgesang
der himmlischen Heerscharen dezidiert zum Ausdruck.

Im Ablauf der verschiedenen Kasualfeiern orientiert sich Heiler an den lutherischen Ordnungen; seine Akzentsetzungen sind bisher noch unbeachtet.

3.4 Das interreligiöse Gebet

Ein Schlüssel zum Verständnis der Religionen bei Heiler ist die Überzeugung,
dass die Menschheit in ihrem Geistesleben eine Einheit darstellt. Dies zeigt
sich in besonderer Weise für ihn in der Religion. Heilers Vorstellung über sie
gipfelt in der Aussage: „darum ist auch im Grunde nur *eine* Religion"[38]. So ist
sein Verhältnis zu den Religionen von Toleranz und Wertschätzung geprägt.
Jegliche kirchlichen Absolutheitsansprüche lehnt er vehement ab, auch wenn
für ihn das Christentum in der Religionsgeschichte eine Sonderstellung ein-
nimmt.[39] Für die Gebetspraxis geht Heiler so weit, dass er nicht nur dafür eintritt, gemeinsam mit Angehörigen anderer Religionen zu beten, sondern auch
mit deren Worten und Riten.

Heiler sagt: „Ich betete [...] zu dem ewigen Logos-Christus, der auch in diesem Antlitz des Amida Buddha sich der Menschheit offenbart hat. Und als ich
in Lumbuni in Nepal an der Geburtsstätte Buddhas vor der Erinnerungssäule
des Königs Asoka stand, da kniete ich nieder und dankte Gott für jenen Strom
des Friedens und der Liebe, der von diesem begnadeten Heiligen über die Völker des Ostens sich ergossen hat. Und ebenso betete ich in Hindu-Tempeln, in
Sikh-Tempeln, in Synagogen und Moscheen. Und als mich die Nachricht vom
Tode eines türkischen muslimischen Freundes erreichte, da betete ich nach is-

---

[36]   Friedrich Heiler, *Die liturgisch-sakramentalen Erneuerungsbestrebungen im Protestantismus*,
        in: EHK 28/II. 1955/56, 32–64, hier 58.
[37]   So spricht er beispielsweise beim dreimaligen Erdwurf nicht wie in der evangelischen
        Tradition „Erde zu Erde [...]" oder wie im katholischen Ritus „Gedenke Mensch, dass
        du Staub bist [...]", sondern die sieghaften Worte Ps 24,1.
[38]   Friedrich Heiler, *Die Religionen der Menschheit in Vergangenheit und Gegenwart*. Stuttgart
        1959 (Universal-Bibliothek 82), 74–85, 52.
[39]   Friedrich Heiler, *Das Christentum und die Religionen*, in: Einheit des Geistes. Jahrbuch
        der Evangelischen Akademie der Pfalz 1964, 5–40; Sigurd Hjelde, *Die Religionswissen-
        schaft und das Christentum. Eine historische Untersuchung über das Verhältnis von Religions-
        wissenschaft und Theologie*. Leiden [u.a.] 1994, 229–231.

lamischer Sitte die Fâticha, die Eröffnungssure des Koran, jenes Preislied auf den Allgnädigen und Allbarmherzigen, das der Muslim gerade im Hinblick auf den Tod zu wiederholen pflegt. Wir müssen immer mehr lernen, mit unseren nichtchristlichen Brüdern zusammen zu beten, nicht nur nach unserer, sondern auch nach ihrer Weise."[40] Heiler ist auch davon überzeugt, dass die Gebete der anderen Religionen zumeist so formuliert sind, „daß jeder Christ sie mitbeten kann, einfach weil die Seele des Menschen von Haus aus eine Christin ist"[41]. Für Heiler war es eine Notwendigkeit, dass Menschen unterschiedlicher Religionen lernen, miteinander zu beten. Nur so würde sich auch eine Una sancta der Religionen verwirklichen lassen.

4. Ausblick

Mit seinen profunden Kenntnissen von Gebeten aus den verschiedenen Zeiten und Traditionen des Christentums sowie der Hochreligionen hat Heiler nicht nur seine noch heute verwendete Typologie des Gebets hinterlassen, sondern vor allem den Schatz vorreformatorischer Gebete wieder ins Bewusstsein der Liturgieschaffenden gehoben. Überhaupt hat er zur Öffnung der evangelischen Kirchen für vorreformatorische und anderskonfessionelle Liturgietraditionen maßgeblich beigetragen. So ist die Anreicherung der eigenen Liturgie aus den verschiedenen christlichen Konfessionen heute ein geläufiger Weg der Agendenentwicklung. Auch sein Anliegen, eine sonntägliche Eucharistiefeier in den evangelischen Kirchen zur Regel werden zu lassen, wird heute breit aufgegriffen.[42] Im Bereich der Körperlichkeit, der Einbeziehung des ganzen Menschen mit allen seinen Sinnen, finden Heilers Ausführungen heute mehr Verständnis als zu seiner Zeit.

Nüchtern muss allerdings auch festgestellt werden, dass die praktische Umsetzung von Heilers liturgischen Ordnungen in das gottesdienstliche Leben der evangelischen Gemeinden nur die Ausnahme war. Fremd bleiben insbesondere der Opferakt, der reichliche Gebrauch von Weihrauch, die immense Ausführlichkeit des Abendmahlsteils sowie die Verehrung Mariens und der Heiligen. Die Tatsache, dass die Heiler'sche Liturgie heute noch bei der St. Johannesbruderschaft gefeiert wird und in Teilen auch bei evangelischen Kommunitäten wie der Communität Casteller Ring, zeigt, dass sie vorwiegend für ökumenische Grenzgänger wichtig ist, die sich gemeinschaftlich sammeln und eine starke Affinität zu traditionellen liturgischen Formen entwickelt haben.

Durchgängig bemühte sich Heiler um die Schaffung einer ökumenischen Liturgie, in der die Einheit der Kirche konfessionsübergreifend in der Feier realisiert und vergegenwärtigt werden sollte. Seine Entwürfe dazu sind metho-

---

[40]   Friedrich HEILER, *Predigt beim Schlußgottesdienst des X. Internationalen Kongresses für Religionsgeschichte in der Schloßkapelle zu Marburg-Lahn am 11. September 1960*, in: *Neue Wege zur Einen Kirche*. Hg. v. Friedrich HEILER. München – Basel 1963, 57–61, hier 59.

[41]   HEILER, *Die Religionen der Menschheit in Vergangenheit und Gegenwart* (wie Anm. 38).

[42]   Vgl. das *Evangelische Gottesdienstbuch. Agende für die Evangelische Kirche der Union und für die Vereinigte Evangelisch-Lutherische Kirche Deutschlands.* Hg. v. der Kirchenleitung der Vereinigten Evangelisch-Lutherischen Kirche Deutschlands und im Auftrag des Rates von Kirchenkanzlei der Evangelischen Kirche der Union. Berlin 1999.

disch als Vorläufer jüngerer Bestrebungen zu einer Gemeinsamen Liturgie der Kirchen zu verstehen, wie sie zuletzt in der Lima-Liturgie realisiert wurde.

Auswahlbibliografie

Das Gebet. Eine religionsgeschichtliche und religionspsychologische Untersuchung. München 1918.

Nachdruck der 5. Aufl. mit Literaturergänzungen. München – Basel 1969.

Katholischer und evangelischer Gottesdienst. München ²1925.

Evangelische Katholizität. Gesammelte Aufsätze und Vorträge. Bd. I. München 1926.

Im Ringen um die Kirche. Gesammelte Aufsätze und Vorträge. Bd. II. München 1931.

Die katholische Kirche des Ostens und Westens. 2 Bde. München 1937/1941.

Die Religionen der Menschheit in Vergangenheit und Gegenwart. Stuttgart ²1962.

Odilo Heiming OSB (1898–1988)

Angelus A. Häußling OSB

1. Biografie

Das Rheinland war seine Heimat, die ihn auch präg-
te und zu der er sich bekannte. Am 7.  April in Mön-
chengladbach geboren und dort auf den Namen Kurt
getauft, wuchs er in Koblenz auf, machte 1916 vorzei-
tig das Abitur, um als Soldat in den Krieg zu ziehen,
den er, trotz Gefahren und nach Gefangenschaft, heil
überstand. 1919 wieder zurück, begann er in Bonn das
Studium der Rechtswissenschaft, wechselte aber bald
zur Theologie, doch schon im Sommer 1921 trat er
in die rheinische Abtei Maria Laach ein. 1922 schickte ihn das Kloster zu den weiteren Studien an das benediktinische Pontificio Ateneo Sant'Anselmo in Rom.
Eine bleibende Erinnerung blieb die Begegnung dort mit Lambert Beauduin
(1873–1960), dem „Begründer" der „Liturgischen Bewegung" in Belgien und
späteren Ökumeniker. Sein Bild sah der Verfasser immer an der Wand der
Klosterzelle Odilo Heimings. Inzwischen Priester geworden, ging es nochmals
nach Bonn, nun zu einem Studium der Orientalistik, zwecks Erforschung der
Liturgien der Ostkirche. Wichtige Lehrer waren Anton Baumstark (1872–
1948), der gelehrte Fachmann der „vergleichenden Liturgiewissenschaft", und
Paul Kahle (1875–1964), der bedeutende Orientalist und Erforscher des hebrä-
ischen Bibeltextes. Mit beiden unterhielt Heiming zeitlebens freundschaftliche
Beziehungen, auch als Kahle wegen der nationalsozialistischen Rassengeset-
ze Deutschland verlassen musste und Baumstark – von Heiming darin unver-
standen – sich als Nationalsozialist gebärdete. Doch nicht die Liturgien des
christlichen Ostens wurden, wie zunächst gedacht, das eigentliche Forschungsgebiet, sondern die Liturgie der Kirche von Mailand, wovon gleich zu sprechen
ist.

Im Kloster versah Odilo Heiming mehr Dienste, als die intensive Arbeit des
Wissenschaftlers erwarten lässt. Eine längere Zeit lag bei ihm sogar die Leitung
der gesamten Wirtschaft der Abtei, von den klostereigenen Betrieben bis zur
Finanzverwaltung. Über lange Jahre hin war er der zweite Vertreter des Abtes
(„Subprior"). Regelmäßig übernahm er Gottesdienste in benachbarten Pfar-
reien, besonders im Laacher Gemeindeort Glees.

Doch ist sein Bild bei seinen Mitbrüdern in Erinnerung als unverdrossener
Arbeiter, der in seiner Zelle der Wissenschaft oblag. Zwischenhinein lief er mal
den Klostergang auf und ab, um sich Bewegung zu verschaffen. Intensiver geschah dies in regelmäßigen Tageswanderungen in die Eifel und zur Mosel, mit
ausgewählten Mitbrüdern, die sein Tempo mithalten konnten, aber notfalls
auch allein. Angesehen und geschätzt in der Kommunität, später dann auch
vom Alter gezeichnet und zunehmend zur Arbeit unfähig und schließlich auch
auf Pflege angewiesen, verstarb er am 21. September 1988 in seinem geliebten

Kloster. Des Lebens als Mönch wegen hatte er auch ehrende Berufungen, etwa als Professor für Orientalistik an die Universität Bonn, ausgeschlagen.

2. Der Liturgiewissenschaftler

Von Abt Ildefons Herwegen gedacht und von ihm selbst erwartet war ein Gelehrtenleben, das sich den Liturgien der orientalischen Kirchen widmete. Aber dieser Bereich zeigte sich schließlich als derjenige, den er im Umfang seiner Tätigkeiten und Publikationen am wenigsten bearbeitet hat. Andere, unerwartete Aufgabenfelder beanspruchten ihn weit mehr.

2.1 Liturgie des christlichen Orients

In Bonn studierte er bei ausgezeichneten Lehrern die Sprachen der Kirchen des antiken christlichen Orients und die Liturgiegeschichte dieser Kirchen und schloss die Studien ab mit einer Dissertation, die den zunächst nur Spezialisten deutbaren Titel trägt: „Syrische Eniânê und griechische Kanones. Die Hs. Sach. 349 der Staatsbibliothek zu Berlin"[1]. Aber noch bevor diese Studie 1932 gedruckt vorlag, musste er schon eine andere Aufgabe übernehmen. Doch blieb er mit der Orientalistik immer in Kontakt, da er im „Jahrbuch für Liturgiewissenschaft", später „Archiv für Liturgiewissenschaft", die Literaturberichte über „Orientalische Liturgie seit dem 4. Jahrhundert" übernommen hatte und dieses Ressort beibehielt; elf Berichte, publiziert zwischen 1931 und 1969, liegen vor und sind immer noch nützlich.[2] Dazu treten immer wieder Aufsätze mit entsprechender Thematik, auch noch eine kritische Textausgabe der syrischen „Anaphora des heiligen Jakobus, des Herrenbruders" innerhalb der römischen Sammlung der „Anaphorae syriacae".[3] Im Ganzen: Mit Recht gilt er als einer der Wissenschaftler, welche die Liturgien der Ostkirchen gut kannten und sich darüber mit Kompetenz zu äußern wussten.

2.2 Liturgie der Kirche von Mailand („Ambrosianische Liturgie")

1929 war ein römischer Studiengenosse des Laacher Abtes Ildefons Herwegen, Ildefons Schuster, seit 1918 Abt der Abtei von Sankt Paul vor den Mauern zu Rom, zum Erzbischof von Mailand ernannt worden. Diesem lag nun daran, die Eigenliturgie seiner Ortskirche von den Quellen her zu erneuern – es ging zunächst um Kalender und Stundengebet –, und der Kardinal erbat für diese liturgiegeschichtliche Forschung bei seinem Studiengenossen die Hilfe der Abtei Maria Laach. Abt Ildefons Herwegen fragte Odilo Heiming, ob er diese Sache verantwortlich übernehmen wolle, wohl wissend, dass dieser damit eine tiefgreifende, das bisherige wissenschaftliche Lebensprogramm ändernde Aufgabe antrat. Odilo Heiming sagte zu, und tatsächlich wurde das Studium der „ambrosianischen Liturgie" eine Aufgabe bis an sein Lebensende. Zunächst be-

---

[1]   Münster 1932 (LQF 26).
[2]   Vgl. im JLw 10. 1930, 323–351; 11. 1931, 297–313; 12. 1932, 362–375; 13. 1933, 331–342; 14. 1934, 418–431; 15. 1935, 440–457; im ALw 1. 1950, 354–396; 3,2. 1954, 367–420; 5,1. 1957, 104–136; 7,1. 1961, 233–266; 11. 1969, 327–344.
[3]   Vgl. Odilo HEIMING, Anaphora syriaca sancti Jacobi fratris Domini. Edidit et vertit Odilo Heiming. Roma 1952 (Asy 2. Fasc. 2), 108–177.

deutete dies, einige Sommer hindurch in Mailand und Umfeld – ungeachtet der regional üblichen Hitze – die Quellen zu suchen, zu bewerten, auf Filmen festzuhalten, zu exzerpieren. Laacher Mitbrüder halfen, hauptsächlich Urbanus Bomm und Burkhard Neunheuser, dann auch Hilarius Emonds, Ambrosius Dohmes und Emmanuel von Severus. „Maria Laach" sah in dem Wunsch des Mailänder Erzbischofs eine Aufgabe, welche die Abtei als Ganze betraf. Nach Maria Laach zurückgekehrt, begann die eigentliche Arbeit, die auch während der Kriegsjahre im Ganzen ungestört weiterging. Aufsätze zur Mailänder Liturgie signalisierten, dass sich hier ein Forschungszentrum auftat. Doch der Tod Kardinal Schusters 1954 und neue Akzentsetzungen in der Kirche von Mailand veränderten das ursprüngliche Konzept, das Brevier und dann die übrigen liturgischen Bücher historisch abgesichert neu zu edieren. Odilo Heiming stellte sich darauf ein und plante, in einem „Corpus Ambrosiano-Liturgicum" die geschichtlichen Quellen dieser einzigartigen Eigenliturgie einer Kirche des Westens neben Rom gesammelt zu edieren. Die neu konzipierte Arbeit konnte allerdings erst richtig angegangen werden, als es mit Hilfe der Deutschen Forschungsgemeinschaft gelang, in der Benediktinerinnenabtei Varensell eine Arbeitsgruppe, ein „Skriptorium", zusammenzustellen, welche unter Leitung Odilo Heimings die technischen und editionsorganisatorischen Dienste übernahm. Die letzte Leiterin des Skriptoriums, Äbtissin Judith Frei, hat über die einzelnen Arbeitsphasen und auch den besonderen Arbeitsstil von Odilo Heiming ausführlich referiert.[4]

Man hatte sich viel vorgenommen, relativ wenig davon erreicht, aber was schließlich vorliegt, bleibt für die weitere Forschung eine unerlässliche Grundlage. Der von Judith Frei tabellarisch aufgelistete Plan des „Corpus" gibt nicht nur eine nützliche Übersicht über die nachgewiesenen Quellen der ambrosianischen Liturgie, sondern zeigt auch, dass von den etwa zehn vorgesehenen Editionen drei Sakramentare herausgebracht wurden. Dazu fand sich im Nachlass von Odilo Heiming noch ein umfangreiches Manuskript über die Heortologie und den Kalender der liturgischen Handschriften, beim Abschluss (wohl 1944) druckfertig, wegen der Zeitverhältnisse aber nicht publizierbar und dann für bessere Zeiten aufgeschoben, jetzt aber erst nach einer (vorgesehenen, aber zeitlich ungewissen) Überarbeitung zum Druck zu bringen. Für den in dieser Liturgie eigenen Psaltertext liegen umfangreiche Vorarbeiten abrufbereit. Odilo Heiming hatte darin viel Arbeit investiert, kam aber nicht zum Abschluss eines druckfertigen Manuskriptes. So blieb ein groß geplantes und mit Schwung begonnenes Unternehmen ein Torso. Aber man kennt das aus der bildenden Kunst: Auch ein Torso kann ein Kunstwerk sein, das heißt hier: Was vorliegt, ist fraglos ein so wertvoller Beitrag zur Liturgiegeschichtsforschung, dass auf lange Zeit auf ihn zurückgegriffen werden muss.

---

[4]   Vgl. Judith FREI, „Corpus Ambrosiano-Liturgicum ... mit Hilfe des Skriptoriums der Benediktinerinnenabtei Varensell untersucht und herausgegeben von Odilo Heiming". Ein Rückblick, in: Ecclesia Lacensis. Beiträge aus Anlaß der Wiederbesiedlung der Abtei Maria Laach durch Benediktiner aus Beuron vor 100 Jahren am 25. November 1892 und der Gründung des Klosters durch Pfalzgraf Heinrich II. von Laach vor 900 Jahren 1093. Hg. v. Emmanuel VON SEVERUS. Münster 1993 (BGAM.S 6), 316–346.

2.3 Römisch-fränkische Liturgie des Frühmittelalters

Im Kontext der Arbeiten an den Quellen der Mailänder Liturgie kam Odilo Heiming auch in unmittelbaren Kontakt mit den römisch-fränkischen Sakramentaren des Frühmittelalters. Nächster Anlass war die Handschrift des sog. „Sacramentarium triplex", ein einzigartiges Dokument früher „vergleichender Liturgiewissenschaft", das namentlich nicht bekannte St. Galler Mönche in den ersten Jahrzehnten des 11. Jahrhunderts geschaffen haben: die euchologischen Traditionen der römischen und mailändischen Kirche an den Tagen des liturgischen Jahres zusammengestellt, nicht zum Gebrauch (erst später wurde die Handschrift für einen einzeln zelebrierenden Priester hergerichtet), sondern als Grundlage von Quellenstudien. Die Edition hatte sich schon früh der Laacher Mönch Kunibert Mohlberg gesichert, kam aber nicht dazu und gab die Sache an Odilo Heiming weiter. Die Bedingung war, zugleich auch die Edition einer in Berlin liegenden Handschrift zu übernehmen, des sog. Sacramentarium Philipps, eines „Gelasianums" des 8. Jahrhunderts, das Odilo Heiming tatsächlich noch als letzte Arbeit seines Lebens 1984 edierte, von ihm nun „Sacramentarium Augustogunensis" benannt, nach der von ihm erschlossenen (und inzwischen weithin anerkannten) Heimat Auxerre.[5] Über einige Nachkriegsjahre hin war diese Handschrift von der Deutschen Staatsbibliothek Berlin auf seine Mönchszelle in Maria Laach ausgeliehen – inzwischen absolut unvorstellbar. Wahrscheinlich fand die Bibliothek das kostbare Buch in Maria Laach sicherer aufgehoben als im sowjetrussisch besetzten (Ost-)Berlin. Nicht nur in der fernen Karolingerzeit hatte Liturgie und deren Wissenschaft es auch einmal mit Politik zu tun. Die beiden Editionen halten im Übrigen die von Kunibert Mohlberg gesetzte Norm der Ausgaben liturgischer Texte; man darf sie perfekt nennen.

2.4 Liturgiegeschichte des Mönchtums

Einen eigenen Akzent setzte Odilo Heiming auch in der Erforschung der Liturgiegeschichte innerhalb des Mönchtums. Einem Aufsatz von 1954, der die Quelle der Liturgie in einer Benediktinerabtei, die Regel Benedikts von Nursia, als Richtschnur gewünschter Reformen durchlas,[6] folgte 1961 eine größere Studie, die zwar aus einem Arbeitskreis Laacher Mönche entstanden war, aber so, wie sie publiziert wurde, mit Recht als Autor Odilo Heiming nennt: das Stundengebet im Mönchtum von „Kassian bis Kolumbanus", über die vier wichtigen Jahrhunderte also von 400 bis gegen 800, eine Publikation, die heute noch zu den Grundschriften der Geschichtsforschung der monastischen Liturgie zählt.[7] Die streng auf die Wortbedeutungen achtende und genaue Lektüre der so schwierig zu deutenden Quellenaussagen gilt als musterhaft.

---

[5]   Vgl. *Liber sacramentorum Augustodunensis*. Hg. v. Odilo Heiming. Turnholt 1984 (CChr. SL 159B).

[6]   Vgl. Odilo Heiming, *Heilige Regel und benediktinische Liturgiereform*, in: LuM 14. 1954, 79–102.

[7]   Vgl. Odilo Heiming, *Zum monastischen Offizium von Kassianus bis Kolumbanus*, in: ALw 7,1. 1961, 89–156.

2.5 Herausgeberschaften für die Abtei Maria Laach

Bei der Abtei Maria Laach lag seit den zwanziger Jahren die Herausgabe der beiden Reihen „Liturgiegeschichtliche Quellen" und „Liturgiegeschichtliche Forschungen", später zusammengelegt und nach dem Zweiten Weltkrieg von dem diesen Tätigkeitsbereich der Abtei zusammenfassenden „Abt-Herwegen-Institut" übernommen. Odilo Heiming fiel die Pflege dieser gut eingeführten Reihe zu. Er setzte sogleich einen thematisch zeitgerechten Akzent: Nicht mehr „liturgiegeschichtlich", sondern „liturgiewissenschaftlich" sollte das Adjektiv fortan lauten, die Öffnung über die Historie hinaus in eine Gegenwart der Liturgie markierend. Er hat in die neu erscheinenden Studien viel Herausgeberarbeit investiert, ebenso auch die zahlreichen Nachdrucke musterhaft betreut, sei es durch Einleitungen, die den Ist-Stand der Wissenschaft referierten, sei es dadurch, dass die Autoren in einem neu beigegebenen Nachtrag die frühere Forschung einordnen, aufbessern oder auch korrigieren konnten. Für etwa 30 Bände dieser angesehenen Reihe trug er die herausgeberische Verantwortung.

2.6 Erneuerung der Kirche aus dem Geist der Liturgie

Nach allem, was bisher über den Liturgiewissenschaftler Odilo Heiming zu sagen war, mag man ihn für einen Stubengelehrten halten, dessen Thematik in einer heute mindestens nicht mehr vordergründigen, wenn nicht gar nicht mehr aktuellen Fragestellung liegt; dies mag ihn gar unter den Verdacht bringen, er habe diese Wissenschaft gleichsam als „l'art pour l'art", als höheren Zeitvertreib, angesehen und sich gar damit zufrieden gegeben. Aber dem ist wirklich nicht so. Die Erneuerung der Kirche aus dem „Geist der Liturgie" war nicht nur das Anliegen des Klosters, dem er mit seiner ganzen Persönlichkeit zugehörte, sondern es führte und prägte auch ihn selbst. Dies wird in der Publikation erkennbar, mittels derer er die Erneuerung der Liturgie der Kirche selbst beeinflusste, zunächst 1951 dargeboten als Vortrag bei einer Tagung des Abt-Herwegen-Instituts und dann in Deutsch und in anderen Sprachen verbreitet wurde: Gedanken zur Kalenderreform.[8] Liest man diese Ausführungen heute, so erscheinen sie wie ein Kommentar zur Reform des liturgischen Kalenders, welchen fast zwei Jahrzehnte später die nach einem unerwarteten Konzil handelnde Reformkommission promulgierte. Odilo Heiming war gewiss nicht der Einzige, der die hier angesprochenen Anliegen und Grundsätze formulierte. Aber er tat dies nach Form und Inhalt so knapp und überzeugend, dass seine Darlegung – nachgewiesenermaßen – wie eine Programmschrift angesehen wurde.

3. Die Persönlichkeit

Der seine persönliche Frömmigkeit sonst eher verbergende Mönch fand in dem eben genannten Vortrag Sätze, die ihn selbst charakterisierten, wie er sein Anliegen formulierte – direkt die Sache nennend und sie konkret illustrierend – und warum sie diese Gestalt gewinnen sollte. Es lohnt, daraus Sätze zu zitieren: „Christi Tod und Auferstehung sind der Kern christlicher Verkündigung, christlichen Lebens, auch christlichen Kultlebens. Und darum ist Ostern das

---

8   Vgl. Odilo HEIMING, *Gedanken zur Kalenderreform*, in: LuM 9. 1951, 34–51.

Fest aller Feste, bis heute [...]. Allerdings sind wir uns ja wohl darüber klar, daß die Einzigartigkeit des heiligen Pascha doch sehr stark aus dem Bewußtsein des abendländischen Menschen geschwunden ist. Jedenfalls kann sich auf die merkwürdigsten Antworten gefaßt machen, wenn man so einen rechten frommen Deutschen nach dem ersten aller Feste fragt. [...] Ob man aber bei uns im Westen oder auch jenseits des Ozeans mit dem Rufe ‚Christus ist auferstanden' eine Gottlosenversammlung sprengen könnte, wie das nach N. von Arseniev einmal in Rußland geschah, das möchte ich sehr bezweifeln; ich möchte es bezweifeln, selbst für den Fall, daß wir den schönen östlichen Ostergruß hätten. Uns wäre wohl die Antwort ‚Er ist wahrhaft auferstanden' in der Kehle stecken geblieben. Hier fehlt wirklich etwas bei uns; und darum kann der erste Wunsch bei jeder Kalenderreform in unserer lieben römisch-katholischen Kirche nur heißen: Geben wir Ostern den ihm gebührenden Platz wieder."[9] Auch wenn von dem Liturgiewissenschaftler Odilo Heiming nur scheinbar alltagsferne Editionen alter Liturgietexte bleiben mögen: Diese Wissenschaft war ihm ein – gewiss: bescheidener – Dienst an der Kirche, geübt als Zeugnis des Glaubens seiner selbst.

Auswahlbibliografie

Emmanuel von Severus – Paula L. Hey, *Piccolo mondo antico – eine kleine alte Welt. Gestalt und Bibliographie eines großen Liturgiewissenschaftlers im 20. Jahrhundert: P. Odilo Kurt Heiming OSB (1898–1988), Mönch von Maria Laach*, in: ALw 31. 1989, 119–151. – Die Bibliografie umfasst 304 Nummern.

Syrische Eniânê und griechische Kanones. Die Hs. Sach. 349 der Staatsbibliothek zu Berlin. Münster 1932 (LQF 26).

Kalendarium Ambrosianum. Eine altmailändische Heortologie [Manuskript, ca. 1945. 656 gez. Bl; Bibliothek der Abtei Maria Laach].

Gedanken zur Kalenderreform, in: LuM 9. 1951, 34–51 (auch: HlD 6. 1952, 29–36; übersetzt ins Französische und Niederländische).

Anaphora syriaca sancti Jacobi fratris Domini. Edidit et vertit Odilo Heiming. Roma 1952 (Asy 2. Fasc. 2]), 108–177 (Nicht in der o.g. Bibliografie!).

Heilige Regel und benediktinische Liturgiereform, in: LuM 14. 1954, 79–102.

Zum monastischen Offizium von Kassianus bis Kolumbanus, in: ALw 7,1. 1961, 89–156 (übersetzt ins Englische) (Nicht in der o.g. Bibliografie!).

Das Sacramentarium triplex. Die Handschrift C 43 der Zentralbibliothek Zürich. 1. Teil: *Text.* Mit Hilfe des Skriptoriums der Benediktinerinnenabtei Varensell untersucht u. hg. v. Odilo Heiming. Münster 1968 (LQF 49 = Corpus Ambrosiano-Liturgicum 1).

Das Corpus Ambrosiano-Liturgicum. Ein Bericht, in: EL 92. 1978, 477–480.[10]

Liber sacramentorum Augustodunensis. Hg. v. Odilo Heiming. Turnholt 1984 (CChr.SL 159B).

---

[9]   Heiming, *Gedanken zur Kalenderreform* (wie Anm. 8) 34f.
[10] Vgl. Frei, *„Corpus Ambrosiano-Liturgicum"* (wie Anm. 4).

John Hennig (1911–1986)

Daniela und Benedikt Kranemann

Kaum in einer anderen Biografie eines Wissenschaftlers, der sich der Liturgie verschrieben hat, dürften die Widerfahrnisse des 20. Jahrhunderts so deutliche Spuren hinterlassen haben, wie dies bei Paul Gottfried Johannes Hennig der Fall ist, der sich später John Hennig nannte.  Behinderung der akademischen Laufbahn nach der Machtergreifung des Nationalsozialismus, Gefährdung nach der Heirat einer jüdischen Ehefrau, Exil in Irland, später Rückkehr auf den Kontinent und Aufbau einer Existenz in der Schweiz haben sein Leben geprägt. Zugleich hat Hennig, und auch hier spielt das Leben in sein wissenschaftliches Werk hinein, früher als andere sich der jüdischen Liturgie zugewandt und sie auch in ihrer Bedeutung für den christlichen Gottesdienst untersucht. Die Beschäftigung mit dem Judentum verstand Hennig als für sich existentiell bedeutsam. Er steht zugleich für eine liturgiewissenschaftliche Forschung, die sich mit Themen befasst hat, welche in der „zünftigen Liturgiewissenschaft" noch nicht wirklich als Aufgabe erkannt wurden, und von hierher den Blick auf Phänomene im Zentrum des Gottesdienstes, seiner Geschichte und Theologie gerichtet hat.

1. Die biografischen Daten[1]

Hennig wurde als eines von fünf Geschwistern am 3. März 1911 in Leipzig und damit im Kernland der Reformation als Sohn von Johanna und Max Hennig geboren. Sein Vater wirkte als Religions- und Hebräischlehrer am König-Albert-Gymnasium, einer Schule, die für ihre ausgezeichnete Pädagogik, aber auch ihre außerschulischen kulturellen Aktivitäten bekannt war. Seine Mutter, geb. Clemen, war ehemals Diakonissin gewesen. Sein Bruder Karl Hennig war, wie der Vater auch, evangelischer Theologe und begegnet später als Pastor in Belgien und im Rheinland.[2] Nachdem John Hennig Ostern 1929 an der Thomasschule zu Leipzig das Abitur abgelegt hatte, studierte er Philosophie, Geschichte, Germanistik, Anglistik und Französisch, zudem evangelische Theologie. Das Studium, das er mit dem Staatsexamen abschloss, führt ihn an die Universitäten Bonn (1929/30), Berlin (Sommersemester 1930) und Leipzig (1930–1932), unter seinen akademischen Lehrern sind Wissenschaftler von Rang wie Ernst Robert Curtius, Erich Rothacker, Theodor Frings, Eduard Spranger und Theodor Litt.

---

[1]   Die folgenden Angaben nach Angelus A. HÄUSSLING, *John Hennigs Beitrag zur Liturgiewissenschaft*, in: ALw 29. 1987, 213–220; Gisela HOLFTER – Hermann RASCHE, *Hennig, Paul Gottfried Johannes*. in: BBKL 30. 2009, 578–582. Die Angaben zum Studium auch nach dem Lebenslauf in der in Anm. 3 genannten Dissertation, hier 159.

[2]   Vgl. Matthias WOLFES, *Karl Hennig*, in: BBKL 17. 2000, 637f.

Seine Dissertation reichte Hennig am 1. März 1933 in Leipzig ein, das Thema lautete: „Lebensbegriff und Lebenskategorie. Studien zur Geschichte und Theorie der geisteswissenschaftlichen Begriffsbildung mit besonderer Berücksichtigung Wilh. Diltheys". Sie wurde im Oktober des Jahres durch die Philosophische Fakultät angenommen.[3] Doktorvater war Theodor Litt.[4] Die politischen Entwicklungen machten eine weitere akademische Karriere unmöglich, zudem Hennig noch im selben Jahr Kläre (später anglisiert zu Claire) Meyer heiratete, die Tochter eines jüdischen Aachener Unternehmers, die er in seiner Bonner Studienzeit kennengelernt hatte. Der Nationalsozialismus sollte dem Ehepaar wie vielen Leidensgenossen bald zur Lebensgefahr werden. Da Hennig nach seiner Heirat weder im Staatsdienst noch in der evangelischen Kirche – eigentlich wollte er Pfarrer werden – eine berufliche Stellung finden konnte, arbeitete er in der Firma seines Schwiegervaters mit, die auf Apparate- und Maschinenbau spezialisiert war. Nebenher war Hennig weiter wissenschaftlich tätig und publizierte auch, eine Reihe von Aufsätzen und Rezensionen entstand. In diese Zeit fällt sein Aufsatz über Karl Jaspers Werk „Vernunft und Existenz",[5] aus dem eine lebenslange Freundschaft mit dem Philosophen erwuchs.

1936 konvertierte Hennig zum Katholizismus, seine Frau folgte ihm in diesem Schritt zwei Jahre später anlässlich der Taufe des zweiten von insgesamt drei Kindern. Schon länger hatte sich Hennig wissenschaftlich, aber auch persönlich mit Glauben und Religion befasst, bereits im Elternhaus war dafür das Fundament gelegt worden.[6]

1939 floh die Familie aus Deutschland, wo der antisemitische Terror ein Verbleiben unmöglich gemacht hatte. Der jüdische Schwiegervater Hennigs war nach der Reichsprogromnacht schweren Repressalien ausgesetzt. Über Belgien und unterstützt von Jesuiten, insbesondere seitens des Jesuiten Heinrich Keller, eines Leipziger Schulkameraden, und des Klosters Valkenburg, emigrierte zunächst Hennig selbst nach Irland. Er nahm in Dublin Quartier, die Familie konnte aus visumsrechtlichen Gründen erst etwas später folgen. Hennig, der die Lebensmöglichkeiten in Irland zuvor schon erkundet hatte, unterrichtete dort am Gymnasium Belvedere College und nahm Lehraufträge am University College in Dublin sowie am Priesterseminar in Maynooth wahr.[7] Er

[3]   Erschienen mit dem Untertitel „Mit einer Dilthey-Bibliographie" Aachen 1934. Die Druckfassung fehlt bei Emmanuel v. SEVERUS, *Bibliographie Dr. phil. Dr. phil h.c. John Hennig*, in: ALw 13. 1971, 141–171. Ebd. 141 wird fälschlich 1932 als Jahr der Promotion angegeben. Zur gesellschaftlich-politischen Atmosphäre des beginnenden „Dritten Reiches", in der die Arbeit entstand und das Promotionsverfahren durchgeführt wurde, vgl. *Exil in Irland. John Hennigs Schriften zu deutsch-irischen Beziehungen*. Hg. v. Gisela HOLFTER – Hermann RASCHE. Trier 2002, 10–12; Gisela HOLFTER – Hermann RASCHE, *„Was ausgewandert sein heißt, erfährt man erst nach Jahrzehnten' – John Hennig im (irischen) Exil*, in: *Fractured Biographies*. Hg. v. Ian WALLACE. Amsterdam – New York 2003 (German Monitor 57), 54–85, hier 57–59.

[4]   Zur Studienzeit Hennigs vgl. John HENNIG, *Die bleibende Statt*. Bremen 1987, 69–92.

[5]   Vgl. John HENNIG, *Das neue Denken und das neue Glauben. Eine Studie zu Karl Jaspers' „Vernunft und Existenz"*, in: ZThK N.F. 17. 1936, 30–52.

[6]   Vgl. HENNIG, *Die bleibende Statt* (wie Anm. 4) 13–44.

[7]   Zur deutschen Kolonie in Irland in diesen Jahren vgl. HOLFTER – RASCHE, *Was ausgewandert sein heißt* (wie Anm. 3) 54–85.

hat in der Zeit in Irland, die in keiner Weise leicht gewesen ist – dass es z.B. in der Gesellschaft Skepsis gegenüber den Emigranten gegeben haben muss, zeigt die Akte, die der irische Geheimdienst über Hennig angelegt hat[8] – und ihn zu immer neuen „Brotberufen" zwang,[9] thematisch sehr breit und an ungezählten Orten publiziert. Irland sowie die kulturellen Beziehungen zwischen Deutschland und Irland beschäftigten ihn in dieser Zeit und führten zu sehr beachteten Publikationen, so dass man ihn als „Vater der deutschen Irlandkunde" bezeichnet hat.[10] In Irland beginnen auch seine liturgiewissenschaftlichen Studien, die unter unvorstellbar primitiven Bedingungen[11] angefertigt werden mussten. Hennig selbst beschreibt dies prosaisch so: „Als ich nach der Flucht weder vorwärts noch nach rückwärts einen Weg sah und mich zu qualvoller Musse in einer kümmerlichen Existenz verurteilt sah, beschloss ich, eine Kuliarbeit anzufangen. Das einzige Buch, das ich mitgenommen hatte, war das Missale. Ich begann ein Wortregister zu den Missalegebeten."[12]

Eine existenzsichernde Unterstützung durch akademische Einrichtungen erfuhr Hennig in diesen Jahren nicht. Die Einbürgerung in Irland erfolgt 1945, 1948 wurde Hennig in die Royal Irish Academy aufgenommen.

Die Wiedergutmachung für das erlittene Unrecht im Nationalsozialismus durch die Bundesrepublik eröffnete Hennig die Chance, in der Firma seines Schwiegervaters, jetzt in Oeflingen, wieder tätig zu werden und auf den Kontinent zurückzukehren. So lebte er seit 1956 in Basel, wo er seine Studien und Publikationstätigkeiten fortführte.[13] Der Kontakt zu Karl Jaspers wurde intensiviert. In dieser Zeit entstand auch ein enger Kontakt zum Abt-Herwegen-Institut in Maria Laach,[14] dessen außerordentliches Mitglied Hennig 1967 wurde. Dieser schlug sich u.a. in vielen Beiträgen im Archiv für Liturgiewissenschaft nieder.[15] 1970 verlieh die Philosophische Fakultät der Universität Basel Hennig die Ehrendoktorwürde.[16] 1971 wurde er in die Schweiz eingebürgert.

Hennig starb am 11. Dezember 1986 in Basel.

---

[8]　Vgl. *Exil in Irland* (wie Anm. 3) 22–26.

[9]　So arbeitete er bei der irischen Elektrizitätsgesellschaft ESB, der staatlichen Torfgewinnungsbehörde, gab Deutschunterricht usw.; vgl. HOLFTER – RASCHE, *Hennig* (wie Anm. 1) 578; HÄUSSLING, *John Hennigs Beitrag* (wie Anm. 1) 214; HOLFTER – RASCHE, *Was ausgewandert sein heißt* (wie Anm. 3) 65–73.

[10]　Vgl. den Sammelband *Exil in Irland* (wie Anm. 3), zu dieser Bezeichnung ebd. 1.

[11]　Vgl. dazu HÄUSSLING, *John Hennigs Beitrag* (wie Anm. 1) 215.

[12]　HENNIG, *Die bleibende Statt* (wie Anm. 4) 177.

[13]　Vgl. *Exil in Irland* (wie Anm. 3) 34: „Er überquerte jeden Tag die schweizerisch-deutsche Grenze, eine Rückkehr nach Deutschland war für die Familie nicht vorstellbar gewesen."

[14]　Zu Programm und Geschichte des Instituts vgl. Werner WEIDENFELD, *Abt-Herwegen-Institut*, in: *Laacher Lesebuch zum Jubiläum der Kirchweihe 1156–2006*. Im Auftrag der Mönche von Maria Laach hg. v. Angelus A. HÄUSSLING – Augustinus SANDER. St. Ottilien 2006, 213–216.

[15]　Vgl. im Register zu *Liturgie verstehen. Ansatz, Ziele und Aufgaben der Liturgiewissenschaft*. Hg. v. Martin KLÖCKENER – Benedikt KRANEMANN – Angelus A. HÄUSSLING. Fribourg 2008 (= ALw 50. 2008), 410f.

[16]　Vgl. *Exil in Irland* (wie Anm. 3) 35.

2. Das „liturgiekundliche"[17] Werk Hennigs im Überblick

Hennig hat sich zu unterschiedlichen Phänomenen der Liturgiegeschichte
wie auch zu Fragen, die die Gegenwart des Gottesdienstes betrafen, geäußert.
Texte standen mehr im Vordergrund als Handlungen.[18] Seine Biografie ist
dabei immer präsent, gleich ob es um die alttestamentlichen Heiligen in der
christlichen Liturgie, um – im weitesten Sinne – das Verhältnis von Judentum
und Christentum im Lichte der Liturgie, um Kalender und Martyrologium,
um Segnungen und Frömmigkeit – beides ist ihm aus seinem irischen Exil
sehr vertraut gewesen[19] – oder um Spuren des irischen Christentums im Gottesdienst der Kirche geht. Ein Sammelband mit seinen liturgiewissenschaftlich
interessierten Aufsätze, die allein schon weit über 100 Beiträge enthält, sicherlich ergänzt werden könnte und dabei noch die vielen anderen Themenfelder,
die Hennig publizistisch bearbeitet hat, ausblendet, stellt seine Aufsätze in
folgenden Kapiteln zusammen: „Zugang zur Liturgie" – entsprechende Studi-
en gelten ebenso dem Liturgiebegriff,[20] dem Verstehen im Gottesdienst[21] wie
dem Geschichtsverständnis der Liturgie[22] –, „Liturgie und die Menschen",[23]
„Segnung und Wirklichkeit", „Frömmigkeit und Ritus", „Namen – Worte – For-

[17]　Der Begriff wird von John Hennig selbst verwendet. An anderer Stelle schreibt Hen-
　　　nig über den Begriff „Kunde" (es geht um den Begriff „Irlandkunde"), „daß ,Kunde',
　　　im Unterschied zu ,Wissenschaft', mehr auf Heuristik und Hermeneutik als auf Sys-
　　　tematik und Kritik beruht" (DERS., Irlandkunde in der festländischen Tradition irischer Hei-
　　　liger, in: Die Iren und Europa im frühen Mittelalter. Hg. v. Heinz LÖWE. Stuttgart 1982,
　　　Bd. 1, 686–696, hier 686; auch in HENNIG, Die bleibende Statt (wie Anm. 4) 177, taucht
　　　der Begriff in der Überschrift auf. Vgl. dazu auch HÄUSSLING, John Hennigs Beitrag (wie
　　　Anm. 1) 216.

[18]　Vgl. HENNIG, Die bleibende Statt (wie Anm. 4) 177.

[19]　Vgl. HENNIG, Die bleibende Statt (wie Anm. 4) 179: „In den Segnungen entwickelte sich
　　　mein Verständnis des Begriffs ,Wirklichkeit' in der Liturgie weiter. Hier fand ich die
　　　stärkste Bestätigung meines Bemühens, das äusserer und innerer Wirklichkeit Ge-
　　　meinsame aufzuspüren, das ich in meiner Dissertation auf Natur- und Geisteswis-
　　　senschaften beschränkt hatte. Die Segnungen, die Liturgie überhaupt, nehmen die
　　　jeweilige äußere Wirklichkeit ganz ernst [...], aber indem sie dies tun, zeigen sie,
　　　wie in dem Gebrauch der Dinge durch den Menschen erstere zu ihrer übernatürli-
　　　chen Bestimmung in der Schöpfungsordnung geführt werden." Reinhard MESSNER,
　　　Sakramentalien, in: TRE 29. 1998, 648–663, hier 658, bescheinigt Hennig, einer der
　　　wenigen zu sein, die sich in jüngerer Zeit seriös mit dem Thema „Benediktionen" be-
　　　schäftigt hätten.

[20]　Vgl. John HENNIG, Liturgie – was ist das eigentlich?, in: Mariastein 23. 1977. 242–246
　　　(auch in John HENNIG, Liturgie gestern und heute. 2 Bde. Maria Laach 1989, 26–30).

[21]　Vgl. John HENNIG, Zur Verständlichkeit der Liturgie, in: HlD 24. 1970, 104–112 (auch in
　　　HENNIG, Liturgie gestern und heute [wie Anm. 20] 40–48).

[22]　Vgl. John HENNIG, Der Geschichtsbegriff der Liturgie, in: Schweizer Rundschau 49. 1949,
　　　81–88 (auch in HENNIG, Liturgie gestern und heute [wie Anm. 20] 49–56).

[23]　Darunter sind einige Beiträge, deren Themen heute anders angegangen würden,
　　　deren Fragestellungen z.T. aber ihrer Zeit voraus waren, so John HENNIG, Mann und
　　　Frau in der Liturgie, in: LJ 14. 1964, 238–250 (auch in HENNIG, Liturgie gestern und heute
　　　[wie Anm. 20] 260–272); DERS., „Laie", „mündig", „Volk", in: Muttersprache 79. 1969,
　　　142–150 (auch in HENNIG, Liturgie gestern und heute [wie Anm. 20] 286–294); DERS., Zur
　　　Stellung der Laien in der Liturgie, in: HlD 25. 1971, 37–40 (auch in HENNIG, Liturgie ges-
　　　tern und heute. [wie Anm. 20] 281–284); ebd. 37 beklagt Hennig, dass eine umfassen-

meln", „Das Martyrologium", „Liturgischer Gesang", „Liturgie und Judentum",
wofür besonders viele Aufsätze nachgewiesen werden, sowie „Liturgie und Irland". In der Fülle der behandelten Themen, aber auch im Zuschnitt des einzelnen Aufsatzes wird deutlich, ein wie breit gebildeter Autor hier schreibt.
Philosophie, Geschichte, Musik, Literatur und natürlich die Theologie werden
von ihm immer wieder herangezogen, ein häufig breiter Quellenfundus und
sehr genaue Analysen und Interpretationen für historische wie gegenwärtige
Phänomene waren Hennig möglich.

Seine Arbeiten bewegen sich, wie man heute sagen kann, auf der Grenze
zwischen Theologie und Kulturwissenschaften und eröffnen von hierher unge-
wohnte, aber hilfreiche Perspektiven auf die Liturgie. So beschäftigte Hennig
sich mit dem Wert von Wiederholungen für die Liturgie, dies 1970 inmitten
des Prozesses der Liturgiereform, in dem ganz anderes traktiert wurde. Bezeichnend für seinen Arbeitsstil ist, dass Hennig mit Parallelen zwischen Musik
und Liturgie arbeitete. Skepsis zeigte er hier wie andernorts gegenüber einem,
wie er es sah, vorrangig pastoralen-pädagogischen Verständnis des Gottesdienstes. Unter anderem anhand des Sanctus deutete er Wiederholung als Zeichen
für die Konzentration der Anbetung wie für ein bestimmtes Gottesverhältnis,
das durch das Versagen menschlicher Sprache angesichts Gottes gekennzeichnet ist, betonte aber auch den Wert, den die Wiederholung für Geist und Gemüt besitze.[24]

Eine andere Studie wandte sich der Übersetzung liturgischer Texte zu, berücksichtigte die Geschichte der Übersetzung liturgischer Texte in anderen
Kirchen, aber auch Erkenntnisse aus literatur- und übersetzungswissenschaft-
licher Forschung und Praxis. Mit solchen Arbeiten begleitete Hennig den
Prozess der Liturgiereform, und dies durchaus in kritischer Absicht. Man erlebt ihn dabei als einen Kulturkritiker, der aus einem weiten geistes- und kulturgeschichtlichen Horizont auf Gefährdungen der Kultur des Gottesdienstes
aufmerksam machte und dabei theologische Fragen immer auch im Blick hatte. So äußerte sich Hennig kritisch zur „Vernakularisierung der Liturgie" und
zur nachkonziliaren Übersetzungspraxis, insbesondere zu einer Tendenz zum
Funktionalen und vordergründig Verständlichen. Denn: „Liturgische Texte
sind Sachtexte. Als solche bestätigen sie nicht das, was wir schon an sich sind,
sondern wollen gerade uns Fremdes mitteilen. Ihre Würde beruht in ihrem
Gegenstand, der nicht auf primitivste Verständlichkeit, Anpassung an eine wi-
derwillige Zeit oder eine geographisch begrenzte Bewußtseinsform reduziert
werden kann. Versteht man das Wort *fidelis* in dem Sinne, den das Wort in diesem Bereich haben sollte, so müßte man heute eher fordern *translatio fidelis non
mere pastoralis*."[25]

de Untersuchung der Rolle von Laien in der Liturgie fehle; daran hat sich leider in
drei Jahrzehnten nichts geändert.

[24] Vgl. John HENNIG, *Die Rolle der Wiederholung in der Liturgie*, in: MS(D) 90. 1970,
251-254 (auch in HENNIG, *Liturgie gestern und heute* [wie Anm. 20] 175-178), hier
252-254.

[25] John HENNIG, *Das Übersetzen liturgischer Texte im Lichte der Literaturwissenschaft*, in: Lite-
raturwissenschaftliches Jahrbuch N.F. 13. 1972, 359-375 (auch in HENNIG, *Liturgie gestern und heute* [wie Anm. 20] 157-173), hier 369f.

In ähnlicher Weise kritisierte Hennig auch andere Schritte der Liturgiereform, womit er auf Missstände oder das, was er als solche empfand, reagierte,
sich aber auch grundsätzlich kritisch zur Reform und in Ansätzen auch zur
Liturgiekonstitution äußerte.[26] Entscheidend für eine Liturgiereform waren
für ihn der Kompromiss zwischen verschiedenen Positionen, Treue zur liturgischen Ordnung und das Bemühen um das Wesentliche. Vorbild war ihm dabei
das Book of Common Prayer und die anglikanische Kirche des 17. Jahrhunderts.[27]

3. Studien zur jüdischen Liturgie und ihrer Bedeutung für das Christentum
Es sind die bereits geschilderten Lebensumstände und existentiellen Erfahrungen gewesen, die Hennig zu einer intensiven Auseinandersetzung mit der
Liturgie des Judentums, ihrer Bedeutung für das Christentum und mit den
wechselseitigen Beziehungen zwischen beiden Religionen und ihren Liturgien
geführt haben. So ist ein sehr vielfältiges Oeuvre über Liturgie und Judentum
entstanden, das bereits in eine Zeit datiert, in der es noch kaum im Blick von
kirchlicher Öffentlichkeit und Theologie, schon gar nicht im Zentrum entsprechender Diskussionen stand.[28] Erwähnt werden müssen die thematisch einschlägigen Literaturberichte im Archiv für Liturgiewissenschaft, die seit 1969
mehrfach erschienen sind.[29] Die zahllosen Aufsätze behandeln grundlegende
Fragen wie die Stellung der Juden in der Liturgie, katholische Liturgiereform
und Judentum, Christen im Gespräch mit Juden.[30] Es ging Hennig aber auch
um die Rezeption einzelner Themen und Figuren des AT und des Judentums
in der Liturgie, wenn er beispielsweise fragte, wie Abraham, David oder die
Jünglinge im Feuerofen in der christlichen Liturgie vorkommen oder jüdische
Riten in den Blick geraten wie etwa die Beschneidung Jesu.[31] Daneben behandelte er fundamentale theologische Themen wie Gottesmord, Wahrheit, Hei-

---

[26] Vgl. z.B. HENNIG, *Die Rolle der Wiederholung* (wie Anm. 24) 252 zu SC 34.

[27] Vgl. John HENNIG, *Grundzüge der Liturgiereform nach den Vorreden des Missale Romanum
      und des Book of Common Prayer*, in: LJ 21. 1971, 177–185 (auch in HENNIG, *Liturgie ges-
      tern und heute* [wie Anm. 20] 191–199), hier 184f.

[28] Vgl. Daniela KRANEMANN, *Israelitica dignitas? Studien zur Israeltheologie Eucharistischer
      Hochgebete.* Altenberge 2001 (MThA 66), 17.

[29] Vgl. John HENNIG, *Die Liturgie und das Judentum*, in: ALw 11. 1969, 425–446. Insgesamt
      erschienen 12 Berichte; vgl. die Nachweise im Register zu *Liturgie verstehen* (wie Anm.
      15) 411.

[30] Vgl. John HENNIG, *Christen im Gespräch mit Juden*, in: Christlich-jüdisches Forum Nr.
      38. 1966, 5–22 (auch in HENNIG, *Liturgie gestern und heute* [wie Anm. 20] 751–758);
      DERS., *Zur Stellung der Juden in der Liturgie*, in: LJ 10. 1960, 129–140 (auch in HENNIG,
      Liturgie gestern und heute [wie Anm. 20] 891–902); DERS., *Die katholische Liturgiereform
      und das Judentum*, in: ZRGG 24. 1972, 193–208 (auch in HENNIG, *Liturgie gestern und
      heute* [wie Anm. 20] 913–928).

[31] Vgl. John HENNIG, *Zur Stellung Abrahams in der Liturgie*, in: ALw 9,2. 1966, 349–366
      (auch in HENNIG, *Liturgie gestern und heute* [wie Anm. 20] 979–996); DERS., *Zur Stellung
      Davids in der Liturgie*, in: ALw 10,1. 1967, 157–164 (auch in HENNIG, *Liturgie gestern und
      heute* [wie Anm. 20] 997–1004); DERS., *Zur liturgischen Tradition der Jünglinge im Feuer-
      ofen*, in: HlD 22. 1968, 151–156 (auch in HENNIG, *Liturgie gestern und heute* [wie Anm.
      20] 1005–1010); DERS., *Die Beschneidung Jesu*, in: Christlich-jüdisches Forum Nr. 33,
      1964, 23–26 (auch in HENNIG, *Liturgie gestern und heute* [wie Anm. 20] 877–880).

ligung der Welt, Heilsgeschichte, Gesetz und Freiheit.[32] Neben dem Interesse
an Geschichte und Theologie der jeweiligen Liturgie bewegte Hennig immer
wieder ganz grundsätzlich die Geschichte von Juden und Christen. So verlangte er, dass auch die letzten Reste von Judenhass in der Kirche aufgespürt werden und die jüngste Geschichte den Anstoß gebe zur Besserung und Umkehr.
Diese Forderung untermauerte er u.a. dadurch, dass er auf eine immer noch
belastete Sprache der Verkündigung hinwies.[33] Er beklagte die Differenz, die
zwischen der Theorie des gemeinsamen Erbes und der entsprechenden Praxis
bestehe, betrachtete aber die Liturgie zugleich als das Geschehen, an dem bereits alle wesentlichen Fragen des Konzils sichtbar werden.[34] Er begriff die Liturgie als Möglichkeit, ein Zeichen für die Welt zu setzen: „In dem gemeinsamen
Zugeständnis, dass sie einer Tradition verpflichtet sind, deren Wahrheitsbegriff
die in dem Sch'mah-Gebet ausgesprochenen Qualitäten hat, könnten Christen
und Juden heute der Welt ein Beispiel geben, wie eins der bewegendsten Probleme unserer Zeit wenn nicht gelöst so doch wenigstens in gegenseitiger Achtung ertragen werden kann."[35]

Hennig bemängelte wiederholt, dass das AT und das Judentum in der Liturgie nicht hinreichend gewürdigt und etwa die Chancen der nachkonziliaren Leseordnung, was alttestamentliche Perikopen betrifft, zu wenig genutzt
werden.[36] Wiederholt hat er sich mit der problembeladenen Geschichte der
Karfreitagsfürbitte für die Juden auseinandergesetzt. Er hat die Veränderung
des Gebetstextes begrüßt, aber ebenso klar formuliert, dass „die historische
Verantwortung des mehr als tausend Jahre lang gebrauchten früheren Gebetes
bleibt"[37]. Das Verhältnis zum Judentum rührt in seiner Wahrnehmung an die
Fundamente des Christentums. Wenn die Kirche nicht zu einem neuen Bild
des Judentums finde, so müsse man von einer Krise sprechen, „gegen die Rationalismus, Liberalismus und Existentialismus als sehr schwache Vorläufer
erscheinen"[38]. Zu diesem neuen Bild gehörte für ihn ein verändertes Verhältnis
zur Stellung der Juden in der Liturgie und in der Konsequenz eine veränderte

---

[32] Vgl. John HENNIG, *Gottesmord*, in: Christlich-jüdisches Forum Nr. 37, 1966, 12–15
(auch in HENNIG, *Liturgie gestern und heute* [wie Anm. 20] 780–783); DERS., *Wie ist Wahrheit?*, in: Christlich-jüdisches Forum Nr. 44, 1972, 37–41 (auch in HENNIG, *Liturgie gestern und heute* [wie Anm. 20] 801–805); DERS., *Die Heiligung der Welt im Judentum und
Christentum*, in: ALw 10,2. 1968, 355–374 (auch in HENNIG, *Liturgie gestern und heute*
[wie Anm. 20] 807–826); DERS., *Zum Begriff ,Heilsgeschichte'*, in: Christlich-jüdisches
Forum Nr. 34, 1964, 22–26 (auch in HENNIG, *Liturgie gestern und heute* [wie Anm. 20]
866–870); DERS., *Gesetz und Freiheit*, in: Christlich-jüdisches Forum Nr. 42, 1970, 40–43
(auch in HENNIG, *Liturgie gestern und heute* [wie Anm. 20] 872–875).
[33] Vgl. HENNIG, *Christen im Gespräch mit Juden* (wie Anm. 30) 17.
[34] Vgl. HENNIG, *Die katholische Liturgiereform* (wie Anm. 30) 203.
[35] HENNIG, *Wie ist Wahrheit?* (wie Anm. 32) 41.
[36] Vgl. HENNIG, *Die katholische Liturgiereform* (wie Anm. 30) 202f.
[37] John HENNIG, *Die Verstocktheit der Juden*, in: Christlich-jüdisches Forum Nr. 35, 1965,
18–24, hier 21, Anm. 1 (auch in HENNIG, *Liturgie gestern und heute* [wie Anm. 20]
760–766).
[38] HENNIG, *Die Verstocktheit der Juden* (wie Anm. 37) 23.

Einstellung der Christen zu den Juden. Dabei war für ihn die Performanz der Liturgie wichtiger, die nicht primär Lehre, sondern vor allem Tun ist.[39] Auch auf diesem Feld begegnet die kleinteilige Begriffsanalyse, die auch andere Studien Hennigs auszeichnet. Kultur- und Liturgiegeschichte, theologische Analyse und Einbeziehung der Zeitgeschichte ergänzen sich. Die Arbeiten über Abraham und David zeichnen sich durch ihren Materialreichtum aus, ein Beitrag über alttestamentliche Personennamen in der Liturgie stellt einen Katalog zusammen, mit dem kaum weitergearbeitet worden ist, vergleichbare Projekte sucht man leider andernorts vergeblich.

Hennig hat der katholischen Kirche und Theologie kritische Fragen nicht erspart. Auch in der nachkonziliar erneuerten Liturgie sah er sowohl in den liturgischen Büchern als auch in der Praxis erhebliche Defizite. Seine Kritik gilt einzelnen Texten – so vermisste er den Israelbezug in den neuen eucharistischen Hochgebeten[40] – wie weiterreichenderen theologischen Themen – er kritisierte, dass die Kirche als „Volk Gottes" beschrieben wird und fragte, ob es dann zwei Völker Gottes gebe[41]. Man wird nicht allein auf seine Lebensgeschichte schauen dürfen, wenn man nach den ihn leitenden Motiven fragt. Hennig ging es um zentrale theologische Fragen, er sah die Kirche an den Bund Gottes mit Israel unlösbar zurückgebunden. Die Liturgie war für ihn der Ort, an dem dies vorrangig zum Ausdruck kommt.[42] Judentum meinte für ihn keine vergangene Größe, sondern eine lebendige Gegenwart. Seine Kritik an Verkündigung und Liturgie lautete immer wieder neu, dass der Verbindung mit dem Judentum in concreto zu wenig Platz gegeben werde. Jenseits problematischer Typologien lehnte Hennig es ab, dass die Kirche auf Israel lediglich hingewiesen sei; er sprach vom Angewiesensein.[43] So vielfältig also die Perspektiven sind, mit denen sich Hennig seinen Forschungsobjekten näherte, so sehr ging es ihm im Letzten immer um theologische Fragen.[44]

Die liturgiewissenschaftliche Forschung zum Verhältnis von jüdischer und christlicher Liturgie hat sich weiterentwickelt und steht heute vor neuen Fragen.[45] Doch die Arbeiten von John Hennig, die Materialsammlungen und Erkenntnisse, vor allem aber sein theologischer Zugang bleiben.

---

[39]   Vgl. HENNIG, *Zur Stellung der Juden in der Liturgie* (wie Anm. 30) 132, 140.

[40]   Vgl. HENNIG, *Die katholische Liturgiereform* (wie Anm. 30) 202f.

[41]   Vgl. John HENNIG, *Der ältere Bruder und der jüngere Bruder*, in: Christlich-jüdisches Forum Nr. 40, 1968, 36–39, hier 36 (auch in HENNIG, *Liturgie gestern und heute* [wie Anm. 20] 1012–1015).

[42]   John HENNIG, *Liturgiereform und Alter Bund*, in: *Jahresgabe des Vereins der Förderer und Freunde des Abt-Herwegen-Institutes.* Maria Laach 1976, 4–15 (auch in HENNIG, *Liturgie gestern und heute* [wie Anm. 20] 930–941), hier 5: „Liturgie muß über große Bereiche in Raum und Zeit gültig sein und die Last der Autorität tragen. Liturgie in diesem Sinne erreicht auch heute noch in Breite, Länge und wohl auch Tiefe Dimensionen wie keine andere Gattung religiöser Sprache oder Literatur."

[43]   Vgl. HENNIG, *Zur Stellung Abrahams in der Liturgie* (wie Anm. 31) 366.

[44]   Vgl. dazu KRANEMANN, *Israelitica dignitas* (wie Anm. 28) 17–21; ebd. 21f wird von einem liturgietheologischen Ansatz Hennigs gesprochen, was sich nach Ausweis der Quellen auch nahelegt.

[45]   Einen Einblick bietet Gerard ROUWHORST, *Christlicher Gottesdienst und der Gottesdienst Israels. Forschungsgeschichte, historische Interaktionen, Theologie*, in: Karl-Heinrich BIERITZ

Auswahlbibliografie

Aus dem umfangreichen Werk – die Bibliografie Hennigs umfasst an die 1000 Einträge –[46] können hier nur wenige Titel genannt werden. Eine Autobiografie John Hennigs wurde in seinem Nachlass entdeckt und als Privatdruck veröffentlicht: *Die bleibende Statt.* Bremen 1987.

Emmanuel v. SEVERUS, *Bibliographie Dr. phil. Dr. phil h.c. John Hennig*, in: ALw 13. 1971, 141–171.
Emmanuel v. SEVERUS, *Rückwärts schauen und vorwärts blicken. Zur Bibliographie Dr. phil. Dr. phil. h.c. John Hennig*, in: ALw 19. 1978, 98–105.

Mehrere Sammelbände erleichtern den Einblick in das Werk Hennigs:

Exil in Irland. John Hennigs Schriften zu deutsch-irischen Beziehungen. Hg. v. Gisela HOLFTER – Hermann RASCHE. Trier 2002.
Liturgie gestern und heute. 2 Bde. Maria Laach 1989 (Reproduktionen einschlägiger Aufsätze aus Zeitschriften und Sammelwerken).
Literatur und Existenz – ausgewählte Aufsätze. Heidelberg 1980.

[u.a.], *Theologie des Gottesdienstes: Gottesdienst im Leben der Christen. Christliche und jüdische Liturgie.* Regensburg 2008 (GdK 2.2) 491–572. Leider wurden die Arbeiten von Hennig hier nicht berücksichtigt.

[46] Vgl. HOLFTER – RASCHE, *Hennig* (wie Anm. 1) 582.

476

Erich Hertzsch (1902–1995)

Karl-Heinrich Bieritz

1. Die Wurzeln

„Ein gemeinsames Abendlied gehörte zum Tagesablauf: An den Betten nur bei den ganz kleinen Kindern, bald dann am Flügel ein gemeinsames Abendlied mit einem Vaterunser, das schon – wie später im weit verbreiteten ‚Evangelischen Brevier' meines Vaters – über die Woche verteilt war: jeden Tag eine Bitte und dazu jeweils die Vaterunser-Strophe aus dem Lutherlied und zuletzt ‚denn dein ist das Reich', also die Doxologie, gemeinsam gesungen."[1]

„Das ‚Evangelische Brevier' ist in den ersten Nachkriegsjahren in der Lutherstadt Eisenach entstanden. Seine Anfänge reichen zurück bis in die letzten Jahre der Hitler-Tyrannei und des Krieges. Damals suchten viele im Pfarrhaus am Ehrensteig Trost, Zuspruch und Schutz. Sie alle nahmen an der täglichen Vesper teil, die sich aus dem Abendlied der Familie entwickelt hatte. Die Bedrängnisse der Zeit bestimmten die Auswahl der gesungenen, gesprochenen, gebeteten Texte."[2]

Die Liebe zur Liturgie – und dann auch, wenn die Umstände sich so fügen, die Liebe zur Liturgik, also zur Wissenschaft, die sich mit den Dingen der Liturgie befasst – kann an sehr unterschiedlichen Quellorten ihren Ursprung nehmen. Bei dem einen oder der anderen mag *historisches*, auch *kulturhistorisches Interesse* den Ausgangspunkt bilden: Mit den Dingen der Liturgie von Kind an vertraut – oder, im konträren Fall, damit in späterem Alter als einem gänzlich fremden, befremdenden Phänomen konfrontiert –, möchte einer dem Geheimnis auf die Spur kommen, das diese Dinge umgibt, möchte die Regeln entschlüsseln, die ihnen zugrunde liegen, möchte ihr Werden und damit ihr Sosein begreifen. Für einen anderen mag ein primär *ästhetisches Interesse* den Anstoß geben: Auch der Genuss, den diese Dinge ohne Zweifel zu bereiten vermögen, kann als ein mächtiges Motiv wirken, sich mit ihnen wissenschaftlich zu befassen. Bei Erich Hertzsch jedoch – darin bin ich mir ganz sicher – steht am Anfang seiner Beschäftigung mit den Dingen der Liturgie und der Liturgik ein genuin *spirituelles*, also *geistliches Interesse*. Solch spirituelles Interesse wiederum gründet und kreist nicht selbstbezüglich in und um sich selbst – dann wäre es ja nur eine Spielart des ästhetischen Zugangs, Ausdruck einer Erlebnisfrömmigkeit, die sich selbst genügt und genießt. Nein: Bei Hertzsch wurzelt solches Interesse in Erfahrungen, die unmittelbar etwas mit *dem Leben*, präziser noch: *dem Überleben in schwieriger Zeit* zu tun haben. Wenn er sich den Dingen der Liturgie und der Liturgik zuwendet, dann aus dem erfahrungsgesättigten Wissen heraus, dass es

---

[1]   Klaus-Peter HERTZSCH, *Sag meinen Kindern, dass sie weiterziehn. Erinnerungen.* Stuttgart ²2002, 22.

[2]   *Evangelisches Brevier.* Zusammengestellt von Erich HERTZSCH. Berlin – Hamburg ⁴1987, 219.

sich hierbei um etwas handelt, das für den Einzelnen wie für die Kirche – und letztlich für das Zusammenleben der Menschen in unserem Kulturkreis überhaupt – von überlebensnotwendiger Bedeutung ist. „Expertus scio", würde er dazu sagen. „Das weiß ich aus eigener Erfahrung."[3]

Ein zweiter Aspekt kommt hinzu: Die Liebe zur Liturgie – und dann auch zur Liturgik – hat ihre eigene Topografie. Das heißt: Sie verweist auf unterschiedliche biografische und kulturelle Orte, an denen sie ihren Ausgang nimmt und die sie bleibend bestimmen. Begegnungen mit prägenden geistlichen Persönlichkeiten können da eine bedeutsame Rolle spielen, Begegnungen mit geprägten Orten, mit Kommunitäten, mit liturgisch lebendigen Gemeinden, vielleicht auch – im protestantischen Bereich gar nicht so selten – Begegnungen mit fremden Gottesdienstkulturen. Bei Erich Hertzsch – das lassen alle Zeugnisse vermuten – ist dieser Ort das *Haus* – das *Haus* als eine soziale, kulturelle, geistliche Größe, keineswegs begrenzt auf die Familie im engeren Sinn, sondern unter Einschluss aller, die darin auf Zeit oder Dauer ihren Aufenthalt nehmen.[4] Hier hat, so scheint es, seine Beschäftigung mit den Dingen der Liturgie und der Liturgik ihre spirituellen Wurzeln. Hier hat sie ihre kulturelle Basis. Hier gewinnt sie den ihr eigenen bildungstheoretischen Impetus. Hier empfängt sie auch ihre spezifische konfessionelle Prägung:[5] Wer Erich Hertzsch als Liturgiker verstehen will, muss zuvor in sein *Haus* einkehren, mit ihm Luthers Vaterunserlied singen und den Kleinen Katechismus beten.[6]

---

[3]   *Evangelisches Brevier* (wie Anm. 2) 219. Vermutlich würde er auch dem Dictum von Manfred JOSUTTIS, *Die erneuerte Agende und die agendarische Erneuerung,* in: PTh 80. 1991, 504–516, hier 511, zustimmen: „Ein Gottesdienst, der nicht mehr den Anspruch erhebt, sein Vollzug sei in Inhalt und Form lebensnotwendig, muß nicht mehr vollzogen werden."

[4]   Vgl. dazu Karl-Heinrich BIERITZ – Christoph KÄHLER, *Haus III,* in: TRE 14. 1985, 478–492.

[5]   Vgl. BIERITZ – KÄHLER, *Haus* (wie Anm. 4) 487: Die besonders von der lutherischen Reformation geförderte *oeconomia christiana* zielte auf die „Nachbildung der kirchlichen Gemeinschaft in der häuslichen" (Werner ELERT, *Morphologie des Luthertums,* Bd. II: *Soziallehren und Sozialwirkungen des Luthertums.* München 1932 [Neudr. 1958, ³1965], 94): Ekklesiale Funktionen wurden ausdrücklich in den Gesamtzusammenhang der häuslichen Verhältnisse integriert; Vater und Mutter hatten als „Hauß-Bischöffe", „Hauß-Prediger" die Pflicht, ihre Hausangehörigen morgens, mittags und abends zu versammeln, mit ihnen zu beten und sie im Katechismus zu unterweisen. Bei manchen Autoren ist von einer „Hauß-Kirche" (mit Gesang, Schriftlesung, Gebet und Segen) die Rede, die vom Hausvater bzw. der Hausmutter gehalten wird.

[6]   Vgl. auch: *Biblisches Brevier.* Zusammengestellt von Erich HERTZSCH, mit einem Vorwort von Klaus-Peter HERTZSCH. Leipzig 2001 (5., bearb. Aufl. des *Evangelischen Breviers* [wie Anm. 2]) 12, wo die Entstehung des Breviers aus Formen der häuslichen Andacht detailliert geschildert wird: „Ich selbst erinnere mich, wie dieses Brevier aus frühen Anfängen langsam herausgewachsen ist: Zunächst war da unser gemeinsames Abendlied im Eisenacher Pfarrhaus, bei dem die sieben Bitten des Vaterunsers, auf die sieben Tage der Woche verteilt und mit Luthers jeweiliger Gebetsstrophe verbunden, unserem Abendgebet das Gepräge gaben. Dann kamen die sieben einprägsamen Bildworte Jesu hinzu, die immer mit den Worten ‚Ich bin' beginnen und die sich ebenfalls auf die sieben Wochentage verteilten. Dies war dann das Grundgerüst nicht nur für das Abend-, sondern auch für ein Morgen- und ein Mittagsgebet, das meine Eltern miteinander zu halten begannen, miteinander und mit allen, die ge-

2. Zeiten, Orte, Wege

Erich Hertzsch wurde am 31. März 1902 in Unterbodnitz geboren. Sein Vater, Pfarrer in Uhlstädt, zwischen Kahla und Rudolstadt im Saaletal gelegen, war „Wagnerianer", wie Klaus-Peter Hertzsch als Enkel zu berichten weiß: „theologisch konservativ, kaisertreu, skeptisch gegen alle linken Parteien". Und er fährt fort: „So ist mein Vater auch aufgewachsen."[7] Zum Studium ging Hertzsch nach Tübingen, wo er einer schlagenden Verbindung beitrat. In diesem Milieu lernte er auch seine spätere Frau kennen, Tochter einer norwegischen Pianistin und eines preußischen Oberregierungsrates. Als während der Inflation der Vater das Studium nicht länger finanzieren konnte – er starb 1923 an Tuberkulose –, musste Hertzsch sich seinen Lebensunterhalt selber verdienen. Er arbeitete während der Semesterferien unter Tage in einem Bergwerk im Ruhrgebiet. Hier kam es zu einer für ihn entscheidenden Lebenswende, zu einem „Schlüssel- und Wendeerlebnis", wie Klaus-Peter Hertzsch erzählt: „Ihr habt uns völlig vergessen", sagten die Untertagearbeiter zu ihm. „Für euch da oben, Geldbesitzer und Kirchenleute, sind wir abgeschrieben. Das sind zwei verschiedene Welten. Du gehst wieder hoch ans Tageslicht und erzählst dort wieder deine Geschichten und bist mit deinen frommen Leuten zusammen. Und wir arbeiten hier unten weiter in dieser Hölle und wissen nicht, wie wir unsere Kinder satt kriegen und was wir ihnen anziehen sollen."[8]

Erich Hertzsch quittierte seine Mitgliedschaft in der studentischen Verbindung, wechselte von Tübingen nach Jena und trat dem Bund Religiöser Sozialisten, später auch der SPD bei. Nach dem Studium war er zunächst Pfarrer im ostthüringischen Hartroda, danach in Bucha bei Jena. Hier konnte er eine von dem Jenaer Kirchenhistoriker Karl Heussi betreute Doktorarbeit über Karlstadt mit der Promotion abschließen.[9] Pläne, die auf eine weitere akademische Laufbahn zielten, zerschlugen sich, als in Thüringen bereits 1932 die NSDAP an die Regierung kam. Noch zuvor war Hertzsch 1931 als Nachfolger von Emil Fuchs[10] auf eine Pfarrstelle in Eisenach-West – einem Arbeiterbezirk – berufen worden. Schon bald musste er sich hier öffentliche Anfeindungen gefallen lassen.[11]

---

rade bei ihnen im Hause waren. Lieder, Psalmen und Gebete kamen hinzu, Schriftlesungen und Kernstücke aus Luthers Kleinem Katechismus, die er selber, wie er berichtet, mit seinen Kindern täglich gebetet hat."

[7] HERTZSCH, Sag meinen Kindern (wie Anm. 1) 30f.

[8] HERTZSCH, Sag meinen Kindern (wie Anm. 1) 31.

[9] *Karlstadt und seine Bedeutung für das Luthertum.* Gotha 1932. Hertzsch ist in diesem Zusammenhang später auch editorisch tätig geworden: *Karlstadts Schriften aus den Jahren 1523–25.* Ausgewählt u. hg. v. Erich HERTZSCH. Halle/Saale Teil I: 1956, Teil II: 1957 (Neudrucke deutscher Literaturwerke des 16. und 17. Jahrhunderts), 325.

[10] Emil Fuchs (1874–1971), evang. Theologe, führender religiöser Sozialist in Thüringen, 1918–1931 Pfarrer in Eisenach, ab 1949 Professor für Systematische Theologie und Religionssoziologie in Leipzig.

[11] Dokumentiert bei Thomas A. SEIDEL, *Erich Hertzsch – ein politischer Theologe im Übergang der Diktaturen,* in: *Praktische Theologie als Selbsterkenntnis der Kirche. Erich Hertzsch 1902–1995.* Hg. v. Klaus RASCHZOK. Leipzig 2003, 17–62, hier 18–20: Schon 1932 wurde er vom Vorsitzenden des Thüringer Pfarrervereins und vom Landesoberpfarrer (der in Thüringen die Funktionen eines Bischofs wahrnahm) wegen seiner Haltung gerügt.

Seine Lage blieb auch in den folgenden Jahren äußerst prekär: „Er hat offenbar jeden Tag damit gerechnet, dass die Gestapo vor der Tür stehen und ihn festnehmen könnte", schreibt sein Sohn,[12] und er berichtet auch von „Ausprachenabenden" im Pfarrhaus am Ehrensteig, zu denen Menschen aus der ganzen Stadt zusammenkamen.[13] Eine von Hertzsch angestrebte Mitgliedschaft in der Bekennenden Kirche wurde ihm jedoch verwehrt; er sei „mit seiner politischen Vergangenheit für diese politisch ohnehin stark attackierte Vereinigung eine zu große Belastung", wurde ihm erklärt.[14] In diese Zeit – so darf man vermuten – fallen auch seine Abkehr von der liberalen Theologie, seine Hinwendung zu einem konfessionell geprägten (wenn auch nicht konfessionalistischen) Luthertum, die Anfänge des späteren „Evangelischen Breviers" wie überhaupt die Ursprünge seiner Liebe zu den Dingen der Liturgie und der Liturgik.[15]

Nach der Besetzung Eisenachs durch amerikanische Truppen im April 1945 begaben sich Erich Hertzsch und Moritz Mitzenheim, führender Vertreter der Lutherischen Bekenntnisgemeinschaft in Thüringen und wie Hertzsch Pfarrer in Eisenach, gemeinsam zum Sitz der deutsch-christlichen Kirchenregierung auf dem Eisenacher Pflugensberg, setzten diese kurzerhand ab und bildeten einen provisorischen Landeskirchenrat. Mitzenheim[16] wurde Landesoberpfar-

Nachdem die Deutschen Christen innerkirchlich in Thüringen die Macht übernommen hatten, wurde er zusammen mit anderen Religiösen Sozialisten aus dem Landeskirchentag (dem Kirchenparlament) gedrängt und zum Austritt aus der SPD aufgefordert.

12 Klaus-Peter HERTZSCH, *Persönliche Erinnerungen an meinen Vater*, in: *Praktische Theologie* (wie Anm. 11) 101–117, hier 105.

13 HERTZSCH, *Sag meinen Kindern* (wie Anm. 1) 34f. Eindrücklich auch die Schilderung des Besuchs der Familie Dr. Oestreicher, ebd. 37. Ein Selbstzeugnis findet sich in einem Schreiben vom 11. Februar 1946 an den vormaligen DC-Landesbischof Hugo Rönck, das SEIDEL, Hertzsch (wie Anm. 11) 25–27, dokumentiert: „Am 3.3.33 habe ich die letzte von vielen politischen Reden gegen Hitler und sein Programm gehalten. Bis in den Mai 1933 hinein habe ich mit meinen Freunden im Landeskirchentag gegen den Einbruch des Nationalsozialismus in unsere Kirche anzukämpfen versucht. In den 12 Jahren, in denen Hitler regierte, habe ich alles getan, was ich konnte, um deutlich zu zeigen, daß ich kein Nationalsozialist wäre. Ich habe mit meinen Freunden die Verbindung aufrecht erhalten. Wir haben immer wieder überlegt, was wir gegen Hitler und seine Mitregenten tun könnten. Wir haben uns um die Juden und die ausländischen Zwangarbeiter gekümmert und ihnen geholfen, wo es möglich war. Wir haben jede Gelegenheit genutzt, um wenigstens im kleinen Kreis auf die Gefahren hinzuweisen, die unserem Volk drohten, wenn der Nationalsozialismus nicht beseitigt würde ..."

14 HERTZSCH, *Sag meinen Kindern* (wie Anm. 1) 35.

15 Vgl. zum Zusammenhang von Kirchenkampf und liturgischer Erneuerung u.a. Peter CORNEHL, *Gottesdienst VIII. Evangelischer Gottesdienst von der Reformation bis zur Gegenwart*, in: TRE 14. 1985, 54–85, hier 75: „In der spröden Fremdheit der alten Liturgien, in den reformatorischen Chorälen mit ihren Bildern von Kampf und Anfechtung fand man einen überraschend zeitgemäßen Ausdruck des eigenen Glaubens." Die Hinwendung zum reformatorischen Gottesdienst wurde zu einem entscheidenden Mittel, die eigene christlich-kirchliche Identität zu bewahren und sich gegen die zeitgenössische (Un-)Kultur abzugrenzen.

16 Moritz Mitzenheim (1891–1977), von 1945–1970 Landesbischof der Evangelisch-Lutherischen Kirche in Thüringen. Zu seiner – im Gegensatz zu Hertzsch – national-

rer, später dann Landesbischof, Hertzsch Oberkirchenrat, eine Aufgabe, die er bis zu seiner Berufung auf den Lehrstuhl für Praktische Theologie in Jena im Sommer 1948[17] wahrnahm.[18] In dieser Funktion war er u.a. für den Gemeindedienst, den Aufbau der Katechetik und den Umgang mit belasteten Mitarbeitern der Kirche zuständig; darüber hinaus hatte er insgesamt großen Anteil an der Neuordnung der Thüringer Landeskirche nach dem Zusammenbruch.[19] Als Sozialdemokrat wurde er – nach dem Zusammenschluss von KPD und SPD in der Sowjetischen Besatzungszone im April 1946 – Mitglied der SED, für die er 1946 bei den Wahlen zum Thüringer Landtag kandidierte und ein Mandat wahrnahm. Zu Beginn der fünfziger Jahre trat er aus der SED aus.[20]

In Jena hatte er das gesamte Gebiet der Praktischen Theologie zu vertreten. Jeweils vierstündige Hauptvorlesungen galten der Katechetik, der Liturgik und Hymnologie, der Poimenik, der Homiletik und der Konfessionskunde, die in Jena ebenfalls Sache des Praktischen Theologen war. Dazu kamen eine zweistündige Kybernetik-Vorlesung, das Homiletische und Katechetische Seminar

konservativen, obrigkeitsstaatlichen Einstellung vgl. SEIDEL, *Hertzsch* (wie Anm. 11) 27–29.

[17] So SEIDEL, *Hertzsch* (wie Anm. 11) 17. HERTZSCH, *Sag meinen Kindern* (wie Anm. 1) 65, nennt 1947 als Jahreszahl. 1947 erhielt Hertzsch auch einen Ruf nach Rostock, den er jedoch ablehnte. Noch lange hatte er, obwohl er längst Oberkirchenrat war, „seine alte Pfarrstelle in Eisenach-West inne". Auch nach seiner Berufung nach Jena „übernahm er noch für einige Zeit eine Dorfpfarrstelle bei Eisenach" (ebd. 68).

[18] Er hat auch später großen Wert darauf gelegt, als „Oberkirchenrat i.W." – den Titel führte er weiter – von diesem Amt lediglich „beurlaubt" zu sein.

[19] U.a. war er ihr „erster Dezernent für Katechetik" (Gerhard LOTZ, *Die Botschaft leben und weitergeben. Dem Oberkirchenrat i.W. D. Hertzsch zum 60. Geburtstag*, in: Neue Zeit 18. 1962, Nr. 27 vom 31. März 1962, 5) und hatte maßgebenden Anteil am Thüringer Kirchengesetz vom 14. November 1945 „über die Anstellung von Nicht-Theologen als Pfarrvikare und Pfarrer". Er war Vorsitzender der Prüfungskommission für die Katecheten, Mitglied der Prüfungskommission für das Zweite theologische Examen, Leiter der Evangelischen Akademie und Mitglied im Liturgischen Ausschuss; vgl. SEIDEL, *Hertzsch* (wie Anm. 11) 55.

[20] HERTZSCH, *Sag meinen Kindern* (wie Anm. 1) 33, berichtet von einem Besuch des damaligen SED-Chefideologen Fred Oelzner, der ihn zum Verbleiben in der Partei zu überreden suchte, und fasst zusammen: „Seine grundsätzliche Option für eine sozial gerechtere und vom Kapital weniger abhängige Welt hat er nie aufgegeben, obwohl er im Laufe der Jahre immer resignierter und distanzierter wurde, was die reale Politik der SED anbetraf." Beeindruckend war für mich – der ich von 1955 bis 1960 in Jena studierte und von 1961 bis 1964 als Wissenschaftlicher Assistent bei Hertzsch tätig war – seine Festrede zum 6. Jahrestag der DDR am 7. Oktober 1955 im Jenaer Volkshaus, die SEIDEL, *Hertzsch* (wie Anm. 11) 61, im Auszug zitiert: „An der Deutschen Demokratischen Republik haben wir keine reine Freude ..." Ich erinnere noch gut, wie uns bei diesem Satz der Atem stockte. Das hinderte uns freilich nicht daran, zu Beginn seiner Vorlesung kräftig zu zischen und zu scharren, nachdem bekanntgeworden war, dass ihm der „Vaterländische Verdienstorden" verliehen worden sei. Nach seinem 90. Geburtstag schrieb er mir in einem Brief vom 1. Mai 1992 aus Hamburg: „Eins ist mir sicher: den Stalin-Kommunismus mußten wir, besonders wir Christen, radikal ablehnen, aber die ‚Marktwirtschaft', die an seine Stelle getreten ist, ist ebenso ein Teufel: An Gottes Stelle will der Götze Mammon treten!!"

sowie gegebenenfalls weitere Spezial- und Oberseminare.[21] Über die Art, wie er seine Lehrveranstaltungen gestaltete, schreibt sein Sohn und Nachfolger in Jena: „Er war noch sehr optimistisch, was die Lehrbarkeit von Praktischer Theologie betrifft. Das bezog sich zuerst auf die Erfahrung der Jahrhunderte. Mein Vater gab zunächst ausführliche Rückblicke auf die Praxis der Kirche in früheren Zeiten und zeigte, was von ihr für heute zu lernen ist. Aber das galt dann für seine eigene Erfahrung ebenso. Er war mit Recht davon überzeugt, ein Kenner der Praxis zu sein und sie darum andere lehren zu können ... Mein Vater verglich seine Arbeit gelegentlich mit der eines Handwerksmeisters ... So gab er in den Vorlesungen vielfach seine Erfahrungen weiter. Dabei konnte er weitgehend noch damit rechnen, dass die Studierenden nach ihrem Examen eine ähnliche Situation antreffen werden, wie er sie von seinen Gemeinden kannte."[22] Zu seinen „runden" Geburtstagen wurden Erich Hertzsch zahlreiche Ehrungen zuteil. Aus Anlass seines 65. Geburtstages 1967 widmete ihm die Jenaer Fakultät eine Festschrift.[23] Auch nach seiner Emeritierung war er noch

[21] So jedenfalls 1955–1964; Anfang der sechziger Jahre gelang es ihm, einen erfahrenen Katecheten, den damaligen Rektor des Eisenacher Predigerseminars, Dr. Karl Brinkel, für einen Lehrauftrag in Jena zu verpflichten; dieser übernahm fortan das Katechetische Seminar. Später wurde dann der Gothaer Oberkirchenrat Prof. Dr. Walter Saft für die Seelsorgelehre und die Ökumenik zuständig. – Eine eigene Vorlesung zu den Amtshandlungen gab es zu meiner Zeit nicht; Taufe und Konfirmation wurden in der Katechetik, Beichte, Trauung und Bestattung in der Poimenik, Ordination und andere Handlungen in der Kybernetik verhandelt. So sah es auch sein Plan für ein praktisch-theologisches Kompendium vor; vgl. Erich HERTZSCH, *Die Wirklichkeit der Kirche. Kompendium der Praktischen Theologie. Erster Teil: Die Liturgie.* Halle 1956, 17. Er selber hielt solche Zuweisungen generell für „problematisch", führte jedoch „Zweckmäßigkeitsgründe" für sein Verfahren an.
[22] HERTZSCH, *Sag meinen Kindern* (wie Anm. 1) 70f. Vgl. auch Karl-Heinrich BIERITZ, *Sola autem experientia facit theologum. Erich Hertzsch als Praktischer Theologe,* in: *Praktische Theologie* (wie Anm. 11) 63–85; DERS., *Commercium linguae. Praktische Theologie als Sprach-Handlung,* in: *Praktische Theologie der Gegenwart in Selbstdarstellungen.* Hg. v. Georg LÄMMLIN – Stefan SCHOLPP. Tübingen – Basel 2001 (UTB 2213) 31–49. Zu seinen runden Geburtstagen wurde ich immer wieder zu kleineren Beiträgen aufgefordert: Karl-Heinrich BIERITZ, *Bibliographie Erich Hertzsch,* in: ThLZ 87. 1962, 309f; DERS., *Dem Prediger und Lehrer der Praxis pietatis,* in: Neue Zeit 18. 1962, Nr. 27 vom 31. März 1962, 5; DERS., *Heil und Heilung. Erich Hertzsch als praktischer Theologe,* in: Standpunkt 5. 1977, 74–76; DERS., *Danke, Vater Erich! Zum 80. Geburtstag von Prof. D. Dr. Erich Hertzsch,* in: Standpunkt 10. 1982, 75–76 (ein 1987 ebenfalls vom „Standpunkt" angeforderter Beitrag *Erich Hertzsch und der Gottesdienst* durfte dann dort nicht erscheinen). Zuletzt: DERS., *Einer, der in Thüringen Geschichte gemacht hat. Zum 90. Geburtstag des Theologen Professor Erich Hertzsch am 31. März,* in: Glaube und Heimat 47. 1992, Nr. 13, 8.
[23] Vgl. *Wort und Welt. Festgabe für Prof. D. Erich Hertzsch anläßlich der Vollendung seines 65. Lebensjahres.* Hg. v. Manfred WEISE. Berlin 1968. Zu den Beiträgern gehörten u.a. Martin DOERNE, Martin FISCHER, Kurt FRÖR, Otto HAENDLER, Werner JETTER, Gerhard KRAUSE, Alfred Dedo MÜLLER und William NAGEL. Schon zuvor war Hertzsch 1958 von der Leipziger Theologischen Fakultät mit der Verleihung des Theologischen Ehrendoktors gewürdigt worden. Seit 1960 Mitherausgeber der Theologischen Literaturzeitung, wurde er auch dort immer wieder durch seine Fakultät gewürdigt; vgl. ThLZ 87. 1962, 307–310; ThLZ 92. 1967, 317f; ThLZ 97. 1972, 391; ThLZ 102. 1977, 238–240; ThLZ 107. 1982, 238; ThLZ 112. 1987, 238f; zuletzt ThLZ 117. 1992, 318.

lange Jahre lehrend und forschend in Jena tätig. Nach dem Tod seiner Frau verbrachte er seine letzten Lebensjahre in Hamburg. Hier starb er, dreiundneunzigjährig, am 28. Oktober 1995. Bestattet wurde er auf dem Jenaer Ostfriedhof.

3. Wort und Sakrament

Der Beginn der Lehrtätigkeit von Erich Hertzsch in Jena fällt in eine Phase, die von Peter Cornehl als „die umfassendste liturgische Restauration, die es in der Geschichte des evangelischen Gottesdienstes in Deutschland je gegeben hat", gekennzeichnet wird:[24] 1950 erscheint – als erstes Einheitsgesangbuch der evangelischen deutschen Landeskirchen – die Stammausgabe des Evangelischen Kirchengesangbuches. Ab 1951 folgt der von der Lutherischen Liturgischen Konferenz Deutschlands erarbeitete Entwurf einer Agende für evangelisch-lutherische Kirchen und Gemeinden, Bd. I.[25] 1953 kann das neue Lutherische Lektionar publiziert werden.[26] 1954 wird Bd. I der Lutherischen Agende von der Generalsynode verabschiedet, 1955 erscheint er im Druck.[27] Bereits 1951 war Bd. IV publiziert worden.[28] Bd. II (1960, als Entwurf)[29] und Bd. III (1962)[30] folgen mit einiger Verspätung.[31]

So überrascht es nicht, dass auch Erich Hertzsch sich zunächst mit der neuen Agende beschäftigt. 1953 publiziert er ein „Memorandum zum Agendenentwurf", das von gediegener liturgiehistorischer Kenntnis zeugt und bereits *in nuce* die Grundüberzeugungen erkennen lässt, denen er als Liturgiker künftig

[24] CORNEHL, *Gottesdienst* (wie Anm. 15) 77.
[25] Die Veröffentlichung erfolgte in mehreren Teilbänden: I. Vorwort und Ordinarium (1951), II. Kalendarium und Proprium (1951), III. Sonstige Gottesdienste und Richtlinien (1953), IV. Berichtigung und Besprechung der eingegangenen Stellungnahmen (1953), V. Berichtigungen und Ergänzungen, Erläuterung des Gesamtentwurfs (1954). Vgl. Frieder SCHULZ, *Die Agendenreform in den evangelischen Kirchen*, in: *Liturgiereformen. Historische Studien zu einem bleibenden Grundzug des christlichen Gottesdienstes*. Bd. 2: *Liturgiereformen seit der Mitte des 19. Jahrhunderts bis zur Gegenwart*. Hg. v. Martin KLÖKKENER – Benedikt KRANEMANN. Münster 2002 (LQF 88), 1017–1050, hier 1024f.
[26] Vgl. *Lektionar für evangelisch-lutherische Kirchen und Gemeinden*. Berlin 1953.
[27] Vgl. *Agende für evangelisch-lutherische Kirchen und Gemeinden*. Erster Band: *Der Hauptgottesdienst mit Predigt und heiligem Abendmahl und die sonstigen Predigt- und Abendmahlsgottesdienste. Ausgabe für den Pfarrer*. Berlin 1955.
[28] Vgl. *Agende für evangelisch-lutherische Kirchen und Gemeinden*. Vierter Band: *Ordinations-, Einsegnungs-, Einführungs- und Einweihungshandlungen*. Berlin 1951.
[29] Vgl. *Agende für evangelisch-lutherische Kirchen und Gemeinden*. Zweiter Band: *Die Gebetsgottesdienste* (Zur Erprobung bestimmter Entwurf). Berlin 1960.
[30] Vgl. *Agende für evangelisch-lutherische Kirchen und Gemeinden*. Dritter Band: *Die Amtshandlungen. Studienausgabe*. Berlin 1962.
[31] In den genannten Zusammenhang gehören u.a. auch die *Agende für die Evangelische Kirche der Union*. 1. Bd. *Die Gemeindegottesdienste*. Witten 1959, sowie die *Kirchenagende I der Pfalz* (1961), die *Agende I in Baden* (1965) und die *Agende I von Kurhessen-Waldeck* (1968). 2. Bd. *Die Kirchlichen Handlungen*. Witten 1963; sowie eine Reihe weiterer landeskirchlicher Agenden (z.B. *Agende für die Evangelische Kirche von Kurhessen-Waldeck*, 4 Bde. Kassel 1968–1975; *Agende für die Evangelische Landeskirche in Baden*, Bd. 1, 3 u. 4, Karlsruhe 1965–1971; *Kirchenagende. Kirchenbuch für die vereinigte protestantische evangelische christliche Kirche der Pfalz*, 5 Bde. Speyer 1961–1965).

folgen wird.[32] Die Erneuerung des Gottesdienstes gilt ihm – wie eingangs schon angezeigt – als „notwendiges Werk", „notwendig im buchstäblichen Sinne des Wortes": „Denn alle kirchliche Erneuerung nimmt aus dem Gottesdienst der Gemeinde ihre Kraft. Wer meint, daß heute dringendere Probleme zu lösen sind, ehe wir an eine Neuordnung unserer Gottesdienste denken dürfen, der übersieht, daß alle unsere Nöte ihren tiefsten Grund darin haben, daß unsere gottesdienstlichen Versammlungen vielerorts verödet, viele unserer Kirchen nicht nur an sämtlichen Wochentagen, sondern auch an zahlreichen Sonntagen verschlossen sind. Gute Predigten finden keinen Widerhall und bleiben wirkungslos, weil Gebet und Lobgesang verkümmert, weil die Liturgie entwertet, weil das Sakrament des Altars in den Winkel gestoßen worden ist."[33] Von entscheidender Bedeutung ist ihm „die Verbindung von Predigt und Sakrament, die einander zugeordnet sind wie die beiden Brennpunkte einer Ellipse". Ausdrücklich begrüßt er die Orientierung des Entwurfs an den Ordnungen des 16. Jahrhunderts sowie die prinzipielle Überwindung des „Ein-Mann-Systems", die sich nicht nur darin zeigt, dass die neue Agende eine Vielzahl liturgischer Dienste ermöglicht, sondern insgesamt darauf zielt, „alle Kirchenbesucher immer mehr für eine aktive Teilnahme am ganzen Gottesdienst zu gewinnen"[34].

Aber er hat auch Einwände: Sie betreffen u.a. die Auswahl der Schriftlesungen, der Introitus-Psalmen und der Graduallieder, die „Verstümmelung des Gloria in excelsis", die Stellung des Credo zwischen Evangelium und Predigt, vor allem aber – unter dem Stichwort „Offertorium" – das „Dankopfer", das nach der Predigt eingesammelt werden soll: In dem Versuch, der Geldsammlung wieder eine „kultische Bedeutung" zu geben, erblickt er eine „ganz gefährliche, unevangelische Entwicklung"[35]. Für das Allgemeine Kirchengebet wünscht er sich eine „Form D", bei der lediglich das Vaterunser gebetet wird, „aber so, daß

---

[32] Erich HERTZSCH, *Memorandum zum Agendenentwurf*, in: ELKZ 7. 1953, 38–40. Er verweist darin eingangs auf die von ihm mit erarbeitete „lutherische Gottesdienstordnung" für Thüringen und auf die Praxis in den akademischen Gottesdiensten wie in den Seminargottesdiensten in Jena, wo bereits regelmäßig der „lutherische Vollgottesdienst" – also die „evangelische Messe" mit Predigt und Abendmahl – gefeiert werde. Das war, wie ich – als Assistent von 1961–1964 für die Organisation der akademischen Gottesdienste mit verantwortlich – erfahren musste, unter den an der Fakultät Lehrenden, die diese Gottesdienste zu halten hatten, keineswegs unumstritten. Hier waren theologisch liberale, kulturprotestantische Prägungen ebenso wirksam wie Vorbehalte, die sich eher aus einer von Karl Barth inspirierten Theologie speisten. Die neue Ordnung – insbesondere die Festlegung auf den „lutherischen Vollgottesdienst" – wurde durchweg als Zumutung empfunden, als unzulässige Einschränkung verbürgter evangelischer Freiheiten. Auf studentischer Seite gab es ähnliche Vorbehalte. Vgl. dazu Karl-Heinrich BIERITZ, *Das neue Evangelische Gottesdienstbuch*, in: LJ 50. 2000, 20–40, hier 21–23. Zu den akademischen Gottesdiensten vgl. DERS., *Lebendige Tradition in Jena*, in: Neue Zeit 17. 1961, Nr. 282, 5.

[33] HERTZSCH, *Memorandum* (wie Anm. 32) 38.

[34] HERTZSCH, *Memorandum* (wie Anm. 32) 39; bemerkenswert erscheint mir hier die Verwendung des Begriffs der *actuosa participatio*; das zeugt davon, dass ihm – lange vor dem Konzil! – die Anliegen der zeitgenössischen katholischen liturgischen Bewegung durchaus vertraut waren.

[35] HERTZSCH, *Memorandum* (wie Anm. 32) 40.

nach jeder Bitte eine Gebetsstille eintritt"[36]. Der Friedensgruß soll das Sursum corda („Die Herzen in die Höhe") einleiten, beim „eucharistischen Hochgebet" (gemeint ist die Präfation mit dem Sanctus) soll es nach Möglichkeit für jeden Sonntag ein eigenes, inhaltlich gefülltes Formular geben, bei den Einsetzungsworten soll sich der Liturg – um „gefährlicher Irrlehre zu wehren" – zur Gemeinde und nicht zum Altar wenden.[37] Die Auseinandersetzung mit einem Aufsatz von William Nagel, dem er eine gewisse Affinität zu Schleiermacher und dessen „unzureichende[r] romantische[r] Wesensbestimmung des Gottesdienstes" bescheinigt,[38] gibt Hertzsch Gelegenheit, sich erneut zum Verhältnis von Wort und Sakrament in der „evangelischen Messe" zu äußern und seinen Standpunkt zu präzisieren: Beide stehen nicht – wie es das Bild von der Ellipse nahelegen könnte – „in einem statischen, sondern in einem dynamischen Verhältnis zueinander": „Die Predigt des Evangeliums weist über sich selbst hinaus; sie weist hin, ja sie drängt hin auf die Feier des Herrenmahles, ohne die der Hauptgottesdienst unvollständig bleibt."[39] Dabei gilt: Die Predigt bedarf ebenso des Abendmahls, wie das Abendmahl der Predigt bedarf. „Das Abendmahl, mit der Predigt verbunden, macht unübersehbar, unüberhörbar deutlich, daß im Gottesdienst etwas geschieht, daß der Glaube geweckt, das Menschenherz verwandelt, das ewige Leben geschenkt wird durch die eucharistische Gegenwart Jesu Christi, der sich selbst Seiner Gemeinde mitteilt." Dennoch besteht zwischen beiden Teilen des Gottesdienstes von Anfang an eine „polare Spannung": „Die Wortverkündigung der christlichen Kirche hat wesensmäßig einen missionarischen Charakter ... Die Abendmahlsfeier hingegen ist wesensmäßig exklusiv." Es ist also zwischen „Predigtgemeinde" und „Abendmahlsgemeinde" zu unterscheiden. Daraus leitet sich die Forderung ab, „die Zäsur zwischen Predigtteil und Sakramentsteil des Hauptgottesdienstes spürbar zu machen und

---

[36]   HERTZSCH, *Memorandum* (wie Anm. 32) 40. Hier wirken offenkundig Erfahrungen aus dem häuslichen Stundengebet ein, bei dem die einzelnen Bitten des Vaterunsers über die Woche verteilt werden. Für das Allgemeine Kirchengebet empfiehlt er außerdem nachdrücklich die (gesungene) Litanei Martin Luthers und – „an allen Freuden- und Danktagen" – das Te Deum.

[37]   HERTZSCH, *Memorandum* (wie Anm. 32) 40. So hat er es auch selber stets praktiziert; Brot und Kelch hat er dabei nacheinander in die Hand genommen, so dass die Verba testamenti zugleich über die Elemente gesprochen wurden. Die Wendung zur Gemeinde sollte verdeutlichen, dass die Einsetzungsworte „kein magisches Wunder auf dem Altar", sondern „das Wunder der Realpräsenz *in actu*, nur *in usu*" bewirken. So hat er es auch von den Studierenden im Gottesdienst des Homiletischen Seminars erwartet. Dass diese – obwohl nicht ordiniert – im Seminargottesdienst nicht nur predigten, sondern auch das Abendmahl hielten (Hertzsch hatte dafür die Erlaubnis des Thüringer Landeskirchenrates erwirkt), war nicht unumstritten; doch war ihm die „evangelische Messe" als Vollform lutherischen Gottesdienstes so wichtig, dass er sich über heftige Bedenken konservativ geprägter Studenten (sie kamen damals vorwiegend aus Sachsen) hinwegsetzte. Vgl. dazu BIERITZ, *Sola autem* (wie Anm. 22) 68f.

[38]   Erich HERTZSCH, *Wort und Sakrament. Zur Frage der Entlassung beim evang.-luth. Hauptgottesdienst*, in: ELKZ 9. 1955, 354–355, hier 354. William NAGEL, *Aufspaltung von Predigt- und Sakramentsgemeinde*, in: ELKZ 9. 1955, 59–61, nimmt wiederum Bezug auf einen Beitrag des Hertzsch-Schülers Ottfried KOCH, *Die Einheit von Predigt- und Sakramentsgemeinde*, in: ELKZ 8. 1954, 293–295.

[39]   HERTZSCH, *Wort und Sakrament* (wie Anm. 38) 354.

nach dem allgemeinen Fürbittgebet die zu entlassen, die aus äußeren oder inneren Gründen bei der Feier des Sakraments nicht anwesend sein wollen"[40]. Hertzsch hat in der Praxis diese „Notlösung" (wie er in anderem Zusammenhang schreibt)[41] nicht nur in den akademischen Gottesdiensten mit großer Konsequenz exekutiert. Seine Hoffnung jedoch, es würde „die Zahl der Weggehenden immer kleiner werden, zuletzt aber jeder getaufte Hörer des Wortes ungezwungen und dankbar das Testament des Herrn empfangen"[42], hat sich nicht erfüllt.

Seine Liturgik, die 1956 erscheint,[43] kann in gewisser Hinsicht als ein umfassender, liturgiegeschichtlich wie liturgietheologisch fundierter Kommentar zu der ein Jahr zuvor erschienenen Lutherischen Agende I gelesen werden. In mancher Hinsicht – nicht zuletzt wegen seiner kritischen Passagen – verdient er den Vorzug vor dem 1963 von Christhard Mahrenholz veröffentlichten Kommentar.[44] Ein erstes, liturgietheologisches Kapitel fragt nach dem „Sinn der Liturgie" auf dem Hintergrund „religiöser Zeremonien der Gegenwart", aber auch nichtchristlicher Kulte, sowie nach dem „Wesen des christlichen Gottesdienstes" und dem „Sinn und Zweck der römisch-katholischen Liturgie". Das zweite Kapitel beschreibt die „Gestalten der Liturgie" – vom Gottesdienst der Urkirche über den ostkirchlichen Gottesdienst, die römische und die evangelische Messe bis hin zum evangelischen Gottesdienst oberdeutscher Prägung, dem Stundengebet, der Taufe und den Benediktionen. Das dritte Kapitel folgt dem Aufbau der evangelischen Messe, wobei – neben dem Problem der Entlassung – auch der „Wegfall des Offertoriums in der evangelischen Messe" eigens thematisiert wird; von besonderem liturgietheologischen Gewicht ist auch der Abschnitt über das eucharistische Hochgebet. Eine „Kleine Hymnologie" (Kap. 4) und eine Erörterung der raum-zeitlichen Ausdrucksformen des Gottesdienstes („Die Liturgie in Raum und Zeit", Kap. 5) runden das Buch ab, für das Hertzsch mit Recht (unter Hinweis auch auf das Werk seines Lehrers Karl Heussi) den Charakter eines Kompendiums beansprucht.[45]

---

40   HERTZSCH, *Wort und Sakrament* (wie Anm. 38) 355.
41   Erich HERTZSCH, *Das Problem der Entlassung im evangelischen Gottesdienst*, in: ThLZ 79. 1954, 531–534, hier 534. Für seine Forderung führt er eine Fülle liturgiehistorischer Argumente ins Feld, weist aber auch ausdrücklich die Lehre von der Möglichkeit einer „geistlichen Kommunion" zurück. Vgl. auch HERTZSCH, *Wort und Sakrament* (wie Anm. 38) 355.
42   HERTZSCH, *Entlassung* (wie Anm. 41) 534.
43   HERTZSCH, *Wirklichkeit* (wie Anm. 21). Auch hier widmet er einen ganzen Paragraphen dem „Problem der Entlassung in der evangelischen Messe" (ebd. 108–113), der die Argumente aus den beiden genannten Aufsätzen aufnimmt und entfaltet: „Die Predigt ist ihrem Wesen nach *vox clamans in deserto et vocans ad fidem infideles* [...]. Der Predigtgottesdienst muß grundsätzlich öffentlich, d.h. für jedermann ohne Einschränkung zugänglich sein. Der Abendmahlsgottesdienst hingegen wird nur für die Getauften, nur für die Gemeinde Christi gehalten; er ist grundsätzlich nicht öffentlich für jedermann" (ebd. 111).
44   Christhard MAHRENHOLZ, *Kompendium der Liturgik des Hauptgottesdienstes. Agende I für evangelisch-lutherische Kirchen und Gemeinden und Agende I für die Evangelische Kirche der Union.* Kassel 1963.
45   HERTZSCH, *Wirklichkeit* (wie Anm. 21) VI.

Hertzsch hat sich auch in späteren Veröffentlichungen immer wieder mit der Lutherischen Agende I und der darin intendierten Gestalt des Gottesdienstes beschäftigt.[46] Davon wird noch – unter dem Stichwort „Plädoyer für die Messe"[47] – die Rede sein. Zunächst wenden wir uns jedoch seinem zweiten großen Lebensthema zu: dem täglichen Gottesdienst und – eng damit verbunden – den *Exercitia spiritualia* in der evangelischen Kirche.

4. *Exercitia spiritualia*

Als 1959 das Evangelische Brevier von Erich Hertzsch in erster Auflage erschien,[48] musste es mit einer ganzen Reihe anderer ähnlicher Publikationen konkurrieren, die allesamt darauf zielten, den täglichen Gottesdienst für die evangelische Kirche, zumindest für die evangelische Geistlichkeit zurückzugewinnen. Sie orientierten sich an reformatorischen Vorlagen, auch an der neulutherischen Liturgik des 19. Jahrhunderts,[49] oder knüpften an die Traditionen des monastischen Tagzeitengebets an.

Bereits 1927 war das von den Berneuchenern herausgegebene „Gebet der Tageszeiten" in dritter Auflage erschienen,[50] als Vorgänger des „Stundengebets",[51] das sich nach dem Zweiten Weltkrieg – gerade in studentischen Kreisen, auch in Jena – großer Beliebtheit erfreute. Entwürfe aus dem Kreis der Hochkirchlichen Vereinigung waren zunächst eher neulutherisch geprägt,[52] nahmen dann aber immer deutlicher am Breviarium Romanum Maß.[53] 1933 hatte in

[46]   Vgl. z.B. Erich HERTZSCH, *Luthers Theologie des Gottesdienstes und die „Lutherische Agende"* *Band I*, in: ThLZ 89. 1964, 802–812; DERS., *Die neue Ordnung der evangelischen Eucharistiefeier*, in: *Theologia scientia eminens practica. Fritz Zerbst zum 70. Geburtstag.* Hg. v. Hans-Christoph SCHMIDT-LAUBER. Wien 1979, 101–115.

[47]   Erich HERTZSCH, *Plädoyer für die Messe*, in: ThLZ 103. 1978, 402–410.

[48]   *Evangelisches Brevier.* Zusammengestellt von Erich HERTZSCH. Hg. von der Pressestelle der Evangelisch-Lutherischen Kirche in Thüringen. Berlin 1959; *Evangelisches Brevier.* Zusammengestellt v. Erich HERTZSCH. Berlin ²1976, ³1981; Berlin – Hamburg ⁴1987 (vgl. Anm. 2); als *Biblisches Brevier.* Leipzig ⁵2001 (vgl. Anm. 6).

[49]   Wilhelm LÖHE, *Agende für christliche Gemeinden des lutherischen Bekenntnisses. Ersther Teil. Zweite vermehrte Aufl.* Nördlingen 1853, 73–80; Theodor KLIEFOTH, *Die ursprüngliche Gottesdienstordnung in den deutschen Kirchen lutherischen Bekenntnisses, ihre Destruction und Reformation.* 5 Bde. Schwerin 1861 (Berlin 1895); Ludwig SCHOEBERLEIN, *Schatz des liturgischen Chor- und Gemeindegesangs nebst den Altarweisen in der deutschen evangelischen Kirche. I. Die allgemeinen Gesangstücke.* Göttingen 1865; Georg Christian DIEFFENBACH, *Diarium pastorale. 1. Evangelisches Brevier.* Stuttgart 1857; DERS., *Evangelische Hausagende.* Mainz 1852.

[50]   *Das Gebet der Tageszeiten.* Hg. im Auftrag der Berneuchener Konferenz von Ludwig HEITMANN [u.a.]. Dritte, erweiterte und neu bearbeitete Aufl. Kassel 1927 (als Teil der Reihe: *Der Deutsche Dom. Eine Sammlung evangelischer Gebets- und Gottesdienstordnungen*). Nach Auskunft der *Einführung* in: *Evangelisches Tagzeitenbuch.* 4., völlig neu gestaltete Auflage. Hg. von der Evangelischen Michaelsbruderschaft. Göttingen 1998, 7, erschien die Erstauflage bereits 1924.

[51]   *Das Stundengebet.* Als Entwurf hg. vom Liturgischen Ausschuß der Evangelischen Michaelsbruderschaft. Kassel 1948 (³1952, ⁴1956).

[52]   Oskar Johannes MEHL, *Haltet an am Gebet! Evangelisches Brevier zur Morgen-, Mittag- und Abendstunde nebst Nachtgebet.* 2 Bde. Grimmen 1930/1931.

[53]   *Evangelisch-katholisches Brevier. 1. Teil. Sonderheft der Hochkirche.* Im Auftrag der Brevierkommission der Hochkirchlichen Vereinigung hg. v. Friedrich HEILER (HKi 1932, H.

Alpirsbach im Schwarzwald unter dem Motto „Der Tageslauf soll unter der kirchlichen Gebetsordnung stehen" die erste „Kirchliche Woche" stattgefunden; entsprechende Ordnungen, einer strengen Gregorianik verpflichtet, erschienen schon bald danach auf dem Markt[54] – und fanden auch im Jena der fünfziger Jahre ihre Jünger. Die Lutherische Liturgische Konferenz hatte „Rahmenordnungen für die Mette (Morgengebet) und die Vesper (Abendgebet)" erarbeitet, die in zahlreichen landeskirchlichen Ausgaben des Evangelischen Kirchengesangbuchs von 1950 Aufnahme fanden.[55]

In dieser Situation hatten es das „Evangelische Brevier" wie sein Herausgeber schwer – bezogen sie doch Prügel von vielen Seiten. „So wunderbar die alten Gebete und Formen auch sind", schrieb Emil Fuchs dem Freund, „ich sehe von ihnen aus keine Möglichkeit des Gesprächs des einzelnen Christen mit seinem Herrn, das einmal Gespräch mit der Kirche werden könnte. Ich sehe in ihrer großen suggestiven Wirkung eine ernstliche Gefahr."[56] Auf der anderen Seite standen jene aus Leipzig zugereisten Studenten, die über das in jeder Weise dilettantische Jenaer Machmerk die Nase rümpften – fühlten sie sich doch allein dem Alpirsbacher Antiphonale und seiner Art Gregorianik verpflichtet. Das Evangelische Brevier kennt vier Gebetszeiten am Tag – „die Mette am frühen Morgen", schreibt Hertzsch, „vor oder sofort nach dem Aufstehen, die Laudes im Laufe des Tages, in einer Arbeitspause, die Vesper gegen Abend, nach getaner Arbeit, und die Komplet vor dem Einschlafen"[57]. Selbstverständlich können die Gebetszeiten auch gemeinsam begangen werden – zu zweit, in der Familie, der Gruppe, der Gemeinde. Jeder Wochentag hat ein eigenes Gepräge: Die sieben Vaterunser-Bitten werden – zusammen mit der entsprechenden Strophe aus Luthers Vaterunser-Lied (EG 344) – über die Wochentage verteilt. Jedem Wochentag wird eines der Ich-bin-Worte aus dem Johannesevangelium als Leitwort zugeordnet, dazu ein Bild von Rembrandt.

12); *Kirchliche Gebetsordnungen*. Für den Evangelisch-ökumenischen Kreis zusammengestellt von Albrecht VOLKMANN. Berlin 1950.

[54] Zunächst als Beilage zur Monatschrift für Gottesdienst und kirchliche Kunst, z.B MGKK 40. 1935: *Das Nachtgebet Allgemein. Auf die Adventszeit. Auf Weihnachten. Auf die Osterzeit. Auf Pfingsten und Trinitatis*, usw.; später dann unter dem Titel: *Alpirsbacher Antiphonale*. Hg. v. Friedrich BUCHHOLZ: *Die Laudes*. Tübingen 1953; *Das Mittagsgebet (Die Sext)*. Regensburg 1937; Tübingen 1962; *Die Vesper*. Regensburg 1938; Tübingen 1956; *Die Complet*. Tübingen 1950; ²1953, ⁴1962, und spätere Ausgaben und Auflagen.

[55] Wichtige Vorarbeiten wurden geleistet in: *Handbuch der deutschen evangelischen Kirchenmusik*. Hg. v. Konrad AMELN [u.a.]. Göttingen 1941ff. Die Aufstellung erhebt keinen Anspruch auf Vollständigkeit; vgl. u.a. auch: *Matutin- und Vesperbüchlein*. Hg. v. Otto DIETZ. Neuendettelsau 1937; Hans ASMUSSEN, *Pfarrbrevier. Ordnungen für Andachten und Schriftlesung*. 2 Bde. Stuttgart o.J.

[56] Emil FUCHS – Erich HERTZSCH, *Exercitia spiritualia. Streitgespräch über ein Brevier*, in: EPB 3. 1961, 85–87, hier 85.

[57] *Evangelisches Brevier 1959* (wie Anm. 48) 122.

Thema und Leitwort	Tagesbitte	Rembrandt-Bild
Sonntag Die Auferstehung Joh 11,25–26	*Geheiligt werde dein Name*	Christus in Emmaus (1634)
Montag Das Reich Gottes Joh 18,37	*Dein Reich komme*	Darstellung Christi (1655)
Dienstag Die Menschwerdung Joh 8,12	*Dein Wille geschehe, wie im Himmel, so auf Erden*	Anbetung der Hirten (1654)
Mittwoch Das Brot des Lebens Joh 6,35	*Unser tägliches Brot gib uns heute*	Christus und die Samariterin (1634)
Donnerstag Der rechte Weinstock Joh 15,5	*Vergib uns unsere Schuld, wie auch wir vergeben unsern Schuldigern*	Der verlorene Sohn (1636)
Freitag Die Passion Joh 10,11	*Führe uns nicht in Versuchung*	Christus am Kreuz (um 1634)
Samstag Der Heimgang zum Vater Joh 14,6	*Erlöse uns von dem Bösen*	Die Kreuzabnahme (1654)

In ähnlicher Weise wie die Wochentage stehen auch die Tageshoren unter Leitthemen (Mette: Von der Schöpfung; Laudes: Von der Erlösung; Vesper: Von der Heiligung). Entsprechend werden den drei Tageshoren Stücke aus Luthers Kleinem Katechimus (seine Erklärungen zu den drei Artikeln des Apostolischen Glaubensbekenntnisses) als „Bekenntnis" zugeordnet.

Morgengebet (Mette) *Von der Schöpfung*	Rüstgebet (*Herr, öffne meinen Mund, daß ich Deinen heiligen Namen preise …*) – Leitwort – Lied – Psalm – Lesung – Responsorium (1 Mose 1,27) oder: Bekenntnis (Erklärung Luthers zum 1. Artikel des Glaubensbekenntnisses) – Ambrosianischer Lobgesang (Te Deum, EG 191) – Kyrie – Tagesbitte – Gebet (*O Herr, mache mich zum Werkzeug deines Friedens …*) – Segen (2 Kor 13,13)
Taggebet (Laudes) *Von der Erlösung*	Rüstgebet – Leitwort – Lied – Psalm – Lesung – Responsorium (Joh 3,16) – oder: Bekenntnis (Erklärung Luthers zum 2. Artikel des Glaubensbekenntnisses) – Lobgesang des Zacharias (Benedictus) – Kyrie – Tagesbitte – Gebet (*Wir loben Dich, Herr, und beten dich an: Du bist die Liebe und trägst uns alle mit Deinem Erbarmen …*) – Segen
Abendgebet (Vesper) *Von der Heiligung*	Rüstgebet – Leitwort – Lied – Psalm – Lesung – Responsorium (Röm 5,5; 2 Kor 3,17) oder: Bekenntnis (Erklärung Luthers zum 3. Artikel des Glaubensbekenntnisses) – Wochenlied – Lobgesang des Maria (Magnificat) – Kyrie – Tagesbitte – Gebet (*Bleibe bei uns, Herr, denn es will Abend werden …*) – Segen
Nachtgebet (Komplet)	*Eine ruhige Nacht und ein seliges Ende schenke uns der allmächtige und barmherzige Gott. Amen* – Psalm 51 – Lied (EG 470) – Psalm 91; Psalm 127 – Lesung (Jes 41,10) – Responsorium (Ps 31,6) – Lobgesang des Simeon (Nunc dimittis) – Gebet (*Herr, höre unser Bitten und kehre ein bei uns in diesem Hause …*) – Segen (4 Mose 6,24–25)

Das Evangelische Brevier kann als Versuch begriffen werden, die überlieferte Form des kirchlich-monastischen Tagzeitengebets nicht schlichtweg zu restaurieren, sondern in einem Segment zeitgenössischer Kultur – genauer: im protestantisch-bildungsbürgerlichen Milieu der fünfziger und sechziger Jahre des vergangenen Jahrhunderts[58] – zu *inkulturieren* bzw. zu *kontextualisieren*, wie es im Fachjargon heißt. Erich Hertzsch, so erklärt sein Sohn, „steht für die andere, die zeitnahe Erfahrung des Breviergebets"[59]. Statt Gregorianik – gegen die er gar nichts hatte – evangelische Gesangbuchlieder. Statt christlich-antiker, romanischer, gotischer Versatzstücke – Rembrandtbilder. Statt Väterlesungen – Lutherzitate. Statt altrömischer Kollekten – Franz von Assisi. Statt Ingressus und Invitatorium – Rüstgebete in zeitgemäßer Sprache. Statt Repristination kontingenter Traditionskomplexe – thematische Durchdringung jeder einzelnen Hore wie der Woche insgesamt. Statt Perfektion – sinnvolle Reduktion der Texte und Ordnungen. Statt Orgelspiel – Klavierakkorde.[60]

Freilich: Jede Kontextualisierung solcher Art zieht neue kulturelle Grenzen. Man muss Rembrandt und das traditionelle evangelische Kirchenlied, auch Luthers Katechismen schätzen, um das Brevier zu lieben. Man muss vermutlich auch ein Gespür für das kunstvolle Gefüge der Themen, Texte und Bilder besitzen, um Gewinn und Genuss daraus zu ziehen. Mit Begriffen, die neuerdings in Mode stehen, lässt sich sagen: Es ist ein Gebetbuch für ein sehr schmales, christlich geprägtes Segment des hochkulturellen Niveaumilieus.[61] Wer in andere Erlebnismilieus eingebunden ist, wird womöglich Mühe haben, dem Spiel der Texte, Bilder, Klänge zu folgen, das ihm hier vorgeschlagen wird.

„Serva ordinem, et ordo servabit te": Erich Hertzsch hat diese benediktinische Maxime oft und gern zitiert.[62] Schon damals war er fest von dem überzeugt, was uns heute Fulbert Steffensky so nachdrücklich einschärft: Menschen „bauen" sich nicht nur „von innen nach außen". Sie „bauen" sich genausogut „von außen nach innen". Was sie tun, was sie handeln, was sie begehen, die Form, die sie ihrem Leben geben, wirkt auf ihr Denken und Fühlen zurück, prägt ihre Haltung, formt auch das, was sie glauben.[63] Zur Begründung kann Hertzsch anthropologische, insbesondere tiefenpsychologische Einsichten ins Feld führen,[64] aber auch auf „die biblische Lehre von der ‚Umgestaltung in Christus'"

---

58   Dieses Milieu war existent – jedenfalls noch im Jena dieser Jahre. Und es wurde nicht zuletzt im Hause Hertzsch intensiv gelebt.

59   *Biblisches Brevier 2001* (wie Anm. 6) 11.

60   Fuchs – Hertzsch, *Exercitia* (wie Anm. 56) 86, zitiert Hertzsch einen „sehr bekannten lutherischen Theologen und Kirchenmann", der das Werk geringschätzig als „Laienbrevier" abqualifiziert habe.

61   Vgl. dazu Gerhard Schulze, *Die Erlebnisgesellschaft. Kultursoziologie der Gegenwart.* Frankfurt/M. – New York 1993.

62   Erich Hertzsch, *Exercitia spiritualia in der evangelischen Kirche*, in: ThLZ 86. 1961, 81– 94, hier 89.

63   Vgl. Fulbert Steffensky, *Der Seele Raum geben – Kirchen als Orte der Besinnung und Ermutigung*, in: *Texte zum Sachthema der 1. Tagung der 10. Synode der Evangelischen Kirche in Deutschland (EKD) 22. bis 25. Mai 2003, Leipzig*. Im Auftrag des Präsidiums der Synode der Evangelischen Kirche in Deutschland (EKD) hg. v. Kirchenamt der EKD. Hannover 2003, 5–16, hier 8: „Der Raum baut an meiner Seele. Die Äußerlichkeit baut an meiner Innerlichkeit."

64   In diesem Zusammenhang zitiert er gerne auch den Satz: „Es ist der Geist, der sich den Körper baut"; vgl. Hertzsch, *Exercitia* (vgl. Anm. 62) 85. Ausdrücklich nimmt er für sich in Anspruch, dass beim Evangelischen Brevier „alle Erkenntnisse der Tiefenpsychologie berücksichtigt worden sind, vor allem das, was sich auf das Thema ‚Me-

verweisen:[65] Es „läßt sich zeigen", so schreibt er, „daß bei dieser gottgewollten ‚Metamorphose des Menschen' den geistlichen Übungen eine große, allerdings auch genau zu begrenzende Bedeutung zukommt"[66].

Dabei gilt: „Die gottgewollte Metamorphose ist keine Selbstverständlichkeit, sondern ein unbegreifliches Wunder, das vom Menschen nicht bewirkt, nicht einmal angefangen und eingeleitet werden kann." Doch dann fährt er fort: „Aber dies Wunder muß von ihm angenommen, angeeignet, bejaht werden; der Mensch muß Gott an sich wirken lassen."[67] Geistliche Übungen – insbesondere das geregelte tägliche Gebet – sind für ihn ein solcher Weg, „sich dem wirkenden Wort Gottes willig zu öffnen und damit Gottes heilsames Werk an sich geschehen zu lassen."[68] Dass hier eine Spannung bleibt, ist deutlich: In einer Hinsicht werden die *Exercitia spiritualia* ganz und gar der Antwort-Seite des Glaubensverhältnisses zugeordnet, in anderer Hinsicht spielen sie aber auch auf der Wort-Seite – wenn sie denn dazu helfen, „sich dem wirkenden Wort Gottes willig zu öffnen" – eine bedeutsame Rolle.

5. Wahrer und falscher Gottesdienst

Ein damals vielbeachteter Aufsatz des Cottbusser Generalsuperintendenten Günter Jacob[69] aus dem Jahre 1967 unter der Überschrift „Die Zukunft der Kirche in der Welt des Jahres 1985" veranlasst Erich Hertzsch, sich Gedanken über „Die Liturgie der Kirche in der Welt des Jahres 1985" zu machen.[70] Auch wenn das ominöse Datum 1985 schon längst wieder der Geschichte angehört, lohnt es sich, den Aufsatz nachzulesen; fasst er doch die grundlegenden liturgietheologischen Überzeugungen zusammen, denen sich Hertzsch verpflichtet weiß.

Zunächst: Auf die Idee und das Programm eines „religionslosen Christentums" – von Jacob im Anschluss an Dietrich Bonhoeffer vertreten – will und kann sich Hertzsch nicht einlassen, auch nicht auf die Entgegensetzung von Religion und Christusglauben im Sinne Karl Barths. Die von ihm proklamierte Antithese lautet

---

ditation' bezieht": „Nur das Brevier-Gebet, das die Tiefenschichten unseres Selbst erreicht, hat Sinn und Verheißung" (ebd. 92). Diese Einsichten haben auch glaubenspädagogische Konsequenzen: Es ist, so schreibt er, „von entscheidender Bedeutung, daß wir im Gottesdienst, vor allem bei der Liturgie, aber auch bei der Predigt, und bei der christlichen Unterweisung den Irrweg der begrifflichen Abstraktion und scholastischen Definition des Göttlichen vermeiden lernen" (ebd. 92). Aus solchen Einsichten speist sich auch ein anderer früher Vorstoß: Erich HERTZSCH, *Kinderkommunion in der evangelischen Kirche*, in: MPTh 48. 1959, 294–297. Vgl. auch DERS., *Die Predigt im Gottesdienst*, in: EPB, Sonderheft Oktober 1961, 2–5; DERS., *Die Einprägung des Katechismus*, in: *Bild und Verkündigung. Festgabe für Hanna Jursch zum 60. Geburtstag*. Berlin 1962, 84–94; DERS., *Meditation in der Kirche*, in: ThLZ 104. 1979, 553–559.

65 Dazu verweist er u.a. auf Paulus (Röm 6,4; 8,29; 12,2; 2 Kor 3,18; 4,6; 5,17), aber auch auf die Synoptiker und Johannes (Joh 3,3–8; 1 Joh 5,1); vgl. HERTZSCH, *Die Einprägung des Katechismus* (wie Anm. 64) 85f.

66 HERTZSCH, *Die Einprägung des Katechismus* (wie Anm. 64) 84.

67 HERTZSCH, *Die Einprägung des Katechismus* (wie Anm. 64) 86.

68 HERTZSCH, *Die Einprägung des Katechismus* (wie Anm. 64) 89.

69 Günter JACOB, *Die Zukunft der Kirche in der Welt des Jahres 1985*, in: ZdZ 21. 1967, 441–451.

70 Erich HERTZSCH, *Die Liturgie der Kirche in der Welt des Jahres 1985*, in: ThLZ 94. 1969, 11–16.

vielmehr: *wahre* oder *falsche* Religion. Und: *wahrer* oder *falscher* Gottesdienst. Die Grenze zwischen beiden deckt sich keineswegs mit den Grenzen der sichtbaren Kirche: Immer wieder, so macht er deutlich, gelingt es der *falschen Religion* und dem mit ihr verbundenen *falschen Gottesdienst*, sich im Herzen der Kirche Christi selbst zu etablieren. Überall da nämlich, wo Menschen Gebet und Liturgie, Wort und Sakrament benutzen, um auf Gott einzuwirken, ihn für sich und ihre Zwecke zu beanspruchen, ihn ihren Zielen dienstbar zu machen, verkehren sie den *wahren* in den *falschen Gottesdienst*, die *wahre Religion* in *Abgötterei*.[71] Im Grunde ist er hier Karl Barth wieder ganz nahe: Den *falschen Gottesdienst* findet er nicht nur und nicht zuerst bei den ‚anderen‘, sondern entlarvt ihn gerade dort, wo er unter der Maske christlichen Gottesdienstes daherkommt. Heidnischer Kult ist ihm keineswegs „eine Vorstufe der christlichen Liturgie, sondern ihr vollkommenes Gegenteil, steht zu ihr im kontradiktorischen Gegensatz". Denn, so erklärt er weiter: „Kult ist pervertierte Liturgie. Opferdienst ist Götzendienst. Jeder, der opfert, ist ein *fabricator deorum*."[72]

Schon in seiner Liturgik von 1956 hatte Hertzsch diese liturgietheologische Konzeption begründet und im Blick auf die gottesdienstliche Praxis entfaltet: Christlicher Gottesdienst will nicht „der Gottheit dienen, als ob sie seiner bedürfe"[73]. Er ist im strengen Sinn *opus Dei*, nämlich Gottes Dienst am Menschen, „ein Empfangen der Heilswohltat Gottes"[74], *beneficium Dei*, und nicht Leistung des Menschen für Gott, *sacrificium hominis*. Er zielt nicht darauf, den Willen Gottes, sondern den Willen des Menschen zu ändern: „Nicht der Mensch versöhnt die zürnende Gottheit, sondern Gott versöhnt die mit ihm hadernde Welt."[75] Eine Haltung des *do ut des* – „ich gebe, um vielfältig wieder zu nehmen"[76] – ist darum ausgeschlossen; statt dessen muss es heißen: *das ut dem*. „Wenn Gott mich mit seiner Gnade beschenkt, muß ich mich, alle Sicherungen preisgebend, Ihm ganz und gar zur Verfügung stellen. So wird aus dem kultischen Gottesdienst der ‚Lebensgottesdienst‘"[77].

Wahre und *falsche Religion*, *wahrer* und *falscher Gottesdienst* – das ist für Hertzsch demnach alles andere als eine spitzfindige theologische Unterscheidung.[78] Das hat für ihn etwas mit dem *Leben* selbst zu tun, dem Leben vor Gott und dem Leben unter den Menschen: Die „falsche Religion", so schreibt er, verführt „zur

---

[71] Vgl. dazu auch Erich HERTZSCH, *Evangelium und Opfer*, in: *Reich Gottes und Wirklichkeit. Festgabe für Alfred Dedo Müller zum 70. Geburtstag am 12.1.1960*. Berlin 1961, 113–122; DERS., *Luthers Theologie* (wie Anm. 46); DERS., *Die neue Ordnung der Eucharistiefeier*, in: ThLZ 98. 1973, 241–251.

[72] HERTZSCH, *Evangelium und Opfer* (wie Anm. 71) 121.

[73] HERTZSCH, *Wirklichkeit* (wie Anm. 21) 27.

[74] HERTZSCH, *Wirklichkeit* (wie Anm. 21) 29.

[75] HERTZSCH, *Wirklichkeit* (wie Anm. 21) 29.

[76] HERTZSCH, *Wirklichkeit* (wie Anm. 21) 27.

[77] HERTZSCH, *Wirklichkeit* (wie Anm. 21) 29.

[78] Es ist bemerkenswert, dass die Alternative „wahrer oder falscher Gottesdienst" in der gegenwärtigen Grundlagendiskussion innerhalb der katholischen Liturgiewissenschaft zunehmend eine wichtige Rolle spielt; vgl. z.B. Reinhard MESSNER, *Ansätze für eine ökumenische Liturgiewissenschaft*, in: *Grenzüberschreitungen. Profile und Perspektiven der Liturgiewissenschaft*. Hg. v. Wolfgang RATZMANN. Leipzig 2002 (Beiträge zu Liturgie und Spiritualität 9), 127–137, hier 132, 136.

Weltflucht und zur Weltverachtung, zur Verantwortungsscheu und zum achtlosen
Vorübergehen am Leid der Mitmenschen". Ihre Protagonisten – Hertzsch
verdeutlicht das am Beispiel der „falschen Propheten" des Alten Testaments –
„,narkotisieren' das Volk; denn sie beschönigen das himmelschreiende Unrecht,
das den Elenden im Lande angetan wird; sie verharmlosen die zur Katastrophe
drängende Situation; sie gieren alle, klein oder groß, nach unrechtem Gewinn."[79]
Aus solch fundamentaler Erkenntnis heraus verwirft Hertzsch nicht nur den
römischen Messkanon und die tridentinische Lehre vom Messopfer,[80] sondern
setzt sich auch kritisch mit evangelischen Autoren auseinander. So bescheinigt
er der von Peter Brunner[81] vertretenen Auffassung, „der Gottesdienst müsse
als Christus-Anamnese verstanden werden", „eine gefährliche Nähe zur römischen Lehre und Praxis".[82] So steht er auch allen Versuchen, Anamnese und
Epiklese wieder einen Ort in der evangelischen Abendmahlsliturgie zu geben, äußerst ablehnend gegenüber: „Luther hat gut daran getan, daß er auch
die Anamnese mit allen anderen Gebeten des römischen Kanons gestrichen
hat"; steht sie doch ganz „im Dienst des falschen, von Luther scharf abgelehn-
ten Opfergedankens"[83] und gilt ihm darum „als bedenkliches, ja gefährliches
Menschenwerk".[84] Und von der Epiklese gilt: „Wir, die wir die Wandlungslehre
als Irrtum ablehnen müssen, können nur die biblisch fundierte Epiklese der
Pfingstlieder anerkennen und annehmen."[85] Von seinem Widerstand gegen die
Etablierung eines „Dankopfers" samt „Dankopfergebet" in der neuen lutherischen Agende war oben schon die Rede.[86]

Dass er hier einen überaus kritischen Punkt evangelischer Gottesdienstgestaltung berührt und ein Thema besetzt, das immer noch von höchster Aktualität ist, zeigt die vor einiger Zeit von Dorothea Wendebourg angestoßene Debatte
um die von ihr befürchtete „Eucharistierung" des Abendmahls.[87] Diese Debatte

---

[79]   HERTZSCH, *Liturgie der Kirche* (wie Anm. 70) 14.

[80]   Vgl. HERTZSCH, *Wirklichkeit* (wie Anm. 21) 40–42, 57–62, 114f, 119–122. Das hinderte
       ihn freilich nicht daran, die nachkonziliare römische Messordnung – wie überhaupt
       die Liturgiereform des II. Vatikanischen Konzils – anerkennend zu würdigen; vgl.
       HERTZSCH, *Eucharistiefeier* (wie Anm. 71).

[81]   Peter BRUNNER, *Zur Lehre vom Gottesdienst der im Namen Jesu versammelten Gemeinde*, in:
       Leit. 1. 1954, 83–364, hier 209–214, 229–232, 340–361.

[82]   HERTZSCH, *Wirklichkeit* (wie Anm. 21) 38f.

[83]   HERTZSCH, *Wirklichkeit* (wie Anm. 21) 121.

[84]   HERTZSCH, *Wirklichkeit* (wie Anm. 21) 116.

[85]   HERTZSCH, *Wirklichkeit* (wie Anm. 21) 122. Im Blick auf die Lutherische Agende I und
       die dort vorgesehene Abendmahlsform B hat er später sein Urteil etwas revidiert; vgl.
       HERTZSCH, *Luthers Theologie* (wie Anm. 46) 809f: „[...] die ‚Epiklese', die gegebenen-
       falls vor den Einsetzungsworten gebetet werden soll, erbittet nicht die Herabsendung
       des Heiligen Geistes auf die Opfergaben Brot und Wein, damit sie dadurch zum Lei-
       be und Blute Christi werden [...], sondern bittet nur: ‚Herr, sende herab auf uns den
       Heiligen Geist, heilige und erneuere uns nach Leib und Seele', und in der ‚Anamne-
       se' fehlt die Verquickung von ‚Anamnese' und ‚Prosphora' [...]. Beide Stücke sind
       also, mit Luther zu reden, ‚rein', d.h. frei vom Opfergedanken der römischen Mes-
       se."

[86]   Vgl. auch HERTZSCH, *Wirklichkeit* (wie Anm. 21) 113–116.

[87]   Dorothea WENDEBOURG, *Den falschen Weg Roms zu Ende gegangen? Zur gegenwärtigen Dis-
       kussion über Martin Luthers Gottesdienstreform und ihr Verhältnis zu den Traditionen der Alten*

kann hier weder dargestellt noch fortgeführt werden.[88] Doch zwingen nicht zuletzt liturgiehistorische Erkenntnisse und der Dialog mit der katholischen Liturgiewissenschaft zu einer differenzierteren Sicht: So unaufgebbar die Notwendigkeit einer theologischen Unterscheidung von Wort-Seite und Antwort-Seite im Glaubensverhältnis – und damit die theologische Differenz von Katabasis und Anabasis im gottesdienstlichen Handeln – auch bleiben, so kann doch nicht übersehen werden, dass das in Christus begründete Heil sich in, mit und unter dem dankbaren Gedenken der „zu seinem Gedächtnis" versammelten Gemeinde in seiner lebenschaffenden Wirklichkeit entfalten kann und will, wie überhaupt das Wort Gottes nicht anders als in, mit und unter der Antwort des Glaubens zu seiner Gestalt und Wirkung kommt.[89]

6. Plädoyer für die Messe

„Als mein Vater alt war, hatte er zwei Themen, auf die er immer wieder zurückkam", schreibt sein Sohn. „Bei ihm war es die Bedeutung des Kyrie in der Evangelischen Messe und eben das Evangelische Brevier."[90] Wie wichtig ihm das Thema *Wort und Sakrament* war und zu welchen Verhältnisbestimmungen er dabei gelangte, haben wir oben bereits zur Kenntnis genommen. Auch später ist Erich Hertzsch nicht müde geworden, für die *evangelische Messe* einzutreten, das heißt für eine Form des christlichen Gottesdienstes, die Predigt und Herrenmahl, Wort und Sakrament miteinander verbindet. Klaus-Peter Hertzsch hat mir in großer Freundlichkeit eine Hörkassette mit einer Ansprache zur Verfügung gestellt, die sein Vater bei Gelegenheit einer Feier zu seinem 80. Geburtstag am 31. März 1982 gehalten hat. Teil dieser Ansprache[91] ist ein ergreifendes

Kirche, in: ZThK 94. 1997, 437–467; DIES., *Noch einmal „Den falschen Weg Roms zu Ende gegangen?" Auseinandersetzung mit meinen Kritikern*, in: ZThK 99. 2002, 400–440.

[88] Vgl. u.a. Hans-Christoph SCHMIDT-LAUBER – FRIEDER SCHULZ, *Kerygmatisches oder eucharistisches Abendmahlsverständnis? Antwort auf eine kritische Herausforderung der gegenwärtigen Liturgiewissenschaft*, in: LJ 49. 1999, 93–114; Ulrich KÜHN, *Der eucharistische Charakter des Herrenmahls*, in: PTh 88. 1999, 255–268; Reinhard SLENCZKA, *Herrenwort oder Gemeindegebet? Eine zur Klärung von dringenden Fragen notwendige Kontroverse*, in: KuD 44. 1998, 275–284; Frieder SCHULZ, *Eingrenzung oder Ausstrahlung? Liturgiewissenschaftliche Bemerkungen zu Dorothea Wendebourg*, in: *Liturgiewissenschaft und Kirche. Ökumenische Perspektiven*. Hg. v. Michael MEYER-BLANCK. Rheinbach 2003, 91–107.

[89] Ausführlicher dazu: Karl-Heinrich BIERITZ, *Liturgik*. Berlin – New York 2004, 258–261, 309–332 u.ö.

[90] HERTZSCH, *Erinnerungen* (wie Anm. 12) 113.

[91] Ein weiteres Anliegen, das in der genannten Ansprache zum Ausdruck kommt, betrifft die Ordnung der Lese- und Predigtperikopen; hier beklagt Hertzsch vor allem das fast völlige Fehlen von Lesungen aus der Leidensgeschichte Jesu in der Passionszeit. Den Vorschlag, an den Sonntagen der Fastenzeit „sechs der wichtigsten Perikopen der Passionsgeschichte" zu lesen, unterbreitete er schon in einem früheren Aufsatz: Erich HERTZSCH, *Überlegungen zur Neugestaltung des Lektionars für evangelisch-lutherische Kirchen und Gemeinden*, in: ThLZ 94. 1969, 163–172, hier 169. Weitere Vorschläge betreffen u.a. (1) die Einbeziehung der drei letzten Sonntage des Kirchenjahres in die Adventszeit; an den nunmehr sieben Adventssonntagen sollte „die Epistel durch eine Lektion aus den Prophetenbüchern" ersetzt werden; (2) an den Sonntagen der Osterzeit sollten – anstelle der Abschnitte aus den Abschiedsreden Jesu – die johanneischen Ich-bin-Worte im Mittelpunkt stehen; (3) die Zeit nach

„Plädoyer für die Messe", das an den gleichnamigen Aufsatz anknüpft, den er vier Jahre zuvor in der Theologischen Literaturzeitung veröffentlicht hatte.[92]
    Fünf Argumente, die für die Messe sprechen, hat er darin zusammengetragen. Von besonderem Gewicht ist das zweite Argument, das die entscheidenden theologischen Gründe für die Verbindung von Herrenmahl und Predigt anführt: „Für die Messe spricht", so schreibt er, „daß in ihr Wort und Sakrament untrennbar miteinander verbunden sind. Daß dies notwendig, heilsnotwendig ist, begründen wir mit dem für unser Gottesdienstverständnis und für unsere Gottesdienstgestaltung entscheidend wichtigen Artikel V der Confessio Augustana: ,Per verbum et sacramenta tamquam per instrumenta donatur spiritus sanctus, qui fidem efficit, ubi et quando visum est Deo.' Das Testament Christi bewahrt sein Wort davor, daß es zur ,reinen Lehre', zur bloßen Unterweisung und zur moralischen Zurechtweisung verkümmert. Das Sakrament verhindert, daß aus der Gemeinde (congregatio sanctorum) ein Publikum wird; es stiftet Gemeinschaft (communio) mit dem auferstandenen, unter uns und in uns wirkenden Christus und durch ihn zwischen allen, die sich ihm anvertrauen. Das Wort Gottes wiederum bewahrt das Sakrament davor, daß es zum theurgischen Kult, zur magischen Opferhandlung pervertiert wird. Das Wort sorgt dafür, daß wir nie vergessen, daß Gott der Herr durch Christus zu uns spricht: ,Ich habe Lust an der Liebe und nicht am Opfer' (Hos 6,6; Mt 9,13; 12,7)."[93]
    Die Argumentation lässt keinen Zweifel daran, dass für Hertzsch die Zuordnung von Wort und Sakrament, wie sie in der Messe als Grundform christlichen Gottesdienstes ihren Ausdruck findet, theologisch im Willen Gottes und in der Stiftung Christi gründet. Aber es ist bezeichnend für seine Weise theologischen Denkens, dass solche Setzung anthropologische Überlegungen keineswegs ausschließt, sondern geradezu einfordert. Ausdrücklich nimmt er auf den Menschen und seine Möglichkeiten Bezug;[94] ist es doch letztlich die *conditio humana*, die nach solch doppelter Gestalt der Heilsmitteilung verlangt.[95]
    Nun möchte Hertzsch freilich nicht nur an der Einheit von *Wort und Sakrament*,

---

Pfingsten sollte „in eine Mt-, eine Mk- und eine Lk-Zeit" – mit Bahnlesungen aus den genannten Evangelien – gegliedert werden. Insgesamt sollten Texte ausgewählt werden, „die möglichst anschaulich, bildhaft, konkret sind in ihrem Gedankengehalt", „schon den Kindern der Gemeinde zugänglich, zugleich aber für die erfahrensten, im Glauben gereiften Christen entscheidend wichtig, unentbehrlich, notwendig" (ebd. 167). Vgl. auch Erich HERTZSCH, *Neue Lesungen für den Gottesdienst*, in: ThLZ 99. 1974, 14–20.

92   Vgl. Anm. 47.
93   HERTZSCH, *Plädoyer* (wie Anm. 47) 407.
94   Schon 1955 hatte er – in seiner Auseinandersetzung mit William Nagel – geschrieben: „Die Predigt ohne Herrenmahl verfällt [...] nur allzu leicht der Intellektualisierung und der Moralisierung; aus der Kirche, in der sich die Gemeinde vor Gott versammelt, wird die Schule, der Vortragssaal, die Erziehungsanstalt; aus der betenden und singenden Gemeinde wird das Publikum, das die Torso-Liturgie als einen recht überflüssigen ,Rahmen' der Predigt ansieht" (HERTZSCH, *Wort und Sakrament* [wie Anm. 38] 355).
95   Aber auch das andere gilt: „Das Abendmahl [...] wird zum Ritual, zur Theurgie, ja zur Magie, wenn es, losgelöst von der Predigt, zum *opus operatum* gemacht wird."; HERTZSCH, *Wort und Sakrament* (wie Anm. 38) 355.

sondern auch an der überlieferten „Grundstruktur der Liturgie"[96] – der später so arg strapazierte Begriff taucht bei ihm noch vor „Strukturpapier"[97] und Strukturdebatte[98] auf – festhalten.[99] Er weiß natürlich, dass diese Grundstruktur historisch gewachsen und damit historischem Wandel unterworfen ist. Für diese Struktur spricht aber *zum ersten*, dass sie „ökumenisch" ist: Sie verbindet den evangelischen Gottesdienst mit den Gottesdiensten anderer Konfessionen, insbesondere mit der erneuerten römischen Messe, der Liturgie der Ostkirchen und dem Gottesdienst der anglikanischen Gemeinschaft.[100] Für diese Struktur spricht *zweitens* – wie oben erörtert –, dass sie *Wort und Sakrament* komplementär miteinander verbindet. Für sie spricht *drittens*, dass sie in ihrem Ordinarium etwas „Immer-wieder-Kehrendes" bietet, das von großer seelsorgerlicher Bedeutung ist: Menschen bedürfen solcher Beheimatung im Vertrauten, sollen sie den Gottesdienst liebgewinnen. *Viertens* spricht für diese Struktur, dass „sie nicht ‚die Befriedigung religiöser Bedürfnisse' zum Inhalt und Ziel hat", sondern dass in ihr alles auf „Sendung" zielt: Der Gottesdienst der Gemeinde soll seine Fortsetzung finden im „Gottesdienst im Alltag der Welt".[101]

7. Tischgemeinschaft

Zurück zur Kirche und ihrem Gottesdienst in der Welt des Jahres 1985: Die Vorstellungen, die Hertzsch hierzu entwickelt, klingen beim ersten Lesen und Hören recht konservativ. „... eins muß klar sein", schreibt er: „den Grundcharakter und die Grundstruktur der Liturgie dürfen wir auf keinen Fall ändern. Im Gegenteil! Es gilt, diesen Grundcharakter noch klarer und reiner hervortre-

[96] HERTZSCH, *Liturgie der Kirche* (wie Anm. 70) 16.

[97] Vgl. *Versammelte Gemeinde. Struktur und Elemente des Gottesdienstes. Zur Reform des Gottesdienstes und der Agende.* Vorgelegt von der Lutherischen Liturgischen Konferenz. Hamburg o.J. (1974).

[98] Jetzt zusammenfassend dargestellt und weitergeführt bei Helmut SCHWIER, *Die Erneuerung der Agende. Zur Entstehung und Konzeption des „Evangelischen Gottesdienstbuches".* Hannover 2000 (Leiturgia NF 3), 107–159.

[99] Vgl. HERTZSCH, *Die neue Ordnung der evangelischen Eucharistiefeier* (wie Anm. 46): In diesem späteren Aufsatz, mit dem er sein „Plädoyer für die Messe" weiterführen und konkretisieren möchte, entwickelt er – in Aufnahme der Begriffe des neuen römischen Missale – eine solche Grundstruktur für den evangelischen Gottesdienst: Er unterscheidet hier (1) *Praeparatio ad missam*: die „sorgfältige Vorbereitung" aller Beteiligten, die in das gottesdienstliche Confiteor – auch als gemeinsam gebeteter Ps 51 – mündet und mit der „altkirchlichen Epiklese" – dem Gesang von „Komm, Heiliger Geist" – abgeschlossen wird; (2) *Liturgia verbi*: mit Psalm, Kyrie – dies „kann, ja soll variiert, ‚tropiert' werden" –, Gloria, Tagesgebet, Epistel, Evangelium, Predigt, Credo – gegebenenfalls auch als Te Deum –, Fürbittengebet, möglichst in der Form der Ektenie; (3) *Liturgia eucharistica*: mit Friedensgruß, Danksagungsgebet – er empfiehlt hier ausdrücklich das neue römische Hochgebet II –, Sanctus (vom Chor gesungen!), Benedictus (Gemeinde), Vaterunser (von der Gemeinde gesungen!), Einsetzungsworte (zur Gemeinde, wobei diese mit der *acclamatio anamneseos* respondieren kann), Agnus Dei, Kommunion, Dankgebet, Sendung. Manches von dem, was er hier vorschlägt, wird später vom Entwurf der „Erneuerten Agende", dann vom „Evangelischen Gottesdienstbuch" (1999) aufgenommen.

[100] Vgl. hier und zum Folgenden HERTZSCH, *Plädoyer* (wie Anm. 47) 407–410.

[101] Hertzsch selber zitiert hier Ernst KÄSEMANN, *Gottesdienst im Alltag der Welt*, in: DERS., *Exegetische Versuche und Besinnungen*. Berlin 1968, 233–239, freilich nicht.

ten zu lassen, um der falschen Religion durch die rechte Liturgie den Garaus
zu machen." Und so hält er fest – gegen alle Resignation, aber auch gegen alle
Reformhysterie: „Der Gottesdienst, in dem das Evangelium proklamiert, das
Credo bekannt, das Vaterunser gebetet, das Herrenmahl gefeiert, das Kyrie,
das Gloria, das Sanctus-Benedictus und das Agnus dei gesungen werden, ver-
bürgt die Zukunft der Kirche in der Welt des Jahres 1985 und aller kommenden Jahre."[102]

Genaueres Hinhören und Lesen zeigt freilich, dass Hertzsch durchaus mit
Veränderungen rechnet, ja, in mancher Hinsicht sogar darauf hofft und darauf
hinwirkt. Da ist zum Beispiel das fünfte, hier noch nicht genannte Argument,
das er in seinem „Plädoyer für die Messe" aufbietet, und das sich schließlich zu
einer Art Vision verdichtet: Für die Messe spricht nämlich in besonderer Weise,
„daß sie auch in der kleinsten Gemeinde, wo nur ‚zwei oder drei versammelt sind
in Christi Namen', gefeiert werden kann". Und er fährt fort: „Die eucharistische
Gemeinde braucht keinen Altar (keinen Opferstein), sondern nur eine Mensa
(einen Tisch), mit Brotschale und Weinkrug. In Kleinstgemeinden ist der
herkömmliche Predigtgottesdienst fehl am Platze, aber die evangelische Messe
in schlichtester Gestalt das Einzig-Wahre. Hier kann die conscia, actuosa, plena
participatio[103] aller Teilnehmer verwirklicht werden; hier kann aus der Predigt,
in der die Gemeinde von oben herab abgekanzelt wird, wieder die Homilia
im ursprünglichen Sinne des Wortes werden; das vertraute Gespräch über das
gemeinsam gelesene Evangelium. Hier kann ‚einer des anderen Last tragen'
und so ‚das Gesetz Christi erfüllen' (Gal 6,2). Hier kann in einer schrumpfenden
Volkskirche der Gemeinde Jesu Christi ein ermutigender, verheißungsvoller
Neubeginn geschenkt werden."[104]

Das darf gelesen werden als Vision einer neuen Kirche, einer neuen Gemeinde, auch eines neuen Gottesdienstes: einer Gemeinde, die sich am Tisch
und um den Tisch versammelt, der als kräftiges Zeichen steht sowohl für das
Gespräch unter dem Wort Gottes, als auch für das Mahl, das hier miteinander
in der Gegenwart Christi gefeiert wird.[105] Christliche Gemeinde als Tischge-
meinschaft – und dies als Gemeinschaft des Gesprächs[106] und Gemeinschaft des
Mahls. Die Herausforderungen, die auf die Volkskirche und ihren Gottesdienst
zukommen, hat Hertzsch schon sehr früh gesehen und beschrieben.[107] Und er
hat Wegweiser gesetzt für die Aufgabe, dem einen, wahren Gottesdienst auch in
der gewandelten Situation einer gewandelten Gemeinde eine theologisch verantwortete, anthropologisch angemessene Gestalt zu geben.

[102] HERTZSCH, *Liturgie der Kirche* (wie Anm. 70) 16.
[103] Vgl. zur bewussten, tätigen, vollen Teilnahme Anm. 34.
[104] HERTZSCH, *Plädoyer* (wie Anm. 47) 410.
[105] Im bereits erwähnten Brief vom 1. Mai 1992 (wie Anm. 20) schreibt er auch, dass ihm
     ein Besuch auf der Insel Rügen in „guter Erinnerung geblieben" sei, „wo Sie mich
     mitnahmen in die kleinen Dörfer ohne Kirchen, wo in den Bauernhäusern am Fami-
     lien-Tisch das Heilige Abendmahl gefeiert wurde".
[106] Johann Baptist METZ, *Kleine Apologie des Erzählens*, in: Conc(D) 9. 1973, 334–341,
     spricht von „Erzählgemeinschaft".
[107] Erich HERTZSCH, *Neue Organisationsformen des kirchlichen Lebens*, in: ThLZ 85. 1960,
     885–890; vgl. auch HERTZSCH, *Predigt im Gottesdienst* (wie Anm. 64) 4.

Auswahlbibliografie

Kirche und Staat im Urteil der jungevangelischen Bewegung, in: ChW 44. 1930, 1002–1004.

Karlstadt und seine Bedeutung für das Luthertum. Gotha 1932.

Ist die praktische Theologie eine Wissenschaft?, in: ThLZ 77. 1952, 693–698.

Memorandum zum Agendenentwurf, in: ELKZ 7. 1953, 38–40.

Das Problem der Entlassung im evangelischen Gottesdienst, in: ThLZ 79. 1954, 531–534.

Wort und Sakrament. Zur Frage der Entlassung beim evang.-luth. Hauptgottesdienst, in: ELKZ 9. 1955, 354–355.

Karlstadts Schriften aus den Jahren 1523–25. Ausgewählt und hg. v. Erich HERTZSCH (= Neudrucke deutscher Literaturwerke des 16. und 17. Jahrhunderts, begründet von Wilhelm BRAUNE, Nr. 325). Halle/Saale, Teil I: 1956, Teil II: 1957.

Das Problem der Ordination der Frau in der evangelischen Kirche, in: ThLZ 81. 1956, 379–382.

Die Wirklichkeit der Kirche. Kompendium der Praktischen Theologie. Erster Teil: *Die Liturgie.* Halle 1956.

Apostelfeste in der evangelischen Kirche, in: RGG³ 1. 1957, 500f.

Bilder und Bilderverehrung IV: Grundsätzliches, in: RGG³ 1. 1957, 1275f.

Begräbnis III: Im Christentum 1–3, in: RGG³ 1. 1957, 963–966.

Bußpsalmen, in: RGG³ 1. 1957, 1538f.

Farben 2: Liturgisch, in: RGG³ 2. 1958, 875f.

Feuerbestattung, in: RGG³ 2. 1958, 930f.

Fußkuß, in: RGG³ 2. 1958, 1182.

Fußwaschung, in: RGG³ 2. 1958, 1183f.

Evangelisches Brevier. Zusammengestellt von Erich HERTZSCH. Hg. von der Pressestelle der Evangelisch-Lutherischen Kirche in Thüringen. Berlin 1959. Überarbeitete und ergänzte Auflagen: *Evangelisches Brevier.* Zusammengestellt von Erich HERTZSCH. Berlin ²1976, ³1981, Berlin – Hamburg ⁴1987; *Biblisches Brevier.* Zusammengestellt von Erich HERTZSCH, mit einem Vorwort von Klaus-Peter HERTZSCH. Leipzig ⁵2001.

Hauptentblößung bei liturgischen Handlungen, in: RGG³ 3. 1959, 88f.

Homiliar, in: RGG³ 3. 1959, 440f.

Karlstadt, in: RGG³ 3. 1959, 1154f.

Karwoche, in: RGG³ 3. 1959, 1162.

Kerzenweihe, in: RGG³ 3. 1959, 1254.

Kinderbischof, in: RGG³ 3. 1959, 1274.

Kinderkommunion in der evangelischen Kirche, in: MPTh 48. 1959, 294–297.

Kirchweihe, in: RGG³ 3. 1959, 1623f.

Zum Problem der politischen Predigt, in: CV 2. 1959, 213–216.

Liturgik III: Liturgiewissenschaftliche Begriffe, in: RGG³ 4. 1960, 420–422.

Liturgik IV: Liturgische Formeln, in: RGG³ 4. 1960, 422f.

Magnificat, in: RGG³ 4. 1960, 602f.

Neujahrsfest, christliches, in: RGG³ 4. 1960, 1420f.

Neue Organisationsformen des kirchlichen Lebens, in: ThLZ 85. 1960, 885–890.

Die Predigt im Gottesdienst, in: EPB, Sonderheft Oktober 1961, 2–5.

Evangelium und Opfer, in: *Reich Gottes und Wirklichkeit. Festgabe für Alfred Dedo Müller zum 70. Geburtstag am 12.1.1960.* Berlin 1961, 113–122.

Predigt und Seelsorge, in: *Domine, dirige me in verbo tuo. Festschrift zum 70. Geburtstag von Landesbischof D. Moritz Mitzenheim.* Hg. von der Pressestelle der Evangelisch-Lutherischen Kirche in Thüringen im Auftrage des Landeskirchenrats. Berlin 1961, 149–160.

Exercitia spiritualia in der evangelischen Kirche, in: ThLZ 86. 1961, 81–94.

Emil FUCHS – Erich HERTZSCH, *Exercitia spiritualia. Streitgespräch über ein Brevier*, in: EPB 3. 1961, 85–87.

Rubrik, in: RGG³ 5. 1961, 1206.

Sakristei, in: RGG³ 5. 1961, 1330.

Salz, liturgisch, in: RGG³ 5. 1961, 1347f.

Schlußformel, in: RGG³ 5. 1961, 1453f.

Schweigen 2: Liturgisch, in: RGG³ 5. 1961, 1606.

Die Einprägung des Katechismus, in: *Bild und Verkündigung. Festgabe für Hanna Jursch zum 60. Geburtstag*. Berlin 1962, 84–94.

Sonntag, in: RGG³ 6. 1962, 140–142.

Stundengebet I. Liturgisch 3., in: RGG³ 6. 1962, 435f.

Trauung I: Liturgisch, in: RGG³ 6. 1962, 1005–1007.

Methodische Seelsorge, in: ZdZ 17. 1963, 204–211.

Luthers Theologie des Gottesdienstes und die „Lutherische Agende" Band I, in: ThLZ 89. 1964, 802–812.

Von der Nachfolge und den Nachfolgern, in: *Ruf und Antwort. Festgabe für Emil Fuchs zum 90. Geburtstag*. Leipzig 1964, 37–46.

Methodische Seelsorge, in: ThLZ 90. 1965, 161–166.

Ärztliche und pastorale Psychotherapie, in: FuF 41. 1967, 40–44, 78–82.

Überlegungen zur Neugestaltung des Lektionars für evangelisch-lutherische Kirchen und Gemeinden, in: ThLZ 94. 1969, 163–172.

Die Liturgie der Kirche in der Welt des Jahres 1985, in: ThLZ 94. 1969, 11–16.

Die neue Ordnung der Eucharistiefeier, in: ThLZ 98. 1973, 241–251.

Neue Lesungen für den Gottesdienst, in: ThLZ 99. 1974, 14–20.

Plädoyer für die Messe, in: ThLZ 103. 1978, 402–410.

Meditation in der Kirche, in: ThLZ 104. 1979, 553–559.

Die neue Ordnung der evangelischen Eucharistiefeier, in: *Theologia scientia eminens practica. Fritz Zerbst zum 70. Geburtstag*. Hg. v. Hans-Christoph SCHMIDT-LAUBER. Wien 1979, 101–115.

Ildefons Herwegen OSB (1874–1946)

Angelus A. Häußling OSB

1. Biografie[1]

Geboren am 27. November 1874 in Junkersdorf bei Köln, hat er diese Stadt reicher Tradition als seine Heimat geschätzt, einschließlich seines Taufnamens Peter, des Patrons des Kölner Domes. Im Gymnasium der Beuroner Benediktiner in Seckau, Steiermark, machte er das Abitur und trat 1895 in die drei Jahre zuvor neu besiedelte Abtei Maria Laach ein. Seine Ausbildung machte er in Maria Laach, Beuron und Rom, und einen Aufenthalt in der Abtei Maredsous in Belgien 1904–1907 als Deutschlehrer nutzte er zu privaten Studien; sein besonderes Interesse galt der Rechtsgeschichte in deren Zusammenhang mit Mönchtum und Liturgie. 1913 zum Abt von Maria Laach gewählt, setzte er seinem Kloster in weitausgreifender Tätigkeit innerhalb der von Belgien ausstrahlenden „liturgischen Bewegung" ein theologisch und spirituell unterbautes Programm: Erneuerung der Kirche aus den „alten Quellen neuer Kraft", vornan aus der Liturgie. Die Kirche als eine „Ecclesia orans" zu verstehen, eine Kirche, die im Gebet vom Geist Gottes geführt wird (und weniger als eine „societas perfecta" zu sehen ist), entfaltete er mit seinen Mönchen mit weitreichender Wirksamkeit, auch darin, dass die Liturgie zum Objekt der Wissenschaft, auch theologischen Wissenschaft, erhoben wurde. So wurde er einer der Gründer und bedeutendsten Förderer des – wie er es gern nannte – „liturgischen Apostolates" in Deutschland, mit Ausstrahlung über die Grenzen hinaus. Seine Persönlichkeit wurde auch in der Öffentlichkeit beachtet und vielfach angegangen. „Durch den Abschluß des Reichkonkordats [1933] und von Zusicherungen namhafter Politiker getäuscht, hatte Herwegen zunächst an die Möglichkeit kirchlichen Wirkens im NS-Staat geglaubt, war aber nach seiner frühen Abwendung bald Verhören durch die Gestapo bis zur Gefährdung seines Lebens ausgesetzt".[2] Für Kunst aufgeschlossen, selbst als Künstler empfindend, vermochte er, mehr durch sein gesprochenes als das ge-

---

[1] Eine Biografie Herwegens fehlt bis heute. Die Person von Ildefons Herwegen scheint in zwei Passagen aus seinen handschriftlichen Erinnerungen auf, die in folgendem Aufsatz mitgeteilt werden: Emmanuel von Severus, *Im Schatten der Welt- und Kirchenpolitik. Aus den Erinnerungen des Abtes Ildefons Herwegen*, in: *Ecclesia Lacensis. Beiträge aus Anlaß der Wiederbesiedlung der Abtei Maria Laach durch Benediktiner aus Beuron vor 100 Jahren am 25. November 1892 und der Gründung des Klosters durch Pfalzgraf Heinrich II. von Laach vor 900 Jahren 1093*. Hg. v. Emmanuel von Severus. Münster 1993 (BGAM.S 6), 403–435. Zum theologischen Profil vgl. Martin Klöckener, *Ildefons Herwegen. Profil des Glaubens – Zeugnis für heute*, in: *Drei große Gotteslehrte. Romano Guardini, Karl Rahner, Ildefons Herwegen*. Maria Laach 1999 (Laacher Hefte 5), 39–77, dort 75–77 weitere Literatur über Herwegen.

[2] Emmanuel von Severus, *Herwegen, Ildefons*, in: LThK 5. 1996, 48.

schriebene Wort, Menschen zu gewinnen und zu führen. Nach über drei Jahrzehnten im Dienst des Abtes verstarb er am 2. September 1946 in Maria Laach und wurde in der Abteikirche daselbst beigesetzt.

2. Herwegen und die Liturgiewissenschaft

2.1 „Liturgisches Apostolat"

Die Bedeutung Herwegens für die Liturgiewissenschaft liegt eher in der – weit verstanden – organisatorischen Fähigkeit, die Aufgabe dieser Wissenschaft zu erkennen, zu formulieren und Möglichkeiten bereitzustellen, sie auszuüben und ihr Ansehen zu schaffen. Dem vor allem von dem Laacher Benediktiner formulierten Programm verschaffte er die Voraussetzungen, es umzusetzen. Im Januar 1921 wurde, von ihm maßgeblich angeregt, der „Vereine zur Pflege der Liturgiewissenschaft e.V., Sitz: Maria Laach" gegründet. Zu Weihnachten 1921 konnte der Verlag Aschendorff, Münster, den ersten Band des „Jahrbuch für Liturgiewissenschaft"[3] ausliefern, zu dessen Herausgeber Ildefons Herwegen den Laacher Mönch Odo Casel bestimmt hatte. Im gleichen Verlag erschienen auch die beiden Monografienreihen „Liturgiegeschichtliche Quellen" und „Liturgiegeschichtliche Forschungen". Alle drei Publikationsreihen erscheinen, zeitbedingt modifiziert, noch heute. Bereits 1918 hatte Ildefons Herwegen die eher mystagogisch ausgerichtete Reihe „Ecclesia orans" im Verlag Herder, Freiburg i.Br., begründet, eröffnet mit der Schrift Romano Guardinis „Vom Geist der Liturgie",[4] mittels derer, nach dem Urteil der maßgebenden Biografin Hanna-Barbara Gerl-Falkowitz, der später so berühmte Denker „den Schritt in die Berühmtheit" vollzog. In gleichem Sinn war auch das „liturgische Volksbuch" „Die betende Kirche" (1924) wirksam,[5] für dessen erste Ausgabe Herwegen die Erklärung der Messfeier geschrieben hat; von der 1927 vorgelegten zweiten Bearbeitung wurden insgesamt 36.000 Exemplare aufgelegt.

Ildefons Herwegen selbst übte einen recht intensiven Einfluss durch drei Bücher aus, in denen Aufsätze und Reden gesammelt sind. Ihnen gesteht Hans-Jürgen Feulner zu, sie seien „damals zu einem wichtigen Argument gegen den vielfach erhobenen Vorwurf von der ‚Einseitigkeit' und ‚Lebensferne' der Liturgie und der liturgischen Bewegung" geworden.[6] Anderes war bei dem lebhaften und weltoffenen und überdies hochgebildeten, literarisch wie künstlerisch interessierten Rheinländer gar nicht möglich.

2.2 Passion und Studium

Rechtshistoriker, dazu seinem Empfinden nach Künstler, hat er aber auch eigene Beiträge zur Liturgiewissenschaft aufzuweisen. 1913 erschien im Druck ein Vortrag über „Germanische Rechtssymbolik in der römischen Liturgie", in der das Thema exemplarisch an der „Alapa", dem „Backenstreich" im (alten) Firm-

---

[3]   Vgl. zum „Jahrbuch" Näheres im Beitrag über Odo Casel, hier 239f.

[4]   Vgl. Romano GUARDINI, Vom Geist der Liturgie. Mit einer Einführung von Ildefons HERWEGEN. Freiburg/Br. ¹1918 (EcOra 1); vgl. zu diesem Buch auch den Beitrag über Romano Guardini, hier 426f.

[5]   Berlin 1924.

[6]   Hans-Jürgen FEULNER, Von christlichem Sein und Leben, in: Lexikon der theologischen Werke. Hg. v. Michael ECKERT [u.a.]. Stuttgart 2003, 790.

ritual, dargestellt wird.[7] Noch 1962 schienen diese Ausführungen nicht überholt; die Wissenschaftliche Buchgesellschaft veranstaltete einen Nachdruck in
ihrer Reihe der „Libelli". 1916 erschien eine Schrift über „Das Kunstprinzip der
Liturgie", die bis 1929 fünf Auflagen erlebte und auch ins Englische übersetzt
wurde.[8] Sie zeigt, wie er selbst Liturgie sah, feierte, erlebte. Im Übrigen bot er
bei verschiedenen Gelegenheiten mystische Einführungen oder Erklärungen
von liturgischen Texten und Ritualien. Aber seine Stärke war, andere anzure-
gen, dieses und jenes Thema aufzugreifen, bestimmten Fragen nachzugehen,
Wege zur Erörterung und Darstellung von wissenschaftlichen Vorhaben zu
öffnen. Nennungen seines Namens in Vorworten wissenschaftlicher Publikationen sind keine Floskeln der Höflichkeit, sondern Ausdruck konkret geschul-
deten und gern bezeugten Dankes.

2.3 Das Mönchtum als Thema theologischer Wissenschaft
Doch Ildefons Herwegen hat als Aufgabe, die ihm der zugewiesene Dienst als
Abt antrug, die theologische und spirituelle Begründung des Mönchtums
gesehen, und in diesem Bereich öffnete er neue Perspektiven durch die Begründung des Mönchtums der Kirche in dem dieser verliehenen „Geist", zu
verstehen im Sinn des „pneuma" des Neuen Testamentes. Die nachtridentinische katholische Theologie hatte sich angewöhnt, das Pneuma nur in der Stiftung der Hierarchie wirksam zu sehen. Mit den Kirchenvätern und den Vätern
des Mönchtums (und, darf man heute sagen, wie im Zweiten Vatikanischen
Konzil konstatiert) findet Ildefons Herwegen den „Geist" als die Selbst-Gabe
des auferstandenen und erhöhten Christus in der ganzen Kirche der Glaubenden am Werk. Ausführlich hat Ildefons Herwegen dies in seinem 1944 erschienenen umfangreichen Kommentar zur Klosterregel St. Benedikts dargelegt:
„Sinn und Geist der Benediktinerregel".[9] Er hat dieses Buch als sein Testament
an seine Mönche verstanden, weil er hier sein Eigenstes niedergelegt habe.

3. Würdigung
Als das Ende des Ersten Weltkrieges so vieles in der bis dahin in sich selbst gesichert ruhenden Gesellschaft des deutschen Kaiserreiches in Frage stellte, bat
Ildefons Herwegen den Philosophen Max Scheler zu einem Gastaufenthalt
nach Maria Laach. In Gesprächen suchten beide Klärung, welche Anforderungen die neue Lage an die Menschen, an die Gesellschaft, an die in dieser Zeit
Führenden stellen mochte. Es wird damals wenig Prälaten der Kirche gegeben
haben, die sich ähnlich unkonventionell um Klärung mühten. Der Zeit zugewandt, sich von ihr zur Stellungnahme eingefordert und zu einem führenden
Wort aufgefordert sehend, hat Ildefons Herwegen gewiss auch der Zeit insofern ihren Tribut gezollt, dass vieles, was er beurteilte, bald überholt war. Aber

---

7   Vgl. Ildefons HERWEGEN, *Germanische Rechtssymbolik in der römischen Liturgie*. Heidel-
     berg 1913 (Deutschrechtliche Beiträge 8,4). Dazu: Angelus HÄUSSLING, *Rechtssymbolik
     in der Liturgie – gestern und heute. Relecture einer Publikation von Ildefons Herwegen aus dem
     Jahre 1914*, in: *Marginalien zur unsichtbaren Universität. Festschrift für Josef Maria Häußling
     zum 65. Geburtstag*. Hg. von Jürgen BRAND – Max BUSCH. Otterbach 1990, 98–107.
8   Vgl. Ildefons HERWEGEN, *Das Kunstprinzip der Liturgie*. Paderborn 1916 u.ö.
9   Vgl. Ildefons HERWEGEN, *Sinn und Geist der Benediktinerregel*. Einsiedeln [u.a.] 1944.

fraglos war er eine Persönlichkeit – und wenn die „liturgische Erneuerung" der Kirche schon zwei Jahrzehnte nach seinem Tod in einem ökumenischen Konzil kirchenweit anerkannt wurde, verdankt sie das aufgeschlossenen und wachen Persönlichkeiten, wie fraglos Ildefons Herwegen eine war.

Auswahlbibliografie

Eine vollständige Bibliografie gibt es noch nicht. Hingewiesen werden kann aber auf:

Bibliographie der Schriften von Abt Dr. theol. h. c., Dr. jur. h. c. Ildefons Herwegen, in: LuM 1. 1948, 39–44.

Emmanuel VON SEVERUS, *Bibliographie der deutschsprachigen Benediktiner 1880–1980*. Bd. 2. St. Ottilien 1987 (SMBG.E 2), 650–652.

Germanische Rechtssymbolik in der römischen Liturgie. Heidelberg 1913 (Deutschrechtliche Beiträge 8,4). – Sonderausgabe, unveränd. photomechanischer Nachdruck: Darmstadt 1962 (Libelli 66).

Das Kunstprinzip der Liturgie. Paderborn 1916. 2. und 3. Aufl. 1920. 4. u. 5. Aufl. 1929. Englische Übersetzung: Collegeville, Min. 1931.

Alte Quellen neuer Kraft. Gesammelte Aufsätze. Düsseldorf 1920. 2., verb. Aufl. 1922.

Lumen Christi. Gesammelte Aufsätze. München 1924 (Der Katholische Gedanke 8).

Von christlichem Sein und Leben. Gesammelte Vorträge. Berlin 1931. 2., verm. Aufl. 1940.

Sinn und Geist der Benediktinerregel. Einsiedeln [u.a.] 1944.

Renatus Hupfeld (1879–1968)

Friedemann Merkel (†)

Im Jahre 1952 erschien eine in mehrfacher Hinsicht bemerkenswerte Broschüre mit dem Titel „Liturgische Irrwege und Wege"[1]. Auffallend an ihr ist die schlechte Qualität des Druckpapiers der Nachkriegszeit, das geringe Format des Heftes, die blass-beige Farbe des leichten Kartons des Umschlags und die Heftung durch zwei Metallklammern. Drucktechnisch ist der Text äußerst gedrängt; seine zweifellos klare Disposition ist im Druck nicht durch herausgehobene Überschriften gekennzeichnet; ja selbst größere Abschnitte werden mitunter nur durch eine Lücke im fortlaufenden Text markiert. Es sieht ganz danach  aus, als ob das Manuskript auf 48 Druckseiten untergebracht werden musste, um auf den letzten drei Seiten Raum für die Verlagsanzeigen für die Opera von Adolf Schlatter zu gewinnen. Diesen Dürftigkeiten im Äußeren steht ein nicht geringer Anspruch gegenüber. Das Schriftchen formuliert im Untertitel: „Ein freundschaftliches Wort der Warnung" und ist offensichtlich an die gerichtet, die in der Zeit nach dem Krieg sich der Erneuerung des Gottesdienstes mit Nachdruck widmeten. Es war ja sehr naheliegend, bestimmten liturgischen Gruppierungen eine erhebliche Kompetenz zuzuerkennen, wenn es um die Neuordnung der Liturgie der Gemeinden ging; schließlich waren sie seit Jahrzehnten je an ihrem Ort an der Arbeit und konnten als Experten auf diesem Gebiet gelten. Das Motto auf dem Titelblatt macht die Zielrichtung deutlich: „Die Liturgie ist um der Gemeinde willen da und nicht die Gemeinde um der Liturgie willen." Das heißt: Die notwendig anstehende Neuordnung des Gottesdienstes darf nicht Selbstzweck sein, sie darf nicht ohne Beteiligung oder gar gegen Einsichten der Gemeinde entschieden werden. Die Sorge, dass dies geschehen könnte, lässt den Autor warnend das Wort ergreifen.

Der Verfasser dieser Schrift ist Hans Rudolf Renatus Hupfeld.[2] In Schleusingen (Provinz Sachsen) wurde er am 3. Dezember 1879 in einem Pfarrhaus geboren. Nach dem Studium der Evangelischen Theologie in Tübingen, Halle, Marburg und Greifswald erwarb er 1906 den Grad des Lizentiaten der Theologie mit der Arbeit: „Die Anthropologie in der Ethik Johann Gerhards"[3] und

[1] Renatus HUPFELD, *Liturgische Irrwege und Wege*. Velbert 1952.

[2] Vgl. *Pfarrerbuch der Evangelischen Kirche Badens von der Reformation bis zur Gegenwart*. Hg. v. Heinrich NEU. Bd. II. Lahr 1939 (VVKGB 13), 293, 34–45. Walter EISINGER, *Nachruf Renatus Hupfeld*, in: Ruperto Carola 20. 1968. – Dieses Einzelporträt ist eine Hommage an den verehrten akademischen Lehrer. Der Verfasser war sein letzter Doktorand (1958).

[3] Fortgeführt in der selbständigen Monographie: Renatus HUPFELD, *Die Ethik Johann Gerhards. Ein Beitrag zum Verständnis der lutherischen Ethik*. Berlin 1908. Dazu die Rezension von Ernst TROELTSCH, in: ThLZ 34. 1909, 304–308.

wurde im selben Jahr ordiniert. Zuerst Domhilfsprediger in Berlin wurde er
1907 Pfarrer in Crossen-Elster (Provinz Sachsen). 1912 übernahm er ein Pfarramt in Barmen-Wupperfeld, war im Ersten Weltkrieg Garnisonsprediger in
Lille und wirkte von 1916–1925 als Pfarrer in Bonn; seit 1919 lehrte er dort
zugleich als Privatdozent Praktische Theologie. Dort erhielt er 1923 den Grad
eines D. theol. und wurde 1925, wissenschaftlich wie praktisch hervorragend
ausgewiesen, als Ordinarius nach Rostock berufen. 1931 wechselte er nach Heidelberg, wo mit seinem Lehrstuhl nach badischer Tradition auch die Direktion
des Predigerseminars verbunden war.

In der Zeit des Kirchenkampfs stand er wacker zur Bekennenden Kirche.
Der öffentliche Nachruf in der Tagespresse nach seinem Tod am 15. Februar
1968 rief nachdrücklich ins Gedächtnis, dass Hupfeld, nachdem der Pfarrer an
der Heilig-Geistkirche, Hermann Maas[4], der damals als „stadtbekannter Judenfreund" apostrophiert wurde, Redeverbot erhalten hatte, das verwaiste Pfarramt verwaltete, ein für einen Staatsbeamten nicht ungefährlicher Einsatz.[5] 1950
wurde er emeritiert.

Worin sieht sich der Autor des Schriftchens beschwert, dass er zwar freundlich aber nachdrücklich vor Irrwegen warnen zu müssen glaubt? Nach einem
halben Jahrhundert ist es nicht leicht, sich in die damalige Lage des evangelischen Gottesdienstes in den deutschen Landeskirchen hineinzudenken.
Agendenformen waren meist überfällig, vor allem für die Gebiete der Altpreußischen Union (letztmalig 1894).[6] Wohl gab es schon ein gemeinsames Kirchengesangbuch (EKG), aber gerade dieses hat Hupfeld in seinen Bedenken
bestärkt.[7] Schließlich gab es 1952 noch kein Vatikanisches Konzil mit der Konstitution „De sacra Liturgia", vielmehr waren die evangelisch-katholischen Beziehungen durch das neue Mariendogma (1950) sehr abgekühlt.[8]

Den Hauptgrund für Hupfelds Warnung vor Irrwegen macht er an zwei an-
scheinend gegenläufigen Bewegungen deutlich. Einerseits konstatiert er für

[4]   Eckhart MARGGRAF, *Hermann Maas, Evangelischer Pfarrer und stadtbekannter Judenfreund*,
      in: *Der Widerstand im deutschen Südwesten 1933–1945*. Hg. v. Michael BOSCH – Wolfgang
      NIESS. Stuttgart [u.a.] 1984 (Schriften zur politischen Landeskunde Baden-Württem-
      bergs 10), 71–82.

[5]   Vgl. *Die Evangelische Landeskirche in Baden im „Dritten Reich"*. *Quellen zu ihrer Geschich-
      te*. Hg. v. Hermann RÜCKLEBEN – Hermann ERBACHER im Auftrag des Evangelischen
      Oberkirchenrats Karlsruhe. Bd. 1: 1931–1933. Karlsruhe 1991 (VVKGB 43); Bd. 2:
      1933–1934. Karlsruhe 1992 (VVKGB 46), Bd. 3: 1934–1935. Karlsruhe 1995 (VVKGB
      49). Quellen zu R. Hupfeld vgl. jeweils im Verzeichnis der Personen.

[6]   Die Agende in den Gebieten der altpreußischen Union war 1895 letztmalig überar-
      beitet worden; in der Kirche der Union dauerte der Reformprozess bis 1959; in der
      Vereinigten Evangelisch-Lutherischen Kirche war der 1. Teil der Agende 1955 in
      Kraft gesetzt worden. Zur „Überbrückung eines Notstandes" erschien das *Buch der Got-
      tesdienste*, sog. Dibelius-Agende, Berlin 1947, ²1952.

[7]   Der Grundsatz zur Neubearbeitung war: Nach Möglichkeit die älteste Text- und Me-
      lodiefassung. Vgl. Christhard MAHRENHOLZ, *Das Evangelische Kirchengesangbuch. Bericht
      über seine Vorgeschichte, sein Werden und die Grundsätze seiner Gestaltung*. Kassel [u.a.]
      1950, bes. 58ff, 92ff. Es handelt sich um ein Musterbeispiel für kirchliche Restaura-
      tion. Dazu Lothar SCHMIDT, *Kirchensprache der Gegenwart. Kritische Betrachtungen*, in:
      ZThK 63. 1966, 88–133, 200–233.

[8]   Apostolische Konstitution „Munificentissimus Deus", 1. Nov. 1950 (DH 3900–3904).

die evangelischen Kirchen durchaus bemerkenswerte Neuansätze: In der Arbeit des Männerwerks, der Evangelischen Akademien, der Studentengemeinde entdeckt er erfreuliche Entwicklungen. Er lobte die Gespräche und die Erfolge von Freizeiten und Treffen der Jungen wie Alten. Aufmerksam registrierte er, dass die Kirche Ansehen in der Öffentlichkeit gewonnen hatte, vor allem durch die Publikationen von „Sonntagsblatt" und „Christ und Welt". Er würdigte die großen, verheißungsvollen Bemühungen um die rechte Verkündigung des Wortes Gottes. Die Theologie Rudolf Bultmanns wie Karl Barths befähigte Prediger zu einer biblisch begründeten, den Menschen treffenden, aktuellen und missionarische Impulse gebenden Anrede.

Auf der anderen Seite ist es „überraschend, zu sehen, daß zur gleichen Zeit, in der der missionarische Auftrag von der Kirche so ernst genommen wird, auf dem Gebiet der gottesdienstlichen Gestaltung eine völlig andere, ja entgegengesetzte Richtung eingeschlagen wird"[9].

Hupfeld war 1952 davon überzeugt, dass für die Konzeption des Gottesdienstes, die mit dem Namen Friedrich Spitta und besonders Julius Smend verbunden war,[10] der theologischen und gemeindlichen Situation angemessene Formen gefunden seien, die, dem „modernen Menschen eingänglich"[11], es möglich machen, ohne Unwahrhaftigkeit den Gottesdienst zu feiern. Die nach Ort, Zeit und Gelegenheit variable Gestaltung mit nur wenigen Stereotypen hielt er für geeignet, den suchenden, fragenden Menschen zum Hören, Glauben, Beten und Singen zu bewegen.

Der Autor zeigt sich davon überrascht, dass sich seit dem Ende des Ersten Weltkriegs eine völlig andere „Tendenz" mit „solcher Gewalt durchsetzte", nämlich eine „Art liturgischer Restaurationsbewegung",[12] die ihn zu der ernsten Frage veranlasst, ob deren Ergebnisse die „Kirchenfremdheit Unzähliger, die etwa durch die missionarische Arbeit gewonnen werden, wieder verstärken könnten"[13]. Viele liturgische Bemühungen vermag er im Ganzen als „Repristinationsbewegungen" zu qualifizieren. Dabei weist er auf Paul Graffs eindrucksvoll materialreiches Werk „Auflösung der alten gottesdienstlichen Formen" hin;[14] freilich übersieht er das entscheidende Adjektiv „alt", worauf es Graff entscheidend ankommt. Nimmt man diesen Titel auf, so könnte man Hupfelds Anliegen plakativ generalisieren in der Umkehr: Die Ablösung moderner Formen durch die Wiedergewinnung alter und ältester Formen.

9   HUPFELD, *Liturgische Irrwege und Wege* (wie Anm. 1) 5.
10 Friedemann MERKEL, *Der heutige evangelische Gottesdienst und die ältere liturgische Bewegung. Eine Erinnerung an Julius Smend*, in: WPKG 62. 1973, 25–37; auch DERS. *Sagen, Hören, Loben*. Göttingen 1992, 133–148. Besonders Konrad KLEK, *Erlebnis Gottesdienst. Die liturgischen Reformbestrebungen um die Jahrhundertwende unter Führung von Friedrich Spitta und Julius Smend*. Göttingen 1996 (Veröffentlichungen zur Liturgik, Hymnologie und theologischen Kirchenmusikforschung 32).
11 HUPFELD, *Liturgische Irrwege und Wege* (wie Anm. 1) 6.
12 HUPFELD, *Liturgische Irrwege und Wege* (wie Anm. 1) 6.
13 HUPFELD, *Liturgische Irrwege und Wege* (wie Anm. 1) 7.
14 Paul GRAFF, *Geschichte der Auflösung der alten gottesdienstlichen Formen in der evangelischen Kirche Deutschlands*. Bd. 1: *Bis zum Eintritt der Aufklärung und des Rationalismus*. Göttingen 1937; Bd. 2: *Die Zeit der Aufklärung und des Rationalismus*. Göttingen 1939.

Als Renatus Hupfeld sein „freundschaftliches Wort der Warnung" erscheinen ließ, stand er als geachteter Mann und anerkannter, jüngst emeritierter
Praktischer Theologe in einer sicher nicht ohne seine aktive Mithilfe renom-
miert gewordenen Heidelberger Fakultät.

Sein wissenschaftliches Œuvre ist weit gefächert,[15] aber durchweg unmittelbar an der kirchlichen Praxis orientiert, die er theologisch zu durchdringen
suchte; schließlich bezieht sich sein Lehrauftrag in Rostock wie in Heidelberg
auf alle Teilgebiete der Praktischen Theologie. Im Rückblick auf seine aktive
Zeit schreibt er 1965 in einem Brief an den Verfasser: „Wenn man nur zusam-
menhanglos Homiletik, Liturgik und Katechetik vorträgt, so hängen die Aussagen vielfach in der Luft. Nur in der Perspektive von Kirche und Amt kann man
im Grunde begründete Aussagen entwickeln, die inhaltlich relevant sind." Der
Praktische Theologe ist auch systematischer Theologe geblieben – zum Vorteil
der Sache.

In mehreren Beiträgen nimmt er zum Problem des Kindergottesdiens-
tes engagiert Stellung: Unterrichtsstunde – oder Gottesdienst für und mit
Kindern, das ist die Frage. Seine Position steht bereits im Titel: „Unfug der
Sonntagsschule, Auseinandersetzung mit Thesen von Professor Niebergall in
Marburg"[16] (1931). Aber nur wenige Jahre später in den Zeiten des Dritten Reiches lautet die Frage: „Wie begegnen wir im Kindergottesdienst dem Irrglauben unserer Zeit?" (1936).[17] Je an ihrem Ort verbinden sich höchst aktuelle
Sach- und Gestaltungsfragen. Aus seiner Rostocker Zeit haben wir drei spezi-
fisch liturgische Studien:

1. „Wie sollen wir unsere Gottesdienste gestalten?"[18] Darin konstatiert Hupfeld einleitend: „Wir stehen in einem Zeitalter liturgischer Bewegung."[19] Klar-
sichtig stellt er fest: „Es ist noch nicht lange her, da waren liturgische Fragen
für die meisten evangelischen Pfarrer verhältnismäßig unwichtige Fragen [...].
Das Hauptinteresse des Durchschnitts der Pfarrer und auch der Gemeinden
war auf die Predigt gerichtet."[20] Er erkennt darin deutlich einen liturgischen
Abusus, wenn in der Praxis oft erst in der Sakristei vor dem Gottesdienst die
liturgischen Stücke aus oft recht mageren approbierten Agenden ausgesucht
werden und „so eine von Zufällen abhängige unorganische Gottesdienstgestaltung herauskam"[21]. Hupfeld belegt, dass er die Liturgischen Bewegungen auf-

[15] Vollständige Bibliografie in: *Heidelberger Predigten von Günther Bornkamm* [u.a.]. Im Auftrag der Fakultät hg. v. Wilhelm HAHN. Heidelberg 1959. Im Folgenden wird nur auf
liturgiewissenschaftliche Literatur Bezug genommen.
[16] Vgl. Renatus HUPFELD, *Unfug der Sonntagsschule (Auseinandersetzung mit Thesen von Prof.
Niebergall in Marburg)*, in: MGKK 1931, H. 2.
[17] In: *Lebensfragen der Evangeliumsverkündigung im Kindergottesdienst. Zwei Vorträge.* Wuppertal 1936. Dazu: DERS., *Die Gegenwartsaufgabe des Kindergottesdienstes an unserem Volk.*
Gütersloh 1926 (Bausteine zur Arbeit im Kindergottesdienst 5), sowie DERS., *Der
Kindergottesdienst und die modernen pädagogischen Bestrebungen*, in: Johannes SCHELLER –
Otto EBERHARD, *Tat und Leben im Kindergottesdienst.* Gütersloh 1929 [u.a.], 1–28.
[18] Vgl. Renatus HUPFELD, *Wie sollen wir unseren Gottesdienst gestalten?* Gütersloh 1926.
[19] HUPFELD, *Wie sollen wir unseren Gottesdienst gestalten?* (wie Anm. 18) 1.
[20] HUPFELD, *Wie sollen wir unseren Gottesdienst gestalten?* (wie Anm. 18) 1.
[21] HUPFELD, *Wie sollen wir unseren Gottesdienst gestalten?* (wie Anm. 18) 1.

merksam registriert hat, und gibt sich gleichzeitig als Theologe zu erkennen, der der Wort-Gottes-Theologie seiner Zeit viel verdankt.

Anknüpfend an Martin Luthers Votum bei der Einweihung der Schlosskirche zu Torgau fragt er: „Was ist evangelischer Gottesdienst?" Nachdem er zahlreiche Fehlwege, sowohl protestantischer Gruppen, als auch der orthodoxen wie römischen Kirche abgelehnt hat, formuliert er: „[...] das Wesentliche am Gottesdienst ist das Wort Gottes, das laut wird, der Anruf Gottes, um den sich die Gemeinde sammeln, ist also ein Handeln Gottes. Das macht Kultus im evangelischen Sinne überhaupt nur möglich und gibt dem Gottesdienst seinen Hauptinhalt."[22]

Die Konsequenz dieses Ansatzes ist die Schlichtheit des evangelischen Gottesdienstes. Der Verfasser und die Leser wissen wohl, wen er meint und wodurch diese gefährdet erscheint. Eine pathetische Gebärdensprache, Gespreiztheit, planvolles Stimmungsmachen, um eines bestimmten Effektes willen, unorganisch eingesetzte religiöse Poesie usw. „Überall da liegt eine Abweichung von der Ernsthaftigkeit und Einfachheit evangelisch-christlicher Gottesdienstweise vor."[23]

Für die Formung des Gottesdienstes heißt das, dass er nicht einer logischen Einheit bedarf, wie das manche Kirchenbücher nahelegten, die unter bestimmten „Einheitsstichworten" die Ordnung zusammenbauen. Andererseits „darf der Gottesdienst auch nicht zu einem zusammenhanglosen Mosaik werden. Als ein von einem inneren Rhythmus beherrschtes Ganzes, als ein innerlich zusammenstimmendes Gegeneinander von Wort und Antwort, bei dem doch alles auch gerade daran liegt, daß das Wort wirksam und auf ein Ziel hinarbeitend erschallt, muß der Gottesdienst gestaltet werden."[24] Alles kann nicht ohne die (konkrete) Gemeinde, ihrer geistigen Fähigkeiten und ihrer geistlichen Existenz, geschehen. Kirchenlied und Kirchenmusik erhalten hier ihren wichtigen Ort.

2. In der Festschrift zu Julius Smends 70. Geburtstag (1927) widmet Renatus Hupfeld diesem einen Beitrag unter dem Titel „Zur Psychologie des Gottesdienstes"[25]. Wohl hat er Zweifel, ob der Begriff der Sache angemessen ist. Er weiß, dass der evangelische Gottesdienst nicht als „menschlich-irdische Sache" angesehen werden darf, die einen so gearteten Effekt erzielen will. In einem umfassenden Satz definiert er: „Gottesdienst im evangelischen Sinn ist nur da rein und lauter vorhanden, wo Gemeinde sich sammelt, die, weil sie das Wunder erleben darf, daß Gott sie anredet und sich ihrer in Christus erbarmt, nun zu dem sich bittend naht, den dankend preist, auf den schweigend horcht, der ihr Haupt ist."[26] Erst wo das verstanden ist, ist der Gottesdienst auch eine

---

[22] HUPFELD, *Wie sollen wir unseren Gottesdienst gestalten?* (wie Anm. 18) 11.

[23] HUPFELD, *Wie sollen wir unseren Gottesdienst gestalten?* (wie Anm. 18) 14. Man bedenke, wie Karl Barth bereits 1922 eine abendliche Andacht in Marburg erlebte. Karl BARTH, *Gesamtausgabe. Teil 5. Briefe.* Im Auftrag der Karl-Barth-Stiftung hg. v. Hans-Anton DREWES. Zürich 1974, 48f.

[24] HUPFELD, *Wie sollen wir unseren Gottesdienst gestalten?* (wie Anm. 18) 20f.

[25] In: *Gottesdienstliche Fragen der Gegenwart. Festschrift zu Julius Smends 70. Geburtstag.* Hg. v. Johannes PLATH. Gütersloh 1927, 39–76.

[26] HUPFELD, *Zur Psychologie des Gottesdienstes* (wie Anm. 25) 41.

menschliche Veranstaltung. Ort, Zeit und Raum sind menschliche Setzungen, auch die Agende, die festlegt, wie und was „gehandelt" werden soll. Im Handeln Gottes liegt die Ermöglichung, dass menschlich-irdische Veranstaltung zum Gottesdienst wird. Erst auf dieser Voraussetzung kann er rechte Gestalt gewinnen. Dabei müssen die „Gesetze seelischer Beeinflussung beachtet werden, es müssen die durch Gott gegebene Natur des Einzelnen und der Gemeinschaft bedingten Zufahrtstraßen zu den Menschen berücksichtigt werden"[27].

Diese grundlegenden Gedanken werden breit entfaltet und Einzelergebnisse begründet und zahlreiche Vorschläge zur Gestaltung gemacht. Das Resümee: „Gottesdienste, die bei aller inneren Schlichtheit doch sich in dieser Weise auf die Seele des Einzelnen und der Gesamtheit einstellen, werden imstande sein, die im Sinn des evangelischen Gottesdienst liegende Wirkung auszuüben [...]."[28]

3. Ein Vortrag, auf einen Kursus für Kultus und Kunst 1927 in Berlin gehalten, widmet sich einem speziellen Problem der Liturgik: „Das Kultische Gebet."[29] Den Nachgeborenen wird die Verwendung des Begriffes Kultus befremden.[30] Er ist mindestens seit Schleiermacher fest etabliert, mit ihm ist der öffentliche Gottesdienst in allen seinen Teilen, einschließlich der religiösen Rede umschrieben. Was der Geistliche sonst noch amtlich zu besorgen hat, sind seine Geschäfte „außerhalb des Kultus"[31]. Hier geht es um das gottesdienstliche Gebet. Der Verfasser nimmt die zeitgenössischen liturgischen Bestrebungen auf und kommt zu der Einsicht: Zwischen archaischen Formen und Formungen, die er etwa bei der Berneuchener Bewegung konstatiert, und einer gefühligen, eher individualistischen Gebetsform, sieht er, vielleicht überraschenderweise, eine „Lösung", eine Art Synthese zwischen Arper-Zillessen und den Berneuchenern. In dem von Julius Smend abhängigen Kirchenbuch von Arper-Zillessen[32] sind „Gebete innerer Wucht und starkem Schwung. In dieser Richtung scheint mir das künftige agendarische Gebet" zu liegen.[33] Das Gebet, das der Pfarrer spricht, ist das Gebet der Gemeinde, wie auch das Kirchenlied ihr Lied sein muss. Deshalb ist die sprachliche Gestaltung liturgischer Stücke besonders wichtig. Hupfeld zitiert zustimmend Schleiermachers Diktum in Bezug auf die kultische Sprache, die „[...] fehlerhaft ist, wenn sie modern ist". Sie

---

[27]　HUPFELD, *Zur Psychologie des Gottesdienstes* (wie Anm. 25) 43.

[28]　HUPFELD, *Zur Psychologie des Gottesdienstes* (wie Anm. 25) 76.

[29]　In: *Grundfragen des evangelischen Kultus*. Hg. v. Curt HORN. Berlin 1928 (Kultus und Kunst. Beiträge zur Klärung des evangelischen Kultusproblems. NF), 48–79. Bemerkenswert ist, dass Reichsminister Dr. Stresemann neben dem Kultusminister und kirchlichen Stellen das Erscheinen durch einen Druckzuschuss förderten. Unverkürzt in einem Sonderdruck: DERS., *Das kultische Gebet*. Gütersloh 1929 (Liturgische Konferenz Niedersachsens 12). Hierauf beziehen sich im Folgenden die Seitenzahlen.

[30]　Immerhin titelt noch Ernst LOHMEYER, *Kultus und Evangelium*. Göttingen 1942.

[31]　Friedrich SCHLEIERMACHER, *Die praktische Theologie nach den Grundsätzen der evangelischen Kirche*. Hg. v. Jacob FRERICHS. Berlin 1850, 327.

[32]　Karl ARPER – Alfred ZILLESSEN, *Evangelisches Kirchenbuch*. Berlin ⁶1936: Die Kasualisierung des Gottesdienstes wird deutlich in den Themen. Vgl. Gerhard KUNZE, *Die gottesdienstliche Zeit*, in: Leit. 1. 1952, 516–517.

[33]　HUPFELD, *Das kultische Gebet* (wie Anm. 29) 36.

darf weder abgeschmackt und trivial noch „archaistisch und lebensfremd sein. Gebete dürfen bei aller zeitlosen Sprache doch nicht zeitfern sein."[34]

Nach dieser Übersicht über das liturgische Schaffen in seiner Rostocker Zeit kann wohl kein Zweifel darüber bestehen, dass Renatus Hupfeld zu den ausgewiesenen Liturgiewissenschaftlern seiner Zeit zu rechnen ist. Dabei hat er eine eigentümliche Mittelstellung eingenommen. Er trat nie einer liturgischen Gruppe bei, sondern wahrte bei aller Anerkennung ihrer Verdienste um den Gottesdienst eine kritische Distanz zu ihnen. Gerade der Umstand, dass etwa die Berneuchener mehr oder weniger geschlossene Zirkel bildeten, hat ihn zur Zurückhaltung ihnen gegenüber gebracht.[35] Evangelischer Gottesdienst war für ihn nicht die Hochform der Elite. Sein Interesse und seine Liebe galten der volkskirchlichen Gemeinde und dem, was diese zur christlichen Existenz braucht.

Im Jahr 1935 erscheint aus seiner Feder ein umfangreiches Opus: „Die Abendmahlsfeier, ihr ursprünglicher Sinn und ihre sinngemäße Gestaltung."[36] Der Rezensent Joachim Jeremias leitet ein: „Dieses überaus wertvolle und aus ernster kirchlicher Verantwortung heraus geschriebene Buch erscheint zur rechten Zeit. Denn der Strom neuen Lebens und neuen kirchlichen Bewußtseins, der im Kampf der Kirche um ihre Existenz als Kirche Jesu Christi vielerorts aufgebrochen ist, fordert gebieterisch eine neue Besinnung auf das Abendmahl und ernstestes Nachdenken darüber, wie das Abendmahl wieder zum Mittelpunkt des Gemeindelebens werden kann."[37]

Interessant ist die Methodik des Buches. Im 1. Kapitel bringt der Praktische Theologe eine auf die Abendmahlsstatistik gestützte Diagnose mit dem Ergebnis: Die Abendmahlsteilnahme unterliegt einer permanenten Erosion.[38] Das trifft für alle Landeskirchen zu, wenn auch der Grad des Rückgangs verschieden ausgeprägt ist,[39] wofür Traditionen, Bräuche und auch konfessionelle Unterschiede eine erhebliche Rolle spielen. Im ganzen hat sich eine sich auf den Abendmahlsgang auswirkende Lockerung des Bewusstseins der Gemeindezugehörigkeit vollzogen; die sozialen Verwerfungen innerhalb der rund siebzig Jahre (1863 und 1930) wirken sich signifikant auf das Verhältnis zur Kirche, zum Gottesdienst und zum Abendmahl aus. Dazu kommen innere Probleme, etwa die Beichte als Vorbereitungsfeier oder der die eucharistische Freude überlagernde Bußernst. Auch das Verständnis des Mahls in pietistisch-erweck-

[34] HUPFELD, Das kultische Gebet (wie Anm. 29) 46.
[35] In einem Gespräch 1957 antwortete mir Hupfeld auf die Frage, warum er sich keiner liturgischen Bewegung angeschlossen habe, lapidar mit der Bemerkung: „Ich war nie ein Jugendbewegter."
[36] Vgl. Renatus HUPFELD, Die Abendmahlsfeier, ihr ursprünglicher Sinn und ihre sinngemäße Gestaltung. Gütersloh 1935.
[37] Joachim JEREMIAS, Rez. Renatus Hupfeld, Die Abendmahlsfeier, in: ThLZ 61.1936, 139–141, hier 130.
[38] Paradigmatisch: In der Altpreußischen Union sank die Abendmahlsziffer von 52,58% (1862) auf 21,93% (1930); im (ehemaligen Königreich) Sachsen von 72,44% auf 22,3%; in Schleswig-Holstein von 33% auf 12% jeweils in den selben Referenzjahren, HUPFELD, Die Abendmahlsfeier (wie Anm. 36) 6.
[39] Z.B. von 69% auf circa 40%; in Württemberg ist die Quote fast halbiert usw. Vgl. HUPFELD, Die Abendmahlsfeier (wie Anm. 36) 8.

lichen Kreisen im Sinn der Stärkung persönlicher Frömmigkeit hat, ganz abgesehen von dem nur gelegentlichen Abendmahlsangebot und seiner Stellung
im Gottesdienst („Im Anschluß feiern wir das Abendmahl [...]“) die Krise noch
verschärft. Allerdings erkennt Hupfeld dankbar, dass neue Abendmahlssitten
im Werden sind: Mahlfeiern im Rahmen von Tagungen und Freizeiten, wo die
gewonnene Gemeinschaft und Einheit im Mahl ihren Ausdruck findet.

Was aber soll man in dieser Situation tun? Hupfeld versucht die Frage
durch eine Vergewisserung über die Anfänge zu gewinnen: „Der ursprüngliche
Sinn des Abendmahls“ (d.h. der urchristlichen Kirche). Dieses 2. Kapitel ist
eine sorgfältig durchgeführte kritische Untersuchung einschlägiger neutesta-
mentlicher Texte und altkirchlicher Quellen. Wichtig ist dem Autor gerade die
Vielfalt der Aussagen. Der Rezensent Joachim Jeremias stimmt den Interpretationen mit einigen Anfragen durchaus zu. Im umfangreichsten 3. Kapitel sucht
Hupfeld die Folgerungen für die Abendmahlspraxis zu ziehen. Gerade die Vielfalt in den biblischen Texten macht es möglich, ganz aus ihrer Fülle zu schöp-
fen und so zu vielfältigen Formen, etwa abhängig vom De tempore zu gelangen.
Dabei werden eine größere Anzahl von Entwürfen von Abendmahlsfeiern und
praktischen Erwägungen ausgebreitet.

Ein kürzeres Schlusskapitel zeigt „Wege zur Hinführung auf das Abendmahl. J. Jeremias schließt seine Rezension mit dem Wunsch: „Möchte die Besprechung etwas von dem Reichtum und der kirchlichen Bedeutung von
Hupfelds Buch ahnen lassen. Und möchte dieser Reichtum genutzt werden.“[40]

Es ist nur schwer zu ermitteln, ob und in welchem Umfang dieser Wunsch
in Erfüllung gegangen ist und ob dieses Buch direkten Einfluss auf das Abendmahlsverständnis und die Praxis gehabt hat. Es ist (vorsichtig) anzunehmen,
dass es auch wegen des Kirchenkampfes und dann des Krieges eher gering geblieben ist.

Vor allem aber ist Hupfeld in der Fortführung von Julius Smend und Friedrich Spitta in eine Randlage geraten. Andererseits ist Peter Brunner zuzustimmen, wenn er feststellt, dass sich die genannte Tradition fortgesetzt hat „in
einer durch den Einfluß der reformatorischen Theologie beachtlich modifizierten Gestalt, etwa bei Renatus Hupfeld“[41]. Es bleibt der Eindruck, dass er
permanent bemüht war aufzuzeigen, dass sich lutherische und „positive“ Theologie durchaus mit den Entwürfen der Liberalen, Spitta und Smend, vereinba-
ren lassen.

Zurück zur Schrift von 1952. Es ist evident, von welcher Basis aus Hupfeld
vor Irrwegen warnt. Da abgeschlossene Agenden-Entwürfe noch nicht vorliegen, beschäftigt er sich intensiv und kritisch mit der Literatur derer, die an der
Neugestaltung maßgeblich beteiligt sind.[42]

Bei der Lektüre entdeckt er manches Erfreuliche, so z.B. die Tatsache, dass
das Abendmahl häufiger in manchen Gemeinden gefeiert wird, nachdem sich

---

[40] JEREMIAS, Rez. (wie Anm. 37) 141.
[41] Peter BRUNNER, *Zur Lehre vom Gottesdienst der im Namen Jesu versammelten Gemeinde*, in:
      Leit. 1. 1954, 83–361, hier 94.
[42] Eine knappe Information gibt Friedemann MERKEL, *Liturgische Bewegungen in der evan-
      gelischen Kirche im 20. Jahrhundert*, in: LJ 33. 1983, 236–250, auch in DERS., *Sagen, Hö-
      ren, Loben. Studien zu Gottesdienst und Predigt*. Göttingen 1992, 117–132.

in den evangelischen Kirchen „das sakramentale Minimum des Katholizismus [...] zu einem sakramentalen Maximum entwickelt"[43] hatte.

Trotzdem ist er im ganzen ernsthaft besorgt, beispielsweise darüber, dass sich manche Ordnungen „möglichst nahe bei Rom halten" wollen und dass jede „Messe irgendwie als Opfer" verstanden wird.[44] Auch beklagt er eine unklare Eschatologie, wenn z.b. Wilhelm Stählin meint: „Im sakramentalen Geschehen werde nicht nur der Abstand der Zeiten, sondern auch der Abstand von Himmel und Erde aufgehoben [...]"[45] oder noch deutlicher Rudolf Stählin: „Wir haben das Geheimnis des heiligen Mahls gerade darin zu erblicken, daß es die Schranken, die uns Gegenwärtige von der Zukunft scheiden, aufhebt, und wunderbar schon zur Gegenwart macht, was für die Zukunft verheißen ist [...] Die natürlichen Schranken von Zeit und Raum sind zerbrochen [...]."[46]

Auch die Alpirsbacher machen ihm Kummer. Die Fixierung auf die Gregorianik als der eigentlichen Musik des Gottesdienstes macht das strophische Kirchenlied für die Gemeinden ungeeignet. Sie leben aber aus ihrem Gesangbuch. Auch hält er einen ganz gesungenen Gottesdienst für nicht erstrebenswert; möglicherweise ist er ein stilistisches Meisterwerk, aber eine völlig gemeindefremde Angelegenheit.[47]

Eine sehr scharfe Kritik erfährt eine der zentralen Aussagen der „Untersuchungen zur Kirchenagende I"[48]. In ihr wird „gewissen Zeiten" eine besondere Dignität zuerkannt, weil der Heilige Geist in ihnen mächtig wirkt. Hier kommt Hupfeld zu dem Ergebnis: „Aber daran, daß der Kirche *aller* Zeiten die Verheißung der Leitung durch den Heiligen Geist gegeben wird, wird hier nicht recht geglaubt, jedenfalls wird von diesem Gedanken kein Gebrauch gemacht."[49]

Überblickt man das inhaltsreiche Schriftchen, so imponiert, dass die Gründe seiner Sorgen und Warnungen klar benannt werden: Konservativismus, Restauration, Repristination, Dogmatismus, unreformatorische Nähe zum römischen Katholizismus, bibelfremde Naturspekulationen, unangemessene Vernachlässigung der Wünsche und Empfindungen der mündigen Gemeinden.

Der gelernte systematische Theologe weiß, wovon er spricht und belegt seine Feststellungen bis ins Detail. Nachdrücklicher und aus seiner Sicht begründeter konnte damals ein einzelner nicht warnen.

Was er zu den Ergebnissen der evangelischen Gottesdienstformen in den Agenden von 1955 und 1959 meinte, ist literarisch nicht festzumachen. An-

---

43 Hupfeld, *Liturgische Irrwege und Wege* (wie Anm. 1) 35.

44 Hupfeld, *Liturgische Irrwege und Wege* (wie Anm. 1) 15.

45 Vgl. Wilhelm Stählin, *Fastenbrief 1950*.

46 Wilhelm Stählin, *Michaelisbrief 1948*.

47 Vgl. Hupfeld, *Liturgische Irrwege und Wege* (wie Anm. 1) 45.

48 Joachim Beckmann [u.a.], *Der Gottesdienst an Sonn- und Feiertagen. Untersuchungen zur Kirchenagende I,1.* Gütersloh 1949. Zitat aus: *Kirchenagende 1,1. Die Ordnung des Gottesdienstes an Sonn- und Festtagen.* Hg. im Auftrag der liturgischen Ausschüsse von Rheinland und Westfalen in Gemeinschaft mit anderen v. Joachim Beckmann – Peter Brunner. Gütersloh 1948, 114f. Bemerkenswert ist, dass Hupfeld hier nur den Buchtitel, nicht aber den Verfasser nennt. So nobel ging er bei sachlicher Differenz mit einem geschätzten Fakultätskollegen um, dem er dagegen in Bezug auf eine andere Schrift namentlich eine „klare reformatorische Linie" bescheinigt.

49 Hupfeld, *Liturgische Irrwege und Wege* (wie Anm. 1) 38.

zunehmen ist, dass er sie so schlimm nicht fand, wie er befürchtet hatte. Unverdrossen war er ein treuer Mitarbeiter der Liturgischen Kommission der badischen Landeskirche bis zu seinem 80. Geburtstag.[50]

Denkbar ist, dass er am Evangelischen Gesangbuch wegen der deutlichen Korrektur am Evangelischen Kirchengesangbuch und vielleicht am Evangelischen Gottesdienstbuch wegen seiner Schmiegsamkeit und Ausformungsmöglichkeiten seine Freude gehabt hätte – „trotz einiger Torheiten", höre ich ihn sagen.

Auswahlbibliografie

Die Ethik Johann Gerhards. Ein Beitrag zum Verständnis der lutherischen Ethik. Berlin 1908.

Die Gegenwartsaufgabe des Kindergottesdienstes an unserem Volk. Gütersloh 1926 (Bausteine zur Arbeit im Kindergottesdienst 5).

Wie sollen wir unseren Gottesdienst gestalten? Gütersloh 1926.

Zur Psychologie des Gottesdienstes, in: *Gottesdienstliche Fragen der Gegenwart. Festschrift zu Julius Smends 70. Geburtstag.* Hg. v. Johannes PLATH. Gütersloh 1927, 39–76.

Das Kultische Gebet, in: *Grundfragen des evangelischen Kultus.* Hg. v. Curt HORN. Berlin 1928 (Kultus und Kunst. Beiträge zur Klärung des evangelischen Kultusproblems. NF), 48–79. – Nachdruck: *Das kultische Gebet.* Gütersloh 1929 (Liturgische Konferenz Niedersachsens 12) 1928.

Der Kindergottesdienst und die modernen pädagogischen Bestrebungen, in: Johannes SCHELLER – Otto EBERHARD, *Tat und Leben im Kindergottesdienst.* Gütersloh 1929 [u.a.], 1–28.

Unfug der Sonntagsschule (Auseinandersetzung mit Thesen von Prof. Niebergall in Marburg), in: MGKK 1931, H. 2.

Die Abendmahlsfeier, ihr ursprünglicher Sinn und ihre sinngemäße Gestaltung. Gütersloh 1935.

Wie begegnen wir im Kindergottesdienst dem Irrglauben unserer Zeit?, in: *Lebensfragen der Evangeliumsverkündigung im Kindergottesdienst. Zwei Vorträge.* Wuppertal 1936.

Liturgische Irrwege und Wege. Ein freundschaftliches Wort der Warnung. Velbert 1952.

---

[50] Renatus Hupfeld ist seit 1950 Mitglied der Liturgischen Kommission, zunächst als Synodaler, später als kooptiertes Mitglied. Vgl. Frieder SCHULZ, *150 Jahre Gottesdienst in Baden. Die Agendarischen Ordnungen der Unionskirchen,* in: *Vereinigte Evangelische Landeskirche in Baden 1821–1971.* Hg. v. Hermann ERBACHER. Karlsruhe 1971, 312ff. In Baden war seit 1930 das Kirchenbuch in Kraft, das bereits 1915 im Entwurf vorlag. Der Krieg verhinderte damals die Promulgation. Es war auf dem oberdeutschen Prädikantengottesdienst fußend ganz im Sinn von Julius Smend und Arper-Zillessen konzipiert. Die Neubearbeitung der Badischen Agende fand in der Zeit zwischen 1956 und 1965 statt.

Wilhelm Jannasch (1888–1966)

Alf Christophersen

1. Die Macht der Verkündigung

„Die Lage auf dem Gebiet der evangelischen Verkündigung und des evangelischen Gottesdienstes", konstatierte Wilhelm Jannasch 1941 programmatisch, „erinnert heute an die Lage der jungen lutherischen Kirche in der ersten Hälfte der zwanziger Jahre des fünfzehnten Jahrhunderts. Ein neuer Maßstab der Verkündigung und eine Art zu verkündigen ist gefunden; eine Reformation der Predigt *damals* hat, genau so wie eine Rückbesinnung auf diese Reformation *heute*, grösseren oder kleineren Kreisen in der Kirche neuen Mut und neue Freude an ihrem eigentlichen Auftrag geschenkt."[1] Mit diesen Worten bezeichnete Wilhelm Jannasch, der im Kampf der Bekennenden Kirche gegen den Nationalsozialismus eine tragende Rolle einnahm, in einer Literaturübersicht zum Thema „Heimkehr zur Messe – Rückkehr zur Gregorianik?" den Ort (kirchen-) politischer Auseinandersetzung. Die unmittelbare Ausrichtung auf die Evangeliumsverkündigung hatte für Jannasch in Übernahme eines Kerngedankens dialektischer Theologie der 1920er Jahre zentralen Stellenwert und war der Ausgangspunkt seiner theologischen Grundhaltung.

Frühe Reformation und eigene Gegenwart hatten für Jannasch den Charakter von Entscheidungsjahren. 1941 ging es ihm um eine konsequente Erneuerung „des evangelischen Gottesdienstes", diese habe einer Umgestaltung von Lehre und Verkündigung zu folgen. Wie für die Reformatoren könnten „Schriftgemäßheit oder wenigstens Nicht-Schriftwidrigkeit"[2] als die ausschlaggebende Regel im Hinblick auf eine liturgische Reform gelten. Vor allem seien die Gemeinden aber vor dem „Irrtum" zu schützen, „daß die Kirche durch eine Veränderung der Liturgie sich von einer Erneuerung ihrer Verkündigung freikaufen könne". Eine Rückkehr zum Katholischen müsse vermieden werden; denn „die erste Sammlung der neu sich besinnenden Kirche in Deutschland unter dem Zeichen ‚Christus allein'" lehne nicht bloß jeglichen „heidnisch-christlichen Synkretismus" ab, wie es gegen die nationalsozialistische Ideologiebildung lautet, „sondern auch die natürliche Theologie römischer Prägung"[3]. Auch wenn Jannasch davon ausgeht, dass sich Protestantismus und Katholizismus in einer „geheimen Bewegung aufeinander hin" befänden, sei Vorsicht geboten, da dieser Prozess „nicht über Liturgie und Sakramente als Rückwendung zur römischen Messe erfolgen"[4] könne. „Eine von *Gott* zu erhoffen-

---

[1] Wilhelm JANNASCH, *Heimkehr zur Messe – Rückkehr zur Gregorianik? Eine Umschau auf dem Gebiet der Liturgik*, in: VF II. 1941, 119–162; hier 119.

[2] JANNASCH, *Heimkehr zur Messe* (wie Anm. 1) 119.

[3] JANNASCH, *Heimkehr zur Messe* (wie Anm. 1) 120.

[4] JANNASCH, *Heimkehr zur Messe* (wie Anm. 1) 161.

de Unio wird durch *diese* Zurückhaltung nicht gehemmt werden; denn diese Unio wird gerade da vorbereitet, wo jede Kirche [...] sich selber und das ihr gegebene Pfund so ernst wie möglich nimmt, gerade auch in den Dingen des Gottesdienstes."[5]

2. Im Kampf um das Bekenntnis

Wilhelm Jannasch hatte eine tiefgreifende Herrnhuter Prägung. Am 8. April 1888 wurde er im Schlesischen Gnadenfrei als Sohn des Prokuristen, späteren Hüttendirektors Adolf Jannasch und seiner Frau Klara geboren.[6] Nach dem Abitur in Strehlen begann er ein Theologiestudium, zunächst am Seminar in Gnadenfrei, dann in Marburg, Berlin, Bonn und Heidelberg. Nach beiden theologischen Examina (Gnadenfrei 1911 und Karlsruhe 1912) erfolgte 1913 die Ordination in Weimar. Zwischenzeitlich war Jannasch im Hause des Großadmirals Alfred von Tirpitz als Lehrer tätig gewesen. Nach einer Station als Hilfsprediger in Jena, ab Herbst 1913, wurde Jannasch 1914 Pastor an der Lübecker St. Ägidien Kirche, ab 1921 Hauptpastor. Im Frühjahr 1917 folgte er einer Einberufung zum Feldprediger, erst bei der Infanterie dann bei der Marine. Jannasch wurde mit dem Eisernen Kreuz 2. Klasse, dem Hanseatenkreuz und dem Frontkämpferehrenzeichen versehen. Im Druck überlieferte Kriegspredigten lassen einen generationstypischen nationalen bis nationalistischen Duktus erkennen.[7] Wegen seines Einsatzes bei der Bergung von Verwundeten, Dresden März 1943, sollte Jannasch im Zweiten Weltkrieg das Kriegsverdienstkreuz 2. Klasse mit Schwertern erhalten.

Nachdem er bereits 1908 in der „Zeitschrift für Brüdergeschichte" einen längeren Aufsatz über „Christian Renatus Graf von Zinzendorf" publiziert hatte, wurde Jannasch in Heidelberg 1914 mit einer Inaugural-Dissertation über

---

5   JANNASCH, *Heimkehr zur Messe* (wie Anm. 1) 162.

6   Zu Jannaschs Biografie vgl. v.a.: *Tabula Gratulatoria der Evangelisch-Theologischen Fakultät Mainz für Wilhelm Jannasch zum 75. Geburtstag am 8. April 1963*, in: ThLZ 88. 1963, 553–556; *Festgabe Wilhelm Jannasch zum 75. Geburtstag*. Hg. von Kurt SCHUSTER [u.a.]. Darmstadt 1964 (erweitert aus: JHKGV 15. 1964, 71–187; hier zur Biografie 165f); ANONYMUS: [*Zum Tode von W. Jannasch*], in: DtPfrBl 66. 1966, 397; Alf CHRISTOPHERSEN, *Jannasch, Wilhelm*, in: RGG[4] 4. 2001, 369; Klaus-Bernward SPRINGER, *Jannasch, Wilhelm*, in: BBKL 20. 2002, 810–816; Karl DIENST, *„... auch mit Evangelisch-Theologischer Fakultät"*. *Die Anfänge der Evangelisch-Theologischen Fakultät in Mainz*. Darmstadt [u.a.] 2002 (Quellen und Studien zur hessischen Kirchengeschichte 7), 199–201. – Eine Auswahlbibliografie findet sich zusammengestellt von Reinhard DROSS in: ThLZ 88. 1963, 627–632. Das Universitätsarchiv Mainz verwahrt einen kleinen Jannasch-Teilnachlass; weiteres Material ist auch im Darmstädter Zentralarchiv der Evangelischen Kirche Hessen-Nassau vorhanden. Große Teile der Bibliothek Jannaschs gingen schließlich an die Ende der 1960er Jahre gegründete Evangelisch-Theologische Fakultät der Ludwig-Maximilians-Universität München.

7   Vgl. Wilhelm JANNASCH, *Nahrungssorgen und kein Ende*, in: *Kriegsziele und Friedensaufgaben*. Hg. v. Ernst ROLFFS. Göttingen 1917 (GPB 14/1), 50–57; DERS., *Notfrömmigkeit*. *Predigt über Luc. 15, 14–24, gehalten am 5. März 1916 in St. Aegidien*, in: *Der Herr hat Großes an uns getan. Kriegspredigten Lübecker Geistlicher*. Hg. v. Kurt ZIESENITZ. Lübeck 1917, 81–87.

„Erdmuthe Dorothea Gräfin von Zinzendorf"[8] zum Lic. theol. promoviert. Als Doktorvater fungierte der Reformationshistoriker Hans von Schubert (1859–1931), angeregt wurde die Arbeit vom zunächst Bonner, dann Marburger Kirchengeschichtler Heinrich Böhmer (1869–1927). Die Heidelberger Theologische Fakultät promovierte Jannasch dann 1928 zum Doktor der Theologie, der Ehrendoktor schloss sich 1950 an. In seinen wissenschaftlichen Arbeiten verknüpfte Jannasch fortschreitend Kirchengeschichte und Praktische Theologie. Nachdem 1927 „Liturgische Feierstunden. Eine Sammlung von 37 ausgeführten Ordnungen liturgischer und musikalischer Gottesdienste" erschienen war, veröffentlichte Jannasch ein Jahr später seine „Geschichte des lutherischen Gottesdienstes in Lübeck". Diese Studie fand 1958 mit der „Reformationsgeschichte Lübecks vom Petersablaß bis zum Augsburger Reichstag" eine späte Fortsetzung. Im Vorwort hielt Jannasch in einer autobiografischen Reminiszenz fest: „Es waren zwei an Leid, Kampf und Untergang wahrhaftig nicht arme Jahrzehnte, durch die diese Blätter der Lübecker Reformationsgeschichte in quälender Unfertigkeit den Verfasser begleitet haben. Vielleicht konnten sie deshalb nicht halb vergessen im Schreibtischfach und hernach im Luftschutzkoffer liegen bleiben, vielleicht mußten sie deswegen im letzten Augenblick der Freiheit aus dem bis dahin für sicher geltenden Gewahrsam im hernach zerstörten Herrnhuter Herrschaftshaus gerissen werden, vielleicht sind sie darum auf abenteuerlicher Fahrt mitten in die letzten Berliner Kriegswochen hinein gerettet worden, weil die Menschen von ehedem die Rede durchaus zu Ende führen wollten, zu der sie der Fürwitz des Geschichtsschreibers aufgerufen hatte."[9]

Das Jahr 1933 brachte auch für Wilhelm Jannasch eine existenzielle Wende. Ohne zu zögern und mit kämpferischem Impetus wandte er sich gegen die kirchenpolitischen Maßnahmen und Eingriffe des neuen nationalsozialistischen Regimes. So begab er sich im Kontext der Kirchenwahlen vom 23. Juli 1933 in die Auseinandersetzung mit den Deutschen Christen.[10] Dieses Engagement führte auf der Basis des Kirchlichen Dienststrafgesetzbuchs am 19. August zu einem Ordnungsverweis durch Senator Hans Böhmcker. Jannasch, zunächst vorläufig suspendiert, durfte im Oktober 1933 seine Amtsgeschäfte wieder ausführen, allerdings unter Verzicht auf jegliche Verwaltungstätigkeit und mit der Auflage, nicht an Gemeindevorstandssitzungen teilzunehmen. Am 26.

---

[8] Siehe dazu die ausführliche Rezension von Otto UTTENDÖRFER, in: ZBG IX. 1915, 129–135.

[9] Wilhelm JANNASCH, *Reformationsgeschichte Lübecks vom Petersablaß bis zum Augsburger Reichstag 1515–1530.* Lübeck 1958 (Veröffentlichungen zur Geschichte der Hansestadt Lübeck 16), 3. Dem Band hatte Jannasch folgende Widmung vorangestellt: „Venerabili ordini theologorum in litterarum universitate Ruperto-Carola pro honorifica sua promotione gratias agit simulque magistros suos olim Heidelbergae auditos Johannem Bauer et Hans von Schubert pia memoria prosequitur." Johannes Bauer (1860–1930) war Praktischer Theologe, ab 1910 in Heidelberg; er leitete u.a. das Predigerseminar der Badischen Kirche.

[10] Vgl. dazu Karl Friedrich REIMERS, *Lübeck im Kirchenkampf des Dritten Reiches. Nationalsozialistisches Führerprinzip und evangelisch-lutherische Landeskirche von 1933 bis 1945.* Göttingen 1965, 68–72, 83–88; sowie Jürgen SCHMIDT, *Martin Niemöller im Kirchenkampf.* Hamburg 1971 (Hamburger Beiträge zur Zeitgeschichte VIII), 123f.

November 1933 schlossen sich die Mitglieder der Jungreformatoren Lübecks, zu denen auch Jannasch zählte, an den Pfarrernotbund Martin Niemöllers an. Weitere Konflikte führten dazu, dass Jannasch am 11. April 1934 in den Ruhestand versetzt wurde, und zwar „nicht ohne die persönliche Mitverantwortung einiger Notbundpfarrer"[11]. Im Unterschied zu allen seiner Lübecker Kollegen bekannte sich Jannasch eindeutig zum Dahlemer Notkirchenrecht und gruppierte seinen Bekenntniskreis um sich.[12] Mit aller Vehemenz kämpfte er um sein Amt. In die Kirchenchronik von St. Ägidien trug Jannasch 1935 ein, Reichsbischof Ludwig Müller getroffen zu haben, damit dieser sich für ihn einsetze, aber Müller habe sich auch in seinem „Fall als der haltlose Lügner erwiesen, als der er in die Geschichte der Deutschen Evangelischen Kirche fortleben wird"[13]. Im Frühjahr 1935 wurde Jannaschs 1. Pfarrstelle an St. Ägidien mit Pastor Karl Richter aus Mähren neu besetzt. Am 9. März schrieb Jannasch an ihn: „Ich verlasse zwar in den nächsten Tagen gezwungen meine Dienstwohnung, bleibe aber nach wie vor rechtmäßiger Pastor der Gemeinde und werde auch den gerichtlichen Kampf um dies Recht nicht aufgeben. Ich werde in der Gemeinde wohnen bleiben. Irgendwelche Rücksichten können Sie von mir nicht erwarten, da ich sie zu meinem Bedauern als Eindringling betrachten muß."[14] So hielt Jannasch Gottesdienste im Saal der Lübecker Turnerschaft ab, und in einem Rundbrief an seine Gemeindeglieder vom 21. März 1933 verdeutlichte er: „Aber die schwere Kampfeslage unserer gesamten deutschen evangelischen Kirche, in der sich Bekenntniswidrigkeit, Unrecht und Gewalt breitgemacht haben, fordert es, daß jeder den ihm anvertrauten Posten bis zum Äußersten halte, und darin müssen alle, denen es um das Bekenntnis geht, zusammenstehen."[15] Jannasch kündigte an, jede Amtshandlung weiter zu vollziehen. Angeklagt wegen intellektueller Urkundenfälschung musste er letztlich „auf Anweisung der Staatsanwaltschaft die kirchlichen Dienstsiegel an die Gestapo ausliefern"[16]. Aufgrund seines Rundbriefes wurde Jannasch am 22. März von der Gestapo zum Verhör abgeholt und „unter der Anklage, die Bevölkerung ‚zum Ungehorsam aufgereizt' zu haben", eine Woche lang im Lübecker Marstallgefängnis inhaftiert.

Jannaschs Stellung in Lübeck wurde zunehmend unhaltbar, auch geriet er in Auseinandersetzungen mit August Marahrens, der für Lübeck als Notbischof der Bekennenden Kirche eingesetzt worden war. Nachdem er Bezüge zum Pfarrernotbund, zum Präsidium der Reichsbekenntnissynode und zum Reichsbruderrat geknüpft hatte, berief die zweite Vorläufige Kirchenleitung der Deutschen Evangelischen Kirche Jannasch als Sachbearbeiter für den Nachrichten- und Wahldienst in ihren Mitarbeiterstab nach Berlin. Er hatte zuvor auch an den Bekenntnissynoden in Barmen, Berlin-Dahlem (beide 1934),

---

[11] REIMERS, *Lübeck im Kirchenkampf* (wie Anm. 10) 91.
[12] Vgl. REIMERS, *Lübeck im Kirchenkampf* (wie Anm. 10) 142; vgl. auch Christian LUTHER, *Das kirchliche Notrecht, seine Theorie und seine Anwendung im Kirchenkampf 1933–1937*. Göttingen 1969 (AGK 21), 181–183.
[13] Zitat aus der Kirchenchronik bei REIMERS, *Lübeck im Kirchenkampf* (wie Anm. 10) 164.
[14] REIMERS, *Lübeck im Kirchenkampf* (wie Anm. 10) 166.
[15] REIMERS, *Lübeck im Kirchenkampf* (wie Anm. 10) 167.
[16] REIMERS, *Lübeck im Kirchenkampf* (wie Anm. 10) 167, Anm. 9.

Augsburg (1935) und Bad Oeynhausen (1936) teilgenommen. Dem endgültigen Wechsel nach Berlin war eine umfangreiche Reisetätigkeit mit Predigten,
Vorträgen und der Leitung von Freizeiten, so auf der Burg Hohensolms bei
Wetzlar („Bibel- und evangelisches Schulungsheim"), vorangegangen, die Jannasch auch späterhin fortsetzte. Zu einem seiner entscheidenden Verdienste zählt die federführende Mitarbeit an der Denkschrift vom 25. Mai 1936 an
Adolf Hitler. Sie ist, so Wilhelm Niemöller, „das denkwürdigste Dokument
einer bekennenden Kirche, die bereit war, dem Dritten Reich gegenüber die
Wahrheit Gottes zu bezeugen"[17].

Jannasch übergab die Denkschrift persönlich am 4. Juni in der Reichs-
kanzlei.[18] Obwohl Vertraulichkeit vereinbart worden war, gelangte der Text
der Denkschrift an die ausländische Presse und wurde veröffentlicht. Die Vorläufige Leitung übergab „der Geheimen Staatspolizei das Belegstück einer
Auslandszeitung mit der Bitte, nach dem Schuldigen zu fahnden, was einem
einmaligen Fall von Kooperation zwischen Gestapo und Bekennender Kirche
gleichkam"[19]. Durch diese Vorgänge kam Kanzleichef Friedrich Weißler, als ver-
meintlicher Urheber der Indiskretion, im Konzentrationslager Sachsenhausen
am 19. Februar 1937 „infolge schwerer Mißhandlungen"[20] ums Leben.

Nach der Inhaftierung von Martin Niemöller am 1. Juli 1937 übernahm
Jannasch die Geschäftsführung des Pfarrernotbundes. Niemöller zeigte sich
anfangs etwas besorgt und schrieb an seine Frau: „Wenn Jannasch nur etwas fri-
scher spräche, oder hat sich das vorteilhaft geändert?! *Was* er sagt, ist immer
gut und trifft auch ins Zentrum."[21] Im Frühjahr 1939 wurde Jannasch Pfarrer
der Notgemeinde Berlin-Friedenau, verdrängt, wie er rückblickend festhielt,
aus seinem Lübecker Pfarramt, „in Berlin von der Gestapo mit Arbeitsverbot
bei der VKL belegt und im Winter 1938/39 beim Bruderrat der Bekennenden Kirche in Breslau tätig"[22]. Mittelpunkt seiner Gemeinde, die aus etwa 400
Mitgliedern bestand, war der sonntägliche Gottesdienst, der in einem Saal

---

[17]   Wilhelm NIEMÖLLER, *Die Bekennende Kirche sagt Hitler die Wahrheit. Die Geschichte der
       Denkschrift der Vorläufigen Leitung vom Mai 1936.* Bielefeld 1954, 190. Vgl. auch DERS.,
       Die Bekennende Kirche sagt Hitler die Wahrheit, in: EvTh 18. 1958, 190–192. Niemöller
       erwähnt aufgrund neuer Aktenfunde mehrere Vorentwürfe, die maßgeblich von Jan-
       nasch korrigiert und geprägt wurden. Er habe „in ganz entscheidendem Ausmaß an
       der Entstehung der Denkschrift mitgewirkt" sowie „die schwere Arbeit und Vorar-
       beit wie kein anderer getragen" (ebd. 192); vgl. Wilhelm JANNASCH, *Deutsche Kirchen-
       dokumente. Die Haltung der Bekennenden Kirche im Dritten Reich.* Hg. vom evangelischen
       Hilfswerk für die Bekennende Kirche in Deutschland mit Flüchtlingsdienst. Zollikon-
       Zürich 1946, 20–31.
[18]   Vgl. Wilhelm NIEMÖLLER, *Verkündigung und Fürbitte: Der Prozeß des Hauptpastors Wilhelm
       Jannasch,* in: *Zur Geschichte des Kirchenkampfes. Gesammelte Aufsätze II.* Hg. v. Heinz BRU-
       NOTTE. Göttingen 1971 (AGK 26), 139–163, hier 145.
[19]   Eberhard BETHGE, *Dietrich Bonhoeffer. Eine Biographie.* Gütersloh 81994, 604.
[20]   SCHMIDT, *Martin Niemöller im Kirchenkampf* (wie Anm. 10) 399.
[21]   *Martin Niemöller an Else Niemöller, 31. Dezember 1937,* in: Martin NIEMÖLLER, *Briefe aus
       der Gefangenschaft Moabit.* Hg. von Wilhelm NIEMÖLLER. Frankfurt/M. 1975, 196–201,
       hier 199.
[22]   Wilhelm Jannasch, *Berlin-Friedenau,* in: *Die Stunde der Versuchung. Gemeinden im Kirchen-
       kampf 1933–1945. Selbstzeugnisse.* Hg. v. Günther HARDER – Wilhelm NIEMÖLLER. Mün-
       chen 1963, 90–95, hier 90.

der Goßnerschen Mission abgehalten wurde. Es kamen immer auch Besucher aus umliegenden Gemeinden, so Dietrich Bonhoeffer, Elly Heuß-Knapp oder auch Theodor Heuss. „Die merkwürdigsten und wichtigsten Hörer des gepredigten Wortes waren freilich", betont Jannasch 1963 rückblickend, „nicht-arische Gemeindeglieder, die wußten, daß die Friedenauer BK-Gemeinde ihnen volles Gastrecht gewährte; späterhin waren sie durch den gelben Judenstern gekennzeichnet, so daß der Prediger rasch überschauen konnte, wie viele dieser schwer heimgesuchten Brüder und Schwestern sich vor der Kanzel versammelt hatten oder mit nicht ‚gezeichneten' Abendmahlsgästen vor dem Altar knieten."[23] In diesem Zeitraum fällt auch ein Vorgang, der in Julius Streichers antisemitischem Hetzblatt „Der Stürmer" im Januar 1940 unter der Überschrift „Eine sonderbare Judentaufe in Dresden" verhandelt wird. Der anonyme Verfasser berichtet davon, dass Jannasch „widerrechtlich" am 16. Juni 1939 „Maier Israel Sacki" getauft habe. Eine entsprechende Amtshandlung sei zuvor von den Sächsischen Kirchenbehörden abgelehnt worden.[24]

Anlässlich des 50. Geburtstages von Martin Niemöller, den dieser im Konzentrationslager Dachau verbringen musste, hielt Jannasch am 14. Januar 1942 in der Dahlemer Jesus-Christus-Kirche einen Fürbittgottesdienst. Daraufhin wurde er aufgrund eines Strafantrages am 20. November 1942 wegen Kanzelmissbrauchs zu drei Monaten Festungshaft verurteilt. Jannasch ging mehrfach in Revision, und letztlich wurde die Strafe im Winter 1944 in eine zweimonatige Gefängnishaft umgewandelt. Zu einer Vollstreckung kam es nicht mehr.

Wilhelm Niemöller zog im Hinblick auf Jannasch 1971 das Resümee: „Die große Zeit seines Lebens war die Zeit von 1933 bis 1945, in der er wie wenige bewiesen hat, was es bedeutet, wenn ein Prediger des Wortes Gottes seine Verantwortung besteht und aus lebendigem Glauben lebt."[25] Im Weltkrieg fielen Jannaschs beide Söhne: Adolf Edzard starb kurz vor dem Fürbittgottesdienst für Niemöller, Jens Peter 1944. Vergeblich hatte Dietrich Bonhoeffer den Versuch unternommen, mit Hilfe seiner Schwäger Hans von Dohnanyi und Rüdiger Schleicher Jens Peter Jannasch „unabkömmlich" zu stellen.[26] Bonhoeffers Bemühungen wurden zu einem der zentralen Punkte der gegen ihn erhobenen Anklage – und zwar in Form des Vorwurfs der Wehrdienstentziehung und „Wehrkraftzersetzung", wie es in der Anklageschrift des Oberreichskriegsanwalts vom 21. September 1943 unter dem Abschnitt „Tatbestand" lautet.[27]

23 JANNASCH, *Berlin-Friedenau* (wie Anm. 22) 91; vgl. DERS., *Deutsche Kirchendokumente* (wie Anm. 17) 11–15.
24 ANONYMUS, *Eine sonderbare Judentaufe in Dresden*, in: Der Stürmer, 18. 1940, Nr. 3, Nürnberg im Januar 1940, [4].
25 NIEMÖLLER, *Verkündigung und Fürbitte* (wie Anm. 18) 145, Anm. 2.
26 Vgl. *Dietrich Bonhoeffer an Hans von Dohnanyi, März 1942*, in: Dietrich BONHOEFFER, *Konspiration und Haft. 1940–1945*. Hg. von Jørgen GLENTHØJ [u.a.]. Gütersloh 1996 (Werke 16), 251f.
27 Anklageschrift des Oberreichskriegsanwalts, Berlin-Charlottenburg 5, den 21. September 1943, in: BONHOEFFER, *Konspiration und Haft* (wie Anm. 26) 433–443, hier 442f. Vgl. die Anklageverfügung des Reichskriegsgerichts, Berlin-Charlottenburg 5, den 21. September 1943 (ebd. 432f); sowie *Dietrich Bonhoeffer an Wilhelm Jannasch, 23. November 1941* (ebd. 228).

Mitte 1945 wurde Jannasch Mitglied im landeskirchlichen Beirat Berlin-Brandenburg und im Oktober in der Provinzial-Kirchenleitung; außerdem begann er eine Lehrtätigkeit an der Kirchlichen Hochschule. Mit der Absicht, den Kampf der Bekennenden Kirche im Dritten Reich zu dokumentieren und dem Vorwurf entgegenzutreten, es habe keinerlei kirchliche Opposition gegeben, veröffentlichte Jannasch noch 1945 eine kleine Dokumentation unter dem Titel „Hat die Kirche geschwiegen?". Er verband die Wiedergabe einschlägiger Texte mit kurzen Zwischenkommentaren. 1946 erschien das Bändchen in leicht erweiterter Form ebenfalls in der Schweiz („Deutsche Kirchendokumente. Die Haltung der Bekennenden Kirche im Dritten Reich"). Jannaschs Publikation wurde auch in den USA deutlich zur Kenntnis genommen und er selbst als „a stalwart member of the *Bekennende Kirche*"[28] charakterisiert.

Eine entscheidende Zäsur brachte für Jannasch das Jahr 1946. Martin Niemöller schlug ihn mit französischer Unterstützung erfolgreich als Dekan für die neu zu gründende Evangelisch-Theologische Fakultät in Mainz vor. Superintendent Reinhard Becker hatte Jannasch als Professor für Praktische Theologie ins Spiel gebracht. Sein Name findet sich auf Platz 1 der ersten offiziellen Berufungsliste vom 1. April 1946.[29] Die Berufung des nicht-habilitierten Jannasch stieß auf erhebliche Bedenken. Insbesondere sein alttestamentlicher Kollege Kurt Galling und Prorektor Adalbert Erler waren der Meinung, „daß bei der Einstellung von Theologieprofessoren keine Ausnahme von den Universitätsregeln gemacht werden sollte"[30]. Erler „warf Jannasch Unerfahrenheit in Universitätsangelegenheiten vor und ein Schwimmen im Kielwasser Karl Barths bei der Bevorzugung Schweizer Professoren für eine Berufung nach Mainz"[31]. Die Schweizer würden über kein unmittelbares Erlebnis des Kirchenkampfes verfügen.

Galling und Jannasch waren zunächst die einzigen beiden Professoren und lasen vor 20 Hörern. Es drohte eine von Raymond Schmittlein, dem Leiter der Direktion für öffentliche Bildung der französischen Militärregierung in Erwägung gezogene Schließung der Fakultät. Jannasch kam unter erheblichen Druck, konnte sich aber durchsetzen, studierten doch 30 Immatrikulierte im Sommersemester 1946, 147 im Winter 46/47, 225 im Sommer 47 und im Sommer 48 347.[32] Das Amt des Dekans hatte Jannasch von 1946–1948 und noch einmal von 1955–1956 inne, 1948–1949 war er Prodekan, 1949 Senatsmitglied; am 25. August 1948 wurde Jannasch zum Universitätsprediger berufen. Mit Nach-

---

[28]　Stewart W. HERMAN, *The Rebirth of the German Church.* New York [u.a.] 1946, 60.

[29]　DIENST, „... *auch mit Evangelisch-Theologischer Fakultät"* (wie Anm. 6) 24–26; vgl. zur Berufung nach Mainz auch 200f: Bewerbungsschreiben von Wilhelm Jannasch an Reinhard Becker vom 29. März 1946 und Martin Niemöller an Wilhelm Jannasch, 4. April 1946.

[30]　Christophe BAGINSKI, *Frankreichs Kirchenpolitik im besetzten Deutschland. 1945–1949.* Mainz 2001 (QMRKG 87), 248.

[31]　Karl DIENST, *Eingriffe der französischen Besatzungsmacht in die Mainzer Universität unter besonderer Berücksichtigung der Evangelisch-Theologischen Fakultät,* in: BPfKG 65. 1998, 107–116, hier 112; vgl. DERS., „... *auch mit Evangelisch-Theologischer Fakultät"* (wie Anm. 6) 70–73; DERS., *Der „andere" Kirchenkampf: Wilhelm Boudriot – Deutschnationale – Karl Barth. Eine theologie- und kirchenpolitische Biographie,* Berlin 2007, bes. 121–136.

[32]　Diese Zahlen bei BAGINSKI, *Frankreichs Kirchenpolitik* (wie Anm. 30) 257.

druck und Zielstrebigkeit verfolgte Jannasch die Einrichtung der Evangelisch-Theologischen Fakultät,[33] für die er, wie Niemöller als „‚Transmissionsriemen' französischer Interessen und Kirchenpolitik"[34] eine starke Ausrichtung in Richtung Bekennender Kirche vorsah; aber auch eine konfessionsübergreifende Perspektive stand stets im Fokus seiner Vorhaben. So betonte Jannasch auch in einem Beitrag über „Neue Gesamtdarstellungen in der Praktischen Theologie", „daß es einem Darsteller" dieser Disziplin, „wenn er *wirklich* vom Evangelium aus die gegenwärtigen Aufgaben der evangelischen Kirche durchdenkt, fast unmöglich sein muß, sich im überlieferten Konfessionsschema zu halten. Er wird bald zu dieser, bald zu jener Grenzüberschreitung genötigt sein [...]." Die „Offenheit nach der Praxis anderer evangelischer Kirchen" stelle „immer wieder vor die Frage nach der kirchlichen Einheit."[35]

1949 wurde Jannasch Mitherausgeber von „Verkündigung und Forschung", für die dritte Auflage von „Die Religion in Geschichte und Gegenwart" übernahm er als Fachberater den Bereich „Praktische Theologie" und lieferte über 120 Einzelbeiträge. Nach seiner Emeritierung zum 1. Oktober 1956 vertrat Jannasch seinen Lehrstuhl noch selbst zwei weitere Jahre. 1962 erhielt er in Würdigung seines Einsatzes in der Bekennenden Kirche und des Engagements in Mainz das Große Bundesverdienstkreuz. Jannasch hatte zudem einen erheblichen Anteil an der Neugestaltung der Hessen-Nassauischen Kirchenordnung, er war Mitglied der Verfassungsgebenden Synode, 1947, und des Verfassungs-, späterhin auch des Theologischen Ausschusses.[36] Nach einer Augenoperation erlitt Jannasch eine Embolie und verstarb am 6. Juni 1966 in Frankfurt am Main, die Beisetzung erfolgte bei der Brüdergemeine in Neuwied.

3. Das Wort Gottes und die Praktische Theologie

1956 begann Wilhelm Jannasch einen Beitrag zur Festschrift anlässlich des 70. Geburtstages von Karl Barth mit dem Satz: „Es sind nun an die achtundvierzig Jahre her, seit im neutestamentlichen Seminar zu Marburg Karl Barth, Wilhelm Loew und andere, zu denen auch der Schreiber dieser Zeilen gehörte, von Adolf Jülicher eingeleitet wurden, sich an Hand des Eusebius mit Fragen der Einleitung ins Neue Testament [...] zu befassen."[37] Jannasch fand in Karl Barth seinen zentralen Orientierungspunkt. Er schloss sich an ihn nicht nur in systematisch- und praktisch-theologischer Hinsicht eng an, sondern folgte ihm auch in den Zeiten des Kirchenkampfes und der Bekenntnisbildung gegen den nationalsozialistischen Herrschafts- und Weltdeutungsanspruch. So war Jannasch neben den Pastoren Erwin Schmidt und Otto A. Bode entscheidender Initiator

---

[33]   Die von Jannasch gehaltenen, deutlich interdisziplinär ausgerichteten Lehrveranstaltungen sind detailliert aufgeführt bei DIENST, „... *auch mit Evangelisch-Theologischer Fakultät"* (wie Anm. 6) 99–101.

[34]   DIENST, „... *auch mit Evangelisch-Theologischer Fakultät"* (wie Anm. 6) 12; vgl. 109–112.

[35]   Wilhelm JANNASCH, *Neue Gesamtdarstellungen in der Praktischen Theologie,* in: VF VI. 1951/52, 172–182, hier 173.

[36]   Vgl. dazu *Tabula Gratulatoria* (wie Anm. 6).

[37]   Wilhelm JANNASCH, *Randbemerkungen zum Problem der Kirchenbibel,* in: *Antwort. Karl Barth zum 70. Geburtstag am 10. Mai 1956.* Zollikon – Zürich 1956, 571–581, hier 571. Der Praktische Theologe und Mediziner Wilhelm Loew erhielt 1950 in Mainz einen Lehrauftrag für Praktische Theologie und wurde 1952 Honorarprofessor.

für eine angemeldete und dann auch genehmigte Veranstaltung der Lübecker Notbundpastoren mit Karl Barth als Vortragendem am 6. Januar 1934.[38]

Insbesondere gewann Barth für Jannasch noch einmal eine tragende Funktion, als er im Rahmen der Übernahme des Lehrstuhls für Praktische Theologie in Mainz zur Ausarbeitung einer dezidiert praktisch-theologischen Position genötigt war. Vom 27. bis zum 30. März 1950 tagte der Deutsche Theologentag in Marburg, die Praktisch-theologische Sektion wurde, wie Leonhard Fendt in der „Theologischen Literaturzeitung" berichtete, von Wolfgang Trillhaas „mit überlegener Sachkenntnis und Ruhe" geleitet. Bei den Vorträgen und Diskussionen ging es „geradewegs um den Neubau der Universitätsdisziplin ‚Praktische Theologie'". Als Resultat praktisch-theologischen Selbstverständnisses erschien Fendt „die vom Evangelium (und so von den anderen theologischen Disziplinen) her zu übende Kritik an der kirchlichen Praxis der Gegenwart"[39].

Auch Jannasch war auf dem Theologentag vertreten und äußerte sich zur Frage „Die evangelische Kirche als Wahrerin der abendländischen Tradition?". Er kam zum dialektisch-theologisch motivierten und gegen ein liberal-kulturtheologisches Verständnis gerichteten Ergebnis, dass die Kirche keine „Wahrerin" der abendländischen Tradition sein könne; wenn sie sich auf diese Ebene einstelle, gebe sie ihren Evangeliumsbezug preis. Dies gelte gerade für den entscheidenden liturgischen Bereich: „Es mag [...] durchaus so sein, daß manches von dem ein liturgischer Fortschritt ist, was heute unter dem Titel einer evangelischen oder deutschen Messe als lutherische Gottesdienstordnung zur Begutachtung dargeboten oder stellenweise sogar den Gemeinden aufgezwungen wird [...]. Was aber *hülfe* es der evangelischen Kirche, wenn sie auf diese Weise ein neues Stück ‚abendländischer Tradition' für ihre Versammlung zurückgewönne und die Reinheit des Evangeliums darüber verlöre?"[40] Ein Jahr später fundierte Jannasch diese Position in einer essayartigen Sammelbesprechung unter der Überschrift „Karl Barth und die Praktische Theologie". Es sei die „Situation des Predigers auf der Kanzel" gewesen, die Barth einst „zu einem theologischen Neuansatz geführt" habe; „denn die Notwendigkeit, eben dieser Situation gerecht zu werden, war es, die ihn die Unzulänglichkeit seiner bisherigen Theologie erkennen ließ und die so der Anstoß zu einer Dogmatik wurde, die kritisch auf die Verkündigung der Kirche bezogen ist". Gerade die Praktische Theologie sei Barth für die deutliche Betonung des Kirchenbezugs theologischer Wissenschaft und universitärer Ausbildung zu großem Dank verpflichtet. Die Ausrichtung auf die Kirche sei das Ergebnis der von Barth verursachten „Neuordnung der Theologie" in den 1920er Jahren. Für die Praktische Theologie gelte in Aufnahme der „Kirchlichen Dogmatik" die Ausrichtung am „Mittelpunkt des göttlichen Wortes"[41]. Es müsse ihr darum gehen, betont Jannasch unter Aufnahme der

38 Vgl. REIMERS, *Lübeck im Kirchenkampf* (wie Anm. 10) 101.

39 Leonhard FENDT, *Bericht über die Verhandlungen der Praktisch-theologischen Sektion auf dem Deutschen Theologentag zu Marburg (27.–30. März 1950)*, in: ThLZ 75. 1950, 279f, hier 279.

40 Wilhelm JANNASCH, *Die evangelische Kirche als Wahrerin der abendländischen Tradition?*, in: ThLZ 75. 1950, 279–282, hier 280.

41 Wilhelm JANNASCH, *Karl Barth und die Praktische Theologie*, in: ThLZ 76. 1951, 1–16, hier 1; vgl. auch DERS., *Wort Gottes, V. In der kirchlichen Verkündigung*, in: RGG³ 6. 1962, 1819–1821.

Erfahrungen im Nationalsozialismus, „in voller Verantwortung rechtschaffene
theologische Arbeit, hingewandt zu den Lebensäußerungen und Lebensbehin-
derungen der christlichen Gemeinde, zu treiben oder, wo die Lage es fordert,
um der Bedrohung der Gemeinde willen sich ernsthaftem Kampfe zu stellen".
Nimmt sie diese Aufgabe ernst, könne die Praktische Theologie die anderen
Disziplinen des Faches immer wieder daran erinnern, „daß eine theologische Fakultät, die sich [...] nicht als Organ der Kirche weiß, und eine wissenschaftliche
Theologie, die ihren Dienst nicht als kritischen Dienst an der Schriftauslegung,
Lehre und Leben der Gemeinde tut, ihren Sinn verfehlt hat"[42]. Nicht „Kanzelredner", sondern „Prediger" mit einem neuen, sachlichen, nicht rhetorischen Stil
seien gesucht. Hier sei der „Anstoß für den neuen Weg aus der echten theologischen Dynamik"[43] der 1920er Jahre aufzugreifen.

Es sei das besondere Verdienst Barths, mit seiner Rede von Gottes freier
Gnade und der Bestimmung des kirchlichen Auftrags Wesentliches für „das eigentliche Zentralthema der Praktischen Theologie" geleistet zu haben; „denn
nicht so sehr eine rechte Lehre von der Kirche zu entwickeln, wie es die Dogmatik zu tun hat, sondern zu zeigen, wie die recht verstandene Kirche in der
rechten Weise ‚lebt', bzw., wenn sie das nicht tut, was menschlich geschehen
kann, um ihr den Rückweg zu einem rechten Leben nicht zu verbauen, ist ja
ihre eigentliche Aufgabe"[44]. Auf der Basis seiner sehr engen, fast unkritischen
Anhänglichkeit an Karl Barth kommt Jannasch schließlich auch in seinem
programmatischen Artikel „Praktische Theologie" der „Religion in Geschichte
und Gegenwart" von 1961 zu der normativen Anspruch erhebenden Definition
Praktischer Theologie als „Lehre von den dem Evangelium entsprechenden Lebensäußerungen der Kirche". Aus diesem Blickwinkel heraus haben Jannaschs
Reflexionen zum Wissenschaftsstatus der Theologie einen bleibenden, auch
für gegenwärtig geführte Debatten aktuellen Status, da sich die Frage ergebe,
„ob die Praktische Theologie besser an besondere Vorbereitungsanstalten für
den kirchlichen Dienst [...] zu verweisen wäre, oder ob sie mit innerem Recht
schon in den theologischen Fakultäten und Kirchlichen Hochschulen gelehrt
werden soll"[45].

Auswahlbibliografie
Christian Renatus Graf von Zinzendorf, in: ZBG II. 1908, 45–80; III. 1909, 62–93.
Erdmuthe Dorothea Gräfin von Zinzendorf geborene Gräfin Reuss zu Plauen. Ihr Leben als Betrag
    zur Geschichte des Pietismus und der Brüdergemeine dargestellt. Herrnhut 1915 (ZBG VIII.
    1914; Nachdr. 1973).

----

[42]   JANNASCH, *Karl Barth* (wie Anm. 41) 2.
[43]   JANNASCH, *Karl Barth* (wie Anm. 41) 3.
[44]   JANNASCH, *Karl Barth* (wie Anm. 41) 8. Jannasch bezieht sich auf Karl BARTH, *Die*
    Botschaft von der freien Gnade Gottes, in: DERS., *Die lebendige Gemeinde und die freie Gna-*
    de. München 1947 (TEH NF 9), 24–39. – Zu Jannaschs Verständnis der Praktischen
    Theologie vgl. auch DIENST, „... *auch mit Evangelisch-Theologischer Fakultät"* (wie Anm.
    6) 144–147.
[45]   Wilhelm JANNASCH, *Praktische Theologie*, in: RGG³ 5. 1961, 504–510, hier 504 (unter
    stillschweigender Auflösung der Abkürzungen im Zitat, A.C.).

Nahrungssorgen und kein Ende, in: *Kriegsziele und Friedensaufgaben*. Hg. v. Ernst ROLFFS. Göttingen 1917 (GPB 14/1), 50–57.

Notfrömmigkeit. Predigt über Luc. 15, 14–24, gehalten am 5. März 1916 in St. Aegidien, in: *Der Herr hat Großes an uns getan. Kriegspredigten Lübeckischer Geistlicher*. Hg. v. Kurt ZIESENITZ. Lübeck 1917, 81–87.

Liturgische Feierstunden. Eine Sammlung von 37 ausgeführten Ordnungen liturgischer und musikalischer Gottesdienste mit den zugehörigen Ansprachen und musikalischen Nachweisungen. Lübeck 1927.

Geschichte des lutherischen Gottesdienstes in Lübeck. Von den Anfängen der Reformation bis zum Ende des Niedersächsischen als gottesdienstlicher Sprache (1522–1633). Gotha 1928.

Der Kampf um das Wort. Aus der Glaubensgeschichte einer deutschen Stadt. Lübeck 1931.

Sieg und Gestalt des Luthertums in Lübeck. Lübeck 1931.

Gott woll'n wir loben. Lieder aus Gottes Wort. Berlin-Dahlem 1937.

Heimkehr zur Messe – Rückkehr zur Gregorianik? Eine Umschau auf dem Gebiet der Liturgik, in: VF II. 1941, 119–162.

Hat die Kirche geschwiegen? Materialsammlung zur Frage der Stellung der Bekennenden Kirche zum Dritten Reich, mit verbindendem Text. Frankfurt/M. [1945].

Deutsche Kirchendokumente. Die Haltung der Bekennenden Kirche im Dritten Reich. Hg. vom evangelischen Hilfswerk für die Bekennende Kirche in Deutschland mit Flüchtlingsdienst. Zollikon – Zürich 1946.

Johann Sebastian Bach, in: VF V. 1949/50, 161–166.

Deutschsprachige Quellen zum Studium der Liturgik, in: VF V. 1949/50, 166–169.

Die evangelische Kirche als Wahrerin der abendländischen Tradition?, in: ThLZ 75. 1950, 279–282.

Zinzendorf als Liturg, in: *Zinzendorf-Gedenkbuch*. Hg. v. Ernst BENZ – Heinz RENKEWITZ. Stuttgart 1951, 98–117.

Neue Gesamtdarstellungen in der Praktischen Theologie, in: VF VI. 1951/52, 172–182.

Karl Barth und die Praktische Theologie, in: ThLZ 76. 1951, 1–16.

Die Anfänge der Evangelisch-theologischen Fakultät der Johannes Gutenberg-Universität in Mainz, in: Jahrbuch der Vereinigung „Freunde der Universität Mainz" 3. 1954, 16–23.

Randbemerkungen zum Problem der Kirchenbibel, in: *Antwort. Karl Barth zum 70. Geburtstag am 10. Mai 1956*. Zollikon – Zürich 1956, 571–581.

Gottesdienst, VI. Reform und Neuordnung des ev. Gottesdienstes, in: RGG³ 2. 1958, 1785–1789.

Reformationsgeschichte Lübecks vom Petersablaß bis zum Augsburger Reichstag 1515–1530. Lübeck 1958 (Veröffentlichungen zur Geschichte der Hansestadt Lübeck 16).

Praktische Theologie, in: RGG³ 5. 1961, 504–510.

[Zum Lied der Bekennenden Kirche], in: *Männer der Evangelischen Kirche in Deutschland. Eine Festgabe für Kurt Scharf zu seinem 60. Geburtstag*. Hg. v. Heinrich VOGEL. Berlin [u.a.] 1962, 122f.

Wort Gottes, V. In der kirchlichen Verkündigung, in: RGG³ 6. 1962, 1819–1821.

Berlin-Friedenau, in: *Die Stunde der Versuchung. Gemeinden im Kirchenkampf 1933–1945. Selbstzeugnisse*. Hg. v. Günther HARDER – Wilhelm NIEMÖLLER. München 1963, 90–95.

Das Zeitalter des Pietismus. Hg. v. Wilhelm JANNASCH – Martin SCHMIDT. Bremen 1965 (KlProt 6).

Bruno Jordahn (1908–1988)

Peter Cornehl

Evangelische Liturgiewissenschaft ist in Deutschland bis in die zweite Hälfte des 20.  Jahrhunderts hinein eher selten von hauptamtlich an Theologischen Fakultäten lehrenden Professoren betrieben worden, sondern überwiegend von ehrenamtlich tätigen Lehrbeauftragten. Das waren Gemeindepfarrer, Leiter von Predigerseminaren, Pastoralkollegs oder kirchenmusikalischen Ausbildungsstätten, Männer (es waren tatsächlich nur Männer), die neben ihrem eigentlichen Beruf mit hohem persönlichen Einsatz wissenschaftlich gearbeitet haben. In einer Zeit, in der die Liturgik an evangelisch-theologischen Fakultäten und Kirchlichen Hochschulen allenfalls ein Nebenfach der Praktischen Theologie war, haben sie unter schwierigen Bedingungen eine Arbeit geleistet, die hohen Respekt verlangt. Einer dieser engagierten Liebhaber des Gottesdienstes und liturgiewissenschaftlichen Pioniere war Bruno Jordahn.

1. Biografische Skizze

Bruno Jordahn war Ostpreuße. Er wurde am 5. Februar 1908 als Sohn eines Diakons in Marwalde im Kreis Osterode geboren. Nach dem Abitur 1928 hat er in Tübingen, Jena und Königsberg Theologie und Philosophie studiert. Als seine Lehrer nannte er Schlatter, Heim, Gogarten, Griesebach, Schniewind und Iwand. Vor allem Hans-Joachim Iwand, der Leiter des Lutherheims in Königsberg und spätere Dozent am Predigerseminar der Bekennenden Kirche (BK) in Bloesdau, hat ihn geprägt. Ihm, schrieb er in einem Rückblick, verdanke er „unendlich viel". Iwand hat ihn zu Luther geführt und mit der Lutherforschung bekannt gemacht.[1] Durch seine Vermittlung hat er in Bloesdau damit begonnen, Unterricht im Fach Liturgik zu erteilen, eine Aufgabe, die er allerdings nicht lange ausüben konnte, weil er 1934 wegen seiner Zugehörigkeit zur Bekennenden Kirche aufgrund einer Denunziation aus dem Amt entfernt wurde. Im März 1935 bestand er vor dem Bruderrat der ostpreußischen BK sein Zweites Theologisches Examen und wurde im April 1936 in Goldap ordiniert. Er wurde dann Pfarrer im Dorf Schillen (Kreis Tilsit-Ragnit), bis er 1939 zur Wehrmacht eingezogen wurde. Im Juni 1940 wurde er schwer verwundet, aus dem Wehrdienst entlassen und kehrte in seine alte Gemeinde zurück.

Nach der Flucht aus Ostpreußen im Winter 1944/45 wurde die Familie schließlich in Hamburg-Altona ansässig, wo Bruno Jordahn 1945 eine Pfarrstel-

---

[1]   Eine schöne Frucht dieser Zusammenarbeit war die von Bruno Jordahn besorgte Übersetzung von „De servo arbitrio" in der Münchener Lutherausgabe: *Martin Luther, Ausgewählte Werke. Ergänzungsreihe.* Bd. 1: *Dass der freie Wille nichts sei. Antwort Martin Luthers an Erasmus von Rotterdam.* Übers. u. eingel. v. Bruno JORDAHN; Anm. v. Hans Joachim IWAND. München 1954. ³1983. Die Anmerkungen von Hans-Joachim Iwand sind in Verbindung mit Bruno Jordahn überarbeitet worden.

le an der Hauptkirche St. Trinitatis übertragen wurde. Er blieb der Gemeinde bis zu seiner Pensionierung 1976 treu. Sein großer Stolz war der Wiederaufbau der 1943 zerstörten Kirche nach seinen eigenen liturgischen Vorstellungen. Das Foto zeigt den Pastor Dr. Jordahn beim Richtfest 1961. Und es lässt auch erkennen: Er war ein fröhlicher, lebensbejahender, geselliger Mensch, der Bücher, Musik, Oper – und den Gottesdienst liebte. Als geschätzter liturgischer Experte war er in zahlreichen Ausschüssen und Gremien tätig. Er war Vorsitzender der Liturgischen Kammer der Schleswig-Holsteinischen Landeskirche, von Anfang an Mitglied in der Lutherischen Liturgischen Konferenz Deutschlands (LLK), im Liturgischen Ausschuss der Vereinigten Evangelisch-Lutherischen Kirche Deutschlands (VELKD) und später auch in der internationalen ökumenischen Vereinigung Societas Liturgica. Nachdem er sich durch seine Promotion 1955 wissenschaftlich qualifiziert hatte, übertrug ihm die neu gegründete Hamburger Theologische Fakultät einen ständigen Lehrauftrag für Liturgik. Über dreißig Jahre lang hat er erfolgreich Vorlesungen, Seminare und Übungen gehalten. Bei seiner Verabschiedung nannte der damalige Geschäftsführende Direktor des Seminars für Praktische Theologie deshalb Bruno Jordahn ein Stück „Urgestein" der Hamburger Fakultät. Und er fügte in seiner Dankesrede hinzu: „Sie sind ein Liturgiker sozusagen von altem Schrot und Korn und in einer ganz besonderen, seltenen Mischung, denn Sie haben die lutherisch-liturgische Grundsubstanz mit einem guten Schuss Iwandscher Leidenschaft versetzt! Sie verkörpern das Selbstbewusstsein der Kirchenkampfgeneration, ihre Standhaftigkeit, ihre Gradlinigkeit, ihre Kantigkeit. Sie haben den Reichtum Ihrer Kenntnisse und die Freude an der Geschichte den Studierenden weitergeben können. Und Sie sind nicht nur ein liturgischer Fachmann. In einem sehr ursprünglichen Sinn sind Sie ein lutherischer Theologe vom Temperament und von der Denkungsart Hans Iwands gewesen. Sie teilten mit Iwand die Begeisterung für Luther, für die kämpferische, illusionslose und in die Tiefen der Widersprüche hinabreichende theologia crucis. Diese Theologie gibt Souveränität, macht fröhlich und lässt den Glauben an Christus in allen Anfechtungen im Wort gewiß werden."

Die Verabschiedung war im Oktober 1987. Wenige Monate später, am 3. Januar 1988, ist Bruno Jordahn gestorben.

Er hat sich in Lehre und Forschung mit dem gesamten Bereich gottesdienstlicher Praxis befasst. Aber im Zentrum seiner Publikationen standen Studien zu den Kasualien Bestattung und Trauung sowie zur Taufe. Auf sie soll sich die folgende Darstellung konzentrieren. Denn in diesen Arbeiten wird sein eigener liturgiewissenschaftlicher Beitrag erkennbar und hier zeigt sich sein besonderes Profil und die Fähigkeit, seine Meinung zu überdenken und sich auf neue Herausforderungen einzulassen.

2. Das Kirchliche Begräbnis – theologische Grundlagen und liturgische Gestaltung

1949, wenige Jahre nach Kriegsende, veröffentlichte Jordahn die kleine Programmschrift „Das kirchliche Begräbnis – Grundlegung und Gestaltung"[2].

---

[2] Göttingen 1949 (VEGL 3).

Ein Jahr danach folgte eine ausgearbeitete „Ordnung für das Kirchliche Begräbnis"[3]. Mit diesen beiden Schriften eröffnete er die theologische Debatte um die Reform der Beerdigungspraxis. Die „Ordnung" zog aus der theologischen „Grundlegung" praktisch-liturgische Folgerungen. Sie lieferte dem bald darauf beginnenden Unternehmen der Neufassung der Amtshandlungs-Agenden in der VELKD eine kompakte Vorlage, an der man sich orientieren konnte.[4]

Gleich der erste Satz der „Grundlegung" ist programmatisch: „Das kirchliche Begräbnis bedarf, wie es heute ist, einer Erneuerung."[5] Ausgangspunkt ist eine kritische Bestandsaufnahme. „Ratlosigkeit und Verfall sind die Kennzeichen unserer heutigen Begräbnisfeiern."[6] Die Krise betrifft in gleicher Weise Form und Inhalt, die Substanz der Verkündigung wie die liturgische Gestalt der Feier. In beiden Bereichen konstatiert der Verfasser eine erschreckende „Verwahrlosung" und „Verweltlichung": Aus dem kirchlichen Begräbnis sei unter der Hand eine heidnische Feier geworden. Hinter der äußeren Fassade formeller Kirchlichkeit habe sich eine tiefgreifende Entkirchlichung, ja Entchristlichung vollzogen. Das zeige sich nirgendwo so drastisch wie beim Kasus Beerdigung. Denn auch Menschen, die den sonntäglichen Gottesdienst meiden, sich nicht mehr kirchlich trauen lassen, ihre Kinder nicht mehr zur Konfirmation begleiten, nehmen die kirchliche Beerdigung in Anspruch. Allerdings unter der Voraussetzung, dass im Grunde sie, die Hinterbliebenen, bestimmen, was da zu geschehen hat. Die Kirche ist zuständig für Stimmung und Feierlichkeit, nicht für die Inhalte. Die meisten Geistlichen hätten sich dem angepasst; „in der Verkündigung macht man Nachrufe, ähnlich den bezahlten weltlichen Begräbnisrednern". Dieser Zustand sei unhaltbar. Die Kirche müsse „endlich eine Entscheidung treffen". Denn es bestehe die „tödliche Gefahr, dass sie ihrem Auftrag untreu wird, dass sie ihren Herrn verrät".[7]

So wird der Friedhof zum Ort des Bekennens und der Buße. „Was nützen alle Predigten in wohlbehüteten von der Welt abgesonderten Kirchenräumen, in denen man zur Entscheidung aufruft, wenn dort, wo die Kirche selbst in der Entscheidung steht, sie selbst kläglich versagt!"[8] Die Rede vom Entweder-Oder wird zur Heuchelei, wenn die Kirche „dort, wo sie mit der Welt, mit den

---

[3] Im Auftrag der Liturgischen Arbeitsgemeinschaft der Vereinigten Geistlichen Konvente der Hamburgischen Landeskirche. Göttingen 1950. In den Vorbemerkungen betont der Autor, es handele sich dabei nicht um eine sog. „Privatagende", sondern um einen Vorschlag, der im Auftrag der „Liturgischen Arbeitsgemeinschaft der Vereinigten Geistlichen Konvente der Hamburgischen Landeskirche" erarbeitet worden und auf offizielle kirchliche Approbation hin angelegt ist.

[4] Vgl. *Agende für evangelisch-lutherische Kirchen und Gemeinden. Die kirchlichen Handlungen 3.2: Das Begräbnis.* Heft 2 der vorläufigen Ausgabe. Bearb. von der Lutherischen Liturgischen Konferenz Deutschlands. Berlin 1958; die endgültige Ausgabe, die nach einem längeren Beratungsprozess erschien: *Agende für evangelisch-lutherische Kirchen und Gemeinden. Bd. 3: Die Amtshandlungen. 3. Das Begräbnis.* Hg. v. der Vereinigten Evangelisch-lutherischen Kirche Deutschlands. Hannover 1964.

[5] JORDAHN, *Das kirchliche Begräbnis* (wie Anm. 2) 3.

[6] JORDAHN, *Ordnung für das Kirchliche Begräbnis* (wie Anm. 3) 5.

[7] JORDAHN, *Das kirchliche Begräbnis* (wie Anm. 2) 4f.

[8] JORDAHN, *Das kirchliche Begräbnis* (wie Anm. 2) 5.

entkirchlichten Gliedern der Kirche in Berührung kommt, sich an diesem Entweder-Oder vorbeidrückt zugunsten eines Teils-Teils, das bei Licht besehen ein Weder-Noch ist!" Nötig sei ein radikaler Neuanfang, der sich strikt an Bibel und Bekenntnis ausrichtet.

In den folgenden Ausführungen orientiert sich der Autor an einem Begriff, der in den lutherischen Kirchenordnungen des 16. Jahrhunderts immer wieder auftaucht: *„Das ehrliche Begräbnis".*[9] In diesem Begriff mischen sich empirisch-sozialgeschichtliche und theologisch-normative Aspekte. Wenn es in den Kirchenordnungen heißt, dass dem Verstorbenen die „letzte Ehre" erwiesen werden soll, dann zeigt sich sozialgeschichtlich, dass das kirchliche Begräbnis ein Abbild seiner Stellung in der Gesellschaft ist. Begräbnisse sind Klassenbegräbnisse. Der Aufwand richtet sich nach dem Status des Toten, nach Ansehen und Finanzkraft, Prestige und Geld. Auch das kirchliche Handeln fügt sich in diesen Rahmen ein. So kennen viele Kirchenordnungen eine abgestufte Beteiligung der Amtspersonen beim Begräbnis (Pfarrer, Schulmeister mit Schülerchor oder bloß Kirchendiener). Ein problematischer Tatbestand, Anlass für kirchliche Selbstkritik. Allerdings hat „das ehrliche Begräbnis", theologisch gesehen, noch einen präziseren Sinn. Das kirchliche Begräbnis ist dann ehrlich, wenn im Mittelpunkt das Bekenntnis zur Auferstehung der Toten steht.[10] Die Ehre, die die Kirche ihren Toten erweist, besteht darin, dass sie denen, die im Glauben verstorben sind, bezeugt, dass der Tod die Gemeinschaft mit Jesus Christus nicht auflösen kann. Nicht der Tod trennt, sondern der Unglaube! Deshalb impliziert das Bekenntnis auch Trennungen. Die reformatorischen Kirchenordnungen stellen fest: Nichtchristen haben keinen Ort auf christlichen Friedhöfen. „Sie sollen auch im Tode dort bleiben, wo sie im Leben gewesen sind. Man soll eben die Nichtchristen nicht christlich begraben."[11] Seit der Einrichtung gemeinsamer kommunaler Friedhöfe für alle kann diese Forderung nicht mehr direkt umgesetzt werden. Aber eine Konsequenz gilt auch heute: Ein kirchliches Begräbnis für Nichtchristen bzw. aus der Kirche Ausgetretene wird von Jordahn strikt abgelehnt.[12]

Aus diesem Ansatz ergeben sich Folgerungen für Inhalt und Form des kirchlichen Begräbnisses: In der Verkündigung muss jede Aufweichung des

---

[9]   JORDAHN, *Das kirchliche Begräbnis* (wie Anm. 2) 5–14.

[10]   JORDAHN, *Das kirchliche Begräbnis* (wie Anm. 2) 10.

[11]   So z.B. die Mansfelder Kirchenordnung von 1580: *Die evangelischen Kirchenordnungen des XVI. Jahrhunderts Bd. 2.2: Die vier geistlichen Gebiete (Mersenburg, Meißen, Naumburg-Zeitz, Wurzen), Amt Stolpen mit Stadt Bischofswerda, Herrschaft und Stadt Plauen, die Herrschaft Ronneburg, die Schwarzburgischen Herrschaften, die Reußischen Herrschaften, die Schönburgischen Herrschaften, die vier Harzgrafschaften: Mansfeld, Stolberg, Hohenstein, Regenstein, und Stift und Stadt Quedlinburg, die Grafschaft Henneberg, die Mainzischen Besitzungen (Eichsfeld, Erfurt), die Reichsstädte Mühlhausen und Nordhausen, das Erzbistum Magdeburg und das Bistum Halberstadt, das Fürstentum Anhalt.* Hg. v. Emil SEHLING. Neudruck der Ausgabe Leipzig, 1904. Tübingen 1970, 8.

[12]   „Gerade eine Kirche, die wieder beginnt lebendig zu werden, und das heißt, die sich auf ihren ureigensten Auftrag besinnt", wird es nicht zulassen, daß man Menschen, die aus der Kirche ausgetreten sind, begräbt. Ich meine, daß hier auch Geistliche mit einer sehr weitherzigen Theologie keine Ausnahme machen werden." (JORDAHN, *Das kirchliche Begräbnis* [wie Anm. 2] 13.)

Auferstehungsglaubens zugunsten einer allgemein religiösen oder idealistisch-philosophischen Unsterblichkeitsspekulation bekämpft werden.[13] Für die liturgische Gestaltung der kirchlichen Begräbnisfeier, für Textlesungen und Gebete, Musik und Zeremonien sind ohne Konzessionen an die Wünsche der Angehörigen allein biblisch-theologische Maßstäbe gültig. Das Wort bestimmt den Kasus, nicht umgekehrt.[14] Im Zentrum der Schriftlesungen hat das Bekenntnis zu Jesus Christus zu stehen. Aufgabe der Bestattungspredigt ist es, den besonderen Fall in das Licht des Wortes Gottes zu rücken. Das Schwergewicht liegt ganz auf der Allgemeinheit der Botschaft, nicht auf den biografischen Besonderheiten.[15] Das Gleiche gilt für die Gebete. Die Kirche betet. Thema der Gebete ist das Schicksal des Menschen, der um der Sünde willen sterben muss; aus der Tiefe der Verlorenheit ruft die Kirche zu Gott. „Darum ist dieser Ruf im Gebet der Kirche allemal ein Ruf zu dem, der dem Tode die Macht genommen hat, ein Ruf zu dem Gott des Lebens, zu dem Christus, der der Auferstandene ist." Jordahn legt zwar Wert darauf, dass dies nicht rigoristisch verstanden wird (kein „starres Gesetz"). Wenn klar ist, dass der Kasus nicht das Primäre ist, kann es erlaubt sein, dass dem besonderen Fall „eine kurze Stelle" eingeräumt wird und der Kasus auf diese Weise „in das Gebet der Kirche hineingenommen wird". Die Texte in der ausgeführten „Ordnung" zeigen jedoch, dass dem enge Grenzen gesetzt sind.

Bei der Erörterung der Einzelpunkte der liturgischen Gestaltung nimmt Jordahn Stellung zu zwei in der evangelischen Tradition kontroversen Themen: zur Segnung der Toten und zum Gebet für die Toten. In beiden Punkten bezieht er eine eher vermittelnde Position.

Was die *Segnung des Toten* angeht, so weiß sich Jordahn mit Luther einig: Im Segen wird nichts „bewirkt", wohl aber geschieht etwas. Die Verheißung Gottes wird zugesprochen. Das heißt, dass „die Kirche den Toten nun ganz in die Hand Gottes legt" und „der heiligen Obhut Gottes" anvertraut.[16] Deshalb wäre ein christliches Begräbnis ohne die Segnung in der Tat „unvollständig".[17]

---

[13] Die biblische Begründung geschieht in Gestalt einer ausführlichen Erörterung wesentlicher Belegstellen aus dem Alten und Neuen Testament: „Die biblische Begründung. Unsterblichkeit oder Auferstehung?" (JORDAHN, *Das kirchliche Begräbnis* [wie Anm. 2] 14–28).

[14] JORDAHN, *Das kirchliche Begräbnis* (wie Anm. 2) 30.

[15] „Stellen wir aber den Fall unter dieses Wort selbst, dann fällt alles andere als nebensächlich dahin und es steht da der Mensch in seiner Sünde und Schuld, der Mensch, der den Tod verdient hat, dem aber Christus das Leben schenken will." (JORDAHN, *Das kirchliche Begräbnis* [wie Anm. 2] 30). Die folgenden Zitate ebd. 31.

[16] JORDAHN, *Das kirchliche Begräbnis* (wie Anm. 2) 34.

[17] Auffallend ist die Schärfe, mit der sich Jordahn von dem massiven Segensverständnis seines Hamburger Kollegen Helmuth Echternach abgrenzt. Echternach hatte die Segnung zum Höhepunkt der Begräbnishandlung erklärt. Im Segen werde dem Toten der Heilige Geist verliehen und die ganze Fülle des Heils übertragen. Jordahn zitiert Echternach: „,Die kirchliche Beerdigungsfeier hat den Sinn, die Auferstehung zum Leben zu bewirken' (sic!!)" (*Segnende Kirche*. Hamburg ²1948, 35), um dann die „völlige Unhaltbarkeit" dieses Satzes festzustellen. Das sei eine „voralttestamentliche Redeweise", die heute nicht einmal mehr in der offiziellen römisch-katholischen Lehre, sondern allerhöchstens im „Vulgärkatholizismus" anzutreffen sei (JORDAHN, *Das kirchliche Begräbnis* [wie Anm. 2] 32, Anm. 6).

Das Gebet für die Toten ist von den Reformatoren abgelehnt worden, insofern damit ein Tun am Toten im Sinne einer Einwirkung auf das Schicksal der Verstorbenen verbunden war. Diese antikatholische Frontstellung hat in der Gegenwart an Aktualität verloren. Sie sollte deshalb nicht länger die positiven Überlegungen zum Sinn der Fürbitte für die Toten blockieren. „Wenn die Kirche durch das Begräbnis sich im Zusammenhang mit der ganzen Schar der Gläubigen weiß, wenn sie weiter bezeugt, daß der Tod nicht das Ende, sondern nur ein Durchgang ist, so kann das alles nun am Sarg und Grab als Wirklichkeit bezeugt nicht anders als betend geschehen [...]. Und ist es wahr, daß das Begräbnis eben nicht nur den Lebenden gilt, sondern auf den Toten bezogen ist, dann kann das gar nicht anders geschehen, als daß nun auch der Tote in dieses Gebet mit hineingezogen wird." Die Analogie zum Segen ist deutlich: „Wir legen unsern Toten betend ganz in Gottes Hand [...] die Kirche tut nun noch ein letztes Mal, was sie auch sonst getan hat, sie betet für ihr Glied."[18]

Die Folgerungen für die gottesdienstliche Gestaltung im Einzelnen liegen auf der gleichen Linie. Sowohl in der Frage nach der Verwendung religiöser Dichtung als auch im Blick auf Musik und Gesang vertritt Jordahn einen dezidiert „kirchlichen" Standpunkt. Geistliche Lyrik, subjektive Ausdrucksformen, Äußerungen persönlicher Gefühle haben keinen Platz, auch musikalisch ist nur der am Wort Gottes ausgerichtete Choral zulässig. In diesem Zusammenhang bekommt der Begriff „das ehrliche Begräbnis" noch eine aktuelle Zuspitzung. Die Forderung nach Ehrlichkeit richtet sich gegen alle Tendenzen der Verharmlosung und Verschleierung des Todes. Hier muss die Kirche Widerstand leisten! Was das heißt, lässt sich besonders an der Musik verdeutlichen. Musik wird beim Begräbnis oft benutzt, „um den Ernst der Wirklichkeit mit Schein und Illusion zu umgeben. Man verfälscht und entfernt sich von der Wahrheit. Demgegenüber soll auch sie von der Nichtigkeit alles Irdischen im Angesicht des leuchtenden Glanzes der Herrlichkeit des Auferstandenen sprechen."[19]

Das subjektivitätskritische Nüchternheitsgebot klingt für heutige Ohren rigide, fast unbarmherzig. Damals war es eine berechtigte Reaktion auf die Erfahrungen von Krieg, Ausbombung, Tod, Verlust und Trennung, auf das Opferpathos der NS-Kriegspropaganda, aber auch auf die bei vielen Deutschen verbreitete Neigung, eigene Schuld zu verdrängen und sich nur als Opfer zu fühlen. Es gab an den Gräbern ein tiefes Bedürfnis nach Trost. Als erfahrener Seelsorger wusste Jordahn, wie gefährlich es war, dem einfach nachzugeben: „Damit erreicht man Tränenströme, aber keinen Trost." Das Beharren auf der Ehrlichkeit der Verkündigung von Gericht und Gnade zielte auf das, was in der Not der Zeit wirklich Bestand hat.[20]

---

[18] JORDAHN, *Das kirchliche Begräbnis* (wie Anm. 2) 35.
[19] JORDAHN, *Das kirchliche Begräbnis* (wie Anm. 2) 38.
[20] Dass das verbunden war mit einem einseitigen, seinerseits zeitgeistgebundenen Verdikt musikalischer Subjektivität belegen Jordahns Urteile über die geistliche (Trost-) Musik von Brahms, Schumann, Mendelssohn, Herzogenberg u.a., denen er bescheinigt: „da bleibt es beim Trost der Welt" (JORDAHN, *Das kirchliche Begräbnis* [wie Anm. 2] 38, Anm. 3). Sein Fazit: „im Ganzen kann man nur warnen!" (ebd. 41, Anm. 14).

In den Jahren des Kirchenkampfes, im Krieg und in der Nachkriegszeit entsprach das Plädoyer für Strenge und Objektivität einem breiten Konsens in Liturgik und Hymnologie. Dieser Konsens hat das gesamte Agendenwerk der evangelischen Kirche in Deutschland getragen. Die kirchlichen Begräbnisagenden sind sein in mancher Hinsicht exponiertester Ausdruck. Bruno Jordahns „Grundlegung" und seine „Ordnung" sind dafür eindrucksvolle Zeugnisse.

3. Kirchliche Trauung und weltliche Eheschließung

Der unmittelbare Anlass, sich nach dem Zweiten Weltkrieg mit der kirchlichen Trauung zu befassen, war ein recht politischer. Nach Verabschiedung des Bonner Grundgesetzes stand in der Bundesrepublik Deutschland eine Neuordnung des staatlichen Eherechts an. Die römisch-katholische Kirche hatte einen neuerlichen Vorstoß gemacht, die seit 1876 geltende obligatorische Zivilehe wieder abzuschaffen. Dadurch wurde auch die EKD genötigt, ihr Verständnis vom Wesen der Ehe neu zu durchdenken[21] und die Konsequenzen für die liturgische Ordnung des Traugottesdienstes zu klären. Zur gleichen Zeit wurde ja im Rahmen der Agendenreform von VELKD und Evangelischer Kirche der Union (EKU) an einer neuen Trauagende gearbeitet. Der Entwurf dafür wurde erst 1958 vorgelegt, doch die Diskussion war voll im Gang. Mit zwei Beiträgen hat Bruno Jordahn in die Debatte eingegriffen, mit einem Aufsatz: „Zur Entwicklung der evangelischen Trauliturgie" (1953)[22] und mit seiner Dissertation: „Weltliche Eheschließung und kirchliche Trauung in Preußen bis zum Abschluß der Kämpfe um die obligatorische Civilehe. Ein Beitrag zur Frage der Trauung und ihrer liturgischen Gestaltung in der Gegenwart" (1955).[23] Jordahns Leistung besteht nicht nur darin, dass er den Problemen, vor denen die evangelische Kirche stand, eine präzise Fassung gab und dazu einen begründeten eigenen Lösungsvorschlag machte. Noch wichtiger war, dass er die Argumentation mit einer sorgfältigen Rekonstruktion der Problemgeschichte untermauerte. Der Fokus der Darstellung in der Dissertation liegt auf den Entwicklungen in Preußen im 18. und 19. Jahrhundert. Eckpunkte sind einerseits die Eherechtsbestimmungen im Allgemeinen Preußischen Landrecht von 1794 (§ 136: „Eine vollgültige Ehe wird durch die priesterliche Trauung vollzogen") und andererseits die Ordnung der kirchlichen Trauung in der preußischen Agende von 1894, die im Anschluss an die Einführung der obligatorischen Zivilehe im Deutschen Reich 1876 nach heftigen Auseinandersetzungen erarbeitet worden war. Der Wert der Untersuchung besteht in der großen Detailgenauigkeit der Darstellung sowie in einer weiträumigen Kontextualisierung. Die liturgische Debatte wird in größere kirchen-, politik- und kulturgeschichtliche

---

[21] Die Eherechtskommission der EKD erhielt den Auftrag, dazu eine juristische und theologische Stellungnahme vorzubereiten. Vgl. *Weltliche und kirchliche Eheschließung. Beiträge zur Frage des Eheschließungsrechtes.* Hg. v. Hans Adolf DOMBOIS – Friedrich Karl SCHUMANN. Gladbeck 1953 (GlF 6).

[22] In: *Weltliche und kirchliche Eheschließung* (wie Anm. 21) 72–98. Vorgetragen in der Eherechtskommission der EKD.

[23] Theol. Diss. Kiel 1955 (maschinenschriftl.). Gutachter waren Heinrich Rendtorff und Peter Meinhold. Die Arbeit kann in der Universitätsbibliothek Kiel ausgeliehen werden (Signatur TU 56–4779).

Zusammenhänge hineingestellt und gewinnt dadurch ganz erheblich an historischer Tiefenschärfe.

Dazu gehört z.B. die Darstellung der Entwicklung des Staat-Kirche-Verhältnisses in einem Staat, der wie Preußen durch seine territoriale Expansion im 18. und 19. Jahrhundert ein Gebiet mit ganz unterschiedlichen konfessionellen Traditionen umfasste. Jordahn zeigt überzeugend, wie die faktische religiöse Pluralität die Suche nach einer einvernehmlichen Lösung erforderlich machte, die mehr oder weniger zwingend auf die obligatorische Zivilehe hinauslief, zumal diese in Teilen des Königreichs (Rheinprovinz) schon seit der napoleonischen Besetzung und der damit verbundenen Einführung des Code Civil in Geltung war und auch nach der Befreiung nicht wieder rückgängig gemacht worden ist. Die schrittweise Verselbständigung der evangelischen Kirche in Preußen durch Etablierung neuer Leitungsorgane (Gemeindekirchenräte, Provinzialsynoden und Generalsynode, Evangelischer Oberkirchenrat) mit sich langsam ausweitenden Mitbestimmungsrechten und -ansprüchen hatte zur Folge, dass in vitalen Streitfragen eine strukturelle Spannung zwischen z.T. konträren Auffassungen und Interessen entstand, die nach Ausgleich drängte. Am Ende langer, komplizierter Entscheidungsprozesse standen mehr oder weniger befriedigende Kompromisse, bei denen es aber, wie Jordahn festhält, auf allen Seiten respektable Anliegen gab, die gewürdigt werden sollten. Kennzeichnend für die Auseinandersetzung war, dass der theologische und kirchenpolitische Richtungsstreit publizistisch und synodal unter starker Anteilnahme der Öffentlichkeit geführt wurde. Der Kampf um Ehe und Trauung war darüber hinaus ein Teil des Kulturkampfes, der im letzten Drittel des 19. Jahrhunderts nicht nur zwischen der preußisch/deutschen Regierung und der römisch-katholischen Kirche, sondern auch zwischen den politischen Parteien ausgetragen wurde, in dem leidenschaftlich um Religion und Säkularisierung, Fortschritt und Bewahrung gestritten worden ist – stets unter Berufung auf die befürchteten (oder erhofften) Auswirkungen auf das familiäre und gesellschaftliche Leben insgesamt. Diese brisante Gemengelage tritt in der Darstellung sehr anschaulich vor Augen, auch deshalb, weil die Protagonisten des Streits immer wieder in ausführlichen Zitaten zu Wort kommen. Auf diese Weise entsteht ein material- und facettenreiches Bild der Vorgänge auf den verschiedenen Ebenen der Auseinandersetzung, in Parlamenten, Synoden, in der Presse, in den Erklärungen des EOK, in populären Stellungnahmen und wissenschaftlichen Abhandlungen. Die typischen Argumentationsfiguren und unterschiedlichen Verhandlungsstrategien werden ebenso erkennbar wie das Ringen um Formeln und Formulierungen.

Einige wichtige Ergebnisse seien festgehalten:

1. Bruno Jordahn erteilt allen Versuchen, die Entwicklung rückgängig zu machen, eine klare Absage. Die Kirche hat die obligatorische Zivilehe ohne Vorbehalte zu akzeptieren und dies als Voraussetzung der kirchlichen Trauung in ihren Ordnungen zu berücksichtigen.

2. Doch worin besteht nach Einführung der Zivilehe das Wesen und die Besonderheit der kirchlichen Trauung? Auf diese Frage antwortet Jordahn zunächst mit einer Reihe von Negationen, hinter denen sich Abgrenzungen gegen maßgebliche Positionen der innerkirchlichen Auseinandersetzung

verbergen: Es geht nicht um eine religiöse „Weihe" der weltlichen Institu-
tion Ehe. Es geht auch nicht um das Zustandekommen der „christlichen
Ehe", nicht um die Bekräftigung einer bestimmten religiösen Gesinnung.
Weil die Weltlichkeit der Ehe mit Luther anerkannt wird, besteht keine
Konkurrenz zwischen standesamtlicher Eheschließung und kirchlicher
Trauung. Deshalb besteht auch kein Zwang, bei der Trauung auf die Ele-
mente Kopulation (Zusammensprechen) und Konsens (Versprechen, Ring-
wechsel, Handreichung) zu verzichten.

3. Die kirchliche Trauung ist eine öffentliche Handlung. Ihr Proprium besteht
    darin, den Gesamtvorgang der Eheschließung in Beziehung zum Wort Got-
    tes zu setzen. Die Eheleute werden „unter die Herrschaft Gottes gestellt".
    Sie sollen ihre Ehe in Verantwortung vor Gott führen und werden mit „der
    Verheißung der Nähe Christi auch in ihrem ehelichen Leben beschenkt"[24].
    Damit zeigt die Kirche an, dass die Eheschließung nicht nur auf dem Kon-
    sens der Eheleute beruht, so wichtig dieser auch ist. Es geht um den Eintritt
    in die Institution Ehe (Dombois), und die kommt zustande durch die Ver-
    mittlung eines „Dritten", letztlich also Gottes. Die kirchliche Trauung dient
    der Vergewisserung dessen, dass es Gott der Schöpfer ist, der die Eheleute
    zusammengeführt hat (Mt 19,6). Dies darf nicht auf einen bestimmten Zeit-
    punkt fixiert werden. Vielmehr ist der ganze Prozess der Zusammenführung
    vom ersten Kennenlernen bis zum Akt auf dem Standesamt und zur kirchli-
    chen Trauung gemeint, wenn die Eheleute sich vorm Altar gegenseitig be-
    kräftigen, dass sie sich „aus Gottes Hand nehmen". Dem versucht Jordahn,
    mit einem eigenen Vorschlag für Traufragen und Trauformel gerecht zu
    werden.[25]

4. Mit seiner These vom Handlungs- und Vollzugscharakter der kirchlichen
    Trauung bezog Jordahn profiliert Stellung in einer aktuellen Diskussion. Er
    grenzte sich damit z.B. ab von Christhard Mahrenholz, dem einflussreichen
    Vorsitzenden der LLK und des Liturgischen Ausschusses der VELKD, der
    den Kirchen 1955 empfohlen hatte, bei der Neuordnung der Trauagende
    auf alles zu verzichten, was den Anschein erwecken könnte, in der kirchli-
    chen Trauung würde die Kopulationshandlung ganz oder teilweise wie-
    derholt.[26] Dem ist die VELKD gefolgt. Die 1958 bzw. 1964 verabschiedete
    lutherische Trauagende enthielt keine Trauformel und konzentrierte sich
    wesentlich auf Verkündigung und Segnung. Bruno Jordahn hatte hier eine
    deutlich andere Position vertreten. Er hat sich nicht durchgesetzt.

---

[24] JORDAHN, *Weltliche Eheschließung und kirchliche Trauung* (wie Anm. 23) 371.
[25] *Traufragen:* „So frage ich dich, N.N.: Bekennst du vor Gott und dieser seiner Gemein-
      de, daß du diese NN aus Gottes Hand hinnimmst, und bist du bereit, ihr Liebe und
      unverbrüchliche Treue zu erweisen, bis der Tod euch scheidet, so antworte: Ja, mit
      Gottes Hilfe" (JORDAHN, *Weltliche Eheschließung und kirchliche Trauung* [wie Anm. 23]
      377). – *Trauformel* nach Ringwechsel und Handreichung: „So seid ihr denn zusam-
      mengesprochen im Namen des Vaters und des Sohnes und des Heiligen Geistes"
      (ebd. 379).
[26] Vgl. Christhard MAHRENHOLZ, *Die kirchliche Trauung*, in: Evangelisch-Lutherische
      Kirchenzeitung 9. 1955, Nr. 1+2. Dass die standesamtliche Eheschließung die unbe-
      strittene Voraussetzung für die kirchliche Trauung ist, verbindet Jordahn mit Mah-
      renholz.

Seine Dissertation ist nicht veröffentlicht worden, sein wichtiger Diskussionsbeitrag deshalb nur in verkürzter Form zur Kenntnis genommen worden. Warum nicht? Vielleicht weil sein Votum nicht ganz mit der offiziellen Linie von LLK und VELKD übereinstimmte? Vielleicht weil das Interesse an einer ausführlichen Reflexion der Problemgeschichte, zumal in Preußen, damals nicht sehr verbreitet war? Heute wäre es interessant, die ausführliche problemgeschichtliche Argumentation für die Trauung als Handlung, die Bruno Jordahn in die Debatte eingebracht hat, neu zur Kenntnis zu nehmen – im Gegenzug gegen den alten und neuen Konsens auch bei der jüngsten Überarbeitung evangelischer Trauliturgien, wo verstärkt alles Gewicht auf Verkündigung und Segnung liegt.

Jordahns Dissertation war ein Dokument der Übergangszeit. Sie wurde 1955/56 abgeschlossen, der Entwurf der Trauagende der VELKD erschien 1958, der Kommentar von Mahrenholz 1959[27]. Für die Drucklegung wäre also eine mehrfache Überarbeitung nötig gewesen. Möglicherweise war der Autor dazu nicht bereit oder in der Lage. Wenig später hatte er ein neues Projekt gefunden, das seine ganze Arbeitskraft forderte: die nachreformatorische Geschichte des Taufgottesdienstes für Band V der „Leiturgia", dem Handbuch des evangelischen Gottesdienstes.

4. Der Taufgottesdienst seit der Reformation – Kontinuität und Wandel
Es war für Bruno Jordahn zweifellos eine große Anerkennung, dass ihm von den Herausgebern die Darstellung der „Geschichte des Taufgottesdienstes vom Mittelalter bis zur Gegenwart" übertragen wurde. Alle drei Teile des Bandes, die beiden historischen und der systematische, haben die Diskussionen der siebziger Jahre über die Taufe geprägt. Georg Kretschmars Geschichte der Taufe in der Alten Kirche ist ein Klassiker geworden, Edmund Schlinks dogmatische „Lehre von der Taufe" ein bedeutender evangelischer Beitrag zum ökumenischen Taufgespräch. Auch Bruno Jordahns Text, der mit fast 300 Seiten das Format einer eigenständigen Monographie hat, ist eine beachtliche Forschungsleistung.

Der 5. Band der „Leiturgia", 1970 erschienen, dokumentiert eine forschungsgeschichtliche Zäsur.[28] Während die vier ersten Bände den Bewusstseins- und Forschungsstand der fünfziger Jahre repräsentierten, spiegelte der fünfte die Umbrüche und neuen Fragestellungen der sechziger Jahre – nach dem II. Vatikanischen Konzil, im Vorfeld der Studentenbewegung und im Kontext der Rehabilitierung der neuprotestantischen Traditionen in der Praktischen Theologie.[29] Dabei setzten die Verfasser jeweils eigene Akzente. Bruno

---

[27] Vgl. Christhard Mahrenholz, *Die Neuordnung der Trauung*. Berlin 1959.

[28] Vgl. Georg Kretschmar, *Die Geschichte des Taufgottesdienstes in der alten Kirche*, in: Leit. 5. 1970, 1–348, in Einzellieferungen 1964–1966 erschienen; Bruno Jordahn, *Der Taufgottesdienst im Mittelalter bis zur Gegenwart*, ebd. 349–640, ebenfalls in Einzellieferung von 1966–1969 erschienen; Edmund Schlink, *Die Lehre von der Taufe*, ebd. 641–808, im Jahr 1969 als Einzellieferung erschienen.

[29] Zur forschungsgeschichtlichen Einordnung vgl. Peter Cornehl, *Bilder vom Gottesdienst: Geschichtsbilder und Bilder als Geschichtsquellen*, in: *Der Gottesdienst zwischen Abbildern und Leitbildern*. Hg. v. Jörg Neijenhuis – Wolfgang Ratzmann. Leipzig 2000 (Beiträge zu Liturgie und Spiritualität 5), 9–55, bes. 15ff.

Jordahns Aufmerksamkeit richtete sich vor allem auf das Verhältnis von Kontinuität und Veränderung in der Neuzeit. Am Beispiel der Taufe begann er, das bis dahin quasi offiziell geltende antimodernistische Geschichtsbild der meisten Liturgiewissenschaftler zu korrigieren. Methodisch war Jordahn dem traditionsgeschichtlichen Ansatz der liturgievergleichenden „genetischen" Betrachtung verpflichtet, doch auch hier finden sich Einsichten, die darüber hinaus führen. Das macht seine Darstellung spannend und spannungsreich.

Zunächst zum methodischen Vorgehen: Es zeigt widersprüchliche Tendenzen. Jordahn praktiziert die genetische Methode. Eine Gottesdienstordnung wird erklärt, indem ihre Entstehungsgeschichte geklärt wird. Was ist alt, was ist neu? Was ist von woher übernommen, was wird aktuell hinzugefügt? Wo folgt ein Autor (bzw. eine Agende) der Tradition, wo wird das Erbe verändert? Wo und warum wird gekürzt, wo und mit welcher Absicht etwas hinzugefügt? Kundig und detailliert verfolgt Jordahn die Traditionszusammenhänge. Mit stupendem Forscherfleiß werden die reformatorischen Taufliturgien mit den mittelalterlichen Quellen verglichen, Abhängigkeiten festgestellt, Ähnlichkeiten und Abweichungen registriert. Die Arbeit ist bis heute eine Fundgrube, sie enthält eine Fülle von Beobachtungen, zahllose Zitate, Belege, Querverweise. Genauigkeit und Detailkenntnisse sind bewundernswert. Aber das Vorgehen hat auch seinen Preis. Es wird erkauft durch eine problematische Zerstückelung der liturgischen Abläufe in Einzelbestandteile, so dass die Gefahr besteht, dass sich die Darstellung im Gestrüpp der Details verheddert. Da die historische Ableitung (diachrone Analyse) einseitig dominiert, kommt die (synchrone) Beschreibung und Interpretation einer gegebenen Ordnung, ihrer liturgischen Gestalt und ihres immanenten Handlungssinns, zu kurz. Diese Herangehensweise ist widersprüchlich, weil Jordahn andererseits ein deutliches Gespür dafür hat, dass die konkreten gottesdienstlichen Handlungsvollzüge eigentlich das sind, was es zu verstehen gilt. Jordahn hat bei Luther eine aufregende methodische Entdeckung gemacht. An Luther kann man nämlich vor allem eines lernen: „im Mittelpunkt seiner Überlegungen steht das Taufgeschehen selbst"[30]. D.h. Luther entwickelt nicht eine neue Tauflehre, die er dann systematisch in eine neue liturgische Ordnung überträgt, sondern er liest den theologischen Sinn vom liturgischen Vollzug der Taufhandlung ab. Die Interpretation folgt dem Geschehen und kommt dadurch zu entscheidend neuen Einsichten.

Auf diese Weise erschließt Jordahn u.a. Luthers zunächst befremdlich scheinende Lehre vom Kinderglauben. Luther geht aus von dem, was in der Taufliturgie geschieht und nimmt es theologisch ernst. „Denn an dem, was die Kirche tut, wird offenbar, was sie lehrt."[31] Nach dem Wortlaut der Liturgie werden z.B. die beiden Akte Abrenuntiatio diaboli und Interrogatio fidei vom zu taufenden Kind selbst vollzogen, auch wenn die Paten an Kindes Statt antworten. Da für Luther feststeht: „Sakrament ohne Glaube ist ein Unding", ist die auch Schlussfolgerung unabweisbar: „Wir taufen Kinder, also müssen Kinder glauben."[32] Und so erkennt er, indem er dem Weg der Liturgie folgt, dass in der

[30] JORDAHN, Der Taufgottesdienst (wie Anm. 28) 418.
[31] JORDAHN, Der Taufgottesdienst (wie Anm. 28) 418.
[32] JORDAHN, Der Taufgottesdienst (wie Anm. 28) 419.

Taufe letztlich nicht der glaubende Mensch, sondern „Gott allein am Werk ist"[33] – ein Geschehen, das rational nicht fassbar ist („Hie wirckt Gott alleyn, und die vernunfft ist tod"[34]) und das nur im Gehorsam anerkannt werden kann.

Leider spielen diese Einsichten bei der Interpretation der einzelnen Taufliturgien kaum eine Rolle. Es gelingt Jordahn nicht, die konkrete Handlungsgestalt der jeweiligen Tauffordnungen in ihrem theologisch-liturgischen Sinngehalt zu erfassen. Deshalb sind seine Analysen trotz aller aufschlussreichen Detailbeobachtungen nicht so ergiebig, wie sie sein könnten.

Umso bedeutsamer sind die inhaltlichen Neubewertungen der nachreformatorischen Entwicklungen in den Taufliturgien, die Jordahn vornimmt. Das beginnt mit Orthodoxie und Pietismus, betrifft aber hauptsächlich die Liturgik der Aufklärung. Jordahn weist die namentlich von Paul Graff vertretene These von der Auflösung der alten gottesdienstlichen Formen in der Zeit des Rationalismus zurück.[35] Er plädiert dafür, die Motive der Aufklärungstheologen ernst zu nehmen und ihre liturgischen Reformbemühungen positiv zu würdigen.[36] Er zeigt mit vielen Einzelbelegen, worum es ihnen ging, und verteidigt ihr Anliegen, „dem Menschen jener Zeit das Christentum so nahezubringen, daß die Menschen es als Wirklichkeit ihres Lebens anzuerkennen bereit waren. So handelt es sich keineswegs um eine Auflösungserscheinung, sondern um den Versuch einer Erhaltung der Inhalte bei gleichzeitiger Anpassung der Formen an den Geist und die Sprache der Zeit."[37] Er betont insbesondere ihre Absicht, den Zeitgenossen „gerade *das Geschehen* der Taufe zu verdeutlichen". Es ging ihnen „um das charismatische Geschehen: das Handeln Gottes und den Gegenstand des Glaubens. Und zu diesem Glauben riefen sie auf. Es ist bei allen Vorbehalten, die man hier machen muß, ein Ruhmesblatt der Liturgiker der Aufklärung, daß sie nicht um Haaresbreite davon abgingen."[38]

Wie kommt es zu diesem Urteilswandel (man erinnert sich an Jordahns frühere Äußerungen in der Begräbnisschrift und noch in der Dissertation)? Den Hintergrund bildet offenbar ein bemerkenswerter innerfamiliärer Lernprozess. Vater Bruno profitierte von den Forschungen seines Sohnes Ottfried Jordahn, der in seiner Dissertation über Georg Friedrich Seiler diese Neubewertung der

---

[33] JORDAHN, *Der Taufgottesdienst* (wie Anm. 28) 422.

[34] Martin Luther, zit. JORDAHN, *Der Taufgottesdienst* (wie Anm. 28) 422.

[35] Vgl. Paul GRAFF, *Geschichte der Auflösung der alten gottesdienstlichen Formen in der evangelischen Kirche Deutschlands bis zum Eintritt der Aufklärung und des Rationalismus.* Göttingen 1921. Die 2. vermehrte und verbesserte Auflage erschien 1937 unter leicht verändertem Titel: *Geschichte der Auflösung der alten gottesdienstlichen Formen in der evangelischen Kirche Deutschlands.* Bd. 1: *Bis zum Eintritt der Aufklärung und des Rationalismus.* Göttingen 1937; Bd. 2: *Die Zeit der Aufklärung und des Rationalismus.* Göttingen 1939. Vgl. dazu Jochen CORNELIUS-BUNDSCHUH, *Liturgik zwischen Tradition und Erneuerung. Probleme protestantischer Liturgiewissenschaft in der ersten Hälfte des 20. Jahrhunderts dargestellt am Werk von Paul Graff.* Göttingen 1991 (VEGL 23).

[36] Vgl. JORDAHN, *Der Taufgottesdienst* (wie Anm. 28) 534–585, bes. die Zusammenfassungen ebd. 583ff.

[37] JORDAHN, *Der Taufgottesdienst* (wie Anm. 28) 583.

[38] JORDAHN, *Der Taufgottesdienst* (wie Anm. 28) 584.

moderaten Aufklärungsliturgik eingeleitet hat.[39] Er übernahm dessen Ergebnisse und kam bei der Wertung der aufgeklärten Taufliturgien so zu neuen, differenzierenden Beurteilungen.[40]

Doch nicht nur in dieser Hinsicht bemühte er sich um eine Korrektur allzu einseitiger Auffassungen. Es lag ihm daran, auch die auf liberaler Seite vorhandenen Negativbewertungen der liturgischen Reformbewegungen des 19. und 20. Jahrhunderts zu überwinden. „Es ist unmöglich und widerspricht den Quellen, rein formal die Gestaltung der Taufliturgie im 19. Jahrhundert als Produkt einer reinen Restauration anzusehen."[41] Das 19. Jahrhundert war nicht das „Zeitalter der Restauration", sondern das „Zeitalter des Bemühens um die Wiedergewinnung liturgischer Form"[42]. Die Impulse der Aufklärung konnten (obwohl man es wollte) faktisch nicht völlig eliminiert werden. Dem 19. Jahrhundert wird insgesamt eine „große Kompromißfreudigkeit" bescheinigt.[43] Am Ende stand eine beachtliche Mannigfaltigkeit theologisch unterschiedlich geprägter Ordnungen, und auch in den offiziellen Taufagenden wurde mehr Mannigfaltigkeit zugelassen, wurden mehr Variationen konzediert als zunächst vorgesehen.

Auch für das 20. Jahrhundert, für die Agendenreform der VELKD nach dem Zweiten Weltkrieg gilt: „Es ist ein Fehlurteil, wenn man den Vätern dieser Agende unterstellt, sie hätten eine Wiedergewinnung alter, überholter Form herbeigeführt. Das Gegenteil ist der Fall".[44] Die Agende III sei ein Dokument des Ringens um die liturgische Gestaltung des Taufgottesdienstes. Gesucht worden sei eine Verbindung zwischen Altem und Neuem, zwischen dem Rückgang zu den Quellen (vor allem Luthers Taufbüchlein von 1526) und den Traditionen der nachreformatorischen Zeit (einschließlich der Aufklärung). Die Vielfalt und Variabilität der Ordnungen, welche die neue Taufagende auszeichne, zeige, dass die Kirche „immer um ein Neues ringen muß, ohne das Alte beiseite zu legen".

[39] Vgl. Ottfried JORDAHN, *Georg Friedrich Seiler (1733–1807). Ein Beitrag zur Geschichte der Praktischen Theologie und kirchlichen Praxis zur Zeit der Aufklärung in Deutschland.* Theol. Diss. Erlangen 1967, 2 Bde. (maschinenschriftl.). Die umfangreiche Arbeit wurde in mehreren Einzelteilen publiziert. Vgl. v.a. DERS., *Georg Friedrich Seiler – Der Liturgiker der deutschen Aufklärung,* in: JLH 14. 1969, 1–62; DERS., *Georg Friedrich Seiler. Praktische Theologie der kirchlichen Aufklärung.* Neustadt/Aisch 1970 (EKGB 49). Vgl. dazu Peter CORNEHL, *Liturgik im Übergang. Eine Zwischenbilanz,* in: ThPr 6. 1971, 382–399, bes. 385ff.

[40] Auch wenn er dabei nach wie vor einem gewissen Schematismus (Form/Inhalt) verhaftet blieb. Die konservativen Aufklärungsliturgiker (Seiler, Johann Heinrich Pratje u.a.) wurden aufgewertet (selbst Jacob Georg Adlers Taufliturgien z.T. gegen Vorwürfe verteidigt), die negativen Urteile über den Rationalismus bestätigt – deren Vertreter aber (z.B. Friedrich Wilhelm Wolfrath und Christian Friedrich Sintenis) eher zu Randfiguren erklärt (JORDAHN, *Der Taufgottesdienst* [wie Anm. 28] 551). Vgl. die Zusammenfassung ebd. 637.

[41] JORDAHN, *Der Taufgottesdienst* (wie Anm. 28) 623. „Das 19. Jahrhundert hat gemeint, die Aufklärung völlig zu überwinden; aber die Quellen der Taufliturgie zeigen, daß das nicht möglich war" (ebd. 637).

[42] JORDAHN, *Der Taufgottesdienst* (wie Anm. 28) 637.

[43] JORDAHN, *Der Taufgottesdienst* (wie Anm. 28) 611.

[44] JORDAHN, *Der Taufgottesdienst* (wie Anm. 28) 638.

Dieses Ringen sei noch nicht abgeschlossen, dennoch sei die Agende III eine „unübersehbare Wegmarke für jegliche Weiterarbeit an den Taufordnungen der Gegenwart". Entscheidend – so Bruno Jordahns Fazit – ist die Bereitschaft, „das Grundanliegen Luthers und der folgenden Jahrhunderte zu bejahen und es aufzunehmen, nämlich in der Sprache die jeweilige theologie- und geistesgeschichtliche Situation zu berücksichtigen und eindeutige theologische Aussagen zu machen, ohne unaufgebbares geschichtliches Erbe über Bord zu werfen"[45].

Man kann darüber streiten, ob das eine zutreffende Beschreibung des in den Ordnungen von 1964 Intendierten und Erreichten war. Eine zutreffende Aufgabenstellung für gegenwärtige und zukünftige Taufliturgien ist es allemal.

Auswahlbibliografie

Das kirchliche Begräbnis – Grundlegung und Gestaltung. Göttingen 1949 (VEGL 3).

Ordnung für das Kirchliche Begräbnis. Im Auftrag der Liturgischen Arbeitsgemeinschaft der Vereinigten Geistlichen Konvente der Hamburgischen Landeskirche. Göttingen 1950.

Zur Entwicklung der evangelischen Trauliturgie, in: *Weltliche und kirchliche Eheschließung. Beiträge zur Frage des Eheschließungsrechtes.* Hg. v. Hans Adolf Dombois – Friedrich Karl Schumann. Gladbeck 1953 (GlF 6), 72–98.

Martin Luther, Ausgewählte Werke. Ergänzungsreihe. Bd. 1: *Dass der freie Wille nichts sei. Antwort Martin Luthers an Erasmus von Rotterdam.* Übers. u. eingel. v. Bruno Jordahn; Anm. v. Hans Joachim Iwand. München 1954, ³1983. Die Anmerkungen von Hans-Joachim Iwand sind in Verbindung mit Bruno Jordahn überarbeitet worden.

Weltliche Eheschließung und kirchliche Trauung in Preußen bis zum Abschluß der Kämpfe um die obligatorische Civilehe. Ein Beitrag zur Frage der Trauung und ihrer liturgischen Gestaltung in der Gegenwart. Theol. Diss. Kiel 1955 (maschinenschriftl.).

Begräbnis, in: EKL 1. 1956, 350–354.

Der Taufgottesdienst im Mittelalter bis zur Gegenwart, in: Leit. 5. 1970, 349–640.

---

[45] Jordahn, *Der Taufgottesdienst* (wie Anm. 28) 638.

Josef Andreas Jungmann SJ (1889–1975)

Rudolf Pacik

1. Biografischer Überblick[1]

Josef Andreas Jungmann wurde am 16. November 1889 im Südtiroler Dorf Sand in Taufers als Sohn des Gemeindevorstehers und Landtagsabgeordneten Josef Jungmann und seiner Frau Maria, geb. Aschbacher, geboren. Das Gymnasium besuchte er 1901–1909 am fürsterzbischöflichen Knabenseminar Vinzentinum in Brixen. (Auf die dortige – stark gehorsamsorientierte – Erziehung führte er seinen ernsten Charakter zurück.[2]) 1909–1913 studierte er Theologie am Brixener Priesterseminar. Am 27. Juli 1913 wurde er – zusammen mit seinem Bruder Franz SJ – in Innsbruck zum Priester geweiht.

Seine erste Kooperatorenstelle – von 14. August 1913 bis 30. November 1915 – war Niedervintl (Pustertal); dann kam er nach Gossensaß, wo er vom 1. Mai bis 31. Juli 1917 auch das Amt des Pfarradministrators versah. Die religiösen und pastoralen Verhältnisse beobachtete er kritisch, hielt das Wahrgenommene im Tagebuch fest, aber auch in einem Essay, den er nach dessen Vollendung (im November 1915) „Der Weg zur christlichen Glaubensfreudigkeit" nannte.

Der schon in der Studienzeit vorhandene Wunsch, in die Gesellschaft Jesu einzutreten, wurde immer stärker. Am 31. Januar und 1. Februar 1917 legte er das Berufsexamen im Innsbrucker Kolleg ab, erhielt aber erst am 9. Juli 1917 die Entlassung aus dem Dienst der Diözese.

Am 23. September 1917 begann er das Noviziat in St. Andrä/Lavanttal, ein Jahr später setzte er es in Innsbruck fort. Am 17. April 1920 legte er die einfachen Gelübde ab.

Schon während des Noviziats absolvierte er in Innsbruck ergänzende Studien in Philosophie, vom Wintersemester 1920/21 bis zum Sommersemester 1922 in Theologie. Am 27. Oktober 1923 wurde er zum Dr. theol. promoviert. Winter- und Sommersemester 1923/24 verbrachte er in München, um Pädagogik zu studieren und die Habilitationsschrift vorzubereiten; im Sommersemester 1925 hörte er Pädagogik und Katechetik an der Universität Wien. Am 14. November 1925 erhielt er die Lehrbefugnis für das Fach Pastoraltheologie.

---

[1]   Außer dem Material in Jungmanns Nachlass vgl. Josef INNERHOFER, *Familie und Jugendzeit*, in: *J. A. Jungmann. Ein Leben für Liturgie und Kerygma*. Hg. v. Balthasar FISCHER – Hans Bernhard MEYER. Innsbruck 1975 [im Folgenden = Gedenkband], 88–92, sowie die Zeittafel bei Rudolf PACIK, *„Last des Tages" oder „geistliche Nahrung"? Das Stundengebet im Werk Josef Andreas Jungmanns und in den offiziellen Reformen von Pius XII. bis zum II. Vaticanum*. Regensburg 1997 (StPaLi 12), 403–406.

[2]   Tagebuch [im Folgenden = TB] 1, 69, 14.10.1914.

Im November 1925 begann er an der Innsbrucker Fakultät zu lehren, zunächst „Grundzüge der Pädagogik"; im Sommersemester 1926 hielt er erstmals eine liturgiegeschichtliche Vorlesung: „Die Messliturgie".

Zweimal unterbrach er die Lehrtätigkeit: im Sommersemester 1927 wegen eines Studienaufenthalts in Breslau bei Prof. Franz Dölger sowie Reisen nach Bonn (zu Prof. Anton Baumstark), Valkenburg und Maria Laach, im Winter- und Sommersemester 1928/1929 durch das Tertiat in Paray-le-Monial.

Am 23. August 1930 wurde er zum außerordentlichen Professor für Moral- und Pastoraltheologie, am 13. April 1934 – als Nachfolger von Michael Gatterer – zum ordentlichen Professor ernannt.

Die Übernahme des Pastoraltheologie-Lehrstuhls bildete den Anlass dafür, den alten Essay von 1915 „Der Weg zur christlichen Glaubensfreudigkeit" zu dem Buch „Die Frohbotschaft und unsere Glaubensverkündigung" umzuarbeiten, das Anfang 1936 erschien. Es wurde weithin begeistert aufgenommen, doch führten manche darüber Klage in Rom. Wenige Wochen nach der Veröffentlichung musste „Frohbotschaft" auf Befehl des Jesuitengenerals – später folgte ein Schreiben des Hl. Offiziums – aus dem Handel zurückgezogen werden (kam allerdings nicht auf den Index).

Als die Nationalsozialisten am 12. Oktober 1939 das Innsbrucker Jesuitenkolleg aufgehoben hatten (vorher, am 20. Juli 1938, war die Theologische Fakultät geschlossen worden), übersiedelte Jungmann zunächst nach Wien, im Juni 1942 nach Hainstetten (Niederösterreich). Während dieser Exilszeit verfasste er das Buch „Missarum Sollemnia"; dessen erste Auflage erschien 1948. Am 21. August 1945 wurde die Innsbrucker Fakultät wiedererrichtet, und Jungmann nahm mit Wintersemester 1945/46 seine Unterrichtstätigkeit auf. 1956 ging er in Pension; seither hielt er – als Honorarprofessor – nur mehr liturgiewissenschaftliche Lehrveranstaltungen, deren letzte im Sommersemester 1964 („Ausgewählte Fragen der Liturgiegeschichte").

Seine Kompetenz trug Jungmann die Berufung in kirchliche Gremien ein, in denen er für die Erneuerung wirken, aber auch Kontakte knüpfen konnte: 1940 in die Deutsche Liturgische Kommission, 1945 in die Österreichische Liturgische Kommission, 1950 wurde er Konsultor der Ritenkongregation.

Das bedeutendste Ereignis seines Lebensabends war wohl das II. Vatikanische Konzil. In der Vorbereitenden Liturgiekommission wurde er Relator der Subkommission II „De Missa" sowie Konsultor der Subkommission I „De principiis generalibus", in der Konzils-Liturgiekommission gehörte er der Subkommission VII „De Sacrosanctae Eucharistiae Mysterio" an, im Rat zur Durchführung der Liturgiekonstitution dem Coetus X „De Ordine Missae" (seit Juli 1967 nur mehr als „Consiliarius", d.h. ohne Verpflichtung, an den Konferenzen teilzunehmen).

Während der letzten Jahre litt seine Arbeitskraft durch Schwerhörigkeit und das schwindende Augenlicht. Doch, wie das Schriftenverzeichnis beweist, hinderte ihn dies nicht, weiter zu publizieren.

Josef Andreas Jungmann starb am 26. Januar 1975 in Innsbruck; er ist in der Krypta der Jesuitenkirche beigesetzt.

2. Theologisches Grundanliegen und Lebensaufgabe

Liturgiewissenschaftler nehmen Jungmann vor allem als einen der Ihren wahr, und weltweit wurde er ja besonders durch „Missarum Sollemnia" bekannt. Seine Interessen und sein Arbeitsfeld waren freilich breiter – nicht allein deshalb, weil er die gesamte Pastoraltheologie zu dozieren hatte. Vielmehr verfolgte Jungmann sein Leben lang ein zugleich systematisches wie praktisches Grundanliegen: die Mitte des Christentums in Theologie, Verkündigung, Gebet und Gottesdienst wahrnehmbar zu machen und so den Menschen zur Freude am Glauben zu verhelfen. Davon erhoffte er Impulse für eine umfassende religiöse Reform. An ihr mitzuwirken betrachtete er schon früh als Berufung, seine „Lebensaufgabe"[3] (und dies bildete eines der Motive, sich um die Aufnahme in die Gesellschaft Jesu zu bewerben[4]).

Jungmanns Anliegen lässt sich mit verschiedenen Begriffen umschreiben: Konzentration,[5] Christozentrik[6] (beide Ausdrücke verwendet Jungmann selbst); Reduktion (im Sinne Hans Urs von Balthasars); Glaubensästhetik (weil es um die Bedingungen für das rechte Wahrnehmen der Botschaft geht).[7] – Hier bestehen übrigens Affinitäten zur von Jungmann bevorzugten genetischen Methode der Liturgiewissenschaft, die ja „Grundgestalt"[8] und „Idealbilder"[9] der Riten aufzeigen will.

In seinem Buch „Die Frohbotschaft und unsere Glaubensverkündigung" vergleicht Jungmann die Religiosität seiner Zeit mit dem Inneren von Dorfkirchen, „in denen jeder Altar einen zwei- und dreifachen Titulus zu haben scheint, in denen jeder Pfeiler, jeder Winkel, jede Wandfläche ein eigenes kleines Heiligtum aufweist, Bild, Statue, Erinnerungszeichen, oft mit dem gleichen Thema zweimal dicht nebeneinander, jedes ohne Rücksicht auf seine Umgebung, das eine durch künstliche Blumen, das andere durch Lämpchen und Kerzen ausgezeichnet, das dritte durch schreiende Farben hervorgehoben, wie es eben jedesmal die Andacht des Spenders für gut befunden hat. Der unbefangene Beschauer, der sich in einer solchen Kirche zurechtfinden möchte, fühlt sich erschlagen von all dem, was auf ihn eindringt, und wenn er beten will, muß er erst lernen, vor dem auseinanderzerrenden Vielerlei die Augen

---

[3]   TB 1, 12, 28.2.1914. Vgl. auch spätere Aussagen: TB 2, 42, 24.3.1921; TB 2, 128, 27.10.1928; 152, 9.1.1932.

[4]   Vgl. dazu Rudolf PACIK, „Das ganze Christentum konzentrieren". Die Anfänge von Jungmanns theologischen Ideen 1913–1917, in: ZKTh 111. 1989, 305–359, hier 326–331.

[5]   „Wäre es nicht der Mühe wert, das zu meiner Lebensaufgabe zu machen: die ganze Theologie und das ganze Christentum konzentrieren (nicht apologetisch, nicht wissenschaftlich kalt, sondern mit Einschluß des Lebens), als Zentrum Christus der Herr." TB 1, 12, 28.2.1914.

[6]   Vgl. PACIK, Christentum (wie Anm. 4) 313–317; Josef Andreas JUNGMANN, Die Frohbotschaft und unsere Glaubensverkündigung. Regensburg 1936, 20–27 (Kapitel: „Objektive und subjektive Christozentrik"), 67–80 (Kapitel: „Die Botschaft von Christus unter den Auswirkungen der christologischen Kämpfe").

[7]   Vgl. PACIK, Christentum (wie Anm. 4) 358f.

[8]   Josef Andreas JUNGMANN, Gewordene Liturgie. Studien und Durchblicke. Innsbruck 1941, VI.

[9]   Josef Andreas JUNGMANN, Missarum Sollemnia. Eine genetische Erklärung der römischen Messe. Bd. 1. Wien ⁵1962, 5f.

zu schließen. Es ist kein Zweifel, daß ein solcher Innenraum auch für die Gemeinde, die sich an ihn gewöhnt hat und die ihn vielleicht ‚schön' findet, nur verbildend und religiös verwirrend wirken kann. Jeder weiß, was in einer solchen Kirche geschehen müßte. Es braucht da kein Puritanertum Platz zu greifen. [...] Aber das Viele müßte zurücktreten vor dem einen Notwendigen oder müßte doch allmählich nach Thema und Form eine Zusammenordnung, eine Einordnung in den Gesamtplan des Gotteshauses erfahren."[10]

Jungmann besaß zweifellos ein besonderes Talent dafür, Wichtiges von Nebensächlichem zu unterscheiden. Schon früh hatte er das „Verlangen nach einem geschlossenen, den Wirklichkeiten und Forderungen der Zeit entsprechenden Weltbild" empfunden; er führt dies auf den Einfluss seines Vaters zurück, der als Gemeindevorsteher immer „Weltkultur und Religion" zu verbinden verstand.[11] Unter den Kollegen im Brixener Priesterseminar galt er als „Dogmatiker", weil er immer danach trachtete, „zu einem besseren Verständnis vom Wesentlichen im Christentum zu gelangen"[12]. Zunächst hatte er von der Dogmatik freilich wenig gehalten, ja sie als „Belastung für die Kirche" betrachtet, „die nur durch Apologetik gemildert werden könne". Die Wende brachte während des Dogmatik-Kurses 1910/11 „eine lächerliche Kleinigkeit: ich sah eines Tages, dass in unserem kleinen Handbuch von Franz Egger[13] der Traktat über die Gnade überschrieben war: De gratia Christi. Und nun erkannte ich mit einemmal, dass die unzusammenhängenden ‚dogmatischen Lehrsätze' in der Person Christi zu einer grossen Einheit zusammenwuchsen."[14]

Diese Erkenntnis – die Person Christi und das von Christus erwirkte neue Leben als Mitte der christlichen Lehre, der religiösen Praxis, aller theologischen Disziplinen – blieb seither für Jungmann bestimmend.[15]

Die religiöse Situation, die Jungmann an seinem ersten Kooperatorenposten in Niedervintl erlebte, widersprach dem Ideal: Sie war ein Durcheinander von Glaubenssätzen, Geboten und Andachtsübungen, an die sich die Leute lustlos und wenig überzeugt hielten. Darunter litt er so sehr, dass er seine Erfahrungen im Tagebuch niederschrieb. Außerdem begann er einen Essay zu verfassen; als er am 4. November 1915 fertiggestellt war, nannte ihn Jungmann „Der Weg zur christlichen Glaubensfreudigkeit".[16] Die Grundthese: Lebendi-

---

[10] JUNGMANN, *Frohbotschaft* (wie Anm. 6) 195f.

[11] Josef Andreas JUNGMANN, *Woher kamen die Ideen der „Frohbotschaft"?* Typoskript, 2 Bl., datiert mit 30.7.1959, handschriftl. ergänzt 1960 oder 1961 (Beilage zu TB 2).

[12] TB 1, 9, 28.2.1914.

[13] Vgl. Franciscus EGGER, *Enchiridion Theologiae Dogmaticae specialis.* Brixinae ¹1887, ⁶1902, ⁷1911.

[14] JUNGMANN, *Woher kamen die Ideen* (wie Anm. 11).

[15] Vgl. den – 1939 auch selbständig erschienenen – Artikel von Josef Andreas JUNGMANN, *Christus als Mittelpunkt der religiösen Erziehung,* in: StZ 134. 1938, 218–233.

[16] Manuskript „Der Weg zur christlichen Glaubensfreudigkeit (Gedanken über einen besonderen Punkt der Methodik)": 54 Seiten (Format 21 x 17cm), davon 52 beschrieben, mit Umschlag, der Titel und Inhaltsverzeichnis enthält. Es handelt sich um ein Exzerpt der originalen Schrift. Diese selbst ist verloren. Das Exzerpt fertigte 1921 Jungmanns Mitbruder und Freund Alois Tüll (Studienkollege 1920–1922) für sich an; 1960 machte er es Jungmann zum Geschenk. (Vgl. Josef Andreas JUNGMANN, *Um Liturgie und Kerygma,* in: *Gedenkband* [wie Anm. 1] 12–18, hier 12f, 17f, Anm. 2; Alois TÜLL,

ges, frohmachendes Christentum kommt aus dem Wissen darum, was Christus für uns bedeutet. Er muss als Mittler zwischen Gott und den Menschen vor Augen geführt werden. Verkündigung, Gebet, Gottesdienst müssen sich auf Christus als einigende Mitte ausrichten. Von ihr erhalten alle Ausdrucksformen des Glaubens den ihnen gemäßen Rang; die Lehre wird einsichtig – und anziehend.

1933–1935 arbeitete er den Essay von 1915 zu dem Buch um: „Die Frohbotschaft und unsere Glaubensverkündigung".

In Aufbau und Gedankengang stimmen die „Urschrift"[17] und das 1936 erschienene Buch weitgehend überein. Jene ist im Ganzen schroffer, unmittelbar kritischer. In „Frohbotschaft" hingegen formuliert Jungmann ausgewogener, verbindet die Kritik mit Verständnis für das Gewordene, fügt historische Durchblicke ein, betont stärker die „Idee von der Kirche"[18] – und verwertet selbstverständlich seine inzwischen erschienenen Arbeiten.

Aber nicht nur für „Frohbotschaft" ist „Der Weg zur christlichen Glaubensfreudigkeit" bedeutsam. Die darin niedergelegten Ideen bilden Ursprung und Motive für Jungmanns Werk, beginnend mit Dissertation und Habilitationsschrift.[19] Schon im August 1915 war Jungmann der Einfall gekommen, er könnte, wenn schon nicht die Abhandlung als solche zu publizieren sei, doch Detailfragen weiter verfolgen, wie etwa „die Geschichte der katechetischen Darstellung der Gnadenlehre angefangen von Paulus überhaupt von Christus [...] über die Väter [...] bis auf unsere Katechismen"[20]. Daraus wurde, entsprechend eingegrenzt, 1923 die Dissertation: „Die Gnadenlehre in der Katechese der ersten drei Jahrhunderte"[21]. Vom Beten per Christum, das für Jungmanns christozentrisches Denken wichtig ist, handelt dann die Habilitationsschrift „Die Stellung Christi im liturgischen Gebet"[22]. Über sie sagt der Autor im Vorwort zu deren Nachdruck (1962): „Aber die Bearbeitung des Themas schien schon damals durch die religiöse Zeitlage gefordert. Hier war einer der zentralen Punkte, an denen die religiöse Erneuerung ansetzen mußte."[23] Auch Jungmanns

Brief an Josef Andreas Jungmann vom 27.11.1960.) Wie Jungmann auf Tülls Brief vermerkt, gibt das Exzerpt den originalen Essay fast wörtlich wieder, nur ist es stärker gegliedert und enthält stellenweise Anakoluthe und Stichwörter statt kompletter Sätze. – Inhaltsübersicht bei Pacik, Christentum (wie Anm. 4) 323–325.

[17] Jungmann selbst nennt den Essay von 1915 „Urschrift": Jungmann, Um Liturgie (wie Anm. 16) 13, 14, 17 Anm. 2.

[18] Jungmann, Um Liturgie (wie Anm. 16) 13.

[19] Zu beiden siehe Jungmann, Um Liturgie (wie Anm. 16) 13.

[20] Zettel, datiert mit 17.8.1915, im TB 1 S. 109 eingeklebt.

[21] Josef Andreas Jungmann, Die Gnadenlehre in der Katechese der ersten drei Jahrhunderte. Theol. Diss. [handschriftl.]. Innsbruck 1923. 1 u. 89 Bl.

[22] Josef Andreas Jungmann, Die Stellung Christi im liturgischen Gebet. Münster 1925 (LF 7/8).

[23] Josef Andreas Jungmann, Die Stellung Christi im liturgischen Gebet. 2. Aufl.: Photomech. Neudruck von Liturgiegeschichtliche Forschungen Heft 7–8 mit Nachträgen des Verfassers. Münster 1962 (LQF 19/20), III. – Das Thema des Kapitels „Das Christusgebet. Antiarianische Bildungen der nachpatristischen Zeit" (188–211) führte Jungmann später in dem Aufsatz weiter: Die Abwehr des germanischen Arianismus und der Umbruch der religiösen Kultur im frühen Mittelalter, in: ZKTh 69. 1947, 36–99; überarbeitet in: Josef Andreas Jungmann, Liturgisches Erbe und pastorale Gegenwart. Studien und

spätere liturgiewissenschaftliche Arbeit, zumal seit Mitte der dreißiger Jahre, war mitmotiviert durch das Bemühen um Reform, wie es damals besonders in der jungen Liturgischen Bewegung zu Tage trat.[24]

3. Geschichtliche Forschung im Licht aktueller Fragen

„Eine genetische Erklärung der römischen Messe": Der Untertitel des Buchs „Missarum Sollemnia" deutet die von Jungmann bevorzugte Arbeitsweise an. Diese lässt sich auf mehrere Arten betreiben. Jungmann sah zwei Wege, verschieden nicht in den wissenschaftlichen Methoden und Standards, doch in den Motiven und der Themenstellung.[25] Der eine Weg bestehe darin, den tatsächlichen Werdegang anhand der Quellen „in gleichmäßiger Abfolge und kühler Objektivität" nachzuzeichnen. Der andere – Jungmanns eigener – Weg: „Es können aber auch an die Geschichte aus einem praktischen Interesse heraus Fragen gestellt und so einzelne Punkte schärfer beleuchtet werden, die für das Verständnis von Gegenwartsproblemen von Bedeutung sind."[26] Diese Aussage erinnert an die Einleitung zu Karl Rahners Werk „Geist in Welt" (1939), in der es heißt: „Aber die Richtung der *Fragen*, die an Thomas gestellt werden, sind von einem *systematischen* Anliegen des Verfassers vorgegeben [...]. Ein solches sachliches Anliegen, zu dem der Verfasser sich hier ausdrücklich bekennt, ist (oder sollte doch sein) bedingt von der Problematik der *heutigen* Philosophie. Wenn in diesem Sinn der Leser den Eindruck erhält, daß hier eine Thomasinterpretation am Werk ist, die von moderner Philosophie herkommt, so betrachtet der Verfasser eine solche Feststellung nicht als einen Mangel, sondern als einen Vorzug des Buches. Schon deshalb, weil er nicht wüßte, aus welch anderem Grund er sich mit Thomas beschäftigen könnte als der Fragen wegen, die *seine* und seiner Zeit Philosophie bewegen."[27]

Praktisches Interesse heißt nicht, alle Forschung müsse direkt verwertbar sein. Als praxisbezogen betrachtet Jungmann auch Arbeiten im 19. und v.a. im 20. Jahrhundert, welche die Fülle des kirchlichen Lebens erhoben – mit dem (z.T. sicher gewollten) Effekt, dass das Gegebene relativiert wurde: „Denn die Kluft zwischen der rubrizistisch erstarrten Liturgie der eigenen Zeit und einem

---

Vorträge. Innsbruck 1960, 3–86. Siehe aber schon Jungmann, *Frohbotschaft* (wie Anm. 6) 67–80; Jungmann kritisiert hier auch die volkstümliche Gleichsetzung von Christus mit „Herrgott" (ebd. 74f).

[24] Jungmann, *Um Liturgie* (wie Anm. 16) 14f. Vgl. die Äußerung in Jungmann, *Der Weg zur christlichen Glaubensfreudigkeit* (wie Anm. 16) 50: „Die Entwicklung ist bereits lange auf dem Wege, bekannt als katechetische, homiletische, liturgische, Eucharistische Bewegung ..."

[25] Josef Andreas Jungmann, *Vordringliche Aufgaben liturgiewissenschaftlicher Forschung. Referat auf der Studientagung der Liturgikdozenten des deutschen Sprachgebietes in München (28. März bis 1. April 1967), gehalten am 31. März 1967*. Eingeleitet, transkribiert und erläutert von Rudolf Pacik, in: ALw 42. 2000, 3–28.

[26] Josef Andreas Jungmann, *Zur Einführung*, in: *Brevierstudien. Referate aus der Studientagung von Assisi. 14.–17. September 1956*. Im Auftr. des Liturgischen Instituts in Trier hg. v. Josef Andreas Jungmann. Trier 1958, 5–8, hier 5; ähnlich: ders., *Liturgiewissenschaft*, in: SM(D) 3. 1969, 282–288, hier 282f.

[27] Karl Rahner, *Geist in Welt. Zur Metaphysik der endlichen Erkenntnis bei Thomas von Aquin*. Innsbruck 1939, XIII.

echten Gottesdienst der Kirche war unerträglich breit geworden. So ging es darum, aus den Quellen, den Sakramentarien und Lektionarien und Antiphonarien und Ordines und besonders aus den spärlichen Quellen der Frühzeit die Tatsachen und die Möglichkeiten eines viel reicheren liturgischen Lebens aufzuzeigen."[28]

Die Vergangenheit – und damit die ganze Tradition – zu erforschen, „hat zugleich eine durchaus praktische Bedeutung für die Gegenwart"[29], für das Verständnis des heutigen Gottesdienstes.[30]

Die ritengenetische Methode[31] hilft, den Sinn liturgischer Formen – die „Idealbilder", „Urbilder"[32], „Grundgestalt und Grundgedanken"[33] – freizulegen. Wie bei einem alten, immer wieder veränderten und erweiterten Gebäude musste man auch bei der Liturgie „die alten Baupläne zur Hand nehmen, um den Sinn der ursprünglichen Anlage zu erfassen"[34].

Dass Jungmann solche Arbeiten bevorzugte – und so sein bedeutendstes einschlägiges Werk, „Missarum Sollemnia" (1948, ⁵1962), schuf – hatte auch einen äußeren Grund: den Misserfolg seines Buches „Die Frohbotschaft und unsere Glaubensverkündigung" (1936). „Ich muß mich", notiert Jungmann danach im Tagebuch, „auf die Feststellung von Prämissen verlegen und auf die Herausstellung der Konklusionen verzichten, also: liturgiegeschichtliche Tatsachenforschung"[35]. „Missarum Sollemnia" sprach für sich: Seither war es

---

28   JUNGMANN, *Vordringliche Aufgaben* (wie Anm. 25) 12. – Dem entspricht das von Balthasar Fischer berichtete Wort Jungmanns „Im Grunde ist die Liturgiewissenschaft zum Relativieren da" (Balthasar FISCHER, *Josef Andreas Jungmann als Lehrer*, in: *Gedenkband* [wie Anm. 1] 56–59, hier 59).

29   Josef Andreas JUNGMANN, *Liturgie der christlichen Frühzeit bis auf Gregor den Großen*. Freiburg/Schw. 1967 (engl. Erstveröffentlichung: *The Early Liturgy to the Time of Gregory the Great*. Translated by Francis A. BRUNNER. Notre Dame, Indiana [USA] 1959 [LiSt 6]), 10. Dieses Buch geht auf Vorlesungen zurück, die Jungmann bei der Summer School 1949 in Notre Dame gehalten hat.

30   Vgl. JUNGMANN, *Liturgiewissenschaft* (wie Anm. 26) 282: „Sosehr diese [die Liturgiewissenschaft] sich um die Gesamtheit der geschichtlichen Formen zu mühen hat, will sie letztlich der Interpretation und gegebenenfalls der Weiterbildung der in der eigenen Gegenwart geübten Liturgie dienen." – Ähnlich: Josef Andreas JUNGMANN, *Missarum Sollemnia. Eine genetische Erklärung der römischen Messe*. Bd. 1. Wien 1948, 2f, 6; ⁵1962, 2f, 5f. (Im Folgenden: JUNGMANN, *Missarum Sollemnia;* wenn nicht anders angegeben, beziehe ich mich auf die 5. Auflage.) – „[...] nicht um ihrer selbst willen als Archäologie, sondern als Schlüssel zum Verständnis des Vorhandenen". Josef Andreas JUNGMANN, Besprechung: Aimé-Georges MARTIMORT (Hg.), *L'Église en Prière. Introduction à la Liturgie*. Paris 1961, in: ZKTh 83. 1961, 503.

31   „der Nachvollzug der über viele Jahrhunderte gehenden Genesis" (JUNGMANN, *Missarum Sollemnia* [wie Anm. 30] Bd. 1, 2).

32   JUNGMANN, *Missarum Sollemnia* (wie Anm. 30) 5f; „Urbild" übernimmt er (und zitiert ebd. 5 die Stelle) von Sigismund VON RADECKI, *Wort und Wunder*. Wien 1942, 51.

33   JUNGMANN, *Gewordene Liturgie* (wie Anm. 8) VI. – In einem unveröffentlichten Manuskript vom 25.4.1944 verwendet Jungmann das Wort „Gestalten" und beruft sich hierfür auf Romano Guardini.

34   JUNGMANN, *Liturgie der christlichen Frühzeit* (wie Anm. 29) 10f. – Ähnlich: JUNGMANN, *Missarum Sollemnia* (wie Anm. 30) Bd. 1, 2f.

35   TB 2, 190, 15.8.1936. Vgl. dazu Rudolf PACIK, *Josef Andreas Jungmann. Liturgiegeschichtliche Forschung als Mittel religiöser Reform*, in: LJ 43. 1993, 62–84, hier 76–78.

unmöglich geworden – „nachgerade eine Frage des theologischen Niveaus"[36] –, die Messe Pius' V. als vollkommen zu erachten. „Diese Form war plötzlich vor aller Augen völlig relativiert [...]."[37]

Die theologische Prämisse, die dem Werk zugrunde liegt – Kirche als Volk Gottes, Liturgie als Feier der ganzen Gemeinde[38] – enthält freilich schon selbst Kritik an der Entwicklung und an der konkreten Gestalt der Messe. – Die Messe als Opfer der Kirche (d.h. der ganzen Gemeinde) behandelt Jungmann ausdrücklich in dem Kapitel „Sinn der Meßfeier. Messe und Kirche"[39], aber auch schon 1942 in dem Aufsatz „Christus – Gemeinde – Priester"[40], dessen Aussage vom Mitopfern der Gläubigen[41] die Enzyklika Pius' XII. „Mystici Corporis" (29. Juni 1943) aufgriff: „Ebenso bringen aber auch die Gläubigen selbst das unbefleckte Opfer, das einzig durch des Priesters Wort auf dem Altare zugegen ward, durch die Hände desselben Priesters in betender Gemeinschaft mit ihm dem Ewigen Vater dar als ein wohlgefälliges Lob- und Sühneopfer für die Anliegen der ganzen Kirche."[42]

Eine mögliche Revision liturgischer Ordnungen deutet Jungmann in „Missarum Sollemnia" als Wunsch an, ohne sie ausdrücklich zu fordern,[43] vermerkt aber im Vorwort zur 5. Auflage (1962), dass sich mit der Osternacht-Reform „die beinahe tausendjährige Starre der Liturgie an entscheidender Stelle [...] zu lösen begonnen hat"[44]. – Dass die genetische Methode nicht nur die gegenwärtige Liturgie erklären, sondern auch die Basis für Reformen bereitstellen solle, davon sprach Jungmann offen erst nach dem II. Vaticanum: „Die vor-

[36] Johannes H. EMMINGHAUS, *Pia participatio*, in: *Gedenkband* (wie Anm. 1) 49–53, hier 49.

[37] EMMINGHAUS, *Pia participatio* (wie Anm. 36).

[38] Vgl. JUNGMANN, *Missarum Sollemnia* (wie Anm. 30) Bd. 1, 3. 4.

[39] JUNGMANN, *Missarum Sollemnia* (wie Anm. 30) Bd. 1. ¹1948, 224–248; ⁵1962, 233–256; DERS., *Um die Grundgestalt der Meßfeier*, in: StZ 143. 1949, 310–312. Zur Frage nach der Sinn- und Feiergestalt der Eucharistie vgl. Hans Bernhard MEYER, *Eucharistie. Geschichte, Theologie, Pastoral*. Mit einem Beitrag von Irmgard PAHL. Regensburg 1989 (GdK Teil 4), 441–460 (Lit.!).

[40] Josef Andreas JUNGMANN, *Christus – Gemeinde – Priester*, in: *Volksliturgie und Seelsorge. Ein Werkbuch zur Gestaltung des Gottesdienstes in der Pfarrgemeinde*. Hg. v. Karl BORGMANN. Kolmar i.E. 1942, 25–30. – Dem entspricht, dass Jungmann in seinen Stellungnahmen zur Mess-Reform die Gabenprozession hervorhebt (vgl. u. 548).

[41] JUNGMANN, *Christus – Gemeinde – Priester* (wie Anm. 40) 27f. Dies deutet Jungmann schon in *Frohbotschaft* (wie Anm. 6) 176 an, unter Berufung auf die Apostolische Konstitution PIUS' XI. „Divini cultus sanctitatem" (20.12.1928), in: AAS 21. 1929, 33–41.

[42] AAS 35. 1943, 232f; davon berichtet Josef GÜLDEN, *In der „Krise der Liturgischen Bewegung" 1942–1944*, in: *Gedenkband* (wie Anm. 1) 64–68, hier 66; Gülden beruft sich auf eine Postkarte, die Franz Jungmann SJ an seinen Bruder sandte; Franz arbeitete damals in Rom bei P. Sebastian Tromp SJ und half bei der Vorbereitung von „Mystici Corporis". – Dennoch untersagte das Hl. Offizium mit Dekret vom 21. April 1944 eine Neuauflage von *Volksliturgie und Seelsorge* (ohne es auf den Index zu setzen), allerdings mit einer sehr allgemein gehaltenen Begründung. Vgl. Theodor MAAS-EWERD, *Die Krise der Liturgischen Bewegung in Deutschland und Österreich. Zu den Auseinandersetzungen um die „liturgische Frage" in den Jahren 1939 bis 1944*. Regensburg 1981 (StPaLi 3), 259–262, 498–502.

[43] JUNGMANN, *Missarum Sollemnia* (wie Anm. 30) Bd. 1, 6 (derselbe Text schon in der 1. Auflage, 6f). Am Anfang der Einleitung (2) spricht er von „Weiterentwicklung".

[44] JUNGMANN, *Missarum Sollemnia* (wie Anm. 30) Bd. 1, X.

handenen Formen müssen nach Möglichkeit verständlich gemacht werden. Zugleich sollen durch ihre Zurückführung auf die Grundformen und Grundprinzipien die Voraussetzungen geschaffen werden, auf denen eine jeweils als notwendig erkannte Erneuerung oder Anpassung aufbauen kann."[45]

Die genetische Vorgangsweise, mit deren Hilfe das Neue „als wiederentdecktes Ursprünglich-Altes legitimiert werden konnte", beschränkte sich damals freilich nicht auf die Liturgiewissenschaft. Sie war, wie Max Seckler betont, vor dem II. Vaticanum „eine Art *Untergrundmethode*" der Theologie überhaupt, durch die „unantastbare Fixierungen der Gegenwart durch historische Erforschung der Quellen gleichsam hinterlaufen und aufgelöst werden".[46]

4. Revision des Messordo

In Rom erkannte man bald nach dem Erscheinen von „Missarum Sollemnia", welches Potential das Werk enthielt. Dies zeigt ein – privater – Brief des Vizerelators der Historischen Sektion der Ritenkongregation, Josef Löw CSsR, vom 26. Oktober 1948. „Der Erste, der in Rom Ihr neuestes Werk hatte kaufen können, war ich [...]." Löw bat Jungmann, Ideen für den „zunächst als reine Annahme gedachten Fall" einer Mess-Reform darzulegen („wenn Sie Ihre allgemeine Messgeschichte über Pius X hinaus hätten fortführen wollen"). Jungmann sandte Löw am 6. November 1948 ein knappes, eine Maschinenseite umfassendes Schreiben.[47]

Am 23. Januar 1950 wünschte der Präfekt der Ritenkongregation, Kard. Clemente Micara, von Jungmann ein Gutachten zur Reform des Missale. „Angesichts Ihrer besonderen Kompetenz bezüglich der Messliturgie wäre ich Ihnen dankbar, wenn Sie freimütig darlegten, welche Ihrer Ansicht nach die wichtigsten Punkte sind, die man bei der Reform des Missale beachten müsste."[48] Bei einem eventuellen Besuch in Rom werde er Jungmann mit den Mitgliedern der Kommission für die Liturgiereform bekannt machen. Am 12. Februar 1950 stellte Jungmann einen dreiseitigen Text fertig: „Per una riforma dell' Ordo Missae".[49]

Das Wichtigste aus beiden Dokumenten wird hier systematisch geordnet wiedergegeben:

– *„Norm der Väter" ohne strenge Repristination*
Es möge das – seinerzeit nur unzureichend durchführbare – Prinzip Pius' V. (vgl. Bulle „Quo primum" vom 14. Juli 1570) gelten, die Messordnung „ad

---

[45] Jungmann, *Liturgiewissenschaft* (wie Anm. 26) 283.

[46] Max Seckler, *Theologie (röm.-kath., Gegenwart)*, in: TRT 5. 1983, 186–193, hier 187.

[47] Zum Ganzen vgl. auch Annibale Bugnini, *Padre Jungmann e la riforma liturgica*, in: *Gedenkband* (wie Anm. 1) 26–30.

[48] „Attesa la Sua particolare competenza sulla liturgia della Messa, Le sarei grato se Ella volesse prospettare liberamente quelli che secondo Lei sarebbero i punti più importanti che si dovrebbero tener presenti nella riforma del Messale." – Clemente Kard. Micara, *Brief an Josef Andreas Jungmann (23.1.1950)*. Typoskript, 2 S., hier S. 1.

[49] Alle für die Ritenkongregation erarbeiteten Gutachten und Vorschläge hat Jungmann in einer Mappe gesammelt, beschriftet: „Kleine Beiträge zur Liturgieform. Vor der Ankündigung des Konzils." (Die zweite Phrase ist später, mit anderer Tinte, hinzugefügt.)

pristinam sanctorum patrum normam et ritum" wiederherzustellen; d.h. dass man auf den Stand des 10. Jahrhunderts (die Zeit vor dem Eindringen karolingisch-gallischer Elemente) zurückgeht, doch ohne alles Spätere zu tilgen. (Die „Norm der Väter" erwähnt auch n. 50 der Liturgiekonstitution. Dies geht auf Jungmann zurück, der ja in der Vorbereitenden Liturgiekommission die Subkommission II „De Missa" leitete.[50])

– Reformkommission
Die Grundlinien der Reform soll eine mit Fachleuten, vorzugsweise Seelsorgern und Kennern der liturgischen Überlieferung, besetzte internationale Kommission festlegen. – Bestimmten Zentren sollten Experimente erlaubt werden.

– Gemeindemesse als Grundmodell
Die Norm des neuen Ordo soll die gesungene Sonntagsmesse der Pfarrgemeinde sein, nicht die Kathedral- oder die Klosterliturgie; dies erfordert eine einfache, durchschaubare Ordnung und wenigstens teilweise die Volkssprache.

– Volkssprache und Kanon
Die zweifache „Arkandisziplin" – lateinische Sprache und stiller Kanon – muss fallen. Wenigstens für Lesungen und Allgemeines Gebet soll die Volkssprache zugelassen, der Kanon zumindest in Teilen laut vorgetragen werden. „Jedenfalls müsste der zentrale Gedanke ‚Unde et memores ... nos servi tui et plebs tua sancta ... offerimus' einen für alle wahrnehmbaren Ausdruck finden." (1950)

– Struktur verdeutlichen
Die Struktur der Messfeier soll durch Zäsuren zwischen den einzelnen großen Teilen verdeutlicht werden und dadurch, dass man Eröffnung und Wortgottesdienst räumlich vom Altar trennt.

– Rollenteilung
Der Priester braucht nicht zu verdoppeln, was andere – wie Lektor oder Chor – vortragen. – Stille Priestergebete soll man nicht abschaffen, jedoch revidieren.

– Einzelheiten zum Messritus
Der Priester soll nicht vor dem eröffnenden Kreuzzeichen an den Altar treten.

---

[50] Schon in Jungmanns erstem Entwurf für das Eucharistie-Kapitel des Liturgie-Schemas heißt es: „Structuram tam partium quam totius Ordinis missae ita ‚ad pristinam sanctorum patrum normam ac ritum' (ut ait s. Pius V.) reformetur, ut additiones secundariae, quae sensum potius obscurant, supprimantur, elementa genuina ac fundamentalia excolantur" (Entwurf vom 2.12.1960 [handschriftlich]). – Im Handexemplar seines LThK-Kommentars zur Liturgiekonstitution fügte Jungmann bei n. 50 in Stenographie hinzu: „Diese Formel habe ich durch alle Entwürfe hindurch retten können; vgl. MissSoll.5 I, 180." Genauer: Das Wort kommt in der ersten Fassung des Liturgie-Schemas [LS I] n. 45 vor, fehlt in LS II n. 37 und in LS III n. 37, steht aber wieder in SC n. 50. – Die Declarationes zu LS I n. 45, II n. 37, III n. 45 bieten einen Überblick zu den erwünschten Reformen, ähnlich den früheren Gutachten Jungmanns!

Der Altarkuss soll nur am Anfang und am Schluss der Messe erfolgen.

Es gibt jeweils nur eine einzige Oration. Die alten Schlussformeln (in Advent- und in Requiem-Messen) sollen wiederhergestellt werden.

Die Lesungen sollen versus populum vorgetragen werden.

Die Perikopenauswahl erfordert eine Reform.

Das Allgemeine Gebet soll wieder eingeführt werden.

Die Symbolik der Gabenbereitung soll betont werden, indem man Brot und Wein sichtbar aus der Gemeinde (sie bringt ja dar!) zum Altar trägt, an Festtagen in einer Gabenprozession.

Das Lavabo soll am Anfang der Gabenbereitung stehen (Sinn: Reinigung, bevor man die heiligen Dinge berührt).

Die Präfation soll wenigstens an Sonntagen den Dank für die Heilstaten in Christus ausdrücken (alte Texte österlichen Charakters sind wieder aufzunehmen). Die Dreifaltigkeitspräfation bleibt nur am Fest; die Apostelpräfation soll ihren Dank-Charakter zurückerhalten, die Zahl der Präfationen vermehrt werden.

Im Kanon sollen die Interzessionen verkürzt werden – zugunsten des Allgemeinen Gebets –, ebenso die Nennung der Heiligen. Wenigstens die Doxologie ist laut zu sprechen, ohne Kreuzzeichen, nur mit Erhebung der Gestalten und mit Kniebeuge nach „Per omnia saecula saeculorum".

Die Mischung soll man nicht mit dem „Pax Domini" kombinieren.

Die Kommunion der Gemeinde beginnt ohne Confiteor.

Wenigstens bei besonderen Anlässen soll die Kommunion sub utraque specie gespendet werden.

Den Abschluss der Messe sollte man etwas ausdehnen, etwa durch die Oratio super populum oder das „Benedicite" samt entsprechender Oration, dafür aber die Gläubigen mit dem „Ite, missa est" entlassen (d.h. das Letzte Evangelium wird gestrichen).

5. Was ist Liturgie?

Was versteht man unter „Liturgie"? Diese Frage beschäftigte Jungmann zeit seines Lebens. Noch auf der Studientagung der Liturgikdozenten des deutschen Sprachgebiets in München (28. März bis 1. April 1967) zählte er die Erweiterung des Liturgiebegriffs zu den „Vordringliche[n] Aufgaben liturgiewissenschaftlicher Forschung"[51].

Obwohl Jungmann schon früh die gängige Volksfrömmigkeit und die Andachten-Praxis kritisierte, trat er dennoch für den liturgischen Charakter teilkirchlicher Gottesdienste ein und damit gegen die zentralistische Liturgiedefinition von CIC 1917 c. 1257 und 1259 (welchen die Instruktion über die Kirchenmusik und die heilige Liturgie vom 3. September 1958, n. 1, noch einmal festzuschreiben versuchte). Jungmanns These, erstmals im Aufsatz „Was ist Liturgie?" von 1931 formuliert, lautet: „Liturgie ist der Gottesdienst der Kirche, das heißt: nicht nur der Gottesdienst, den die Kirche ordnet, auch nicht nur der Gottesdienst, den die Kirche halten läßt, sondern vor allem *der Gottes-*

---

51   JUNGMANN, *Vordringliche Aufgaben* (wie Anm. 25) 19f. Vgl. auch die Aufsätze Josef Andreas JUNGMANNS: *Liturgie und Pia exercitia*, in: LJ 9. 1959, 79–86; DERS., *Bischof und ,sacra exercitia'*, in: Conc(D) 1. 1965, 95–98.

dienst, den die Kirche hält."[52] Dies löste damals wie später harsche Kritik aus, z.B. von Odo Casel, Johannes Pinsk, Aimé-Georges Martimort.[53]

Erst spät habe man die Bezeichnung „Liturgie" auf Gottesdienste beschränkt, die gemäß den römischen Büchern und von beauftragten Personen vollzogen werden.[54] Als die Österreichische Liturgische Kommission über den Liturgiebegriff der Instruktion von 1958 diskutierte, brachte Jungmann die Sache auf den Punkt: „Nach dieser Definition hat es vor Pius V. keine Liturgie gegeben."[55]

Konsequenterweise trachtete Jungmann in der Vorbereitenden Liturgiekommission des II. Vatikanischen Konzils – gemeinsam mit Johannes Wagner – danach, in das I. Kapitel des Liturgie-Schemas eine Aussage einzubringen, die teilkirchlich geordnete Gottesdienste von privaten Frömmigkeitsübungen unterschied. Dies führte – nach langen Kämpfen – in SC n. 13 zur Terminologie „pia exercitia"/„sacra Ecclesiarum particularium exercitia" (die offizielle deutsche Version übersetzt: „Andachtsübungen"/„gottesdienstliche Feiern der Teilkirchen").[56]

6. Reform der Tagzeitenliturgie

Zwar sprach Jungmann dem vom Priester allein vollzogenen Stundengebet geringeren liturgischen Charakter zu als etwa einer Nachmittagsandacht der Gemeinde.[57] Trotzdem setzte er sich für eine Erneuerung gerade des Weltpriester-Breviers ein. In seiner Antwort vom 14. Juli 1948 auf die Umfrage der „Ephemerides Liturgicae"[58] schlug er vor, die bestehende Struktur grundsätzlich beizubehalten, zugleich aber die Situation der Seelsorger zu berücksichtigen. Das Brevier soll das geistliche Leben fördern, deshalb sollen v. a. die Lesungen neu geordnet werden, wobei auch eine frei wählbare oder nach Vor-

---

[52] Josef Andreas JUNGMANN, *Was ist Liturgie?*, in: ZKTh 55. 1931. 83–102, hier 96. – Bearbeitete Fassung des Aufsatzes in: DERS., *Gewordene Liturgie* (wie Anm. 8) 1–27. (Hier nach ZKTh angeführt.)

[53] Odo CASEL, Besprechung: *Josef Andreas Jungmann, Was ist Liturgie?* in: JLw 10. 1930, [erschienen 1931] 189–193; Johannes PINSK, *Alles Liturgie?*, in: LiZs 3. 1930/31, 324–330; Aimé-Georges MARTIMORT, *Notions préliminaires*, in: L'Église en prière. Introduction à la Liturgie. Hg. v. Aimé-Georges MARTIMORT. Paris 1961, 3–14, hier 5 mit Anm. 4; 6 mit Anm. 5; DERS., *Chapitre préliminaire. Définitions et méthode*, in: L'Église en prière. Introduction à la Liturgie. Édition nouvelle. Hg. v. Aimé-Georges MARTIMORT. Bd. 1. Paris 1983, 21–32, hier 24 mit Anm. 15; 28 mit Anm. 31. – Umgekehrt stellt Jungmann in seiner Rezension von „L'Église en prière" 1961 (wie Anm. 30) fest: „Für die Grundhaltung bemerkenswert ist die Ausschaltung der sogenannten *pia exercitia* aus dem Gesichtskreis des Handbuchs."

[54] JUNGMANN, *Was ist Liturgie?* (wie Anm. 52) 86–92.

[55] HÖSLINGER, *Der „Volks"-Liturgiker*, in: *Gedenkband* (wie Anm. 1) 78–81, hier 79.

[56] Vgl. PACIK, *„Last des Tages"* (wie Anm. 1) 233–246. – Das neue römische Direktorium über Volksfrömmigkeit und Liturgie (Congregazione per il culto divino e la disciplina dei sacramenti, *Direttorio su pietà popolare e liturgia. Principi e orientamenti*. Città del Vaticano 2002) übernimmt in Nr. 7 diese Unterscheidung nicht, sondern spricht nur von „pia exercitia".

[57] JUNGMANN, *Was ist Liturgie?* (wie Anm. 52) hier 93, 102 Anm. 2.

[58] Josef Andreas JUNGMANN, *De Breviario reformando annotationes*. (14.7.1948) Typoskript, Durchschlag. 2 gez. S. – Abgedruckt in: PACIK, *„Last des Tages"* (wie Anm. 1) 78f.

gaben gehaltene (volkssprachige) Schriftlesung denkbar wäre, eventuell sogar als Kompensation mancher Horen.

Jungmann hebt also am Stundengebet den Charakter der Erbauung, der spirituellen Hilfe hervor. Dies vertritt er auch in seiner Stellungnahme zur „Memoria sulla Riforma liturgica"[59] von 1949. Die Rubriken sollen die vorherrschende Praxis – den privaten Vollzug – berücksichtigen (so dass z. B. Elemente entfallen, die nur im Chor sinnvoll sind). Für die Lesungen der Matutin schlägt er als Alternative eine frei wählbare oder geregelte Schriftlesung bestimmter Dauer vor, die es ermöglicht, dass innerhalb mehrerer Jahre die ganze Bibel vorkommt. Die in der Memoria vertretene Begründung der Tagzeitenliturgie – stellvertretendes Beten durch beauftragte Personen – lehnt er ab.[60]

An seinen Anliegen hat Jungmann auch bei der Vorbereitung des Liturgie-Schemas und in der Konzils-Liturgiekommission festgehalten. Vor allem für drei Dinge trat er bis zuletzt – ohne Erfolg – ein: die großzügige Zulassung der Volkssprache; eine frei wählbare geistliche Lesung statt der Matutin; die Streichung der Aussagen über die „deputatio" (d.h. dass im Namen der Kirche allein diejenigen beten, die dazu eigens beauftragt sind). Letzterem liegt Jungmanns historisch-theologische Sicht der kirchlichen Tagzeiten zugrunde: Sie sind das tägliche Gebet aller Christen, nur in einer besonders geprägten Form.[61]

7. Theologie und Verkündigung

Seine Schlüsselerfahrung, durch die ihm der innere Zusammenhang der Glaubenslehre aufging, hatte Jungmann im Studium der Dogmatik gemacht. Dennoch bemühte er sich vor allem um Verkündigung und Praxis des Glaubens.[62] Für seine Forschungsarbeit nahm er sich 1923 vor: „Ich möchte einen dicken Strich ziehen zwischen wissenschaftlicher Theologie und volkstümlicher Katechese. Die Vorwürfe, die gegen die erstere geschleudert werden, möchte ich auf letztere ablenken: Die Katechese soll eben nicht aus der Theologie einfach übernehmen, die Theologie lasse man ihren eigenen wissenschaftlichen Weg gehen."[63] Dies führt er in Kapitel II.2 („Glaubensverkündigung und theologische Wissenschaft") des Buches „Frohbotschaft" (1936) näher aus: Die wissenschaftliche Theologie entwickelte sich als Antwort auf Fragen des kritischen Verstandes, die vor allem Gegner aufwarfen. Aber auch in sich ist theologische Systematik wertvoll: für den Aufbau eines geschlossenen Weltbildes. Die Verkündigung braucht das Wissen und die exakten Begriffe der Theologie, ohne sich aber zuerst von ihr bestimmen zu lassen. „Das Dogma sollen wir kennen, verkünden müssen wir das Kerygma."[64] – Daraus folgt für die Verkündigung,

[59]　Gedruckt: Congregatio Rituum, *Memoria sulla Riforma liturgica*. Supplemento II: *Annotazioni alla „Memoria"*. Presentate, su richiesta, dai Rev. mi Dom CAPELLE O.S.B., P. JUNGMANN S.I., Mons. RIGHETTI. Romae 1950 (Sacra Congregatio Rituum. Sectio historica 76).

[60]　PACIK, „*Last des Tages"* (wie Anm. 1) 96–100.

[61]　PACIK, „*Last des Tages"* (wie Anm. 1) bes. 175–189, 208–210, 218–220, 230–232, 318–324, 345–354, 366–373, 382–389.

[62]　Dies findet sich schon 1914 im Tagebuch ausgesprochen: TB 1, 11, 28.2.1914.

[63]　TB 2, 68, 25.2.1923.

[64]　JUNGMANN, *Frohbotschaft* (wie Anm. 6) 60.

dass sie anders vorgeht als die Theologie. Nicht die ontologische Ordnung der Dinge ist bei jener maßgebend, sondern die Sicht vom Menschen her, all das, was dem Menschen im Leben Orientierung gibt: Gott als Ursprung und Heimat des Menschen (aber nicht: das innergöttliche Leben), die Heilsökonomie: vor allem „Christus als Bringer der Gnade und die Gnade als Leben in Christus".

Die wissenschaftliche Zerlegung der Glaubenswahrheiten in der Scholastik war notwendig. Nicht sie hat am Misserfolg der Verkündigung schuld, sondern ihre unbesehene Übernahme in die Verkündigung.[65]

Jungmann selbst ging es damals, so vermerkt er später, „nicht um eine besondere Art von Theologie, sondern um die Verkündigung selbst, um die klare und wirksame Darstellung der Botschaft"[66]. Doch mit den Ideen des Buches von 1936 – manchen Mitbrüdern waren sie schon länger vertraut: durch die Lektüre der Urschrift von 1915 oder weil sie in die Entstehung von „Frohbotschaft" beratend bzw. als Zensoren involviert waren – hatte Jungmann Nachdenken auch über die Theologie ausgelöst: Franz Lakner, Hugo Rahner, Johann Baptist Lotz und Franz Dander[67] forderten seit 1938 eine eigene „kerygmatische Theologie"; sie sollte neben die wissenschaftliche („scholastische") Theologie treten, von dieser nicht nur durch das praktische Ziel, sondern wesentlich unterschieden. Den genannten Mitbrüdern war Jungmann aufgrund gemeinsamer Interessen und persönlich (vor allem durch seinen Freund Johann B. Lotz) verbunden. Franz Lakners ersten Beitrag hatte Jungmann selbst angeregt[68] und bezeichnete ihn als „Programm" für die Arbeit „im Dienst lebendiger Theologie [...], ,Existenztheologie'"[69].

Den Innsbrucker Theologen blieb es verwehrt, in die bald beginnende Diskussion um die Verkündigungstheologie einzugreifen sowie die eigenen Ideen zu vertiefen. Das liegt vor allem an den politischen Umständen: Die Innsbrucker Fakultät wurde von den Nationalsozialisten im Juli 1938, das Jesuitenkolleg im Oktober 1939 aufgehoben. Das Collegium Canisianum und die Mitte August 1938 errichtete päpstliche Fakultät mussten im November 1938 nach Sion (Kanton Wallis, Schweiz) übersiedeln. Karl Rahner und Jungmann gingen nach Wien.

---

[65] JUNGMANN, *Frohbotschaft* (wie Anm. 6) 61–63.

[66] Josef Andreas JUNGMANN, *Katechetik. Aufgabe und Methode der religiösen Unterweisung.* Freiburg/Br. ³1965, 319–326, hier 320.

[67] Franz LAKNER, *Das Zentralobjekt der Theologie. Zur Frage um Existenz und Gestalt einer Seelsorgstheologie*, in: ZKTh 62. 1938, 1–36; Hugo RAHNER, *Theologie der Verkündigung. Zwölf Vorlesungen über kerygmatische Theologie. Teil 1 u. 2.* Wien 1938 (Theologie der Zeit. 1938, Folge 1 u. 2); DERS., *Eine Theologie der Verkündigung. 2. Aufl.*, besorgt vom Wiener Seelsorge-Institut. Freiburg/Br. 1939; reprogr. Nachdruck der 2. Aufl.: Darmstadt 1970; Johannes B. LOTZ, *Wissenschaft und Verkündigung. Ein philosophischer Beitrag zur Eigenständigkeit einer Verkündigungstheologie*, in: ZKTh 62. 1938, 465–501; Franz DANDER, *Christus alles und in allen (Col 3,11). Gedanken zum Aufbau einer Seelsorgsdogmatik.* Innsbruck 1939.

[68] TB 2, 193, 23.7.1937.

[69] TB 2, 195, 28.7.1937; über eine Konferenz Lakners, der Brüder Rahner und Jungmanns zur Koordination von Dissertationsthemen berichtet TB 2, 196, 14.11.1937.

8. Josef Andreas Jungmann als akademischer Lehrer

Jungmann war, das berichten Zeugen übereinstimmend, alles andere denn ein blendender Redner.[70] Unter seiner Unbeholfenheit im Auftreten und im öffentlichen Sprechen hatte er, wie das Tagebuch zeigt, schon als Kooperator gelitten und sie mit Hilfe von Übungen zu bessern versucht, ja im Orden meinte er zeitweise, deshalb für den Pastoraltheologie-Lehrstuhl, den er übernehmen sollte, ungeeignet zu sein.[71] Dafür besaß er andere Qualitäten: „Wenn wir auch keinen Meister der Rede vor uns hatten, so doch einen Meister der Sprache und der Didaktik"[72], der „auf der Lehrkanzel die vielen tausend Einzelheiten, mit denen er sich am Schreibtisch herumschlägt, hinter sich läßt und gediegene verantwortete Zusammenschau bietet, statt die Hörer mit Details zu überschwemmen"[73]. Auch hier zeigt sich Jungmanns Zug zum Wesentlichen.

Jungmann verzichtete aber ebenso darauf, den Hörern die Probleme (nicht zuletzt die eigenen) zu präsentieren, die sich aus dem Umgang mit der Geschichte ergaben.[74] Wenn er seine Lehrveranstaltungen betrachte, komme es ihm vor, schreibt er im Tagebuch, „als ob durch diese liturgiegeschichtl. Auseinandersetzungen mehr zerstört wird als aufgebaut: Man sieht das Zufällige, dreimal Durchkreuzte, Mißverstandene, Verdorbene, wo man früher nur etwas Rätselhaftes, Geheimnisvolles gesehen hat; man könnte mit Recht sagen: entweder soll man die Einrichtungen und Gebräuche dementsprechend reformieren, oder man soll überhaupt schweigen davon, wenigstens in der Vorlesung [...]."[75] Er vermied es darum, das Reformbedürftige an der Liturgie hervorzuheben; vielmehr warb er um Verständnis für aus vergangenen Situationen entstandene Formen, suchte auf deren wesentlichen Inhalt hinzuweisen. Dass er die Diskussion in einer Seminarsitzung entsprechend gelenkt habe, vermerkt er ausdrücklich: „Es wurde auch ziemlich offen gesprochen, doch glaube ich nichts durchgelassen zu haben, was die Ehrfurcht vor der Autorität und vor der bestehenden Ordnung (im Liturgischen; eucharistische Frömmigkeit; Exerzitienauffassung) verletzte."[76] Vor einem Seminar über die römisch-fränkische Liturgie hatte er Sorge, „es würden Fragen an mich gestellt, die ich nicht ohne Kritik an der Haltung unseres Ordens beantworten könnte (besonders nach den Erlebnissen in Rom[77] [...]); aber obwohl wir ganz ernst auf die Grundfra-

---

[70]   FISCHER, *Josef Andreas Jungmann als Lehrer*, in: *Gedenkband* (wie Anm. 1) 56–59, hier 56; DERS., *Josef Andreas Jungmann als akademischer Lehrer der Liturgiewissenschaft*, in: ZKTh 111. 1989, 295–304, hier 297–300; Angelus A. HÄUSSLING, *Dienst für die Kirche*, in: *Gedenkband* (wie Anm. 1) 69–74, hier 70; Gerhard PODHRADSKY, *Ein Stubengelehrter – Erinnerungen eines Schülers*, in: *Gedenkband* (wie Anm. 1) 115f.

[71]   Z.B. TB 2, 65, 21.10.1922. Von seinen Sprech-Problemen berichtet er im Tagebuch häufig.

[72]   FISCHER, *Josef Andreas Jungmann als Lehrer* (wie Anm. 70) 56.

[73]   FISCHER, *Josef Andreas Jungmann als akademischer Lehrer der Liturgiewissenschaft* (wie Anm. 70) 298.

[74]   FISCHER, *Josef Andreas Jungmann als akademischer Lehrer der Liturgiewissenschaft* (wie Anm. 70) 299f.

[75]   TB 2, 110, 3.4.1927.

[76]   TB 2, 157, 5.3.1933.

[77]   Gemeint ist Jungmanns Rom-Besuch vom 5. bis 26.4.1933 (vgl. TB 2, 161f, 10.4.1933). P. General Wladimir Ledóchowski ging in einem Gespräch auch auf die

gen losgingen, waren alle taktvoll genug, nicht gerade peinliche Punkte zu berühren, nicht einmal die Aufsätze von Pius Parsch wurden genannt, obwohl sie im Canisianum viel besprochen wurden [...]"[78].

9. Ein Theoretiker arbeitet für die Erneuerung der Praxis

Der Theologe Jungmann lässt sich so charakterisieren: Was sein Grundanliegen betrifft, war er Systematiker (a); vom Ethos her Seelsorger (b); wissenschaftlich-methodisch Historiker (c).

a) Seine besondere Begabung, das Wesentliche zu erkennen und zu vermitteln, wirkte sich in Jungmanns Theologie aus. Das Christentum sollte aus seinem Prinzip erfasst werden: der Erlösung durch Christus oder, anders ausgedrückt, der Mittlerschaft Christi. Die so verstandene „Christozentrik" hat als dogmatisches Grundanliegen Jungmanns Lebenswerk bestimmt.

b) Nicht allein um theologisch-begriffliche Korrektheit ging es Jungmann. Er wollte Ordnung in das Chaos der volkstümlichen Religiosität bringen, den Menschen die Mitte ihres Glaubens – Jesus Christus – zeigen und ihnen so zu neuer Freude am Christsein verhelfen.

c) Dass Jungmann vorwiegend historisch – mit starker Neigung zur Geistesgeschichte – arbeitete, entsprach seinen Interessen, lag jedoch auch an den Umständen, wie etwa dem Misserfolg seines Buches „Die Frohbotschaft und unsere Glaubensverkündigung". Gemäß seinem Streben hin zum Wesentlichen diente ihm die genetische Methode dazu, Bleibendes und Zeitgebundenes zu unterscheiden und so die Fundamente freizulegen, auf denen eine Reform aufbauen konnte.

Auswahlbibliografie

Jungmanns Nachlass wird – aufgrund eines Vertrags mit der Österreichischen Provinz SJ – an der Theologischen Fakultät der Universität Innsbruck, Institut für Bibelwissenschaften und Historische Theologie, aufbewahrt. Neben persönlichen Dokumenten (Tagebüchern, unveröffentlichten Manuskripten, Vorlesungsunterlagen, Briefen) enthält er die Akten der konziliaren Liturgiereform (Vorbereitende und Konzils-Liturgiekommission, Consilium), die Unterlagen der Subkommissionen, in denen Jungmann selbst mitwirkte, dazu viele Dokumente, römische und das deutsche Sprachgebiet betreffende, aus der Zeit vor dem II. Vaticanum. Außerdem finden sich im Nachlass eigene Entwürfe Jungmanns, eingereichte Stellungnahmen, Korrespondenz sowie Mitschriften

Liturgische Bewegung ein, und zwar anhand der Artikelserie von Pius PARSCH, *Die objektive und subjektive Frömmigkeit* (in: BiLi 7. 1932/33, 233–236, 257–261, 283–289), über die Joseph de Guibert SJ, Prof. an der Gregoriana für Fundamentaltheologie und Spiritualität, ein negatives Gutachten verfasst hatte. Ledóchowski beauftragte Jungmann, einen Artikel über die Gefahren der Liturgischen Bewegung zu schreiben (vgl. TB 2, 166, 7.5.1933; 168, 12.7.1933); dieser Aufsatz, mit dem Jungmann nicht sehr glücklich war, erschien noch im selben Jahr: Josef Andreas JUNGMANN, *Alte Kirche und Gegenwartskirche in der liturgischen Bewegung*, in: ThPQ 86. 1933, 716–735. Dass die Jesuitenkurie der Liturgischen Bewegung reserviert gegenübersteht, bedauert Jungmann (TB 2, 165f, 7.5.1933).
[78] TB 2, 166, 10.7.1933.

aus Verhandlungen, vor allem aus Sitzungen der Vorbereitenden und der konziliaren Liturgiekommission, sowie ein eigenes Konzilstagebuch.

Im vorliegenden Beitrag wurden vor allem Jungmanns private (in Gabelsberger-Stenographie abgefasste) Tagebücher verwertet. Das erste Tagebuch (Sigel: TB 1) reicht von 3.1.1914 bis 30.9.1918, das zweite umfasst die Zeit 29.9.1918 bis 14.11.1937 und 17.12.1965 bis 19.4.1970 (Sigel: TB 2).[79]

Das letzte Schriftenverzeichnis Jungmanns liegt vor in:

J. A. Jungmann. Ein Leben für Liturgie und Kerygma. Hg. von Balthasar FISCHER – Hans Bernhard MEYER. Innsbruck 1975, 156–207.

Die Stellung Christi im liturgischen Gebet. Münster 1925 (LF 7/8). – 2. Aufl. Photomech. Neudruck von Liturgiegeschichtliche Forschungen Heft 7–8 mit Nachträgen des Verfassers. Münster 1962 (LQF 19/20).

Was ist Liturgie?, in: ZKTh 55. 1931, 83–102. – Bearbeitet wieder abgedruckt in: *Gewordene Liturgie. Studien und Durchblicke.* Innsbruck 1941, 1–27.

Die lateinischen Bußriten in ihrer geschichtlichen Entwicklung. Innsbruck 1932 (FGIL 3/4).

Die Frohbotschaft und unsere Glaubensverkündigung. Regensburg 1936.

Christus als Mittelpunkt religiöser Erziehung. Freiburg/Br. 1939 (vorher in: StZ 134. 1938, 218–233).

Die liturgische Feier. Grundsätzliches und Geschichtliches über Formgesetze der Liturgie. Regensburg 1939. – 2., unveränderte Aufl. Regensburg 1939; 3., durchges. Aufl. Regensburg 1961.

Gewordene Liturgie. Studien und Durchblicke. Innsbruck 1941.

Missarum Sollemnia. Eine genetische Erklärung der römischen Messe. Band 1–2. Wien 1948. 2., durchges. Aufl. Wien 1949; 3., verb. Aufl. Wien 1952; 4., erg. Aufl. Wien 1958; 5., verb. Aufl. Wien – Freiburg/Br. – Basel 1962; Reprint der 5. Aufl. Bonn 2003.

Katechetik. Aufgabe und Methode der religiösen Unterweisung. Wien 1953. 2., verb. u. erw. Aufl. Wien 1955; 3., verb. Aufl. Freiburg/Br. – Basel – Wien 1965.

Der Gottesdienst der Kirche auf dem Hintergrund seiner Geschichte kurz erläutert. Innsbruck 1955. 2., durchges. Aufl. Innsbruck 1957; 3., durchges. Aufl. Innsbruck 1962.

The Early Liturgy to the Time of Gregory the Great. Translated by Francis A. BRUNNER. Notre Dame 1959 (LiSt 6) – Deutsch: *Liturgie der christlichen Frühzeit bis auf Gregor den Großen.* Freiburg/Schw. 1967.

Liturgisches Erbe und pastorale Gegenwart. Studien und Vorträge. Innsbruck 1960.

Um Liturgie und Kerygma, in: *75 Jahre Verlag und Buchhandlung Herder Wien 1886–1961.* Wien 1961, 46–55 [Autobiografische Skizze]. Wieder abgedruckt in: *J. A. Jungmann. Ein Leben für Liturgie und Kerygma.* Hg. v. Balthasar FISCHER – Hans Bernhard MEYER. Innsbruck 1975, 12–18.

Glaubensverkündigung im Lichte der Frohbotschaft. Innsbruck 1963.

Wortgottesdienst im Lichte von Theologie und Geschichte. 4., umgearbeitete Auflage der „Liturgischen Feier". Regensburg 1965.

---

[79]   Vgl. Rudolf PACIK, *I diari privati di Josef Andreas Jungmann (1913–1937; 1965–1970),* in: CrSt 25. 2004, 181–194; DERS., *Das Konzilstagebuch von Josef Andreas Jungmann SJ,* in: *Experience, Organisations and Bodies at Vatican III. Proceedings of the Bologna Conference, December 1996.* Edited by Maria Teresa FATTORI – Alberto MELLONI. Leuven 1999 (Instrumenta theologica 21), 275–296. Überarbeiteter Nachdruck in: HlD 57. 2003, 244–259.

Einleitung und Kommentar zur Konstitution über die heilige Liturgie (Constitutio de sacra Liturgia), in: LThK². Das Zweite Vatikanische Konzil. Bd. 1. Freiburg/Br. 1966, 10–109.

Vordringliche Aufgaben liturgiewissenschaftlicher Forschung. Referat auf der Studientagung der Liturgikdozenten des deutschen Sprachgebietes in München (28. März bis 1. April 1967), gehalten am 31. März 1967. Eingeleitet, transkribiert und erläutert von Rudolf PACIK, in: ALw 42. 2000, 3–28.

Christliches Beten in Wandel und Bestand. München 1969 (Leben und Glauben). – Neu aufgelegt (anastatischer Nachdruck): *Christliches Beten in Wandel und Bestand*. Mit einem Vorwort zur Neuausgabe von Klemens RICHTER. Freiburg/Br. 1991 (Gemeinde im Gottesdienst).

Messe im Gottesvolk. Ein nachkonziliarer Durchblick durch Missarum Sollemnia. Freiburg/Br. 1970.

The Mass. An historical, theological, and pastoral survey. Translated by Julian FERNANDEZ. Ed. by Mary Ellen EVANS. Collegeville 1976.

Heinrich Kahlefeld (1903–1980)

Klemens Richter

Obwohl Heinrich Kahlefeld im „Lexikon für Theologie und Kirche" als „geistl(icher) Leiter in der liturg(ischen) u(nd) bibl(ischen) Erneuerungsbewegung"[1] bezeichnet wird, ist er wohl selbst unter Liturgiewissenschaftlern eher als Exeget und Katechet bekannt. Er hat nicht als Liturgiewissenschaftler gelehrt, war aber Dozent für neutestamentliche Kerygmatik am Institut für Katechetik und Homiletik in München, mit dessen Errichtung die deutschen Bischöfe ihn 1964 betrauten[2] und dessen Direktor er bis 1973 mehrmals war.[3] Das kann kaum verwundern, gibt es bislang doch keine Gesamtwürdigung seines Lebenslaufes und Werkes[4] und hinsichtlich seiner  Bedeutung für die Liturgische Bewegung bis zum Zweiten Weltkrieg sowie die liturgische Erneuerung vornehmlich in der Zeit vor dem Zweiten Vatikanischen Konzil lediglich einzelne Studien, die aber nicht auf ihn fokussiert sind,[5] sondern seine Bedeutung im Kontext anderer Themenstellungen erkennen lassen.[6]

1. Zur Biografie

Am 6. Januar 1903 in Boppard am Rhein geboren, wuchs Kahlefeld in Frankfurt am Main in einer Lehrerfamilie auf. Am Ende des Ersten Weltkrieges war er 15 Jahre alt und erlebte eine Kirche, die sich so beschreiben lässt: Sie „verliert die Masse der in der Stadt wohnenden Arbeiterschaft, sie entfaltet keine zeitentsprechende Kultur, weder in der geistigen Auseinandersetzung mit der Philosophie der Zeit (Antimodernisteneid, Neuscholastik) und mit den aus der reinen Empirie ins Grundsätzliche aufsteigenden Naturwissenschaften noch

---

[1] Paul-Gerhard MÜLLER, *Kahlefeld, Heinrich*, in: LThK 5. 1996, 1126.

[2] Ernst TEWES, *Aufbau der Gemeinde Jesu. Heinrich Kahlefeld 70 Jahre*, in: Christ in der Gegenwart 25. 1973, 6.

[3] *In memoriam Heinrich Kahlefeld*. Hg. vom Verlag Josef Knecht. Frankfurt/M. 1980, 43.

[4] Eine „Bibliographie Heinrich Kahlefeld" mit Stichwortverzeichnis (masch. 1992) sowie eine Sammlung des Nachlasses von Kahlefeld besorgte Agnes Bohlen. Der Nachlass ist heute Eigentum des Oratoriums des hl. Philipp Neri in München.

[5] Eine – allerdings nicht publizierte – Ausnahme: Karl Heinrich STEIN, *Das Leipziger Oratorium. Sein pastoralliturgischer Beitrag zur liturgischen Bewegung unter besonderer Berücksichtigung der Arbeit Dr. Heinrich Kahlefelds*. Mainz 1989 (masch. Diplomarbeit).

[6] Andreas POSCHMANN, *Das Leipziger Oratorium. Liturgie als Mitte einer lebendigen Gemeinde*. Leipzig 2001 (EThSt 81) ist auf die Dreißiger Jahre des 20. Jahrhunderts begrenzt, bezieht aber die neueste Literatur mit ein. Ebd. 34–39 ein gut belegter Überblick zu Lebenslauf und Bedeutung von Kahlefeld für die Liturgie bis 1939.

im Stil der sakralen Kunst (Historismus). Das barocke Meßgewand in Form eines Baßgeigendeckels wird weithin noch getragen."[7] In dieser Zeit ist seine Mitgliedschaft in einem Zirkel höherer Schüler, dem Conveniat-Fft-W., belegt, in dem er seit 1918 Führungsaufgaben übernahm. Dieses „Conveniat gehörte hinein in den Aufbruch der allgemeinen Jugendbewegung, ging aber über deren Romantizismus hinaus. Das Ziel war der moderne, christlich überzeugte und der Gesellschaft dienende Mensch."[8] Diese Schülervereinigung ging in den Bund Neudeutschland über, der 1919 als Bund für katholische Gymnasiasten gegründet wurde. Damit stand Kahlefeld inmitten der katholischen Jugendbewegung, die sehr bald schon die Bestrebungen der Liturgischen Bewegung begeistert aufgriff.[9] Er wurde Sekretär des geistlichen Leiters dieses Bundes, Pater Ludwig Esch,[10] und begegnete so 1921 erstmals Romano Guardini auf Burg Rothenfels,[11] mit dem gemeinsam er bald die bündischen Ideen des Quickborn übernahm.

Im selben Jahr lernte er Theo Gunkel und Ernst Musial[12] im Priesterseminar in Fulda kennen, die er veranlasste, mit ihm gemeinsam das Theologiestudium im Innsbrucker Canisianum fortzusetzen, „wo durch die vielen Studenten, die aus der Jugendbewegung kamen, ein neuer Ton in das Gemeinschaftsleben [...] eingebracht wurde"[13]. Hier bildete sich ein Kreis von Freunden, die „nach einer Gemeinschaft von Priestern in der Seelsorge (suchten), die zugleich eine kleine private ‚Akademie' bilden könnten, bei der ein jeder täglich vom anderen lernen müsse, um auf die schwierigen Fragen der Seelsorge eine Antwort zu finden"[14]. Die Möglichkeit dazu fanden sie im Oratorium des hl. Philipp Neri,[15] das 1930 mit der Genehmigung des Bischofs von Mei-

[7]   Ludwig NEUNDÖRFER, Rede zum siebzigsten Geburtstag, in: Das Evangelium auf dem Weg zum Menschen. Zur Vermittlung und zum Vollzug des Glaubens [FS Heinrich Kahlefeld]. Hg. von Otto KNOCH [u.a.]. Frankfurt/M. 1973, 349–357, hier 351.

[8]   POSCHMANN, Das Leipziger Oratorium (wie Anm. 6) 34.

[9]   Vgl. u.a. Theodor MAAS-EWERD – Klemens RICHTER, Die Liturgische Bewegung in Deutschland, in: Liturgiereformen. Historische Studien zu einem bleibenden Grundzug des christlichen Gottesdienstes. Bd. 2: Liturgiereformen seit der Mitte des 19. Jahrhunderts bis zur Gegenwart. Hg. von Martin KLÖCKENER – Benedikt KRANEMANN. Münster 2002 (LQF 88), 629–648.

[10] Vgl. Joachim MAIER, Esch, Ludwig, in: LThK 3. 1995, 858f.

[11] Vgl. zu dieser lebenslangen und für die Liturgische Bewegung höchst bedeutsamen Beziehung: Hanna-Barbara GERL, Freundschaft im Dienst der kirchlichen Erneuerung. Die Beziehung Heinrich Kahlefelds zu Romano Guardini. Eine Beleuchtung aus neuen Texten, in: Kirche ohne Vorzimmer. Begegnungen mit dem Münchener Regionalbischof Ernst Tewes. Hg. von Gerhard GRUBER – Fritz BAUER. Planegg 1986, 49–61; aus der Sicht von Kahlefeld: Heinrich KAHLEFELD, Romano Guardini, in: Burgbrief Burg Rothenfels, Brief 4, 1952, 35f.

[12] Vgl. POSCHMANN, Das Leipziger Oratorium (wie Anm. 6) 27–33.

[13] Werner BECKER, in: In memoriam (wie Anm. 3) 7.

[14] Josef GÜLDEN, Aus der Vorgeschichte des Leipziger Oratoriums, in: Jahr des Herrn. Im Auftrag der Bistümer, Erzbischöflichen Kommissariate in der DDR hg. von Josef GÜLDEN. Leipzig 1968, 243–346, hier 344.

[15] Siegfried FOELZ, Oratorium (III). I. O. v. hl. Filippo Neri, in: LThK 7. 1998, 1088f.

ßen[16] an der Liebfrauenkirche zu Leipzig-Lindenau, einer Arbeiterpfarrei, errichtet wurde. Gründungsmitglieder waren neben Kahlefeld die oben genannten Gunkel und Musial.[17]

Zuvor hatte er sein Studium mit einer Promotion über Max Scheler mit dem Dr. phil. abgeschlossen. 1925 bat er um Aufnahme in das Bistum Meißen und empfing dafür 1926 die Priesterweihe. Anschließend wurde er zu einer weiteren Promotion bei dem für eine Christologie „von unten" stehenden Karl Adam[18] in Tübingen beurlaubt, der mit seinem Ansatz in der konkreten Glaubenssituation der Menschen für die Theologie von Kahlefeld prägend blieb. Er konnte das gewählte Thema „Die Bedeutung der hl. Eucharistie für die Einheit der Kirche nach den älteren Quellen der christlichen Literatur"[19] dort zwar nicht abschließen, blieb ihm aber lebenslang verbunden. 1927 kam er mit der in Maria Laach gelebten liturgischen Spiritualität in Berührung. Bevor er 1931 in das Oratorium einziehen konnte, war er Kaplan in zwei Leipziger Pfarreien, zudem Religionsoberlehrer und Studentenseelsorger, arbeitete mit in der Erwachsenenbildung und erhielt 1929 gar einen Lehrauftrag für katholische Religionslehre am Pädagogischen Institut der Leipziger Universität.

Zeitgleich intensivierte sich der Kontakt von Kahlefeld mit Rothenfels: 1928 wurde er von Guardini dort einbezogen und erklärte sich 1934 bereit, „der besondere Mitarbeiter des Burgleiters für das geistig-religiöse Leben auf Rothenfels zu sein"[20], also „Burgkaplan". Schon 1931 war er Mitherausgeber von „Die Schildgenossen" geworden. Die Tätigkeit auf der Burg wurde 1939 durch deren Beschlagnahme durch die Nazis unmöglich gemacht. Kahlefeld selbst wurde im November dieses Jahres in „Schutzhaft" genommen und ging anschließend nach Berlin, wo seit 1936 ein weiteres Oratorium im Entstehen war.[21] 1943 als Sanitätssoldat eingezogen, kam er in Frankreich in amerikanische Gefangenschaft. 1947 entlassen, wurde er zunächst Seelsorger im Bistum Bamberg.

1948 traf er sich mit anderen Oratorianern wie Ernst Tewes[22] und Klemens Tilmann[23] – beide ebenfalls von großer Bedeutung für die liturgische Erneuerung in Deutschland –, die auch nicht mehr nach Leipzig zurückgekehrt waren, in München, wo ein neues Oratorium vorbereitet wurde. Dieses wurde

[16] 1921 erst war das Bistum Meißen wiedererrichtet worden, so dass in dieser Diaspora Priester fehlten.

[17] Vgl. GÜLDEN, in: *Vorgeschichte* (wie Anm. 14) 343–346; POSCHMANN, *Das Leipziger Oratorium* (wie Anm. 6) 9–49.

[18] Hans KREIDLER, *Adam, Karl*, in: LThK 1. 1993, 141f.

[19] Vgl. POSCHMANN, *Das Leipziger Oratorium* (wie Anm. 6) 37, Anm. 175.

[20] Romano GUARDINI, *Die Burgleitung*, in: Burgbrief Burg Rothenfels, Brief 6/7, 1934, 47.

[21] Zur Atmosphäre in Berlin vgl. Franz SCHREIBMAYR, *Jerusalem, du wohlgebaute Stadt – Psalm 122 am Alexanderplatz*, in: *Leben mit Psalmen*. Hg. von Gottfried BITTER – Norbert METTE. München 1983, 30–34. Belege für die Gründung bei POSCHMANN, *Das Leipziger Oratorium* (wie Anm. 6) 39, Anm. 188, während Hermann Seifermann (in: *In memoriam* [wie Anm. 3] 42) von dem „dort geplanten Oratorium" spricht.

[22] Zur Person vgl. *Kirche ohne Vorzimmer* (wie Anm. 11); Klaus WITTSTADT, *Tewes, Ernst*, in: LThk 9. 2000, 1371.

[23] Zur Person vgl. POSCHMANN, *Das Leipziger Oratorium* (wie Anm. 6) 63, Anm. 309; Wolfgang NASTAINCZYK, *Tilmann, Klemens*, in: LThK 10. 2001, 39.

1954 formell errichtet und Kahlefeld dessen erster Superior. Zugleich wurde den Oratorianern die neugegründete Pfarrei St. Laurentius in München–Gern anvertraut.

1948 übernahm Kahlefeld zudem die Leitung der wiedereröffneten Burg Rothenfels, die nun stärker, durchaus im Sinne Guardinis, Akademie-Charakter annahm. Als er „1959 die Burgleitung niederlegte, war das eine schmerzliche Entscheidung, die ihn aber frei machte für neue Aufgaben, die durch die sich schon abzeichnende Liturgiereform des Konzils gestellt wurden"[24]. Schon 1940 war er einer der Initiatoren der Liturgischen Kommission und 1957 Mitbegründer des Liturgischen Instituts in Trier. Er gehörte der 1960 eingerichteten römischen Liturgischen Vorbereitungskommission für das Zweite Vatikanum an und war insbesondere mit der neuen Perikopenordnung befasst.

Erwähnung verdienen seine Bemühungen um die Ökumene aus seinem exegetischen und liturgischen Verständnis heraus. Ein evangelischer Autor bezeichnet Kahlefeld als „ein lebendiges Beispiel dafür, wie eine konsequente Orientierung an der Schrift zu einer ökumenisch zu verantwortenden Eucharistielehre und Eucharistiepraxis führen kann"[25].

Als theologische Leitidee von Kahlefeld kann gelten: Erneuerung von Leben und Liturgie aus der Schrift. Sein Wirken lässt sich zwischen den Polen ansiedeln, die mit seinem katechetischen Bemühen verbunden sind.[26] Der eine Schwerpunkt ist die Heilige Schrift: „Von Jugend auf hat er sich um die biblische Welt bemüht, hat sich betend und studierend mit ihr vertraut [...] gemacht."[27] Dabei wird er gar als „progressivster Exeget" bezeichnet,[28] der darin „einer der großen christlichen Lehrer gewesen" sei.[29] Er wird als „sokratisch-pädagogische Begabung"[30] gewürdigt, die durch eine umfangreiche Predigt- und Vortragstätigkeit sowie eine Vielzahl von Publikationen Zugang zu vielen Menschen erhalten habe. Aus seiner Schriftauslegung ergab sich der zweite Pol seiner Tätigkeit: „Gottesdienst, Theologie des Gottesdienstes, Kult, Gottesdienst und Kirchbau."[31]

[24] Gerhard FISCHER, *Erneuerung aus dem Ursprung. Heinrich Kahlefeld zum Gedächtnis*, in: JLH 29. 1985, 141.

[25] FISCHER, *Erneuerung aus dem Ursprung* (wie Anm. 24) 138. Vgl. Paula LINHART, *Eine ökumenische Würdigung von Heinrich Kahlefeld*, in: *Christus spes. Liturgie und Glaube im ökumenischen Kontext. Festschrift für Bischof Sigisbert Kraft*. Hg. von Angela BERLIS – Klaus-Dieter GERTH. Frankfurt/M. 1994, 213–220.

[26] Als nur ein Beispiel sei angeführt: *Handbuch zum katholischen Katechismus*. Bd. 2.1: *Von der Kirche und den Sakramenten. Lehrstücke 45–68*. Hg. von Franz SCHREIBMAYR – Klemens TILMANN – Heinrich KAHLEFELD. Freiburg/Br. 1964; *Handbuch zum katholischen Katechismus*. Bd. 2.2: *Von der Kirche und den Sakramenten. Lehrstücke 69–90*. Hg. von Franz SCHREIBMAYR – Klemens TILMANN – Heinrich KAHLEFELD. Freiburg/Br. 1966.

[27] Alfons KIRCHGÄSSNER, *Heinrich Kahlefeld 60 Jahre*, in: Der christliche Sonntag 15. 1963, 6f.

[28] Felix MESSERSCHMID, in: *In memoriam* (wie Anm. 3) 23.

[29] So die Stimme eines evangelischen Pfarrers, Johannes STRAUSS, in: *In memoriam* (wie Anm. 3) 31.

[30] TEWES, *Aufbau der Gemeinde Jesu* (wie Anm. 2) 6.

[31] TEWES, *Aufbau der Gemeinde Jesu* (wie Anm. 2) 6.

Beide Aspekte dieses Wirkens verbinden sich glücklich in seinem letzten großen Werk „Das Abschiedsmahl Jesu und die Eucharistie der Kirche"[32], das den mit der Arbeit bei Adam begonnenen Bogen beschließt und erst nach seinem am 5. März 1980 eingetretenen Tod erschien. Was er hier zu Feierform, Eucharistiegebet, Opfer und „das bewirkende Moment des Sakramentes" schrieb, ist der Liturgiewissenschaft zwar selbstverständlich, aber längst noch nicht theologisches Allgemeingut.[33]

2. Ein Beweger der Liturgischen Bewegung: Vom Leipziger Oratorium zum Liturgischen Institut

2.1 Bemühung um Gemeinschaftsmesse und Ostervigil

Als Priester im Oratorium und Burgkaplan auf Rothenfels stand Kahlefeld als Gestalter und „Beweger"[34] inmitten der Liturgischen Bewegung. Schon am Beginn lag dem ein Liturgieverständnis zu Grunde, wie es vom Konzil drei Jahrzehnte später bestätigt wurde: Die Heilszuwendung Gottes und die Antwort des Menschen. „Liturgie ist ja beides, Dienst am Menschen und Gottesdienst."[35] Erforderlich war für ihn, dass man den Gottesdienst „mit Innen- und Außenseite erfaßt, in seiner Tiefe im Meßopfer und in seiner Bewährung im täglichen Leben der Pflichterfüllung und der Liebe, den ganzen Sinn der Kirche in Richtung auf Gott"[36]. Die Messe ist „das Erlösungsopfer Christi [...]. Das ‚sichtbare Zeichen' aber dieses Sakramentes ist das Mahl der Jünger [...]."[37] Diese Betonung der Mahlgestalt steht hier in Übereinstimmung mit Guardini.[38]

Es ging Kahlefeld und seinen Mitbrüdern darum, dass der Gottesdienst zum Höhepunkt des Gemeindelebens wird und als Feier in Gemeinschaft Gottesbegegnung ermöglicht.[39] Von daher war die Gemeinschaftsmesse das Ziel der Bemühungen. Erprobt wurde dies von ihm mit Jugendlichen in einem eigens dafür gestalteten Raum mit frei stehendem Altar, Tischen in U-Form sowie einem Lesepult inmitten des Raumes. Die Wand hinter dem Altar blieb frei, „ihre Leere aber soll erfüllt sein von der unsichtbaren Erscheinung Christi"[40]. Wert gelegt wurde auf die Rollenverteilung: die Gemeinde, geführt von einem

---

[32]   Frankfurt/M. 1980. Vgl. dazu ALw 23. 1981, 205–207.

[33]   Die Erkenntnis Kahlefelds, dass das ganze Eucharistiegebet konsekratorisch ist und nicht eine „Konsekrationsformel", hat das römische Lehramt erst jüngst anerkannt. Vgl. u.a. Klemens RICHTER, Eine Ganzheit. Eine römische Entscheidung zur Bedeutung der Einsetzungsworte im Hochgebet, in: Gottesdienst 37. 2003, 22f.

[34]   TEWES, Aufbau der Gemeinde Jesu (wie Anm. 2) 6.

[35]   Heinrich KAHLEFELD, Die Liturgie der Kirche und die Jugend, in: St.-Benno-Kalender. Der katholische Volkskalender für das Bistum Meißen 83. 1933, 93.

[36]   Heinrich KAHLEFELD, Die Sakramente in unserem Leben, in: Burgbrief Burg Rothenfels, Brief 14/15 1934, 94.

[37]   Heinrich HEINFELD (Pseudonym Heinrich KAHLEFELD), Gottesdienst, in: Von der Herrlichkeit christlichen Lebens. Hg. von Johannes MAASSEN. Freiburg/Br. 1937, 117–128, hier 127f.

[38]   Vgl. Romano GUARDINI, Besinnung vor der heiligen Messe. Bd. 2. Mainz 1939, 74.

[39]   Zur Erneuerung der Gemeindeliturgie in Leipzig vgl. POSCHMANN, Das Leipziger Oratorium (wie Anm. 6) 109–226, der im Einzelnen auch die Beteiligung von Kahlefeld daran belegt. Das Folgende stützt sich weitgehend darauf.

[40]   HEINFELD, Gottesdienst (wie Anm. 37) 124.

„Sänger", der „Leser" für die Schriftlesungen und der Priester für „die Orationen, das Eucharistische Hochgebet, beginnend mit der Präfation, und die
eucharistischen Tätigkeiten: unser Brot zu empfangen und auf dem Altar nie-
derzulegen, den Wein zuzubereiten, die ganze Opferhandlung zu vollziehen
und schließlich das heilige Mahl zu bereiten"[41].

Als Folge dieser gründlichen Überlegungen und Erfahrungen in der Liebfrauengemeinde erschien 1933 der erste gedruckte Messtext: „Die heilige Messe in gemeinsamer Feier", der die „Hochamtsregel"[42] zu Grunde lag. 1934 und
1936 folgten veränderte Fassungen, wobei keineswegs schon alles in die Muttersprache übertragen wurde, Kahlefeld allerdings 1936 den gesamten Kanon
übersetzt hatte. Dabei ging es ihm um die Betonung der Einheit dieses Gebetes
als an den Vater gerichtetes „Danksagungs- und Opfergebet"[43]. Dieser Messtext
wurde in Meißen de facto zur Bistumsliturgie.

Kahlefeld hatte auch Anteil an den Leipziger Bemühungen seit 1932 um
eine Feier der Ostervigil für die ganze Gemeinde am Ostermorgen anstelle der
Klerikerliturgie am Karsamstagmorgen[44] sowie – als dies auf Widerstand bei der
Kirchenleitung stieß – an einer volkstümlichen Auferstehungsfeier ab 1937 mit
den Elementen: Geheimnis des Lichts, Gedächtnis der Taufe, Osterbotschaft
und Vesper. Kahlefeld gab dazu in der Aufmachung der Leipziger Texte die
„Deutsche Auferstehungsfeier" heraus,[45] die auf Rothenfels am Abend des Kar-
samstag, in Leipzig am Ostermorgen gefeiert wurde.

2.2 Tagzeitenliturgie von Leipzig aus

Die Tagzeitenliturgie, vor allem die Komplet, erlangte innerhalb der Jugendbewegung größte Bedeutung,[46] wobei nicht zuletzt Leipzig eine wesentliche Rolle
übernahm.[47] Für Kahlefeld war klar, „daß die Feier der hohen Feste nicht auf
die Morgenfeier der Messe beschränkt bleiben darf, sondern in den Abendfei-
ern der Vespern ihren Ein- und Ausklang finden muß"[48]. Erste Versuche einer
deutschen Komplet von Kahlefeld gab es schon 1931. Bald war sie fester Bestandteil der Gemeindeliturgie, ebenso wie Metten und Vespern für die Hoch-
feste und Sonntage, aber auch die Fastenzeit und Freitage des Jahres oder die
Marienfeste. Übersetzungen und Vertonungen gingen vornehmlich auf Kahlefeld zurück. Druckausgaben[49] wurden ab 1934 erstellt, wobei die Komplet als

---

[41]　HEINFELD, *Gottesdienst* (wie Anm. 37) 121.

[42]　Rupert BERGER, *Hochamt (Hochamtsregel)*, in: DERS., *Neues Pastoralliturgisches Handlexikon*. Freiburg/Br. 1999, 200f.

[43]　Eine Synopse dieser Textausgaben mit dem Einheitstext von 1929 und dem Missale
Romanum bei POSCHMANN, *Das Leipziger Oratorium* (wie Anm. 6) 242–255. Die Ausgaben liturgischer Text des Oratoriums ebd. XV.

[44]　Vgl. POSCHMANN, *Das Leipziger Oratorium* (wie Anm. 6) 129–208.

[45]　Heinrich KAHLEFELD, *Deutsche Auferstehungsfeier*. Würzburg 1939.

[46]　Vgl. u.a. Theodor MAAS-EWERD, *Zur Bedeutung der Komplet in der Jugendseelsorge der dreißiger Jahre*, in: Klerusblatt 68. 1988, 317–321.

[47]　Vgl. POSCHMANN, *Das Leipziger Oratorium* (wie Anm. 6) 172–192.

[48]　Heinrich KAHLEFELD, *Der heilige Gottesdienst der Kirche*, in: Die Kirche und die Welt. Beiträge zur christlichen Besinnung in der Gegenwart. Hg. von Erich KLEINEIDAM – Otto KUSS.
Salzburg – Leipzig 1937, 27–47, hier 45.

[49]　Vgl. oben Anm. 43.

„so meisterhaft übersetzt und vertont, und zum gemeinsamen Singen und Beten geschaffen ist", dass sie „fast die ganze katholische Jugend und viele Pfarrgemeinden erobert hat"[50]. Allein von der Komplet wurden bis 1941 mehr als eine halbe Million Exemplare gedruckt. Einfluss hatte dies nicht nur auf viele Diözesangesangbücher, sondern auch auf die Reform der Tagzeitenliturgie durch das Zweite Vatikanum.

2.3 Auf dem Weg zu Liturgiekommission und Liturgischem Institut

Hier kann nur kurz auf den Anteil Kahlefelds verwiesen werden, der inzwischen gründlich erforscht ist.[51] Er engagierte sich für die Schaffung organisatorischer Strukturen, die der Liturgischen Bewegung kirchenoffiziellen Charakter verschaffen sollten. Gemeinsam mit dem Trierer Generalvikar Heinrich von Meurers war er Initiator der „Arbeitsgemeinschaft für Gestaltung des pfarrlichen Gottesdienstes", die nur einmal, am 21./22. Oktober 1939, in der Abtei Schweiklberg tagte und neben den Genannten Bischof Simon Konrad Landersdorfer von Passau, Romano Guardini und Josef Andreas Jungmann zusammenführte. Kahlefeld hat auf verschiedensten Ebenen daran gearbeitet und erreicht, dass die Fuldaer Bischofskonferenz im August 1940 eine Liturgische Kommission einrichtete. Dazu gehörte auch ein Gutachten, dass der Vorsitzende der Konferenz, Erzbischof Adolf Bertram von Breslau, allen Bischöfen zuvor zugesandt hatte. Die neue Kommission konstituierte sich am 24. Oktober 1940. Von da an gehörte ihr auch Kahlefeld an. Was in Leipzig erarbeitet worden war, besonders hinsichtlich der Gemeinschaftsmesse, konnte schon 1942 der Bischofskonferenz vorgelegt werden, die diesen „Richtlinien zur Gestaltung des pfarrlichen Gottesdienstes" zustimmte.[52]

Am 17. Dezember 1947 wurde bei der XI. Sitzung der Liturgischen Kommission die Gründung des Liturgischen Instituts mit Sitz in Trier beschlossen, dem die (späteren Münchener) Oratorianer Klemens Tilmann und Kahlefeld angehörten.

3. Vorbereitung und Umsetzung der liturgischen Erneuerung des Zweiten Vatikanischen Konzils

Mit der Übernahme der Leitung der Burg Rothenfels 1948 setzte Kahlefeld die Arbeit von Guardini fort, wobei neben Themen aus Bildung, Naturwissenschaft und Politik der Gottesdienst in seiner praktischen Umsetzung wie theologischen Durchdringung im Vordergrund stand. Zunehmend befasste er sich auch mit der Errichtung des Münchener Oratoriums. Wie eng die Verbindung zwi-

---

[50] August GÖLLNER, Volksliturgische Umschau u. Hinweise, in: Werkblätter 9. 1936/37, 210.

[51] Vgl. dazu Theodor MAAS-EWERD, Unter „Schutz und Führung" der Bischöfe. Zur Entstehung der Liturgischen Kommission im Jahre 1940 und zu ihrem Wirken bis 1947, in: LJ 40. 1990, 129–163.

[52] Zu den Sitzungen der Kommission und zur Mitarbeit von Kahlefeld vgl. Balthasar FISCHER, Auf dem Weg zum Konzil. Die Sitzungen der Liturgischen Kommission der Deutschen Bischofskonferenz von der ersten Sitzung nach Gründung des Liturgischen Instituts (1.–3.6.1945) bis zur letzten Sitzung vor dem Konzil (1.–5.4.1962). Ein Durchblick, in: LJ 40. 1990, 164–177 (die erste Sitzung war tatsächlich am 1.–3.6.1948!); Heinrich RENNINGS, Aus der Arbeit der Liturgiekommission der Deutschen Bischofskonferenz in den Jahren 1963–1990, in: LJ 40. 1990, 178–191.

schen Kahlefeld und seinen Mitbrüdern einerseits und Guardini andererseits blieb, wird auch dadurch belegt, dass Guardini 1964 auf dem Friedhof der Oratorianer beerdigt wurde.

3.1 St. Laurentius München: Kirchenbau im Dienst liturgischer Erneuerung

Der Neubau der Kirche St. Laurentius 1955 „hat im modernen deutschen Sakralbau eine Schlüsselstelle inne. Ein Jahrzehnt vor dem Zweiten Vatikanum nimmt sie durch ihre räumliche Konzeption die römische Liturgiereform vorweg. Erstmals wird in Deutschland der Gedanke, die Gemeinde um eine ‚Mitte‘ zu versammeln, baulich umgesetzt."[53] Liturgietheologisch geht diese Gestaltung voll und ganz auf Kahlefeld zurück. Hier konnte er verwirklichen, was er theologisch schon in Leipzig erarbeitet hatte[54] und was dort schon anfanghaft mit Hilfe des Burgarchitekten von Rothenfels, Rudolf Schwarz,[55] versucht worden war.[56] Für die Konzeption von Kahlefeld[57] erwies sich der Architekt Emil Steffann[58] in Verbindung mit Siegfried Östreicher als kongenial. Hier ist eine auch heute noch gültige Umsetzung dessen gelungen, was ein Ziel der Liturgischen Bewegung war: „Die Gemeinde umrahmt von drei Seiten den fast in der Mitte leicht erhöht stehenden Altar, wobei der Kreis durch die Bank für die liturgischen Dienste in einer Konche auf der vierten Seite geschlossen wird. Ein zentral akzentuierter Raum[59] eint die Gemeinde und sammelt sie um ein Zentrum, das Christus in der liturgischen Handlung in ihrer Mitte gegenwärtig weiß, was im Zeichen des Altares sinnenfällig wird. Damit wurde hier die Idee des ‚geschlossenen Rings‘ von Schwarz in eine Raumgestalt umgesetzt, die die-

---

53 Albert GERHARDS, Räume für eine tätige Teilnahme. Katholischer Kirchenbau aus theologisch-liturgischer Sicht – Spaces for Active Participation. Theological and Liturgical Perspectives on Catholic Church Architecture, in: Europäischer Kirchenbau 1950–2000 – European Church Architecture. Hg. von Wolfgang Jean STOCK. München u.a. 2002, 42.

54 Vgl. Heinrich KAHLEFELD, Der Altar, in: Volksliturgie und Seelsorge. Ein Werkbuch zur Gestaltung des Gottesdienstes in der Pfarrgemeinde. Hg. von Karl BORGMANN. Kolmar o.J. [1942], 181–185.

55 Vgl. Walter ZAHNER, Rudolf Schwarz – Baumeister der Neuen Gemeinde. Ein Beitrag zum Gespräch zwischen Liturgietheologie und Architektur in der Liturgischen Bewegung. Altenberge ²1998 (MThA 15); Rudolf Schwarz (1897–1961). Werk, Theorie, Rezeption. Hg. von Conrad LIENHARDT. O.O. [Regensburg] o.J. [1997] (Kunstreferat der Diözese Linz. Reihe Kirchenbau 1).

56 Zur Liebfrauenkirche Leipzig vgl. POSCHMANN, Das Leipziger Oratorium (wie Anm. 6) 209–226.

57 Heinrich Kahlefeld, Kirche St. Laurentius München, in: KuK 26. 1963, 2–10. Vgl. Tobias DULISCH, St. Laurentius München-Gern. Kirchenbau und Gemeindegestaltung einer Großstadtpfarrei im Geist liturgischer Erneuerung. Münster 2003 (maschinenschriftl. Diplomarbeit).

58 Johannes HEIMBACH, „Quellen menschlichen Seins und Bauens offen halten". Der Kirchenbaumeister Emil Steffann (1899–1968). Altenberge 1995 (MThA 36); Emil Steffann (1899–1968). Werk, Theorie, Wirkung. Hg. von Conrad LIENHARDT. O.O. [Regensburg] o.J. [1999] (Kunstreferat der Diözese Linz. Reihe Kirchenbau 2).

59 Vgl. Heinrich KAHLEFELD, Die Stellung des Altars im zentral akzentuierten Raum, in: Christliche Kunstblätter 99. 1961, 126–130.

ser selbst zwar im Rittersaal auf Burg Rothenfels andeutungsweise verwirklicht, später aber für eigentlich nicht durchführbar gehalten hatte."[60]

3.2 Der Konzilstheologe: Neuordnung der Schriftlesungen

Kahlefeld verband wie sonst wohl niemand im deutschen Sprachgebiet die Anliegen von Bibelbewegung und Liturgischer Bewegung in seiner Person. So hatte er sich schon beim 2. Internationalen Liturgischen Studientreffen 1952 auf dem Odilienberg im Elsass und beim 3. Studientreffen 1953 in Lugano zu einer Neuordnung der Messperikopen geäußert.[61] Johannes Wagner hatte zudem von ihm einen „vierten Entwurf einer reicheren Leseordnung" erbeten,[62] diesen aber „für eine etwaige Verhandlung mit der Kurie zurückgehalten. Darüber kam es zum Konzil, und die Frage stellte sich neu [...]"[63]. Beteiligt war Kahlefeld auch an der Schaffung eines neuen Psalters, der „dann als Einheitstext von der Fuldaer Bischofskonferenz angenommen wurde"[64].

Kahlefeld wurde in die am 6. Juni 1960 errichtete Liturgische Vorbereitungskommission des Zweiten Vatikanums als Konsultor berufen und der Unterkommission II „Die Messe" zugeteilt, die unter der Leitung von Josef Andreas Jungmann stand.[65] Ebenso war er nach Verabschiedung von Sacrosanctum Concilium Konsultor des 1964 eingerichteten Consiliums zur Ausführung der Liturgiekonstitution, und zwar im Coetus XI, dem „eine der schwierigsten Aufgaben der ganzen Reform übertragen (wurde): die Reorganisation der Lesungen der Messe. Sie stellte den wichtigsten Teil der Wiederaufwertung des Wortes Gottes in der Liturgie dar."[66] Auch aufgrund der Vorarbeiten Kahlefelds konnte der Ordo lectionum Missae schon 1969 veröffentlicht werden.

Damit stellte sich für Kahlefeld eine neue Aufgabe, denn „nun mußten den Predigern Hilfen an die Hand gegeben werden, um die sich bietende Chance für die Verkündigung auch wirklich zu nutzen. So ist dann [...] der große Perikopenkommentar ‚Die Episteln und Evangelien der Sonn- und Festtage' entstanden,[67] den Heinrich Kahlefeld redigiert und zu dem er selbst zahlrei-

[60] Klemens RICHTER, *Kirchenbau und Liturgie. Zur Wiedergewinnung und Weiterführung der liturgischen Bewegung in heutiger Raumgestalt*, in: KuK 61. 1998, 4.

[61] Heinrich KAHLEFELD, *Ordo Lectionum Missae*, in: LJ 3. 1953, 52–59; DERS., *Ordo Lectionum Missae II*, in: LJ 3. 1953, 301–309.

[62] Diesen Entwurf hatte Kahlefeld 1953 erstellt und 1961 überarbeitet: Heinrich KAHLEFELD, *Ordo Lectionum*, in: LJ 13. 1963, 133–139.

[63] Johannes WAGNER, *Mein Weg zur Liturgiereform 1936–1986. Erinnerungen.* Freiburg/Br. 1993, 19.

[64] WAGNER, *Mein Weg zur Liturgiereform* (wie Anm. 63) 42. Der Arbeitsgruppe gehörten auch Guardini und Wagner an.

[65] Annibale BUGNINI, *Die Liturgiereform 1948–1975. Zeugnis und Testament.* Deutsche Ausgabe hg. von Johannes WAGNER unter Mitarbeit von François RAAS. Freiburg/Br. 1988, 35.

[66] BUGNINI, *Die Liturgiereform* (wie Anm. 65) 439. Später wurde auch Klemens Tilmann noch Konsultor dieses Coetus.

[67] *Die Episteln und Evangelien der Sonn- und Festtage. Auslegung und Verkündigung.* 23 Bde. Hg. von Heinrich KAHLEFELD in Verbindung mit Otto KNOCH. Frankfurt/M. – Stuttgart 1969–1973; *Episteln und Evangelien. Auslegung und Verkündigung.* Ergänzungsbd. 1.1. *Taufe und Firmung.* Frankfurt/M. – Stuttgart 1973; Ergänzungsbd. 1.2. *Taufe und Firmung.* Frankfurt/M. – Stuttgart 1974; Ergänzungsbd. 2. *Ehe und Familie.*

che Beiträge geschrieben hat."[68] Diese Arbeit an der Schrift für die Verkündigung vor allem in der Liturgie nach dem Konzil verband sich glücklich mit der Aufgabe, die Kahlefeld zwischen 1964 und 1973 als Dozent und Direktor am von ihm selbst aufgebauten Institut für Katechetik und Homiletik in München wahrnahm.[69] Der Titel der ihm zum 70. Geburtstag gewidmeten Festschrift bringt dies auf den Punkt: „Das Evangelium auf dem Weg zum Menschen."[70]

Kahlefeld war ein Exeget und Liturgiker, der sich erfolgreich um die Vermittlung der Erkenntnisse dieser Disziplinen in die Praxis bemüht hat. Er konnte zudem in seinem Leben und Wirken die Liturgische Bewegung mit der nachkonziliaren liturgischen Erneuerung verbinden und so noch selbst erleben, wie die Früchte seines Arbeitens in der Kirche umgesetzt wurden, woran er wiederum großen Anteil hatte.

Auswahlbibliografie
Der geordnete Nachlass von Heinrich Kahlefeld befindet sich im Münchener Oratorium, Nürnberger Str. 54, D-80637 München. Seine Bibliografie wurde von Agnes Bohlen 1992 erstellt (masch.). Ein Desiderat bleibt, die Fülle seiner Arbeiten, vor allem seine Aufsätze zum Bereich Gottesdienst, in einer Bibliografie gedruckt zugänglich zu machen.

Die Liturgie der Kirche und die Jugend, in: St.-Benno-Kalender. Der katholische Volkskalender für das Bistum Meißen 83. 1933, 93.

Die Sakramente in unserem Leben, in: Burgbrief Burg Rothenfels, Brief 14/15. 1934, 94.

Heinrich HEINFELD (Pseudonym Heinrich KAHLEFELD), *Gottesdienst*, in: *Von der Herrlichkeit christlichen Lebens*. Hg. von Johannes MAASSEN. Freiburg/Br. 1937, 117–128.

Der heilige Gottesdienst der Kirche, in: *Die Kirche und die Welt. Beiträge zur christlichen Besinnung in der Gegenwart*. Hg. von Erich KLEINEIDAM – Otto KUSS. Salzburg – Leipzig 1937, 27–47.

Deutsche Auferstehungsfeier. Würzburg 1939.

Der Altar, in: *Volksliturgie und Seelsorge. Ein Werkbuch zur Gestaltung des Gottesdienstes in der Pfarrgemeinde*. Hg. von Karl BORGMANN. Kolmar o.J. [1942], 181–185.

Ordo Lectionum Missae, in: LJ 3. 1953, 52–59.

Ordo Lectionum Missae II, in: LJ 3. 1953, 301–309.

Die Stellung des Altars im zentral akzentuierten Raum, in: Christliche Kunstblätter 99. 1961, 126–130.

Kirche St. Laurentius München, in: KuK 26. 1963, 2–10.

Ordo Lectionum, in: LJ 13. 1963, 133–139.

Die Episteln und Evangelien der Sonn- und Festtage. Auslegung und Verkündigung. 23 Bde. Hg. von Heinrich KAHLEFELD in Verbindung mit Otto KNOCH. Frankfurt/M. – Stuttgart 1969–1973.

Frankfurt/M. – Stuttgart 1976; Ergänzungsbd. 3.1. *Kirchliche Dienste*. Frankfurt/M. – Stuttgart 1976; Ergänzungsbd. 3.2. *Kirchliche Dienste*. Hg. von Heinrich KAHLEFELD in Verbindung mit Otto KNOCH. Frankfurt/M. – Stuttgart 1977.

[68] FISCHER, *Erneuerung aus dem Ursprung* (wie Anm. 24) 141f.

[69] Gerade in diesen Jahren, aber auch noch bis zu seinem Tod publizierte Kahlefeld eine Fülle von Aufsätzen und Büchern zur Schriftverkündigung.

[70] Vgl. oben Anm. 7.

Episteln und Evangelien. Auslegung und Verkündigung. Ergänzungsbd. 1.1. *Taufe und Firmung.* Frankfurt/M. – Stuttgart 1973; Ergänzungsbd. 1.2. *Taufe und Firmung.* Frankfurt/M. – Stuttgart 1974; Ergänzungsbd. 2. *Ehe und Familie.* Frankfurt/M. – Stuttgart 1976; Ergänzungsbd. 3.1. *Kirchliche Dienste.* Frankfurt/M. – Stuttgart 1976; Ergänzungsbd. 3.2. *Kirchliche Dienste.* Hg. von Heinrich KAHLEFELD in Verbindung mit Otto KNOCH. Frankfurt/M. – Stuttgart 1977.

Das Abschiedsmahl Jesu und die Eucharistie der Kirche. Frankfurt/M. 1980.

Theodor Klauser (1894–1984)

Ernst Dassmann

1. Werdegang

Theodor Klauser wurde am 25. Februar 1894 in Ahaus/Westfalen unweit der holländischen Grenze geboren.[1] Nach dem Abitur und einem Semester Jurastudium trat er 1912 als noch Achtzehnjähriger in die Benediktinerabtei Gerleve bei Coesfeld/Westfalen ein. Nach ewiger Profess und klostereigenem Studium empfing er am 3. April 1918 die Priesterweihe. Der junge Mönch fühlte sich im Kloster nicht wohl. Er klagte über die Monotonie des klösterlichen Alltags und fehlende geistige Anregungen im Haus. Seine Oberen hatten ein Einsehen und schickten ihn zum Weiterstudium an die Universität Münster zu Prof. Franz Joseph Dölger. Klauser berichtet:

„Diesen suchte ich entschlossen auf und bat ihn, mir ein Thema für die Doktordissertation zu geben. Dölger hatte offenbar eine solche Anfrage schon bei sich erwogen, denn er antwortete sofort: ‚Arbeiten Sie über die Kathedra im Totenkult'"[2].

Damit war die Entscheidung über Klausers weiteren Lebensweg gefallen. Im Einverständnis mit seinem Abt und durch Vermittlung des Priors konnte Klauser Gerleve verlassen und in die Erzdiözese Paderborn inkardiniert werden. Er bereitete sich zwar auf den Schuldienst vor, wurde am 31. Juli 1925 zum Dr. theol. promoviert und legte noch im selben Jahr die erste Staatsprüfung für das Lehramt an Höheren Schulen ab, aber sein Ziel war nicht die Schule, sondern die Universität. Er erhielt ein Reisestipendium des Deutschen Archäologischen Instituts und konnte mit der Erlaubnis seines Erzbischofs in das Collegio Teutonico am Campo Santo in Rom übersiedeln. Hier vervollständigte er zunächst seine Doktorarbeit hinsichtlich des Denkmälermaterials. Sie konnte 1927 unter dem Titel „Die Cathedra im Totenkult der heidnischen und christlichen Antike" in der renommierten Reihe der „Liturgiegeschichtlichen Forschungen" bei

---

[1] Zu Leben und Werk Klausers vgl. Ernst DASSMANN, *Theodor Klauser, 1894–1984*, in: JAC 27/28. 1984/85, 5–23; Friedrich Wilhelm DEICHMANN, *Theodor Klauser, 25. Februar 1894–24. April 1984*, in: Mitteilungen des Deutschen Archäologischen Instituts. Römische Abteilung 92. 1985, 1–8; Ernst DASSMANN, *Theodor Klauser*, in: LThK 6. 1997, 118; DERS. *Entstehung und Entwicklung des „Reallexikons für Antike und Christentum" und des Franz Joseph-Dölger-Instituts in Bonn*, in: JAC 40. 1997, 5–17; Norbert M. BORENGÄSSER, *Briefwechsel Theodor Klauser – Jan Hendrik Waszink 1946–1951. Ein zeitgeschichtlicher Beitrag zur Fortführung des RAC nach dem II. Weltkrieg*, ebd. 18–37; Achim BUDDE, *Klauser, Theodor*, in: BBKL 17. 2000, 791–805 (vgl. www.bautz.de/bbkl).

[2] Theodor KLAUSER, Skizze I; vgl. DASSMANN, *Theodor Klauser* (wie Anm. 1) 5, 7; Theodor KLAUSER, *Franz Joseph Dölger, 1879–1940. Sein Leben und sein Forschungsprogramm „Antike und Christentum"*. Münster 1980 (JAC.E 7), 77.

Aschendorff in Münster erscheinen. Die Arbeit erregte Aufmerksamkeit und fand wissenschaftliche Anerkennung.[3]

Gern wäre Klauser gereist, denn sein Lehrer Dölger und der Aufenthalt in Rom dürften von Anfang an sein Interesse für die christlichen Denkmäler der Frühzeit der Kirche geweckt haben. Er plante, die frühchristlichen Monumente Nordafrikas an Ort und Stelle zu studieren, aber Frankreich verweigerte das Einreisevisum nach Tunis und Algerien – die Spannungen nach dem Ersten Weltkrieg waren noch nicht abgebaut. So musste er sich mit einer Balkanreise begnügen, über deren wissenschaftliche Ausbeute nichts bekannt ist. Vor allem aber nutzte Klauser die römischen Jahre zur Materialsammlung für eine Habilitationsschrift, die wiederum ein liturgiehistorisches Thema zum Gegenstand hatte.

Das Schlusskapitel der Dissertation über die Anfänge des Festes „Petri Stuhlfeier" hatte die allgemeine Frage nach Entstehung und Verbreitung frühchristlicher liturgischer Feste geweckt. Dem wollte Klauser nachgehen. Die Durchführung des Plans machte ein umfangreiches Handschriftenstudium in zahlreichen Bibliotheken verschiedener Länder erforderlich und konnte allein in Rom nicht geleistet werden. Sowieso musste er – nachdem seine Stipendienmittel in Rom aufgebraucht waren – nach Deutschland und auf Geheiß seines Erzbischofs in den Schuldienst zurückkehren. Es gelang ihm jedoch, sich nach Bonn versetzen zu lassen, wohin sein Lehrer Dölger 1929 übergewechselt war. Auch in Bonn war er im Schuldienst tätig und legte sogar sein zweites pädagogisches Staatsexamen ab, konnte aber wenig später im Wintersemester 1930/31 seine Habilitationsschrift abliefern. Seine Probevorlesung hatte die Anfänge der römischen Bischofsliste zum Gegenstand,[4] die öffentliche – nicht veröffentlichte – Antrittsvorlesung handelte über den frühchristlichen Volksbrauch des Totenrefrigeriums. Die am 6. Februar 1931 erteilte *venia legendi* umfasste die „Kirchengeschichte mit Einschluß der Christlichen Archäologie, Religions- und Liturgiegeschichte". Liturgiegeschichte und Christliche Archäologie bildeten – und zwar in dieser Reihenfolge – die beiden Schwerpunkte von Klausers Forschungsarbeit.

Mit dem Ergebnis seiner Habilitationsschrift war Klauser selbst wegen des Missverhältnisses zwischen Aufwand und Ertrag nicht ganz zufrieden.[5] Verschiedene Aufsätze bereiten ihre Publikation vor bzw. entlasten sie,[6] denn 1935

---

[3]   Eine 2., erweiterte Auflage erschien in: LQF 21 (Münster 1971), eine 3. ebd. 1979.

[4]   Vgl. Theodor KLAUSER, *Die Anfänge der römischen Bischofsliste*, in: BZThS 8. 1931, 193–213; wiederabgedruckt in: DERS., *Gesammelte Arbeiten zur Liturgiegeschichte, Kirchengeschichte und Christlichen Archäologie*. Münster 1974 (JAC.E 3), 121–138. Die Angabe des Wiederabdrucks erfolgt – hier wie auch bei den folgenden bibliografischen Hinweisen – nicht nur wegen der (wahrscheinlich) leichteren Auffindbarkeit, sondern vor allem wegen der z.T. umfangreichen Ergänzungen und nicht selten auch Korrekturen, die Klauser selbst beim Wiederabdruck angebracht hat, um den Forschungsfortschritt seit der häufig Jahrzehnte zurückliegenden Erstveröffentlichung zu dokumentieren.

[5]   Vgl. Theodor KLAUSER, *Skizzen* I, II, III; vgl. DASSMANN, *Theodor Klauser* (wie Anm. 1) 9. Positiver akzentuiert KLAUSER, *Franz Joseph Dölger* (wie Anm. 2) 91.

[6]   Vgl. z.B. Theodor KLAUSER, *Grundsätzliches für die Herausgabe alter Sakramentartexte*, in: JLw 6. 1926, 205–209; DERS., *Bedeutsame Reste eines zentralitalienischen Sakramentars aus*

konnte nur der erste Teil mit einer kritischen Edition des ältesten stadtrömischen Capitulare Evangeliorum veröffentlicht werden.[7] Es gelang Klauser die Entwicklung des stadtrömischen Festkalenders im 7. und 8. Jahrhundert nachzuzeichnen, ein bis heute wichtiger Beitrag zur liturgischen Forschung.[8]

Die liturgiegeschichtlichen Arbeiten des jungen Privatdozenten scheinen nicht unbemerkt geblieben zu sein. Wie auch immer vermittelt, 1931 konnte Klauser als Wissenschaftlicher Assistent für Christliche Archäologie bei der römischen Abteilung des Deutschen Archäologischen Instituts nach Rom zurückkehren und dort bis 1934 erneut eine wichtige und für seine wissenschaftliche Entwicklung fruchtbare Zeit verbringen. Die drei römischen Jahre dürften zu den Höhepunkten in Klausers Leben gehört haben. Er traf die führenden Wissenschaftler seines Fachgebietes, seine Führungen durch die Basiliken Roms wurden zu einem gesellschaftlichen Ereignis für die deutsche Kolonie, und Ludwig Curtius, der Erste Direktor des Römischen Instituts, schenkte ihm seine uneingeschränkte Hochachtung. Nicht zuletzt durch seine Führungen dürften Klauser die vielfältigen Beziehungen zwischen den ihm vertrauten liturgischen Texten und den verschiedenen Sakralbauten, der Basilika, dem Zentralbau, Bischofs- und Zömeterialkirchen, Baptisterien und Memorien aufgegangen sein. Liturgiewissenschaft und Christliche Archäologie ergänzten sich in glücklicher Weise.[9] Als Klauser nach Bonn zurückkehrte, stand einer wissenschaftlichen Karriere eigentlich nichts im Wege.

2. Liturgiegeschichtliche Arbeiten

Doch die Zeitumstände sorgten für Irritationen, welche die berechtigten Erwartungen des jungen Gelehrten nicht wenig durchkreuzten. Nach Bonn zurückgekehrt, wurde Klauser die Stelle eines Oberassistenten an den Seminaren der Katholisch-Theologischen Fakultät übertragen. Eigentlich hätte

dem 8. Jahrhundert, ebd. 225–229; DERS., Ein vollständiges Evangelienverzeichnis der römischen Kirche aus dem 7. Jahrhundert, erhalten im Cod. Vat. Pal. lat. 46, in: DERS., Gesammelte Arbeiten (wie Anm. 4) 5–21; DERS., Un document du IXe siècle. Notes sûr l'ancienne liturgie de Metz, in: ASHL 38. 1929, 1–14; DERS., Eine Stationsliste der Metzer Kirche aus dem 8. Jahrhundert, wahrscheinlich ein Werk Chrodegangs, in: DERS., Gesammelte Arbeiten (wie Anm. 4) 22–45; DERS., Ein Kirchenkalender der römischen Titelkirche der heiligen Vier Gekrönten, in: ebd. 46–70. Das Thema der Feste hat Klauser weiterhin begleitet. Vgl. DERS., Fest, in: RAC 7. 1969, 747–766; DERS., Festankündigung, in: ebd. 767–785; DERS., Der Festkalender der Alten Kirche im Spannungsfeld jüdischer Traditionen, christlicher Glaubensvorstellungen und missionarischen Anpassungswillens, in: Kirchengeschichte als Missionsgeschichte. 1. Die Alte Kirche. Hg. v. Hansgünter FROHNES – Uwe W. KNORR. München 1974, 377–388.

[7]   Vgl. Theodor KLAUSER, Das römische Capitulare Evangeliorum. Texte und Untersuchungen zu seiner ältesten Geschichte. I. Typen. Münster 1935 (LQF 28). Eine 2., um Verbesserungen und Ergänzungen vermehrte Auflage erschien ebd. 1972. KLAUSER, Gesammelte Arbeiten (wie Anm. 4) 21 bemerkt noch 1974: „Der Edition der ‚Typen‘ sollte ein zweiter Band mit dem liturgiegeschichtlichen Kommentar und ein dritter mit weiteren Einzeltexten folgen. Dieser Plan konnte nicht ausgeführt werden, weil andere Aufgaben alle Kräfte in Anspruch nahmen und ein großer Teil des gesammelten Materials im Kriege verloren ging."

[8]   Vgl. Cyrille VOGEL, Introduction aux sources de l'histoire du culte chrétien au moyen âge. Réédition anastatique, préfacée par Bernard BOTTE. Spoleto 1975 (BStMed 1), 313–315.

[9]   Vgl. DEICHMANN, Theodor Klauser (wie Anm. 1) 2.

eine Lehrstuhlberufung nicht lange auf sich warten lassen sollen. Doch es kam anders. Am 30. Januar 1937 wurde Klauser zwar routinemäßig zum nichtbeamteten außerordentlichen Professor ernannt und mit Vertretungen vertraut. Aber eine Lehrstuhlberufung blieb aus. In einem Brief an den renommierten Berliner Kirchenhistoriker Hans Lietzmann beklagt er die „historia calamitatum mearum"[10]. In München, Breslau, Würzburg, Braunsberg, Freiburg und Tübingen war er im Gespräch, kam aber nicht zum Zuge, zumal durch eine Sperrverfügung der Regierung die Berufung von Nichtmitgliedern der NSDAP auf Lehrstühle verboten wurde. Nach dem Tod seines verehrten Lehrers wurde Klauser zwar mit der offiziellen Vertretung des Dölgerschen Lehrstuhls beauftragt, doch erst im November 1945 erfolgte – einundfünfzigjährig – die Ernennung zum ordentlichen Professor durch den Oberpräsidenten der Nordrheinprovinz. Auch eine Berufung als Rektor des päpstlichen Pontificio Istituto di Archeologia Cristiana in Rom nach dem Tod des bedeutenden Johann Peter Kirsch 1942 wurde verhindert.[11]

Die Belastungen eines Gelehrtenlebens durch nationalsozialistische Diktatur und Kriegseinwirkungen sind heute nur noch schwer nachvollziehbar und können hier auch nicht ansatzweise ausgebreitet werden. Durch einen Bombenangriff im Oktober 1944 verlor Klauser seine Wohnung, einen großen Teil seiner Bibliothek und unersetzliche Materialsammlungen. Er fand Unterkunft bei den Benediktinerinnen des St. Walburga-Klosters bei Eichstätt, bis ihn der Dekan der Bonner Fakultät Herbst 1945 dringend bat, nach Bonn zurückzukehren. Dort warteten vielfältige hochschulpolitische und wissenschaftsorganisatorische Aufgaben auf den Fünfzigjährigen, der sich in den kommenden Jahren auf dem Höhepunkt seiner Schaffenskraft befand. Bereits 1946/47 wird er Dekan der Fakultät, 1948 Prorektor und 1948/49 sowie 1949/59 Rektor der Universität. Klauser hat diese Ämter nicht angestrebt, konnte sich jedoch als ein über jeden Naziverdacht erhabener Theologe der Verantwortung für die Universität nicht entziehen. Neben Schwierigkeiten mit der Militärregierung erforderte vor allem die Entnazifizierung des Lehrkörpers und anderer führender Beamter der Universität viel Fingerspitzengefühl.

Neben die hauptamtlichen Aufgaben trat eine beeindruckende Zahl neben- und ehrenamtlicher Verpflichtungen, die hier nicht alle aufgezählt werden sollen.[12] Bemerkenswert im hier vorgegebenen Zusammenhang ist Klausers Arbeit als Mitglied der Liturgischen Kommission der Deutschen Bischofskonferenz. In dieser Eigenschaft war er Mitunterzeichner der Gründungsurkunde des Liturgischen Instituts in Trier und zusammen mit Generalvikar Heinrich von Meurers dessen Leiter. In Zusammenarbeit mit den entsprechenden römischen Stellen begannen hier schon früh die Vorbereitungen für eine Erneuerung der Liturgie, die sich in der Liturgiekonstitution des 2. Vatikanischen Konzils niedergeschlagen haben.[13]

[10] DASSMANN, *Theodor Klauser* (wie Anm. 1) 10f, Anm. 27.
[11] Vgl. DEICHMANN, *Theodor Klauser* (wie Anm. 1) 3.
[12] Details und Nachweise bei DASSMANN, *Theodor Klauser* (wie Anm. 1) 12–14.
[13] Vgl. Johannes WAGNER, *Liturgisches Referat – Liturgische Kommission – Liturgisches Institut*, in: LJ 1. 1951, 9–14; Balthasar FISCHER, *In memoriam Theodor Klauser*, in: Gottesdienst 18. 1984, 137f.

Warum Klauser bereits 1952 als Berater der bischöflichen Liturgiekommission ausgeschieden ist, lässt sich nicht zuverlässig beantworten. Seit seinen Schwierigkeiten im Gerlever Kloster hat sich Klauser mit kirchlichen Autoritäten immer schwer getan. Bei seinen unbestreitbaren Verdiensten in der Erforschung und Gestaltung der kirchlichen Liturgie ist es niemals zu einer offiziellen kirchlichen Würdigung gekommen. Eine erst aus Anlass des 85. Geburtstags ins Auge gefasste Ernennung zum päpstlichen Ehrenprälaten wäre nur peinlich gewesen und konnte abgewehrt werden. Gleichwohl hat er ein Bild von Johannes Paul II. mit einer ehrenden persönlichen Widmung des Papstes zu seinem fünfundsechzigsten Priesterjubiläum mit großer Bewegung entgegengenommen und bis zum letzten Tag auf seinem Schreibtisch stehen gehabt.

Klauser hat nicht nur seine Mitgliedschaft in der Liturgiekommission frühzeitig aufgegeben, sondern mit beeindruckender Hartnäckigkeit nach seiner aktiven Universitätszeit auch alle anderen ehrenamtlichen Funktionen sobald wie möglich abgebaut, um sich wieder ganz der Arbeit am Schreibtisch zuwenden zu können. Über sein wissenschaftliches Lebenswerk und den liturgiegeschichtlichen Anteil daran sei nachfolgend berichtet.

Noch in die Kriegszeit fällt eine wegweisende Arbeit, die Klauser lange Zeit beschäftigt hat. Bereits 1943 konzipierte er einen Feldunterrichtsbrief, der den Theologiestudenten an die Front und später auch in der Kriegsgefangenschaft zugeschickt wurde.[14] Die Resonanz muss so positiv gewesen sein, dass schon 1944 Klausers Überlegungen als Manuskript gedruckt werden konnten.[15] Das in englischer, französischer, italienischer und spanischer Übersetzung erschienene Manuskript hat Klauser später zu einer selbständigen Monografie ausgebaut, die – was ihre Verbreitung angeht – zu Klausers erfolgreichster Veröffentlichung werden sollte.[16] Sie wurde ebenfalls ins Spanische, Englische und Italienische übersetzt und von führenden in- und ausländischen Liturgiewissenschaftlern gewürdigt.[17] Leider ist Klausers Buch in Details inzwischen veraltet, in manchen Ansichten vielleicht auch korrekturbedürftig[18] und kann daher nicht wiederaufgelegt werden; gleichwohl markiert es eine Lücke, die zurzeit durch keine andere, gleichrangige Arbeit ausgefüllt wird.

14 Vgl. Theodor KLAUSER, *Altes und Neues aus der abendländischen Liturgiegeschichte* = Katholisch-theologische Fakultät der Rheinischen Friedrich-Wilhelms-Universität Bonn, Feldunterrichtsbrief. 1943.
15 Vgl. Theodor KLAUSER, *Abendländische Liturgiegeschichte. Forschungsbericht und Besinnung*, in: Eleutheria. Bonner Theologische Blätter für kriegsgefangene Studenten 12. 1944, 3–30; separat nachgedruckt 1947.
16 Vgl. Theodor KLAUSER, *Kleine Abendländische Liturgiegeschichte. Bericht und Besinnung. mit zwei Anhängen: Richtlinien für die Gestaltung des Gotteshauses. Ausgewählte bibliographische Hinweise.* Bonn 1965.
17 Vgl. Josef Andreas JUNGMANN, in: ZKTh 88. 1966, 370; Johannes H. EMMINGHAUS, in: ThRv 63. 1967, 189–192; Burkhard NEUNHEUSER, in: ALw 14. 1972, 157; Geoffrey J. CUMING, in: Theology 73. 1970, 331f.
18 Etwa was Klausers negative Bewertung der hochmittelalterlichen Liturgie als ‚subjektivistisch' angeht. Vgl. hierzu Arnold ANGENENDT, *Liturgik und Historik. Gab es eine organische Liturgie-Entwicklung?* Freiburg/Br. [u.a.] 2001 (QD 189), 65, 150.

Größte Aufmerksamkeit haben die Richtlinien erfahren, die Klauser noch als Mitglied der Liturgiekommission herausgegeben hat.[19] Wenige Jahre nach dem Krieg setzte in Deutschland ein Kirchbauboom bei der Wiederherstellung kriegszerstörter und der Errichtung neuer Kirchen ein, wie es ihn zu keiner anderen Zeit gegeben hat. Die Richtlinien haben große Verbreitung gefunden[20] – ob sie auch etwas bewirkt haben, ist eine andere Frage. Klauser scheint sich selbst in aktuelle Diskussionen über den Bau neuer Kirchen, die in der Erzdiözese Köln angesichts bedeutender Architekten und avantgardistischer Neubauten heftig gewesen sein dürften, nicht eingemischt zu haben – wie er überhaupt zu tagespolitischen Fragen gesellschaftlicher, staatlicher oder auch kirchlicher Art kaum öffentlich Stellungnahme bezogen hat.

Sein Feld waren Wissenschaft und Geschichte, nicht Tagesereignisse. Was allerdings ganz und gar nicht bedeutet, Klauser habe in einem Elfenbeinturm gelebt und die Welt um sich herum nicht zur Kenntnis genommen. Aber er wusste auszuwählen und sein Engagement zu beschränken. Wenn es um wissenschaftliche Institutionen und Institute, um die Besetzung von Lehrstühlen oder die universitäre Positionierung der Christlichen Archäologie ging, scheute er sich nicht, seinen nicht unerheblichen Einfluss massiv einzusetzen.[21] Er wusste, dass er mit seinen Rezensionen die universitäre Laufbahn jüngerer Kollegen fördern oder verstellen konnte.[22]

Mit Dissertation und Habilitation war Klausers Ruf als Liturgiehistoriker etabliert. Wenn er sich auch seit den fünfziger Jahren vermehrt der Christlichen Archäologie zuwandte, blieben seine liturgischen Interessen doch ungebrochen, auch wenn seine Untersuchungen nunmehr häufig zwischen Liturgie und Archäologie oszillierten. Aus gutem Grund, denn die Monumente sind nicht weniger Urkunden kultischer Vollzüge als Handschriften und Codizes. Vor allem in dem noch zu würdigenden monumentalen Forschungsvorhaben über das Verhältnis von Antike und Christentum, das im „Reallexikon für Antike und Christentum" seinen Niederschlag gefunden hat, lassen sich Liturgie und Archäologie nicht trennen. Anders als H. Leclercq, den Klauser bewundert und zugleich abgelehnt hat, der sein Lexikon noch „Dictionaire d'Archéologie et de Liturgie Chrétienne" betitelt hatte,[23] lässt Klauser die Liturgie aus dem Titel des Reallexikons heraus, wenngleich sie in vielen Artikeln gegenwärtig ist.

Welche liturgisch ausgerichteten Arbeiten sind neben den bereits vorgestellten Veröffentlichungen und Klausers einschlägigen Artikeln im Re-

---

[19] Vgl. *Richtlinien für die Gestaltung des Gotteshauses aus dem Geiste der römischen Liturgie.* Im Auftrag und unter Mitwirkung der Liturgischen Kommission zusammengestellt. Münster o.J. (1954), 16 S.

[20] Zu Verbreitung und Resonanz vgl. DASSMANN, *Theodor Klauser* (wie Anm. 1) 13, Anm. 46.

[21] Vgl. Angelus A. HÄUSSLING, in: ALw 28. 1986, 482.

[22] Da Betroffene noch leben, sei auf konkrete Nachweise verzichtet.

[23] Vgl. die eigentümlich umfangreiche Monographie, die dem unkonventionellen belgischen Wissenschaftler gewidmet ist: Theodor KLAUSER, *Henri Leclercq. 1869–1945. Vom Autodidakten zum Kompilator großen Stils.* Münster 1977 (JAC.E 5).

allexikon für Antike und Christentum[24] noch besonders erwähnenswert? Noch in die frühen Jahre fallen Untersuchungen über „Die liturgischen Austauschbeziehungen zwischen der römischen und der fränkisch-deutschen Kirche vom achten bis zum elften Jahrhundert"[25], über „Eine rätselhafte Exultetillustration aus Gaëta"[26] sowie „Das Querschiff der römischen Prachtbasiliken des vierten Jahrhunderts"[27]. Weitere Aufsätze behandeln „Die Liturgie der Heiligsprechung",[28] einen Taufhinweis in der Didache,[29] die Klauser ein Jahr später (1940) neu edierte,[30] sowie den Übergang der römischen Kirche zur lateinischen Liturgiesprache.[31] Viel Beachtung, aber auch Kritik hat Klausers 1949 gehaltene Rektoratsrede über den „Ursprung der bischöflichen Insignien und Ehrenrechte" gefunden, die 1953 in 2. Auflage erschien und unverändert auch in die „Gesammelten Arbeiten" aufgenommen wurde,[32] wo Klauser in einer Art „retractatio" die Reaktionen auf seine Thesen mitteilt und zu der weiterführenden Untersuchung von Ernst Jerg[33] Stellung nimmt.

3. Schwerpunktverlagerung Christliche Archäologie

Wie schon angedeutet, mehren sich in den fünfziger Jahren Klausers haupt- und nebenamtliche Verpflichtungen, was naturgemäß die Publikationstätigkeit eingeschränkt hat. Ab 1950 nehmen liturgische und liturgiegeschichtliche Beiträge rapid ab. Ein Aufsatz über „Das Ciborium in der älteren christlichen Buchmalerei"[34] verrät zwar liturgische Bezüge, ist aber doch mehr der Kunstgeschichte zuzuordnen. Die an sich wegweisenden, später wiederum selbstkorrigierten Untersuchungen über die Zusammenhänge zwischen Märtyrer-, Heroen- und jüdischer Heiligenverehrung[35] sind vor allem religionsgeschichtlich orientiert. Rein liturgiegeschichtlich ausgerichtet bleiben dagegen ein Vortrag über „Die abendländische Liturgie von Aeneas Silvius Piccolomini bis heute"[36] aus dem Jahr 1962 sowie ein erst 1974 erschienener Beitrag des nunmehr Achtzigjährigen mit dem Titel: „Der Festkalender der Alten Kirche im

---

[24] Übersicht in: *Das Reallexikon für Antike und Christentum und das F.J. Dölger-Institut.* Hg. v. Ernst DASSMANN. Stuttgart 1994, 43f.

[25] In: KLAUSER, *Gesammelte Arbeiten* (wie Anm. 4) 139–154.

[26] In: KLAUSER, *Gesammelte Arbeiten* (wie Anm. 4) 255–263.

[27] In: KLAUSER, *Gesammelte Arbeiten* (wie Anm. 4) 264–267.

[28] In: KLAUSER, *Gesammelte Arbeiten* (wie Anm. 4) 161–176.

[29] Theodor KLAUSER, *Taufet in lebendigem Wasser! Zum religions- und kulturgeschichtlichen Verständnis von Didache VII, 1–3*, in: DERS., *Gesammelte Arbeiten* (wie Anm. 4) 177–188.

[30] *Doctrina Duodecim Apostolorum, Barnabae Epistula.* Hg. v. Theodor KLAUSER. Bonn 1940 (FlorPatr 1).

[31] Vgl. Theodor KLAUSER, in: *Der Übergang der römischen Kirche von der griechischen zur lateinischen Liturgiesprache*, in: KLAUSER, *Gesammelte Arbeiten* (wie Anm. 4) 184–194.

[32] In: KLAUSER, *Gesammelte Arbeiten* (wie Anm. 4) 195–211.

[33] Vgl. Ernst JERG, *Vir venerabilis. Untersuchungen zur Titulatur der Bischöfe in den außerkirchlichen Texten der Spätantike als Beitrag zur Deutung ihrer öffentlichen Stellung.* Wien 1970 (WBTh 26), bes. 38–45.

[34] In: KLAUSER, *Gesammelte Arbeiten* (wie Anm. 4) 314–327.

[35] Theodor KLAUSER, *Christlicher Märtyrerkult, heidnischer Heroenkult und spätjüdische Heiligenverehrung. Neue Einsichten und neue Probleme*, in: DERS., *Gesammelte Arbeiten* (wie Anm. 4) 221–229.

[36] In: KLAUSER, *Gesammelte Arbeiten* (wie Anm. 4) 233–252.

Spannungsfeld jüdischer Traditionen, christlicher Glaubensvorstellungen und missionarischen Anpassungswillens"[37]. Von den frühen Studien unterscheiden sich die beiden letzten Arbeiten dadurch, dass sie nicht mehr Detailforschungen enthalten, sondern aus langjähriger Erfahrung gespeiste Zusammenfassungen bieten.

Mehr noch als Zeitmangel hat sich die Verlagerung von Klausers Forschungsinteresse auf die rückläufige Zahl liturgischer Untersuchungen ausgewirkt. Im Schriftenverzeichnis tauchen für das Jahr 1950 zum ersten Mal ein Dutzend Artikel für den ersten Band des „Reallexikons für Antike und Christentum" auf,[38] das in der Folgezeit Klausers Zeit und Aufmerksamkeit stark beansprucht hat. Unter den Beiträgen für diesen und die folgenden Bände befinden sich zwar wichtige, von ihm selbst verfasste oder an andere Autoren vergebene ausgesprochen liturgische Stichworte sowie in anderen Lemmata enthaltene liturgische Inhalte,[39] aber die Christliche Archäologie gewinnt doch zunehmend mehr die Oberhand über die rein liturgischen Themen.

Schon früh hat sich Klauser für die Ergebnisse einschlägiger Ausgrabungen interessiert. Er nimmt Stellung zu christlich-archäologischen Funden im Balkan,[40] greift – wie vom zuständigen Bonner Ordinarius nicht anders zu erwarten – in die Diskussion um die Märtyrergräber unter dem Bonner Münster ein[41] und engagiert sich – in der Sache wenig hilfreich – vehement im Streit um die Ausgrabungen unter St. Peter.[42] Als ihm als Direktor des Franz Joseph Dölger-Instituts vom Nordrhein-Westfälischen Kultusministerium erhebliche Mittel für christlich-archäologische Forschungsvorhaben zur Verfügung gestellt werden, initiiert er fotografische Aktionen im Koptischen Museum in Kairo und die Aufnahme der Mosaiken von S. Maria Maggiore in Rom[43]. Noch bedeutsamer war die Wiederaufnahme der Arbeiten in der Menasstadt bei Alexandria durch Wolfgang Müller-Wiener, Peter Großmann und Josef Engemann, auch wenn die wissenschaftliche Betreuung und finanzielle Sicherung der Arbeiten die Möglichkeiten des Dölger-Instituts schon bald überforderten und wieder abgegeben werden mussten.

Klauser hatte keine Grabungserfahrung und auch keine systematische archäologische Ausbildung genossen. So war es richtig, dass er sich zunehmend

---

[37]   Vgl. KLAUSER, *Der Festkalender der Alten Kirche* (wie Anm. 6).

[38]   In: KLAUSER, *Gesammelte Arbeiten* (wie Anm. 4) 417.

[39]   Vgl. *Das Reallexikon* (wie Anm. 24) 25–38; *Reallexikon für Antike und Christentum [...]. Register der Bände 1 bis 15.* Erarb. von Christian Josef KREMER. Stuttgart 2000, 268.

[40]   Vgl. Theodor KLAUSER, *Vom Heroon zur Märtyrerbasilika. Neue archäologische Balkanfunde und ihre Deutung,* in: DERS., *Gesammelte Arbeiten* (wie Anm. 4) 275–291.

[41]   Vgl. Theodor KLAUSER, *Bemerkungen zur Geschichte der Bonner Märtyrergräber,* in: DERS., *Gesammelte Arbeiten* (wie Anm. 4) 310–313.

[42]   Vgl. Theodor KLAUSER, *Die römische Petrustradition im Licht der neuen Ausgrabungen unter der Peterskirche.* Köln [u.a.] 1956 (Arbeitsgemeinschaft für Forschung des Landes Nordrhein-Westfalen, Geisteswissensschaften 24); DERS., *Die Deutung der Ausgrabungsfunde unter S. Sebastiano und am Vatikan. Eine Auseinandersetzung mit Arnim von Gerkan,* in: JAC 5. 1962, 33–38.

[43]   Vgl. Heinrich KARPP, *Die frühchristlichen und mittelalterlichen Mosaiken in S. Maria Maggiore zu Rom.* Baden-Baden 1966, 5; Beat BRENK, *Die frühchristlichen Mosaiken in S. Maria Maggiore zu Rom.* Wiesbaden 1975, V; vgl. DEICHMANN, *Theodor Klauser* (wie Anm. 1) 7.

auf die frühchristliche Ikonographie konzentrierte, in der ein kirchenhistorisch und patristisch ausgebildeter Theologe noch am ehesten mitreden kann. Was Klauser hier in den gut zwanzig Jahren zwischen 1958 und 1969 geleistet hat, ist bewundernswert, selbst wenn sich etliche seiner Lieblingsideen – wie z.B. die Herkunft der frühesten Bildmotive aus der Gemmenkunst, die zeitliche Abfolge der alt- und neutestamentlichen Szenen oder die Deutung von Hirt und Orante – als nicht tragfähig erwiesen haben. Die Anregungen, die er gegeben und die Kontroversen auf dem 7. Internationalen Kongress für Christliche Archäologie Trier 1964, die er provoziert hat, haben die Hermeneutik der frühchristlichen Ikonographie und die Chronologie der frühchristlichen Malerei ein gutes Stück weitergebracht.[44]

Im Jahr 1958 veröffentlichte Klauser zugleich mit der Eröffnung des „Jahrbuchs für Antike und Christentum" die erste Folge seiner „Studien zur Entstehung der christlichen Kunst", die 1967 mit der 9. Folge abgeschlossen wurden.[45] Nacheinander werden Motive auf Gemmen und Siegelringen, Hirtenbilder, Oranten, die Verbindung von Hirt und Orante als Vergegenwärtigung einer populären Zweitugendethik von *humilitas* und *pietas*, die ältesten biblischen Motive aus dem Alten und Neuen Testament, als besonders herausragendes Monument der Hirtensarkophag von Split,[46] die christliche Bedeutung des Odysseus-Motivs und in weiteren Variationen mögliche christliche Bedeutungen des Hirtenbildes diskutiert. Ergänzt und flankiert wurden die „Studien" durch eine Reihe weiterer Arbeiten,[47] unter denen vor allem ein Buch über frühchristliche Sarkophage Erwähnung verdient.[48] Die „Studien" und auch die übrigen Beiträge sind nicht unbefangen aus schierer Lust an der Vermehrung ikonographischer Erkenntnisse geschrieben, sondern verfolgen ein Klauser schon von seinem Lehrer Dölger vorgegebenes Ziel und richten sich vor allem gegen Archäologen der römischen Schule vom Zuschnitt Josef Wilperts.[49] Die frühchristlichen Denkmäler sollen nicht von dogmatischen Voraussetzungen aus und im Lichte patristischer Vätertexte, sondern aus sich

[44]   Vgl. Norbert ZIMMERMANN, *Werkstattgruppen römischer Katakombenmalerei*. Münster 2002 (JAC.E 35), 23.

[45]   Vgl. Theodor KLAUSER, *Studien zur Entstehungsgeschichte der christlichen Kunst I*, in: JAC 1. 1958, 20–51, Taf. 1–5; *II*, in: JAC 2. 1959, 115–145, Taf. 8–14; *III*, in: JAC 3. 1960, 112–133, Taf. 4–9; *IV*, in: JAC 4. 1961, 128–145, Taf. 6–12; *V*, in: JAC 5. 1962, 113–124, Taf. 8–11; *VI*, in: JAC 6. 1963, 71–100, Taf. 10–14; *VII*, in: JAC 7. 1964, 67–76, Taf. 2–4; *VIII*, in: JAC 8/9. 1965/66, 126–170, Taf. 17–21; *IX*, in: JAC 10. 1967, 82–120, Taf. 6–11.

[46]   Vgl. JAC 5. 1962, Taf. 8.

[47]   Z.B. Theodor KLAUSER, *Die Äußerungen der Alten Kirche zur Kunst. Revision der Zeugnisse, Folgerungen für die archäologische Forschung*, in: KLAUSER, *Gesammelte Arbeiten* (wie Anm. 4) 328–337; DERS., *Erwägungen zur Entstehung der christlichen Kunst*, ebd. 338–346; DERS., *Noch einmal der Catervius-Sarkophag von Tolentino*, ebd. 395–402.

[48]   Vgl. *Frühchristliche Sarkophage in Bild und Wort*. Auswahl v. Friedrich W. DEICHMANN. Text v. Theodor KLAUSER. 40 Lichtdrucktafeln v. Julie MÄRKI-BOEHRINGER. Olten 1966 (AK.B 3).

[49]   Vgl. Ernst DASSMANN, *Josef Wilpert und die Erforschung der römischen Katakomben*, in: *Hundert Jahre Deutsches Priesterkolleg beim Campo Santo Teutonico. 1876–1976*. Hg. v. Erwin GATZ. Rom [u.a.] 1997 (RQ.S 35), 160–173. Klauser schreibt zu dieser Darstellung: „Wie sich einem durch persönliche Erinnerungen nicht belasteten Leser von Wilperts

576 Theodor Klauser (1894–1984)

heraus interpretiert werden.[50] Die Christliche Archäologie in Deutschland soll damit nicht zuletzt wissenschaftliche Seriosität gewinnen und universitäre Anerkennung finden.

4. Würdigung

Klausers Bedeutung als Liturgiewissenschaftler hat viele Facetten. Neben seine eigenen speziellen Forschungen treten die Anregungen, die auf dem Weg über seine kirchenhistorischen und archäologischen Arbeiten der Liturgiewissenschaft zugute gekommen sind. Ebenfalls forschungsfördernd waren liturgiewissenschaftliche Themen, die er seinen Schülern gestellt hat. So lieferte Eduard Stommel als Dissertation „Studien zur Epiklese der römischen Taufwasserweihe"[51] und Alfred Stuiber eine Untersuchung zu den „Libelli Sacramentorum Romani"[52]. Beide folgten ihrem Lehrer hinsichtlich der Verlagerung ihres Forschungsschwerpunktes auf Kirchengeschichte und Christliche Archäologie – was natürlich auch mit dem Umstand zusammenhängt, dass es noch keine speziellen Lehrstühle für Liturgie gab und ein junger Gelehrter, der sich auf den Universitätsdienst vorbereitete, eine breitere, über die Liturgie hinausgehende Basis in Forschung und Lehre brauchte. Erst Klausers dritter Schüler Otto Nußbaum konnte sich ganz auf die Liturgie konzentrieren, was den Vorteil einschloss, die historische Engführung des Faches verlassen und auch aktuelle Probleme von Sakramentenspendung und Gottesdienstgestaltung aufgreifen zu können – ein Aspekt, der in Klausers Werk gänzlich fehlt.

Will man Klausers Bedeutung für die Liturgiewissenschaft zutreffend einschätzen, muss noch auf das schon mehrfach erwähnte Dölger-Institut hingewiesen werden. Seine Gründung hängt mit dem „Reallexikon für Antike und Christentum" engstens zusammen, das man unbeschadet aller anderen Verdienste als das eigentliche Lebenswerk Klausers bezeichnen darf. Als der erste Band des Lexikons nach unsäglichen kriegsbedingten Mühen und Verzögerungen 1950 erschien, waren bereits fünfzehn Jahre Arbeiten und Planungen vergangen. Erste Überlegungen reichen bis in die Zeit zurück, als Klauser aus Rom nach Bonn zurückgekehrt war. Es spricht vieles dafür, dass er sich zunächst nur zögernd für das Projekt, das Dölger zwar initiieren, aber durch seine Schüler durchführen lassen wollte, erwärmen konnte. Wahrscheinlich hatte er erwartet, dass sein Verweilen in Bonn nur kurz sein und alsbald eine Berufung auf einen auswärtigen Lehrstuhl erfolgen würde.[53]

Erst als sich die entsprechenden Hoffnungen zerschlugen, scheint sich Klauser das Projekt zu eigen gemacht und alle Kraft in seine Realisierung ge-

Lebenserinnerungen sein Leben und Wirken heute darstellt, zeigt E. Dassmanns Aufsatz über ihn [...]"; vgl. KLAUSER, *Franz Joseph Dölger* (wie Anm. 2) 19, Anm. 32.

[50] Zum Problem der Deutung frühchristlicher Bildmotive durch Texte vgl. Ernst DASSMANN, *Sündenvergebung durch Taufe, Buße und Märtyrerfürbitte in den Zeugnissen frühchristlicher Frömmigkeit und Kunst.* Münster 1973 (MBTh 36), 54–63. Zum heutigen Meinungsstand Josef ENGEMANN, *Deutung und Bedeutung frühchristlicher Bildwerke.* Darmstadt 1997.

[51] Erschienen in der von Dölger gegründeten und von Klauser herausgegebenen Reihe: Theophaneia 5 (Bonn 1950).

[52] Theophaneia 6 (Bonn 1950).

[53] Vgl. DASSMANN, *Theodor Klauser* (wie Anm. 1) 10; DERS., *Entstehung*, ebd. 7–11.

steckt zu haben. Rückblickend darf man sagen: Ohne ihn wäre aus dem großen Unternehmen nichts geworden, denn schon bald stellten sich der Verwirklichung erhebliche Schwierigkeiten entgegen. Die internationale Zusammenarbeit, die für ein Lexikon solchen Zuschnitts unumgänglich war, brach mit dem Kriegsausbruch zusammen, Manuskripte und Druckfahnen gingen im Bombenkrieg verloren. Nach dem Zusammenbruch ließen sich Kontakte zu ausländischen Gelehrten nur zögernd knüpfen. Klauser musste erfahren, dass er, der sich – zu Recht – als Opfer der Nazis gesehen hatte, aus dem Blickwinkel eines Ausländers als Angehöriger des Kriegsaggressors Deutschland galt.[54]

Das Reallexikon war zunächst auf drei, höchstens sechs Bände geplant. Als sich bald nach Erscheinen des ersten Bandes herausstellte, dass es auf ein Vielfaches anwachsen und zur Vollendung mehr als eine Generation benötigen würde, bemühte sich Klauser um die Institutionalisierung des Unternehmens durch die Gründung des Dölger-Instituts und die Berufung eines Herausgebergremiums.[55] Im Lexikon selbst sowie in den ebenfalls vom Institut betreuten Publikationen, dem „Jahrbuch für Antike und Christentum" samt seinen Ergänzungsbänden sowie der „Theophaneia", stehen der Liturgiewissenschaft seitdem drei wichtige Organe zur Verfügung, in denen die Erforschung der historischen und religionsgeschichtlichen Aspekte der Disziplin weitergeführt wird.[56] Durch Heinzgerd Brakmann, einen der derzeitigen Mitherausgeber des Lexikons, dessen Lehrer Otto Nußbaum ein Schüler Klausers war, bleibt die Kontinuität liturgiegeschichtlicher Forschung auch personell im Dölger-Institut von seinem Gründer bis auf den heutigen Tag gewahrt.[57]

---

[54]   Vgl. DASSMANN, *Entstehung* (wie Anm. 1) 11–14; BORENGÄSSER, *Briefwechsel*, ebd., bes. 23f (Brief Nr. 3).

[55]   Vgl. DASSMANN, *Entstehung* (wie Anm. 1) 14f.

[56]   Für einen Überblick über liturgierelevante Beiträge im JAC vgl. *Das Reallexikon* (wie Anm. 24) 65–75; in der Theophaneia vgl. außer den bereits o. Anm. 51f genannten Titeln noch Otto NUSSBAUM, *Kloster, Priestermönch und Privatmesse. Ihr Verhältnis im Westen von den Anfängen bis zum hohen Mittelalter*. Bonn 1961 (Theoph. 14); Walter DIEZINGER, *Effectus in der römischen Liturgie*. Bonn 1961 (Theoph. 15); Otto NUSSBAUM, *Der Standort des Liturgen am christlichen Altar vor 1000. Eine archäologische und liturgiewissenschaftliche Untersuchung*. Bonn 1965 (Theoph. 18); Josef SCHMITZ, *Gottesdienst im altchristlichen Mailand. Eine liturgiewissenschaftliche Untersuchung über Initiation und Meßfeier während des Jahres zur Zeit des Bischofs Ambrosius*. Köln [u.a.] 1975 (Theoph. 24); Otto NUSSBAUM, *Die Aufbewahrung der Eucharistie*. Bonn 1979 (Theoph. 29).

[57]   Zu Brakmanns liturgiewissenschaftlichen Beiträgen im RAC vgl. *Das Reallexikon* (wie Anm. 24) 40; im JAC vgl. Heinzgerd BRAKMANN, *Severos unter den Alexandrinern. Zum liturgischen Dyptichon in Boston*, in: JAC 26. 1983, 54–58; DERS., *Heimkehr zum Taufort. Zum Ursprung der syrischen ‚Prozession der Ankunft im Hafen' am Karmontag*, in: JAC.E 11. 1984, 1–10; DERS., *Ein unbeachtetes Echo des Hypapante-Briefes Kaiser Justinians*, in: JAC 34. 1991, 104–106; DERS., *Renaudots „Pontificale Seguerianum", die „Fourmont"-Manuskripte in Leningrad und andere Coptica Coisliniana. Zugleich ein quellenkundlicher Beitrag zu Denzingers „Ritus Orientalium"*, in: JAC.E 18. 1991, 406–415; DERS., *Das alexandrinische Eucharistiegebet auf Wiener Papyrusfragmenten*, in: JAC 39. 1996, 149–164; DERS., *Metrophanes von Nyssa und die Ordnungen der byzantinisch-griechischen Bischofsweihe*, JAC.E 34. 2002, 303–326.

Klauser war ein gesegnetes Alter beschieden, in dem er zahlreiche Ehrungen erfuhr,[58] mit großer Würde und Gelassenheit aber auch den Abschied von öffentlicher Präsenz und Einflussmöglichkeiten sowie die Beschwerden des Alters ertrug. Emmanuel von Severus widmete ihm in der Festschrift zum 90. Geburtstag eine Betrachtung zu Kapitel 4,47 der Regel Benedikts: „Mortem cotidie ante oculos suspectam habere."[59] Nach seinem Tod am 24. Juli 1984 und dem Requiem mit den Gesängen des Gregorianischen Chorals wurde er auf dem Friedhof in Bonn-Ippendorf beigesetzt. Seine zahlreichen wissenschaftlichen Arbeiten, vor allem aber sein Lebenswerk, das „Reallexikon für Antike und Christentum", werden die dankbare Erinnerung an den Forscher und Gelehrten der Liturgiewissenschaft Klauser wachhalten.

Auswahlbibliografie

Gesammelte Arbeiten zur Liturgiegeschichte, Kirchengeschichte und Christlichen Archäologie. Münster 1974 (JAC. E 3), 413–421.

Achim Budde, *Klauser, Theodor*, in: BBKL 17. 2000, 791–805.

---

[58] Ehrendoktorwürde der Philosophischen Fakultät der Universität Köln 1969; *Mullus. Festschrift Theodor Klauser.* Hg. v. Alfred Stuiber. Münster 1964 (JAC.E 1); *Vivarium. Festschrift Theodor Klauser zum 90. Geburtstag.* Hg. v. Ernst Dassmann. Münster 1984 (JbAC.E 11); Großes Bundesverdienstkreuz der Bundesrepublik Deutschland (1954) mit Stern (1974); Komturkreuz des Verdienstordens der Republik Italien.

[59] In: *Vivarium* (wie Anm. 58) 310–313.

Bruno Kleinheyer (1923–2003)

Benedikt Kranemann

Bruno Kleinheyer gehört zu jener Gruppe katholischer Liturgiewissenschaftler, deren Werk und Wirken ganz mit der Liturgiereform des 20. Jahrhunderts verbunden sind. Er hat die Liturgische Bewegung als Jugendlicher erlebt, konnte als Priester die Vorbereitung und den Verlauf des Zweiten Vatikanischen Konzils mitverfolgen und hat später in ganz unterschiedlichen Funktionen, aber an zentralen Stellen an der Realisation der Liturgiereform mitgewirkt. Biografie, kirchliche Zeitgeschichte und wissenschaftliches Werk verbinden sich bei ihm auf das engste.

1. Biografische Daten[1]

Bruno Kleinheyer wurde am 22. April 1923 in Hüls bei Krefeld als Sohn des Prokuristen Franz Kleinheyer und seiner Ehefrau Anna geboren. Wie damals üblich, wurde er bereits drei Tage später in St. Cyriakus, Hüls, getauft. Von 1933 bis 1941 besuchte Kleinheyer das Humanistische Arndt-Gymnasium in Krefeld. Zwar konnte er 1941 an der Universität Bonn das Studium der katholischen Theologie aufnehmen, doch wurde er noch im selben Jahr zum Reichsarbeitsdienst und dann zum Wehrdienst einberufen. Erst 1947 kehrte er aus russischer Kriegsgefangenschaft in  die Heimat zurück und konnte ab 1948 bis 1951 sein Theologiestudium fortführen, das ihn neben Bonn auch nach Tübingen und München führte. Am 25. Juli 1953 weihte ihn Bischof Johannes Joseph van der Velden in Aachen zum Priester. Der Neupriester wurde rasch für weitere Studien freigestellt. Er ging dafür nach Trier, wo er durch Balthasar Fischer gefördert und wichtige Weichen für seine akademische Laufbahn gestellt wurden. 1955 wurde Kleinheyer hier das Lizentiat verliehen, 1956 wurde er in Trier promoviert. Hatte Kleinheyer sich für die Lizentiatsarbeit das Thema „Die Vorgeschichte der Ansprache an das Volk im Ritus der Priesterweihe" gestellt, so behandelte er in der Dissertation unter der Anleitung von Balthasar Fischer „Die Entwicklung des Priesterweiheritus von den ältesten römischen Sakramentaren und Ordines bis zum Pontificale Romanum"[2].

---

[1]   Die Ausführungen zur Biografie folgen: Kurt KÜPPERS, *Curriculum vitae Univ.-Prof. Dr. Bruno Kleinheyer,* in: *Lebt unser Gottesdienst? Die bleibende Aufgabe der Liturgiereform.* Hg. von Theodor MAAS-EWERD. Freiburg/Br. [u.a.] 1988, 315f; DERS. – Christa BECK, *Bibliographie Bruno Kleinheyer (1923–2003),* in: ALw 46. 2004, 106–130, hier 106–109.

[2]   Die Arbeit erschien unter folgendem Titel: Bruno KLEINHEYER, *Die Priesterweihe im römischen Ritus. Eine liturgiehistorische Studie.* Trier 1962 (TThSt 12). Die sehr kleinteilige und differenzierte Studie ist charakteristisch für den Stil, der Kleinheyers Werk insgesamt prägt.

Es folgten mehrere Jahre der Tätigkeit in der Seelsorge. Von 1957 bis 1960 wirkte Kleinheyer als Kaplan in Mönchengladbach-Rheydt, war Dekanatsjugendseelsorger und Religionslehrer an der Staatlichen Handels- und Gewerbeschule in Rheydt. Kleinheyer zeichnet sich in seiner liturgiewissenschaftlichen Forschung auf der einen Seite durch sehr kleinteilige Textstudien aus, hat aber auf der anderen Seite immer auch ein großes Interesse für liturgiepastorale Fragen gezeigt und sich dazu ausführlich geäußert. Hier mag ihm die Zeit in der Seelsorge entgegengekommen sein.

Seit 1960 arbeitete Kleinheyer zunächst als Lektor für Liturgiewissenschaft, dann zusätzlich auch für Homiletik am Bischöflichen Priesterseminar Aachen, 1964 folgte hier die Ernennung zum Professor.

Im Mai 1964 wurde er zum Consultor Consilii ad exsequendam Constitutionem de Sacra Liturgia berufen. Kleinheyer war Sekretär des Coetus 20,[3] der für die Reform des Pontificale zuständig war und von Bernard Botte OSB als Relator geleitet wurde. Kleinheyer war durch seine Dissertation für diese Arbeit qualifiziert,[4] vor allem die Weiheliturgie hat ihn in seinen späteren Forschungen immer wieder beschäftigt. Diese Arbeitsgruppe wurde auch mit der Ausarbeitung des zu reformierenden Firmritus beauftragt.[5] Annibale Bugnini notiert zum Arbeitsstil des Coetus: „Entsprechend dem ‚Stil‘ des Relators wurde die ganze Arbeit fast ausschließlich vom Relator und dem Sekretär geleistet. Mit den anderen Mitgliedern der Gruppe unterhielt man schriftlichen Kontakt. Eigene Versammlungen der Gruppe fanden nicht statt."[6] Kleinheyer arbeitete im Juli 1965 außerdem in einer kleinen Arbeitsgruppe mit, die Fragen zu den „Niederen Weihen" behandeln sollte. Sie wurde vertretungsweise von Aimé-Georges Martimort geleitet. Die Arbeit wurde laut Bugnini mit einem Referat von Kleinheyer eröffnet, das sich den anstehenden Problemen aus theologischer und kanonistischer Perspektive näherte.[7] Kleinheyer hat offensichtlich bei der Lösungssuche eine ganz entscheidende Rolle gespielt.[8] Da für die Weiheliturgien noch die theologisch, pastoral und rechtlich wichtigen Praenotanda fehlten, wurde auch dafür im Januar 1974 eine Studiengruppe eingesetzt, ihr Relator war Bruno Kleinheyer.[9]

Schon während seiner Arbeiten für die Umsetzung der Liturgiereform übernahm Kleinheyer neue Aufgaben in Deutschland. Seit dem Studienjahr 1965/66 wirkte er als Gastdozent bei den Studienkursen des Liturgischen Instituts Trier mit. Das Ziel dieser Kurse, die 1965 eröffnet wurden, war, Führungskräfte für die Liturgiepastoral und den beginnenden Reformprozess auszubilden, die Kurse richteten sich an ein internationales Publikum und gelten

[3]   Zu dieser Studiengruppe vgl. Annibale BUGNINI, *Die Liturgiereform 1948–1975. Zeugnis und Testament*. Deutsche Ausgabe hg. v. Johannes WAGNER unter Mitarb. v. François RAAS. Freiburg/Br. [u.a.] 1988, 740.
[4]   So auch Johannes WAGNER, *Mein Weg zur Liturgiereform 1936–1986. Erinnerungen*. Freiburg/Br. [u.a.] 1993, 83.
[5]   Vgl. BUGNINI, *Die Liturgiereform* (wie Anm. 3) 650.
[6]   BUGNINI, *Die Liturgiereform* (wie Anm. 3) 650.
[7]   Vgl. BUGNINI, *Die Liturgiereform* (wie Anm. 3) 759.
[8]   Vgl. BUGNINI, *Die Liturgiereform* (wie Anm. 3) 762.
[9]   Vgl. BUGNINI, *Die Liturgiereform* (wie Anm. 3) 754–756.

als ein wichtiger Beitrag zur Umsetzung der nachkonziliaren Liturgiereform.[10] Am 8. Februar 1968 wurde Kleinheyer, der im Wintersemester 1967/68 einen Lehrauftrag für Liturgiewissenschaft an der noch jungen Ruhruniversität Bochum wahrgenommen hatte, auf den Lehrstuhl für Liturgiewissenschaft an der ebenfalls jungen Universität Regensburg berufen. Hier forschte und lehrte er bis zu seiner Emeritierung im Wintersemester 1989/90. Fragen zu Ordination und Trauung, aber auch zum Symbolsystem des Gottesdienstes und zur Sakramententheologie haben ihn in dieser Zeit immer wieder beschäftigt. Für das Studienjahr 1972/73 wurde er zum Dekan der Fakultät gewählt.

Kleinheyer hat sich auch in seiner Regensburger Zeit in kirchlichen Kommissionen für die Liturgiereform eingesetzt. 20 Jahre lang war er ab 1971 Berater der Liturgiekommission der Deutschen Bischofskonferenz[11] und der Internationalen Arbeitsgemeinschaft im deutschen Sprachgebiet (IAG).[12] Er war an den durch die deutschsprachigen Bischofskonferenzen in Gang gebrachten Revisionsprojekten für das Messbuch beteiligt und stand von 1988 bis 1990 der Arbeitsgruppe 5 „Kirchenjahr und Kalender" vor.[13] Von 1972 bis 1985 war er außerdem Mitglied der Liturgiekommission im Bistum Regensburg.

Von 1968 bis 1971 war Kleinheyer Sprecher der Arbeitsgemeinschaft katholischer Liturgiedozenten (AKL),[14] seit 1975 gehörte er dem (Deutschen) Liturgischen Institut eV Trier an. Dem Trierer Institut war er auch durch das „Liturgische Jahrbuch" verbunden, dessen Schriftleitung er von 1971 bis 1977 mit innehatte.

Am 31. Oktober 1983 wurde Kleinheyer durch Papst Johannes Paul II. zum Päpstlichen Ehrenprälaten ernannt.

Durch eine schwere Erkrankung wurde Kleinheyer 1992 aus seiner wissenschaftlichen Arbeit herausgerissen. Er starb am 15. Januar 2003. Kleinheyer hat ein umfangreiches wissenschaftliches Werk geschaffen, das sich thematisch im Wesentlichen auf die bereits genannten Felder konzentriert, aber vom Sujet her breit angelegt ist. Historisch orientierte stehen neben pastoral interessierten Beiträgen, theologische Fragestellungen werden ebenso bearbeitet wie Praxisprobleme, Fachwissenschaftler, Seelsorger und im weiteren Sinne interessierte Kirchenmitglieder werden durch die Veröffentlichungen angesprochen. Neben der schon genannten Dissertation sticht unter den größeren Arbeiten des Liturgiewissenschaftlers die Mitherausgeberschaft des Handbuchs der Li-

---

[10] Vgl. Artur WAIBEL, *Die Studienkurse des Liturgischen Instituts Trier*, in: LJ 40. 1990, 211–227.

[11] Vgl. Heinrich RENNINGS, *Aus der Arbeit der Liturgiekommission der Deutschen Bischofskonferenz in den Jahren 1963–1990*, in: LJ 40. 1990, 178–191.

[12] Vgl. Emil SEILER, *Internationale liturgische Zusammenarbeit im deutschen Sprachgebiet*, in: LJ 40. 1990, 192–210.

[13] Vgl. zu diesem später abgebrochenen Projekt: *Studien und Entwürfe zur Meßfeier. Texte der Studienkommission für die Meßliturgie und das Meßbuch der Internationalen Arbeitsgemeinschaft der Liturgischen Kommissionen im deutschen Sprachgebiet 1.* Hg. v. Eduard NAGEL. Freiburg/Br. [u.a.] 1995.

[14] Vgl. Klemens RICHTER, *Liturgiewissenschaft III. Arbeitsgemeinschaft katholischer Liturgikdozentinnen u. -dozenten im deutschen Sprachgebiet*, in: LThK 6. 1997, 992.

turgiewissenschaft „Gottesdienst der Kirche" heraus.[15] Kleinheyer hat dazu selbst Beiträge geliefert, so eine Monografie über die Feiern der Initiation,[16] aber auch umfangreichere Kapitel über die Ordination und Beauftragungen[17] sowie über Verlobung, Trauung etc.[18]

2. Themen und Methoden

Eine Reihe von Themen hat Bruno Kleinheyer seit der Promotionszeit bzw. seit der Mitarbeit in den römischen Studiengruppen begleitet. Die thematische Konzentration hat ihm eine besonders dichte Forschung ermöglicht. Am Beispiel der Initiationsliturgie lassen sich sein Umgang mit den liturgiewissenschaftlichen Themen und die von ihm angewendeten Methoden besonders gut beschreiben. Mit seiner Monografie „Sakramentliche Feiern I" als Teil des Handbuchs „Gottesdienst der Kirche" legt Kleinheyer, wie er selbst schreibt, eine römisch-katholische Darstellung der Geschichte von Taufe und Firmung vor, mit der er sich auf den Westen, die lateinische und näherhin die römische Kirche konzentriert. Wie sich von seinem Engagement für den nachkonziliaren Reformprozess her nahelegt, ist das immer sein Forschungsgebiet gewesen. Die anderen Riten laufen, profund bearbeitet, eher skizzenhaft mit, Fragen der Ökumene werden erörtert, ohne mögliche Differenzpunkte auszuklammern.

Es wird nicht nur am Charakter des Handbuchs liegen, dass Kleinheyer breit den historischen Entwicklungen nachgeht. Die Auseinandersetzung mit der Liturgiegeschichte auch dort, wo es um pastoralliturgische Fragen geht, prägt seinen Zugang zu den Phänomenen der Liturgie. Auskunft über den Gottesdienst der Kirche wird aus der Kenntnis der Liturgiegeschichte heraus gegeben. Kleinheyer vertritt jene Ausprägung von Liturgiewissenschaft, die aus dem Zueinander von Geschichtsschreibung, Theologie und Pastoral des Gottesdienstes ihr Profil erfährt. Das deutet sich bereits in seiner liturgiehistorischen Dissertation an. Das Vorwort setzt mit dem Hinweis auf ein Dekret der Ritenkongregation zur Reform der Pontifikalriten ein, durch die den Gläubigen die Mitfeier erleichtert werden soll. Dieser Auftrag, so Kleinheyer, habe für seine Studie „Pate" gestanden.[19]

---

[15]   Der erste Band erschien in Regensburg 1983: Hansjörg AUF DER MAUR, *Feiern im Rhythmus der Zeit I. Herrenfeste in Woche und Jahr* (GdK 5).

[16]   Vgl. Bruno KLEINHEYER, *Sakramentliche Feiern I. Die Feiern der Eingliederung in die Kirche.* Regensburg 1989 (GdK 7,1). Dazu Frieder SCHULZ, *Initiatio christiana. Evangelische Marginalien zu einer katholischen Darstellung der Feiern zur Eingliederung in die Kirche. Zu: Gottesdienst der Kirche. Handbuch der Liturgiewissenschaft, Teil 7,1,* in: ALw 33. 1991, 43–76.

[17]   Bruno KLEINHEYER, *Ordinationen und Beauftragungen,* in: DERS. u.a., *Sakramentliche Feiern II. Ordinationen und Beauftragungen – Riten um Ehe und Familie – Feiern geistlicher Gemeinschaften – Die Sterbe- und Begräbnisliturgie – Die Benediktionen – Der Exorzismus.* Regensburg 1984 (GdK 8), 7–65. Dazu Frieder SCHULZ, *Ministeria communitatis. Evangelische Marginalien zu einer katholischen Darstellung der Ordinationsliturgie,* in: ALw 27. 1985, 412–424.

[18]   Bruno KLEINHEYER, *Riten um Ehe und Familie,* in: DERS. u.a., *Sakramentliche Feiern II* (wie Anm. 17) 67–156. Dazu Frieder SCHULZ, *Benedictio nuptialis. Evangelische Marginalien zu einer katholischen Darstellung der Riten um Ehe und Familie,* in: ALw 29. 1989, 199–212.

[19]   KLEINHEYER, *Die Priesterweihe im römischen Ritus* (wie Anm. 2) VII; vgl. auch ebd. 227.

Der zweite entscheidende Bezugspunkt für seine Argumentation sind die Texte des Zweiten Vatikanischen Konzils und die kirchenamtlichen Dokumente der Nachkonzilszeit. In der genannten Monografie fällt wie in anderen Publikationen auch die sehr kleinteilige philologische Arbeit an den Pastoralen Einleitungen, an den Texten und Riten der jeweiligen Feiern auf. Demgegenüber bleibt die Auseinandersetzung mit den pastoralliturgischen Problemen etwa der Säuglingstaufe verhältnismäßig knapp. Die Exegese und Weiterentwicklung vor allem der liturgischen Bücher in Auseinandersetzung mit der kirchlichen Tradition wie auch den theologischen und rechtlichen kirchlichen Vorgaben der Gegenwart bestimmen hier den Ansatz von Liturgiewissenschaft.

Es prägt außerdem die Arbeiten Kleinheyers, dass er in immer wieder neuen Anläufen einzelne Handlungsvollzüge solcher Liturgien durcharbeitet. 1974 analysiert er, durchaus mit Schärfe, die Verhandlungen der Würzburger Synode über die Abfolge der Initiationssakramente. Nebenbei: Hier präsentiert sich Kleinheyer auch als Vertreter der Sache des Faches Liturgiewissenschaft und seiner Akzeptanz in der theologischen Diskussion. Das Plädoyer für die von ihm favorisierte Reihung der Initiation legt sich für ihn nahe „aus dem Kontext der Erwachsenentaufe heute, aus Gründen der Loyalität gegenüber unserer eigenen Tradition und auch aus ökumenischen Gründen"[20].

Zwei Jahre später folgt eine Studie über die Taufwasserweihe, sprachlich treffender: über „Lobpreis und Anrufung Gottes über dem Wasser zur Taufe". Sein Ausgangspunkt sind jetzt pastoralliturgische Fragen: Soll man Taufwasser in der Osternacht weihen, wenn überhaupt keine Taufe gefeiert wird? Und soll das Taufwasser in der Osternacht aufbewahrt werden? Das Ziel ist einerseits eine sinnvolle Theologie der Benedictio des Taufwassers,[21] andererseits treibt ihn die Sorge um – mit Blick auf die deutschsprachigen liturgischen Bücher – „ob ... alles getan ist, zu einer sinnvollen Praxis zu helfen"[22]. Kleinheyer geht zunächst der Entstehung von Sacrosanctum Concilium (SC) 70 nach – hier wird sein Konzept von Relecture der Konzilstexte sichtbar –, fragt dann nach Regelungen und Aussagen in den universalkirchlichen liturgischen Büchern,[23] wendet sich den besonderen Regelungen für die Osterzeit zu und endet mit einer kritischen Sichtung der deutschsprachigen liturgischen Bücher.[24] Typisch ist das kritische Fazit: „Das neue Buch zur Feier der Kindertaufe wird nicht in jeder Hinsicht der Bedeutung des Lobpreises über dem Wasser gerecht."[25] Liturgiewissenschaft hat eine kritische Funktion, hier wird sie in spezifischer Weise wahrgenommen.

Damit ist das Feld der Initiationsliturgie aber noch nicht abgearbeitet. 1980 publiziert Kleinheyer einen Aufsatz über die Handauflegung zur Geistmittei-

---

[20]   Bruno KLEINHEYER, *Zu den Verhandlungen der bundesdeutschen Synode über die Initiationssakramente*, in: LJ 24. 1974, 52–64, hier 64.

[21]   Vgl. Bruno KLEINHEYER, *Lobpreis und Anrufung Gottes über dem Wasser zur Taufe*, in: LJ 26. 1976, 138–155, hier 139.

[22]   KLEINHEYER, *Lobpreis und Anrufung Gottes über dem Wasser zur Taufe* (wie Anm. 21) 139.

[23]   Vgl. KLEINHEYER, *Lobpreis und Anrufung Gottes über dem Wasser zur Taufe* (wie Anm. 21) 141–147.

[24]   Vgl. KLEINHEYER, *Lobpreis und Anrufung Gottes über dem Wasser zur Taufe* (wie Anm. 21) 152–154.

[25]   KLEINHEYER, *Lobpreis und Anrufung Gottes über dem Wasser zur Taufe* (wie Anm. 21) 154.

lung und ist damit auch wieder bei der Initiation. Er wählt einen doppelten Ausgangspunkt: Gottesdienste und Praktiken charismatischer Gruppen auf der einen Seite, die er als Anfrage an die durchschnittliche römisch-katholische Liturgie wahrnimmt, den Auftrag des Konzils auf der anderen Seite, in der Liturgie die pneumatologische Dimension stärker zum Tragen zu bringen. Eine kritische Bestandsaufnahme zeichnet sich ab. Über die Textgeschichte von SC 6 – genau genommen geht es nur um den Schlusssatz – findet der Liturgiewissenschaftler zu seiner Fragestellung: Ist die Handauflegung bei den Sakramenten Zeichen der Geistausteilung? Ist sie das nur bei der Eucharistie oder auch bei den Sakramenten, ggf. bei welchen?[26] Kleinheyer konzentriert sich auf den Reformprozess und seine Bewertung, das Ziel einer zeichenstarken Liturgie steht immer vor Augen.

Thema und Methode bleiben auch in einem weiteren Aufsatz erhalten, es geht dem Autor um die Zeichendimension der Firmung und schon der Obertitel verrät die kritische Einschätzung: „Ein Stück nicht verwirklichter Liturgiereform."[27] Ein Detail von Bedeutung steht im Zentrum: die Verbindung bzw. Trennung von Ausbreitung der Hände und Chrisamsalbung in der Firmliturgie. Kleinheyer stellt den historischen Befund dar und wirft einen kritischen Blick u.a. auf einen Kommentar zu diesem Element im Gebet- und Gesangbuch „Gotteslob". Sein Anliegen ist einmal mehr nicht die Rekonstruktion der Geschichte als historisches Phänomen, sondern das Bemühen um sinnvoll sprechende liturgische Handlungen in der Gegenwart.

Richten sich diese Publikationen an Fachwissenschaftler und Fachleute in kirchlichen Gremien, so bereitet Kleinheyer seine Thesen auch für Seelsorger und Laien auf, befreit sie vom Ballast des wissenschaftlichen Apparats und wählt eine Sprache, die das Interesse des Mediators und Seelsorgers verrät. In der Zeitschrift „Gottesdienst" äußert er sich 1972 über die „Taufverkündigung in der österlichen Bußzeit".[28] Er interpretiert die biblischen und liturgischen Texte der drei „Taufsonntage" im Lesejahr A und liefert Textbausteine für Begrüßung und Einführung. Es kennzeichnet Kleinheyer als Wissenschaftler wie als Seelsorger, wie breit dieses Textgenus der Vermittlung und Praxishilfe in seinem Werk vertreten ist.

3. Der Liturgiewissenschaftler der (Nach-)Konzilszeit

Bruno Kleinheyer hat 1986 bei einer Tagung der Arbeitsgemeinschaft Katholischer Liturgikdozenten (AKL) einen Vortrag gehalten, der zwei Jahre später im Liturgischen Jahrbuch unter dem Titel „„Sacrosanctum Concilium 1986'. Eine Relecture der Liturgiekonstitution" veröffentlicht worden ist. Vortrag wie Aufsatz haben programmatischen Charakter und verdeutlichen, was Kleinheyer als Theologe bewegt hat. Gleichsam der hermeneutische Punkt für den Aufsatz wie für das Lebenswerk Kleinheyers findet sich fast gegen Ende: „SC ist

---

[26]   Vgl. KLEINHEYER, *Lobpreis und Anrufung Gottes über dem Wasser zur Taufe* (wie Anm. 21) 156.

[27]   Vgl. Bruno KLEINHEYER, *Ein Stück nicht verwirklichter Liturgiereform. Zur doppelten „Zeichenkraft" des Firmritus*, in: LJ 36. 1986, 58–64.

[28]   Vgl. Bruno KLEINHEYER, *Taufverkündigung in der österlichen Bußzeit. Das Gesicht der Fastensonntage in Lesejahr A*, in: Gottesdienst 6. 1972, 17–19, 22.

mein Text: das bezeuge ich gern."[29] Der Liturgiewissenschaftler beschreibt, wie er, mehr noch aus der Ferne, den Verlauf des Konzils verfolgt hat; wie es Pläne gab, nach Rom zu reisen, und ihm zugesagt wurde, dass er dort auch hingehöre; wie er den Text der Konstitution bekam; wie ein befreundeter Konzilsvater ihm Sitzungsunterlagen zu SC überließ: „ein seither sorgsam gehüteter Schatz"[30]. Das bedarf keiner weiteren Kommentierung!

Die Ausführungen, die Kleinheyer vorlegt, verfolgen drei Aufgaben: Sie wollen erklären, wie dieser Text entstanden ist, um ihn so begründet für das Heute auslegen zu können. Dabei ist sich der Autor darüber im Klaren, wie vielschichtig dieses Konzilsdokument ist und dass sich Vereinfachungen verbieten. Eine Relecture von Sacrosanctum Concilium ist sein Ziel, dem er sich verschrieben hat und das er sich letztlich in jeder Publikation immer wieder neu gestellt hat. Der Aufsatz „Sacrosanctum Concilium 1986" verdeutlicht darüber hinaus, dass es eine abschließende Lektüre dieses Dokuments und auch ein einfaches Wiederlesen nicht geben kann, sondern immer neue Annäherungsversuche notwendig sind, um die Konstitution auszuloten: „Relecture eines Konzilsdokuments, einer der vier Konzilskonstitutionen – wer könnte das leisten?"[31]

In Zitaten aus dem Rückblick Joseph Ratzingers auf die erste Sitzungsperiode des Zweiten Vatikanums wird deutlich, was Theologen dieser Jahre theologisch und ästhetisch von einer Liturgiereform erwarten. Für Kleinheyer, und nicht nur für ihn, kondensiert das programmatisch in der Liturgiekonstitution, die für ihn das Schlüsseldokument der katholischen Liturgie der Gegenwart ist.

Deshalb sieht Kleinheyer als zweite Aufgabe die Verteidigung dieses Dokuments und der dadurch in Gang gesetzten Liturgiereform. Es ist eine wissenschaftlich schwierige Position, in der er sich befindet. Er ist Teil einer Reformbewegung, die er zugleich kritisch reflektieren soll. Als Historiker erinnert er die Geschichte der Liturgie, kennt er Fehlentwicklungen und sieht er, wie die Konzilskirche darauf mit Reformen reagiert; als Theologe weiß er um die Mitte der Liturgie, das Heilsmysterium, und sucht mit den Mitteln des Wissenschaftlers immer neu nach Formen, in denen dieses angemessen gefeiert werden kann. Wie schon deutlich wurde, sieht er sich in der Verantwortung vor Tradition wie Gegenwart. Auch damit liegt er auf der Linie der Liturgiekonstitution, und seine Art, Liturgiewissenschaft zu betreiben, ist ganz von dieser Spannung geprägt.

Schließlich fehlt Kleinheyer nicht der kritische Blick auf die Liturgie seiner Zeit. In vielen Aufsätzen moniert er Mängel in der Reform, in den liturgischen Büchern oder der Umsetzung in der Praxis. Manches davon mag heute eng wirken, doch darf man nicht vergessen, woher dieser Theologe kam. Er wusste um die Grenzen der vorkonziliaren Liturgie und sah das Konzil, die Konstitution und das Reformwerk als Verpflichtung. Kritik am tatsächlichen Verlauf der Reform entsprach seinem Einsatz für die Liturgiekonstitution. Denn: „SC 1986: Ein Zeugnis sucht Bezeugende."[32]

[29] Bruno Kleinheyer, „Sacrosanctum Concilium 1986". Eine Relecture der Liturgiekonstitution, in: LJ 38. 1988, 4–29, hier 28.

[30] Kleinheyer, Sacrosanctum Concilium 1986 (wie Anm. 29) 10.

[31] Kleinheyer, Sacrosanctum Concilium 1986 (wie Anm. 29) 12.

[32] Kleinheyer, Sacrosanctum Concilium 1986 (wie Anm. 29) 28.

Liturgiewissenschaftler der Generation von Bruno Kleinheyer haben aufgrund der Aufgaben, die ihnen gestellt waren, der Liturgiewissenschaft ein ganz eigenes Profil gegeben. Vieles davon lässt sich nur im Kontext einer bestimmten Epoche erklären, dieses bleibt: Liturgiewissenschaft, wie sie Kleinheyer vertreten hat, versucht, die unterschiedlichen Dimensionen der Liturgie – Geschichte, theologische Dimensionen, Feiergestalten – in einer wissenschaftlichen Disziplin abzubilden. Sie verbindet eng Zeugnis und Reflexion. Dadurch hat sie die Liturgiereform des 20. Jahrhunderts maßgeblich mitgestalten können.[33]

Auswahlbibliografie
Die Bibliografie von Bruno Kleinheyer ist in folgenden Publikationen zusammengestellt:

Kurt KÜPPERS, *Bibliographie Bruno Kleinheyer*, in: *Lebt unser Gottesdienst? Die bleibende Aufgabe der Liturgiereform.* Hg. von Theodor MAAS-EWERD. Freiburg/Br. [u.a.] 1988, 317–326 (für die Jahre bis 1988).

DERS. – Christa BECK, *Bibliographie Bruno Kleinheyer (1923–2003)*, in: ALw 46. 2004, 106–130.

Ausgewählte Werke:

Die Priesterweihe im römischen Ritus. Eine liturgiehistorische Studie. Trier 1962 (TThSt 12).

Liturgie nach dem Konzil. Kevelaer 1967 (Entscheidung 55).

Zeichen des Glaubens. Studien zu Taufe und Firmung. Balthasar Fischer zum 60. Geburtstag. Hg. v. Hansjörg AUF DER MAUR – Bruno KLEINHEYER. Zürich [u.a.] 1972.

Heil erfahren in Zeichen. Dreißig Kapitel über Zeichen im Gottesdienst. München 1980.

Sakramentliche Feiern I. Die Feiern der Eingliederung in die Kirche. Regensburg 1989 (GdK 7,1).

---

[33]   Die Kleinheyer anlässlich seines 65. Geburtstags gewidmete Festschrift mit dem Titel *Lebt unser Gottesdienst? Die bleibende Aufgabe der Liturgiereform* (wie Anm. 1) passt sich hier ein.

Theodor Knolle (1885–1955)

Volker Leppin

Theodor Knolle hat die liturgiewissenschaftlichen Konsequenzen aus der Luther-Renaissance nach dem Ersten Weltkrieg gezogen. Er unterstreicht damit, dass diese Bewegung weit über die unmittelbare Holl-Schule hinausreichte.

1. *Entwicklungsgang*
Sein Weg zu Luther hatte zunächst mehr mit Zufällen der Biografie zu tun als mit konsequenten Folgerungen aus seinem Bildungsweg:[1] Am 18. Juni 1885 in Hildesheim geboren, studierte er nach dem Abitur in Magdeburg, 1903 in Halle, Marburg und Berlin Theologie und kam dort unter den Einfluss der Liberalen Theologie. Seine erste Pfarrstelle trat er 1910 in Greppin in der Kirchenprovinz Sachsen an. 1915 kam der für seine spätere Laufbahn entscheidende Wechsel an die Stadtkirche Wittenbergs: auf die Kanzel Luthers.

Hier erlebte und gestaltete er in Kriegszeiten das vierhundertjährige Jubiläum der Reformation, das durch die Berliner Rede Karl Holls auch den Auftakt für die Luther-Renaissance markierte. Knolle selbst war allerdings weniger an dieser akademisch-theologischen Wiederentdeckung Luthers als Theologen interessiert als an der parallelen, auch Laien ergreifenden Bewegung, die sich in der Gründung der Luther-Gesellschaft im Jahr 1918 in Wittenberg unter dem Jenenser Philosophieprofessor Rudolf Eucken als Präsidenten niederschlug.

Die Sache der Luther-Gesellschaft hat Knolle sich von Beginn an zu eigen gemacht: als Geschäfts- und Schriftführer, später auch als Zweiter Präsident sowie als Herausgeber des Mitteilungsblattes, von 1928 an auch des Luther-Jahrbuches, versah er von Anfang an wichtige und arbeitsreiche Funktionen.

Das blieb auch so, als er die Lutherstadt verlassen hatte und nach Hamburg gewechselt war: 1924 wurde er hier Hauptpastor an St. Petri. Diese hervorgehobene kirchliche Stellung nutzte er, um gemeinsam mit dem Hauptpastor von St. Michaelis, Simon Schöffel, für die Einführung des in der Kirchenverfassung von 1923 noch nicht vorgesehenen Bischofsamtes zu kämpfen.[2] Diese eher noch aus neulutherischen Konzeptionen ableitbare Haltung verband sich mit einem stärker an der genuinen Gestalt Luthers orientierten Eintreten für eine Reform des Gottesdienstes.

Theologisch entscheidend ist für ihn dabei einerseits der Bruch mit der Lutherdeutung der vorhergehenden Generation, andererseits die Skepsis gegenüber den anderen liturgischen Reformbewegungen im Raum des Luthertums

---

[1] Vgl. über Theodor Knolle: Paul ALTHAUS, *Theodor Knolle zum Gedächtnis*, in: Luther 26. 1955, 138f; Hans-Volker HERNTRICH, *Knolle, Theodor*, in: BBKL 4. 1990, 160f.

[2] Vgl. Georg DAUR, *Von Predigern und Bürgern. Eine hamburgische Kirchengeschichte von der Reformation bis zur Gegenwart*. Hamburg 1970, 271–283. Im Biogramm Knolles ebd. 432 wird irrtümlicherweise 1954 anstelle 1924 als Amtsantritt in St. Petri genannt.

seiner Zeit. Sowohl in der von Rudolf Otto angestoßenen Orientierung am Heiligen als auch in der Berneuchener Bewegung witterte er – trotz Berührungen mit der Letzteren – eine unreformatorische Theologie: Beiden gemeinsam war eine Orientierung an den heiligen Vollzügen, bei Otto im Sinne einer zunehmenden Ritualisierung des gottesdienstlichen Geschehens, bei den Berneuchenern im Sinne einer Fixierung auf den sakramentalen Teil des Gottesdienstes und einer, wie Knolle es empfand, unkritischen Übernahme des Messgottesdienstes – diese schien Knolle zu kurzschlüssig, obwohl sie zunächst seinem Bemühen um eine Orientierung an Luther entgegenkam und er selbst sich auch vehement und bewusst für die Form der Deutschen Messe aussprach und Luther an diesem Punkt auch gegen zeitgenössische Kritiker verteidigte.

Grundansatz für seine Konzeption von Gottesdienst aber war die Rechtfertigungslehre – hier erfolgte der theologische Anschluss an die Holl-Schule, die auf dieses Moment der Theologie Luthers als entscheidendes Movens seines Glaubens und Denkens hingewiesen hatte: „Holls aus den Quellen gewonnener methodischer Grundansatz der Lehre Luthers hat sich als richtig erwiesen."[3] Das bedeutete konkret: Kritischer Maßstab für allen Gottesdienst war der Ausschluss von Werkgerechtigkeit. Das hieß aber, so hielt Knolle gegen neuprotestantisch gefärbte Deutungen bei Franz Rendtorff fest, gerade nicht eine völlige Freiheit im Umgang mit dem liturgischen Geschehen: Die Freiheit, die Luther eröffnet hat, stand nicht im Widerspruch zur Form, sondern prägte die Form, wenn auch gerade in der Schlichtheit: „Die radikale Reform der Deutschen Messe als Reduktion des Vielerlei menschlichen Handelns auf das ausdrücklich von Christus Befohlene, Einsetzung und Austeilung, stellt in einseitiger, zugespitzter Formgebung der Beschränkung auf das Einfache und Wesentliche das ernste Anliegen der Reformation heraus, der Stiftung Christi und seinem Befehl zur Kommunion als des eigentlichen von Gott gebotenen und geordneten Gottesdienstes gerecht zu werden", schreibt Knolle 1950.[4] Vor diesem Hintergrund konnte Knolle Luthers Gottesdienstreform legitimieren und deuten und in ihr letztlich den Maßstab für liturgisches Handeln auch in der Gegenwart entdecken. Unhinterfragt blieb dabei, dass Angelpunkt jeden Gottesdienstes – letztlich nach dem Kirchenverständnis von Confessio Augustana (CA) VII – Predigt und Sakramente als von Gott, nicht vom Menschen verordnete Elemente sein müssten. Wie wenig Knolle an überstürzter und zu weit gehender Reform gelegen war, zeigt auch sein Gutachten zum Probetestament von 1938, einer zur Prüfung vorgelegten Revision des Neuen Testaments: Seine Ausführungen werden besonders ausführlich in liturgisch relevanten Passagen – insbesondere bei Lk 2,14 und bei den Einsetzungsworten –, und hier argumentiert er auch ausdrücklich mit dem Übergewicht der liturgischen Tradition: Evangelische Freiheit bedeutete, so zeigt sich auch hier, nicht einen mangelnden Respekt vor der tradierten Form. Übrigens war der Gesamtbefund in aller Schärfe negativ für das Probetestament: Hierdurch „wird der Charakter der Übersetzung

---

3   Theodor KNOLLE, *Luther in der deutschen Kirche der Gegenwart. Eine Übersicht.* Hg. im Auftrag der Luther-Gesellschaft v. Theodor KNOLLE. Gütersloh 1940 (SLG 14), 47.
4   Theodor KNOLLE, *Luthers Reform der Abendmahlsfeier in ihrer konstitutiven Bedeutung,* in: *Schrift und Bekenntnis. Zeugnisse lutherischer Theologie.* Hg. v. Volkmar HENTRICH – Theodor KNOLLE. Hamburg o.J. [1950], 88–105, hier 103f.

als einer solchen von Luther gefährdet und die Einheit zwischen diesem Neuen Testament und der Luther-Bibel wie dem biblischen Erbe im kirchlichen Gebrauch bedroht. Das scheint mir für die Kirche Luthers in der Gegenwart nicht tragbar"[5].

Kaum weniger bedeutsam – freilich noch weniger wirkungsvoll – waren die Anstöße, die Knolle gemeinsam mit Wilhelm Stählin in einem 1934 im Auftrag der Niedersächsischen Liturgischen Konferenz und des Berneuchener Kreises verfassten Gutachten für die Gestaltung des Kirchenjahres gab. Zentraler Grundgedanke ist hier eine christologische Konzeption des Kirchenjahres vom Sonntag her. Mit diesem steilen theologischen Ansatz verbindet sich aber ein Motiv, das auch den Kirchenpraktiker erkennen lässt: Gewichtigster Anstoß der gegenwärtigen kirchlichen Praxis ist die lange Trinitatiszeit, an deren Stelle eine vierfache Gliederung der Zeit nach Pfingsten in Pfingstzeit, Johanniszeit, Michaeliszeit und Endzeit gestellt werden soll, in der sich das Nacheinander von Entstehung der Kirche, Kirche der Heiligung, Kirche des Kampfes und Kirche der Hoffnung widerspiegeln soll.

2. Kirchenpolitische Auseinandersetzungen im Dritten Reich

Diese Denkschrift stammt bereits aus einer Zeit, in der Knolle tief in die kirchenpolitischen Kämpfe des Dritten Reiches verstrickt war. Anfänglich hatte er zu den Deutschen Christen (DC) gehört und hatte wohl auch dieser Mitgliedschaft seine Wahl zum Generalsuperintendenten, dem Stellvertreter des neu gewählten Landesbischofs Schöffel, zu verdanken. Er versah das Amt vom 25. Juli 1933 bis zum 1. März des folgenden Jahres. Entsprechend konnte er nicht nur die Einführung des schon lange von ihm ersehnten Bischofsamtes, sondern auch dessen Ausstattung mit umfassenden Vollmachten mit den Worten begrüßen: „Beim Führungsgedanken begegnen sich Aufbruch der Nation und Aufbruch der Kirche"[6].

Sein Weg in die kirchliche Opposition lag denn auch weniger in grundsätzlichen theologischen Differenzen begründet als in seiner kirchenverfassungsrechtlichen Position: Ein Konflikt zwischen der Hamburger DC-Leitung unter Franz Tügel und dem Landesbischof bedeutete für ihn eine solche Missachtung der bischöflichen Autorität, dass er die DC verließ, aber gleichzeitig ausdrücklich an der Grundidee der DC, „Nationalsozialismus und Christentum, Volk und Kirche in ganz enge Verbindung zu bringen"[7], festhielt. Zum selben Zeitpunkt, am 1. März 1934 legte er auch gemeinsam mit Schöffel sein kirchenleitendes Amt nieder.

Gemeinsam mit Schöffel sammelte er eine „Kameradschaft lutherischer Theologen" um sich, die sich einerseits durchaus als Alternative zum Pfarrernotbund, andererseits aber als der Hamburger Bekenntnisgemeinschaft zugehörig verstand. Da beide Protagonisten die Gemeinschaft des Bekenntnisses freilich vornehmlich im Sinne des konfessionell-lutherischen Bekenntnisses

---

[5]   Theodor KNOLLE – Paul ALTHAUS, *Luther und das „Probetestament" von 1938*. Gütersloh 1940 (BFChTh 41), 548.

[6]   Heinrich WILHELMI, *Die Hamburger Kirche in der nationalsozialistischen Zeit 1933–1945*. Göttingen 1968 (AGK 5), 55.

[7]   WILHELMI, *Hamburger Kirche* (wie Anm. 6) 110.

zu deuten suchten, bröckelte die 1934 im Protest gegen die Eingliederung der Landeskirche in die Reichskirche erreichte Einheit rasch, wobei Knolle und Schöffel im Zuge der Auseinandersetzungen aufgrund der lokalen Verwicklungen den Anschluss an den ihnen inhaltlich nahestehenden Lutherrat verloren.

Ungeachtet dessen, dass Knolles Beharren auf der konfessionellen Ausrichtung die Durchsetzungskraft der Bekenntnisgemeinschaft in Hamburg ganz erheblich schwächte, ist es doch bemerkenswert, dass Knolle so innerhalb des Kirchenkampfes, der zahlreiche Vertreter der mit der Luther-Renaissance eng verbundenen Holl-Schule in hohe Affinität zum Nationalsozialismus beziehungsweise zur deutschchristlichen Kirchenpolitik brachte, seine Rückwendung zu Luther genuin und authentisch fort- und in eine eigengeprägte Opposition umsetzte. Gerade die Hollsche Lutherdeutung gab ihm hierzu wichtige Impulse, insofern sie leitend für die Ablehnung jener Lutherdeutung war, die zeitweise versuchte, Luther im Horizont des Rosenbergschen Mythos in Kategorien der Mystik zu deuten.[8]

Charakteristisch für seine ambivalente Haltung im Dritten Reich ist mehr noch als seine eigenen Veröffentlichungen, was er als Herausgeber verantwortete: Das Luther-Jahrbuch 1934, für das er verantwortlich zeichnete, war ausgerechnet dem Gedächtnis an Luthers Bibelübersetzung gewidmet. Knolle eröffnete das Jahrbuch mit einem Vorwort, in dem er davon sprach, dieses Thema führe „unmittelbar in das Ringen unserer Zeit", die „unserem Volke ein neues Hören auf das deutsche Wort und seine Verwurzelung in Art und Boden, Glauben und Geschichte unseres Volkes geschenkt" habe.

Der Band selbst enthielt dann einen höchst bemerkenswerten Aufsatz des Betheler Praktischen Theologen und führenden Mannes der westfälischen Bekennenden Kirche, Georg Merz (1892–1959), der sich mit dem Stapelschen Diktum vom „Volksnomos" scharf auseinandersetzte, ebenso wie einen Beitrag des deutschchristlich orientierten Erich Vogelsang über das „Deutsche" im Christentum Luthers. Knolle verstand dies wohl als eine Politik des Ausgleichs, die es ihm auch ermöglichte, über Jahre hinweg vertrauensvoll mit dem Präsidenten der Luther-Gesellschaft, Paul Althaus, zusammenzuarbeiten.

3. Neuaufbau nach dem Zweiten Weltkrieg

Nach dem Zweiten Weltkrieg war es insbesondere die Lutherische Kameradschaft, aus der sich der Neuaufbau der Elite der Hamburger Kirche speiste: Schöffel wurde wieder zum Bischof gewählt, Knolle wurde am 6. Juni 1946 Oberkirchenrat und leitete von 1948 bis 1954 die Landessynode. Vor allem aber verlagerte er seine Tätigkeit in den wissenschaftlichen Bereich: den Aufbau einer Kirchlichen Hochschule in Hamburg. An ihr wirkte er, ohne Promotion und Habilitation, als Dozent, ab 1950 als Professor.[9] Vor der Eingliederung der Hochschule als Evangelisch-Theologische Fakultät in die Universität wurde

---

[8]   Vgl. v.a. Theodor KNOLLE, *Luthers Glaube. Eine Widerlegung.* Weimar 1938 (SLG 10). Vgl. hierzu Volker LEPPIN, *Lutherforschung am Beginn des 21. Jahrhunderts*, in: *Luther-Handbuch.* Hg. v. Albrecht BEUTEL. Tübingen 2005, 19–35, hier 22.

[9]   Vgl. Rainer HERING, *Theologie im Spannungsfeld von Kirche und Staat. Die Entstehung der Evangelisch-Theologischen Fakultät an der Universität Hamburg 1895–1955.* Berlin – Hamburg 1992, 427.

er 1954 zum Landesbischof gewählt. Seine Amtszeit war aber nur kurz: Am 1. Dezember 1955 starb er in Hamburg.

Auswahlbibliografie

Luther, unser Mitkämpfer! Predigt über Ps. 89,20, gehalten am Reformationsfeste 1916 zu Wittenberg. Wittenberg 1917.

Reformations-Jubelfeier in Wittenberg 1917. Wittenberg 1917.

Allerlei Regierungsweisheiten aus Doctor Martin Luthers Auslegung des 101. Psalms. Hg. v. Theodor KNOLLE. Leipzig 1922 (Flugschrift der Luther-Gesellschaft 1).

Luther und die Bilderstürmer in seinen und seiner Zeitgenossen Aussagen. Hg. v. Theodor KNOLLE. Wittenberg 1922 (Flugschrift der Luther-Gesellschaft 5).

Luthers Heirat nach seinen und seiner Zeitgenossen Aussagen. Hg. v. Theodor KNOLLE. Wittenberg 1925 (Flugschrift der Luther-Gesellschaft 11).

Aus Hamburgs Kirche. 1529–1929. Festbuch zum Reformationsjubiläum. Hg. v. Theodor KNOLLE. Hamburg 1929.

Bindung und Freiheit in der liturgischen Gestaltung. Vortrag. Göttingen 1932 (HeFo 20).

Luther – Eine Gefahr für uns? Hamburg 1933 (Beiträge und Forschungen zur Kirchengeschichte Hamburgs 2).

Das Kirchenjahr. Eine Denkschrift über die kirchliche Ordnung des Jahres. Im Auftrag der niedersächsischen liturgischen Konferenz und des Berneuchener Kreises hg. v. Theodor KNOLLE – Wilhelm STÄHLIN. Kassel 1934.

Luthers Glossen zum Alten Testament. In Auswahl nach der Ordnung seiner Lehre. München 1935 (Die Lehre Luthers 2).

Luthers Glaube. Eine Widerlegung. Weimar 1938 (SLG 10).

Die Eucharistiefeier und der lutherische Gottesdienst. Erlangen 1939 (Erneuerung des lutherischen Gottesdienstes 4/5).

zus. mit Paul ALTHAUS, *Luther und das „Probetestament" von 1938.* Gütersloh 1940 (BFChTh 41, Heft 3).

Luther in der deutschen Kirche der Gegenwart. Eine Übersicht. Hg. im Auftrag der Luther-Gesellschaft v. Theodor KNOLLE. Gütersloh 1940 (SLG 14).

D. Martin Luthers letzte Tage im Zeugnis seiner letzten Briefe, Tischreden, Predigten und seiner Freunde. Zusammengestellt v. Theodor KNOLLE. Hamburg 1946.

Luthers Reform der Abendmahlsfeier in ihrer konstitutiven Bedeutung, in: *Schrift und Bekenntnis. Zeugnisse lutherischer Theologie.* Hg. v. Volkmar HENTRICH – Theodor KNOLLE. Hamburg o.J. [1950], 88–105.

Schrift und Bekenntnis. Zeugnisse lutherischer Theologie. Hg. v. Volkmar HENTRICH – Theodor KNOLLE. Hamburg 1950 (Hamburger Theologische Studien 1).

Hans Kreßel (1898–1985)

Klaus Raschzok

1. Biografie und wissenschaftlicher Werdegang

Hans Kreßel wird am 14. April 1898 in der Universitätsstadt Erlangen als Sohn eines Bäckermeisters geboren. Die Eltern – der Vater lebt seit 1912 als Privatier in Erlangen – ermöglichen ihm eine unbeschwerte Kindheit und Jugend. In der Nachbarschaft der Erlanger Altstädter Evangelisch-Lutherischen Dreifaltigkeitskirche wächst er in einem geschlossen lutherischen Milieu des ausgehenden wilhelminischen Zeitalters auf und besucht nach der Volksschule das örtliche Humanistische Gymnasium. Schon früh wecken die Frömmigkeit des Elternhauses und das gottesdienstliche Leben der heimatlichen Kirchenge-  meinde in ihm den Wunsch, Pfarrer zu werden. „Ich entsinne mich lebhaft der frühesten Gottesdienstbesuche im noch nicht schulpflichtigen Alter [...]. Die Feierlichkeit des Chores, der Altar mit der wechselnden Farbe seiner Paramente und dem unterschiedlichen Glanz seiner Kerzen (an Sonntagen sechs, an Festtagen zwölf Altarleuchter) fing an, zu der Kinderseele zu sprechen und zu reden von der Lieblichkeit der Wohnungen Gottes. Dazu ließ das liturgische Handeln des Geistlichen – von dem Austritt des Geistlichen aus der Sakristei bis zum Verlassen von Kanzel und Altar sorgfältig beobachtet –, der Wechsel der liturgischen Formen (wenn beispielsweise in der Passionszeit das ‚Ehre sei Gott in der Höhe‘ verstummte und dafür das ‚Agnus Dei‘ gesungen wurde) wie die Persönlichkeit des Predigers in ihrem Gesamthabitus aufmerken; und bald blieben auch einzelne Schrift- und Predigtworte haften [...]. So bekam die Kindesseele einen zunächst mehr unbewußten als bewußten Eindruck von dem Gott, der da kommt und nicht schweigt, und ich weiß nicht, ob ich je Pfarrer geworden wäre, wenn nicht hier im Gottesdienst der Gemeinde die erste Anregung dazu gegeben worden wäre."[1] Der kindliche Gottesdienstbesuch verbindet sich mit der Gegenwart der Verstorbenen im Kirchenraum. „Heute noch, wenn ich zuzeiten im alten Kirchenstuhl der Heimatkirche sitze, sehe ich im Geist die Gestalten längst heimgegangener Gemeindeglieder um mich her ihre gewohnten Plätze füllen und denke daran, wie sie dem kindlichen Beobachter durch ihren treuen Kirchenbesuch, ihre andächtige Aufmerksamkeit ehrwürdig und als eine Verkörperung der communio sanctorum erschienen, ob er schon damals dieses Wort und diesen Begriff noch nicht kannte."[2] Das gesamte Lebenswerk Hans Kreßels kann damit als Versuch verstanden werden, diese frühen kindlichen Eindrücke und Prägungen wissenschaftlich aufzuarbeiten.

---

[1] Hans KRESSEL, *Die lebendige Gemeinde – das Schicksal der Kirche.* Gütersloh 1939, 61f. Vgl. zum Lebensweg die Autobiografie: Hans KRESSEL, *Im Hause des Herrn immerdar. Ein Rückblick und Bekenntnis zu einem langen Pfarrersleben.* Erlangen 1978.

[2] KRESSEL, *Die lebendige Gemeinde* (wie Anm. 1) 64.

Auch das Weichbild der Vaterstadt Erlangen wird im Rückblick geistlich auf-
geladen: „Wenn der Verfasser als Kind unter der Türe seines Vaterhauses stand
und westwärts blickte, stand vor seinen Augen das Bild des Martinsbühls und
seiner Kirche, das wie eine geheimnisvolle Kulisse die Pfarrstraße abschloß
[...]. Oft sah ich den Leichenwagen hinausfahren und dann, wie es damals
noch schöne Sitte war, die Begräbnisprozession mit Pfarrer und Kantor und
den Chorknaben unter dem Geläute aller Glocken der Stadtkirche dem Hügel
zupilgern. Oft ging ich selber durch die stillen Tore des Gottesackers, schmück-
te die Gräber der Familie, sah in manches geöffnete Grab. Das empfängliche
kindliche Gemüt wurde umweht von dem Geheimnis des Todes und Grabes,
aber auch von der Verkündigung der lebendigen Hoffnung, wie sie hier bezeugt wurde."[3]

Im Wintersemester 1916/17 beginnt Hans Kreßel ein Studium der Evangelischen Theologie und der Kunstgeschichte an der Universität seiner Heimatstadt. Bereits im Sommersemester 1917 wird er zum Kriegsdienst einberufen
und ist als Angehöriger einer berittenen Transportkompanie in Rumänien,
Frankreich und Belgien im Einsatz. Nach Kriegsende kann er im Januar 1919
sein Studium in Erlangen fortsetzen. Prägende akademische Lehrer sind
der Kirchen- und Kunsthistoriker Hans Preuß (1876–1951), der Systematiker Philipp Bachmann (1864–1931) und der Praktische Theologe Christian
Bürckstümmer (1874–1924). 1921 schließt er das Theologiestudium mit der
Theologischen Aufnahmeprüfung seiner bayerischen Heimatkirche ab, wird
mit der Vertretung des 1. Stadtvikariates Bamberg betraut und am 10. Juli 1921
in der Bamberger St. Stephanskirche zum Geistlichen Amt ordiniert. Schon
1922 folgt im Alter von 24 Jahren die Promotion zum Dr. phil. an der Universität Erlangen mit einer vom Kunsthistoriker Friedrich Haack betreuten Studie
über die Klosterkirche Frauenaurach. Erste Vorarbeiten dazu reichen bis in die
Schulzeit zurück. 1924 absolviert er die Theologische Anstellungsprüfung (II.
Theologisches Examen) seiner Kirche. 1926 wird Hans Kreßel Pfarrer in Mühlhausen in Oberfranken und heiratet die Pfarrerstochter Emmy Loy. Drei Söhne
und zwei Töchter werden dort sowie später in Schweinfurt und Nürnberg geboren. In Mühlhausen widmet sich Kreßel neben seinen Quellenstudien zur
praktischen Theologie Wilhelm Löhes (1808–1872) der Intensivierung des
gottesdienstlichen Lebens einer ländlichen Pfarrei. Die von ihm dazu unter-
nommenen liturgischen Experimente versuchen, die prinzipiell durch die Gottesdienstordnung des 19. Jahrhunderts gegebenen Gestaltungsmöglichkeiten
in vollem Umfang auszuschöpfen. So variiert er den sonntäglichen Hauptgottesdienstes mit wechselnden Psalmtönen für die Introiten, führt das Laudamus
„Wir loben Dich" an den Festtagen anstelle des sonntäglichen „Allein Gott in
der Höh sei Ehr" und das Nizänum anstelle des Apostolikum an den Festtagen ein, dazu den Chorgesang an den Festtagen. Er entwirft eine Bußliturgie
für den Buß- und Bettag und arbeitet an der liturgischen Ausgestaltung der
sonntäglichen Nebengottesdienste an den Feiertagen. So initiiert er einen Ves-
pergottesdienst am Freitagabend nach dem Vorbild der Neuendettelsauer Ves-

---

[3] Hans KRESSEL, *Die Ruhe des Volkes Gottes ("Cimiterium"). Gottesackerpredigten, gehalten auf
    dem St. Johanniskirchhof zu Nürnberg und auf dem Martinsbühl zu Erlangen.* Erlangen 1949,
    7f.

per, die Christvesper am Heiligen Abend und einen Ostermorgengottesdienst auf dem Friedhof vor dem Hauptgottesdienst in Anknüpfung an den Brauch der Herrnhuter Brüdergemeine. Weitere Akzente setzt er mit Abendmahlsgottesdiensten am Gründonnerstagabend und am Abend des 1. Advents. Er integriert Tauffeiern in den Gottesdienst, vor allem in die Christenlehre und in die liturgischen Gottesdienste an den Festtagen. Am 6. Sonntag nach Trinitatis tauft er vor der ganzen Gemeinde. Er wechselt die Paramente in den Farben des Kirchenjahres und stellt 12 Altarleuchter an Festtagen und 6 Altarleuchter an den gewöhnlichen Sonntagen auf. Hans Kreßel nutzt die pastoraltheologischen Publikationen seiner Zeit, um seine aus heutiger Sicht bescheidenen eigenen liturgischen Experimente einem breiten Kreis an Interessenten vorzustellen. Das Erbe der sogenannten „älteren" Liturgischen Bewegung wird von ihm mit erheblicher zeitlicher Verzögerung entdeckt und umgesetzt.

1929 wechselt Hans Kreßel auf die Pfarrstelle Schweinfurt-St.Johannis III. 1934 wird ihm im ungewöhnlichen Alter von 36 Jahren die Würde eines Ehrenlicenciaten der Theologie durch die Erlanger Theologische Fakultät wegen seiner Forschungen zur bayerischen Agende zuteil. Hans Kreßel gehört in den 1930er Jahren dem Kreis der sich am Institut für Kirchenmusik der Erlanger Universität um den Theologen und Kirchenmusiker Georg Kempff und den Dogmatiker Paul Althaus sammelnden Pfarrer an, der eine Erneuerung des lutherischen Gottesdienstes auf der Basis der Agendenwerke des 19. Jahrhunderts anstrebt, in enger Nähe zum liturgischen Engagement von Hans Asmussen steht und wie dieser die gottesdienstliche Erneuerung auf einer breiten, von den Gemeinden getragenen Basis und nicht aus exakten liturgiehistorischen Studien heraus vollziehen will.[4]

Mitten im Zweiten Weltkrieg wird Hans Kreßel 1942 auf die angesehene Pfarrstelle Nürnberg-St.Johannis I berufen und übernimmt mit ihr die Geschäftsführung einer der größten Kirchengemeinden seiner bayerischen Heimatkirche. Die Zeit des Großstadtpfarramtes wird geprägt vom Bombenkrieg und der Zerstörung der Nürnberger Friedenskirche, deren Wiederaufbau Kreßel nach Kriegsende erfolgreich betreibt.

Von 1950 bis 1952 übernimmt Hans Kreßel vier Semester lang neben dem Gemeindepfarramt die Vertretung des durch den Unfalltod von Gerhard Schmidt (1899–1950) vakanten Lehrstuhls für Praktische Theologie an der Theologischen Fakultät der Universität Erlangen und hält Lehrveranstaltungen in den Teildisziplinen Liturgik, Homiletik und Gemeindeaufbau. Seine erwartete Berufung auf den Lehrstuhl scheitert an anderweitigen Vorstellungen des Landeskirchenrates der Evangelisch-Lutherischen Kirche in Bayern, die dazu führen, dass das bayerische Kultusministerium 1952 dem Religionspädagogen Kurt Frör den Erlanger praktisch-theologischen Lehrstuhl überträgt. Bereits 1929 hatte Kreßel ein Angebot, am Theologischen Seminar in North Adelaide in Australien Praktische Theologie zu lehren, mit Rücksicht auf die Familie abgelehnt.

---

[4]　　Vgl. Hans ASMUSSEN, *Die Lehre vom Gottesdienst*. München 1937 (Gottesdienstlehre Bd. 1): „Wir verachten wahrlich die wissenschaftliche Akribie nicht. Aber es gibt bestimmte Augenblicke, in denen die Kirche nicht mehr zuwarten darf! Sie darf auch auf dem Gebiet des Gottesdienstes nicht mehr zuwarten. Sie muß bessern und bauen." (7).

1956 wird Hans Kreßel von seiner Landeskirche mit der Verleihung des Titels „Kirchenrat" geehrt. 1968 geht er mit 70 Jahren in den Ruhestand, den er in seiner Heimatstadt Erlangen verbringt und durch eine umfassende Vortragstätigkeit gestaltet. Er stirbt dort am 30. Oktober 1985 im Alter von 87 Jahren und wird am 4. November 1985 auf dem Altstädter Friedhof in Erlangen bestattet.

Kreßel beteiligt sich als gebildeter Gemeindpfarrer und Praktischer Theologe selbstbewusst an den zeitgenössischen Debatten des Faches.[5] Die Publikation eigener Predigten begleitet die gesamte Amtstätigkeit.[6] Selbst bei seinen gemeindebezogenen Veröffentlichungen hat Kreßel immer zugleich den wissenschaftlichen Leser im Blick. Schon die frühen, im Bamberger Stadtvikariat begonnenen Arbeiten zu Wilhelm Löhe als Praktischem Theologen werden von ihm nicht nur als geschichtliche Darstellung verstanden, sondern zielen darauf, „zugleich wichtige Grundsätze für die Gegenwart heraus[zu]arbeiten"[7]. Nach der nicht zustande gekommenen Berufung auf den Erlanger Lehrstuhl zieht sich Hans Kreßel aus den aktuellen praktisch-theologischen Debatten zurück. An der Erarbeitung wie wissenschaftlichen Kommentierung des Agendenwerkes der Vereinigten Evangelisch-Lutherischen Kirche Deutschlands (VELKD) ist er nicht mehr beteiligt. Seine Publikationen wenden sich nun vor allem kirchenhistorischen und kunstgeschichtlichen Themenfeldern zu.

Der gebildete Gemeindpfarrer Hans Kreßel nutzt sein ganzes Pfarrersleben lang durchgängig die Morgenstunden und einen Teil des Urlaubs für seine wissenschaftlichen Studien. „So war es mir mehr eine Freude als ein Opfer, Jahre hindurch einen Teil des Urlaubs für diese Studien hergeben zu müssen", schreibt er im Vorwort seiner Liturgik der Erlanger Theologie. „Ich denke gerne an die Zeit zurück, da ich in meinem Erlanger Garten ‚im Tal' ein gutes Stück des Buches geschrieben habe, während dazwischen der Blick auf die alten Erlanger Kirchen sich richtete, in denen ich als Kind die ersten und nachhaltigsten liturgischen Eindrücke ... empfing."[8] In den Jahren des Dritten Reiches und des Zweiten Weltkrieges setzt Kreßel seine wissenschaftliche Produktivität neben dem Gemeindpfarramt unvermindert fort. Die wissenschaftliche Tätigkeit wird für ihn zum Ort der inneren Emigration. Selbst die nach 1945 publizierten Predigten aus der Zeit, als Kreßel die Opfer des Bombenkrieges seelsorgerlich zu begleiten hatte, enthalten lediglich vage Andeutungen zur politischen Situation. Nur zurückhaltend kommentiert Kreßel das zeit-

[5]   Kreßel ist Mitarbeiter der Zeitschriften Pastoralblätter, Dienet einander, der Monatschrift für Gottesdienst und kirchliche Kunst, der Zeitschrift für evangelische Kirchenmusik, der Zeitschrift Kirche und Kunst, der Allgemeinen Evangelisch-Lutherischen Kirchenzeitung, dem Evangelischen Deutschland, dem Deutschen Pfarrerblatt, dem Theologischen Literaturblatt, der Theologischen Literaturzeitung und dem Korrespondenzblatt für die evangelisch-lutherischen Geistlichen in Bayern. Meist handelt es sich bei seinen Veröffentlichungen um kurze miniaturartige Beiträge.

[6]   Die Predigtmanuskripte Kreßels seit der Vikarszeit liegen vollständig im Landeskirchlichen Archiv Nürnberg im Nachlass vor und harren der Aufarbeitung.

[7]   KRESSEL, Im Hause des Herrn (wie Anm. 1) 66.

[8]   Hans KRESSEL, Die Liturgik der Erlanger Theologie. Ihre Geschichte und ihre Grundsätze. Göttingen 1946. Zweite durchgesehene Auflage 1948, VIIf.

genössische kirchliche Geschehen im Dritten Reich und beschränkt sich auf einige wenige Andeutungen zum eigenen Engagement in der Bekennenden Kirche in Schweinfurt und für Judenchristen in Nürnberg. Umgekehrt hält Kreßel aber auch an seinem kirchenhistorischen Lehrer Hans Preuß fest, der wegen seiner zustimmenden Haltung zum Dritten Reich nach 1945 aus der Erlanger Fakultät ausscheiden muss.

2. Liturgiewissenschaftliche Publikationen Hans Kreßels

Die liturgiewissenschaftlichen Publikationen von Hans Kreßel zielen durchgängig darauf, die bayerische Liturgiegeschichte und die darauf aufbauende aktuelle Praxis modellhaft einem breiten Leserkreis zu erschließen und damit die grundlegende Bedeutung der evangelischen Gottesdienstlehre des 19. Jahrhunderts auch für die gottesdienstliche Theorie und Praxis des 20. Jahrhunderts herauszuarbeiten. Kreßels liturgiewissenschaftliche Forschungen werden literarisch im gesamten deutschen Sprachraum rezipiert. Sein eigenes Selbstverständnis als Weiterbauer und Vollender der bayerischen Liturgie ist dadurch bestimmt, dass er die liturgische Arbeit des 19. Jahrhunderts ähnlich wie Hans Asmussen und völlig anders als der Kreis um Christhard Mahrenholz, Joachim Beckmann und Peter Brunner als grundlegend positiv beurteilt. Schwerpunkte sind die Mitte des 19. Jahrhunderts entstandene Gottesdienstordnung der Evangelisch-Lutherischen Kirche in Bayern, die für Kreßel und seine Zeitgenossen bis in die 1950er Jahre hinein die selbstverständliche prägende Gegenwartsgestalt des evangelischen Gottesdienstes darstellt. Ergänzende eigene Akzente setzt Kreßel in den Bereichen der Festtagsnebengottesdienste, der gottesdienstlichen Homiletik, der Entfaltung des Kirchenjahres und des Gemeindebezugs der Liturgie. Hans Kreßel bleibt in seinen Publikationen jedoch hinter den Standards damaliger zeitgenössischer historisch-kritischer Forschung zurück, da er einer Übergangsgeneration Praktischer Theologie angehört, welche methodisch noch stark dem ausgehenden 19. Jahrhundert verhaftet bleibt.[9]

Die 1926 erschienene frühe Studie „Das Gebet für die Toten und die Pflege der communio sanctorum im Blick auf die Gemeinde der Vollendeten" ist typisch für Kreßels Arbeitsweise, Fragestellungen aus der Praxis des Gemeindepfarrers aufzunehmen und wissenschaftlich zu beantworten versuchen. Sie geht der für Gemeindeglieder existenziellen und von Pfarrern unterschätzten Frage nach, ob für die Toten gebetet werden dürfe und wie die evangelische Kirche das Gedächtnis der verstorbenen Gläubigen als Gemeinschaft mit den Vollendeten pflegen dürfe. Die Abendmahlsfeier, so die Antwort, darf nicht nur als Feier Einzelner, sondern der ganzen Gemeinde und damit zugleich als Darstellung der communio sanctorum in ihrer „ewigen Weitschaft" verstanden werden. Das Allgemeine Kirchengebet mit dem Memento mortuorum bildet die andere entscheidende Stelle zur Pflege der Communio sanctorum im evangelischen Gottesdienst.

[9] Vgl. Friedrich Wilhelm GRAF, *Theologische Strömungen*, in: *Handbuch der Geschichte der evangelischen Kirche in Bayern*. Bd. 2: 1809–2000. Hg. v. Gerhard MÜLLER – Horst WEIGELT – Wolfgang ZORN. St. Ottilien 2000, 249–269.

Einen ersten Beitrag zum eigenen Selbstverständnis als evangelischer Liturgiewissenschaftler liefert Hans Kreßel 1931 mit der Studie „Philipp Bachmann. Der Prediger und der Liturg", in der er sich in die Bahnen eines Liturgikers des ausgehenden 19. Jahrhunderts einzeichnet und damit ungewollt den retrospektiven Grundzug des eigenen wissenschaftlichen Lebenswerkes betont. Der 1931 verstorbene Erlanger Systematische Theologe und Universitätsprediger Philipp Bachmann (1864–1931) war zeitlebens ein wichtiger Gesprächspartner Hans Kreßels, der ihn schon aus seiner Gymnasialzeit kannte. Die Studie rekonstruiert die hinter Bachmanns beeindruckender praktischer liturgischer Tätigkeit stehenden wissenschaftlichen Grundsätze. Bachmann wird Kreßels Vorbild in seiner Verbindung von Geschichte und Gegenwart wie von Freiheit und Bindung für alle liturgische Arbeit. Herausgearbeitet wird das Konzept Bachmanns, durch schöpferische Versuche neue Grundformen des Gottesdienstes zu gewinnen, um mit ihnen einen über die reformatorischen Gottesdienstordnungen hinausreichenden Neubau zu errichten. Ziel aller liturgischen Arbeit ist der einheitliche Fluss des Gottesdienstes. „Der Gottesdienst soll ... nicht ein zusammenhangloser Haufe aller möglichen und unmöglichen Bruchstücke, sondern eine organische Einheit sein; und diese Einheit soll nicht künstlich beschnitten, sondern natürlich und psychologisch wahrhaftig sein."[10]

Mit der 1935 erschienenen Monographie „Die Liturgie der Ev.-Luth. Kirche in Bayern r.d.Rh." will Hans Kreßel seiner „geliebten Heimatkirche" im Rahmen des sich vollziehenden Werdeprozesses zur deutschen Reichskirche ein Ehrenmal im Sinne eines in die Zukunft weisenden Mahnmals aufrichten, „um Zeugnis zu geben, wie das Erbe der Väter Frucht wirken kann für die kommenden Generationen."[11] Die Studie lässt sich als Mahnung lesen, das bayerische gottesdienstliche Erbe im bevorstehenden liturgischen Umbruch zu bewahren. Letztlich stellt sie den Versuch einer Bilanz angesichts eines bevorstehenden Überganges in der gottesdienstlichen Ordnung dar. Kreßel legt keine fachhistorische Untersuchung vor, sondern argumentiert aus zeitgenössischen Fragestellungen heraus mit einer historischen Rekonstruktion des Gottesdienstes der bayerischen Kirche. Sein gegenüber den Quellen selektives Vorgehen[12] dient dazu, Linien herauszuarbeiten, die für die zeitgenössische liturgische Arbeit von Bedeutung sind. Es geht um die Bewahrung der eigenen liturgischen Tradition in einem 1935 noch völlig offenen Prozess auf dem Weg zu einer deutschen Reichskirche und ihrer möglichen gottesdienstlichen Neuordnung.[13] Kreßel ist bei seiner Rekonstruktion der Entwicklung der baye-

---

[10] Hans Kressel, *Philipp Bachmann. Der Prediger und der Liturg.* Leipzig 1931, 51.

[11] Hans Kressel, *Liturgie der Ev.-Luth. Kirche in Bayern r.d.Rh. Geschichte und Kritik ihrer Entwicklung im 19. Jahrhundert.* Gütersloh 1935, VI.

[12] Vgl. *Die Reform des Gottesdienstes in Bayern im 19. Jahrhundert.* Quellenedition. Hg. v. Hanns Kerner – Manfred Seitz. 4 Bde. Stuttgart 1995–1997. Diese Quellenedition ermöglicht heute eine sachgerechte Rekonstruktion des Entstehungsprozesses der bayerischen Agende des 19. Jahrhunderts.

[13] Dies wird von Hanns Kerner in seinem – sachlich berechtigten – Urteil über Kreßels Studie zu wenig beachtet: Kreßels Monografie genüge „heutigen wissenschaftlichen Ansprüchen nicht mehr. Die Fixierung auf die punktuelle Bewahrung reformatorischer Gottesdienstordnungen und die restaurativ-lutherischen Entwicklungen

rischen Agende im 19. Jahrhundert nachdrücklich daran interessiert, den entscheidenden Anstoß, der die liturgische Entwicklung zum Ziel führen sollte, der Erlanger Liturgik zuzusprechen. In seiner freien Interpretation des Quellenmaterials postuliert Kreßel die Autorenschaft von Adolf Harleß und Johann Wilhelm Friedrich Höfling für die Gottesdienstordnung von 1853, um die besondere Rolle Erlangens und seiner Theologischen Fakultät zu betonen. Die liturgiegeschichtliche Entwicklung des 19. Jahrhunderts habe ungelöste Probleme wie die Verbindung von Hauptgottesdienst und Abendmahlsfeier und den eindeutigen Aufbau der Abendmahlsliturgie zurückgelassen. Zudem seien im 20. Jahrhundert neue Fragen aufgetaucht, wie die, ob die eine, feste Hauptgottesdienstliturgie nicht durch einen anderen Aufbau zu Zeiten auch abgelöst werden müsse, damit Stetigkeit nicht zur Starrheit werde. Implizit stellt Kreßel damit Kriterien für eine Weiterarbeit an der Gottesdienstordnung auf und benennt Schwächen der Liturgie des 19. Jahrhunderts, die auszugleichen sind. Kreßel steht dabei jedoch nicht das Modell von Ordinarium und Proprium wie der Liturgischen Arbeitsgemeinschaft um Christhard Mahrenholz vor Augen. Vielmehr geht es ihm um den Wechsel der Feierformen an den herausgehobenen Orten des Kirchenjahres.

Im 1937 veröffentlichten Vortrag „Erneuerung des lutherischen Gottesdienstes im Spiegelbild der Bayerischen Liturgiegeschichte" zeigt Hans Kreßel, dass er sich eine Erneuerung des lutherischen Gottesdienstes ausschließlich als Voranschreiten mit den Vätern auf der betretenen Bahn vorstellen kann. Am Beispiel der Brandenburg-Nürnberger Kirchenordnung von 1533 verdeutlicht er, wie diese mit ihrem Typus der dogmatisch gereinigten Messe es unterlassen habe, auf der dogmatischen Grundlegung liturgisch um der Liturgie willen zu bauen. Deshalb konnte diese Gottesdienstordnung auch Opfer des Rationalismus werden, da die Gemeinden das Bekenntnis fallengelassen hatten. Die bayerische Liturgie hätte zum einen das durch die Rationalisten zerbrochene dogmatische Prinzip wiederhergestellt, sodann die besten Formen der altlutherischen Ordnungen wieder zur Geltung gebracht und diese Wiederherstellung des Alten schließlich nicht nur als einfache Repristination, sondern als Neubau mit dem alten Material vollzogen. Sie hätte bewusst auf eine Wiedereinsetzung der Brandenburg-Nürnberger Ordnung verzichtet, da es nicht nur um die Wahrung, sondern auch um die Bildung der Tradition gehe. Bei der Erneuerung des lutherischen Gottesdienstes dürften deshalb nicht einfach zerfallene Ruinen wieder aufgebaut werden. Vielmehr gehe es um Ergänzung und Fortführung. Eine der offenen Fragen stelle die Vereinigung von Wort- und Sakramentsgottesdienst dar. Kreßel fragt, ob wirklich eine dogmatische Pflicht zur Vereinigung von Predigt- und Abendmahlsgottesdienst bestehe, und verneint dies durch den Hinweis auf die predigtlose Frühmesse an den Nürnberger

sowie deren ausnahmslose Befürwortung – gleichzeitig wurden sämtliche anderen Strömungen als Fehlentwicklungen verurteilt –, verschleierten die Fakten in vielen Bereichen mehr, als daß sie festgestellt und erhellt wurden. Auch waren die handschriftlichen Quellen nur sehr selektiv herangezogen worden." (Hanns KERNER, *Reform des Gottesdienstes. Von der Neubildung der Gottesdienstordnung und Agende in der evangelisch-lutherischen Kirche in Bayern im 19. Jahrhundert bis zur Erneuerten Agende.* Stuttgart 1994 [CTM C23], 7f).

Hauptkirchen im 16. Jahrhundert. Selbständiger Predigtgottesdienst und selbständige Abendmahlsfeier könnten nebeneinander stehen, wenn die selbständigen Abendmahlsfeiern als vollgültige Hauptgottesdienste gestaltet würden. Die spätere VELKD-Agende Band I verzichtet dagegen auf die von Kreßel propagierten außerordentlichen Formen des Gottesdienstes und arbeitet stattdessen mit einer reicheren Ausgestaltung des Proprium. Kreßels Vortrag erscheint als Heft 1 der auf 14 Lieferungen angelegten Reihe „Erneuerung des lutherischen Gottesdienstes. Veröffentlichungen des Erlanger Instituts für Kirchenmusik", von der nur die ersten fünf Hefte erschienen sind. Geplant war nach den Worten des Herausgebers Georg Kempff, die Stücke des lutherischen Gottesdienstes in Einzelheften als Dienst an der gesamten deutschen Lutherischen Kirche zu behandeln.

Der Aufsatz „Das ‚Schweigen' in der lutherischen Liturgie" von 1941 steht für die von Kreßel gerne gewählte Form der Bearbeitung einer Einzelfrage gottesdienstlicher Gestaltung. Die lutherische Liturgie kennt gegenwärtig nur das stille Privatgebet der Gemeindeglieder zu Beginn und zum Schluss des Gottesdienstes als einzige Form eines Stillgebets. Kreßel grenzt sich gegen Rudolf Ottos sakramentales Einswerden mit der Gottheit im Schweigen ab, da er eine unio mystica außerhalb der ordentlichen Offenbarung Gottes durch Wort und Sakrament ablehnt. „Es ist darum ein gefährliches Spiel, ein Schweigen in die Liturgie eingliedern zu wollen, das mehr als die klare Rede Gottes und Jesu Christi im Wort der Schrift und der aus der Schrift durch den Geist Gottes gezeugten Predigt geben soll ..."[14] Unter den praktischen Vorschlägen erwähnt Kreßel die Stille nach der Konsekration der Abendmahlselemente unmittelbar vor der distributio, in Anlehnung an Luthers Deutscher Messe und seiner beibehaltenen Elevation und dem Sanctus des Chores. „Diese Stille ist letztlich auch wieder nichts anderes als ein Warten, ein ehrfürchtig in stiller Anbetung verharrendes Warten auf den, der da kommt im Namen des Herrn, diesmal nicht nur mit seinem Wort (wie bei der Absolution in der Bußliturgie), sondern in seinem Sakrament und hier der Gemeinde seine leibhaftige Gegenwart schenkt."[15]

Die zweite liturgiewissenschaftliche Monographie Hans Kreßels mit dem Titel „Die Liturgik der Erlanger Theologie" erscheint 1946. Kreßel stellt darin die einzelnen Epochen und Fachvertreter einer Liturgik der Erlanger Theologie vom 18. bis ins 20. Jahrhundert vor und will damit die Bedeutung der Erlanger Fakultät für den Gottesdienst herausarbeiten, um implizit deren Führungsanspruch in der Lösung der gottesdienstlichen Frage des Luthertums zu markieren. Liturgik stelle eine lebensnotwendige Disziplin der lutherischen Kirche dar und sei als Lehre von der – dogmatisch verankerten – Formgestaltung des gottesdienstlichen Wechselverkehrs zwischen Gott und seiner Gemeinde zu entfalten. Liturgik als lebensnotwendige Disziplin müsse auf dem festen Boden des Bekenntnisses betrieben werden, da Bekenntnis und Liturgie unaufhörlich zusammengehörten. Kraft des Wortes und Sakramentes entfaltet sich der evangelische Gottesdienst als heiliger Wechselverkehr zwischen Gott und der

---

[14]   Hans Kressel, Das „Schweigen" in der lutherischen Liturgie, in: Monatschrift für Gottesdienst und kirchliche Kunst 46. 1941, 48.

[15]   Kressel, Das „Schweigen" (wie Anm. 14) 51.

Gemeinde. Gottes schöpferisches Handeln löse eine Gegenwirkung aus und schaffe beim Menschen eine Aufnahmefähigkeit. Die Erlanger Liturgik entfalte Martin Luthers Torgauer Formel als Kanon des evangelischen Gottesdienstes. Bei diesem Wechselverkehr lösten sich die sakramentalen und die sakrifiziellen Akte stetig ab und durchdringen sich immer wieder gegenseitig. Die Verbindung mit der Tradition habe jedoch nicht in normativer, sondern in regulativer Weise zu erfolgen. Es sei nicht damit getan, liturgische Schätze der Vergangenheit auszugraben. Stattdessen müsse untersucht werden, ob sie dogmatisch einwandfrei seien, ob sie dem entsprechenden liturgischen Begriff wirklich entsprächen und ob sie schließlich auch in einer Gemeindekirche praktiziert werden könnten. Liturgische Arbeit bewahre nicht nur Tradition, sondern bilde diese auch. Die Stille und Ruhe gewährende Stetigkeit gottesdienstlicher Ordnungen müsse sich mit Beweglichkeit paaren, um nicht zur Starrheit zu werden. Neben die ordentlichen müssten die außerordentlichen Gottesdienste treten. Da das Wirken des heiligen Geistes die psychologische Vermittlung nicht ausschließe, habe die Liturgik auch die inneren Gesetzmäßigkeiten der gottesdienstlichen Akte zu erforschen. Dabei sei der sinnlichen Vermittlung in Zeit und Raum besondere Aufmerksamkeit zu widmen.

Den Grundsätzen fügt Kreßel Überlegungen zur praktischen Durchführung an. In einem Durchgang durch die Hauptgottesdienstliturgie zeigt er, wie die anhand der Erlanger Liturgik erhobenen Grundsätze in der gottesdienstlichen Gestaltung zum Tragen kommen können. Die Verbindung von Predigt- und Abendmahlsgottesdienst stelle kein absolutes Ideal dar, da sich keine dogmatische Verpflichtung eruieren ließe, dass Wort und Sakrament in jedem Hauptgottesdienst gleicherweise da sein müssten.

Unter dem Titel „Unser Gottesdienst" legt Kreßel 1948 eine „Einführung in das Wesen und den Gang des lutherischen Gottesdienstes" für Geistliche und Gemeindeglieder vor. Die entscheidende kirchliche Not der Gegenwart bestehe in der Gottesdienstlosigkeit. Mit ihr drohe der Herzmuskel des Gemeindeorganismus zu erschlaffen. „Wie eine vergessene Attrappe wirkt das altehrwürdige liturgische Geschehen."[16] Auch hier greift Kreßel wieder auf die Torgauer Formel Luthers zurück, die das unaussprechliche Geheimnis des Wesens des Gottesdienstes zum Aufleuchten bringe. Evangelischer Gottesdienst ist als ein flutender Wechselstrom zu beschreiben, vom dem die Gemeinde sich erfassen lässt.

Zwei kleinere Studien wenden sich 1946 und 1952 dem Verhältnis Martin Luthers zur Liturgie zu. In „Luther und die Liturgie" von 1946 will Kreßel die Bedeutung von Luthers Gottesdienstordnungen für die evangelische Liturgik relativieren. Luther sei nicht liturgisch gleichgültig eingestellt gewesen, habe aber das Wesen des Gottesdienstes erst in seiner Torgauer Kirchweihpredigt 1544 entscheidend neu bestimmt. Luthers Deutsche Messe stellt im Verhältnis dazu einen bescheidenen Versuch dar, den geschichtlichen Zusammenhang mit der Alten Kirche zu wahren und Gottes Wort innerhalb wie außerhalb der Predigt als vornehmstes Stück des Gottesdienstes zum Ausdruck zu bringen. Dies geschehe durch die Höhepunktstellung der Einsetzungsworte vor der

---

16   Hans Kressel, *Unser Gottesdienst. Eine Einführung in das Wesen und den Gang des lutherischen Gottesdienstes*. München 1948, 5.

Austeilung im Gegensatz zum überkommenen Meßschema. Durch den Wegfall aller anderen Weihegebete und Weiheformeln solle nur Christi Stimme als alleiniger Konsekrator gehört werden. Auch 1952 ist Kreßel in „Luthertum und Liturgie" weiterhin davon überzeugt, dass die wesentlichen liturgischen Weichenstellungen des Luthertums bereits im 19. Jahrhundert erfolgt sind und gegenwärtig nur weitergeführt werden müssen, aber keinesfalls eines völligen Neueinsatzes bedürfen.

Kreßels dritte liturgiewissenschaftliche Monographie von 1952 widmet sich dem Thema „Wilhelm Löhe als Liturg und Liturgiker" und bildet den Abschluss der 1929 mit „Wilhelm Löhe als Prediger" eröffneten Trilogie zu Wilhelm Löhe als praktischem Theologen. Gottesdienst wird bei Löhe als Dramaturgie und als heiliges Spiel verstanden. Die „Unmittelbarkeit des Empfindens muß bei dem Liturgen weiter des künstlerischen Schaffens fähig sein; denn bei der Liturgie handelt es sich gewiß um eine Wirklichkeit, eine letzte, heiligste Wirklichkeit, aber doch auch, was die äußeren Formgesetze betrifft, um eine dramatische Darstellung in menschlichen Formen und Gebärden; wenn das Wort nicht zu gefährlich wäre, könnte man auch sagen: um ein heiliges Spiel. Künstlerisches Schauen, verbunden mit der Gestaltungskraft künstlerischer Phantasie ..."[17] kennzeichne eine liturgische Persönlichkeit wie Wilhelm Löhe. Kreßel benennt fünf Prinzipien einer lutherischen Liturgik im Gefolge Wilhelm Löhes: (1) Sie muss bekenntnisgebunden sein. In ökumenischer Weite freut sie sich jedoch auch der Schätze in anderen Kirchen. (2) Lutherische Liturgik muss sich an die Tradition halten, ohne einen organischen Fortschritt zu hindern. Die Lutherische Kirche steht im Zusammenhang mit der Alten Kirche. Das Achten auf Tradition und das Wahren des geschichtlichen Zusammenhanges bedeutet keinen Traditionalismus. Eine bloße Repristination genüge nicht. Erforderlich sei der Fortschritt in der Liturgie. (3) Lutherische Liturgik dringt auf Ordnung, ohne die Freiheit zu verletzen und ein falsches Gesetz aufzurichten. (4) Sie vergisst nicht über der wahren Geistigkeit die notwendige Leiblichkeit. (5) Lutherische Liturgik wahrt in der Mannigfaltigkeit die Einheitlichkeit und liebt die Einheit für den gottesdienstlichen Aufbau. Daraus abzuleiten sei die Forderung der architektonischen Einheit für den Aufbau der Gottesdienstordnungen. Schließlich skizziert Kreßel den Typus des Löheschen Gottesdienstes als Heiliges Drama. Dies stelle keinen Widerspruch zum lutherischen Gottesdienstbegriff dar, dem Löhe lediglich letzte Lebendigkeit verleihe. Liturgie ist heiliges Wechselgespräch zwischen dem Dreieinigen Gott und der Gemeinde, bei dem die Bewegung der himmlischen Liturgie ihren Schein in die irdischen Gottesdienste werde und alle Gottesdienste daher radikal eschatologisch ausrichte und sie an den Pforten der Ewigkeit feiern lasse.

Eine zweite Werkgruppe stellen die Veröffentlichungen zur liturgischen Praxis dar, die Kreßel als notwendige Ergänzung und Weiterführung zur bayerischen Agende versteht. Zu erwähnen ist hier die 1934 erschienene Sammlung „Die großen Taten Gottes! Liturgische Ansprachen und Formulare für alle Feste des Kirchenjahres". Sie bildet die liturgiepraktische Dokumentation

---

[17]   Hans KRESSEL, *Wilhelm Löhe als Liturg und Liturgiker*. Neuendettelsau 1952, 12.

der Bemühungen Hans Kreßels um die liturgischen „Nebengottesdienste" und damit um eine enge Verbindung von Homiletik und Liturgik. Die Sammlung enthält neben den Praxisbeispielen auch grundlegende theoretische Überlegungen zur Arbeit an der liturgischen Altar-Ansprache als homiletischem Typus. Eine evangelische Gottesdienstlehre könne den wesenhaften Mangel nicht gleichgültig ertragen, dass der liturgische Nebengottesdienst als Ergänzung zum Hauptgottesdienst nicht vollständig ausgebaut worden sei. Die Geschichte des christlichen Kultus habe gezeigt, dass die Kirche die Feier von Nebengottesdiensten in Ergänzung des sonntäglichen Hauptgottesdienstes immer als lebensnotwendig erkannt habe. Kreßel will die Wochengottesdienste und Feiertagsnebengottesdienste wieder im Gemeindebewusstsein verankern, um zumindest durch den Kern der Gemeinde die umfassende Ganzfeier der Magnalia Dei zu verwirklichen. Der liturgische Nebengottesdienst müsse jedoch eine besondere neue Gabe für diejenigen bereithalten, die schon die Hauptfeier am Vormittag erlebt hätten.

In der Studie „Das Fest des Jüngsten Tages" legt Kreßel 1941 gemeinsam mit seinem Mühlhausener Nachfolger Friedrich Wilhelm Hopf einen ausgearbeiteten Vorschlag vor, den letzten Sonntag des Kirchenjahres als Fest des Jüngsten Tages zu begehen. Beide betonen, dass das Große und Ganze des Kirchenjahres undiskutierbar feststehe, jedoch am Ende des Kirchenjahres, eine Lücke klaffe. Kreßel und Hopf entfalten eine kleine Lehre des Kirchenjahres und setzen sich mit zeitgenössischen Vorschlägen einer Neugliederung der Trinitatiszeit auseinander. Sie plädieren für das innere Recht der Monotonie der Sonntage nach Trinitatis, da gerade hier die Schrift an sich ohne eigens geformten Rahmen zu ihrer Entfaltung gelange. Das Kirchenjahr sei in eine festliche und in eine festarme Zeit zweigeteilt. In der Liturgischen Arbeitsgemeinschaft um Christhard Mahrenholz wird ebenfalls an der Frage der Gestaltung des Endes des Kirchenjahres gearbeitet. Dort setzt sich schließlich Mahrenholz mit seinen vier letzten Sonntagen im Kirchenjahr als Entsprechung zu den vier Adventssonntagen durch. Mahrenholz bevorzugt ein Entfaltungsmodell für das Ende des Kirchenjahres, Kreßel und Hopf dagegen einen punktuellen Höhepunkt und festlichen Abschluss.

Eine dritte Werkgruppe liturgiewissenschaftlicher Publikationen stellt Kreßels Bemühen um einen gottesdienstbezogenen Gemeindeaufbau dar. In seiner vierten Monographie „Die lebendige Gemeinde – das Schicksal der Kirche" erweist er sich 1939 als Kenner der zeitgenössischen Gemeindeaufbaudiskussion, verknüpft diese mit seinen gottesdienstlichen Überlegungen und legt einen Versuch einer gottesdienstbezogenen Lehre von der Gemeinde und ihrem Aufbau vor, der bisher wirkungsgeschichtlich nicht beachtet wurde. Kreßel schaltet sich damit in die von der zeitgenössischen Praktischen Theologie wenig beachteten aktuellen Debatten über den Gemeindeaufbau ein und beruft sich dabei unter anderem auch auf Bruno Gutmanns Gliedschaftsgedanken.

Die Schrift „Wider den Kultus – für den Gottesdienst! Warnung und Weisung im liturgischen Geschehen der Gegenwart" von 1953/54 ist der einzige literarische Beleg für Hans Kreßels kritische Haltung gegenüber dem VELKD-Agendenwerk. Diese neue liturgische Bewegung in der evangelischen Kirche, bei der nicht mehr scharf zwischen unierter und lutherischer Kirche unterschieden werden könne, zeichne sich durch wissenschaftliche Forschung wie durch praktische Reformbestrebungen aus. Sie rücke den Gottesdienst als solchen in den Mittelpunkt des kirchlichen Lebens. Dazu erforsche sie das Wesen des Gottesdienstes neu und biete „noch bessere Mittel" auf als zuvor. „Exegese und Systematik wie kirchengeschichtliche Untersuchung helfen zusammen, um in das Innerste einzudringen."[18] In den liturgischen Vorlagen der Vereinigten Lutherischen Kirche lauere jedoch die Gefahr eines „Kultusidealismus". Lutherisches Eigenbewusstsein und die Verkündigung würden durch das Überwiegen der sakrifiziellen Elemente zurückgedrängt und die bislang weithin verachtete Form drohe nun verabsolutiert zu werden.

Kreßels fünfte und letzte liturgiewissenschaftliche Monographie mit dem Titel „Von der rechten Liturgie. Prolegomena zu einer Morphologie der Liturgie" ist sein 1971 mit 73 Jahren verfasstes Alterswerk. Deutlich wird, dass Kreßel seit dem Scheitern seiner Berufung auf den Erlanger Praktisch-Theologischen Lehrstuhl nicht mehr am liturgiewissenschaftlichen Diskurs partizipiert. Kreßel betont nochmals die Notwendigkeit einer Weitergestaltung des Gottesdienstes, da die Morphe dem Gestaltwandel unterworfen ist und eine lebendige Liturgie ohne Veränderung ihres Wesens einer Weitergestaltung im Rahmen einer organischen Entwicklung bedarf.

Nur kurz zu erwähnen sind Hans Kreßels Publikationen zu Kirchenbau, Kirchenraum und Paramentik. Im Aufsatz „Der eschatologische Gedanke im evangelischen Kirchenbau" von 1928 setzt sich Kreßel mit dem Planegger Kirchenbau von Theodor Fischer auseinander und kritisiert dessen Zentralraum vom Gedanken der Gemeinschaft der Gläubigen her. Der Aufsatz „Das Problem des Altars in der lutherischen Kirche" von 1936 beschäftigt sich mit den Prinzipien der lutherischen Kirche für die Gestaltung ihres Altares. 1951 plädiert er für die Wiedereinführung der Alba in den evangelischen Gottesdienst, da sie als weißes Freudenkleid am besten den Freudencharakter des evangelischen Gottesdienstes ausdrücke und nicht nur zum Sakrament, sondern auch zum Predigtgottesdienst getragen werden könne, da das Wort nach reformatorischer Auffassung die Stellung eines Gnadenmittels einnehme.

3. Würdigung

Durch seine Veröffentlichungen erweist sich Hans Kreßel als gebildeter Gemeindepfarrer und typischer evangelischer Liturgiewissenschaftler, der sich in der ersten Hälfte des 20. Jahrhunderts souverän an den gottesdienstlichen Debatten beteiligt, ohne selbst hauptberuflich an der Universität tätig zu sein, und dessen wissenschaftliche Arbeit eng mit dem eigenen liturgiepraktischen Tun verbunden ist. An seine Grenzen gelangt dieser Typus dadurch, dass er eine stringente historisch-kritische Arbeit an Fragen des Gottesdienstes für eher nachrangig hält und sich daran auch nur bedingt beteiligt. Er begnügt sich damit, aus dem im Gesamteindruck erfassten historischen Material „Prinzipien" und „Wesensaussagen" zu gewinnen, die er auf die Arbeit der Gegenwart am Gottesdienst anwenden kann. Hans Kreßel bearbeitet den Gottesdienst als Feld theologischer Wissenschaft noch im Rahmen eines älteren Wissenschaftsver-

---

[18] KRESSEL, *Löhe als Liturg* (wie Anm. 17) 126.

ständnisses, sucht engen Anschluss an Wilhelm Löhe und dessen Kritik einer ausschließlich historisch orientierten evangelischen Liturgik in der Mitte des 19. Jahrhunderts und verzichtet im Umgang mit dem historischen Material auf die seit Mitte der 30er Jahre des 20. Jahrhunderts etablierten historisch-kritischen Standards.

Hans Kreßels Gottesdienstverständnis wird geprägt von der Betonung der leibhaften Dimension, der eschatologischen Ausrichtung, der psychologischen Orientierung, der bekenntnismäßigen Bindung, der Freiheit der Fortgestaltung der liturgischen Tradition durch die Gegenwart und durch einen konsequenten Gemeindebezug. Liturgie ist für Kreßel dramatische Darstellung in menschlichen Formen und Gebärden. Dieses heilige Spiel steht in enger Nähe zum künstlerischen Schaffen. Gottesdienst stellt ein sinnliches Geschehen dar. Es vollzieht sich als Feier an den Pforten der Ewigkeit und als Teilnahme an der himmlischen Liturgie. Immer wieder beschreibt Kreßel den Gottesdienst als heiligen Wechselverkehr zwischen Gott und der Gemeinde und damit als Wort- und Antwort-Geschehen. Das geschichtliche Erbe des Gottesdienstes ist sorgfältig zu beachten und gleichzeitig fortzubilden, um zu einer gemeindegemäßen wie dogmatisch angemessenen Praxis zu gelangen.

Hans Kreßel konnte sich sowohl vor wie nach 1945 eine deutschlandweite gottesdienstliche Neuordnung der lutherischen Kirchen nur im Weiterbau an den landeskirchenspezifischen Ordnungen vorstellen. Die Tragik der historischen Entwicklung besteht darin, dass die von Kreßel favorisierte Bekenntnisgebundenheit und territoriale Ausdrucksgestalt des evangelischen Gottesdienstes im deutschen Protestantismus nach 1945 bzw. spätestens mit der Gründung von VELKD und EKD keine Rolle mehr spielen. Ziel der Liturgischen Arbeitsgemeinschaft 1941–1944 und der Lutherischen Liturgischen Konferenz Deutschlands in ihrer Nachfolge ab 1948 war gerade die Überwindung der territorialen Ausgangsgestalten des lutherischen Gottesdienstes mittels Rückgriff auf die liturgiegeschichtliche Analyse mit ihrer Rekonstruktion der Gottesdienstentwicklung bis hin zur Alten Kirche, an der Hans Kreßel ebenfalls nur ein geringes Interesse zeigt. Kreßel wird daher vom methodischen Paradigmenwechsel der die Arbeit an den großen Agendenwerken nach 1945 prägenden, historisch orientierten evangelischen Liturgiewissenschaft überrollt. Peter Brunners Konstrukt der „liturgiegeschichtlichen Analyse"[19], das er in die Arbeit an der lutherischen Einheitsagende einbringt, zielte auf eine überregionale gottesdienstliche Einheit der lutherischen Kirchen, während Hans Kreßel gerade in der territorialen Profilierung den Ansatzpunkt für die Einheit sah.

---

[19]   Vgl. das im Anhang bei Thomas RHEINDORF, *Liturgie und Kirchenpolitik. Die Liturgische Arbeitsgemeinschaft von 1941 bis 1944.* Leipzig 2007 (Arbeiten zur Praktischen Theologie 34), abgedruckte maschinenschriftliche Manuskript Peter Brunners vom 2. Dezember 1942 mit dem Titel „Die Bedeutung der liturgiegeschichtlichen Analyse" 186f.

Auswahlbibliografie

Der Nachlass Hans Kreßels befindet sich seit 1986 im Landeskirchlichen Archiv Nürnberg (Bestand Personen CL). Eine (unvollständige und mit zahlreichen Mängeln behaftete) Bibliografie erschien 1958 zum 60. Geburtstag: *Hans Kreßel. Ein Festgruß zum 14. April 1958.* Bibliographie Hg. v. Georg HELBIG, Neuendettelsau 1958.

Das Gebet für die Toten und die Pflege der communio sanctorum im Blick auf die Gemeinde der Vollendeten. Eine dogmatisch-praktisch theologische Studie, in: Monatschrift für Gottesdienst und kirchliche Kunst 31. 1926, 317–324.

Der eschatologische Gedanke im evangelischen Kirchenbau, in: Kirche und Kunst 13. 1928, 1–2.

Philipp Bachmann. Der Prediger und der Liturg. Leipzig 1931.

Die großen Taten Gottes! Liturgische Ansprachen und Formulare für alle Feste des Kirchenjahres. Ansbach 1934.

Die Liturgie der Ev.-Luth. Kirche in Bayern r.d.Rh. Geschichte und Kritik ihrer Entwicklung im 19. Jahrhundert. Gütersloh 1935.

Das Problem des Altars in der lutherischen Kirche, in: Monatschrift für Gottesdienst und kirchliche Kunst 41. 1936, 204–207.

Das Kirchweihfest – ein Fest im Kreis des Kirchenjahres, in: Pastoralblätter 79. 1937, 584–592.

Erneuerung des lutherischen Gottesdienstes im Spiegelbild der Bayerischen Liturgiegeschichte. Mit einem Geleitwort und einer Ordnung einer Pfingst-Mette von Georg Kempff. Erlangen 1937 (Erneuerung des lutherischen Gottesdienstes. Veröffentlichungen des Erlanger Instituts für Kirchenmusik 1).

Die lebendige Gemeinde – das Schicksal der Kirche. Gütersloh 1939.

Das „Schweigen" in der lutherischen Liturgie, in: Monatschrift für Gottesdienst und kirchliche Kunst 46. 1941, 48–52.

Das Fest des Jüngsten Tages. Ein Vorschlag mit grundsätzlicher Untersuchung und praktischen Beispielen der Gestaltung (Kleine theologische Handbücherei Heft 6, Hg. im Auftrag des Reichsbundes der deutschen evangelischen Pfarrervereine). Essen 1941 (gemeinsam mit Friedrich Wilhelm HOPF).

Luther und die Liturgie, in: Jahrbuch des Martin-Luther-Bundes 1946. München 1946, 34–38.

Die Liturgik der Erlanger Theologie. Ihre Geschichte und ihre Grundsätze. Göttingen 1946. Zweite durchgesehene Auflage Göttingen 1948.

Unser Gottesdienst. Eine Einführung in das Wesen und den Gang des lutherischen Gottesdienstes (Kirchlich-Theologische Hefte. Hg. im Auftrage des Rates der Evang.-Luth. Kirche in Deutschland V). München 1948.

Soll die Alba wiedereingeführt werden?, in: Deutsches Pfarrerblatt 51. 1951, 486–487.

Luthertum und Liturgie, in: Evangelisch-Lutherische Kirchenzeitung 6. 1952, 335–336.

Wilhelm Löhe als Liturg und Liturgiker. Neuendettelsau 1952.

Wider den Kultus – für den Gottesdienst. Warnung und Weisung im liturgischen Geschehen der Gegenwart, in: Jahrbuch des Martin-Luther-Bundes 6. 1953/54, 121–136.

Von der rechten Liturgie. Prolegomena zu einer Morphologie der Liturgie, zu ihrer Gestalt und Gestaltung. Neuendettelsau 1971.

Gerhard Kunze (1892–1954)

Birgit Fenske

1. Biografie

Johannes Gerhard Kunze verbrachte sein wirksames Leben in Niedersachsen und Holstein. Seine Heimat aber war Sachsen und das sächsische Erzgebirge.

In Hartenstein wird er am 29. Juli 1892 geboren. Da seine Schwester früh stirbt,[1] wächst er als einziges Kind seiner Eltern, des Lehrers und Organisten Anton Kunze und seiner Frau Emilie,[2] auf. Als Enkel eines Bergschmiedes[3] erlebt Kunze die Welt des erzgebirgischen Silber- und Kobaldbergbaus mit der für diese Gegend typischen Volksfrömmigkeit.

Drei Jahre lang besucht Kunze die Volksschule, dann das humanistische Gymnasium in Schneeberg. Nach bestandener Reifeprüfung schreibt er sich zum Sommersemester 1911 an der Universität Jena für Germanistik und evangelische Theologie ein[4] und schließt sich der Sängerschaft St. Pauli zu Jena[5], einer farbentragenden Studentenverbindung, an. Ein konkretes Berufsziel hat er zu diesem Zeitpunkt noch nicht.

Der Erste Weltkrieg unterbricht Kunzes Studium. Er wird 1914 Soldat und schon in den ersten Kriegsjahren dreimal schwer verwundet. Granatsplitter im Kopf sowie Rücken- und Bauchschüsse fügen ihm folgenschwere Verletzungen zu.[6]

1918 wird Kunze wegen mangelnder Felddiensttauglichkeit zum Examen beurlaubt.[7] Er geht zurück an die Universität Leipzig, wo er bei Ludwig Ihmels,

---

1 Gespräch mit Erda Christine und Martin-Gerhard Kunze vom 28. Februar 2003.

2 Vgl. den von Gerhard Kunze verfassten Lebenslauf (Landeskirchliches Archiv Hannover [im Folgenden: LkAH] N 134).

3 Vgl. Gerhard KUNZE, *Die gottesdienstliche Zeit*, in: Leit. 1. 1954, 437–534, hier 522.

4 Für den Zusammenhang vgl. Lebenslauf (wie Anm. 2).

5 Vgl. Gerhard KUNZE, *Die Sängerschaft zu St. Pauli in Jena 1828–1928. Hundert Jahre einer Idee und ihrer Wirklichkeit.* Jena 1928, 351.

6 „Ich kam 1915 von einem Sturmangriff weg ins Lazarett, 1916 von der Somme, 1917 vom letzten Großkampftag in Flandern: das seelische Tief, das man da im Lazarett zu durchwandern hat, ist unbeschreiblich" (Gerhard KUNZE, *Noch einmal „Gesangbuch der Kommenden Kirche"*, in: MGKK 45. 1940, 89–91, hier 91). – „Nebenbei: Die überfüllte Klosterkirche war auf ein Achtel des notwendigen Lichtes abgedunkelt. Warum eigentlich? Stimmungsförderung? [...] Vielleicht hilft Dunkelheit manchem [...] mich Kopfschuß-Verletzten quält solch unechtes Dunkel furchtbar." (Gerhard KUNZE, *Das Fest der deutschen Kirchenmusik*, in: MGKK 43. 1938, 46–50, hier 50.).

7 „Anfang Oktober 1918 wurde ich von meinem Ersatzbataillon auf drei Monate beurlaubt, um das Examen nachzuholen, zu dem ich bei Ausbruch des Krieges nicht mehr gekommen war. Die Beurlaubung war deswegen möglich, weil ich nach meiner dritten Verwundung nicht mehr felddienstfähig war und [...] auch nicht wieder felddienstfähig werden würde. Mit großem inneren Bangen kam ich nach mehr als vier Jahren an die Universität zurück und wußte nicht wie lange es dauern würde, ehe ich

Rudolf Kittel und Franz Rendtorff studiert[8] und 1919 sein erstes theologisches Examen ablegt.[9]

In den letzten Leipziger Semestern kommt es in der Stadt zu heftigen Auseinandersetzungen mit den Arbeiter- und Soldatenräten, von denen auch die Universität betroffen ist. Kunze, „feldgrauer Student"[10], verabscheut Anliegen und Ausführung der Revolte und nutzt seine Stellung als Leiter der Studentenversammlungen zu Gegenmaßnahmen.[11] In der Revolutionszeit reift auch sein Entschluss, den Pfarrberuf zu ergreifen.[12] Sein Germanistikstudium bleibt ohne Abschluss.[13]

1919/20 besucht Gerhard Kunze das Predigerseminar in Leipzig und ist gleichzeitig Mitglied und Bibliothekar des Predigerkollegiums St. Pauli zu Leipzig.[14] Nach dem zweiten theologischen Examen in Dresden wird er 1921 in der Leipziger Thomaskirche ordiniert.[15] Zunächst erhält er die Stelle des Hilfsgeistlichen an der Friedenskirche in Leipzig-Gohlis, dann als Nachfolger von Pfarrer Erich Stange[16] die 4. Pfarrstelle, die er von 1921 bis 1924 innehat.[17]

Als Gemeindepfarrer installiert, heiratet Gerhard Kunze seine Verlobte Charlotte Luise Plaene (1899–1975), die er bereits zu Beginn seines Studiums in Jena kennengelernt hat.[18] Zwei der insgesamt sieben Kinder Kunzes – Friedrich Wilhelm (1922–1942) und Franz Ludwig (1923) – werden in dieser Zeit geboren.[19]

1925 wird Gerhard Kunze in das erste evangelische Studentenpfarramt Deutschlands in Leipzig eingeführt.[20] Der Aufbau eines Pfarramtes im akademischen Kontext entspricht seinen Neigungen. Zudem kann er – es ist die Zeit der Jugendbewegung – seinen Interessen für Gesang und Sport nachgehen.[21]

mich wieder in die entwöhnte geistige Tätigkeit gefunden haben würde." (Gerhard KUNZE, *Erinnerungen an die Revolutionstage 1918. Zu Rudolf Kittels Rektoratserinnerungen. Ein Abschiedsgruß an die Leipziger Studenten.* o.O. [Herrnhut] 1933, 3.)

8   Vgl. KUNZE, *Erinnerungen an die Revolutionstage 1918* (wie Anm. 7) 3.
9   Vgl. Lebenslauf (wie Anm. 2).
10 KUNZE, *Erinnerungen an die Revolutionstage 1918* (wie Anm. 7) 7.
11 Vgl. KUNZE, *Erinnerungen an die Revolutionstage 1918* (wie Anm. 7) 14. – Vgl. auch den im LkAH N 134 befindlichen Zeitungsausschnitt, nach dem Kunze an der Beseitigung der roten Fahne auf dem Universitätsgebäude beteiligt war.
12 Vgl. Gerhard KUNZE, *Unser theologischer Nachwuchs,* in: MPTh 40. 1951, 356–364, hier 361.
13 Vgl. KUNZE, *Unser theologischer Nachwuchs* (wie Anm. 12) 361.
14 Vgl. KUNZE, *Erinnerungen an die Revolutionstage 1918* (wie Anm. 7) 15.
15 Vgl. Personalbogen: LkAH B 7 Nr. 959. – Vgl. auch Nachruf Gerhard KUNZE, in: DtPfrBl 1955, 523.
16 Vgl. Erich STANGE, *Nachruf Gerhard Kunze,* in: PBl 95. 1955, 257–258, hier 257.
17 Vgl. Lebenslauf (wie Anm. 2) sowie KUNZE, *Unser theologischer Nachwuchs* (wie Anm. 12) 361.
18 Vgl. KUNZE, *Die Sängerschaft zu St. Pauli in Jena 1828–1928* (wie Anm. 5) Vorsatz.
19 Vgl. E-Mail Martin-Gerhard Kunzes vom 13. März 2003.
20 Vgl. Walther TEBBE, *„Unruhig ist unser Herz". Ein Dank an Gerhard Kunze,* in: MPTh 43. 1954, 452–455, hier 453.
21 Vgl. dazu die Veröffentlichungen Kunzes aus dieser Zeit: Gerhard KUNZE, *Katechismus des Eichenkreuzes. Worinnen der junge Mann gelehrt wird, warum und zu welchem Ende er seinen Leib üben und stählen soll.* Kassel-Wilhelmshöhe 1928; DERS., *Der Student von*

Auch andere Aufgaben, die ihn ein Leben lang begleiten sollten, übt er nun erstmals aus. Kunze hat von 1925 bis 1933 die Schriftleitung des Bücherberichts der Pastoralblätter[22] sowie von 1932 bis 1933 die des Organs des Christlich-Sozialen Volksdienstes[23] in Sachsen inne, dessen Mitglied er seit 1929 ist.[24] In den Leipziger Jahren werden dem Ehepaar Kunze ein weiterer Sohn, Otto Hermann (1925–2002), und zwei Töchter, Martha Maria Elisabeth (1928–1982) und Erda Christine (1930), geboren.[25]

Nach der Machtergreifung gelangt mit Friedrich Coch ein Anhänger der Deutschen Christen in das sächsische Bischofsamt. Noch am Tag seiner Ernennung, am 1. Juli 1933, enthebt er Gerhard Kunze ohne Nennung von Gründen seines Amtes.[26]

In der sächsischen Landeskirche darf Kunze fortan kein Amt mehr ausüben. Die Kirchenleitung in Dresden verweigert die Herausgabe seiner Papiere,[27] Bewerbungen um diverse Pfarrstellen scheitern.[28] Durch Hanns Lilje wird er dem hannoverschen Landesbischof August Marahrens empfohlen, der Kunze im Oktober 1933 „unbürokratisch" nach Hannover-Bothfeld vermittelt. Bothfeld und das zum Kirchspiel gehörende Groß-Buchholz sind 1933 ländliche Vororte von Hannover. Obwohl der bisherige Studentenpfarrer Kunze einer Wahl durch die von Arbeitern geprägte Gemeinde mit gemischten Ge

---

morgen, in: *Krummenhennersdorf. Ein Singwochenbuch*. Kassel 1929, 90–101; DERS., *Der Sängerschafter und sein Volk*. Leipzig 1930. – Vgl. auch Kunzes Sportpredigten, -vorträge und -ansprachen, Reden auf Jungmännerversammlungen und Veröffentlichungen im „Eckart" (Bl. für ev. Geisteskultur. Witten – Berlin. Eckart-Verlag 1924/25–1943, 1951–1960), zusammengestellt in einer von ihm selbst erstellten Bibliografie (LkAH N 134).

[22] Vgl. Gerhard KUNZE, *Non omnia possumus omnes*, in: MPTh 39. 1950, 1–5, hier 5.

[23] Eine sozial-konservative Partei in der Tradition Adolf Stöckers (vgl. Sigmund NEUMANN, *Die Parteien der Weimarer Republik*. Stuttgart ⁴1977, 70–72). – Irrig Claus JÜRGENSEN (*Leben und Arbeiten im Seminar nach dem 2. Weltkrieg*, in: *100 Jahre Predigerseminar Preetz. Eine Festschrift*. Hg. v. Gothart MAGAARD – Gerhard ULRICH. Kiel 1996, 58–62, hier 60), der behauptet, Kunze sei bereits vor 1933 Mitglied der SPD gewesen. Tatsächlich erfolgte Kunzes Eintritt in die SPD erst 1945 (vgl. Alfred SCHULZ, *Dr. Gerhard Kunze* [pag. Typoskript], 3: LkAH N 134).

[24] Vgl. SCHULZ, *Dr. Gerhard Kunze* (wie Anm. 23) 3.

[25] E-Mail von Martin-Gerhard Kunze vom 13. März 2003.

[26] Die Entlassung erfolgte per Telegramm (vgl. LkAH N 134). Hintergrund der Ereignisse war vermutlich die Auseinandersetzung Leipziger Studenten und Pfarrer mit dem Reichsjugendführer Baldur von Schirach (Gespräch mit Erda Christine und Martin-Gerhard Kunze vom 28. Februar 2003).

[27] Vgl. Lebenslauf (wie Anm. 2).

[28] Kunze hält Probepredigten in Waaren/Müritz, Frankfurt/Main und verschiedenen Gemeinden am Thüringer Rennsteig, aber die Gemeinden wählen ihn nicht. Vgl. Brief Gerhard Kunzes an Adolf Köberle, LkAH N 134.

fühlen gegenübersteht,[29] entschließt er sich zum Wechsel nach Bothfeld und versteht es, sich mit den dortigen Verhältnissen zu arrangieren.[30]

Für Gerhard Kunze beginnt nun die wirksamste Phase seines Lebens, da ihm „in der Fülle der Amtsgeschäfte eine überaus schöne und seinem Wesen entsprechende Synthese" gelingt: Die „Erfahrungen des pastoralen Dienstes mit dem zu verbinden, was sein unruhiges Herz in seiner schöpferischen Kraft vollbringen wollte".[31] In den Bothfelder Jahren forciert Kunze seine Tätigkeit als Autor,[32] Herausgeber[33] und Rezensent[34] theologischer Veröffentlichungen und Zeitschriften. Seinen Alltag beschreibt er als einen „Kampf mit dem Material",[35] wenn er beim „Sammeln, Sichten, mühseligem Suchen" und Dokumentieren unscheinbarer Forschungsgegenstände zuweilen nur „beglückendes Finden"[36] als Anerkennung verbuchen kann.

Zudem ist Kunze ab 1938 Begründer und Geschäftsführer der Evangelischen Gesellschaft für Liturgieforschung.[37]

Für Gerhard Kunze, der aufgrund seiner Verletzungen aus dem Ersten Weltkrieg körperlich stark eingeschränkt ist, wird der Schreibtisch zur zentralen Stätte seiner Wirksamkeit. In seinem Aufsatz „Pfarramt und theologische Wissenschaft"[38] rechtfertigt Kunze seine Arbeitsweise und leitet aus ihr grundsätzliche Forderungen ab.[39]

---

[29]   Vgl. Lebenslauf (wie Anm. 2). – Vgl. auch die Bemerkung im Brief Gerhard Kunzes an seine Frau vom 31. August 1933: „Gemeinde verstreut, niedersächsische Bauernhäuser, trotzdem zu 70% Arbeiter. Unsere Chance: Daß ich überall *nicht* gewählt werde!" (LkAH N 134; Hervorhebung im Original.)

[30]   In Bothfeld wird Kunze Hühnerzüchter und erhält für seine Zuchterfolge Preise. Immer wieder hält er auch Vorträge zu Fragen der Hühnerzucht (vgl. JÜRGENSEN, *Leben und Arbeiten im Seminar* [wie Anm. 23] 60).

[31]   TEBBE, *„Unruhig ist unser Herz"* (wie Anm. 20) 453.

[32]   Vgl. Gerhard KUNZE, *Das Kirchenjahr als Lebensordnung.* Berlin 1937; DERS., *Gespräch mit Berneuchen.* Göttingen 1938; DERS., *Evangelisches Kirchenbuch für Kriegszeiten.* Göttingen 1939.

[33]   Von 1937 bis 1940 ist Kunze Schriftleiter und Herausgeber der MGKK. Bei Aufnahme seiner Tätigkeit schreibt er: „Eine Zeitschrift ist kein Reichstag verflossener Prägung, wo hemmungslos jede Meinung gleichberechtigt neben jeder anderen steht [...]. Das Audiatur etc. kann nicht heißen, daß der Schriftleiter lediglich Geschäftsführer wird." (Gerhard KUNZE, *Randbemerkungen des Herausgebers,* in: MGKK 42. 1937, 76–79, hier 78.)

[34]   Gerhard Kunze rezensiert drei Jahre in der MGKK, neun Jahre in den PBl, neun Jahre in der MPTh sowie in der ThLZ und im ThLBl. Vgl. dazu KUNZE, *Non omnia possumus omnes* (wie Anm. 22).

[35]   Vgl. N.N., *Gedenkwort für Gerhard Kunze* (LkAH N 134).

[36]   KUNZE, *Randbemerkungen des Herausgebers* (wie Anm. 33) 67.

[37]   Vgl. MGKK 1938, 1. 53f, 137, 244.

[38]   In: PBl 1938/39, 281–289.

[39]   Insbesondere fordert Kunze die „Dispensierung der wissenschaftlich arbeitenden Pfarrer von übergreifenden Verwaltungs- und Standesgeschäften usw.", bekennt sich jedoch gleichzeitig zu der daraus erwachsenden „Verpflichtung, die Ergebnisse der Forschung den anderen Amtsbrüdern in brauchbarer Form zugänglich zu machen. Dafür bietet sich in erster Linie der Konferenzvortrag, in zweiter der Zeitschriftenaufsatz, in dritter die selbständige Veröffentlichung an." (KUNZE, *Pfarramt und theologische Wissenschaft* [wie Anm. 38] 287.)

1940 wird Gerhard Kunze zum Heeresdienst einberufen.[40] Die Ausübung seiner militärischen Funktion in der westlichen Bannmeile von Paris[41] erlaubt es ihm, Beziehungen zur Sorbonne und zur Bibliothèque Nationale für sein Dissertationsprojekt[42] zu nutzen. Während eines Heimaturlaubs 1942 bespricht er mit Martin Doerne (Leipzig) sein Vorhaben, „Stand und Aufgaben der Perikopenforschung" als Dissertation vorzulegen.[43]

Ende 1943 überstellt man Kunze der Führerreserve des Generalkommandos in Hannover,[44] wo er 1944 als „kriegsverwendungsunfähig"[45] aus dem Heeresdienst entlassen wird. An seiner Dissertation arbeitet Kunze noch bis 1947, da die Umstände der Nachkriegszeit, ein Wechsel in der Betreuung[46] sowie sein neues Amt als Superintendent von Hannover die Abgabe der Arbeit verzögern.

Vor und während des Krieges werden die jüngsten Kinder der Familie Kunze geboren: Katharina Gertrud (1935–1997) und Martin-Gerhard (1941). Der älteste Sohn fällt 1942, der dritte wird bis 1949 in russischer Kriegsgefangenschaft bleiben.[47]

Bis 1948 wird Gerhard Kunze sein Pastorat in Bothfeld führen, wenngleich zermürbende Auseinandersetzungen mit dem Inhaber[48] der 2. Pfarrstelle und einem Teil des Kirchenvorstandes diese Zeit überschatten.

Neben seinem Pfarramt amtiert Kunze ab Mai 1945 zunächst als Superintendent des Kirchenkreises II und wenig später als Stadtsuperintendent von Hannover.[49] Zu den vielfältigen Aufgaben dieser Ämter treten Verpflichtungen in der Landes- und Kreissynode[50] sowie in der Lutherischen Liturgischen Kon-

---

[40]   Vgl. Lebenslauf (wie Anm. 2).

[41]   Vgl. Lebenslauf (wie Anm. 2).

[42]   Diesem Vorhaben dient auch ein 20tägiger Aufenthalt Kunzes in der Erzabtei des Klosters Beuron. Vgl. Gerhard KUNZE, *Die gottesdienstliche Schriftlesung.* Teil 1: *Stand und Aufgaben der Perikopenforschung.* Göttingen 1947, 6 (Vorwort).

[43]   Vgl. KUNZE, *Die gottesdienstliche Schriftlesung* (wie Anm. 42).

[44]   Vgl. KUNZE, *Die gottesdienstliche Schriftlesung* (wie Anm. 42) 5.

[45]   Entlassungsbescheid v. 31. August 1933 (LkAH B 7 Nr. 959).

[46]   Der Abschluss der Dissertation erfolgt bei dem Göttinger Patrologen Hermann Doerries und dem damaligen Honorarprofessor für Kirchenmusik Christhard Mahrenholz (vgl. Promotionsurkunde, LkAH N 134). Zudem plant Kunze einen zweiten Teil seiner Dissertation (vgl. KUNZE, *Die gottesdienstliche Schriftlesung* [wie Anm. 42] 8), der jedoch niemals realisiert wird.

[47]   Vgl. E-Mail von Martin-Gerhard Kunze vom 13. März 2003.

[48]   Pfarrer Thum, im Dritten Reich Militärpfarrer, bringt die Gemeinden Bothfeld und Groß Buchholz gegen Gerhard Kunze auf und spaltet den Kirchenvorstand. Besonders Kunzes SPD-Mitgliedschaft wird als störend empfunden. Zudem wird behauptet, er habe keinen Zugang zur niedersächsischen Mentalität gefunden. Die Auseinandersetzungen gipfeln in mehreren Schreiben von Mitgliedern des Kirchenvorstandes an das Landeskirchenamt, in denen diese um Abberufung Kunzes aus dem Amt bitten. (Gespräch mit Erda Christine und Martin-Gerhard Kunze vom 28. Februar 2003. – Vgl. auch LkAH B 7 Nr. 959.)

[49]   Vgl. auch Nachruf im DtPfrBl 1955, 523.

[50]   Vgl. die Briefe Gerhard Kunzes an Landesbischof Hanns Lilje aus dem Jahr 1947 (LkAH L 3 III/910).

ferenz der VELKD[51] und im Liturgischen Ausschuss der EKD[52]. Die meisten Ämter, Gremien und Behörden befinden sich zu dieser Zeit erst im Aufbau.

Als „episcopus in ruinis"[53] gründet Kunze 1946 den Evangelischen Kirchenbautag[54] und befasst sich infolgedessen intensiv mit dem Zusammenhang von Lehre, Gottesdienst und Kirchenbau. Im selben Jahr übernimmt er einen Lehrauftrag für Liturgik am Seminar für kirchlichen Dienst des Deutschen Evangelischen Frauenbundes in Hannover, den er bis 1950 innehat.[55] 1948 und 1949 nimmt er an den Kirchenfunktagungen[56] des ebenfalls im Aufbau befindlichen Nordwestdeutschen Rundfunks teil und bezieht Stellung, wenn es um die Präsenz des Christlichen im Rundfunk geht.[57]

Infolge seiner Überlastung kommt es 1948 zum körperlichen Zusammenbruch. Am 1. Dezember 1948 tritt Kunze aus gesundheitlichen Gründen[58] von der Superintendentur zurück. Wenig später beantragt er die Versetzung in den Ruhestand, nachdem er sich zunächst vergeblich um eine Landpfarrstelle be-

---

[51]   Vgl. die Anwesenheitsliste der konstituierenden Sitzung vom 3.–5. Februar 1948 in Hannover (LkAH D 19 Nr. 113).

[52]   Vgl. Gerhard KUNZE, *Liturgik am Scheidewege*, in: MPTh 40. 1951, 112–122, 182–188, 233–236, 313–314, 440–447, 487–496, hier 494.

[53]   „Ich bin als Stadtsuperintendent einer grauenhaft zerstörten Großstadt, als episcopus in ruinis, in die Fragen des Wiederaufbaues nicht nur der Kirchen, sondern der Gemeinden mit geradezu brutaler Dringlichkeit hineingeführt gewesen" (Gerhard KUNZE, *Lehre, Gottesdienst und Kirchenbau in ihren gegenseitigen Beziehungen*. Bd. II. Göttingen 1960, Vorwort).

[54]   Vgl. Gerhard KUNZE, *Redende Steine. Die 7. Evangelische Kirchenbautagung, Erfurt 9.–14. Oktober 1954*, in: MPTh 43. 1954, 461–464, hier 463.

[55]   Daneben konzipiert und lehrt Kunze ein gesellschaftspolitisch-allgemeinbildendes Fach, das er „Colloquium" nennt. Am Seminar studiert auch eine Tochter Kunzes, die er 1954 zur Gemeindehelferin einsegnet. Vgl. dazu die Leiterin des Seminars: Maria WINNECKE, *In memoriam Gerhard Kunze*, in: MPTh 43. 1954, 455f.

[56]   Vgl. Gerhard KUNZE, *Unter dem Angriff der Ätherwellen*, in: MPTh 38. 1948/49, 315–320, hier 319.

[57]   In seinem Aufsatz *Rundfunkgottesdienste*, in: MPTh 42. 1953, 351–365 legt Kunze seine Wahrnehmungen aus zweijährigem Hören von Rundfunkgottesdiensten nieder. Darin befürwortet er deren Notwendigkeit, zweifelt aber an ihren Möglichkeiten. So kommt er zu dem Schluss: „Wir müssen uns darüber klar sein, daß die Sendung eines *Wortgottesdienstes* stets einen *Torso*charakter haben muß." (363; Hervorhebungen im Original.) Für ausgeschlossen hält Kunze die Übertragung einer Abendmahlsfeier im Rundfunk und ganz besonders im Fernsehen: „Ein Sakrament wird das aber nicht mehr sein, allenfalls eine telewischente [eingedeutschte, wohl ironisierende Übertragung von engl. „televisioned"; B.F.] Opferung unseres Herrn Christus. Wenn das auch nur offiziös unter uns zugelassen würde, müßte ich aus einer Kirche ausscheiden, die ihre Sakramentssubstanz an fremde Mächte ausliefert." (ebd. 364.)

[58]   Vgl. LkAH B 7 Nr. 959, mit Anfügung ärztlicher Atteste. Eine Beschreibung der Gründe für den Rücktritt findet sich in Briefen an Landesbischof Hanns Lilje (LkAH L 3 III/910): Kunze beklagt dort seine „Instinktunsicherheit" (Brief vom 15. Juni 1947) wie auch seine „innere Unruhe", angesichts schwindender Lebenskräfte wissenschaftliche Aufgaben schuldig bleiben zu müssen. In einem Brief vom 22. Dezember 1947 erwähnt er eine „große Krankenzulage", die er aufgrund seines 20%igen Untergewichts erhält.

müht und auch zum Austausch mit einem in Kriegsgefangenschaft befindlichen Geistlichen angeboten hatte.[59]

Während seines Ruhestandes bleibt er in Bothfeld, da sich in der Nachkriegszeit für die insgesamt zehnköpfige Familie keine Wohnung findet. Ihm anvertraute Aufgaben nimmt er trotz seiner Pensionierung wahr.[60] Gleichzeitig beginnt er aber auch Neues. So übernimmt Kunze 1948 den Wiederaufbau und bis 1954 die Schriftleitung der Monatschrift für Pastoraltheologie.[61] Er selbst gründet 1949 die Zeitschrift „Der Lichtblick", die jedoch über neun Ausgaben nicht hinauskommt.[62] Die Beschäftigung mit dem evangelischen Kirchenbau und dem Wiederaufbau von Kirchen bleibt bis zu seinem Lebensende aktuell.[63]

Kunze und die Leitung der hannoverschen Landeskirche sind bemüht, eine neue Anstellung für ihn zu finden. Pfarrstellenbesetzungen scheitern oft an der praktischen Umsetzung, Berufungen auf praktisch-theologische Lehrstühle[64] verlaufen im Sande.

Zum Goethe-Jubiläum 1949 muss Gerhard Kunze die Vertretung in einem Rundfunkgottesdienst übernehmen. Die Predigt wird von dem Kieler Bischof Wilhelm Halfmann am Radio verfolgt, der dadurch auf die Idee kommt, bei Kunze wegen der Leitung des holsteinischen Predigerseminars in Preetz anzufragen. Im Mai 1950 wird Kunze dort als Studiendirektor installiert.[65] Er ist für die homiletisch-liturgische Ausbildung verantwortlich, lehrt Kirchenrecht, schleswig-holsteinische Kirchengeschichte, Bekenntnisschriften, Katechetik und moderne Literatur.[66] Die Preetzer Jahre sind für Kunze die erfülltesten Jahre seines Lebens, zumal er seinen akademischen Neigungen nachgehen kann

---

[59] Vgl. LkAH B 7 Nr. 959.

[60] In einem Brief an den Präsidenten des Landeskirchenamtes, Gustav Ahlhorn, vom 17. März 1950 (LkAH N 134) erwähnt er u.a. seinen Vorsitz im Kirchenbauverein Hannover, seine Mitgliedschaft in der Kammer für kirchliche Kunst, seine Arbeit im Kuratorium des Bundes für Erwachsenenbildung, die Leitung der Arbeitsgemeinschaft für Christentum und Sozialismus sowie die Übernahme von Gottesdiensten und Vorträgen in Vertretung.

[61] Vgl. Kunze, Non omnia possumus omnes (wie Anm. 22).

[62] „Der Lichtblick" erscheint von Januar bis Oktober 1949 (bis zur Doppelnummer 5/6 mit dem Untertitel „Monatsschrift für Christentum und Kultur", ab Nummer 7 mit dem Untertitel „Monatsschrift für die evangelische Familie").

[63] Vgl. z.B. Gerhard Kunze, Evangelischer Kirchenbau vor neuen Aufgaben. Bericht über die erste Kirchenbautagung in Hannover. Göttingen 1947; ders., Vom kirchlichen Wiederaufbau. Göttingen 1949 (Sonderdruck der MPTh, Heft 7/8); ders., Der Wiederaufbau zerstörter Großstadtgemeinden, in: MPTh 38. 1948/49, 351–358; ders., Kirchen im Stadtbild, in: MPTh 38. 1948/49, 359; ders., Liturgie und Kirchenbau in ihren gegenseitigen Beziehungen, in: MPTh 38. 1948/49, 372.

[64] Die Kirchliche Hochschule Hamburg und die theologische Fakultät der Universität Heidelberg erwägen, Kunze zu berufen. Die Berufungen scheitern u.a. an Missverständnissen über den Ruhestand Kunzes. (Vgl. LkAH N 48 Nr. 266 B.)

[65] Vgl. Bestallungsurkunde (LkAH N 134).

[66] Vgl. Jürgensen, Leben und Arbeiten im Seminar (wie Anm. 23) 60.

und dadurch eine gewisse Rehabilitierung für seine vorherige, als unbefriedigend empfundene[67] Laufbahn erfährt.[68]

Auf einer Tagung der Predigerseminarleiter in Hofgeismar stirbt Gerhard Kunze am 22. Oktober 1954.[69]

2. Bildekräfte der Christuspräsenz

2.1 Die gottesdienstliche Zeit

In seinem 1954 in „Leiturgia" veröffentlichten Beitrag „Die gottesdienstliche Zeit"[70] konfrontiert Kunze das umfangreiche kirchengeschichtliche Material mit seiner These: „Der Tages-, Wochen- und Jahreslauf der Kirche ist nicht erdacht, sondern *geworden*; er ist *erwachsen*, nicht gemacht."[71] Um das Werden des Kirchenjahres anschaulich zu machen, benutzt Kunze das Bild der wildwachsenden Kiefer am Berghang: „Um einen Kern setzt ein Baum Ringe an. Es ist uns nicht wichtig, daß das alljährlich geschieht und man am Schnitt des gefällten Baumes seine Lebensdauer feststellen kann, nachdem der Tod eingetreten ist. Wichtig ist vielmehr der lebendige Vorgang selbst. Freilich stellen wir uns dabei besser nicht ein gepflegtes Gewächs einer Baumschule oder eines modernen Forstes vor, sondern eine Kiefer am Berghang, einsam, allen Winden ausgeliefert, vom Steinschlag verwundet, nie zu der Vollendung gekommen, die die Entelechie Kiefer anstrebt. Die ersten Jahresringe um den Kern herum sind noch einigermaßen ebenmäßig, aber je mehr der Baum wächst und seinen Durchmesser weitet, um so schmaler werden die Ringe an der Wetterseite, und schließlich laufen sie fast unerkennbar in die Schutzborke, während sie sich an der geschützten Seite stärker ausbilden können. Zuletzt ist es, als wenn der Baum überhaupt nicht mehr wachse, sondern nur eben noch vegetiere. Da kommt an seiner Wetterseite eine Lawine zum Stehen und lädt vor ihm eine Mauer von Geröll ab, die den Baum gegen die Stürme schützt: schon fängt er an, sich wieder und weiter zu entfalten. Bis dieses lose Mäuerlein zerfällt. Dann bleibt er, um zwei oder drei Ringe erweitert, auf dem neu erreichten Stande der Bildung stehen, ohne Kraft zur Weiterbildung, nur um die bloße Existenz kämpfend."[72]

Obwohl sich das Gebilde Kirchenjahr in seinen Wucherungen, Lücken und Rissen nach Kunze nicht erklären und darstellen lässt wie sonst ein Gegenstand wissenschaftlicher Erkenntnis, macht er es sich zum Hauptanliegen, das Phänomen Kirchenjahr „so genau wie möglich und nötig herauszuarbeiten"[73]. Dabei

---

[67] Vgl. Brief Gerhard Kunzes an Landesbischof Hanns Lilje vom 15. Juni 1947 (LkAH L 3 III/910).

[68] Vgl. Brief Gerhard Kunzes an Bischof Wilhelm Halfmann vom 3. Februar 1950 (LkAH N 134).

[69] Vgl. Nachruf im DtPfrBl 1955, 523, und JÜRGENSEN, *Leben und Arbeiten im Seminar* (wie Anm. 23) 60.

[70] Vgl. KUNZE, *Die gottesdienstliche Zeit* (wie Anm. 3). Vgl. auch DERS., *Kirchenjahr als Lebensordnung* (wie Anm. 32); 2. Aufl. 1960 mit zeitgeschichtlich bedingten Veränderungen.

[71] KUNZE, *Die gottesdienstliche Zeit* (wie Anm. 3) 438 (Hervorhebungen im Original).

[72] KUNZE, *Die gottesdienstliche Zeit* (wie Anm. 3) 438. Andernorts vergleicht Kunze den Prozess des Werdens des Kirchenjahres mit dem aus der Geschichte entnommenen Paradigma von Erbfolge und Erbverzicht (vgl. KUNZE, *Das Kirchenjahr als Lebensordnung* [wie Anm. 32] 20).

[73] KUNZE, *Die gottesdienstliche Zeit* (wie Anm. 3) 439.

geht es ihm nicht nur um eine exakte Beschreibung der Gestalt des Kirchenjahres. Kunze will sich nicht begnügen mit der „Sicht auf die *gebildete Form*",[74] sondern fragt nach den „Kräften, die gerade diese Form und sie gerade so gebildet
haben"[75]. In der Konsequenz bedeutet diese Perspektive ein „Fragen nach dem
Grunde von der Folge her", „nach der Bildekraft vom Formgebilde aus".[76] Dabei ist sich Kunze bewusst, dass ein solches Fragen immer nur mehrdeutig beantwortet werden kann,[77] wenngleich die Zahl möglicher Antworten praktisch
doch begrenzt bleibt.

Mit großer Leidenschaft widmet sich Kunze der Frage nach den ursprünglichen Bildekräften des Kirchenjahres, der er – liturgiegeschichtlich orientiert
– chronologisch nachgeht. Dabei ist es sein Ziel, die jeweils „letzterreichbare
Schicht"[78] der Bildekräfte freizulegen. In seiner durch die Jahrhunderte gehenden Darstellung unterscheidet er die „genuin christlichen Motive"[79] (Glaube,
Bekenntnis, Dogma, Schriftverständnis) und die „außerchristlichen Einflüsse"[80]
(die unterschiedlich sind je nach Zeit, Religion, Kultur). „Aber diese letzterreichbare Schicht ist im Sinne der Formbildung tatsächlich doch nur die vor-
letzte. Die letzte ist Gottes Schöpfertat selbst, anders gewendet: das fortgehende
Wirken des Heiligen Geistes unter denen, die der Vater Seinem Sohne zum Eigentum gegeben hat."[81]

Je nach Stärke und Klarheit der genuin christlichen Motive in der Zeit erblickt Kunze zunächst eine Präsenz der Bildekräfte, dann ihre „Latenz".[82] In der
Alten Kirche werden zunächst die Auferstehung Jesu und die Menschwerdung
Gottes in sonn- und werktäglichen Gottesdiensten, in Fasten- und Festzeiten
ausgestaltet. Dann versiegen die genuin christlichen Bildekräfte, werden also
latent. Gleichzeitig können heteronome Bildekräfte in den Vordergrund treten. Eine „Heteronomie der Bildekräfte"[83] erblickt Kunze etwa im Mittelalter,
wo in der Ausbildung bestimmter Fest- und Heiligentage unbiblische oder lehr-
hafte Antriebe sichtbar werden.[84] Eine andere mögliche Folge des Versiegens
der Bildekräfte ist der bloße Bestandserhalt, wie ihn Kunze in der Reformationszeit erblickt.[85] Grundsätzlich beobachtet Kunze eine Bewegung weg von den

---

[74] KUNZE, *Die gottesdienstliche Zeit* (wie Anm. 3) 439 (Hervorhebung im Original).

[75] KUNZE, *Die gottesdienstliche Zeit* (wie Anm. 3) 439.

[76] KUNZE, *Die gottesdienstliche Zeit* (wie Anm. 3) 439.

[77] Vgl. KUNZE, *Die gottesdienstliche Zeit* (wie Anm. 3) 439. – Kunze weist darauf hin, dass
man bei solchem Fragen jedes Mal gegen den zweiten syllogistischen Lehrsatz ver-
stößt.

[78] KUNZE, *Die gottesdienstliche Zeit* (wie Anm. 3) 439f.

[79] KUNZE, *Die gottesdienstliche Zeit* (wie Anm. 3) 439.

[80] KUNZE, *Die gottesdienstliche Zeit* (wie Anm. 3) 439.

[81] KUNZE, *Die gottesdienstliche Zeit* (wie Anm. 3) 440.

[82] KUNZE, *Die gottesdienstliche Zeit* (wie Anm. 3) 473.

[83] Vgl. KUNZE, *Die gottesdienstliche Zeit* (wie Anm. 3) 479.

[84] Kunze nennt als Beispiele Fronleichnamsfest, Verklärungsfest, Trinitatisfest und
Herz-Jesu-Fest (vgl. KUNZE, *Die gottesdienstliche Zeit* [wie Anm. 3] 479).

[85] „Aus dem neugeformten Lehrgebäude der Reformatoren treten Formkräfte hervor
und werden wirksam, die notwendig hätten umbilden oder neubilden müssen. In
den lutherischen Kirchen blieb aber der Bestand, den die ersten Jahrhunderte erreicht hatten, mehr oder weniger verändert erhalten" (KUNZE, *Die gottesdienstliche Zeit*
[wie Anm. 3] 514).

ursprünglichen Bildekräften hin zu formenden Sinndeutungen: „Die Bildekraft des Kirchenjahres war durch etwa fünf oder sechs Jahrhunderte hindurch
stärker als die Widerstände, erlosch allmählich, noch ehe das Gebilde vollendet war, aber wurde teilweise ersetzt durch helfendes und konstruierendes Pla-
nen. Konstruierendes Bemühen entfernt sich leicht von den ursprünglichen
Bildekräften und ersetzt sie durch Ideen, nimmt wesensfremde Bildeantrie-
be hinein. So werden Sinndeutungen zu Formbildnern für das unvollendet
Gebliebene."[86]

Sobald aber das Kirchenjahr seinen Herrn repräsentiert, werden Bildekräfte dieser Christuspräsenz frei, die den in gottesdienstlicher Zeit lebenden Menschen formen, der seinerseits wiederum der gottesdienstlichen Zeit Form gibt.[87]
So lebt der durch das Kirchenjahr geformte Mensch sein Leben wie auf einer
unendlich fortlaufenden Spirale, die ihre Mitte, bewegende Kraft und Ziel in
Gott hat.

2.2 Die gottesdienstliche Schriftlesung

Die Perikopen und ihre Verlesung im Gottesdienst machen das Kirchenjahr
zur gottesdienstlichen Zeit. Diesen inneren Zusammenhang und seine Tragweite für das gottesdienstliche Leben insgesamt zu verdeutlichen, ist Kern der
wissenschaftlichen Beschäftigung Gerhard Kunzes mit den Perikopen. Das in
dieser Arbeit zusammengetragene und historisch aufbereitete Material ist bis
heute Grundlage der Perikopenforschung.[88]

Kunzes Dissertation „Die gottesdienstliche Schriftlesung" von 1947 war ein
erster Vorstoß, Licht ins Dunkel dieses von der zeitgenössischen Liturgiewissenschaft vernachlässigten Forschungsgebietes zu bringen. Neben einer methodischen Klärung des Gegenstandes – keiner Methodik[89] – liefert er hier ein
Referat über Stand und Aufgabe der Forschung. Zudem bietet er eine Sichtung
und in Teilen auch Darbietung des zur Verfügung stehenden Materials. In der
Folgezeit dokumentieren diverse Aufsätze[90] Kunzes intensive und detaillierte
Beschäftigung mit dem Thema.

Das Ergebnis seiner Forschungen legt er schließlich mit einem stark quel-
lenkundlich orientierten Beitrag in „Leiturgia"[91] vor. Hierin stellt er zunächst

---

[86] KUNZE, *Die gottesdienstliche Zeit* (wie Anm. 3) 440.

[87] Vgl. KUNZE, *Das Kirchenjahr als Lebensordnung* (wie Anm. 32) 26.

[88] Vgl. Peter C. BLOTH, *Die Perikopen*, in: *Handbuch der Liturgik. Liturgiewissenschaft in Theologie und Praxis der Kirche*. Hg. v. Hans-Christoph SCHMIDT-LAUBER [u.a.]. 3., vollst. neu
bearb. u. erg. Aufl. Göttingen 2003, 720–730; DERS., *Schriftlesung: I. Christentum*, in:
TRE 30. 1999, 520–558; Lutz FRIEDRICHS, *Perikopen/Perikopenordnung: II. Christentum*,
in: RGG 6. 2003, 1112–1115.

[89] Eine ausgeführte Methodik kündigt Kunze für den 2. Teil der „Gottesdienstlichen
Schriftlesung" an, die er aber nicht mehr realisiert. Vgl. KUNZE, *Die gottesdienstliche
Schriftlesung* (wie Anm. 42) Vorwort, 8.

[90] Vgl. Gerhard KUNZE, *Das Kirchenjahr in der Predigt*, in: MGKK 43. 1938, 19–21; DERS.,
Evangelium und Epistel, in: MPTh 38. 1948/49, 518–528; DERS., *Die Perikope als Lesung
und Predigttext*, in: MPTh 43. 1954, 55–59. Zur Thematik vgl. außerdem: DERS., *Die Rätsel der Würzburger Epistelliste*, in: *Colligere Fragmenta. Festschrift für Alban Dold*. Hg. v. Bonifatius FISCHER OSB – Virgil FIALA OSB. Beuron 1952, 191–204.

[91] Gerhard KUNZE, *Die Lesungen*, in: Leit. 2. 1955, 87–180.

Vorerwägungen zum gottesdienstlichen und privaten Lesen der Heiligen Schrift und zum Schriftverständnis überhaupt zusammen. Dann wendet er sich der Vorgeschichte des kirchlichen Perikopenwesens zu, indem er das Lesewesen als Erbverzicht der Kirche gegenüber der Synagoge beschreibt.[92] Die Geschichte des kirchlichen Perikopenwesens kommt damit, Kunzes Ansatz entsprechend, als ein Formbildungs- und Formabstoßungsprozess in den Blick. Dabei entstehen in der Alten Kirche Bildungen, die von der „Mannigfaltigkeit zur Einheitlichkeit"[93] der gesamtkirchlichen Form führen, während Kunze den Umgang mit der Lesung im „römisch-katholischen Abendland" als Entwicklung vom „Werden" zum „Ordnen" interpretiert: „Man vergleiche einen Bauernwald mit einem Staatsforst: hier geregelter Bestand, dort Wildwuchs. Nach ihren Lebensgesetzen wachsen die Bäume hier wie dort, aber hier dürfen sie sich frei entfalten, dort werden die Lebensgesetze ‚angewendet'."[94]

Mit der Entdeckung des Wortes und dem gleichzeitigen Rückgriff auf die Frühzeit der Kirche erblickt Kunze in den lutherischen Liturgiebildungen eine Wiederbelebung der seit dem Mittelalter versiegenden Kräfte. So hat Luther etwa durch die Anpassung des Lektionstons an die Einsetzungsworte erreicht, dass diese im gleichen Sinne Verkündigung sind wie evangelische und epistolische Lesungen.[95] Umgekehrt wird durch diese Anpassung deutlich, dass die Christuspräsenz bereits durch Verlesung von Epistel und Evangelium gegeben ist.

Gleichwohl wirken Bildekräfte nicht nur in der Veränderung, sondern auch in der Beibehaltung des Überkommenen. Darin, dass Luther die altkirchlichen Perikopenreihen im Wesentlichen übernahm, sieht Kunze die tragende Kraft einer erhaltenden Ordnung, die das Weiterwirken der stiftungsgemäßen Überlieferung Jesu Christi in der Geschichte garantieren hilft.[96]

Damit bezieht Kunze Stellung zu zeitgenössischen Fragen des gottesdienstlichen Gebrauchs der Schrift wie der Frage des Perikopenzwangs oder der Diskussion um die Kriterien für Auswahl und Stellung der Perikopen. Der geistesgeschichtliche Bruch des 20. Jahrhundert lehrt ihn, dass die Perikopen immer wieder an den aus der reformatorischen Tradition erwachsenen Kriterien der Prädikabilität und Lektionabilität (und damit auch der Verständlichkeit)

---

[92] „Wir dürfen annehmen, daß die Jerusalemer Gemeinde die synagogale Leseordnung übernommen und bewahrt, aber nicht weitergegeben hat. Dieser Stamm ist abgestorben" (KUNZE, Die Lesungen [wie Anm. 91] 126).

[93] KUNZE, Die Lesungen (wie Anm. 91) 127.

[94] KUNZE, Die Lesungen (wie Anm. 91) 152.

[95] Vgl. KUNZE, Die Lesungen (wie Anm. 91) 158.

[96] Vgl. KUNZE, Die Lesungen (wie Anm. 91) 161. – Deutlich kritischer ist Kunzes Urteil über Luther im Hinblick auf die Lesungen in den Wochentagsgottesdiensten: „Die reformatorischen Kirchen haben zwar nicht grundsätzlich, aber praktisch darauf verzichtet, einen großen biblischen Lesestoff gottesdienstlich hörbar zu machen, indem sie die Wochentagsgottesdienste, die Offizien und Horen verfallen ließen" (ebd. 164). In diesem Zusammenhang könne man „Luther und seine vornehmsten Gehilfen von einer großen Unterlassungsschuld nicht freisprechen", denn diese Entwicklung habe „zu einem Verlust an gottesdienstlicher Fülle und an biblischer Substanz im Gemeindeleben geführt, dessen Schwere wohl kaum überschätzt werden kann" (ebd. 165f.).

zu prüfen sind. Nur so ist es möglich, künftigen Generationen zu erhalten, was dieser sonst leicht als unzugänglich erscheinen kann.[97]

2.3 Der gottesdienstliche Ort

Gerhard Kunze formuliert im Titel seines zweibändigen Werkes „Lehre, Gottesdienst, Kirchenbau in ihren gegenseitigen Beziehungen"[98] das heuristische Prinzip und den Ertrag[99] seiner liturgie- und baugeschichtlichen Forschungen. So gestaltet die Liturgie den ihr gemäßen Raum wie der Raum seinerseits die Liturgie gestaltet,[100] weshalb sich Gottesdienst und Kirchenbau gegenseitig deuten und verdeutlichen.[101]

Sein Anliegen kann und will Kunze nicht anders als kirchenhistorisch darstellen.[102] Dabei legt er seinem Gang durch die Geschichte des Kirchenbaus die Arbeitshypothese zugrunde, dass der frühchristliche Kirchenbau vom gottesdienstlichen Bedürfnis der Gemeinde bestimmt war. Dieses Bauen um des Ritus willen[103] fokussiert sich in dem „Verlangen, die prägnante Gegenwart Christi in der Versammlung der Gemeinde baulich auszuformen"[104]. Darin liegt zugleich „die geheime Triebfeder für alle Veränderungen und Fortbildungen, die wir an den christlichen Kirchen feststellen müssen und aus rein architektonischen und technischen Gründen heraus nicht genügend aufhellen können"[105]. Demnach lassen sich auch anhand der verschiedenen Epochen kirchlicher Baukunst Präsenz und Latenz der Form- und Bildkräfte der Christusgegenwart erkennen und beschreiben. So sind Liturgie und Raumgefühl im urchristlichen Gottesdienst auf die Gegenwart Christi im Mahl hingeordnet. Dem entspricht der um den Mahltisch kreisende Raum. Kunze erkennt darin ein liturgisches Prinzip und schlussfolgert: „Wo die Kirche den Kräften der christlichen Urzeit wesenhaft Raum gibt

---

[97] Für den Zusammenhang vgl. KUNZE, *Die Lesungen* (wie Anm. 91) 167–180.

[98] Gerhard KUNZE, *Lehre, Gottesdienst, Kirchenbau in ihren gegenseitigen Beziehungen.* Bd. I. Göttingen 1949; Bd. II (wie Anm. 53). – Der zweite Band erschien nach dem Tod Kunzes, sodass in ihm die weitere baugeschichtliche Forschung nicht berücksichtigt ist. Der Bearbeiter hat dem Band Fußnoten angefügt, die die Veränderungen in der Forschung gegenüber Kunzes Ausführungen anzeigen. Alle Zitate im Text stammen aus der (weitverbreiteten, unveränderten) Ausgabe für die DDR, Band I: Berlin 1959, Band II: Berlin 1960. – Während der Drucklegung des ersten Bandes veröffentlichte Kunze den Aufsatz „Liturgie und Kirchenbau in ihren gegenseitigen Beziehungen", in: DERS., *Vom kirchlichen Wiederaufbau* (wie Anm. 63). In diesem Aufsatz fasst Kunze das Anliegen und den Ertrag seines kirchenbaukundlichen Hauptwerkes prägnant zusammen.

[99] Vgl. KUNZE, *Lehre, Gottesdienst, Kirchenbau* Bd. I (wie Anm. 98) 2.

[100] Vgl. KUNZE, *Lehre, Gottesdienst, Kirchenbau* Bd. II (wie Anm. 53) 220. Vgl. auch KUNZE, *Evangelischer Kirchenbau vor neuen Aufgaben* (wie Anm. 63) 74.

[101] Vgl. KUNZE, *Lehre, Gottesdienst, Kirchenbau* Bd. I (wie Anm. 98) 20.

[102] „Ich werde das, meiner Art der Problemerfassung nach, nicht primär grundsätzlich, sondern geschichtlich tun" (KUNZE, *Liturgie und Kirchenbau* [wie Anm. 63] 22).

[103] Vgl. KUNZE, *Lehre, Gottesdienst, Kirchenbau* Bd. I (wie Anm. 98) 11. Vgl. auch DERS., *Liturgie und Kirchenbau* (wie Anm. 63) 25.

[104] KUNZE, *Lehre, Gottesdienst, Kirchenbau* Bd. I (wie Anm. 98) 51 (Hervorhebung im Original).

[105] KUNZE, *Lehre, Gottesdienst, Kirchenbau* Bd. I (wie Anm. 98) 51 (Hervorhebung im Original).

[...], da wehrt sie sich gegen die Longitudinale; die Communio erlischt nie völlig, darum bricht das zentrierende Raumverlangen je und dann hervor und sucht sich baulichen Ausdruck zu schaffen, jeweils mit den architektonischen Mitteln und Formen der Zeit."[106]

Somit sind die Gerichtetheit des Blickes und der Seele Perspektiven abendländischer Kultur. Durch diese Gerichtetheit entsteht – parallel zur Entwicklung der Opferlehre – der longitudinale Wegraum mit horizontaler Achse. Dieser Raum wird zudem mit Apsiden und Chören versehen, so dass der in sie gestellte Altar den Gläubigen mehr und mehr entzogen wird, bis er endlich in der Hochgotik, mit Altarschranken versehen, gänzlich selbständig, ja entrückt ist.

Diese „Sakralisierung des Heiligsten" führt nach Kunze zu einer „Inkubationszeit"[107] der Form- und Bildekräfte, bis diese – zu anderer Zeit und am anderen Ort – ihren neuen und reinen Ausdruck finden.

Die reformatorische Kirche hat nach Kunze keinen ihren liturgischen Prinzipien[108] entsprechenden Baustil entwickeln können. Zwar sei im Kanzelaltar der Versuch unternommen worden, das räumliche Ineinander der Christuspräsenz in Wort und Sakrament darzustellen, doch sei die architektonische Umsetzung durchweg misslungen. Lediglich in den Emporen kann Kunze eine gelungene Umsetzung lutherischer Liturgik in Baukunst entdecken, denn mit ihnen kehrt das kreisende Raumgefühl zurück.[109]

Im Eisenacher Regulativ ist der Zusammenhang von Lehre, Gottesdienst und Kirchenbau theologisch weder bedacht noch umgesetzt.[110] Sein Rekurs auf den gotischen Baustil ist für Gerhard Kunze inakzeptabel.

Wirkliche Fortschritte brachte für ihn erst die deutsche Architektur vor dem Zweiten Weltkrieg, so etwa die Stuttgarter Schule. Besonders in Otto Bartnings Wiederbelebung der Idee des Zentralraums konnte Kunze sein Anliegen

[106] KUNZE, *Lehre, Gottesdienst, Kirchenbau* Bd. II (wie Anm. 53) 183.

[107] KUNZE, *Lehre, Gottesdienst, Kirchenbau* Bd. II (wie Anm. 53) 157.

[108] Diese Prinzipien lauten: 1. Gott wird gegenwärtig inmitten der versammelten Gemeinde. 2. Er wird es ebenso im Wort wie im Sakrament (vgl. KUNZE, *Liturgie und Kirchenbau* [wie Anm. 63] 42).

[109] „Die reformatorische Liturgik kennt nicht das *sanctissimum extra usum*, es ist ihr ein heidnisches Greuel, darum ist ihr die reine Tiefenerstreckung der Gotik unmöglich. Sie kann aber auch nicht das Emporgerissenwerden des einzelnen, also gerade die Vereinzelung des im Gottesdienst anwesenden Christen anerkennen [...], sie sucht die Gemeinde zusammenzufassen; darum kann sie die Alleinherrschaft der Vertikale nicht vertragen. Sie braucht zum Ausdruck ihres Selbstverständnisses den ‚kreisenden Raum', dessen Mitte exzentrisch gefunden wird. [...] In der Empore wird die Horizontale zum raumgestaltenden Prinzip. Die Wand weicht vor ihr zurück, schwingt aber immer wieder bis an die Emporenbrüstung vor, und durch dieses Wechselspiel gerät der Raum selbst in eine geheimnisvolle Bewegung, die nicht anders als musikalisch oder auch als funktionsmathematisch empfunden werden kann, – was im Grunde und entwicklungsmorphologisch dasselbe ist" (KUNZE, *Lehre, Gottesdienst, Kirchenbau* Bd. II [wie Anm. 53] 236; Hervorhebung im Original).

[110] Vgl. KUNZE, *Lehre, Gottesdienst, Kirchenbau* Bd. II (wie Anm. 53) 220. Vgl. auch DERS., *Liturgie und Kirchenbau* (wie Anm. 63) 47.

wiedererkennen.[111] Als er sich nach dem Krieg theologisch und organisatorisch mit Fragen des Wiederaufbaus und Neubaus[112] von Kirchen auseinandersetzte, erblickte er in der totalen Zerstörung vieler deutscher Großstädte und ihrer Kirchen eine ähnliche Situation wie im 4. Jahrhundert.[113] Hierdurch erhoffte er sich zugleich einen Neuanfang zur Bildung eines Kirchenraums, der reformatorischen Prinzipien entsprach.

3. Ergebnis

Gerhard Kunzes liturgiewissenschaftliche Leistung liegt in seiner Grundlagenforschung. Seine behindernde und chronisch schmerzende Kriegsverletzung band seine Arbeit an den häuslichen Schreibtisch. Daraus ergab sich seine individuelle Arbeitsweise, die weniger in der Reflexion eigener Wahrnehmungen und Erfahrungen als in der akribischen Durcharbeitung umfangreicher Quellen- und Literaturbestände bestand, für die er immer wieder um Zuarbeit bat.[114] Hieraus resultierte zugleich eine historische Arbeitsweise, die er jedoch mit zahlreichen Liturgiewissenschaftlern seiner Zeit teilte.

Gleichzeitig unterscheidet er sich von diesen in zweierlei Hinsicht. Zum einen bleibt Kunze weitgehend bei der Beschreibung des ihm vorliegenden Materials und dringt nur selten zu einer eigenständigen Theoriebildung durch. Wenn sie dennoch erfolgt, dann nur ansatzweise und mit nicht immer definierter und konsequent durchgehaltener Begrifflichkeit.[115] Inhaltlich dient sie dann zumeist der Strukturierung der historischen Perspektive, seltener der Reflexion von Gegenwartsfragen, die Kunze durchweg historisch-kritisch und damit defizitorientiert behandelt.[116]

Zum anderen finden sich bei Kunze Ansätze, Liturgie als ästhetisches Phänomen zu beschreiben. Das zeigt sich etwa in seiner Wahrnehmung der Liturgiegeschichte als einer Geschichte der Formbildung und Formabstoßung, für die er bestimmte Form- und Bildekräfte verantwortlich sieht. Dabei interessieren ihn weniger die „gebildeten Formen" als die Form- und Bildekräfte selbst. Die historische Wahrnehmung liturgischer Formen wird damit ergänzt durch

[111] Für den Zusammenhang vgl. Kunze, *Der Wiederaufbau zerstörter Großstadtgemeinden* (wie Anm. 63); ders., *Vom kirchlichen Wiederaufbau* (wie Anm. 63) 4.

[112] Vgl. Kunze, *Evangelischer Kirchenbau vor neuen Aufgaben* (wie Anm. 63); ders., *Vom kirchlichen Wiederaufbau* (wie Anm. 63).

[113] Vgl. Kunze, *Der Wiederaufbau zerstörter Großstadtgemeinden* (wie Anm. 63) 13.

[114] „Wie dankbar wäre ich z. B., wenn mir Jemand [sic] die Arbeit abnehmen würde, mit Schrams Tafeln das Wintersolstitium (nach dem sich dann alle entsprechenden Jahresdaten leicht berechnen lassen) auszurechnen für Rom 354, für den 25.12. in Emesa, für Ulfila in Thrazien, die Sachsen um 790, von wann bis wann es auf den Luziatag julianisch fiel usw. Man braucht nicht einmal Logarithmen dazu, nur ein paar ungestörte Tage" (Gerhard Kunze, *Die Wissenschaft vom christlichen Gottesdienst*, in: MGKK 45. 1940, 17–24, hier 23).

[115] So etwa im Hinblick auf die Bildekräfte, die Kunze zunächst in „echte" und „fremdgesetzliche" (*Die gottesdienstliche Zeit* [wie Anm. 3] 524), dann in „theonome", „autonome" und „heteronome" differenziert (ebd. 524f), um andernorts von „legitimen" (Kunze, *Liturgik am Scheidewege* [wie Anm. 52] 113) Bildekräften zu sprechen.

[116] Vgl. etwa seine Kritik an Hans Asmussen (Gerhard Kunze, *Asmussens Gottesdienstlehre*, in: MGKK 43. 1938, 154–161) und an den Berneuchenern (Kunze, *Gespräch mit Berneuchen* [wie Anm. 32]).

eine produktionsästhetische Perspektive, die nach den Entstehungsprozessen fragt, die den Formen vorausgehen. Die formbildenden Kräfte bestimmt Kunze zwar noch ausschließlich theologisch, doch sieht er ihre Wirksamkeit in einem lebendigen Wechselspiel mit dem Menschen, durch das Formen überhaupt erst entstehen. Damit geht Kunze, vielleicht ohne es zu wollen,[117] über eine bloß historisch-dogmatisch arbeitende Liturgiewissenschaft hinaus und zeigt bereits eine Offenheit für Perspektiven, deren fachwissenschaftliche Bedeutung erst in jüngerer Zeit wieder wahrgenommen wird.

Auswahlbibliografie

Das Kirchenjahr als Lebensordnung. Berlin 1937; 2. Aufl. Hamburg 1960.

Gespräch mit Berneuchen. Göttingen 1938.

Pfarramt und theologische Wissenschaft, in: PBl 81. 1938/39, 281–289.

Die gottesdienstliche Schriftlesung. Teil 1: *Stand und Aufgaben der Perikopenforschung.* Göttingen 1947.

Vom kirchlichen Wiederaufbau. Göttingen 1949 (Sonderdruck der MPTh, Heft 7/8).

Lehre, Gottesdienst, Kirchenbau in ihren gegenseitigen Beziehungen. Bd. I. Göttingen 1949; Bd. II. Hg. v. Oskar SÖHNGEN, bearb. v. Alfred WECKWERTH. Göttingen 1960; Ausgabe für die DDR: Berlin 1959/60.

Die gottesdienstliche Zeit, in: Leit. 1. 1954, 437–534.

Die Lesungen, in: Leit. 2. 1955, 87–179.

---

[117] „Liturgiegeschichte ist darum ein eminent *theologisches* Werk, mag sie noch so sehr verquickt sein mit Archivalischem, Ästhetischem und was allem noch." (KUNZE, *Liturgik am Scheidewege* [wie Anm. 52] 441; Hervorhebung im Original.)

Ernst Lange (1927–1974)

Peter Cornehl

Gehört Ernst Lange eigentlich in diesen Band? Gewiss, er war kurze Zeit Hochschullehrer, doch im engeren Sinn Wissenschaftler, gar Liturgiewissenschaftler, war er nicht. Trotzdem wird ihm hier zu Recht ein Porträt gewidmet. Die dahinter stehende Entscheidung der Herausgeber lässt sich vielleicht so deuten: In diesem Band soll vertreten sein, wer einen relevanten Beitrag zum Verständnis des Gottesdienstes im 20. Jahrhundert geleistet hat. Es sollte ein Beitrag sein, der einen Gesamtentwurf erkennen lässt, in sich differenziert und komplex ist, ein klares theologisches Profil hat und sich anderen Konzeptionen zuordnen bzw. von ihnen abgrenzen lässt. Ein Beitrag schließlich, der eine erkennbare Wirkung gehabt hat und aus der Wissenschaftsgeschichte ökumenischer Liturgik und Homiletik der Gegenwart nicht wegzudenken ist. Legt man diese Kriterien an, darf Ernst Lange in der Tat nicht fehlen.

Ernst Lange war in der deutschen evangelischen Theologie eine singuläre Gestalt, eine charismatische Figur mit großer Ausstrahlung, ein Praktischer Theologe mit vielfachen Interessen, nicht festzulegen auf eine Fachdisziplin und nur selten länger an einem Ort tätig. Sein beruflicher Weg hatte dem entsprechend viele Stationen,[1] viele Brüche, Abbrüche, Neuanfänge.

1. Biografische Daten

Am 19. April 1927 in München geboren, arbeitete Ernst Lange nach dem Theologiestudium in Berlin und Göttingen und dem Vikariat in Berlin zunächst von 1955–58 als Verlagslektor und Ausbilder von Gemeindehelferinnen im Burckhardthaus in Gelnhausen, bevor er 1959 als Gemeindepfarrer in Berlin-Spandau zusammen mit anderen die „Ladenkirche" am Brunsbütteler Damm gründete, ein seinerzeit auch öffentlich beachtetes Kirchenreformexperiment, der Versuch, das ökumenische Dienstgruppenmodell mit dem parochialen „Normalfall" einer Ortsgemeinde zu verbinden. Lange hat diese neue Form kirchlicher Präsenz in der Großstadt nicht nur praktisch entwickelt, sondern auch schriftlich dokumentiert und theoretisch reflektiert.[2]

---

[1]   Vgl. Werner SIMPFENDÖRFER, *Ernst Lange. Versuch eines Porträts.* Berlin ²1997; außerdem Gerhard REIN, *Das Fremde soll nicht mehr fremd sein. Auf den Spuren Ernst Langes (1927–1974)*, in: PTh 76. 1987, 534–566; Jan HERMELINK, *Ernst Lange (1927–1974)*, in: TRE 20. 1990, 436–439 (Lit.); Gottfried ORTH, *Lange, Ernst*, in: RGG⁴ 5. 2002, 69.

[2]   Vgl. Ernst LANGE, *Die „Bilanz 65"*, in: DERS., *Kirche für die Welt: Aufsätze zur Theorie kirchlichen Handelns.* Hg. u. eingel. v. Rüdiger SCHLOZ in Zusammenarbeit mit Alfred BUTENUTH. München – Gelnhausen 1981 (Edition Ernst Lange 2), 63–160; ferner die Dokumentation der Predigten und Andachten und deren sorgfältige Auswertung bei Ernst LANGE, *Dem Leben trauen. Andachten und Predigten.* Hg. v. Martin BRÖKING-BORTFELDT. Rothenburg 1999; ²2002 (Außer der Reihe 9), sowie Martin BRÖKING-BORTFELDT, *Kreuz der Wirklichkeit und Horizonte der Hoffnung. Ernst Langes Predigten und*

Theologischer Ertrag ist das Buch „Chancen des Alltags. Überlegungen zur Funktion des christlichen Gottesdienstes in der Gegenwart" (1965), das die charakteristische Frühform seiner Einsichten zu Verkündigung, Gottesdienst und Gemeinde enthält.[3] 1963 übernahm Lange einen Lehrstuhl für Praktische Theologie an der Kirchlichen Hochschule in West-Berlin. Der Versuch, Lehramt und Pfarramt (offiziell nur einen Predigtauftrag) gleichzeitig zu versehen, erwies sich als Überforderung. Er wurde krank und gab seine Professur Ende des Sommersemesters 1965 wieder auf. Im Dezember 1967 beendete er auch die Arbeit in der Gemeinde.

Davor lag allerdings ein weiteres für den evangelischen Gottesdienst bedeutsames Projekt. Lange wurde Hauptimpulsgeber für das, was man später die „empirische Wende" in der Homiletik genannt hat. Zusammen mit Peter Krusche, Dietrich Rössler und Roman Roessler entwickelte er in Auseinandersetzung mit der Homiletik der Wort-Gottes-Theologie ein neues Verfahren der Predigtvorbereitung, bei dem die Klärung der „homiletischen Situation" gegenüber dem biblischen Text eine eigenständige, theologisch bedeutsame Rolle erhielt.[4] Der erste Band der „Predigtstudien" erschien im Herbst 1968. Das zugrunde liegende theoretische Konzept hatte Ernst Lange im September 1967 auf einer Tagung in Esslingen vorgetragen.[5]

Zum 1. Januar 1968 folgte er einem Ruf nach Genf zum Weltrat der Kirchen als Leiter der Abteilung für Ökumenische Aktivität und Beigeordneter Generalsekretär. In jener Zeit erlebte die Ökumene revolutionäre Umbrüche (Weltkirchenkonferenz in Uppsala 1968). Sie inhaltlich zu begleiten und organisatorisch zu verarbeiten, gehörte in Genf zu seinen Aufgaben. Die Schwer-

seine homiletische Entwicklung. Stuttgart [u.a.] 2004 (PTHe 70). Vgl. auch: *Ernst Lange weiterdenken. Impulse für die Kirche des 21. Jahrhunderts.* Hg. von Barbara DEML-GROTH – Karsten DIRKS. Berlin 2007.

[3] Stuttgart – Gelnhausen 1965 (HCiW 8). Neuauflage mit Ergänzungen und einem Nachwort von Peter CORNEHL. München 1984 (Edition Ernst Lange 4).

[4] Vgl. Jan HERMELINK, *Die homiletische Situation. Zur jüngeren Geschichte eines Predigtproblems.* Göttingen 1992 (APTh 24); Volker DREHSEN, *Predigtlegitimation im homiletischen Verfahren: Ernst Lange,* in: *Klassiker der protestantischen Predigtlehre. Einführungen in homiletische Theorieentwürfe von Luther bis Lange.* Hg. v. Christian ALBRECHT – Martin WEEBER. Tübingen 2002 (UTB 2292), 225–246.

[5] Ernst LANGE, *Zur Theorie und Praxis der Predigtarbeit,* in: *Zur Theorie und Praxis der Predigtarbeit: Bericht von einer homiletischen Arbeitstagung, September 1967.* Hg. v. Ernst LANGE in Verbindung mit Peter KRUSCHE u. Dietrich RÖSSLER. Stuttgart – Berlin 1968 (Predigtstudien. Beiheft 1), 11–46; auch in: DERS., *Predigen als Beruf. Aufsätze zu Homiletik, Liturgie und Pfarramt.* Hg. mit Nachwort v. Rüdiger SCHLOZ. München 1976, 9–67 (auch: München 1982 [Edition Ernst Lange 3], 9–48).

punkte des Engagements lagen vor allem im Bereich Bildung[6] und Kirche,[7] aber auch der Gottesdienst unter den Bedingungen der Säkularisierung war Gegenstand seines Nachdenkens.[8] Die Tätigkeit in Genf musste er ebenfalls aus Krankheitsgründen bereits 1970 wieder aufgeben. Die Themen haben ihn weiter beschäftigt.[9]

Die nächsten Jahre verbrachte Ernst Lange in einer Art kreativem Wartestand in Hessen. Er arbeitete als theologischer Berater, Beobachter und Essayist, z.T. im kirchlichen Auftrag, z.T. als freier Autor. Damals entstanden wichtige Studien, u.a. das großartige Buch „Die ökumenische Utopie", ein Bericht über die Konferenz von Glauben und Kirchenverfassung im belgischen Löwen 1971 zum Thema „Einheit der Kirchen – Einheit der Welt", in dem er auch seine ökumenischen Erfahrungen mit anderen Gottesdiensttraditionen verarbeitet hat.[10]

1973 kehrte Ernst Lange in den aktiven kirchlichen Dienst zurück und wurde zur Überraschung vieler seiner Freunde Oberkirchenrat im Kirchenamt der EKD in Hannover. Als Leiter der Studien- und Planungsgruppe war er vor allem mit der Auswertung der ersten kirchensoziologischen Untersuchung über Kirchenmitgliedschaft befasst, an deren Kommentierung er entscheidenden Anteil hatte.[11] In diese Phase, in dem sein Nachdenken schwerpunktmäßig der Volkskirche, ihren Möglichkeiten und Grenzen, galt, gehört auch ein Vortrag zum Thema Gottesdienst, den er auf dem Düsseldorfer Kirchentag 1973 unter dem eher nüchternen Arbeitstitel „Was nützt uns der Gottesdienst?" gehalten hat. Die letzten Monate in Hannover waren überschattet von den Konflikten zwischen der EKD und dem Weltrat der Kirchen im Zusammenhang mit dem Antirassismusprogramm des ÖRK.[12] Langes Bemühungen um Vermittlung im

---

6   Vgl. *Bildung ganz! Eine Einladung der 1. Internationalen Tagung des Büros für Bildungsfragen an Sie und an alle, die die Aufgaben und Probleme der Bildungsarbeit in der Welt von heute verstehen und sich über den möglichen Beitrag der Christen zu ihrer Lösung klarwerden wollen.* Hg. vom Büro für Bildungsfragen beim Ökumenischen Rat der Kirchen. Aus dem Englischen übers. v. Werner SIMPFENDÖRFER. Dt. Ausg. besorgt v. Ernst LANGE. Stuttgart – Berlin 1971; Ernst LANGE, *Leben im Wandel. Überlegungen zu einer zeitgemäßen Moral.* Gelnhausen – Berlin 1971. Die meisten religionspädagogischen Studien sind gesammelt in: Ernst LANGE, *Sprachschule für die Freiheit. Bildung als Problem und Funktion der Kirche.* Hg. u. eingel. v. Rüdiger SCHLOZ. München – Gelnhausen 1980 (Edition Ernst Lange 1). Ferner Markus RAMM, *Verantwortlich Leben. Entwicklungen in Ernst Langes Bildungskonzeptionen im Horizont von Theologie, Kirche und Gesellschaft.* Regensburg 2005.

7   Gesammelt in: LANGE, *Kirche für die Welt* (wie Anm. 2).

8   Vgl. Ernst LANGE, *Bemerkungen zur Sektion V in Uppsala,* in: ÖR 18. 1969, 211–221; entspricht: LANGE, *Predigen als Beruf 1982* (wie Anm. 5) 68–82.

9   Vgl. SIMPFENDÖRFER, *Ernst Lange* (wie Anm.1) 160–203.

10   Ernst LANGE, *Die ökumenische Utopie oder Was bewegt die ökumenische Bewegung? Am Beispiel Löwen 1971: Menscheneinheit – Kircheneinheit.* Stuttgart – Berlin 1972; nachgedruckt: München 1986 (Edition Ernst Lange 5).

11   Vgl. *„Wie stabil ist die Kirche?" Bestand und Erneuerung. Ergebnisse einer Meinungsbefragung.* Hg. v. Helmut HILD. Berlin 1974.

12   Vgl. schon die 1972 in Auftrag gegebene unveröffentlichte Rezeptionsstudie Langes, *Der „Antirassismus-Streit" in der Evangelischen Kirche in Hessen und Nassau. Möglichkeiten und Ansätze einer Konfliktanalyse,* in: DERS., *Kirche für die Welt* (wie Anm. 2) 215–266. De-

Geiste der Konziliarität wurden immer stärkeren Belastungen ausgesetzt, denen er sich am Ende nicht gewachsen fühlte. Die Krankheit holte ihn wieder ein. Am 3. Juli 1974 nahm er sich das Leben.

Dieser kurze Abriss zeigt: Ernst Lange war durch und durch ein kontextueller Theologe. Das gilt auch für seine Reflexionen über Liturgie und Predigt. Er hatte kein fertiges dogmatisches Bild vom Gottesdienst, sondern entwickelte seine Überlegungen stets von den Gegebenheiten spezifischer Handlungsfelder her, die er in den Kontext der Umbrüche der Moderne stellte. Der konkrete Ort war zunächst die Gemeinde in der Perspektive der Kirchenreform (2.). Dann die Ökumene, der globale Horizont der politischen und Veränderungen (3.). Schließlich die Volkskirche mit ihren differenzierten Formen der Partizipation am Christentum, für Lange so etwas wie das Realitätsprinzip gelebter Religion (4.).

2. Kommunikation des Evangeliums

„Kommunikation des Evangeliums" ist die wohl bekannteste Begriffsbildung Ernst Langes. Sie ist breit rezipiert worden und hat inzwischen Eingang gefunden in ganz unterschiedliche theologische Entwürfe.[13] Lange entwickelt einen spezifisch evangelischen Ansatz zum Verständnis des Gottesdienstes. In freiem Anschluss an CA VII begreift er das Grundgeschehen von Kirche als Kommunikation des Evangeliums. Gemeinde Jesu Christi ist da, wo das Evangelium verkündet wird und Glauben findet. Die Verheißung wird zugesprochen, mitgeteilt, ausgetauscht, angeeignet und weitergegeben; „promissio" und „fides", Kommunikation des Evangeliums und Kommunikation des Glaubens gehören zusammen.

Die weiträumige Fassung des Begriffs erlaubt es, auch die anderen Grundvorgänge kirchlicher Kommunikation mit einzubeziehen. So heißt es in der „Bilanz 65": „Wir sprechen von Kommunikation des Evangeliums und nicht von ‚Verkündigung' oder gar ‚Predigt', weil der Begriff das prinzipiell Dialogische des gemeinten Vorgangs akzentuiert und außerdem alle Funktionen der Gemeinde, in denen es um die Interpretation des biblischen Zeugnisses geht – von der Predigt bis zur Seelsorge und zum Konfirmandenunterricht – als Phasen und Aspekte ein- und desselben Prozesses sichtbar macht."[14]

Kommunikation des Evangeliums geschieht in vielfältigen Formen von Zeugnis und Dienst, direkteren und indirekteren, im Unterricht, Katechumenat und Erwachsenenbildung, in Diakonie und Seelsorge, in den Amtshandlungen, in der christlichen Publizistik, in Mission und Evangelisation. Das Zentrum bildet der Gottesdienst.

Versucht man, die wesentlichen Merkmale der gottesdienstlichen Kommunikation des Evangeliums und des Glaubens systematisch zu erfassen, so lassen

---

ren ekklesiologische Essenz ist enthalten in: DERS., *Überlegungen zu einer Theorie kirchlichen Handelns*, in: DERS., *Kirche für die Welt* (wie Anm. 2) 197–214.

[13] Eine der frühesten Rezeptionen findet sich bei Werner JETTER, *Symbol und Ritual. Anthropologische Elemente im Gottesdienst.* Göttingen 1978, 87–91; vgl. ferner jetzt Ingolf U. DALFERTH, *Evangelische Theologie als Interpretationspraxis. Eine systematische Orientierung.* Leipzig 2004 (ThLZ.F 11/12), 90–113. Zu Herkunft und erstem Auftauchen vgl. BRÖKING-BORTFELDT, *Kreuz der Wirklichkeit* (wie Anm. 2) 12, Anm.14.

[14] LANGE, *Kirche für die Welt* (wie Anm. 2) 101.

sich aus den frühen Texten (vor allem der „Bilanz 65", „Chancen des Alltags" und den in „Predigen als Beruf" gesammelten homiletischen Aufsätzen) etwa folgende Momente namhaft machen. Die Hauptstichworte sind Dialog, Interpretation, Relevanz.

a) Die Kommunikation des Evangeliums im Gottesdienst ist ein dialogischer Prozess.
Predigt geschieht nicht im Modus autoritärer Verlautbarung, sondern wesenhaft im Gespräch. „Ich rede mit dem Hörer über sein Leben" – „im Licht der Christusverheißung".[15] Es geht um einen Verständigungsprozess, bei dem die Hörer als eigenständige Subjekte einbezogen werden. Unverzichtbar für den gottesdienstlichen Dialog ist z.B. das Gespräch zwischen den Generationen, zwischen Menschen unterschiedlicher Glaubensprägung, unterschiedlicher sozialer Schichten und Bildungsgrade, unterschiedlicher Frömmigkeitsstile, zwischen Engagierten und Distanzierten, Fremden und Einheimischen, Frauen und Männern. Deshalb braucht der Gottesdienst die Ergänzung durch Gemeindearbeit, Katechumenat und Seelsorge. Deshalb hat nicht nur die Predigt, sondern der ganze Gottesdienst partizipatorischen Charakter, verlangt die Beteiligung möglichst vieler aus der Gemeinde an Verkündigung und Gebet, Fürbitte, an Predigtvorbereitung und Predigtkritik.[16]

b) Die Kommunikation des Evangeliums ist ein hermeneutischer Prozess, der auf Verständigung zielt.
Die Interpretation der biblischen Texte geschieht in der Spannung von Tradition und Situation. Die biblischen Texte werden interpretiert im Licht gegenwärtiger Wirklichkeit, und die Deutung der Gegenwart geschieht im Licht der biblischen Texte.[17] Die Exegese der Texte und die Exegese der Gegenwart sind zwei zusammengehörige Momente des Verstehensvorgangs, der sich im homiletischen Verfahren methodisch abbildet.[18]

Das war seinerzeit neu und heftig umstritten. Dennoch bricht Lange nicht rigoros mit der Tradition der dialektisch-theologischen Homiletik. Die Thesen, die er 1965 im Homiletischen Seminar vorgetragen hat, weisen ihn vor allem als Worttheologen in der Nachfolge der hermeneutischen Theologie Bultmanns und seiner Schüler Fuchs und Ebeling aus, auch wenn er das Verhältnis von Wort Gottes und Offenbarung im Einzelnen im Anschluss an Karl Barths doppelte Predigtdefinition von 1932 formuliert.[19] Zwei Jahre später hat er die Hermeneutik von Text und Situation stärker in der funktionalen Theoriesprache liberaler Theologie expliziert. Doch auch da besteht für ihn in der Korrelation von Tradition und Situation keine Gleichwertigkeit. Das biblische

---

15 LANGE, *Predigen als Beruf 1982* (wie Anm. 5) 58, 62.

16 Vgl. LANGE, *Kirche für die Welt* (wie Anm. 2) 111f, vgl. DERS., *Predigen als Beruf 1982* (wie Anm. 5) 50.

17 Vgl. LANGE, *Kirche für die Welt* (wie Anm. 2) 104; vgl. DERS., *Predigen als Beruf 1982* (wie Anm. 5) 27, 32.

18 Vgl. dazu HERMELINK, *Die homiletische Situation* (wie Anm. 4); Wilhelm GRÄB, *„Ich rede mit dem Hörer über sein Leben". Ernst Langes Anstöße zu einer neuen Homiletik*, in: PTh 86. 1997, 498–516.

19 Vgl. Ernst LANGE, *Thesen zu Theorie und Praxis der Predigt*, in: DERS., *Chancen des Alltags 1984* (wie Anm. 3) 321–345, 322f, vgl. dazu mein Nachwort ebd. 346–357.

Zeugnis, die Verheißung hat eindeutig den Vorrang vor der aktuellen Situationsdeutung.[20]

c) Die Kommunikation des Evangeliums im Gottesdienst geschieht in der Spannung von Relevanz und Irrelevanz; reformatorisch formuliert: von Glauben und Anfechtung; biblisch gefasst: im Horizont von Verheißung, Verrat und Bundeserneuerung.
Das Verhältnis von Relevanz und Irrelevanz der Botschaft ist von Ernst Lange anders gefasst worden als bis dahin üblich. Für Lange liegt die Herausforderung nicht primär exegetisch-hermeneutisch in der kognitiven Problematik der Vereinbarkeit des biblischen Menschen- und Weltbildes mit der Weltauffassung des „modernen" Menschen, also im Traditionszusammenhang der Debatten um Entmythologisierung und existenziale Interpretation. Lange denkt Relevanz und Irrelevanz auch nicht primär dogmatisch, am Leitfaden der Frage nach der Geltung der altreformatorischen Christologie, Soteriologie und Gotteslehre in der Auseinandersetzung mit der neuzeitlichen Autonomie und Immanenz, also in Weiterführung des Kontroversen zwischen liberaler Theologie und konfessioneller Neoorthodoxie, er vertritt nicht einfach das Programm einer subjektivitätstheologischen Neufassung der Glaubenslehre. Die eigentliche Herausforderung, an der sich die Irrelevanzerfahrung zuspitzt, liegt für ihn in der Relation zwischen Verheißung und Wirklichkeit. Durch die Weise, wie er den reformatorischen Begriff der Anfechtung einführt, wird die Kommunikation des Evangeliums im Gottesdienst in ihrer zugleich existenziellen wie strukturellen Dynamik erkennbar. Lange spricht von Anfechtung im Zusammenhang dessen, was er den „Widerstand" der Realität gegen die Verheißung nennt.

Dazu gehören persönliches Geschick und Zeitgeschick, die problematische Wirkungsgeschichte des Christentums, historische Versäumnisse, politisches Versagen der Kirche und vieles andere. Dieser Widerstand ist „das Ensemble der Enttäuschungen und Ängste, der versäumten Entscheidungen, der vertanen Gelegenheiten der Liebe, der Einsprüche verletzter Gewissen, der Verweigerung von Freiheit und Gehorsam, der schlechten Erfahrungen von Christentum mit der Welt, mit der Gemeinde und mit sich selbst. Er verkörpert die Resignation des Glaubens angesichts der Verheißungslosigkeit des alltäglichen Daseins in ihren verschiedenen Gestalten als Zweifel, Skepsis, Zynismus, Quietismus, Trägheit, Stumpfheit, Verzweiflung – die Kapitulation des Glaubens vor der Unausweichlichkeit der Tatsachen. Er ist das, was jetzt und hier vielstimmig gegen Gott, gegen die Vertrauenswürdigkeit Gottes und gegen die Möglichkeit, den Sinn des Gehorsams spricht."[21]

[20] Gegen Rudolf BOHREN, *Die Differenz zwischen Meinen und Sagen. Anmerkungen zu Ernst Lange, Predigen als Beruf*, in: PTh 70. 1981, 416–430. Vgl. dazu auch Peter KRUSCHE, *Die Schwierigkeit, Ernst Lange zu verstehen. Anmerkungen zu dem Versuch von Rudolf Bohren*, ebd. 430–441; Peter CORNEHL, *Nachwort*, in: LANGE, Chancen des Alltags 1984 (wie Anm. 3) 346–350; Wilfried ENGEMANN, *Einführung in die Homiletik*. Tübingen – Basel 2002 (UTB 2128), 380f, sowie die kritischen Bemerkungen von Peter ZIMMERLING, „*Dem Wunder den Weg bereiten". Ernst Lange und die Kunst des Predigens*, in: *Ernst Lange weiterdenken* (wie Anm. 2) 95–100.

[21] ENGEMANN, *Einführung in die Homiletik* (wie Anm. 20) 24f. Zur Anfechtungsthematik bei Lange genauer ebd. 380f; HERMELINK, *Die homiletische Situation* (wie Anm. 4) 171–175.

Die eigentliche Herausforderung von Predigt und Gottesdienst besteht darin, in dieser Situation „Verheißung und Wirklichkeit miteinander zu versprechen", und zwar so, „daß verständlich wird, wie die Christusverheißung auch und gerade diese den Glauben bedrängende Wirklichkeit betrifft, aufbricht, in ihrer Bedeutung für den Glaubenden verändert und wie umgekehrt auch und gerade diese ihn umgebende Wirklichkeit im Licht der Verheißung auf eine eigentümliche Weise *für* Gott, *für* den Glauben und seinen Gehorsam in Liebe und Hoffnung zu sprechen beginnt"[22].

In „Chancen des Alltags" beschreibt Lange die Funktion des Gottesdienstes biblisch-theologisch im Zusammenhang der Gottesgeschichte Israels, letztgültig in der Geschichte Jesu, seiner Verkündigung und Praxis, der Infragestellung des Glaubens durch Passion und Karfreitag und seiner Neubegründung an Ostern als dem Ort, wo der angefochtene Glaube von Gott selbst seine neue Ermächtigung erfährt. Leitbegriff ist der Gottesdienst als „Bundeserneuerung".[23] Das Grundgeschehen der Kommunikation, der Dreischritt Glauben, Anfechtung, Erneuerung, prägt auch unter den Bedingungen der modernen Welt Wesen und Auftrag des Gottesdienstes.

Die Einzelheiten des Entwurfs können an dieser Stelle nicht weiter dargelegt und auf ihre systematische Konsistenz hin überprüft werden.[24] Er ist als Ganzes nach wie vor faszinierend und verdiente eine neue Übersetzung in die veränderte Situation des beginnenden 21. Jahrhunderts.

Es ist im Übrigen ein kritischer Entwurf mit deutlichen Frontstellungen. Ernst Lange hat als einer der ersten in den 1960er Jahren die Konsequenzen der gesellschaftlichen Veränderungen für den Gottesdienst diskutiert.[25] Er hat die konservative Ausrichtung der liturgischen Erneuerung kritisiert, die mit antimodernistischen Affekten zu einer ungeschichtlichen Restauration der reformatorischen Gottesdienstordnungen in der Nachkriegszeit geführt hat. Er sah in der Agendenreform den Rückzug der Liturgie aus der Welt in die „heilige Zone" und fand die vorherrschende „Wagenburgmentalität"[26] verfehlt. Aber er hat mit ähnlicher Schärfe auch das bei den progressiven Kirchenreformern verbreitete Avantgardepathos kritisiert, mit dem man sich von der Ortsgemeinde verabschiedete, das volkskirchlich geprägte Mehrheitschristentum der distanzierten Kirchenmitglieder abschrieb und sich ganz auf die kleinen, engagierten, mobilen Dienstgruppen, Kommunitäten und ihre gruppengemeinschaftlichen Gottesdienstformen konzentrierte. Langes Analyse der Situation besticht durch große Wirklichkeitsnähe und die Fähigkeit, z.B. im Blick auf die Parochie nicht nur die Krisen, sondern vor allem die Chancen der Ortsgemeinde als Normalfall des Glaubens in der alltäglichen Wohnwelt wahrzunehmen und praktisch zur Geltung zu bringen. Die Verbindung von erfahrungsgesä-

[22] LANGE, *Predigen als Beruf 1982* (wie Anm. 5) 27.
[23] Vgl. LANGE, *Chancen des Alltags 1984* (wie Anm. 3) 161–177, 316–321.
[24] Einige Bemerkungen dazu im Nachwort zu LANGE, *Chancen des Alltags 1984* (wie Anm. 3) 354–357.
[25] Vgl. Peter CORNEHL, *Liturgik im Übergang. Eine Zwischenbilanz*, in: ThPr 6. 1971, 382–399.
[26] Vgl. besonders LANGE, *Chancen des Alltags 1984* (wie Anm. 3) 56–64.

tigtem Realismus und biblisch gegründeter Verheißungsdynamik macht den Entwurf einzigartig – damals wie heute. Das gilt auch, wenn sich manche seiner Einschätzungen der Lage und manche seiner Vorschläge im Nachherein als zeittypisch herausstellen und heute neu gefasst, korrigiert, erweitert und verändert werden müssten.[27]

Dabei sind es immer wieder die inhaltlichen Konkretionen, die Langes Texte so überzeugend machen. Er war eben nicht nur ein kluger Beobachter und theologischer Intellektueller, er war auch ein ingeniöser Gemeindepfarrer und Prediger. Eine Fundgrube sind die Predigten, Seminarkonzepte und Stellungnahmen aus der Berliner Zeit, deren Reichtum durch die intensiven Recherchen von Martin Bröking-Bortfeldt erschlossen worden ist, der zahlreiche verschollen geglaubte Manuskripte aufgespürt, ediert und mit großer Sorgfalt kommentiert hat, so dass wir inzwischen auch über die materialen Konturen von Langes Gottesdienstpraxis sehr viel genauer informiert sind.[28] Hier liegen noch Schätze!

3. Die ökumenische Utopie und der Gottesdienst

Ernst Lange war ein kontextueller Theologe. Das gilt auch für die Arbeiten, die er in Genf verfasst bzw. in denen er seine Einsichten in die Relevanz der Ökumene für Kirche und Gottesdienst reflektiert hat. Das Hauptinteresse galt – wie angedeutet – der Bildungsfrage, der Befreiung der Gewissen, der Überwindung der parochialen Engführung des kirchlichen Bewusstseins.[29] In „Die Ökumenische Utopie"[30] sind Gottesdienst und Sakramente nur Teilthemen. Dennoch enthält das Buch eine Fülle von bemerkenswerten Beobachtungen und Schlussfolgerungen.[31] Vor allem hat er in Genf die Bedeutung des „katholischen Typs" von Liturgie,[32] genauer: der römisch-katholischen, orthodoxen und anglikanischen Gottesdiensttraditionen, entdeckt. Damit erweiterte sich für ihn die homiletische Perspektive, wie sie für den Ansatz reformatorischer Homiletik und Liturgik charakteristisch ist, um die sakramentale Dimension des gottesdienstlichen Geschehens. Lange entdeckte die Kraft der jahrhundertealten institutionellen Gestalten der Liturgie, ihre Würde und Schönheit.

---

[27] Vgl. dazu Peter CORNEHL – Wolfgang GRÜNBERG, „Plädoyer für den Normalfall" – Chancen der Ortsgemeinde. Überlegungen im Anschluss an Ernst Lange, in: „... was es bedeutet, verletzbarer Mensch zu sein". Erziehungswissenschaft im Gespräch mit Theologie, Philosophie und Gesellschaftstheorie. Helmut Peukert zum 65. Geburtstag. Hg. v. Sönke ABELDT [u.a.]. Mainz 2000, 119–134.

[28] Vgl. BRÖKING-BORTFELDT, Kreuz der Wirklichkeit (wie Anm. 2); LANGE, Dem Leben trauen (wie Anm. 2).

[29] Vgl. LANGE, Sprachschule für die Freiheit (wie Anm. 6). Vgl. Wolfgang GRÜNBERG, Bildung als Strategie gegen den Tod. Theologie und Pädagogik bei Ernst Lange und Paolo Freire, in: PTh 86. 1997, 517–528; zum Kirchenbegriff: Peter CORNEHL, „Das Konziliaritätsmodell ist und bleibt vielversprechend". Zur Aktualität von Ernst Langes Kirchentheorie, ebd. 540–566.

[30] Vgl. Anm. 10.

[31] Vgl. zur sakramentalen Praxis LANGE, Die ökumenische Utopie 1986 (wie Anm. 10) 65–78; zur Taufe 67–69, zur Eucharistie 72–75. Lange sieht in den Texten von Löwen eine stringente Weiterentwicklung der Beschlüsse von Uppsala.

[32] LANGE, Die ökumenische Utopie (wie Anm. 10) 30.

Umso bitterer ist die Erfahrung bei ökumenischen Konferenzen, von dieser Wirklichkeit faktisch ausgeschlossen zu sein.[33] Der Widerspruch zwischen Authentizität und Ausschluss, zum Beispiel beim Miterleben einer katholischen Messe, ist schwer erträglich.[34] Dennoch ist bei aller Zerrissenheit, die gerade im liturgischen Leben der Kirchen sichtbar wird, die Erkenntnis von der zentralen Bedeutung des Gottesdienstes und der Sakramente nicht nur für die Kirche, sondern für die Welt so etwas wie der Motor seines Nachdenkens.

Welche Rolle dabei dem Abendmahl zukommt, hat Ernst Lange in einem Vortrag entfaltet, den er noch in Berlin im Juni 1969 gehalten hat und der erst vor kurzem zugänglich gemacht worden ist.[35] Als Mysterienfeier ist das Abendmahl jahrhundertelang missverstanden worden,[36] als das messianische Mahl Jesu Christi hat es Zukunft – dann nämlich, wenn es gelingt, die Feier, in Anknüpfung und kritischer Überbietung, auf die elementaren Hoffnungen der gegenwärtigen Menschheit zu beziehen. Das Abendmahl „korrespondiert den Hoffnungen der gegenwärtigen Menschheit"[37]: Es antizipiert die Hoffnung auf Einheit, auf die Überwindung trennender Grenzen (Gal. 3,27), auf Frieden. Es „feiert den festlichen Überfluss des Daseins, die Fülle der Güter, die für alle ausreicht". Es gewährt Teilhabe und geschwisterliche Gleichheit aller am Tisch Jesu (die Abendmahlsgemeinschaft ist „die demokratischste Tischrunde, die man sich denken kann"). Es fördert die Entfaltung der Charismen und den „freien Fluß der schöpferischen Kräfte".

Allerdings: Korrespondenz ist nicht Identität. Das Abendmahl ist nicht einfach die Antwort auf alle Fragen der Menschen, es hat auch eine kritische Funktion, ist auch ein „polemisches Zeichen".

„Mit der Einheit, die er verheißt, wird Christus immer quer stehen zu allen Einheitsvorstellungen, Einheitssehnsüchten und Einheitsentwürfen der Menschen. Denn seine Einheit wird die einschließen, die jeder menschliche Einheitsentwurf ausschließen muß: eben die Sünder gegen die Einheit. Und seine Einheit lebt vom Opfer, während die Einheitsentwürfe der Menschen vom erleuchteten Selbstinteresse leben." Auch hier gilt: „Das Abendmahl hat seinen Sitz an der Stelle, wo bei den Zeitgenossen die Resignation anfängt, christlich gesprochen, die Anfechtung."[38] „Es bricht den Bann der Resignation, der Trau-

---

[33] Vgl. die drastischen Schilderungen in LANGE, *Die ökumenische Utopie* (wie Anm. 10) 34–37.

[34] „Mit Ausnahme zweier oder dreier Gebetsformulierungen kann man alles mitvollziehen. Und man möchte es mitvollziehen, nicht aus Sentimentalität, nicht aus Einheitsnostalgie, sondern weil es authentisch ist, würdig, voller wirklicher Spannung, nicht ‚modern', sondern aktuell, ebenso frei von subjektivistischer Willkür wie von ritualistischer Erstarrung. ... Aber man wird in die Rolle des Zuschauers bei einer Aufführung abgedrängt, man ist nicht ganz ‚in' und nicht ganz ‚out'. ... man wird nicht nach Hause geschickt, man darf gern zusehen, wie die andern ihre Feste feiern, nur leider, ein Platz am Tisch ist da nicht." (LANGE, *Die ökumenische Utopie* [wie Anm. 10] 35f.)

[35] Ernst LANGE, *Bemerkungen zum Abendmahl heute. Mit einer Einführung von Rüdiger Schloz*, in: PTh 91. 2002, 346–360.

[36] Vgl. LANGE, *Bemerkungen zum Abendmahl heute* (wie Anm. 35) 350–354.

[37] LANGE, *Bemerkungen zum Abendmahl heute* (wie Anm. 35) 355.

[38] LANGE, *Bemerkungen zum Abendmahl heute* (wie Anm. 35) 356.

rigkeit, des Sich-Fügens in die Schwäche, ins Versagen, des Aufgebens der Zukunft und in dem allen des Glaubens an die Allmacht des Todes."

Schließlich ist das Abendmahl ein eschatologisches Zeichen. Es ist „die Feier des Kommenden", und dies so, „dass die Verheißung Gottes in Anspruch genommen wird im Feiern, *und* die menschliche Verantwortung als *missio* bekräftigt wird"[39].

Drei Formen der Abendmahlsfeier sind es, die nach Ernst Langes Ansicht heute besonders aktuell sind: das diakonische Abendmahl in der Dienstgruppe, das Abendmahl in der Konfliktsituation und (erstaunlicherweise) das Abendmahl am Kranken- oder Sterbebett.[40] Der „eigentliche Testfall" ist der Konflikt: „Das Abendmahl gehört in die Konfliktzonen des Lebens."[41]

4. Liturgie: Identität, Distanz, Feier und Spiel – eine letzte Perspektive

Ernst Lange war ein kontextueller Theologe. Ohne die gemeindebezogenen Einsichten und die ökumenisch-politischen Optionen zurückzunehmen, hat er sich in der letzten Phase seines Wirkens auf die volkskirchlichen Verhältnisse in der Bundesrepublik Deutschland eingelassen – in eher theoretischer Perspektive. Zusammen mit dem Theologen und Soziologen Rüdiger Schloz hat er in der Kommentierung der Befunde der ersten Kirchenmitgliedschaftsuntersuchung der EKD neue Akzente gesetzt. In Weiterführung der Ansätze des Religionssoziologen Joachim Matthes hat er besonders die strukturelle Relevanz der lebenszyklischen Amtshandlungen für Kirchenverhältnis und Kirchenbindung der Mehrheit der volkskirchlich orientierten Mitglieder herausgestellt und die Kasualfrömmigkeit als eine eigene und legitime Weise, Christsein zu praktizieren, gewürdigt.[42] Deshalb scheint es nicht von ungefähr, dass sich in seinem letzten Vortrag zum Thema Gottesdienst auf dem Düsseldorfer evangelischen Kirchentag 1973 Überlegungen finden, in denen auch der Aspekt der Distanz eine wichtige Rolle spielt. In diesem viel beachteten Vortrag hat er das Wesen

[39] LANGE, *Bemerkungen zum Abendmahl heute* (wie Anm. 35) 357.

[40] „Das Abendmahl gehört überall da hin, wo der Mensch bedroht ist in seiner Menschlichkeit, also auch hierhin, wo er bedroht ist vom letzten Feind." (LANGE, *Bemerkungen zum Abendmahl heute* [wie Anm. 35] 359.)

[41] LANGE, *Bemerkungen zum Abendmahl heute* (wie Anm. 35) 358. Im Vortrag von 1969 spürt man noch die Ungeduld und das provokative Pathos von 1968, vor allem in Sachen Interkommunion. „Laßt uns den Frieden vorwegnehmen, wo wir können, auf daß er komme, wie wir erhoffen. Solche Vorwegnahmen sind keineswegs nur symbolische Akte. Sie schaffen ein Stück Wirklichkeit des kommenden Friedens im gegenwärtigen Unfrieden. Sie schaffen einen Sog, ja sogar einen Meinungsdruck, der Christen nicht verboten ist." In „Die ökumenische Utopie" dagegen warnt Lange davor, den schon erreichten Konsens durch spektakuläre Aktionen zu gefährden und die Kirchen „zum ökumenischen Fortschritt zu zwingen": „Gewaltsame Lösungen sind schlecht, denn sie zerstören die Gesprächsbasis." (LANGE, *Die ökumenische Utopie* [wie Anm. 10] 13.)

[42] Vgl. *Wie stabil ist die Kirche?* (wie Anm. 11), bes. 233–241: *Gottesdienst und Lebenszyklus.* Dazu die grundlegende Abhandlung von Joachim MATTHES, *Volkskirchliche Amtshandlungen, Lebenszyklus und Lebensgeschichte. Überlegungen zur Struktur volkskirchlichen Teilnahmeverhaltens*, in: *Erneuerung der Kirche. Stabilität als Chance? Konsequenzen aus einer Umfrage.* Hg. v. Joachim MATTHES. Gelnhausen – Berlin 1975, 83–112.

der Liturgie mit vier Begriffen charakterisiert: Identität, Distanz, Feier und Spiel.

Lange definiert den Gottesdienst als Feier einer Begegnung, der Begegnung des Menschen mit Gott, genauer: der „dauerhaften Verabredung zwischen den nach ihrer Religion suchenden Menschen und dem Menschen suchenden Gott Jesu"[43]. Doch wo findet diese Begegnung heute noch statt? Offenbar für viele Christen hierzulande nicht mehr im sonntäglichen Gottesdienst der Ortsgemeinde. In dieser Hinsicht praktiziert die Mehrheit eine distanzierte Kirchlichkeit. Doch Distanz ist nur die eine Seite der Beziehung zum Gottesdienst. Die andere Seite besteht in der überaus regen Teilnahme an Gottesdiensten: bei den lebensgeschichtlichen Amtshandlungen und an den großen Kirchenjahresfesten. Dabei zeigt sich auch die positive Seite der Distanz, die die Suche der Menschen nach Religion kennzeichnet: die Fähigkeit zur Distanzierung von den Festlegungen, Zwängen und Verkrüppelungen des Alltags. Distanz enthält, so gesehen, ein kritisches Moment von Transzendierung. Kult ist auch Freiraum, „Raum für das Ekstatische, für das nichtzugelassene Sinnliche und sein Gegenbild, das Asketische, für das Nutzlose und Unnütze, das Festliche und das Spielerische"[44]. Gottesdienst ist Feier. „Menschen suchen nach Religion, weil sie Möglichkeiten suchen, das Dasein zu *feiern*. Und das *ist* lebenswichtig."[45] Erstmals betont Ernst Lange so emphatisch das Wesen der Liturgie als Fest und Feier. Er erschließt damit eine Dimension des gottesdienstlichen Handelns, die über das etwas Angestrengte der früheren Sichtweise hinausweist. Und er gibt dem eine christologische Begründung. Der Ursprung der urchristlichen Gottesdienste liegt in der festlichen Feier der Mahlgemeinschaft Jesu, die an Ostern erneuert wird: „Der Vorgang Jesu *ist* das Fest des Menschen, und die Liturgie ist, ihrem tiefsten Sinn nach, die erinnernde Wiederholung, die Wiederaufführung dieses Festes."[46] Deshalb gehört zur Erneuerung des Gottesdienstes seine Erneuerung als Spiel. Und da wird wiederum das Abendmahl, die Eucharistie begreiflich als Spiel – „das gewaltigste Spiel, das je erfunden wurde. Es ist der Ritus, in dem Menschen Reich Gottes spielen, in dem sie das radikal Ausstehende der Erfüllung vorwegnehmen, in dem sie ihre Vollendung und die Vollendung der Welt vorwegnehmen und um Jesu willen so tun, sich so verhalten, als gäbe es all die Trennungen und Verkrüppelungen nicht, die unser Zusammenleben kaputtmachen"[47].

Von der Wiederentdeckung der Liturgie als Spiel, Fest und Feier erhofft sich Ernst Lange einen Ausweg aus den Sackgassen zeitgenössischer Liturgiereform und eine Überwindung der Alternative von restaurativem Traditionalismus oder „der zerquälten Moralisierung und Ethisierung des Gottesdienstes"[48].

[43] LANGE, *Predigen als Beruf 1982* (wie Anm. 5) 83f.

[44] LANGE, *Predigen als Beruf 1982* (wie Anm. 5) 86.

[45] LANGE, *Predigen als Beruf 1982* (wie Anm. 5) 88. Vgl. die schöne Beschreibung in den näheren Ausführungen ebd.

[46] LANGE, *Predigen als Beruf 1982* (wie Anm. 5) 89.

[47] LANGE, *Predigen als Beruf 1982* (wie Anm. 5) 90.

[48] „... als wäre er nur eine Art Lagebesprechung, ein Entscheidungs- und Auswertungsprozeß, ein Moment der christlichen Aktion" (LANGE, *Predigen als Beruf 1982* [wie Anm. 5] 93).

Es ist sicher kein Zufall, dass er sein Referat in Düsseldorf einen Tag vor dem Ereignis gehalten hat, das unter dem Titel „Liturgische Nacht" einer größeren Kirchentagsöffentlichkeit ein neues Erlebnis von festlich-überschwänglicher gottesdienstlicher Feier vermittelt hat – wenig später wird er davon in einer Morgenandacht im EKD-Kirchenamt tief berührt und begeistert berichten.[49]

Die Suche nach dem Gottesdienst der Zukunft ist immer noch im Gange. Ernst Lange hat dafür Impulse gegeben, die nachhaltige Wirkungen gehabt haben und immer noch unabgegolten sind. Der letzte Satz des Düsseldorfer Vortrages klingt wie ein Vermächtnis: „Gesucht ist ein Gottesdienst, der das Spiel vom kommenden Frieden, vom verheißenen Frieden des Gottesreiches so inszeniert, daß Menschen Mut gewinnen, den Möglichkeiten des Friedens heute, morgen und übermorgen mehr zu trauen und darum auch mehr dafür zu tun."[50]

Auswahlbibliografie

„Man resigniert nicht, man prosigniert". Die Bibliographie der Schriften Ernst Langes. Zusammengestellt v. Jaap VAN DER LAAN. Mit begleitenden Texten von Gottfried ORTH [...] Hg. v. Gottfried ORTH im Auftrag des Ernst-Lange-Instituts für Ökumenische Studien. Rothenburg o.d.T. 1994 (Ökumenische Materialien 8).

Ernst LANGE, Dem Leben trauen. Andachten und Predigten. Hg. von Martin BRÖKING-BORT-FELDT. Rothenburg 1999, ²2002 (Außer der Reihe 9).

Ernst-Lange-Lesebuch. Von der Utopie einer verbesserlichen Welt. Texte. Hg. von Georg Friedrich PFÄFFLIN – Helmut RUPPEL. Berlin 1999, ²2007.

Eine Sammlung ausgewählter Briefe von und an Ernst Lange wird von Markus RAMM vorbereitet und soll 2011 erscheinen.

---

[49]   „Mein tiefstes Erlebnis in diesem Jahr war die liturgische Nacht auf dem Kirchentag in Düsseldorf." In: LANGE, Dem Leben trauen 2002 (wie Anm. 2) 366f. Vgl. die Auswertung in: Liturgische Nacht. Ein Werkbuch. Hg. v. Arbeitskreis für Gottesdienst und Kommunikation. Wuppertal 1974.

[50]   LANGE, Predigen als Beruf 1982 (wie Anm. 5) 95.